Fachbücher als E-Book downloaden!

Im E-Book recherchieren Sie in Sekundenschnelle die gewünschten Themen und Textpassagen, da das E-Book mit einer komfortablen Volltextsuche ausgestattet ist.

Laden Sie sich gleich Ihren persönlichen E-Book-Titel herunter:

www.vde-verlag.de/ebooks

Viel Spaß beim Lesen!

DIN-VDE-Taschen

DIN-VDE-Taschenbuch 531

Dokumentation in der Elektrotechnik

Kennzeichnungsaufgaben

3. Auflage
Stand der abgedruckten Normen: August 2015

Herausgeber: DIN Deutsches Institut für Normung e. V.
VDE Verband der Elektrotechnik Elektronik Informationstechnik e. V.

Beuth
Beuth Verlag GmbH · Berlin · Wien · Zürich

VDE VERLAG
VDE VERLAG GMBH · Berlin · Offenbach

© 2015 Beuth Verlag GmbH
Berlin · Wien · Zürich
Am DIN-Platz
Burggrafenstraße 6
10787 Berlin

VDE VERLAG GMBH
Berlin · Offenbach
Bismarckstraße 33
10625 Berlin
oder Postfach 12 01 43, 10591 Berlin

Telefon: +49 30 2601-0
Telefax: +49 30 2601-1260
Internet: www.beuth.de
E-Mail: kundenservice@beuth.de

Telefon: +49 30 348001-1000 (Zentrale)
Telefax: +49 30 348001-9088
Internet: www.vde-verlag.de
E-Mail: kundenservice@vde-verlag.de

Das Werk einschließlich aller seiner Teile ist urheberrechtlich geschützt. Jede Verwertung außerhalb der Grenzen des Urheberrechts ist ohne schriftliche Zustimmung des Verlages unzulässig und strafbar. Das gilt insbesondere für Vervielfältigungen, Übersetzungen, Mikroverfilmungen und die Einspeicherung in elektronische Systeme.

© für DIN-Normen   DIN Deutsches Institut für Normung e. V., Berlin.
© für VDE-Normen   VDE Verband der Elektrotechnik Elektronik Informationstechnik e. V.

Die im Werk enthaltenen Inhalte wurden vom Verfasser und Verlag sorgfältig erarbeitet und geprüft. Eine Gewährleistung für die Richtigkeit des Inhalts wird gleichwohl nicht übernommen. Der Verlag haftet nur für Schäden, die auf Vorsatz oder grobe Fahrlässigkeit seitens des Verlages zurückzuführen sind. Im Übrigen ist die Haftung ausgeschlossen.

Satz: B & B Fachübersetzergesellschaft mbH, Berlin
Druck: Medienhaus Plump GmbH, Rheinbreitbach
Gedruckt auf säurefreiem, alterungsbeständigem Papier nach DIN EN ISO 9706

ISBN   978-3-410-25823-0   (Beuth Verlag)
ISBN (E-Book) 978-3-410-25824-7   (Beuth Verlag)
ISBN   978-3-8007-4086-4   (VDE VERLAG)
ISBN (E-Book) 978-3-8007-4087-1   (VDE VERLAG)

Vorwort zur Reihe „Dokumentation in der Elektrotechnik"

Die Umsetzung von Ideen in Produkte und Systeme erfordert je nach Komplexität der Aufgabe mehr oder minder umfangreiche Angaben (Informationen). Diese Informationen müssen von der ersten Idee an über Entwicklung, Fertigung, Vertrieb, Inbetriebnahme, Wartung bis hin zur Instandhaltung und ggf. Entsorgung zweckbezogen übermittelt werden. Damit ein Produkt kostengünstig hergestellt und wirtschaftlich eingesetzt werden kann, müssen bestimmte Voraussetzungen erfüllt und dokumentiert sein. Diese Dokumentation muss von allen mit dem Produkt im Laufe seines Lebenszyklus in Berührung kommenden Beteiligten über Jahre, in manchen Fällen sogar über Jahrzehnte, lesbar, nachvollziehbar und verstehbar sein. Dazu bedarf es allgemeiner, anerkannter Regeln, die den geografischen Wirtschaftsraum der Produktverbreitung abdecken und innerhalb genannter Zeiträume stabil und allgemein zugänglich sind; Anforderungen an Normen, die durch eine internationale Normung erfüllt werden können.

Die im Laufe des Entstehungsprozesses bzw. sogar die über den gesamten Lebenszyklus des Produkts anfallenden produktrelevanten Informationen müssen eine durchgängige Informationskette bilden. Diese Informationskette:

- darf nicht abreißen,
- muss lückenlos sein,
- muss die Forderung nach Klarheit und Einheitlichkeit in Darstellung und Informationsinhalt erfüllen,
- muss von allen Beteiligten verstanden und korrekt ausgewertet werden können und
- sollte das benötigte/erforderliche Maß an Informationssicherheit bieten.

Zur Vereinfachung der technischen Kommunikation über das Produkt wird eine festgelegte Verständigungsgrundlage benötigt, die als Schnittstelle zwischen den beteiligten Partnern in den einzelnen Phasen des Lebenszyklus des Produktes fungiert. Für den Bereich der Elektrotechnik sind Festlegungen zu dieser Kommunikationsschnittstelle enthalten in Internationalen Standards

- über graphische Symbole für Schaltpläne (IEC 60617);
- die das Layout von Dokumenten der Elektrotechnik betreffen (IEC 61082);
- die die Kennzeichnungsnotwendigkeiten und somit die Beziehungen zwischen den Objekten in der Realität und ihrer Darstellung in Plänen betreffen (ISO/IEC 81346).

Diese Internationalen Standards berücksichtigen sowohl Anforderungen der elektronischen Datenverarbeitung wie auch die sachbezogene Kommunikation zwischen Menschen. Dabei wurden ausgehend von den historisch gewachsenen Anforderungen an die Dokumentation die Dokumentationsverfahren und -anforderungen weiterentwickelt, so dass sie den Dokumentationsanforderungen moderner, komplexer Systeme und Abläufe genügen, ohne die Anforderungen eines zwischenmenschlichen Informationsaustausches in unnötiger Weise zu belasten. Somit können die hier aufgeführten Festlegungen, die Voraussetzung für eine effektive Teamarbeit sind, sowohl als Mensch-Mensch-Schnittstelle, als Mensch-Maschine-Schnittstelle wie auch als Maschine-Maschine-Schnittstelle bezeichnet werden.

Die Integration der Ergebnisse unterschiedlicher Team-Partner erfordert insbesondere unter dem Gesichtspunkt der Editierbarkeit effiziente Arbeitsmittel. Der Einsatz von Rechnern ermöglicht zwar die Auswertbarkeit und einfache Editierbarkeit von Schaltplänen und zugehörigen Dokumenten, die Nutzung der elektronischen Datenverarbeitung erfordert aber gleichzeitig Präzisierungen, die aufgrund des menschlichen Vorstellungsvermögens vorher nicht notwendig waren. Festlegungen, die speziell aus den Anforderungen eines Rechnereinsatzes resultieren, sind in den Internationalen Standards über die Mensch-Maschine-Schnittstelle bzw. Maschine-Maschine-Schnittstelle (IEC/ISO 81714, IEC 61286, IEC 62023, ISO 10303-210 und -212) enthalten. Mit Hilfe dieser Festlegungen ist nicht nur der elektronische Austausch von Schaltplänen und zugehöriger Dokumentation möglich, sondern sind auch weitere Schritte in Richtung rechnerunterstützter Auswertbarkeit der den Schaltplänen hinterlegten Logik getan.

Die Technik von heute erfordert, dass die Dokumentation in der Elektrotechnik zweckbezogen dargestellt ist. Das heißt, für verschiedene Zwecke, z. B. Engineering, Wartung, Entsorgung, werden unterschiedliche Dokumente gefordert. Eine Betrachtung dieser unterschiedlichen Dokumente ergibt, dass sie teilweise große Schnittmengen gleicher Informationsinhalte besitzen. Das wirft ein Problem auf, insbesondere bei Produktänderungen oder -erweiterungen. Dieses Problem kann nur zufriedenstellend dadurch gelöst werden, dass

- eine Information unabhängig von der Anzahl ihrer Darstellung nur einmal hinterlegt sein darf,
- alle Informationen für die jeweilige Nutzung zugänglich sind und
- die Information nur von der für sie zuständigen Stelle geändert werden darf.

Dies führt heutzutage zwangsläufig dazu, dass die notwendigen Informationen sinnvollerweise in relational verknüpften Datenbanken abzulegen sind, womit eine Änderung in der Informationsdarstellung, nämlich ein Übergang von der Zeichnung zu einer anwenderorientierten datenbankbasierten Darstellung, verbunden ist (IEC/ISO 82045).

Bei der Realisierung dieser Darstellung sind neue Fragestellungen von Seiten der Normung zu beantworten. Voraussetzung für eine Datenbankdarstellung sind Vorgaben zur:

- **Informationsmodellierung**, d. h., die Informationen, die im Laufe eines Lifecycles eines Produktes anfallen, müssen in ihren Beziehungen zueinander beschrieben sein (z. B. ISO 10303-210 und -212).
- **Informationsgenerierung**, d. h., die Datenelementtypen der Informationen müssen definiert sein (IEC 61360).
- **Informationsablage**, d. h., die Informationen müssen entsprechend ihrem Informationsgehalt strukturiert aufbereitet sein (z. B. IEC 62023).
- **Informationsverwaltung**, d. h., die zwischen den Informationen vorhandenen Relationen müssen über alle Lifecycle-Phasen widerspruchsfrei sein (IEC/ISO 82045).
- **Informationszugriff**, d. h., die Informationen müssen zwischen unterschiedlichen Maschinen austauschbar sein können (z. B. IEC 61082, ISO/IEC 81346).

Normative Festlegungen zu diesen Bereichen oder Fragestellungen wurden bei der Erarbeitung der Normen für die Dokumentation in der Elektrotechnik genauso berücksichtigt wie die Belange der mit der Elektrotechnik verwandten technischen Disziplinen.

Mit der Reihe der DIN-VDE-Taschenbücher „Dokumentation in der Elektrotechnik" soll eine Übersicht der derzeit gültigen Normen zur Informationsdarstellung im Bereich der Elektrotechnik und verwandter technischer Disziplinen gegeben werden. Dabei soll den folgenden Themengebieten Rechnung getragen werden:

- Darstellungsregeln
- Kennzeichnungsaufgaben
- Schaltzeichen
- CAD-Belange
- Dokumentenmanagement
- Datenelemente und Merkmale

Da die DIN-VDE-Taschenbücher einem längerfristigen Überarbeitungszyklus unterliegen und somit nur zum Zeitpunkt der Herausgabe den aktuellen Stand der Normung wiedergeben, sind auch Norm-Entwürfe, so zum Ausgabedatum und Themenbereich existent, mit abgedruckt. Diese Norm-Entwürfe sollen einen Ausblick auf sich abzeichnende Änderungen oder Ergänzungen geben; im Stichwortverzeichnis wird auf diese Norm-Entwürfe jedoch nicht verwiesen.

Frankfurt am Main, im August 2015　　　　　　　　　　　　　　　　Karl Heinz Topp

Vorwort zu diesem Band

Dieses DIN-VDE-Taschenbuch gibt eine Übersicht der derzeit gültigen Normen zur Darstellung von Kennzeichnungsaufgaben für die in der Elektrotechnik angewandten Schaltpläne, Zeichnungen und Tabellen sowie den elektronischen Datenaustausch der in diesen Dokumenten enthaltenen Informationen. Mit Hilfe dieser Kennzeichnungen werden Beziehungen zwischen den zu beschreibenden Objekten und den zugehörigen Informationen hergestellt. Objekte sind zum Beispiel Betriebsmittel, Signale oder Verbindungen; die zugehörigen Informationen können zum Beispiel in Dokumenten oder Datenbanken enthalten sein. Die mit Hilfe der Kennzeichnung hergestellten Beziehungen ermöglichen ein zielgerichtetes Identifizieren und Auffinden von beispielsweise in Schaltplänen dargestellten Objekten in Anlagen und Systemen. Umgekehrt werden die einem gegebenen Betriebsmittel zugehörenden Informationen in der Dokumentation oder damit verbundenen Datenbanken gefunden.

Auch wenn hier primär die Elektrotechnik angesprochen wird, sind die hier wiedergegebenen Kennzeichnungsregeln nicht allein auf die Elektrotechnik beschränkt. Sie sind in allen anderen technischen Bereichen gleichermaßen anwendbar, berücksichtigen die in den verschiedenen technischen Disziplinen vorhandenen Anforderungen und tragen den Erfordernissen gebräuchlicher elektronischer Datenverarbeitung Rechnung.

Für die Festlegung der Regeln für Dokumente in der Elektrotechnik ist innerhalb der DKE Deutsche Kommission Elektrotechnik Elektronik Informationstechnik bei DIN und VDE (DKE) das K 113 „Produktdatenmodelle, Informationsstrukturen, Dokumentation und graphische Symbole in der Elektrotechnik" zuständig. Die „Spiegelgremien" (fachlich entsprechenden Gremien) zum K 113 bei der Internationalen Elektrotechnischen Kommission (IEC) sind das TC 3 „Information Structures, Documentation and Graphical Symbols" und das SC 3D „Data Sets for Libraries". Das K 113 sowie seine internationalen Spiegelgremien arbeiten eng mit den jeweils zutreffenden nationalen und internationalen Gremien bei DIN, bei CEN und CENELEC sowie bei ISO zusammen.

Die Normen der Reihe DIN EN 81346 „Strukturierungsprinzipien und Referenzkennzeichnung" wurden auf internationaler Ebene von der IEC in Zusammenarbeit mit der ISO (Internationale Standardisierungs-Organisation) für alle technischen Bereiche erarbeitet. In Deutschland ist für diese Internationalen Normen das nationale Arbeitsgremium K 113 in Zusammenarbeit mit den jeweils technisch zuständigen nationalen Arbeitsgremien bei DIN verantwortlich. Ziel dieser Zusammenarbeit ist die Erarbeitung einer anpassungsfähigen, fach- und anwendungsneutralen Kennzeichnungssystematik für technische Produkte, die den Anforderungen auf allen technischen Fachgebieten und in allen Lebensphasen des Produkts gerecht wird.

Frankfurt am Main, im August 2015   Karl Heinz Topp

Inhalt

	Seite
Hinweise zur Nutzung von DIN-VDE-Taschenbüchern	XII
DIN-VDE-Nummernverzeichnis	XV
Verzeichnis der gegenüber der letzten Auflage nicht mehr abgedruckten Normen	XV
Verzeichnis der abgedruckten Normen, Norm-Entwürfe und VDE-Bestimmungen (nach steigenden DIN-VDE-Nummern geordnet)	XVII
Abgedruckte Normen, Norm-Entwürfe sowie VDE-Bestimmungen (nach steigenden DIN-VDE-Nummern geordnet)	1
Service-Angebote des Beuth Verlags	675
Kontaktadressen des VDE VERLAGs	676
Stichwortverzeichnis	677

Maßgebend für das Anwenden jeder in diesem DIN-VDE-Taschenbuch abgedruckten Norm ist deren Fassung mit dem neuesten Ausgabedatum.
Bei den abgedruckten Norm-Entwürfen wird auf den Anwendungswarnvermerk verwiesen.
Sie können sich auch über den aktuellen Stand unter der Telefon-Nr.: 030 2601-2260 oder im Internet unter www.beuth.de informieren.

Hinweise zur Nutzung von DIN-VDE-Taschenbüchern

DIN-Taschenbücher, die mindestens eine DIN-Norm mit VDE-Kennzeichnung enthalten, werden als DIN-VDE-Taschenbücher herausgegeben. Dies soll kenntlich machen, dass hierin eine oder mehrere elektrotechnische Normen mit sicherheitstechnischem Charakter enthalten sind.

Der Benutzer findet in diesen DIN-VDE-Taschenbüchern die ihn schwerpunktmäßig interessierenden Informationen. Dazu gehören gegebenenfalls auch einschlägige Texte außerhalb des Normenwerks, sofern sie für den Normenanwender einen hohen Informationswert haben. Für die Zusammenstellung des Inhalts sind der zuständige DIN-Normenausschuss und die DKE Deutsche Kommission Elektrotechnik Elektronik Informationstechnik bei DIN und VDE verantwortlich.

Was sind DIN-Normen?

DIN Deutsches Institut für Normung e.V. erarbeitet Normen und Standards als Dienstleistung für Wirtschaft, Staat und Gesellschaft. Die Hauptaufgabe von DIN besteht darin, gemeinsam mit Vertretern der interessierten Kreise konsensbasierte Normen markt- und zeitgerecht zu erarbeiten. Hierfür bringen rund 26 000 Experten ihr Fachwissen in die Normungsarbeit ein. Aufgrund eines Vertrages mit der Bundesregierung ist DIN als die nationale Normungsorganisation und als Vertreter deutscher Interessen in den europäischen und internationalen Normungsorganisationen anerkannt. Heute ist die Normungsarbeit von DIN zu fast 90 Prozent international ausgerichtet.

DIN-Normen können Nationale Normen, Europäische Normen oder Internationale Normen sein. Welchen Ursprung und damit welchen Wirkungsbereich eine DIN-Norm hat, ist aus deren Bezeichnung zu ersehen:

DIN (plus Zählnummer, z. B. DIN 4701)

Hier handelt es sich um eine Nationale Norm, die ausschließlich oder überwiegend nationale Bedeutung hat oder als Vorstufe zu einem internationalen Dokument veröffentlicht wird (Entwürfe zu DIN-Normen werden zusätzlich mit einem „E" gekennzeichnet, Vornormen mit einem „SPEC"). Die Zählnummer hat keine klassifizierende Bedeutung.

Bei nationalen Normen mit Sicherheitsfestlegungen aus dem Bereich der Elektrotechnik ist neben der Zählnummer des Dokumentes auch die VDE-Klassifikation angegeben (z. B. DIN VDE 0100).

DIN EN (plus Zählnummer, z. B. DIN EN 71)

Hier handelt es sich um die deutsche Ausgabe einer Europäischen Norm, die unverändert von allen Mitgliedern der europäischen Normungsorganisationen CEN/CENELEC/ETSI übernommen wurde.

Bei Europäischen Normen der Elektrotechnik ist der Ursprung der Norm aus der Zählnummer ersichtlich: von CENELEC erarbeitete Normen haben Zählnummern zwischen 50000 und 59999, von CENELEC übernommene Normen, die in der IEC erarbeitet wurden, haben Zählnummern zwischen 60000 und 69999, Europäische Normen des ETSI haben Zählnummern im Bereich 300000.

DIN EN ISO (plus Zählnummer, z. B. DIN EN ISO 306)

Hier handelt es sich um die deutsche Ausgabe einer Europäischen Norm, die mit einer Internationalen Norm identisch ist und die unverändert von allen Mitgliedern der europäischen Normungsorganisationen CEN/CENELEC/ETSI übernommen wurde.

DIN ISO, DIN IEC oder DIN ISO/IEC (plus Zählnummer, z. B. DIN ISO 720)

Hier handelt es sich um die unveränderte Übernahme einer Internationalen Norm in das Deutsche Normenwerk.

DIN VDE (plus Zählnummer, z. B. DIN VDE 0670-803)

Der Herausgeber der im VDE-Vorschriftenwerk zusammengefassten Sicherheitsnormen der Elektrotechnik ist der VDE Verband der Elektrotechnik Elektronik Informationstechnik e. V. Die VDE-Bestimmungen, der bekannteste Teil des VDE-Vorschriftenwerks, erscheinen unter den beiden Verbandszeichen DIN und **VDE**.

Weitere Ergebnisse der Normungsarbeit können sein:

DIN SPEC (Vornorm) (plus Zählnummer, z. B. DIN SPEC 1201)

Hier handelt es sich um das Ergebnis einer Normungsarbeit, das wegen bestimmter Vorbehalte zum Inhalt oder wegen des gegenüber einer Norm abweichenden Aufstellungsverfahrens von DIN nicht als Norm herausgegeben wird. An DIN SPEC (Vornorm) knüpft sich die Erwartung, dass sie zum geeigneten Zeitpunkt und ggf. nach notwendigen Veränderungen nach dem üblichen Verfahren in eine Norm überführt oder ersatzlos zurückgezogen werden.

Beiblatt: DIN (plus Zählnummer) Beiblatt (plus Zählnummer), z. B. DIN 2137-6 Beiblatt 1

Beiblätter enthalten nur Informationen zu einer DIN-Norm (Erläuterungen, Beispiele, Anmerkungen, Anwendungshilfsmittel u. Ä.), jedoch keine über die Bezugsnorm hinausgehenden genormten Festlegungen. Das Wort Beiblatt mit Zählnummer erscheint zusätzlich im Nummernfeld zu der Nummer der Bezugsnorm.

Was sind DIN-VDE-Taschenbücher?

Ein besonders einfacher und preisgünstiger Zugang zu den DIN-Normen und VDE-Bestimmungen führt über die DIN-VDE-Taschenbücher. Sie enthalten die jeweils für ein bestimmtes Fach- oder Anwendungsgebiet relevanten Normen und Teile des VDE-Vorschriftenwerkes im Originaltext.

Die Dokumente sind in der Regel als Originaltextfassungen abgedruckt, verkleinert auf das Format A5.

Was muss ich beachten?

DIN-Normen stehen jedermann zur Anwendung frei. Das heißt, man kann sie anwenden, muss es aber nicht. DIN-Normen werden verbindlich durch Bezugnahme, z. B. in einem Vertrag zwischen privaten Parteien oder in Gesetzen und Verordnungen.

Der Vorteil der einzelvertraglich vereinbarten Verbindlichkeit von Normen liegt darin, dass sich Rechtsstreitigkeiten von vornherein vermeiden lassen, weil die Normen eindeutige Festlegungen sind. Die Bezugnahme in Gesetzen und Verordnungen entlastet den Staat und die Bürger von rechtlichen Detailregelungen.

DIN-VDE-Taschenbücher geben den Stand der Normung zum Zeitpunkt ihres Erscheinens wieder. Die Angabe zum Stand der abgedruckten Normen und anderer Regeln des Taschenbuchs finden Sie auf S. III. Maßgebend für das Anwenden jeder in einem DIN-VDE-Taschenbuch abgedruckten Norm ist deren Fassung mit dem neuesten Ausgabedatum. Den aktuellen Stand zu allen DIN-Normen können Sie im Webshop des Beuth Verlags unter www.beuth.de abfragen.

Wie sind DIN-VDE-Taschenbücher aufgebaut?

DIN-VDE-Taschenbücher enthalten die im Abschnitt „Verzeichnis abgedruckter Normen" jeweils aufgeführten Dokumente in ihrer Originalfassung. Ein DIN-VDE-Nummernverzeichnis sowie ein Stichwortverzeichnis am Ende des Buches erleichtern die Orientierung.

Abkürzungsverzeichnis

Die in den Dokumentnummern der Normen verwendeten Abkürzungen bedeuten:

A	Änderung von Europäischen oder Deutschen Normen
Bbl	Beiblatt
Ber	Berichtigung
DIN	Deutsche Norm
DIN CEN/TS	Technische Spezifikation von CEN als Deutsche Vornorm
DIN CEN ISO/TS	Technische Spezifikation von CEN/ISO als Deutsche Vornorm
DIN EN	Deutsche Norm auf der Basis einer Europäischen Norm
DIN EN ISO	Deutsche Norm auf der Grundlage einer Europäischen Norm, die auf einer Internationalen Norm der ISO beruht
DIN IEC	Deutsche Norm auf der Grundlage einer Internationalen Norm der IEC
DIN ISO	Deutsche Norm, in die eine Internationale Norm der ISO unverändert übernommen wurde
DIN SPEC	Öffentlich zugängliches Dokument, das Festlegungen für Regelungsgegenstände materieller und immaterieller Art oder Erkenntnisse, Daten usw. aus Normungs- oder Forschungsvorhaben enthält und welches durch temporär zusammengestellte Gremien unter Beratung von DIN und seiner Arbeitsgremien oder im Rahmen von CEN-Workshops ohne zwingende Einbeziehung aller interessierten Kreise entwickelt wird ANMERKUNG: Je nach Verfahren wird zwischen DIN SPEC (Vornorm), DIN SPEC (CWA), DIN SPEC (PAS) und DIN SPEC (Fachbericht) unterschieden.
DIN SPEC (CWA)	CEN/CENELEC-Vereinbarung, die innerhalb offener CEN/CENELEC-Workshops entwickelt wird und den Konsens zwischen den registrierten Personen und Organisationen widerspiegelt, die für ihren Inhalt verantwortlich sind
DIN SPEC (Fachbericht)	Ergebnis eines DIN-Arbeitsgremiums oder die Übernahme eines europäischen oder internationalen Arbeitsergebnisses
DIN SPEC (PAS)	Öffentlich verfügbare Spezifikation, die Produkte, Systeme oder Dienstleistungen beschreibt, indem sie Merkmale definiert und Anforderungen festlegt
DIN VDE	Deutsche Norm, die zugleich VDE-Bestimmung oder VDE-Leitlinie ist
DVS	DVS-Richtlinie oder DVS-Merkblatt
E	Entwurf
EN ISO	Europäische Norm (EN), in die eine Internationale Norm (ISO-Norm) unverändert übernommen wurde und deren Deutsche Fassung den Status einer Deutschen Norm erhalten hat
ENV	Europäische Vornorm, deren Deutsche Fassung den Status einer Deutschen Vornorm erhalten hat
ISO/TR	Technischer Bericht (ISO Technical Report)
VDI	VDI-Richtlinie

DIN-VDE-Nummernverzeichnis

Hierin bedeuten:
- ● Neu aufgenommen gegenüber der 2. Auflage des DIN-VDE-Taschenbuches 531
- ☐ Geändert gegenüber der 2. Auflage des DIN-VDE-Taschenbuches 531
- ○ Zur abgedruckten Norm besteht ein Norm-Entwurf

Dokument	Seite	Dokument	Seite
DIN EN 60445 VDE 0197	1	DIN EN 62491 VDE 0040-4	392
DIN EN 61175	29	DIN EN 62507-1	
DIN EN 61355-1 VDE 0040-3	78	VDE 0040-2-1 ●	425
		DIN EN 81346-1	486
DIN EN 61666 VDE 0040-5	123	DIN EN 81346-2	574
		DIN ISO/TS 81346-3	
DIN EN 62424 VDE 0810-24 ○	143	DIN SPEC 1330 ●	618
E DIN EN 62424 VDE 0810-24 ●	285		

Verzeichnis der gegenüber der letzten Auflage nicht mehr abgedruckten Normen

Norm in der 2. Auflage	Ersatzvermerk
DIN ISO/TS 16952-1:2007-03	DIN ISO/TS 81346-3 (DIN SPEC 1330):2013-09

Verzeichnis der abgedruckten Normen, Norm-Entwürfe und VDE-Bestimmungen

(nach steigenden DIN-VDE-Nummern geordnet)

Dokument	Ausgabe	Titel	Seite
DIN EN 60445 VDE 0197	2011-10	Grund- und Sicherheitsregeln für die Mensch-Maschine-Schnittstelle – Kennzeichnung von Anschlüssen elektrischer Betriebsmittel, angeschlossenen Leiterenden und Leitern (IEC 60445:2010); Deutsche Fassung EN 60445:2010	1
DIN EN 61175	2006-07	Industrielle Systeme, Anlagen und Ausrüstungen und Industrieprodukte – Kennzeichnung von Signalen (IEC 61175:2005); Deutsche Fassung EN 61175:2005	29
DIN EN 61355-1 VDE 0040-3	2009-03	Klassifikation und Kennzeichnung von Dokumenten für Anlagen, Systeme und Ausrüstungen – Teil 1: Regeln und Tabellen zur Klassifikation (IEC 61355-1:2008); Deutsche Fassung EN 61355-1:2008	78
DIN EN 61666 VDE 0040-5	2011-07	Industrielle Systeme, Anlagen und Ausrüstungen und Industrieprodukte – Identifikation von Anschlüssen in Systemen (IEC 61666:2010); Deutsche Fassung EN 61666:2010 + Cor.:2010	123
DIN EN 62424 VDE 0810-24	2010-01	Darstellung von Aufgaben der Prozessleittechnik – Fließbilder und Datenaustausch zwischen EDV-Werkzeugen zur Fließbilderstellung und CAE-Systemen (IEC 62424:2008); Deutsche Fassung EN 62424:2009	143
E DIN EN 62424 VDE 0810-24	2014-05	Darstellung von Aufgaben der Prozessleittechnik – Fließbilder und Datenaustausch zwischen EDV-Werkzeugen zur Fließbilderstellung und CAE-Systemen (IEC 65/544/CDV:2013); Deutsche Fassung FprEN 62424:2013	285
DIN EN 62491 VDE 0040-4	2009-05	Industrielle Systeme, Anlagen und Ausrüstungen und Industrieprodukte – Beschriftung von Kabeln/Leitungen und Adern (IEC 62491:2008); Deutsche Fassung EN 62491:2008	392
DIN EN 62507-1 VDE 0040-2-1	2012-03	Anforderungen an Identifikationssysteme zur Unterstützung eines eindeutigen Informationsaustauschs – Teil 1: Grundsätze und Methodik (IEC 62507-1:2010); Deutsche Fassung EN 62507-1:2011	425
DIN EN 81346-1	2010-05	Industrielle Systeme, Anlagen und Ausrüstungen und Industrieprodukte – Strukturierungsprinzipien und Referenzkennzeichnung – Teil 1: Allgemeine Regeln (IEC 81346-1:2009); Deutsche Fassung EN 81346-1:2009	486

Dokument	Ausgabe	Titel	Seite
DIN EN 81346-2	2010-05	Industrielle Systeme, Anlagen und Ausrüstungen und Industrieprodukte – Strukturierungsprinzipien und Referenzkennzeichnung – Teil 2: Klassifizierung von Objekten und Kennbuchstaben von Klassen (IEC 81346-2:2009); Deutsche Fassung EN 81346-2:2009	574
DIN ISO/TS 81346-3 DIN SPEC 1330	2013-09	Industrielle Systeme, Anlagen und Ausrüstungen und Industrieprodukte – Strukturierungsprinzipien und Referenzkennzeichnung – Teil 3: Anwendungsregeln für ein Referenzkennzeichensystem (ISO/TS 81346-3:2012)	618

Oktober 2011

	DIN EN 60445 (VDE 0197)	**DIN**
	Diese Norm ist zugleich eine **VDE-Bestimmung** im Sinne von VDE 0022. Sie ist nach Durchführung des vom VDE-Präsidium beschlossenen Genehmigungsverfahrens unter der oben angeführten Nummer in das VDE-Vorschriftenwerk aufgenommen und in der „etz Elektrotechnik + Automation" bekannt gegeben worden.	**VDE**

ICS 01.080.01; 29.020

Ersatz für
DIN EN 60445
(VDE 0197):2007-11 und
DIN EN 60446
(VDE 0198):2008-02
Siehe Anwendungsbeginn

Grund- und Sicherheitsregeln für die Mensch-Maschine-Schnittstelle – Kennzeichnung von Anschlüssen elektrischer Betriebsmittel, angeschlossenen Leiterenden und Leitern (IEC 60445:2010); Deutsche Fassung EN 60445:2010

Basic and safety principles for man-machine interface, marking and identification –
Identification of equipment terminals, conductor terminations and conductors
(IEC 60445:2010);
German version EN 60445:2010

Principes fondamentaux et de sécurité pour les interfaces homme-machines, le marquage et l'identification –
Identification des bornes de matériels, des extrémités de conducteurs et des conducteurs
(CEI 60445:2010);
Version allemande EN 60445:2010

Gesamtumfang 28 Seiten

DKE Deutsche Kommission Elektrotechnik Elektronik Informationstechnik im DIN und VDE

DIN EN 60445 (VDE 0197):2011-10

Anwendungsbeginn

Anwendungsbeginn für die von CENELEC am 2010-11-01 angenommene Europäische Norm als DIN-Norm ist 2011-10-01.

Daneben dürfen DIN EN 60445 (VDE 0197):2007-11 und DIN EN 60446 (VDE 0198):2008-02 noch bis 2013-11-01 angewendet werden.

Nationales Vorwort

Vorausgegangener Norm-Entwurf: E DIN EN 60445 (VDE 0197):2009-06.

Für diese Norm ist das nationale Arbeitsgremium K 115 „Grund- und Sicherheitsregeln für die Mensch-Maschine-Schnittstelle, Kennzeichnung" der DKE Deutsche Kommission Elektrotechnik Elektronik Informationstechnik im DIN und VDE (www.dke.de) zuständig.

Die enthaltene IEC-Publikation wurde vom TC 16 „Basic and safety principles for man-machine interface, marking and identification" erarbeitet.

Das IEC-Komitee hat entschieden, dass der Inhalt dieser Publikation bis zu dem Datum (stability date) unverändert bleiben soll, das auf der IEC-Website unter „http://webstore.iec.ch" zu dieser Publikation angegeben ist. Zu diesem Zeitpunkt wird entsprechend der Entscheidung des Komitees die Publikation
- bestätigt,
- zurückgezogen,
- durch eine Folgeausgabe ersetzt oder
- geändert.

Änderungen

Gegenüber DIN EN 60445 (VDE 0197):2007-11 und DIN EN 60446 (VDE 0198):2008-02 wurden folgende Änderungen vorgenommen:

a) DIN EN 60445 (VDE 0197):2007-11 und DIN EN 60446 (VDE 0198):2008-02 wurden zusammengefügt.

b) Themenbezogene Begriffe wurden im Abschnitt 3 neu aufgenommen.

c) Zur Übernahme der Begrifflichkeiten aus den in Bezug genommenen IEC-Normen wurden einige Abschnitte überarbeitet. Mit diesen Überarbeitungen wurden keine technischen Anforderungen geändert, jedoch die Begrifflichkeiten bereinigt.

d) Anhang B (informativ) „Anmerkungen einzelner Länder" wurde neu aufgenommen.

Frühere Ausgaben

DIN VDE 705: 1924-09, 1935-10
DIN 40705 Beiblatt: 1943-07
DIN 40705: 1940-10, 1943-07, 1954-02, 1957-05, 1975-01, 1980-02
DIN 42400: 1976-03, 1983-09
DIN EN 60445: 1991-09
DIN EN 60445 (VDE 0197): 2000-08, 2007-11
DIN EN 60446 (VDE 0198): 1999-10, 2008-02

Nationaler Anhang NA
(informativ)

Zusammenhang mit Europäischen und Internationalen Normen

Für den Fall einer undatierten Verweisung im normativen Text (Verweisung auf eine Norm ohne Angabe des Ausgabedatums und ohne Hinweis auf eine Abschnittsnummer, eine Tabelle, ein Bild usw.) bezieht sich die Verweisung auf die jeweils neueste gültige Ausgabe der in Bezug genommenen Norm.

Für den Fall einer datierten Verweisung im normativen Text bezieht sich die Verweisung immer auf die in Bezug genommene Ausgabe der Norm.

Eine Information über den Zusammenhang der zitierten Normen mit den entsprechenden Deutschen Normen ist in Tabelle NA.1 wiedergegeben.

Tabelle NA.1

Europäische Norm	Internationale Norm	Deutsche Norm	Klassifikation im VDE-Vorschriftenwerk
–	IEC 60050-195	*)	–
–	IEC 60050-826	*)	–
EN 60079-11:2007	IEC 60079-11:2006 + Corrigendum 1:2006	DIN EN 60079-11 (VDE 0170-7): 2007-08	VDE 0170-7
–	IEC 60227-2:1997 + Corrigendum 1:1998 + AMD 1:2003	–	–
EN 60601 (alle Teile)	IEC 60601 (alle Teile)	DIN EN 60601 (VDE 0750) (alle Teile)	VDE 0750 (alle Teile)
–	IEC 60417		
–	IEC 60617		
–	IEC 60757:1983	DIN IEC 60757:1986-07	–
EN 61666:2010 + Cor.:2010	IEC 61666:2010	DIN EN 61666 (VDE 0040-5):2011-07	VDE 0040-5
EN 62491:2008	IEC 62491:2008	DIN EN 62491 (VDE 0040-4):2009-05	VDE 0040-4
–	IEC Guide 104	–	–
–	ISO/IEC Guide 51	DIN 820-120:2001-10	–

---

*) „Internationales Elektrotechnisches Wörterbuch – Deutsche Ausgabe", Online-Zugang: http://www.dke.de/dke-iev.

Nationaler Anhang NB
(informativ)

Literaturhinweise

DIN 820-120:2001-10, *Normungsarbeit – Teil 120: Leitfaden für die Aufnahme von Sicherheitsaspekten in Normen (ISO/IEC Guide 51:1999)*

DIN EN 60079-11 (VDE 0170-7):2007-08, *Explosionsfähige Atmosphäre – Teil 11: Geräteschutz durch Eigensicherheit „i" (IEC 60079-11:2006); Deutsche Fassung EN 60079-11:2007*

DIN EN 60601 (VDE 0750) (alle Teile), *Medizinische elektrische Geräte*

DIN IEC 60757:1986-07, *Code zur Farbkennzeichnung; Identisch mit IEC 60757:1983*

DIN EN 61666 (VDE 0040-5):2011-07, *Industrielle Systeme, Anlagen und Ausrüstungen und Industrieprodukte – Identifikation von Anschlüssen in Systemen (IEC 61666:2010); Deutsche Fassung EN 61666:2010 + Cor.:2010*

DIN EN 62491 (VDE 0040-4):2009-05, *Industrielle Systeme, Anlagen und Ausrüstungen und Industrieprodukte – Beschriftung von Kabeln/Leitungen und Adern (IEC 62491:2008); Deutsche Fassung EN 62491:2008*

EUROPÄISCHE NORM
EUROPEAN STANDARD
NORME EUROPÉENNE

EN 60445

November 2010

ICS 29.020   Ersatz für EN 60445:2007, EN 60446:2007

Deutsche Fassung

Grund- und Sicherheitsregeln für die Mensch-Maschine-Schnittstelle – Kennzeichnung von Anschlüssen elektrischer Betriebsmittel, angeschlossenen Leiterenden und Leitern
(IEC 60445:2010)

Basic and safety principles for man-machine interface, marking and identification – Identification of equipment terminals, conductor terminations and conductors
(IEC 60445:2010)

Principes fondamentaux et de sécurité pour les interfaces homme-machines, le marquage et l'identification – Identification des bornes de matériels, des extrémités de conducteurs et des conducteurs
(CEI 60445:2010)

Diese Europäische Norm wurde von CENELEC am 2010-11-01 angenommen. Die CENELEC-Mitglieder sind gehalten, die CEN/CENELEC-Geschäftsordnung zu erfüllen, in der die Bedingungen festgelegt sind, unter denen dieser Europäischen Norm ohne jede Änderung der Status einer nationalen Norm zu geben ist.

Auf dem letzten Stand befindliche Listen dieser nationalen Normen mit ihren bibliographischen Angaben sind beim Zentralsekretariat oder bei jedem CENELEC-Mitglied auf Anfrage erhältlich.

Diese Europäische Norm besteht in drei offiziellen Fassungen (Deutsch, Englisch, Französisch). Eine Fassung in einer anderen Sprache, die von einem CENELEC-Mitglied in eigener Verantwortung durch Übersetzung in seine Landessprache gemacht und dem Zentralsekretariat mitgeteilt worden ist, hat den gleichen Status wie die offiziellen Fassungen.

CENELEC-Mitglieder sind die nationalen elektrotechnischen Komitees von Belgien, Bulgarien, Dänemark, Deutschland, Estland, Finnland, Frankreich, Griechenland, Irland, Island, Italien, Kroatien, Lettland, Litauen, Luxemburg, Malta, den Niederlanden, Norwegen, Österreich, Polen, Portugal, Rumänien, Schweden, der Schweiz, der Slowakei, Slowenien, Spanien, der Tschechischen Republik, Ungarn, dem Vereinigten Königreich und Zypern.

CENELEC

Europäisches Komitee für Elektrotechnische Normung
European Committee for Electrotechnical Standardization
Comité Européen de Normalisation Electrotechnique

Zentralsekretariat: Avenue Marnix 17, B-1000 Brüssel

© 2010 CENELEC – Alle Rechte der Verwertung, gleich in welcher Form und in welchem Verfahren, sind weltweit den Mitgliedern von CENELEC vorbehalten.

Ref. Nr. EN 60445:2010 D

Vorwort

Der Text des Schriftstücks 16/479/FDIS, zukünftige 5. Ausgabe von IEC 60445, ausgearbeitet von dem IEC/TC 16 „Basic and safety principles for man-machine interface, marking and identification", wurde der IEC-CENELEC Parallelen Abstimmung unterworfen und von CENELEC am 2010-11-01 als EN 60445 angenommen.

Diese Europäische Norm ersetzt EN 60445:2007 und EN 60446:2007.

Diese Norm hat in Übereinstimmung mit IEC Guide 104 den Status einer Sicherheitsgrundnorm.

Diese Europäische Norm enthält bezüglich EN 60445:2007 und EN 60446:2007 folgende wesentlichen Änderungen:

- Neuaufnahme von Begriffen im Abschnitt 3;
- Überarbeitung einiger Abschnitte zur Übernahme der Begrifflichkeiten aus den in Bezug genommenen IEC-Normen; damit wurden keine technischen Anforderungen geändert, jedoch die Begrifflichkeiten bereinigt;
- Neuaufnahme von Anhang B (informativ) „Anmerkungen einzelner Länder".

Es wird auf die Möglichkeit hingewiesen, dass einige Elemente dieses Dokuments Patentrechte berühren können. CEN und CENELEC sind nicht dafür verantwortlich, einige oder alle diesbezüglichen Patentrechte zu identifizieren.

Nachstehende Daten wurden festgelegt:

- spätestes Datum, zu dem die EN auf nationaler Ebene durch Veröffentlichung einer identischen nationalen Norm oder durch Anerkennung übernommen werden muss (dop): 2011-08-01

- spätestes Datum, zu dem nationale Normen, die der EN entgegenstehen, zurückgezogen werden müssen (dow): 2013-11-01

Der Anhang ZA wurde von CENELEC hinzugefügt.

Anerkennungsnotiz

Der Text der Internationalen Norm IEC 60445:2010 wurde von CENELEC ohne irgendeine Abänderung als Europäische Norm angenommen.

In der offiziellen Fassung sind unter „Literaturhinweise" zu den aufgelisteten Normen die nachstehenden Anmerkungen einzutragen:

IEC 60079-11:2006   ANMERKUNG   Harmonisiert als EN 60079-11:2007 (nicht modifiziert).

IEC 60601 (all parts) ANMERKUNG   Harmonisiert in der Reihe EN 60601 (teilweise modifiziert).

IEC 61666:1997   ANMERKUNG   Harmonisiert als EN 61666:1997 (nicht modifiziert).

IEC 62491:2008   ANMERKUNG   Harmonisiert als EN 62491:2008 (nicht modifiziert).

Inhalt

	Seite
Vorwort	2
Einleitung	5
1 Anwendungsbereich	6
2 Normative Verweisungen	6
3 Begriffe	6
4 Kennzeichnungsverfahren	8
5 Anwendung der Kennzeichnungsverfahren	9
6 Kennzeichnung durch Farben	9
6.1 Allgemeines	9
6.2 Anwendung von Einzelfarben	9
6.2.1 Erlaubte Farben	9
6.2.2 Neutral- oder Mittelleiter	10
6.2.3 Außenleiter in Wechselstromnetzen	10
6.3 Anwendung von Zwei-Farben-Kombinationen	10
6.3.1 Erlaubte Farben	10
6.3.2 Schutzleiter	10
6.3.3 PEN-Leiter	11
6.3.4 PEL-Leiter	11
6.3.5 PEM-Leiter	11
6.3.6 Schutzpotentialausgleichsleiter	11
7 Kennzeichnung durch alphanumerische Zeichen	12
7.1 Allgemeines	12
7.2 Kennzeichnung der Anschlüsse von Betriebsmitteln – Kennzeichnungsgrundsätze	12
7.3 Kennzeichnung bestimmter und in der Norm bezeichneter Leiter	14
7.3.1 Allgemeines	14
7.3.2 Neutralleiter	14
7.3.3 Schutzleiter	15
7.3.4 PEN-Leiter	15
7.3.5 PEL-Leiter	15
7.3.6 PEM-Leiter	15
7.3.7 Schutzpotentialausgleichsleiter	15
7.3.8 Schutzpotentialausgleichsleiter geerdet	15
7.3.9 Schutzpotentialausgleichsleiter ungeerdet	15
7.3.10 Funktionserdungsleiter	15
7.3.11 Funktionspotentialausgleichsleiter	15
7.3.12 Mittelleiter	15

	Seite
7.3.13 Außenleiter	15
Anhang A (informativ) Farben, alphanumerische Zeichen und graphische Symbole zur Kennzeichnung von Leitern/Anschlüssen	16
Anhang B (informativ) Zusammenstellung der Anmerkungen aus einigen Ländern	18
Literaturhinweise	23
Anhang ZA (normativ) Normative Verweisungen auf internationale Publikationen mit ihren entsprechenden europäischen Publikationen	24
Bild 1 – Einzelnes Element mit zwei Anschlüssen	12
Bild 2 – Einzelnes Element mit vier Anschlüssen: zwei Endanschlüsse und zwei Anzapfungen	13
Bild 3 – Dreisträngiges Betriebsmittel mit sechs Anschlüssen	13
Bild 4 – Betriebsmittel aus drei Elementen mit zwölf Anschlüssen: sechs Endanschlüsse und sechs Anzapfungen	13
Bild 5 – Betriebsmittel mit Gruppen von Elementen	14
Bild 6 – Verbindung von Betriebsmittelanschlüssen und einigen bestimmten Leitern	14
Tabelle A.1 – Farben, alphanumerische Zeichen und graphische Symbole zur Kennzeichnung von Leitern/Anschlüssen	16

DIN EN 60445 (VDE 0197):2011-10
EN 60445:2010

Einleitung

Diese Sicherheitsgrundnorm ist in erster Linie für die Anwendung durch die Technischen Komitees bei der Ausarbeitung von Normen in Übereinstimmung mit den Grundlagen im IEC-Leitfaden 104 und im ISO/IEC-Leitfaden 51 vorgesehen.

Für die Anwendung durch Hersteller oder Zertifizierungsstellen ist diese Norm nicht vorgesehen. Es liegt in der Verantwortung eines technischen Komitees, wann immer möglich bei der Erarbeitung der in ihren Arbeitsbereich fallenden Normen die Anforderungen der Sicherheitsgrundnormen zu übernehmen. Infolgedessen gelten die Anforderungen dieser Sicherheitsgrundnorm nur, wenn sie in diesen Normen enthalten oder zitiert sind.

In dieser fünften Ausgabe der IEC 60445 wurde die Terminologie an der in IEC 60050-195 enthaltenen ausgerichtet.

1 Anwendungsbereich

Diese Norm gilt für die Kennzeichnung der Anschlüsse elektrischer Betriebsmittel wie Widerstände, Sicherungen, Relais, Schütze, Transformatoren, umlaufende elektrische Maschinen und sofern anwendbar Kombinationen solcher Betriebsmittel (z. B. Baugruppen) sowie auch für die Anwendung der Kennzeichnung an den Enden einiger bestimmter Leiter. In dieser Norm werden ebenfalls allgemeine Regeln für die Anwendung von bestimmten Farben oder alphanumerische Zeichen für die Kennzeichnung von Leitern festgelegt mit der Absicht, Doppeldeutigkeit zu vermeiden und eine sichere Betriebsweise sicherzustellen. Diese Farben oder alphanumerischen Zeichen für Leiter sind für die Anwendung in Kabeln und Leitungen oder Adern, Sammelschienen, Geräten und Installationen vorgesehen.

2 Normative Verweisungen

Die folgenden zitierten Dokumente sind für die Anwendung dieses Dokuments erforderlich. Bei datierten Verweisungen gilt nur die in Bezug genommene Ausgabe. Bei undatierten Verweisungen gilt die letzte Ausgabe des in Bezug genommenen Dokuments (einschließlich aller Änderungen).

IEC 60417, *Graphical symbols for use on equipment*

IEC 60617, *Graphical symbols for diagrams*

IEC Guide 104, *The preparation of safety publications and the use of basic safety publications and group safety publications*

ISO/IEC Guide 51, *Safety aspects – Guidelines for their inclusion in standards*

3 Begriffe

Für die Anwendung dieses Dokuments gelten die folgenden Begriffe.

ANMERKUNG   Die Begriffe sind entsprechend der alphabetischen Reihenfolge der englischen Benennungen sortiert.

3.1
elektrisches Betriebsmittel
Produkt, das zum Zweck der Erzeugung, Umwandlung, Verteilung oder Anwendung von elektrischer Energie benutzt wird (z. B. elektrische Maschinen, Transformatoren, Schaltgeräte und Steuergeräte, Messgeräte, Kabel und Leitungen, elektrische Verbrauchsmittel usw.)

[IEC 60050-826:2004, 826-16-01, modifiziert]

3.2
Funktionspotentialausgleichsleiter
Leiter zum Zweck des Funktionspotentialausgleichs

[IEC 60050-195:1998, 195-02-16]

3.3
Funktionserdung
Erdung eines oder mehrerer Punkte in einem Netz, in einer Anlage oder einem Betriebsmittel zu Zwecken, die nicht der elektrischen Sicherheit dienen

[IEC 60050-195, Änderung 1:2001, 195-01-13]

DIN EN 60445 (VDE 0197):2011-10
EN 60445:2010

**3.4
Funktionserdungsleiter**
Erdungsleiter zum Zweck der Funktionserdung

[IEC 60050-195, 195-02-15]

**3.5
Funktionspotentialausgleich**
Potentialausgleich aus betrieblichen Gründen, aber nicht zum Zweck der Sicherheit

[IEC 60050-195, 195-01-16]

**3.6
Außenleiter**
Leiter, der im üblichen Betrieb unter Spannung steht und in der Lage ist, zur Übertragung oder Verteilung elektrischer Energie beizutragen, aber kein Neutralleiter oder Mittelleiter ist

[IEC 60050-195, 195-02-08]

**3.7
Mittelleiter**
Leiter, der mit dem Mittelpunkt elektrisch verbunden und in der Lage ist, zur Verteilung elektrischer Energie beizutragen

[IEC 60050-195, 195-02-07]

**3.8
Neutralleiter**
Leiter, der mit dem Neutralpunkt elektrisch verbunden und in der Lage ist, zur Verteilung elektrischer Energie beizutragen [601-03-10 MOD, 826-01-03 MOD]

[IEC 60050-195, 195-02-06]

**3.9
PEL–Leiter**
Leiter, der zugleich die Funktionen eines Schutzerdungsleiters und eines Außenleiters erfüllt

[IEC 60050-195, 195-02-14]

**3.10
PEM–Leiter**
Leiter, der zugleich die Funktionen eines Schutzerdungsleiters und eines Mittelleiters erfüllt

[IEC 60050-195, 195-02-13]

**3.11
PEN–Leiter**
Leiter, der zugleich die Funktionen eines Schutzerdungsleiters und eines Neutralleiters erfüllt
[826-04-06 MOD]

[IEC 60050-195, 195-02-12]

**3.12
Schutzpotentialausgleichsleiter**
Äquipotentialausgleichsleiter (abgelehnt)
Schutzleiter zur Herstellung des Schutzpotentialausgleichs [826-04-10 MOD]

[IEC 60050-195, 195-02-10]

3.13
Schutzpotentialausgleichsleiter, geerdet
Schutzpotentialausgleichsleiter mit einer leitenden Verbindung zur Erde

3.14
Schutzpotentialausgleichsleiter, ungeerdet
Schutzpotentialausgleichsleiter ohne leitende Verbindung zur Erde

3.15
Schutzleiter
Bezeichnung: PE
Leiter zum Zweck der Sicherheit, zum Beispiel zum Schutz gegen elektrischen Schlag

[IEC 60050-195, 195-02-09]

3.16
Schutzerdung
Erdung eines oder mehrerer Punkte in einem Netz, in einer Anlage oder einem Betriebsmittel zum Zweck der elektrischen Sicherheit

[IEC 60050-195, Änderung 1:2001, 195-01-11]

3.17
Schutzerdungsleiter
Schutzleiter zum Zweck der Schutzerdung

[IEC 60050-195:1998, 195-02-11]

3.18
Schutzpotentialausgleich
Potentialausgleich zum Zweck der Sicherheit

[IEC 60050-195:1998, 195-01-15]

4 Kennzeichnungsverfahren

Wenn die Kennzeichnung der Anschlüsse von Betriebsmitteln und der Enden einiger bestimmter Leiter notwendig ist, muss eines oder müssen mehrere der folgenden Verfahren angewendet werden:

- räumliche oder relative Anordnung der Betriebsmittelanschlüsse oder der Enden einiger bestimmter Leiter;
- Farbkennzeichnung der Betriebsmittelanschlüsse und der Enden einiger bestimmter Leiter nach Abschnitt 6;
- graphische Symbole nach IEC 60417. Falls zusätzliche graphische Symbole benötigt werden, müssen sie mit IEC 60617 übereinstimmen;
- alphanumerische Zeichen nach dem System im Abschnitt 7.

Zur Durchgängigkeit von Dokumentation und Kennzeichnung der Betriebsmittelanschlüsse werden alphanumerische Zeichen empfohlen.

Die Kennzeichnung von Leitern durch Farben muss mit den im Abschnitt 6 festgelegten Anforderungen übereinstimmen. Die Kennzeichnung von Leitern durch alphanumerische Zeichen muss mit den im Abschnitt 7 festgelegten Anforderungen übereinstimmen.

ANMERKUNG Es wird anerkannt, dass bei komplexen Systemen und Installationen zusätzliche Markierungen oder Kennzeichnungen für andere als Sicherheitsgründe notwendig sein können (siehe z. B. IEC 62491).

DIN EN 60445 (VDE 0197):2011-10
EN 60445:2010

5 Anwendung der Kennzeichnungsverfahren

Die Farbkennzeichnung, das graphische Symbol oder das alphanumerische Zeichen muss auf dem entsprechenden Anschluss oder in seiner unmittelbaren Nähe angebracht sein.

Wenn mehr als eines der Kennzeichnungsverfahren angewendet wird und Verwechslungsgefahr möglich ist, muss der Zusammenhang zwischen den Kennzeichnungsverfahren aus der zugehörigen Dokumentation klar hervorgehen.

Wenn keine Verwechslungsgefahr besteht, dürfen numerische wie auch alphanumerische Bezeichnungen nebeneinander angewandt werden.

Die für eine Erdung genutzten Anschlüsse/Leiter sind hinsichtlich ihres Zwecks der Erdung in die zwei grundlegenden Konzepte der der Schutzerdung und der der Funktionserdung aufgegliedert.

- Falls ein Anschluss oder ein Leiter die Anforderungen sowohl für eine Schutzerdung wie auch der der Funktionserdung beide erfüllt, muss er als Schutzerdungsleiter bzw. als Anschluss für einen Schutzerdungsleiter gekennzeichnet werden.

- Falls die Anforderungen für eine Schutzerdung von dem Funktionserdungsleiter bzw. dem Anschluss hierfür nicht erfüllt sind, darf dieser nicht mit der Kennzeichnung eines Schutzerdungsleiters bzw. der für den Anschluss eines Schutzerdungsleiters gekennzeichnet werden.

- Die Anforderungen an eine Funktionserdung sind vom Hersteller oder dem zuständigen Produktkomitee festzulegen und sollten in der Dokumentation des Betriebsmittels spezifiziert sein.

ANMERKUNG   Zum Beispiel Anforderungen zur Handhabung der Belange der elektromagnetischen Verträglichkeit.

6 Kennzeichnung durch Farben

6.1 Allgemeines

Für die Kennzeichnung elektrischer Leiter sind folgende Farben erlaubt:
- Schwarz, Braun, Rot, Orange, Gelb, Grün, Blau, Violett, Grau, Weiß, Rosa, Türkis.

ANMERKUNG   Diese Zusammenstellung der Farben ist von IEC 60757 abgeleitet.

Die Farbkennzeichnung muss an Anschlüssen und vorzugsweise durchgehend über die gesamte Leiterlänge, entweder durch die Farbe der Isolierung oder durch Farbmarkierungen erfolgen. Ausgenommen sind blanke Leiter, bei denen eine Kennzeichnung an den Enden und allen Anschlusspunkten vorhanden sein muss.

Eine Kennzeichnung durch Farbe oder Markierung ist nicht erforderlich bei:
- konzentrischen Leitern in Kabeln und Leitungen;
- Metallmänteln oder Bewährungen in Kabeln und Leitungen, die als Schutzleiter genutzt werden;
- blanken Leitern, bei denen eine permanente Kennzeichnung nicht durchführbar ist;
- äußeren leitfähigen Teilen, die als Schutzleiter genutzt werden;
- ungeschützten leitenden Teilen, die als Schutzleiter genutzt werden.

Zusätzliche Markierungen, z. B. alphanumerische, sind erlaubt, vorausgesetzt, dass die Farbkennzeichnung eindeutig bleibt.

6.2 Anwendung von Einzelfarben

6.2.1 Erlaubte Farben

Die Einzelfarben Grün und Gelb sind nur dort erlaubt, wo eine Verwechslungsgefahr mit der Farbkennzeichnung der Leiter in 6.3.2 bis 6.3.6 unwahrscheinlich ist.

9

DIN EN 60445 (VDE 0197):2011-10
EN 60445:2010

6.2.2 Neutral- oder Mittelleiter

Falls ein Stromkreis einen durch Farbe gekennzeichneten Neutral- oder Mittelleiter enthält, muss die für diesen Zweck angewendete Farbe Blau sein. Um eine Verwechslung mit anderen Farben zu vermeiden, wird eine ungesättigte Farbe Blau, häufig „Hellblau" genannt, empfohlen. Falls eine Verwechslung möglich ist, darf Blau nicht zur Kennzeichnung anderer Leiter genutzt werden.

Beim Fehlen eines Neutral- oder Mittelleiters im gesamten Kabel- und Leitungssystem darf ein mit Blau gekennzeichneter Leiter auch für andere Zwecke, ausgenommen als Schutzleiter, angewendet werden.

Bei Farbkennzeichnung müssen blanke Leiter, die als Neutral- oder Mittelleiter angewendet werden, entweder mit einem 15 mm bis 100 mm breiten blauen Streifen in jeder Einheit, jedem Gehäuse und an jeder zugänglichen Stelle gekennzeichnet sein oder über die ganze Länge blau gefärbt sein.

ANMERKUNG   IEC 60079-11 gibt Blau, wenn eine Farbkennzeichnung genutzt wird, für Klemmen, Klemmenkästen oder Steckverbinder bei eigensicheren Stromkreisen vor.

6.2.3 Außenleiter in Wechselstromnetzen

Für Außenleiter in Wechselstromnetzen sind die bevorzugten Farben Schwarz, Braun und Grau.

ANMERKUNG   Durch die Farben ist weder eine implizite Reihenfolge der Phasen noch ein Drehsinn festgelegt.

6.3 Anwendung von Zwei-Farben-Kombinationen

6.3.1 Erlaubte Farben

Jede Kombination von zwei der in 6.1 aufgeführten Farben ist erlaubt, vorausgesetzt, dass keine Verwechslungsgefahr besteht.

Um eine Verwechslung zu vermeiden, darf die Farbe Grün und die Farbe Gelb in keiner anderen Farbkombination als der Kombination Grün-Gelb angewandt werden. Die Anwendung der Kombination der Farben Grün und Gelb ist auf den in 6.3.2 bis 6.3.6 beschriebenen Zweck beschränkt.

6.3.2 Schutzleiter

Schutzleiter müssen durch die Zwei-Farben-Kombination Grün-Gelb gekennzeichnet sein.

ANMERKUNG 1   Zur eindeutigen Kennzeichnung eines bestimmten vorgesehenen Leiters kann eine zusätzliche Markierung notwendig sein.

ANMERKUNG 2   Für PEN-, PEL- und PEM-Leiter ist eine zusätzliche Markierung in Farbe notwendig.

Grün-Gelb ist die einzige Farbkombination zur Kennzeichnung des Schutzleiters.

Die Kombination der Farben Grün und Gelb muss derart sein, dass, bezogen auf jeder Länge von 15 mm, eine dieser Farben mindestens 30 %, aber nicht mehr als 70 % der mit Farbe versehenen Oberfläche des Leiters bedeckt, die andere Farbe bedeckt den Rest dieser Oberfläche.

Falls blanke Leiter, die als Schutzleiter angewendet werden, mit Farbe gekennzeichnet sind, müssen diese Grün-Gelb sein, entweder über die ganze Länge des Leiters oder in jedem Teil oder jeder Einheit oder jeder zugänglichen Stelle. Wird Klebeband angewendet, dann muss zweifarbiges Band verwendet werden.

ANMERKUNG 3   Falls der Schutzleiter durch seine Form, den Aufbau oder seine Lage leicht zu identifizieren ist, z. B. der konzentrische Leiter, ist die farbliche Kennzeichnung über die gesamte Länge nicht notwendig, jedoch sollten die Enden oder zugänglichen Stellen durch das graphische Symbol ⏚ oder die Zwei-Farben-Kombination Grün-Gelb oder die alphanumerische Kennung PE deutlich gekennzeichnet sein.

DIN EN 60445 (VDE 0197):2011-10
EN 60445:2010

ANMERKUNG 4 Falls äußere leitfähige Teile als Schutzleiter angewandt sind, ist eine Farbkennzeichnung nicht notwendig.

6.3.3 PEN-Leiter

PEN-Leiter müssen, falls sie isoliert sind, durch eines der folgenden Verfahren markiert sein:

– Grün-Gelb durchgehend in ihrem ganzen Verlauf, zusätzlich mit blauer Markierung an den Leiterenden, oder

– Blau durchgehend in ihrem ganzen Verlauf, zusätzlich mit grün-gelber Markierung an den Leiterenden.

ANMERKUNG 1 Die Wahl des Verfahrens oder der Verfahren, das (die) in einem Land Anwendung findet (finden), erfolgt durch das zuständige Komitee und nicht auf individueller Basis.

ANMERKUNG 2 Die zusätzlichen blauen Markierungen an den Leiterenden dürfen entfallen, falls die Anforderungen von mindestens einem der zwei Anstriche erfüllt sind:

– in elektrischen Geräten, wenn entsprechende Anforderungen in bestimmten Produktnormen enthalten oder in einem Land gegeben sind;

– in Kabel- und Leitungssystemen, z. B. denen, die in der Industrie eingesetzt werden, falls vom zuständigen Komitee so entschieden.

6.3.4 PEL-Leiter

PEL-Leiter müssen, falls sie isoliert sind, durchgehend über die gesamte Leiterlänge Grün-Gelb markiert sein, mit zusätzlicher blauer Markierung an den Leiterenden.

ANMERKUNG Die zusätzlichen blauen Markierungen an den Leiterenden dürfen entfallen, falls die Anforderungen von mindestens einem der zwei Anstriche erfüllt sind:

– in elektrischen Geräten, wenn entsprechende Anforderungen in bestimmten Produktnormen enthalten oder in einem Land gegeben sind;

– in Kabel- und Leitungssystemen, z. B. denen, die in der Industrie eingesetzt werden, falls vom zuständigen Komitee so entschieden.

Falls eine Verwechslung mit einem PEN- oder PEM-Leiter möglich ist, muss die in 7.3.5 festgelegte alphanumerische Kennzeichnung an den Leiterenden angebracht werden.

6.3.5 PEM-Leiter

PEM-Leiter müssen, falls sie isoliert sind, durchgehend über die gesamte Leiterlänge Grün-Gelb markiert sein, mit zusätzlicher blauer Markierung an den Leiterenden.

ANMERKUNG Die zusätzlichen blauen Markierungen an den Leiterenden dürfen entfallen, falls die Anforderungen von mindestens einem der zwei Anstriche erfüllt sind:

– in elektrischen Geräten, wenn entsprechende Anforderungen in bestimmten Produktnormen enthalten oder in einem Land gegeben sind;

– in Kabel- und Leitungssystemen, z. B. denen, die in der Industrie eingesetzt werden, falls vom zuständigen Komitee so entschieden.

Falls eine Verwechslung mit einem PEN- oder PEL-Leiter möglich ist, muss die in 7.3.6 festgelegte alphanumerische Kennzeichnung an den Leiterenden angebracht werden.

6.3.6 Schutzpotentialausgleichsleiter

Schutzpotentialausgleichsleiter müssen, wie in 6.3.1 spezifiziert, durch die Zwei-Farben-Kombination Grün-Gelb gekennzeichnet sein.

DIN EN 60445 (VDE 0197):2011-10
EN 60445:2010

7 Kennzeichnung durch alphanumerische Zeichen

7.1 Allgemeines

Falls Buchstaben und/oder Ziffern zur Kennzeichnung angewendet werden, müssen die Buchstaben lateinische Großbuchstaben sein, die Ziffern müssen arabische Ziffern sein.

ANMERKUNG 1 Es wird empfohlen, Buchstaben für Gleichstromelemente aus der ersten Hälfte des Alphabets und Buchstaben für Wechselstromelemente aus der zweiten Hälfte des Alphabets zu wählen.

Um Verwechslungen mit den Ziffern „1" und „0" zu vermeiden, dürfen die Buchstaben „I" und „O" nicht angewendet werden; die Symbole „+" und „-" dürfen angewendet werden.

Zur Vermeidung von Verwechslungen müssen die einzeln stehenden Ziffern „6" und „9" unterstrichen dargestellt werden.

Alle alphanumerischen Zeichen müssen einen starken Kontrast zur Farbe der Isolierung aufweisen.

Die Kennzeichnung muss eindeutig unterscheidbar und dauerhaft sein.

ANMERKUNG 2 Aussagen zur Dauerhaftigkeit enthält IEC 60227-2.

Das System der Kennzeichnung durch alphanumerische Zeichen wird zur Kennzeichnung von einzelnen Leitern und von Leitern innerhalb einer Leitergruppe angewandt. Leiter mit einer Isolierung Grün-Gelb dürfen nur als ein bestimmter in der Norm bezeichneter Leiter in Übereinstimmung mit 7.3.3 bis 7.3.9 gekennzeichnet werden.

Die in 7.3 spezifizierte Kennzeichnung durch alphanumerische Zeichen darf nicht für andere Zwecke als den spezifizierten angewandt werden

Falls keine Verwechslungsgefahr besteht, dürfen Teile der in den nachfolgenden Kennzeichnungsgrundsätzen festgelegten vollständigen alphanumerischen Bezeichnung ausgelassen werden.

7.2 Kennzeichnung der Anschlüsse von Betriebsmitteln – Kennzeichnungsgrundsätze

Für die Kennzeichnung von Anschlüssen gelten die folgenden Grundsätze.

7.2.1 Die beiden Anschlüsse an den Enden eines einzelnen Elements werden durch aufeinanderfolgende Zahlen unterschieden, wobei die ungerade Zahl kleiner als die gerade Zahl sein muss, z. B. 1 und 2 (siehe Bild 1).

Bild 1 – Einzelnes Element mit zwei Anschlüssen

7.2.2 Die zwischen den Endanschlüssen eines einzelnen Elements liegenden Anschlüsse (Anzapfungen) werden durch Zahlen, vorzugsweise in numerischer Reihenfolge, gekennzeichnet, z. B. 3, 4, 5 usw. Die zur Kennzeichnung der Anzapfungen gewählten Zahlen müssen größer sein als die Zahlen zur Kennzeichnung der Endanschlüsse; ihre Zählung beginnt mit der Anzapfung, die dem Endanschluss mit der niedrigeren Zahl am nächsten liegt. So werden z. B. die Anzapfungen eines Elements, dessen Endanschlüsse mit 1 und 2 gekennzeichnet sind, mit den Zahlen 3 und 4 gekennzeichnet (siehe Bild 2).

12

Bild 2 – Einzelnes Element mit vier Anschlüssen: zwei Endanschlüsse und zwei Anzapfungen

7.2.3 Wenn mehrere ähnliche Elemente zu einer Gruppe von Elementen zusammengefasst sind, dann muss eines der folgenden Verfahren zum Kennzeichnen der Elemente angewendet werden:

– Die beiden Endanschlüsse und soweit vorhanden die Anzapfungen werden durch Buchstaben unterschieden, die den in 7.2.1 und 7.2.2 angegebenen Zahlen vorangestellt werden, z. B. U, V, W bei Zuordnung der Elemente zu den drei Außenleitern eines Drehstromnetzes (siehe Bild 3).

Bild 3 – Dreisträngiges Betriebsmittel mit sechs Anschlüssen

– Die beiden Endanschlüsse und soweit vorhanden die Anzapfungen werden durch Zahlen unterschieden, die den in 7.2.1 und 7.2.2 angegebenen Zahlen vorangestellt werden, wo eine Phasenkennzeichnung nicht notwendig oder möglich ist. Um Verwechslungen auszuschließen, müssen die vorangestellten Zahlen durch einen Punkt getrennt werden. Beispielsweise dürfen die Endanschlüsse eines Elements mit 1.1 und 1.2, diejenigen eines anderen Elements mit 2.1 und 2.2 gekennzeichnet werden (siehe Bild 4).

ANMERKUNG   Hinsichtlich Beispielen für eine eindeutige Kennzeichnung der Anschlüsse von Objekten in einem System, zu dem der Anschluss gehört, siehe Anhang B der IEC 61666.

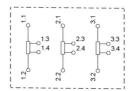

Bild 4 – Betriebsmittel aus drei Elementen mit zwölf Anschlüssen: sechs Endanschlüsse und sechs Anzapfungen

– Bei Reihenklemmen eine numerische Kennzeichnung in aufsteigender Reihenfolge.

Weitere detaillierte Anforderungen an die Kennzeichnung von Anschlüssen dürfen von den zuständigen Produktkomitees festgelegt werden.

7.2.4 Ähnliche Gruppen von Elementen mit gleichen vorangestellten Buchstaben werden durch eine zusätzliche, vorangestellte Zahl unterschieden (siehe Bilder 5a und 5b).

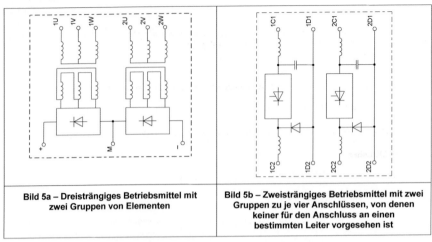

Bild 5a – Dreisträngiges Betriebsmittel mit zwei Gruppen von Elementen	Bild 5b – Zweisträngiges Betriebsmittel mit zwei Gruppen zu je vier Anschlüssen, von denen keiner für den Anschluss an einen bestimmten Leiter vorgesehen ist

Bild 5 – Betriebsmittel mit Gruppen von Elementen

Im Bild 6 ist die Verbindung von Betriebsmittelanschlüssen und einigen bestimmten Leitern unter Anwendung der alphanumerischen Kennzeichnung dargestellt.

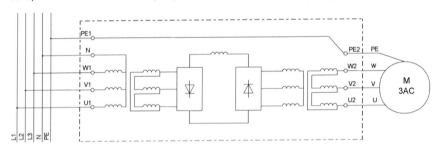

Bild 6 – Verbindung von Betriebsmittelanschlüssen und einigen bestimmten Leitern

7.3 Kennzeichnung bestimmter und in der Norm bezeichneter Leiter

7.3.1 Allgemeines

Betriebsmittelanschlüsse, die dazu vorgesehen sind, direkt oder indirekt mit einigen bestimmten Leitern verbunden zu werden, und die Enden bestimmter Leiter müssen nach Tabelle A.1 mit Buchstaben oder graphischen Symbolen oder beidem, Buchstaben und graphischen Symbolen, gekennzeichnet sein.

7.3.2 Neutralleiter

Die Kennzeichnung eines Neutralleiters durch alphanumerische Zeichen muss „N" sein.

DIN EN 60445 (VDE 0197):2011-10
EN 60445:2010

7.3.3 Schutzleiter

Die Kennzeichnung eines Schutzleiters durch alphanumerische Zeichen muss „PE" sein. Diese Kennzeichnung findet ebenfalls für den Schutzerdungsleiter Anwendung.

7.3.4 PEN-Leiter

Die Kennzeichnung eines PEN-Leiters durch alphanumerische Zeichen muss „PEN" sein.

7.3.5 PEL-Leiter

Die Kennzeichnung eines PEL-Leiters durch alphanumerische Zeichen muss „PEL" sein.

7.3.6 PEM-Leiter

Die Kennzeichnung eines PEM-Leiters durch alphanumerische Zeichen muss „PEM" sein.

7.3.7 Schutzpotentialausgleichsleiter

Die Kennzeichnung eines Schutzpotentialausgleichsleiters durch alphanumerische Zeichen muss „PB" sein.

7.3.8 Schutzpotentialausgleichsleiter geerdet

Falls die Notwendigkeit einer Unterscheidung zwischen einem geerdeten Schutzpotentialausgleichsleiter und einem ungeerdeten Schutzpotentialausgleichsleiter besteht, muss die Kennzeichnung eines geerdeten Schutzpotentialausgleichsleiters durch alphanumerische Zeichen „PBE" sein.

7.3.9 Schutzpotentialausgleichsleiter ungeerdet

Falls die Notwendigkeit einer Unterscheidung zwischen einem geerdeten Schutzpotentialausgleichsleiter und einem ungeerdeten Schutzpotentialausgleichsleiter besteht, muss die Kennzeichnung eines ungeerdeten Schutzpotentialausgleichsleiters durch alphanumerische Zeichen „PBU" sein.

7.3.10 Funktionserdungsleiter

Die Kennzeichnung eines Funktionserdungsleiters durch alphanumerische Zeichen muss „FE" sein.

7.3.11 Funktionspotentialausgleichsleiter

Die Kennzeichnung eines Funktionspotentialausgleichsleiters durch alphanumerische Zeichen muss „FB" sein.

7.3.12 Mittelleiter

Die Kennzeichnung eines Mittelleiters durch alphanumerische Zeichen muss „M" sein.

7.3.13 Außenleiter

Die Kennzeichnung eines Außenleiters durch alphanumerische Zeichen muss mit „L" beginnen, gefolgt von:

- für Wechselstromkreise, einer laufenden Nummer der Außenleiter, beginnend mit der Zahl Eins „1";
- für Gleichstromkreise, dem Zeichen „+" für den positiven Außenleiter und dem Zeichen „-" für den negativen Außenleiter.

Falls nur ein Außenleiter genutzt wird, darf das Suffix entfallen.

Anhang A
(informativ)

Farben, alphanumerische Zeichen und graphische Symbole zur Kennzeichnung von Leitern/Anschlüssen

Tabelle A.1 – Farben, alphanumerische Zeichen und graphische Symbole zur Kennzeichnung von Leitern/Anschlüssen

Bestimmte Leiter/Anschlüsse	Kennzeichnung von Leitern/Anschlüssen durch			
	alphanumerische Zeichen [a]		Farben	graphische Symbole [b]
	Leiter	Anschlüsse		
Wechselstromleiter	AC	AC	-	
Außenleiter 1	L1	U	● BK [d] oder	
Außenleiter 2	L2 [c]	V	● BR [d] oder	∼
Außenleiter 3	L3 [c]	W	● GR [d]	
Mittelleiter	M	M	● BU [e]	keine Empfehlung
Neutralleiter	N	N		
Gleichstromleiter	DC	DC	-	---
Positiv	L+	+	keine Empfehlung	⊥
Negativ	L−	−		—
Schutzleiter	PE	PE	▨ GNYE	⏚
PEN-Leiter	PEN	PEN	▨ GNYE [f]	
PEL-Leiter	PEL	PEL		keine Empfehlung
PEM-Leiter	PEM	PEM	● BU [f]	
Schutzpotentialausgleichsleiter [g]	PB	PB	▨ GNYE	▽
– geerdet	PBE	PBE		keine Empfehlung
– ungeerdet	PBU	PBU		
Funktionserdungsleiter [h]	FE	FE	keine Empfehlung	⏚
Funktionspotentialausgleichsleiter	FB	FB		⏚

DIN EN 60445 (VDE 0197):2011-10
EN 60445:2010

Tabelle A.1 *(fortgesetzt)*

^a Siehe Abschnitt 7.

^b Die wiedergegebenen Symbole haben folgende Symbolnummern nach IEC 60417.

∼	IEC 60417-5032 (2002-10)	⏚	IEC 60417-5019 (2006-08)
===	IEC 60417-5031 (2002-10)	⏚	IEC 60417-5018 (2006-10)
+	IEC 60417-5005 (2002-10)	⏗	IEC 60417-5020 (2002-10)
—	IEC 60417-5006 (2002-10)	⏛	IEC 60417-5021 (2002-10)

^c Nur in Systemen mit mehr als einer Phase notwendig.

^d Diese Reihenfolge der Farbkennzeichnung ist nur eine alphabetische Reihenfolge. Sie beinhaltet keine empfohlene Reihenfolge für die Phasen bzw. den Drehsinn.

^e Siehe 6.2.2

^f Siehe 6.3.3 bis 6.3.5

^g Ein Schutzpotentialausgleichsleiter wird in den meisten Fällen ein geerdeter Schutzpotentialausgleichsleiter sein. Es ist nicht notwendig, diesen mit PBE zu kennzeichnen. In den Fällen, in denen eine Unterscheidung zwischen einem geerdeten und einem ungeerdeten Schutzpotentialausgleichsleiter Anwendung findet, müssen diese deutlich unterschieden werden (z. B. Installationen in der Elektromedizin), und die Kennzeichnungen PBE und PBU sollten angewandt werden.

^h Für Leiter oder Anschlüsse mit Schutzfunktion darf weder die Kennzeichnung „FE" noch das graphische Symbol 5018 aus IEC 60417 angewandt werden. Die Zwei-Farben-Kombination Grün-Gelb darf nicht für Leiter ohne Schutzfunktion angewandt werden (z. B. für Leiter andere als PE, PEN, PEL, PEM, PB, PBE, PBU). Siehe Abschnitt 5.

Anhang B
(informativ)

Zusammenstellung der Anmerkungen aus einigen Ländern[N1]

Country	Clause No.	Nature (permanent or less permanent according to IEC Directives)	Rationale (detailed justification for the requested country note)	Wording
RU	3		The earthed line conductor is used in single-phase a.c. electrical systems, in three-phase a.c. electrical systems without the neutral point and in two-wire d.c. electrical systems. In the Russian Federation use of term "phase conductor" and "pole conductor" has been renewed tom indicate line conductors in a.c. system and d.c. systems respectively.	In the Russian Federation, the following definitions apply: **line conductor, earthed** a line conductor which has an electrical connection with the earth electrode **phase conductor** a line conductor which is used in an a.c. electrical circuit **pole conductor** a line conductor which is used in an d.c. electrical circuit
RU	3.5		Definition of term "mid-point conductor" in the IEC 60050-195 is given so that the area of use of this conductor is uncertain. In the Russian Federation the definition of mid-point conductor taken from the IEC 60050-195 have been executed more precisely to state unambiguously its application in the d.c. electrical circuits.	In the Russian Federation, the mid-point conductor is defined as: a conductor electrically connected to the mid-point of the d.c. electrical system and used for the transmission and distribution of electric energy

---

[N1] Nationale Fußnote: Alle nachfolgenden, von einigen Ländern abgegebenen Anmerkungen betreffen den außereuropäischen Raum und stellen teilweise nationale Interpretationen der jeweiligen Länder dar. Auf eine Übersetzung dieser für den deutschsprachigen Raum nicht relevanter Anmerkungen wurde daher bewusst verzichtet.

Country	Clause No.	Nature (permanent or less permanent according to IEC Directives)	Rationale (detailed justification for the requested country note)	Wording
RU	3.6		Definition of term "neutral conductor" in the IEC 60050-195 is given so that the area of use of this conductor is uncertain. In the Russian Federation the definition of neutral conductor taken from the IEC 60050-195 have been executed more precisely to state unambiguously its application in the a.c. electrical circuits.	In the Russian Federation, the neutral conductor is defined as: a conductor electrically connected to the neutral point or the mid-point of the a.c. electrical system and used for the transmission and distribution of electric energy
RU	6.2			In the Russian Federation, the preferred colour of the phase conductor of a single-phase electrical circuit is BROWN. When the single-phase electrical circuit is branched from a three-phase electrical circuit, the colour identification of the phase conductor of the single-phase electrical circuit should coincide with the colour identification of that phase conductor of the three-phase electrical circuit to which it is connected electrically.
RU	6.2			In the Russian Federation, the preferred colour of the positive pole conductor is BROWN, the preferred colour of the negative pole conductor is GREY. When the two-wire d.c. electrical circuit is branched from a 3-wire d.c. electrical circuit, the colour identification of the pole conductor of the two-wire electrical circuit should coincide with the colour identification of that pole conductor of the 3-wire electrical circuit to which it is connected electrically. In the Russian Federation, the preferred colour of the earthed pole conductor is BLUE. If confusion with the neutral conductor, the mid-point conductor or the earthed phase conductor is likely, the alphanumeric designation shall be indicated at the terminations of the earthed pole conductors and in points of their connections.
RU	6.2.1			In the Russian Federation, it is not permitted to use separately GREEN colour and YELLOW colour for identification of conductors.
US	6.2.1			In the United States, the use of single colour GREEN is permitted for identification of protective earth conductors.

DIN EN 60445 (VDE 0197):2011-10
EN 60445:2010

Country	Clause No.	Nature (permanent or less permanent according to IEC Directives)	Rationale (detailed justification for the requested country note)	Wording
CA	6.2.2			In Canada, the colour identification WHITE or NATURAL GREY for the mid-point or neutral conductor is used as a replacement for the colour identification BLUE.
JP	6.2.2			In Japan, the colour identification WHITE or NATURAL GREY for the mid-point or neutral conductor is used as a replacement for the colour identification BLUE.
RU	6.2.2			In the Russian Federation, it is permitted to use BLUE colour for identification of the neutral conductors, the mid-point conductors and the earthed line conductors.
RU	6.2.2			In the Russian Federation, BLUE colour should be used only for identification of the neutral conductors, the mid-point conductors and the earthed line conductors.
US	6.2.2			In the United States, the colour identification WHITE or NATURAL GREY for the mid-point or neutral conductor is used as a replacement for the colour identification BLUE.
US	6.2.2			In the United States, the use of the colour BLUE is permitted for phase conductors. Neutral conductors are permitted to be WHITE, GRAY or with three WHITE stripes on other than GREEN insulation.
AU	6.2.3			In Australia, the colour BLACK shall not be used for identification of line conductors of installation wiring. The colour BROWN is acceptable for a single phase line conductor and BROWN, BROWN and BROWN is acceptable for line conductors L1, L2 and L3.
CA	6.2.3			In Canada, where the colour GREY is used as a replacement for the colour identification BLUE for neutral or mid-point conductor, the colour GREY shall not be used for identification of line conductors in AC-systems if confusion is likely.
CA	6.2.3			In Canada, the colour GREY can be applied as identification of neutral or mid-point conductor, the colour GREY shall not be used for any other purpose than specified in Note 1 of this subclause.

Country	Clause No.	Nature (permanent or less permanent according to IEC Directives)	Rationale (detailed justification for the requested country note)	Wording
JP	6.2.3			In Japan, where the colour GREY is used as a replacement for the colour identification BLUE for neutral or mid-point conductor, the colour GREY shall not be used for identification of line conductors in AC-systems if confusion is likely.
JP	6.2.3			In Japan, the colour GREY can be applied as identification of neutral or mid-point conductor, the colour GREY shall not be used for any other purpose than specified in Note 1 of this subclause.
RU	6.2.3			In the Russian Federation, the preferred colour of the earthed phase conductor is BLUE. If confusion with the neutral conductor, the mid-point conductor or the earthed pole conductor is likely, the alphanumeric designation shall be indicated at the terminations of the earthed phase conductors and in points of their connections.
US	6.2.3			In the United States, where the colour GREY is used as a replacement for the colour identification BLUE for neutral or mid-point conductor, the colour GREY shall not be used for identification of line conductors in AC-systems if confusion is likely.
US	6.2.3			In the United States, the colour GREY can be applied as identification of neutral or mid-point conductor, the colour GREY shall not be used for any other purpose than specified in Note 1 of this subclause.
CA	6.3.2			In Canada, the colour identification GREEN for the protective conductor is used as a replacement for the colour combination GREEN-AND-YELLOW.
JP	6.3.2			In Japan, the colour identification GREEN for the protective conductor is used as a replacement for the colour combination GREEN-AND-YELLOW.
US	6.3.2			In the United States, the colour identification GREEN for the protective conductor is used as a replacement for the colour combination GREEN-AND-YELLOW.
US	6.3.2			In the United States, the use of single colour GREEN is permitted for identification of protective earth conductors.

DIN EN 60445 (VDE 0197):2011-10
EN 60445:2010

Country	Clause No.	Nature (permanent or less permanent according to IEC Directives)	Rationale (detailed justification for the requested country note)	Wording
RU	7.3.13			In the Russian Federation, the alphanumeric identification of the phase conductor of a single-phase electrical circuit shall be "L". The alphanumeric identification of the phase conductors of a three-phase electrical circuit shall be "L1", "L2" and "L3". When the single-phase electrical circuit is branched from a three-phase electrical circuit, the alphanumeric identification of the phase conductor of the single-phase electrical circuit should coincide with the alphanumeric identification of that phase conductor of the three-phase electrical circuit to which it is connected electrically.
RU	7.3.13			In the Russian Federation, the alphanumeric identification of the positive pole conductor shall be "L+", of the negative pole conductor shall be "L–". When the two-wire d.c. electrical circuit is branched from a 3-wire d.c. electrical circuit, the alphanumeric identification of the pole conductor of the two-wire electrical circuit should coincide with the alphanumeric identification of that pole conductor of the 3-wire electrical circuit to which it is connected electrically.
RU	7.3.13			In the Russian Federation, the alphanumeric identification of the earthed phase conductor of a single-phase electrical circuit shall be "LE", of a three-phase electrical circuit shall be "LE1", "LE2" or "LE3". The alphanumeric identification of the earthed positive pole conductor shall be "LE+", the earthed negative pole conductor shall be "LE–".
AU	Table A.1			In Australia, the colour PINK is the preferred colour for identification of a functional earthing conductor ('FE'), but the colour WHITE is also accepted.

Literaturhinweise

IEC 60050-195:1998, *International Electrotechnical Vocabulary (IEV) – Part 195: Earthing and protection against electric shock*
Amendment 1, 2001

IEC 60050-826:2004, *International Electrotechnical Vocabulary (IEV) – Part 826: Electrical installations*

IEC 60079-11:2006, *Explosive atmospheres – Part 11: Equipment protection by intrinsic safety "i"*

ANMERKUNG   Harmonisiert als EN 60079-11:2007 (nicht modifiziert).

IEC 60227-2:1997, *Polyvinyl chloride insulated cables of rated voltages up to and including 450/750V – Part 2: Test methods*

IEC 60601 (all parts), *Medical electrical equipment*

ANMERKUNG   Harmonisiert in der Reihe EN 60601 (teilweise modifiziert).

IEC 60757:1983, *Code for designation of colours*

IEC 61666:1997, *Industrial systems, installations and equipment and industrial products – Identification of terminals within a system*

ANMERKUNG   Harmonisiert als EN 61666:1997 (nicht modifiziert).

IEC 62491:2008, *Industrial systems, installations and equipment and industrial products – Labelling of cables and cores*

ANMERKUNG   Harmonisiert als EN 62491:2008 (nicht modifiziert).

Anhang ZA
(normativ)

Normative Verweisungen auf internationale Publikationen mit ihren entsprechenden europäischen Publikationen

Die folgenden zitierten Dokumente sind für die Anwendung dieses Dokuments erforderlich. Bei datierten Verweisungen gilt nur die in Bezug genommene Ausgabe. Bei undatierten Verweisungen gilt die letzte Ausgabe des in Bezug genommenen Dokuments (einschließlich aller Änderungen).

ANMERKUNG   Wenn internationale Publikationen durch gemeinsame Abänderungen geändert wurden, durch (mod) angegeben, gelten die entsprechenden EN/HD.

Publikation	Jahr	Titel	EN/HD	Jahr
IEC 60417	–	Graphical symbols for use on equipment	–	–
IEC 60617	–	Graphical symbols for diagrams	–	–
ISO/IEC Guide 51	–	Safety aspects – Guidelines for their inclusion in standards	–	–
IEC Guide 104	–	The preparation of safety publications and the use of basic safety publications and group safety publications	–	–

Juli 2006

DIN EN 61175

ICS 29.020

Ersatz für
DIN EN 61175:1995-05
Siehe jedoch Beginn der
Gültigkeit

**Industrielle Systeme, Anlagen und Ausrüstungen und
Industrieprodukte –
Kennzeichnung von Signalen (IEC 61175:2005);
Deutsche Fassung EN 61175:2005**

Industrial systems, installations and equipments and industrial products –
Designation of signals (IEC 61175:2005);
German version EN 61175:2005

Systèmes, installations, appareils et produits industriels –
Désignation des signaux (CEI 61175:2005);
Version allemande EN 61175:2005

Gesamtumfang 49 Seiten

DKE Deutsche Kommission Elektrotechnik Elektronik Informationstechnik im DIN und VDE

DIN EN 61175:2006-07

Beginn der Gültigkeit

Die von CENELEC am 2005-11-01 angenommene EN 61175 gilt als DIN-Norm ab 2006-07-01.

Daneben darf DIN EN 61175:1995-05 noch bis 2008-11-01 angewendet werden.

Nationales Vorwort

Vorausgegangener Norm-Entwurf: E DIN EN 61175:2005-12.

Für diese Norm ist das nationale Arbeitsgremium K 113 „Produktdatenmodelle, Informationsstrukturen, Dokumentation und graphische Symbole" der DKE Deutsche Kommission Elektrotechnik Elektronik Informationstechnik im DIN und VDE (http://www.dke.de) zuständig.

Die enthaltene IEC-Publikation wurde vom TC 3 „Information structures, documentation and graphical symbols" erarbeitet.

Das IEC-Komitee hat entschieden, dass der Inhalt dieser Publikation bis zu dem auf der IEC-Website unter „http://webstore.iec.ch" mit den Daten zu dieser Publikation angegebenen Datum (maintenance result date) unverändert bleiben soll. Zu diesem Zeitpunkt wird entsprechend der Entscheidung des Komitees die Publikation
- bestätigt,
- zurückgezogen,
- durch eine Folgeausgabe ersetzt oder
- geändert.

Für den Fall einer undatierten Verweisung im normativen Text (Verweisung auf eine Norm ohne Angabe des Ausgabedatums und ohne Hinweis auf eine Abschnittsnummer, eine Tabelle, ein Bild usw.) bezieht sich die Verweisung auf die jeweils neueste gültige Ausgabe der in Bezug genommenen Norm.

Für den Fall einer datierten Verweisung im normativen Text bezieht sich die Verweisung immer auf die in Bezug genommene Ausgabe der Norm.

Der Zusammenhang der zitierten Normen mit den entsprechenden Deutschen Normen ergibt sich, soweit ein Zusammenhang besteht, grundsätzlich über die Nummer der entsprechenden IEC-Publikation. Beispiel: IEC 60068 ist als EN 60068 als Europäische Norm durch CENELEC übernommen und als DIN EN 60068 ins Deutsche Normenwerk aufgenommen.

Änderungen

Gegenüber DIN EN 61175:1995-05 wurden folgende Änderungen vorgenommen:

a) Die Terminologie wurde aktualisiert;

b) zur Erleichterung des Verständnisses von Signalnamen wurden Klassifikationscodes eingeführt;

c) zur besseren Kennzeichnung des Zusammenhangs von Signalname und Betrachtungseinheit wurde der Begriff Signalnamendomäne eingeführt;

d) die Möglichkeiten zur Angabe von Zusatzinformationen wurde verallgemeinert.

Frühere Ausgaben

DIN EN 61175: 1995-05

EUROPÄISCHE NORM
EUROPEAN STANDARD
NORME EUROPÉENNE

EN 61175

Dezember 2005

ICS 29.020   Ersatz für EN 61175:1993

Deutsche Fassung

Industrielle Systeme, Anlagen und Ausrüstungen und Industrieprodukte – Kennzeichnung von Signalen
(IEC 61175:2005)

Industrial systems, installations and
equipments and industrial products –
Designation of signals
(IEC 61175:2005)

Systèmes, installations, appareils
et produits industriels –
Désignation des signaux
(CEI 61175:2005)

Diese Europäische Norm wurde von CENELEC am 2005-11-01 angenommen. Die CENELEC-Mitglieder sind gehalten, die CEN/CENELEC-Geschäftsordnung zu erfüllen, in der die Bedingungen festgelegt sind, unter denen dieser Europäischen Norm ohne jede Änderung der Status einer nationalen Norm zu geben ist.

Auf dem letzten Stand befindliche Listen dieser nationalen Normen mit ihren bibliographischen Angaben sind beim Zentralsekretariat oder bei jedem CENELEC-Mitglied auf Anfrage erhältlich.

Diese Europäische Norm besteht in drei offiziellen Fassungen (Deutsch, Englisch, Französisch). Eine Fassung in einer anderen Sprache, die von einem CENELEC-Mitglied in eigener Verantwortung durch Übersetzung in seine Landessprache gemacht und dem Zentralsekretariat mitgeteilt worden ist, hat den gleichen Status wie die offiziellen Fassungen.

CENELEC-Mitglieder sind die nationalen elektrotechnischen Komitees von Belgien, Dänemark, Deutschland, Estland, Finnland, Frankreich, Griechenland, Irland, Island, Italien, Lettland, Litauen, Luxemburg, Malta, den Niederlanden, Norwegen, Österreich, Polen, Portugal, Rumänien, Schweden, der Schweiz, der Slowakei, Slowenien, Spanien, der Tschechischen Republik, Ungarn, dem Vereinigten Königreich und Zypern.

CENELEC

Europäisches Komitee für Elektrotechnische Normung
European Committee for Electrotechnical Standardization
Comité Européen de Normalisation Electrotechnique

Zentralsekretariat: rue de Stassart 35, B-1050 Brüssel

© 2005 CENELEC –   Alle Rechte der Verwertung, gleich in welcher Form und in welchem Verfahren, sind weltweit den Mitgliedern von CENELEC vorbehalten.

Ref. Nr. EN 61175:2005 D

EN 61175:2005

Vorwort

Der Text des Schriftstücks 3/753/FDIS, zukünftige 2. Ausgabe von IEC 61175, ausgearbeitet von dem IEC/TC 3 „Information structures, documentation and graphical symbols", wurde der IEC-CENELEC Parallelen Abstimmung unterworfen und von CENELEC am 2005-11-01 als EN 61175 angenommen.

Diese Europäische Norm ersetzt EN 61175:1993.

Gegenüber der Vorläuferausgabe EN 61175:1993 enthält sie folgende wesentliche technische Änderungen:

Die Struktur der Signalkennzeichnung wurde erweitert und im Detail näher beschrieben:

- Die Benennung „Betriebsmittelkennzeichen" wurde unter Beibehaltung der bisherigen Bedeutung durch „Referenzkennzeichen" ersetzt;
- die Benennung „Basissignalname" wurde erweitert. Er wurde durch „Signalname" ersetzt, der nun aus „Klasse", „Kurzname" und „Basissignalname" zusammengesetzt ist, wobei der Begriff „Basissignalname" seine bisherige Bedeutung beibehielt;
- zur Unterstützung des Verständnisses von Signalnamen wurden Klassifikationscodes eingeführt, zum Beispiel kann die Art des Signals und demzufolge die „Signalrichtung" aus dem Code erkannt werden;
- zur verbesserten Kennzeichnung von Signalen in Bezug auf das zutreffende Objekt wurde der Begriff der „Signalnamendomäne" eingeführt;
- die Benennung „Versionsnummer" wurde unter Beibehaltung der bisherigen Bedeutung durch „Variante" ersetzt;
- die früher gegebene Möglichkeit, dem „Signalpegel" Zusatzinformationen hinzuzufügen, wurde allgemeiner gefasst, indem der Bereich „Zusatzinformationen" eingeführt wurde, der genutzt wird, um Informationen zur „Version", „Zeitstempel", „Pegel" und andere systemzugehörige Parameter zu ergänzen. Die Zusatzinformation ist als der Signalvariante zugehörig (und nicht der allgemeinen Signalkennzeichnung) ausgewiesen.

Nachstehende Daten wurden festgelegt:

- spätestes Datum, zu dem die EN auf nationaler Ebene durch Veröffentlichung einer identischen nationalen Norm oder durch Anerkennung übernommen werden muss (dop): 2006-08-01

- spätestes Datum, zu dem nationale Normen, die der EN entgegenstehen, zurückgezogen werden müssen (dow): 2008-11-01

Der Anhang ZA wurde von CENELEC hinzugefügt.

Anerkennungsnotiz

Der Text der Internationalen Norm IEC 61175:2005 wurde von CENELEC ohne irgendeine Abänderung als Europäische Norm angenommen.

In der offiziellen Fassung sind unter „Literaturhinweise" zu den aufgelisteten Normen die nachstehenden Anmerkungen einzutragen:

IEC 60227   ANMERKUNG Die Reihe HD 21 steht in Beziehung zu der Reihe IEC 60227, ist aber nicht identisch.

IEC 61355   ANMERKUNG Harmonisiert als EN 61355:1997 (nicht modifiziert).

IEC 61850-4 ANMERKUNG Harmonisiert als EN 61850-4:2002 (nicht modifiziert).

Inhalt

	Seite
Vorwort	2
Einleitung	5
1 Anwendungsbereich	6
2 Normative Verweisungen	6
3 Begriffe	6
4 Grundregeln	8
4.1 Struktur des Signalkennzeichens	8
4.2 Empfohlene Zeichen	11
5 Signalklassifikation	11
5.1 Allgemeines	11
5.2 Signalklassen	11
5.3 Art des Meldesignals	12
5.4 Art des Steuersignals	16
6 Regeln für die Identifizierung der Signalübertragung	18
6.1 Allgemeines	18
6.2 Varianten	18
6.3 Darstellung in binärer Logik	20
6.4 Numerische Datenkommunikation und Softwareprogrammierung	21
7 Signaldarstellung	22
7.1 Mensch-System-Schnittstelle, HSI	22
7.2 Dokumentation	22
8 Anwendung	22
8.1 Darstellung von Signalen in Signaleigenschaftslisten	22
9 Konformitätsklassen	25
9.1 Konformitätsklasse 1	25
9.2 Konformitätsklasse 2	26
Anhang A (informativ) Buchstabencodes und mnemotechnische Bezeichnungen in Signalnamen	27
A.1 Buchstabencodes für Messgrößen	27
A.2 Spezielle Buchstabencodes für elektrische Messgrößen	28
A.3 Buchstabencodes, die als Modifikator angewendet werden	28
A.4 Kennzeichnung der Anschlüsse bestimmter Leiter	29
A.5 Mnemotechnische Bezeichnungen zur Anwendung im Basissignalnamen	29
Anhang B (informativ) Das Signalkonzept	39
B.1 Beschreibung und Erläuterung des Signalkonzepts	39
B.2 Signal-Informationsmodell	39
B.3 Signalübertragung (Verbindung)	43
Literaturhinweise	46

	Seite
Anhang ZA (normativ) Normative Verweisungen auf internationale Publikationen mit ihren entsprechenden europäischen Publikationen	47

Bilder

Bild 1 – Struktur der Signalbenennung	9
Bild 2 – Beispiele typischer Meldesignale	13
Bild 3 – Beispiel für ein Rückmeldesignal	13
Bild 4 – Beispiel für ein Ereignissignal	14
Bild 5 – Beispiel für Messsignale	14
Bild 6 – Beispiel für ein analoges Signal	15
Bild 7 – Beispiel für zusätzliche Information	15
Bild 8 – Beispiel für die Teile eines analogen Signals	15
Bild 9 – Beispiel für Signale mit konstantem Pegel	16
Bild 10 – Beispiele für typische Steuersignale	17
Bild 11 – Beispiel für ein Befehlssignal	17
Bild 12 – Beispiel für ein Signal zum Setzen eines Werts	18
Bild 13 – Signalvarianten in einer Signalverbindungskette	19
Bild 14 – Signalvarianten mit herstellerdefinierten Signalnamen	19
Bild 15 – Signalzustände binärer Signale	20
Bild 16 – Beispiel für ein negiertes Signal	21
Bild 17 – Liste von Signaleigenschaften und eine entsprechende XML-Datei	23
Bild 18 – Spannungsmessung, Meldesignal-Klasse (M)	24
Bild 19 – Befehlssignal für einen Trennschalter, Steuersignal-Klasse (C)	25
Bild 20 – Beispiel eines Signalkennzeichens, das der Konformitätsklasse 1 entspricht	26
Bild 21 – Beispiel eines Signalkennzeichens, das der Konformitätsklasse 2 entspricht	26
Bild B.1 – Meldesignal	40
Bild B.2 – Steuersignal	41
Bild B.3 – Anwendung von Signalkennzeichen innerhalb von Objekten	42
Bild B.4 – Beispiel eines Signalkennzeichens mit „Zeitstempel"	43
Bild B.5 – Typische Signalverbindungskette	44
Bild B.6 – Physikalische Repräsentation der Signalübertragung	44
Bild B.7 – Statische Darstellung der Signalübertragung	44
Bild B.8 – Dynamische Darstellung der Signalübertragung	45

Tabelle

Tabelle 1 – Buchstabencodes für Signalklassen	12
Tabelle A.1 – Buchstabencodes für Messgrößen	27
Tabelle A.2 – Spezielle Buchstabencodes für elektrische Messgrößen	28
Tabelle A.3 – Buchstabencodes, die als Modifikator angewendet werden	28
Tabelle A.4 – Kennzeichnung bestimmter Leiter	29
Tabelle A.5 – Mnemotechnische Bezeichnungen zur Anwendung in beschreibenden Signalnamen	30

Einleitung

Zweck dieser Norm ist es, Regeln und Anforderungen für die Kennzeichnung von Signalen aufzustellen und außerdem Empfehlungen für nützliche Darstellungen dieser Signale auszusprechen.

Grundsätzlich ist ein Signalkennzeichen einem Signal während seiner gesamten Lebensdauer zugeordnet. Dies bedeutet: vom Anfang des Entwurfsstadiums bis zu dem Zeitpunkt, zu dem das Signal nicht mehr gebraucht wird.

Die Kennzeichnung eines Signals in Übereinstimmung mit dieser Norm bedeutet, dass die Quelle und das Ziel des Signals identifiziert werden müssen, auch in Zwischenschnittstellen, wo das Signal von einem System/Medium zu einem anderen übertragen wird; aber die Identifizierung selbst ist unabhängig vom Übertragungsmedium des Signals.

Um die Regeln und Abläufe für verschiedene Systeme und signalübertragende Medien einzuhalten, wird in dieser Norm beschrieben, wie besondere Informationen in einem System und/oder zwischen Systemen als „zusätzliche Information", falls notwendig, gehandhabt werden.

Der Wechsel eines Übertragungsmediums für ein Signal aus Gründen des physikalischen Umbaus einer Anlage darf keinen Wechsel der Identifizierung dieses Signals verursachen, wenn seine Bedeutung aufrechterhalten wird. Die Art der physikalischen Übertragung eines Signals hat keinen Einfluss auf seine Identifizierung, außer wenn diese physikalische Übertragung Teil des Signalzwecks ist.

Der Umbau von Anlagen könnte dazu führen, dass man mehr Signale im selben physikalischen Medium übertragen möchte. Alle solchen zusätzlichen Signale müssen in Übereinstimmung mit ihrem Zweck und den Regeln, die in dieser Norm festgelegt sind, identifiziert werden.

Da die Identifizierung eines Signals nichts mit seiner physikalischen Übertragung zu tun hat, sollen die Linien in den Abbildungen eher als „Signale" denn als „Verbindungen" gelesen werden.

1 Anwendungsbereich

Diese internationale Norm enthält Regeln für die Bildung von Kennzeichen und Namen, die Signale und Signalverbindungen identifizieren. Dies schließt die Kennzeichen für Energieversorgungskreise ein.

Die Norm gilt für alle Arten von Signalen in einem industriellen System, einer Installation und einer Ausrüstung.

Die Norm gilt nicht für die Identifizierung von Kabeln, Anschlüssen und anderer Hardware für Verbindungen.

Die Norm legt keine Regeln für:

- die grafische/physikalische Darstellung eines Signals an Einrichtungen,
- die grafische Darstellung von Signalen in einer Dokumentation fest.

2 Normative Verweisungen

Die folgenden zitierten Dokumente sind für die Anwendung dieses Dokuments erforderlich. Bei datierten Verweisungen gilt nur die in Bezug genommene Ausgabe. Bei undatierten Verweisungen gilt die letzte Ausgabe des in Bezug genommenen Dokuments (einschließlich aller Änderungen).

IEC 60417, *Graphical symbols for use on equipment*

IEC 60445, *Basic and safety principles for man-machine interface, marking and identification – Identification of equipment terminals and of terminations of certain designated conductors, including general rules for an alphanumeric system*

IEC 60447, *Basic and safety principles for man-machine interface, marking and identification – Actuating principles*

IEC 60747, *Semiconductor devices – Discrete devices*

IEC 61082-1[1], *Preparation of documents used in electrotechnology – Part 1: Rules*

IEC 61131 (all parts), *Programmable controllers*

IEC 61346 (all parts), *Industrial systems, installations and equipment and industrial products – Structuring principles and reference designations*

ISO/IEC 646:1991, *Information technology – ISO 7-bit coded character set for information processing interchange*

ISO/IEC 8859-1:1998, *Information technology – 8-bit single-byte coded graphic character sets – Part 1: Latin alphabet No. 1*

3 Begriffe

Für die Anwendung dieses Dokuments gelten die folgenden Begriffe:

3.1
Signal
Informationseinheit, die von einem Objekt zu einem anderen übertragen wird

ANMERKUNG   Nachrichten (Signaleinheiten) können in einem Kommunikationsnetzwerk in Form von Telegrammen gesandt werden. Solche Nachrichten können ein oder mehrere Signale repräsentieren.

---

[1] In Vorbereitung.

EN 61175:2005

3.2
Signalkennzeichen
eindeutiger Identifikator eines *Signals* innerhalb eines Systems

3.3
Signalverbindung
Pfad, auf dem das Signal zwischen den Anschlussstellen übertragen wird

ANMERKUNG   Die Verbindung kann als logisch oder physikalisch identifiziert und mit verschiedenen Verbindungsmedien hergestellt werden. Eine vollständige Signalverbindungskette darf verschiedene Medien beinhalten.

3.4
Signalverbindungskette
Gruppe zusammenhängender *Signalverbindungen*, die zum selben Signal gehören

ANMERKUNG   Die Signalverbindungskette beschreibt typischerweise die vollständige Verbindung der Signalübertragung.

3.5
Signalverbindungsmedium
Medium, in dem das *Signal* von einer Stelle zu einer anderen übertragen wird

ANMERKUNG   Das Medium kann als logisch oder physikalisch identifiziert werden, und eine vollständige Signalverbindungskette kann verschiedene Medien beinhalten.

Beispiele:

– physikalische Medien: elektrische Leitungen, optische Fasern

– logische Medien: einfache Datenübertragung, Kommunikationsbus oder Netzwerk

3.6
Signalnamendomäne
gewähltes *Objekt*, in dem jeder Signalname ohne Anwendung des *Referenzkennzeichens* eindeutig ist

3.7
Signaldarstellung
Art der Darstellung eines Meldesignals

ANMERKUNG 1   Beispiel: digitale Anzeige, analoge Anzeige, Lampe, Signalapparat

ANMERKUNG 2   Für die Darstellung muss nicht das vollständige Signalkennzeichen angewendet werden (es kann aber). Es wird empfohlen, das vollständige Signalkennzeichen über die Signaldarstellung auffindbar zu machen.

3.8
Signalart
übergeordneter Typ der *Signalklasse*, der die Informationsrichtung in der *Signalverbindung* definiert

ANMERKUNG   Es werden zwei Signalarten angewendet:

– Meldesignale und

– Steuersignale

3.9
Signalklasse
Gruppe von *Signalen*, die in Übereinstimmung mit einem Klassenschema definiert ist, das auf dem Zweck der Signale beruht

ANMERKUNG   Die Signalklasse wird durch einen Code im Signalkennzeichen angegeben.

7

3.10
Signalvariante
identifizierter Abschnitt der *Signalverbindungskette*

ANMERKUNG   Es gibt immer mindestens eine Variante in einer Signalverbindungskette.

3.11
Objekt
Betrachtungseinheit, die in einem Konstruktions-, Planungs-, Realisierungs-, Betriebs-, Wartungs-, Demontageprozess behandelt wird

[IEC 61346-1:1996, Begriff 3.1]

3.12
Objektkennzeichen
Identifikator für ein bestimmtes Objekt

[IEC 61355:1997, Begriff 3.12]

3.13
Referenzkennzeichen
Kennung eines spezifischen Objekts in Bezug auf das System, von welchem das Objekt Bestandteil ist. Es basiert auf einem oder mehreren Aspekten dieses Systems.

[IEC 61346-1:1996, Begriff 3.7]

3.14
Datenpunkt
physikalischer Punkt in der *Signalverbindungskette*, an dem eine Nachricht geprüft und auf den aktuellen Wert eines *Signals* zugegriffen werden kann

3.15
Datenobjekt
Signalgruppe, die aus einem oder mehreren Dateneinheiten (Signalen) besteht

ANMERKUNG   Ein Datenobjekt wird angewendet, um die spezifischen Funktionalitätselemente einer Einrichtung zu repräsentieren.

3.16
Version
Identifizierung einer spezifischen Ausgabe/Version der Information

ANMERKUNG   Beispiel:

– Version 1 ist die Nachricht zur Zeit 0; und

– Version 2 ist die Nachricht zur Zeit 0 + 1 s.

4 Grundregeln

4.1 Struktur des Signalkennzeichens

Ein Signalkennzeichen muss ein Signal über eine Menge von Punkten hinweg (Anschluss, Verzweigung, Datenpunkt) innerhalb eines Systems eindeutig identifizieren (siehe IEC 61346-1) und es darf das Signal auch klassifizieren.

Die Struktur eines Signalkennzeichens muss für die Identifikation und Klassifikation auf genormten, in Zusammenhang mit dem System stehenden Teilen und deren Unterteilungen beruhen, die einander auf organisierte und spezifizierte Weise folgen. Alle Teile dürfen nach einem dokumentierten Prinzip für verschiedene Anwendungszwecke – als Text zum Lesen für Menschen oder als Codes für andere Zwecke – dargestellt werden.

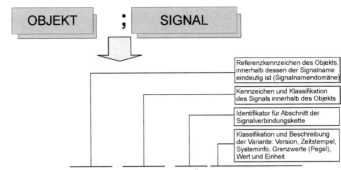

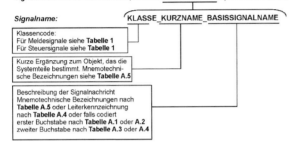

Bild 1 – Struktur der Signalbenennung

Das Signalkennzeichen muss folgende Struktur haben:

REF. KENNZ. ; SIGNALNAME : VARIANTE (ZUSÄTZLICHE INFORMATION)

Siehe Bild 1, wobei:

REF. KENNZ. das Kennzeichen des Objekts ist (die Signalnamendomäne), innerhalb dessen der Signalname eindeutig und gültig ist (siehe 4.1.1);

; das Vorzeichen von SIGNALNAME ist;

SIGNALNAME das eindeutige Kennzeichen eines Signals ist, das innerhalb eines spezifischen Objekts gültig ist (siehe 4.1.2);

: das Trennzeichen zwischen SIGNALNAME und VARIANTE oder ZUSÄTZLICHE INFORMATIONEN (falls keine Variante angewendet wird) ist;

VARIANTE das Kennzeichen der Signalvariante ist (siehe 4.1.3);

( ) eine zusätzliche Information bezeichnet;

ZUSÄTZLICHE INFORMATION

die Beschreibung und mögliche Unterklasse der Signalvariante ist (siehe 4.1.4).

4.1.1 Referenzkennzeichen

Die Signalnamendomäne muss durch ein *Referenzkennzeichen* dargestellt werden. Dies soll vorzugsweise in Übereinstimmung mit IEC 61346-1 erfolgen (siehe auch die Beschreibungen im Anhang B). Dieses Referenzkennzeichen darf nicht Teil des Signalnamens sein, der innerhalb der Signalnamendomäne angewendet wird.

4.1.2 Signalname

Der *Signalname* muss das Signal kennzeichnen und darf es allgemein klassifizieren und beschreiben. Der Signalname muss mit dem Vorzeichen (;) beginnen und einen *Basissignalnamen* enthalten und darf einen *Kurznamen* und eine *Klasse* enthalten, wie unten beschrieben. Das Vorzeichen muss in Dokumenten dargestellt werden. Das Vorzeichen darf in einem Dokument, in dem Signalnamen zweifelsfrei als solche zu erkennen sind, z. B. in einer Signalliste, weggelassen werden.

Die Struktur eines Signalnamens muss wie folgt sein:

| KLASSE | _ | KURZNAME | _ | BASISSIGNALNAME |

wobei

KLASSE	der Code der Signalklasse ist (siehe Abschnitt 5);
ANMERKUNG	Unterklassen müssen in ZUSÄTZLICHE INFORMATIONEN untergebracht (und auffindbar) sein.
KURZNAME	eine kurze Textbeschreibung des meldenden Objekts bzw. des gesteuerten Objekts ist;
BASISSIGNALNAME	die Kurzbeschreibung des Signals ist, welche die spezielle Funktion des Signals beschreibt (siehe Anhang A für Abkürzungen, die für die Anwendung im BASISSIGNALNAMEN empfohlen werden).

ANMERKUNG Zur besseren Lesbarkeit wird empfohlen, den Unterstrich für die Trennung der Unterteilungen des Signalnamens anzuwenden.

4.1.3 Variante

Der Variantenteil des Signalkennzeichens muss angewendet werden, um einen Abschnitt des Signals auf seinem Weg von der Quelle bis zum Zielpunkt zu identifizieren, wenn es erforderlich ist. Wenn es nur einen Abschnitt gibt, ist es nicht erforderlich, Variantennummern oder -codes anzuwenden, aber das Trennzeichen vor dem Variantenteil des Signals muss angewendet werden, wenn dem Signalnamen zusätzliche Informationen hinzugefügt werden. Siehe auch die Beschreibung von Varianten in 6.2 und B.3.

Beispiele für Fälle, in denen die Aufteilung in verschiedene Varianten anwendbar ist, sind:

- von einer funktionalen Darstellung zu einer anderen;
- von einem elektrischen Netz zu einem anderen;
- von einer Komponente zu einer anderen;
- von einem Signalverbindungsmedium zu einem anderen.

4.1.4 Zusätzliche Information

Die zusätzlichen Informationen zur Signalkennzeichnung müssen die Eigenschaften der Signalvariante beschreiben. Siehe auch Bild 7 und B.2.1.3.

ANMERKUNG Die zusätzlichen Informationen sind nur dort anzuwenden, wo es notwendig ist.

Die zusätzlichen Informationen zu einer Signalvariante, falls sie angewendet werden, können folgende Angaben enthalten:

- Version, Zeitstempel oder Pegel usw.;
- Systeminformationen, z. B. Parameter, die mit einem Protokoll in Zusammenhang stehen; und außerdem
- andere Systeminformationen.

In ZUSÄTZLICHE INFORMATION dürfen Versionsnummer oder Zeitstempel angewendet werden, um einen eindeutigen Identifikator einer speziellen Version zu erzeugen.

4.2 Empfohlene Zeichen

Signalkennzeichen sollten mit Zeichen aus Norm-Zeichensätzen gebildet werden.

Verschiedene mnemotechnische Bezeichnungen, Abkürzungen, Identifizierungen, Suffixe usw. innerhalb eines Namens dürfen durch eine Leerstelle oder einen Unterstrich (_) getrennt werden, um die Lesbarkeit zu erhöhen. Damit die Kompatibilität mit der Informationsverarbeitung erhalten bleibt, sollten die Zeichensätze auf die Zeichen im 7-Bit-Zeichensatz, Basiscodetabelle, nach ISO/IEC 646 beschränkt werden. Steuerzeichen und nationale Ersatzzeichen sind davon ausgenommen.

Sind die anzuwendenden Computer- und Kommunikationssysteme auf solche beschränkt, die 8-Bit-Zeichen verarbeiten können, wird ISO 8859-1 für weitere Zeichen empfohlen.

Die empfohlenen Zeichen umfassen:

- Großbuchstaben **A** bis **Z**;
- Kleinbuchstaben **a** bis **z**;
- Ziffern **0** bis **9**;
- Negationszeichen: siehe 6.3.2;
- Abstandszeichen: Unterstrich (_) oder Leerstelle;
- Vorzeichen zu SIGNALNAME: Semikolon (;);
- Variantentrennzeichen: Doppelpunkt (:);
- Kennzeichen für zusätzlichen Informationen ( );
- Boolesche Operatoren: hochgestellter Punkt (.);
- Sonderzeichen: ! " % & ' * , . / < = > − + ?

5 Signalklassifikation

5.1 Allgemeines

Es wird empfohlen, eine Signalklassifikation nach Art und des Zwecks des Signals anzuwenden.

5.2 Signalklassen

Wenn die Signalklasse angewendet wird, muss sie durch einen Buchstabencode im Signalnamen repräsentiert werden (siehe 4.1.2). Der Code muss in Übereinstimmung mit diesem Abschnitt gewählt werden.

ANMERKUNG   Die Anwendung des Klassifikationscodes war nicht Bestandteil der ersten Ausgabe dieser Norm.

Man kann zwei Hauptarten von Signalen erkennen: Meldesignale und Steuersignale; die beiden Arten sind durch die Richtung der Signalinformation zwischen steuerndem und gesteuertem Objekt gekennzeichnet.

Die folgenden Buchstabencodes müssen als Einleitung zum Signalnamen angewendet werden, um die Signalklasse zu identifizieren.

Tabelle 1 – Buchstabencodes für Signalklassen

Code	Klasse	Art	Referenz
A	Alarmsignal	Meldesignal	Siehe 5.3.2
C	Befehl	Steuersignal	Siehe 5.4.1
E	Ereignissignal	Meldesignal	Siehe 5.3.2
I	Rückmeldesignal	Meldesignal	Siehe 5.3.1
L	Signal für konstanten Pegel	Meldesignal	Siehe 5.3.4
M	Messsignale	Meldesignal	Siehe 5.3.3
S	Signal zum Setzen eines Werts	Steuersignal	Siehe 5.4.2
X(n)	Zusätzliche Klasse	Meldesignal	
Y(n)	Zusätzliche Klasse	Steuersignal	

ANMERKUNG   Der Begriff „Zusätzliche Klasse" ist für eine besondere Anwendung festgelegt und dokumentiert. Ist mehr als eine zusätzliche Klasse erforderlich, werden Nummern angewendet.

Die Klassifikation, einschließlich der zusätzlichen Klassen, darf nicht auf das Vorkommen einer spezifischen Variante des Signals bezogen sein, sondern auf das Signal selbst. Wenn die Repräsentation eines Signals in einer Variante des Signals klassifiziert werden soll, kann diese durch einen Code (Unterklasse) in „ZUSÄTZLICHE INFORMATION" (siehe 4.1) identifiziert werden.

5.3 Art des Meldesignals

Ein Meldesignal muss Informationen vom meldenden Objekt (Quelle) zu einem oder mehreren Zielen (Empfänger der Nachricht) übertragen. Das Referenzkennzeichen der Signaldomäne, in der das meldende Objekt enthalten ist, muss zur Identifizierung eines Meldesignals angewendet werden.

Das Ziel eines Meldesignals ist oft der Mensch, kann aber auch eine mechanische Einrichtung, ein Rechnersystem o. Ä. sein.

Bild 2 zeigt Beispiele für:

a) verschiedene Meldesignale von einer Quelle zu verschiedenen Zielen und
b) verschiedene Varianten desselben Meldesignals zu zwei Zielen.

a)

b)

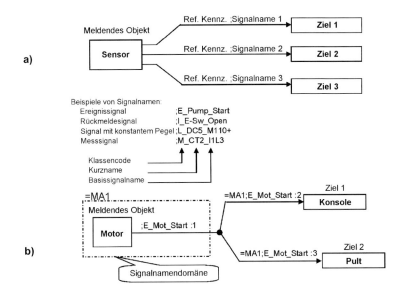

Bild 2 – Beispiele typischer Meldesignale

5.3.1 Rückmeldesignal (I)

Ein Rückmeldesignal ist ein Meldesignal, das zwei Zustände hat, aktiv oder inaktiv. Der Basissignalname muss sich auf den aktiven Zustand beziehen. Wenn Informationen über zwei Positionen benötigt werden, müssen zwei Signale definiert werden.

ANMERKUNG   Die beiden Zustände können von einer Einrichtung rückgemeldet und von einem elektrischen Leiter übertragen werden, wobei ein unter Spannung stehender Leiter eine Position und ein nicht unter Spannung stehender Leiter die entgegengesetzte Position bedeuten. Allerdings wird diese Methode zur Übertragung von Rückmeldesignalen nicht empfohlen, weil der nicht unter Spannung stehende Leiter sowohl eine Position als auch einen Verbindungsverlust anzeigen würde.

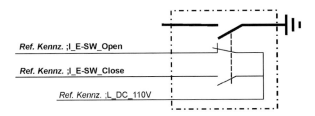

Bild 3 – Beispiel für ein Rückmeldesignal

5.3.2 Alarm- und Ereignissignale (A und E)

Alarm- und Ereignissignale sind, wie Rückmeldesignale, Meldesignale mit zwei Zuständen. Sie werden aber angewendet, um den Empfänger über ein bestimmtes Ereignis zum Zeitpunkt des Eintreffens in Kenntnis zu setzen, oder, mittels beigefügter Daten, welches Ereignis und/oder wann es stattgefunden hat.

ANMERKUNG Typischerweise werden diese Arten von Signalen von einer Signalquelle im Fall eines geänderten Status, z. B. in einer Prozessüberwachungseinrichtung, erzeugt.

Ein Alarmsignal muss angewendet werden, um das Vorkommen einer unnormalen Situation in einem überwachten System anzuzeigen, und muss (vom Empfänger) für eine besondere Behandlung (Alarmzwecke) im Empfangssystem bestimmt werden.

Andere Vorkommnisse müssen von Ereignissignalen angezeigt werden.

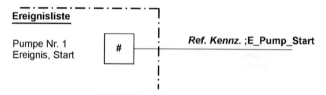

Bild 4 – Beispiel für ein Ereignissignal

Der Unterschied zwischen den Klassen **Rückmeldesignal**, **Alarmsignal** und **Ereignissignal** ist nicht aus der Position der Signalquelle ersichtlich. Die Klasse (I) sollte in den Fällen angewendet werden, in denen der Zweck des Signals nicht vollkommen klar ist.

5.3.3 Messsignal (M)

Ein Messsignal ist ein Meldesignal, das für die Repräsentation eines Werts angewendet wird, der als kontinuierlich variabel anzusehen ist. Das physikalische Signal selbst kann analog sein oder aus einer Anzahl von Zuständen und/oder zeitabhängigen separaten Einzelwerten bestehen.

Wenn der Basissignalname codiert werden muss, sollten Buchstabencodes nach Tabelle A.1 oder Tabelle A.2 als erstes Zeichen angewendet werden und Buchstabencodes nach Tabelle A.3 als zweites Zeichen (Beispiele siehe Bild 5).

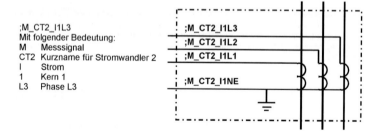

Bild 5 – Beispiel für Messsignale

Analoge Signale haben einen kontinuierlichen Bereich möglicher physikalischer Werte; der Name für solche Signale sollte „die Variable oder Funktion", die durch das Signal dargestellt wird, beschreiben.

Der Basissignalname für ein analoges Signal kann in Klartext oder codiert sein (siehe Anhang A).

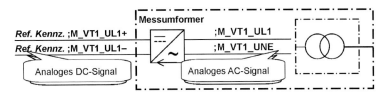

Bild 6 – Beispiel für ein analoges Signal

Die Messeinrichtung, die das Messsignal erzeugt, das Transportmedium und die Darstellung dürfen das Signal in verschiedener Weise darstellen (siehe Beispiele in Bild 7). Da die Informationen aber in allen Fällen dieselben sind und deshalb derselbe Signalname angewendet werden muss, müssen die verschiedenen Formen als Varianten des Signals definiert werden.

Die Identifikation der Signalvariante darf zusätzliche Information über die Art der Repräsentation enthalten. Bestimmte Attribute, die mit der Art zusammenhängen, z. B. Zeitstempel digitaler Nachrichten analoger Werte, dürfen der Variante hinzugefügt werden.

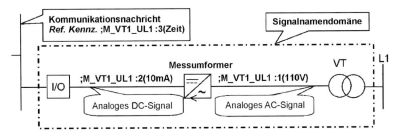

Bild 7 – Beispiel für zusätzliche Information

Alle Repräsentationen eines Signals, einschließlich der Darstellung auf einem Bildschirm, müssen sich auf Signalvarianten beziehen. Benötigt der Empfänger eines Messsignals einen Teil einer Kurve (analoger Wert) oder einen bestimmten Punkt (Wert), muss dies als ein separates Signal behandelt werden, wobei der Name des ursprünglichen Signals zusammen mit der Variantenkennung und notwendigen zusätzlichen Informationen angewendet wird.

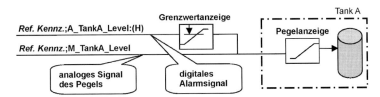

Bild 8 – Beispiel für die Teile eines analogen Signals

ANMERKUNG   Die zusätzlichen Informationen gehören zu einer Variante des Signals. Deshalb muss das Variantentrennzeichen vor der zusätzlichen Information angewendet werden, selbst wenn keine Variante zu identifizieren ist.

5.3.4 Signal mit konstantem Pegel (L)

Eine Verbindung mit konstantem Pegel wird als bestimmter Typ eines Meldesignals betrachtet, das sich auf Stromversorgungskreise bezieht. Obwohl es keine Informationen an das Zielobjekt überträgt, ist das Benennungsprinzip dasselbe wie für andere Meldesignale.

Verbindungen mit konstantem Pegel sollten entsprechend den Eigenschaften der physikalischen Größe des konstanten Pegels, die sie übertragen, benannt werden. Dies kann entweder ein numerischer Wert mit einer Maßeinheit oder eine allgemeinverständliche Abkürzung sein, die einen nominellen numerischen Wert enthält, und darf auch eine Toleranz oder andere zusätzliche Eigenschaften beinhalten. Zum Beispiel:

- Eine funktionale Erdverbindung darf 0V oder FE heißen.
- Eine Schutz-Erdverbindung darf PE heißen.
- Eine Verbindung mit TLL-Versorgungsspannung darf +5V oder V+ oder VC heißen.
- Eine Stromversorgungsverbindung darf 50Hz 230V L1 heißen.

Mnemotechnische Bezeichnungen und Abkürzungen sollten von Buchstabensymbolen nach IEC 60747 oder IEC 60445 abgeleitet werden, soweit sie zutreffen. Zur Übersicht sind die Leiterkennzeichnungen nach IEC 60445 in Tabelle A.4 aufgeführt.

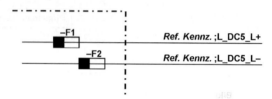

Bild 9 – Beispiel für Signale mit konstantem Pegel

ANMERKUNG   Der Name des Signals sollte als ein Signal mit konstantem Pegel übersetzt werden, das von einer Stromversorgungseinheit DC5, positive Gleichstromversorgung bzw. negative Gleichstromversorgung, ausgesandt wird.

5.4 Art des Steuersignals

Ein Steuersignal muss Informationen von einer oder mehreren Quellen zu einem gesteuerten Objekt (Ziel) übertragen, um eine Operation oder eine andere Aktivität auszulösen. Das Referenzkennzeichen des gesteuerten Objekts muss angewendet werden, um ein Steuersignal zu identifizieren.

Bild 10 zeigt Beispiele von:

a) verschiedenen Steuersignalen zum selben Ziel von verschiedenen Quellen und
b) verschiedenen Varianten desselben Steuersignals von zwei Quellen.

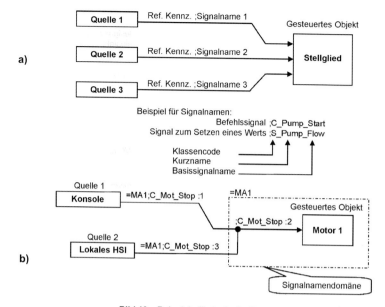

Bild 10 – Beispiele für typische Steuersignale

5.4.1 Befehlssignal (C)

Ein Befehlssignal ist ein Steuersignal zum Starten oder Stoppen von Vorgängen im gesteuerten Prozess oder für ähnliche Aktivitäten.

Das Befehlssignal kennt nur zwei Zustände; das Signal kann aktiv oder nicht aktiv sein. Die Aufgabe des Befehls muss durch das aktive Signal aktiviert werden. Wenn das Signal nicht aktiv ist, bedeutet dies nur „keine Aktion".

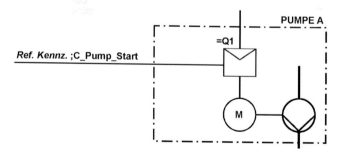

Bild 11 – Beispiel für ein Befehlssignal

5.4.2 Signal zum Setzen eines Werts (S)

Ein Signal zum Setzen eines Werts ist ein Steuersignal, das angewendet wird, wenn man einen Wert braucht, der den Ablauf eines gesteuerten Prozesses beeinflusst. Der Wert darf ein analoger oder numerischer Wert aus einem Wertebereich sein.

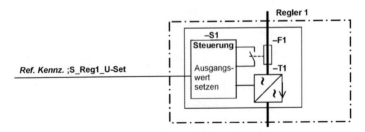

Bild 12 – Beispiel für ein Signal zum Setzen eines Werts

6 Regeln für die Identifizierung der Signalübertragung

6.1 Allgemeines

Ein Signal wird von der Signalquelle zum Signalziel über eine Signalverbindungskette übertragen (siehe Bild B.1 und Bild B.2). Entlang der Signalverbindungskette dürfen bestimmte Informationen zu dem Signal in Bezug gesetzt werden. Falls erforderlich, müssen solche Informationen dem Variantenteil des Signalnamens im Signalkennzeichen hinzugefügt werden.

6.2 Varianten

Die vollständige Signalverbindungskette von der Signalquelle zum Signalziel kann in Signalvarianten aufgeteilt werden, d. h. in Abschnitte, die durch Datenpunkte getrennt sind. Eine Variante muss identifiziert werden, wenn das erforderlich ist.

Gründe für den Gebrauch der Identifizierung von Signalvarianten können sein, dass

- verschiedene Medien oder Darstellungsformen in der Signalverbindungskette angewendet werden, oder
- jeder Abschnitt der Verbindungskette eindeutig identifiziert und dokumentiert werden muss, z. B. für Testzwecke.

Der Identifikator für die Signalvariante, z. B. eine fortlaufende Nummer, muss nach dem Signalnamen angefügt werden. Der Variantenidentifikator muss vom Signalnamen durch einen Doppelpunkt (:) getrennt werden. Bild 13 und Bild 14 veranschaulichen den Gebrauch von Signalvarianten.

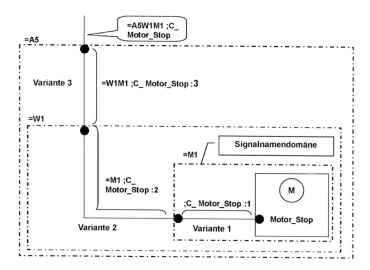

Bild 13 – Signalvarianten in einer Signalverbindungskette

Wenn die Signalverbindungskette durch eine Einheit mit vom Hersteller definierten internen Signalnamen geht, könnten diese als Namen für Signalvarianten angewendet werden (siehe Bild 14).

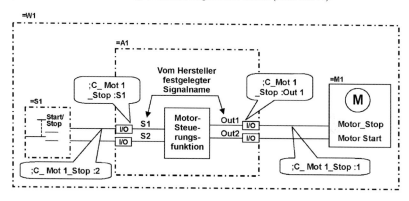

ANMERKUNG Das allgemeine Referenzkennzeichen =W1 sollte nicht innerhalb des Objekts =W1 (der Signalnamendomäne) angewendet werden.

Bild 14 – Signalvarianten mit herstellerdefinierten Signalnamen

EN 61175:2005

6.3 Darstellung in binärer Logik

6.3.1 Allgemeines

Eine Signalvariante darf die Signalinformationen in der Form binärer Logik darstellen. In binärer Darstellung hat das Signal nur zwei „Zustände", die durch zwei sich nicht überschneidende Bereiche (Ebenen) physikalischer Werte repräsentiert werden dürfen.

Bei der binären Darstellung von Signalen könnte der Basissignalname eine „Abkürzung" einer Aussage oder eines „Ausdrucks" sein, der als „wahr" oder „falsch" (oder 1 oder 0) bewertet werden kann. Zum Beispiel ist der Name ALARM eine Abkürzung der Aussage „Alarm ist aktiv". Der Wahrheitswert, den man durch Auswertung der Aussage oder des Ausdrucks erhält, der durch den Basissignalnamen dargestellt wird, wird der logische Zustand – „der Signalzustand" – der Signalvariante genannt.

Der Wert „wahr" der Aussage, die durch den Basissignalnamen dargestellt wird, entspricht dem 1-Zustand der Signalvariante. Der Wert „falsch" der Aussage, die durch den Basissignalnamen dargestellt wird, entspricht dem 0-Zustand der Signalvariante. Zum Beispiel bedeutet der Name ALARM, dass „Alarm ist aktiv" wahr ist, wenn die Signalvariante in ihrem 1-Zustand ist, und falsch, wenn die Signalvariante in ihrem 0-Zustand ist (siehe Bild 15 Zeilen 1 und 2).

Nr	Eingang (oder Ausgang)	Systembedingung	Signalzustand (Wahrheitswert)	Beziehung, die durch das Vorhandensein oder Nichtvorhandensein des Negationssymbols definiert ist	
				Externer Logik-Zustand	Interner Logik-Zustand
1 ALARM		Alarm	wahr = 1	1	1
		kein Alarm	falsch = 0	0	0
2 ALARM		Alarm	wahr = 1	1	0
		kein Alarm	falsch = 0	0	1
3 ALARM		Alarm	falsch = 0	0	0
		kein Alarm	wahr = 1	1	1
4 ALARM		Alarm	falsch = 0	0	1
		kein Alarm	wahr = 1	1	0

ANMERKUNG 1 Der Signalzustand, der wahr ist, entspricht immer dem externen Logik-Zustand 1.
ANMERKUNG 2 Der Signalzustand, der falsch ist, entspricht immer dem externen Logik-Zustand 0.

Bild 15 – Signalzustände binärer Signale

6.3.2 Negiertes Signal

Eine Signalvariante darf die negierte Form des vorhergehenden Signals darstellen. Die Negation ist für die binäre Darstellung von Signalen gültig. Allerdings sollte manchmal eine Aktion eingeleitet werden, wenn eine bestimmte Bedingung nicht wahr ist.

Die bevorzugten Methoden, um Negation in einem Namen anzuzeigen, sind folgende:

- Dem entsprechenden Namensteil wird das mathematische Zeichen für logische Negation vorangestellt. Zum Beispiel ¬RUN.

  ANMERKUNG 1 Diese Methode ist die bevorzugte.

ANMERKUNG 2   Bei Rechnersystemen, in deren Zeichensätzen das Symbol für logische Negation nicht enthalten ist, darf die Tilde (~) das „¬"-Zeichen ersetzen.

- Dem entsprechenden Namensteil wird ein „-N" nachgestellt. Zum Beispiel RUN-N.
- Über den Namensteil, der die Negation des Ausdrucks darstellt, wird ein Negationsstrich (‾‾‾) gesetzt. Zum Beispiel $\overline{\text{RUN}}$.

ANMERKUNG 1   Diese Methode ist in Text- oder grafischen Dokumenten nicht empfehlenswert, die mit einem Programm erstellt werden, das den Negationsstrich nicht so am Text fixieren kann, dass er dem Text folgt, wenn er bewegt wird.

ANMERKUNG 2   Diese Methode wird typischerweise in Ausdrücken mit Boolescher Algebra angewandt.

- Es wird eine andere Notation angewendet, die im Dokument oder in unterstützender Dokumentation erklärt wird.

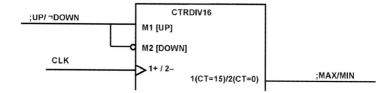

Bild 16 – Beispiel für ein negiertes Signal

6.4 Numerische Datenkommunikation und Softwareprogrammierung

Signale, die durch Kommunikationsbusse transportiert werden, werden oft in Nachrichten oder Telegramme komprimiert, die in einem bestimmten Kommunikationsprotokoll definiert sind. Ein Protokoll enthält typischerweise Signalidentifikationstabellen und -regeln, die befolgt werden müssen.

In der Softwareprogrammierung, wenn sie zum Beispiel auf IEC 61131 basiert, sind auch eine Reihe von Einschränkungen enthalten, die sich auf die Darstellungsform der Variablen in Dateien beziehen. Selbst wenn solche Regeln die Regeln in dieser Norm aufheben müssen, müssen die grundlegenden Prinzipien für Signalbenennung, z. B. das Setzen von Variablennamen, angewandt werden.

Die Vorzeichen, die in dieser Norm angewendet werden, werden in Kommunikationsprotokollen oder Softwaredateien manchmal in einer anderen Bedeutung angewendet. In solchen Fällen dürfen die Vorzeichen im Signalkennzeichen entsprechend dieser Norm durch einen Unterstrich (_) oder andere Zeichen ersetzt werden, die in diesem Zusammenhang akzeptiert werden.

In Kommunikationsprotokollen oder anderer Bearbeitung von Software darf das Signalkennzeichen auf verschiedene Weise definiert und bestimmt werden. Sowohl der Name als auch andere Daten, die sich auf das Signal beziehen, können als Variable eines Datenpunktes oder Anschlusspunkts definiert werden. Signaldaten können auch in ein Datenobjekt gepackt werden, wobei sie dann eine Gruppe von Informationen (Signalen) darstellen, die dazu bestimmt sind, über ein bestimmtes Objekt in einem beobachteten Prozess zu melden oder es zu steuern. Diese Art von Signaldaten sollte als Parameter bestimmt werden, die der Kommunikationseinheit eines bestimmten Objekts zugeordnet werden. Die grundlegenden Definitionen in dieser Norm finden auch in diesen Fällen Anwendung. Die verschiedenen Teile der Signalbestimmung dürfen allerdings auch mit verschiedenen Eigenschaften der Signaldateneinheit beschrieben werden.

7 Signaldarstellung

7.1 Mensch-System-Schnittstelle, HSI

Signale können in Mensch-System-Schnittstellen (HSI) auf viele verschiedene Arten dargestellt werden, z. B. als grafisches Symbol, auf einer Signaltafel, einer Ereignisliste, einem Balkendiagramm etc. Wenn das Signal in Textform dargestellt wird, muss die Identifikation des Signals für den Leser eindeutig sein. Das Signalkennzeichen (Kurzform), das in Stromlaufplänen oder Kommunikationsdiagrammen angewendet wird, ist für diesen Zweck eher ungeeignet und kann daher durch Abkürzungen ersetzt werden. Es dürfen nur dokumentierte und für den Nutzer verständliche Abkürzungen angewendet werden, und ihre Beziehung zur Signalkennzeichnung muss offensichtlich sein.

Typisch für die Darstellung des Signals für den Menschen ist die Unterteilung des Signals in einzelne Blöcke, z. B.:

- Das Referenzkennzeichen des Objekts wird in einer Rubrik für verschiedene Signale aufgeführt.
- Der Name des Objekts und der Basissignalname werden in einer mehr beschreibenden Textform dargestellt.
- Die zusätzlichen Informationen sind Parameter für die Darstellung.
- Die Klasse oder Varianten werden nicht dargestellt.

Diese Norm enthält keine weiteren Anforderungen oder Empfehlungen für die Darstellung von Signalen in Schnittstellen zum Menschen; siehe aber auch IEC 60447 und IEC 60417.

7.2 Dokumentation

Der Hauptzweck dieser Norm ist es, ein Signalkennzeichen zu standardisieren, das in Zeichnungen und anderen Arten der technischen Dokumentation anwendbar ist.

Anzuwendende Regeln für die Darstellung von Signalen in der Dokumentation siehe IEC 61082.

8 Anwendung

8.1 Darstellung von Signalen in Signaleigenschaftslisten

Eine vollständige Signalkennzeichnung schließt verschiedene Daten ein, die Eigenschaften des Signals repräsentieren. Sowohl diese als auch zusätzliche Eigenschaften dürfen in einem Eigenschaftenblatt des Signals dargestellt werden.

Für den Signaldatenaustausch darf das Eigenschaftenblatt in einem standardisierten Format, z. B. XML, übertragen werden.

EN 61175:2005

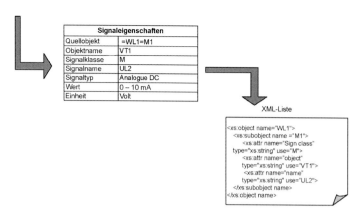

Bild 17 – Liste von Signaleigenschaften und eine entsprechende XML-Datei

Die folgenden Unterabschnitte zeigen Beispiele von Signalen, die in Listen von Signaleigenschaften dokumentiert sind und dieser Norm entsprechen, auch wenn sie nicht auf sie beschränkt sind. Diese Beispiele zeigen relevante und notwendige Informationen über Varianten für bestimmte Anwendungen.

8.1.1 Spannungsmessung, Meldesignal-Klasse (M)

Beispiel: = PP1.E1.Q1 ;M_VT1_U1L1 :3 (10mA)

Dieses Beispiel zeigt das Signalkennzeichen einer Variante 3 eines Spannungsmesssignals. In Bild 18 wird die vollständige Signalverbindungskette mit 5 Varianten erklärt. Die Varianten werden als Beispiele gezeigt, die auf dieser Norm beruhen.

Der gemeinsame Teil ist der Teil des Signalkennzeichens, der für alle Varianten gilt. Variante 1 ist der am Prozess gemessene Wert. Varianten 2 bis 4 stellen Pfade in der Signalverbindungskette dar. Variante 5 ist die Repräsentation des Signals im Signalziel.

EN 61175:2005

Name / Definition GEMEINSAM:	Code	Inhalt
Referenzkennzeichen	=PP1.E1.Q1	Signalnamendomäne, definiert als: Kraftwerk 1; 110-kV-System; Feld 1
Klasse	M	Messsignal
Kurzname	VT1	Spannungswandler 1
Basissignalname	U1L1	Spannung; Gruppe 1, Phase L1
VARIANTE 1:		**Primärsystem in Feld 1**
Zusätzliche Information	(110 kV)	Nennspannung primärseitig
Bereich Nennwert	110/√3	Informationen, die in Dokumenten angewendet werden
Gemessen	110/√3 x 1,2	
Festigkeit	110/√3 x 1,9, 1 min	
Einheit	kV	Kilovolt
VARIANTE 2:		**Spannungswandler-Ausgang**
Zusätzliche Information	(100 V)	Nennspannung sekundärseitig
Bereich Nennwert	100/√3	Informationen, die in Dokumenten angewendet werden
Gemessen	100/√3 x 1,2	
Einheit	V	Volt
VARIANTE 3:		**Konvertierte Spannung nach dem Messumformer**
Zusätzliche Information	(10 mA)	Analoger elektrischer Wert
Bereich Nennwert	0…1…10 mA	Informationen, die in Dokumenten angewendet werden
Max. Wert	10 mA	
Gemessen	0…64…100 %	
Einheit	mA	Milliampere
VARIANTE 4:		**Kommunikation im Fernwirksystem**
Zusätzliche Information	(digital)	Digitalisierter Wert
Bereich Nennwert	0…20 = 0…32768	Informationen, die in Dokumenten angewendet werden
Max. Wert	32768	
Gemessen	25 %	
Einheit		entfällt
VARIANTE 5:		**Darstellung im Fernwirksystem**
Zusätzliche Information	(HSI)	Berechnete Spannung im Computersystem
Bereich Nennwert	32768 = 528	Informationen, die in Dokumenten angewendet werden
Max. Wert	528 x 25 % = 132	
Gemessen	0…64…100 %) x 25 %	
Einheit	kV	Kilovolt

Bild 18 – Spannungsmessung, Meldesignal-Klasse (M)

8.1.2 Steuerung eines Hochspannungsschalters, Signalklasse (C)

Beispiel: =PP1.E1.Q1.QB1 ;C_Disc_Open :3 (48V)

Dieses Beispiel zeigt das Signalkennzeichen einer Variante 3 in einem Befehlssignal. In Bild 19 werden alle Teile des Signalkennzeichens mit 3 Varianten erklärt. Die Varianten werden als Beispiele gezeigt, die auf dieser Norm beruhen.

Der gemeinsame Teil ist der Teil des Signalkennzeichens, der für alle Varianten gilt. Variante 1 ist die Realisierung des Befehls im Stellantrieb. Variante 2 steht für die Vor-Ort-Betätigung und Variante 3 für den Steuerschalter des Bedieners auf Anlagenebene.

Name / Definition GEMEINSAM:	Code	Inhalt
Referenzkennzeichen	=E1.Q1.QB1	Signalnamendomäne, definiert als: 110-kV-System; Feld 1; Schalter 1
Klasse	C	Befehlssignal
Kurzname	Disc	Trennschalter
Basissignalname	Open	Auf
VARIANTE 1:		**Stellantrieb im Trennschalter**
Zusätzliche Information	(110V)	Elektrischer Signalwert 110 V
Ebene Nominell	110	Informationen, die in Dokumenten angewendet werden
Typ	DC	Gleichstrom
Einheit	V	Volt
VARIANTE 2:		**Feldsteuerschalter**
Zusätzliche Information	(L-110V)	Vor-Ort-Befehl, Wert 110 V
Ebene Nominell	110	Informationen, die in Dokumenten angewendet werden
Typ	DC	Gleichstrom
Einheit	V	Volt
VARIANTE 3:		**Steuerschalter auf Anlagenebene**
Zusätzliche Information	(R-48V)	Fernsteuerbefehl, Wert 48 V
Ebene Nominell	48	Informationen, die in Dokumenten angewendet werden
Typ	DC	Gleichstrom
Einheit	V	Volt

Bild 19 – Befehlssignal für einen Trennschalter, Steuersignal-Klasse (C)

9 Konformitätsklassen

Zwei Klassen sind für die Konformität mit dieser Norm definiert.

9.1 Konformitätsklasse 1

Konformitätsklasse 1 (nicht vollständige Normerfüllung) wird definiert als „Anwenden der Signalkennzeichenstruktur":

Die Signalkennzeichnung in einer Dokumentation muss beinhalten:
- Bezug auf ein Objekt, vorzugsweise ein Referenzkennzeichen in Übereinstimmung mit IEC 61346;

- Name und, wenn zutreffend, Variante und zusätzliche Information in Übereinstimmung mit 4.1 in dieser Norm.
- Vorzugsweise sollten auch Vorzeichen, Trennzeichen und Kennzeichen für zusätzliche Information angewendet werden; sie sind aber für die Konformitätsklasse 1 nicht verbindlich.

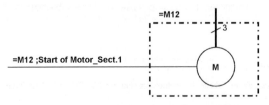

Bild 20 – Beispiel eines Signalkennzeichens, das der Konformitätsklasse 1 entspricht

ANMERKUNG Bild 20 zeigt ein Beispiel eines Signalkennzeichens, das nicht vollständig mit allen Regeln in dieser Norm übereinstimmt, aber gerade noch annehmbar für die Konformitätsklasse 1 ist.

9.2 Konformitätsklasse 2

Die Konformitätsklasse 2 ist definiert als „volle Erfüllung dieser Norm und ihrer Anhänge":

- Teile des Signalkennzeichens, wie in 4.1 definiert, müssen angewendet werden, falls sie zutreffen.
- Vorzeichen, Trennzeichen, Kennzeichen für zusätzliche Information und empfohlene Zeichen müssen angewendet werden.
- Referenzkennzeichen müssen die Norm IEC 61346-1 erfüllen.
- Klassencodes von Objekten nach IEC 61346-2 werden empfohlen, sind aber nicht verbindlich.
- Die Klassifizierung der Signale muss in Übereinstimmung mit Abschnitt 5 dieser Norm erfolgen (zusätzliche Klassen werden akzeptiert).
- Abkürzungen und andere Empfehlungen, die in den Anhängen aufgeführt sind, müssen vorzugsweise angewendet werden. Abweichungen von den Empfehlungen müssen spezifiziert und für den Anwender aussagekräftig beschrieben werden.

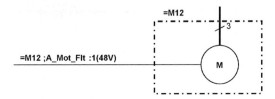

Bild 21 – Beispiel eines Signalkennzeichens, das der Konformitätsklasse 2 entspricht

Anhang A
(informativ)

Buchstabencodes und mnemotechnische Bezeichnungen in Signalnamen

A.1 Buchstabencodes für Messgrößen

Die Buchstabencodes, die in Tabelle A.1 aufgeführt sind, sind in ISO 3511-1 und/oder ISO 14617-6 für die Anwendung bei Symbolen für Messstellen festgelegt. Sie kennzeichnen die Messgröße, die von der Messstelle gemessen wird. Sie sollten auch als erstes Zeichen eines codierten Basissignalnamens für ein Messsignal angewendet werden. In diesem Fall geben sie die Messgröße an, die durch das Signal repräsentiert wird.

Tabelle A.1 – Buchstabencodes für Messgrößen

Erster Buchstabe	Messgröße
D	Dichte
E (Anmerkung 1)	Alle elektrischen Messgrößen
F	Durchfluss, Durchsatz
G	Abstand, Stellung oder Länge
K	Zeit oder Zeitprogramm
L	Stand, Niveau, Pegel
M	Feuchte oder Luftfeuchte
N (Anmerkung 2)	frei verfügbar
O (Anmerkung 2)	frei verfügbar
P	Druck oder Vakuum
Q (Anmerkung 2)	Qualitätsgröße, Beschaffenheit, z. B. Analyse, Konzentration, Leitfähigkeit
R	Strahlungsgrößen
S	Geschwindigkeit, Drehzahl oder Frequenz
T	Temperatur
V	Viskosität
W	Gewichtskraft oder Masse
X (Anmerkung 2)	sonstige Größen
Y (Anmerkung 2)	frei verfügbar
ANMERKUNG 1 In Signalnamen sollte stattdessen ein Buchstabe aus Tabelle A.2 angewendet werden.	
ANMERKUNG 2 Eine erläuternde Anmerkung ist erforderlich.	

A.2 Spezielle Buchstabencodes für elektrische Messgrößen

Die Buchstabencodes in Tabelle A.2 sind aus ISO 31-5 und IEC 60027 abgeleitet. Sie sollten auf die gleiche Weise wie die Buchstabencodes der Messgrößen in ISO 3511-1 und/oder ISO 14617-6 als erster Buchstabe eines codierten Namens für ein Ausgangssignal eines Messumformers angewendet werden. Diese Codes geben die elektrische Messgröße an, die durch das Signal repräsentiert wird.

Tabelle A.2 – Spezielle Buchstabencodes für elektrische Messgrößen

Erster Buchstabe	Messgröße
F	Frequenz
I	Strom
P	Leistung
Q	Blindleistung
R	Widerstand
U [oder V]	Spannung
Z	Scheinwiderstand

A.3 Buchstabencodes, die als Modifikator angewendet werden

Die Buchstabencodes, die in Tabelle A.3 aufgeführt werden, sind in ISO 14617-6 zur Anwendung in Symbolen für Messstellen festgelegt. Sie geben an, dass das Instrument eine andere Größe als den absoluten Pegel der gekennzeichneten Messgröße misst. Sie sollten auch als zweites Zeichen eines codierten Namens für ein Ausgangssignal eines Messumformers oder Ähnlichem angewendet werden.

ANMERKUNG   In diesem Fall geben sie an, dass die Signalvariante eine andere Größe als den absoluten Pegel der Messgröße darstellt, die durch das erste Zeichen des codierten Namens gekennzeichnet wird. Der Code wird für eine Signalvariante angewendet.

Tabelle A.3 – Buchstabencodes, die als Modifikator angewendet werden

Zweiter Buchstabe	Modifikator
D	Differenz
F	Verhältnis
Q	Integral oder Summe
R	Übrige

A.4 Kennzeichnung der Anschlüsse bestimmter Leiter

Die Buchstabencodes in Tabelle A.4 sind in IEC 60445 für die Kennzeichnung der Anschlüsse bestimmter Leiter spezifiziert. Sie sollten auch als Teil der Signalkennzeichnung für Signale angewendet werden, die diesen Leitern entsprechen.

Tabelle A.4 – Kennzeichnung bestimmter Leiter

Kennzeichnung		Leiter
L1		Außenleiter 1 des Wechselstromnetzes
L2		Außenleiter 2 des Wechselstromnetzes
L3		Außenleiter 3 des Wechselstromnetzes
N		Neutralleiter des Wechselstromnetzes
L+		Positiver Leiter des Gleichstromnetzes
L−		Negativer Leiter des Gleichstromnetzes
M		Mittelleiter des Gleichstromnetzes
E		Erdungsleiter
PE		Schutzleiter
	PEN	Schutzleiter (siehe Definition 195-02-12 in IEC 60050)
	PEM	Schutzleiter (siehe Definition 195-02-13 in IEC 60050)
	PEL	Schutzleiter (siehe Definition 195-02-14 in IEC 60050)
FE		Funktionserdungsleiter
FB		Funktionspotentialausgleichsleiter

A.5 Mnemotechnische Bezeichnungen zur Anwendung im Basissignalnamen

Tabelle A.5 dient dazu, die Einheitlichkeit in Signalnamen zu fördern. Diese Tabelle kann notwendigerweise nicht vollständig sein, schlägt aber mnemotechnische Codes (mnemotechnische Bezeichnungen) für einige der gebräuchlicheren Begriffe und Ausdrücke vor, die bei der Bildung von Signalnamen angewendet werden. Diese mnemotechnischen Bezeichnungen dürfen kombiniert werden, um zusammengesetzte Begriffe und Ausdrücke darzustellen. Falls erforderlich, dürfen den aufgeführten mnemotechnischen Bezeichnungen andere Bedeutungen und den Bedeutungen andere mnemotechnische Bezeichnungen zugeordnet werden, wenn dadurch keine Mehrdeutigkeiten entstehen. Anderenfalls sollte einer bestimmten mnemotechnischen Bezeichnung dieselbe Bedeutung zugeordnet und dieselbe mnemontechnische Bezeichnung für eine bestimmte Bedeutung angewendet werden.

Ein Regelwerk kann weder dem Projekteur die Notwendigkeit eines guten Urteilsvermögens noch dem Anwender das Wissen darum, wie er die Bedeutung von Signalnamen interpretieren muss, abnehmen. Die in der folgenden Tabelle angegebenen Beispiele stellen eine typische Anwendung in der englischen Sprache dar.

Tabelle A.5 – Mnemotechnische Bezeichnungen zur Anwendung in beschreibenden Signalnamen

Mnemonisches Symbol	Meaning	Bedeutung
A	Alarm signal (Signal class code)	Alarmsignal (Signalklassencode)
A(uto)	Automatic	Automatisch
Abn	Abnormal	Anormal
Acc	Accept; Accumulator	Akzeptieren; Akkumulator
Ack	Acknowledge	Bestätigen
Acs	Access	Zugang
Act	Activate	Aktivieren
Acu	Acoustic	Akustisch
Add	Adder	Addierer
Adr	Address	Adresse
Alm	Alarm	Alarm
Ali	Alarm inhibit	Alarm sperren
Alu	Arithmetic logic unit	arithmetisch-logische Einheit
An	Analogue	analog
AR	Address register	Adressenspeicher
Async	Asynchronous	asynchron
Attn	Attention	Achtung
Auth	Authorization	Autorisierung
Aux	Auxiliary	Hilfs-
Bat	Battery	Batterie
BCD	Binary coded decimal	binärer Dezimal-Code
BCtr	Bit counter	Bit-Zähler
Beh	Behaviour	Verhalten
BG	Borrow generate	negativen Übertrag erzeugen
BI	Borrow input	negative Übertrageingabe
BIM	Binary input module	binäres Eingabe-Modul
Bin	Binary	Binär
Bit	Bit	Bit
Blk	Block	Block
Blnk	Blank	Leerschrift
BOM	Binary output module	binäres Ausgabe-Modul
BP	Borrow propagate	Negativen Übertrag weiterleiten
B-P	By-pass	Verzweigung
Buf	Buffer;	Puffer; gepuffert
Bus	Bus	Bus
Busy	Busy	belegt

Mnemonisches Symbol	Meaning	Bedeutung
Byt	Byte	Byte
C	Command (Signal class code)	Befehl (Signalklassencode)
Can	Cancel	Abbrechen
Cap	Capability	Fähigkeit
Car	Carrier	Träger
CB	Circuit breaker	Hauptschalter
Cd	Code	Code
CD	Compact disc	Compact-Disc
Cdsel	Code select	Code-Auswahl
CE	Chip enable	Chip-Steuereingang
Cfg	Configure; configuration	Konfigurieren; Konfiguration
CG	Carry generate	Übertrag erzeugen
Ch	Channel	Kanal
Cha	Charger	Ladegerät
Chg	Change	Umwandeln
Chk	Check	Prüfen
CI	Carry input	Übertrageingabe
Cl(ose)	Close	Schließen
CLA	Carry look-ahead	parallele Übertragslogik
Clk	Clock	Takt
Clr	Clear	Löschen
Cmd	Command	Befehl
Cnt	Count, Counter	Zählen; Zähler
Cntl	Control	Kontrollieren
CO	Carry output	Übertragausgabe
Col	Column	Spalte
Comp	Compare	Vergleichen
Cor(r)	Corrected, Correction	korrigiert, Korrektur
CP	Carry propagate	Übertrag weiterleiten
CPU	Central processing unit	Zentralverarbeitungseinheit
CRC	Cyclic redundancy check	zyklische Redundanzprüfung
Cry	Carry	Übertrag
CS	Chip select	Chip-Auswahl
CT	Current transformer	Stromtransformator
Ctr	Center	Mittelpunkt
CTS	Clear to send	sendebereit
C(urr)	Current	Strom
Cyc	Cycle	Zyklus; Kreislauf

Mnemonisches Symbol	Meaning	Bedeutung
D	Data	Daten; Datum
Dcd	Decode	Decodieren; Entschlüsseln
Dec	Decimal	Dezimal
Decr	Decrease; Decrement	Verringern; Verminderung
Dest	Destination	Bestimmung; Ziel
Det	Detect	Feststellen
Dev	Device	Gerät
Diff	Difference	Differenz
Dir	Direction	Richtung
Dis	Disable	Sperren
Disc	Disconnector; Isolator	Trenner; Trennschalter
Disk	Disk; Disc	Diskette; Platte
Dist	Distance(protection)	Abstand (Schutz)
Dlt	Delete	Löschen
Dly	Delay	Verzögerung
DMA	Direct memory access	direkter Zugriffspeicher
Dmd	Demand	Abnahme
DO	Data object	Datenobjekt
DRAM	Dynamic RAM	dynamischer Schreib-Lesespeicher
Drv	Drive, Driver	Treiber
Dsch	Discharge	Entladen
Dscr	Discrepancy	Diskrepanz
DSRDY	Data set ready	Datensatz bereit
DTRDY	Data terminal ready	Datenendeinrichtung bereit
Dur	Duration	Dauer
Dwn	Down	abwärts
E	Event signal (Signal class code)	Ereignissignal (Signalklassencode)
El	Electrical	elektrisch
Emg	Emergency	Notfall
En(a)	Enable	Freigabe
Encd	Encode	Verschlüsseln
End	End	Ende; Enden
EOF	End of file	Dateiende
EOL	End of line	Zeilenende
EOT	End of tape	Bandende
EOT	End of transmission	Übertragungsende
Eq	Equal; Equalization	gleich; Entzerrung
Eqpt	Equipment	Anlage

Mnemonisches Symbol	Meaning	Bedeutung
Err	Error	Fehler
Ers	Erase	Löschen; Tilgen
Ety	Empty	leer; Leeren
Evt	Event	Ereignis
EXOR	Exclusive OR	Exklusiv-ODER
Exc	Exceeded	Überschritten
Excl	Exclusion; Excluded	Ausschluss; ausgeschlossen
Ext	External	extern
F(ail)	Failure; Fail	Betriebsstörung; Ausfallen
Fact	Factor	Faktor
FF	Flip-flop	Flip-Flop
FIFO	First in, first out	FIFO
Fl	Flashing	Blinken
Fld	Field	Feld
Flg	Flag	Flag; Marke
Flt	Fault	Fehler
Flw	Flow	Durchfluss
Fnc	Function	Funktion
Fwd	Forward	vorwärts gerichtet
G	Gate	Gatter
Gen	Generate	Erzeugen
Gen	General	allgemein
Gnd	Ground; Earth	Erde
Gr	Group	Gruppe
Grd	Guard	Schutz
H(and)	Hand; Manual	Hand; Handbuch
H(igh)	High	hoch
Halt	Halt	Anhalten
Heal	Healthy	gesund
Hex	Hexadecimal	hexadezimal
Hld	Hold(ing)	Halten
Horz	Horizontal	horizontal
I	Indication signal (Signal class code)	Anzeigesignal (Signalklassencode)
I/O	Input/output	Eingabe/Ausgabe
Id	Identification	Identifikation; Kennzeichnung
IF, (Indf)	Indication fault/fail	Anzeigefehler

Mnemonisches Symbol	Meaning	Bedeutung
I-F, (Intfc)	Interface	Schnittstelle
Imp	Impedance	Impedanz, Scheinwiderstand
In	In; Input	Ein; Eingang
Incr	Increase, Increment	Zunehmen, Inkrement
Ind	Indication	Anzeige
Inh	Inhibit	Unterdrücken; Sperren
Init	Initialisation	Initialisieren
Ins	Insulation	Isolierung
Int	Integer	ganzzzahlig
Intl	Internal	intern
Intrp	Interrupt	Unterbrechen
Irq	Interrupt request	Unterbrechungsanforderung
Kybd	Keyboard	Tastatur
L	Constant level signal (Signal class code)	Signal mit konstantem Pegel (Signalklassencode)
L(ow)	Low, Lower	niedrig, niedriger
L(oc)	Local	lokal
LAN	Local area network	lokales Netzwerk
Lch	Latch; Latched	Signalspeicher; verriegelt
Ld	Load	Laden
LED	Light emitting diode	Leuchtdiode
Lft	Left	links
LO	Lock-out	Sperre
Loc	Location	Lokalisieren
LRC	Longitudinal Redundancy check	longitudinal Redundanzprüfung
LSB	Least significant bit	kleinstwertiges Bit
LSByt	Least significant byte	kleinstwertiges Byte
Lst	List	Liste
Lt	Light	hell
LT(est)	Lamp test	Beleuchtungsprüfung
M	Measuring signal (Signal class code)	Messsignal (Signalklassencode)
Max	Maximum	Maximum
Mem	Memory	Speicher
Min	Minimum	Minimum
Mod	Mode	Modus
Mot	Motor	Motor

Mnemonisches Symbol	Meaning	Bedeutung
MRD	Memory read	Speicherlesen
MSB	Most significant bit	höchstwertiges Bit
MSByt	Most significant byte	höchstwertiges Byte
Msk	Mask	Maske
Mstr	Master	Master
Mtr	Motor	Motor
Mux	Multiplex; Multiplexer	Multiplex; Multiplexer
N	Neutral	Neutral
N(orm)	Normal	Normal
N-O	Normal open	Normal offen
N-C	Normal closed	Normal geschlossen
NAck	Negative acknowledge	Quittungssignal, bei Low-Pegel aktiv
Nam	Name	Name
Neg	Negative	Negativ
No	No	Nein
Nom	Nominal	Nominal
Num	Number	Zahl
O(pen)	Open	Offen
O(ver)	Over	Über
Oct	Octal	Oktal
Off	Off	Aus
On	On	Ein
Out	Out; Output	Aus; Ausgang
Op	Operate; Operation	Bedienen; Bedienung
Ovfl	Overflow	Überlauf
P(wr)	Power	Leistung
Par	Parity; Parallel	Parität; Parallel
PC	Programme counter	Programmzähler
PC	Personal computer	Personalcomputer
PCI	Programme-controlled	Programmgesteuert
interrupt	Interruption commandée par programme	Programmgesteuerte Unterbrechung
Pct	Percent	Prozent
PE	Parity error	Paritätsfehler
Per	Periodic	Periodisch
PF	Power Factor	Leistungsfaktor
Pls	Pulse	Impuls
Pos	Positive; Position	Positiv; Position

35

Mnemonisches Symbol	Meaning	Bedeutung
Prcs	Process; Processor	Prozess; Prozessor
Pres	Pressure	Druck
Prg	Progress	Fortschritt
Prgm	Program	Programm
Pri	Primary	Primär
Proc	Process; Processor	Prozess; Prozessor
Pro	Protection	Schutzeinrichtung
PU	Pull-up-access memory	Pull-up-Zugriffsspeicher
Qty	Quantity	Quantität
R	Raise	Erhöhen
R(em)	Remote	Fern
Rcd	Record; Recording	Aufnahme; Aufnehmen
Rch	Reach	Reichweite
Rcirc	Recirculate	Umlauf
Rcl	Reclaim	Regenerat
Rcvr	Receiver	Empfänger
Rd	Read	Lesen
Rdy, Ready	Ready	Bereit
Re	Retry; Reactivate	Wiederholen; Reaktivieren
React	Reactance; Reactive	Blindwiderstand; reaktiv
Rec	Reclose	Wieder schließen
Red	Redaction	Redaktion
Ref	Reference	Bezug
Reg	Register	Register
Reg	Regulated; Regulator	Geregelt; Regler
Rej	Reject	Zurückweisen
Rel	Release	Freigabe
Req	Request	Anforderung
Res	Reset; Residual	Rücksetzen
Rest	Restricted	Eingeschränkt
Rev	Reverse	Zurück
RFD	Ready for data	Übertragungsbereitschaft
Rfsh	Refresh	Auffrischen
Rl	Relation	Verhältnis
Rms	Root mean square	Effektivwert
Rng	Range	Bereich
ROM	Read-only memory	Nur-Lese-Speicher
Rot	Rotation; Rotor	Rotation; Rotor

Mnemonisches Symbol	Meaning	Bedeutung
Row	Row	Reihe
RQTS	Request to send (data)	Sendeanforderung
Rs	Reset	Rücksetzen
Rst	Restart; Restraint	Wiederanlauf
Rsv	Reserve	Reserve
Rt	Right	Rechts
Rte	Rate	Rate
RTL	Return to local	Rückkehr zum Ort der Verzweigung
Rtn	Return	Eingabe; Return
RTZ	Return to zero	Rückkehr nach Null
Run	Run	Starten
Rx	Receive	Empfangen
S	Setting value signal (Signal class code)	Signal zum Setzen eines Werts (Signalklassencode)
Sec	Secondary; Security	Sekundär; Sicherheit
Sel	Select	Auswählen
Seq	Sequence, Sequential	Sequenz; Sequentiell
Set	Set; Setting	Einstellen; Einstellung
SEV	Sum even	Gerade Summe
Sft	Shift	Verschieben; Umschalten
Slv	Slave	Slave
SODD	Sum odd	Ungerade Summe
Spd	Speed	Geschwindigkeit
Sply	Supply	Versorgung
SRQ	Service request	Bedienung anfordern
Str, (Start)	Start	Beginnen
St	Status	Zustand
Stat	Status, Statistic	Status, Statistisch
STDBY	Stand-by	In Bereitschaft
Stk	Stack	Stapel
Stop	Stop	Stop; Aufhören
Stor	Store	Speichern
Strb	Strobe	Freigabe-; Übernahmesignal
Sup	Supervisory	Überwachungs-
Supl	Supply	Versorgung
Svc	Service	Bedienung
Sw	Switch	Schalter
Sync	Synchronisation	Synchronisation
Sys	System	System

EN 61175:2005

Mnemonisches Symbol	Meaning	Bedeutung
T(est)	Test	Prüfen
Term	Terminate; Terminal	Abschließen; Terminal
Tg	Toggle	Kipp(schalter)
To	To; Top	Zu; Oben
Tot	Total, Totally	Summe, Total
Trg	Trig, Trigger	Triggern; Trigger
Trig	Trigger	Trigger
Tr(ip)	Trip	Auslöser
Trf	Transformer	Transformator
Tst	Test	Prüfen
Tx	Transmit; Transmitted	Übertragen
Typ	Type	Typ
U(nder)	Under	Unter
Un(it)	Unit	Einheit
Up	Up	Aufwärts
Util	Utility	Dienst(programm)
Vac	Vacuum	Vakuum
Val	Value	Wert
Vert	Vertical	Vertikal
Vid(eo)	Video	Video
Virt	Virtual	Virtuell
Vld	Valid	Gültig
Vlv	Valv	Ventil
VT	Voltage transformer	Spannungstransformator
WAN	Wide area network	Weitverkehrsnetz
Wpl	Workplace	Arbeitsplatz
Wr	Write	Schreiben
Wrd	Word	Wort
Wrm	Warm	Warm
Xcvr	Transceiver	Sender/Empfänger
Xmit	Transmission; Transmit	Übertragung; Senden
Xmt	Transmission; Transmit	Übertragung; Senden
Xmtr	Transmitter	Sender
XOR	Exclusive OR	Exklusiv-ODER
Y(ES)	Yes	Ja
Zer	Zero	Null
Zn	Zone	Zone

Anhang B
(informativ)

Das Signalkonzept

B.1 Beschreibung und Erläuterung des Signalkonzepts

Die Bezeichnung „Signal" steht in dieser Norm für das vollständige Konzept der Identifizierung von Informationen und der Übertragung von Informationen von einem Objekt zu einem anderen. Das Signal wird durch einen Namen dargestellt, der in Beziehung zur Bedeutung dieses Signals steht.

Wichtige Regeln, die zu beachten sind (siehe in der Norm):

- Das Signal repräsentiert die Informationen, die dem/den Empfänger/n des Signals zukommen müssen.
- Die Nachricht muss durch den Signalnamen beschrieben werden.
- Jedes Signal muss durch die Signalkennzeichnung eindeutig identifizierbar sein.

Daher ist ein gegenseitiges Verstehen des Signals zwischen dem Sender (Signalquelle) und dem Empfänger unerlässlich.

Das Signalkennzeichen charakterisiert die Bedeutung der Informationen und nicht die Übertragung der Informationen. Folglich steht der Signalname in Beziehung zum „Denken" und nicht zur physikalischen Konstruktion. Allerdings kann es nötig sein, die logische (oder physikalische) Verbindung, die zur Übertragung der Informationen angewendet wird, durch einen Namen zu identifizieren. Der Name eines Signals, der eine Signalvariante identifiziert, darf in diesem Zusammenhang auch angewendet werden.

Das Signalkonzept ist ein sehr weit gefasster Begriff, der sowohl verschiedene Arten von Informationen und deren Darstellung als auch verschiedene Verteilungsarten der Informationen umfasst.

In einer physikalischen Verbindung, außer in einem Kommunikationsbus, wo „Multi-Signal"-Übertragung der typische Fall ist, können eine Reihe verschiedener Signale übertragen werden, z. B. in einem elektrischen Kabel, das nur mit einer Spannung verbunden ist, oder in einer Verbindung zu Messzwecken. Beispiele für solche Zwecke sind:

- Das Anschalten (die Spannung geht von null auf nominal) zeigt ein Signal an, und das Abschalten ein anderes Signal.
- Bei einem analogen Signal (d. h. die kontinuierliche Darstellung eines analogen Werts) kann ein Grenzwert erkannt und als ein separates digitales Signal dargestellt werden. Sowohl das analoge als auch das digitale Signal, dessen Informationen in diesem Fall ein Meldesignal beschreiben, haben dieselbe Signalquelle und können dieselbe Kabelader bis hin zu der Einrichtung teilen, die den Grenzwert erkennt und die Signale trennt.

Diese Beispiele beziehen sich auf das Medium, mit dem die Signalinformationen übertragen werden, haben aber keinen Einfluss auf den Signalnamen.

B.2 Signal-Informationsmodell

Die Signalinformation wird von der Signalquelle zum Informationsempfänger übertragen. Ein typisches Signal mit seinem Signalnamen ist auf ein Objekt bezogen oder auf eine Funktion im Hauptprozess der Anlage oder Einrichtung, in der das Signal angewendet wird. Die Signalklasse informiert den Leser der Signalidentifikation über den Bezug zum Objekt des Prozesses. Das Signal darf Informationen zum Objekt des Prozesses (Meldesignal) enthalten oder eine Aktion im Objekt des Prozesses auslösen (Steuersignal). Beispiele für diese beiden Signalarten werden in Bild B.1 und Bild B.2 gezeigt.

EN 61175:2005

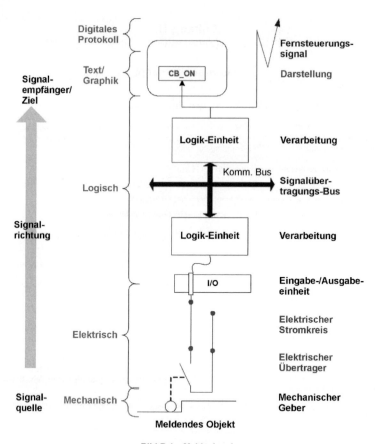

Bild B.1 – Meldesignal

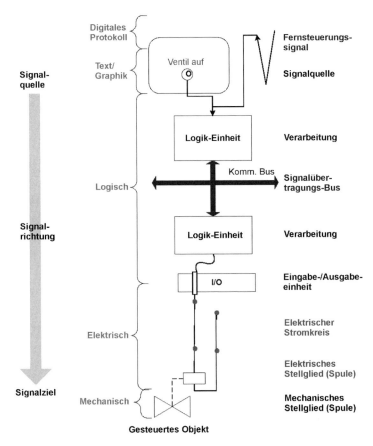

Bild B.2 – Steuersignal

B.2.1 Identifikationsmerkmale

Das Signalkennzeichen ist die Identifikation der Signalinformation. Das Signalkennzeichen enthält den *Identifikator des Objekts*, den *Signalnamen*, die *Variante* und *zusätzliche Information* (siehe Abschnitt 4). Der Zweck des Signalnamens ist es, den Nutzer in aller Kürze über die Bedeutung der tatsächlichen Nachricht des Signals zu informieren.

Der Signalname allein ist selten als eindeutiger Identifikator des Signals in einem großen System wie einer vollständigen Anlage anwendbar. Daher muss der Signalname mit einem Objekt in der Anlage, der *Signalnamendomäne*, verknüpft werden. Ein eindeutiger Identifikator kann durch die Anwendung des Objektkennzeichens, vorzugsweise des Referenzkennzeichens, der Signalnamendomäne auf den „Signalnamen" (siehe 4.1) erzeugt werden.

Es ist nicht erforderlich, dass die vollständige Signalkette, d. h. alle *Datenpunkte* des Signals, von der Signalnamendomäne abgedeckt wird, aber das Quellobjekt des Signals (bei *Meldesignalen*) oder das Zielobjekt (bei *Steuersignalen*) muss ein Teil der Signalnamendomäne sein.

Die Ebene in einer hierarchischen Struktur, in der sich das Objekt, das als Signalnamendomäne ausgewählt wurde, befindet, ist irrelevant, solange der Signalname innerhalb dieser Ebene eindeutig ist.

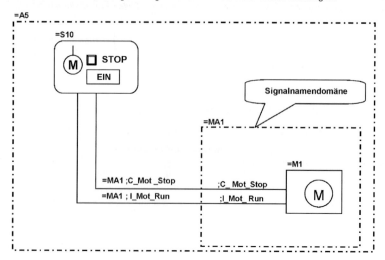

Bild B.3 – Anwendung von Signalkennzeichen innerhalb von Objekten

ANMERKUNG   Der Signalname kann innerhalb eines Objekts ohne jedes Objektkennzeichen dargestellt werden. Wenn eine vollständige Identifizierung des Signals erforderlich ist, wird das Objektkennzeichen der Signalnamendomäne mit dem „internen" Signalnamen verknüpft.

B.2.1.1   Objektidentifikator

Zur eindeutigen Identifizierung von Signalen in einer Anlage (Industrieprozess) muss dem Signalnamen ein Objektidentifikator hinzugefügt werden. Der Objektidentifikator muss ein *Objektkennzeichen* sein, vorzugsweise ein *Referenzkennzeichen* in Übereinstimmung mit IEC 61346. Das Referenzkennzeichen ist ein strukturierter Code, der die semantische Beziehung zu einem Objekt identifiziert (in diesem Fall die Signalnamendomäne).

B.2.1.2   Signalklassencode

Um das Signal weiter zu spezifizieren oder dem Nutzer zusätzliche Information zur Verfügung zu stellen, dürfen dem Namen codierte Informationen hinzugefügt werden. Es wird empfohlen, Codes zur Klassifizierung von Signalen anzuwenden, z. B. Messung (M), Indizierung (I) und Befehl (C) (siehe 5.2).

Für die weitere Klassifizierung von Signalen dürfen auch andere Codes angewendet werden; in diesem Fall müssen sie spezifiziert und dokumentiert werden.

B.2.1.3   Zeit oder Version

Da ein Signal mehrere Male von derselben Signalquelle aktiviert werden kann, kann es notwendig sein, jede Nachricht separat zu identifizieren. Zur eindeutigen Identifizierung einer bestimmten Nachricht darf die Zeit, zu der die Nachricht erzeugt wurde, dem Signalnamen hinzugefügt werden; alternativ darf jeder neuen Nachricht desselben Signals eine neue Versionsnummer hinzugefügt werden.

Der „Zeitstempel" oder die Versionsnummer des Signals muss in die *zusätzlichen Informationen* der relevanten Variante(n) geschrieben werden. Folglich wird ein Messsignal ungeachtet der Übertragungsweise als

42

ein Signal angesehen; die tatsächliche Variante des Signals hängt aber von der Signalübertragung ab. Wenn nur ein bestimmter Teil/Punkt der analogen Kurve vom Nutzer gefordert wird, ist das ein neues Signal mit einem eigenen Namen (wobei dem Namen des ersten Signals die Version/Zeit hinzugefügt wird).

```
                                              CLK 210010

      =AA ;C_AUX_SYST_RESTART (2002-11-30, 21:59:00.001)
                                                          RST
```

Bild B.4 – Beispiel eines Signalkennzeichens mit „Zeitstempel"

ANMERKUNG   Zeit oder Versionsnummern treffen nicht auf analoge Signale oder Signale mit konstantem Pegel zu.

Das Merkmal von aktiven und inaktiven Signalen wird im dynamischen Aspekt eines Signals beschrieben. Signale können spontan zu einem bestimmten Zweck oder regelmäßig wiederkehrend aktiviert werden. Diese Signale können an den/die Signalempfänger durch eine voreingestellte Signalverbindungskette oder unter Anwendung einer von mehreren möglichen Verbindungen gesandt werden (siehe B.3).

B.2.2   Attribute für verschiedene Signaltypen

B.2.2.1   Einheit

Die Information, die von einem Signal der Klasse „Messsignal" dargestellt wird, ist typischerweise ein Wert. In diesem Fall sollte das Signal die Einheit des gemessenen Werts darstellen. Die Einheit kann als Teil des Namens angegeben oder in einer Eigenschaftsübersicht (Dokumentation) für das Signal aufgeführt werden. Einheiten, die dem SI-System entsprechen, sind vorzuziehen.

ANMERKUNG   Die Einheit ist erforderlich für alle Signalarten, die einen Wert darstellen, zum Beispiel ein Signal mit konstantem Pegel, ein digitalisiertes Messsignal oder ein analoges Messsignal.

B.2.2.2   Wert

Ein analoges Signal stellt kontinuierlich aktualisierte Information in Form eines Werts dar. Der Name des Signals sollte Informationen über die Bedeutung und die Quelle des Werts enthalten, nicht aber den Wert selbst. Der Typ des Werts, die Einheit und Grenzwerte (Pegel) dürfen im Namen angegeben oder in einem Eigenschaftsblatt (Dokumentation) für das Signal aufgeführt werden.

Ein analoger Wert kann abgetastet und in digitaler Form dargestellt werden, z. B. als eine Version (Nachricht) für jeden Abtastwert. In diesem Fall wird das Signal auf dieselbe Weise wie das „richtige" analoge Signal identifiziert.

B.3   Signalübertragung (Verbindung)

Die Signalverbindungskette beschreibt die Ausbreitung von Signalinformationen in einer Anlage. Die Signalinformationen kommen als Signalvarianten in verschiedenen Formen und Repräsentationen in der Signalverbindungskette vor (siehe Bild B.5).

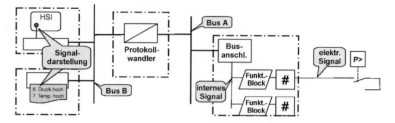

Bild B.5 – Typische Signalverbindungskette

Die Signalverbindungskette ist die physikalische und statische (funktionale) Repräsentation der Signalübertragung von der Quelle zum Ziel (siehe Bilder B.6 und B.7). Sie beschreibt den vordefinierten Weg, den ein Signal für die Übertragung anwendet. Die Signalübertragung hat auch eine dynamische Erscheinung (funktional), die als der Vorgang des Sendens der Signalversion (Informationseinheit zur Kommunikation) durch die Signalverbindungskette beschrieben wird (siehe Bild B.8).

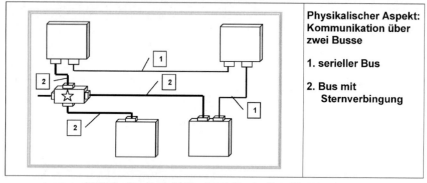

Physikalischer Aspekt: Kommunikation über zwei Busse

1. serieller Bus
2. Bus mit Sternverbingung

Bild B.6 – Physikalische Repräsentation der Signalübertragung

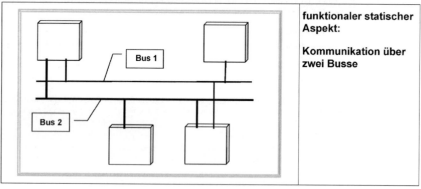

funktionaler statischer Aspekt:

Kommunikation über zwei Busse

Bild B.7 – Statische Darstellung der Signalübertragung

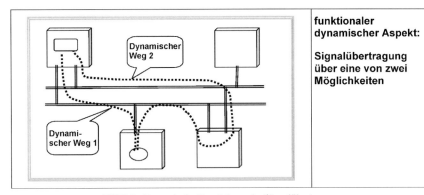

Bild B.8 – Dynamische Darstellung der Signalübertragung

Eine physikalische Verbindung ist die Voraussetzung für die Definition des statischen Aspekts der Signalübertragung. Die physikalische Verbindung verbindet zwei oder mehr physikalische Einrichtungen und beinhaltet Datenpunkte innerhalb der Signalverbindungskette.

In einigen Fällen können dem Signal verschiedene mögliche Verbindungen zu seiner Übertragung zur Verfügung stehen. In diesem Fall wird der statische Aspekt als eine Anzahl von Optionen für den dynamischen Aspekt definiert.

Für die Übertragung von Signalen in einem großen, verschachtelten Netzwerk, z. B. dem Internet, ist eine Beschreibung des statischen Aspekts nicht sinnvoll. In solchen Fällen kann es genügen, die Datenpunkte der Verbindung zum Netz zu definieren, z. B. den Server. Das gleiche gilt für Radio- oder Mikrowellensignale, die ausgesendet werden, wobei kein definierter Übertragungsweg vorhanden ist.

B.3.1 Das Signalobjekt

Ein Signal mit der Bedeutung „Übertragung von Informationen" kann durch ein Objekt in einem Objektmodell repräsentiert werden, das in Übereinstimmung mit den Regeln in IEC 61346-1 gebildet wurde. Das Signalobjekt wird normalerweise in einer Funktionsstruktur betrachtet.

Die funktionale Betrachtung einer Anlage kann auf verschiedene Weise strukturiert werden, unter Beachtung der Struktur und wie die Objekte definiert sind. Zwei solcher Prinzipien sind die „signalbezogene Struktur" und die „funktionsblockbezogene Struktur".

B.3.1.1 Die signalbezogene Struktur

Diese Struktur kann angewendet werden, um die Funktionssicht eines Objektmodells zu beschreiben, in dem die niedrigste Ebene der Struktur „Signalobjekte" enthält. Diese Objekte sind typischerweise vollständige Signalverbindungsketten, die für ein Signal gebildet wurden. Aufgrund der Tatsache, dass die Signalinformationen (Signalpunkte) eines Signals irgendwo in der Anlage oder sogar außerhalb von ihr vorhanden sein können, kann eine Produktansicht oder eine Ortsansicht solcher Objekte nicht leicht definiert werden.

Keine anderen Signalobjekte als eine Signalvariante kann als ein Objekt mit verschiedenen Ansichten (Übergangsobjekte) definiert werden.

B.3.1.2 Die funktionsblockbezogene Struktur

Diese Struktur wird typischerweise dazu angewendet, die Funktionssicht eines Objektmodells zu beschreiben. In diesem Strukturtyp wird das Modell in Objekte aufgeteilt, die Funktionsblöcke oder Einrichtungen darstellen, die ein oder mehrere Signale empfangen, senden und verarbeiten. Die funktionsblockbezogene Struktur darf entsprechend dem Objektmodell, wie es in IEC 61346-1 beschrieben ist, aufgebaut werden.

Die Signalobjekte in dieser Struktur werden durch Signalvarianten oder Gruppen von Varianten, die in Beziehung zu einem Objekt stehen, repräsentiert. Dieses Prinzip akzeptiert Übergangsobjekte auf verschiedenen Ebenen im Modell (IEC 61850-4 veranschaulicht den Gebrauch in einem Kommunikationszusammenhang).

Literaturhinweise

IEC 60027, *Letter symbols to be used in electrical technology*

IEC 60050-195, *International Electrotechnical Vocabulary – Part 195: Earthing and protection against electric shock*

IEC 60227, *Polyvinyl chloride insulated cables of rated voltages up to and including 450/750 V*
ANMERKUNG   Die Reihe HD 21 steht in Beziehung zu der Reihe IEC 60227, ist aber nicht identisch.

IEC 60617, *Graphical symbols for diagrams*

IEC 61355, *Classification and designation of documents for plants, systems and equipment*
ANMERKUNG   Harmonisiert als EN 61355:1997 (nicht modifiziert).

IEC 61850-4, *Communication networks and systems in substations – Part 4: System and project management*
ANMERKUNG   Harmonisiert als EN 61850-4:2002 (nicht modifiziert).

ISO 31-5:1992, *Quantities and units – Part 5: Electricity and magnetism*

ISO 3511-1:1977, *Process measurement control functions and instrumentation – Symbolic representation – Part 1: Basic requirements*

ISO 14617-6:2002, *Graphical symbols for diagrams – Part 6: Measurement and control functions*

EN 61175:2005

Anhang ZA
(normativ)

Normative Verweisungen auf internationale Publikationen mit ihren entsprechenden europäischen Publikationen

Die folgenden zitierten Dokumente sind für die Anwendung dieses Dokuments erforderlich. Bei datierten Verweisungen gilt nur die in Bezug genommene Ausgabe. Bei undatierten Verweisungen gilt die letzte Ausgabe des in Bezug genommenen Dokuments (einschließlich aller Änderungen).

ANMERKUNG Wenn internationale Publikationen durch gemeinsame Abänderungen geändert wurden, durch (mod) angegeben, gelten die entsprechenden EN/HD.

Publikation	Jahr	Titel	EN/HD	Jahr
IEC 60417	data-base	Graphical symbols for use on equipment	–	–
IEC 60445	– [1]	Basic and safety principles for man-machine interface, marking and identification – Identification of equipment terminals and of terminations of certain designated conductors, including general rules for an alphanumeric system	EN 60445	2000 [2]
IEC 60447	– [1]	Basic and safety principles for man-machine interface, marking and identification – Actuating principles	EN 60447	2004 [2]
IEC 61082-1	– [3]	Preparation of documents used in electrotechnology Part 1: Rules	EN 61082-1	– [3]
IEC 61131	Reihe	Programmable controllers	EN 61131	Reihe
IEC 61346	Reihe	Industrial systems, installations and equipment and industrial products – Structuring principles and reference designations	EN 61346	Reihe
ISO/IEC 646	1991	Information technology – ISO 7-bit coded character set for information interchange	–	–
ISO/IEC 8859-1	1998	Information technology – 8-bit single-byte coded graphic character sets Part 1: Latin alphabet No.1	–	–

---

[1] Undatierte Verweisung.
[2] Zum Zeitpunkt der Veröffentlichung dieser Norm gültige Ausgabe.
[3] Zu veröffentlichen.

47

März 2009

**DIN EN 61355-1
(VDE 0040-3)**

Diese Norm ist zugleich eine **VDE-Bestimmung** im Sinne von VDE 0022. Sie ist nach Durchführung des vom VDE-Präsidium beschlossenen Genehmigungsverfahrens unter der oben angeführten Nummer in das VDE-Vorschriftenwerk aufgenommen und in der „etz Elektrotechnik + Automation" bekannt gegeben worden.

ICS 01.110; 29.020

Ersatz für
DIN EN 61355:1997-11
Siehe jedoch Beginn der Gültigkeit

**Klassifikation und Kennzeichnung von Dokumenten für Anlagen, Systeme und Ausrüstungen –
Teil 1: Regeln und Tabellen zur Klassifikation
(IEC 61355-1:2008);
Deutsche Fassung EN 61355-1:2008**

Classification and designation of documents for plants, systems and equipment –
Part 1: Rules and classification tables
(IEC 61355-1:2008);
German version EN 61355-1:2008

Classification et désignation des documents pour installations industrielles, systèmes et matériels –
Partie 1: Règles et tableaux de classification
(CEI 61355-1:2008);
Version allemande EN 61355-1:2008

Gesamtumfang 46 Seiten

DKE Deutsche Kommission Elektrotechnik Elektronik Informationstechnik im DIN und VDE
Normenausschuss Chemischer Apparatebau (FNCA)
Normenausschuss Maschinenbau (NAM)
Normenausschuss Technische Grundlagen (NATG)
Normenausschuss Sachmerkmale (NSM)
Normenausschuss Elektrotechnik (NE)
Normenausschuss Schiffs- und Meerestechnik (NSMT)

DIN EN 61355-1 (VDE 0040-3):2009-03

Beginn der Gültigkeit

Die von CENELEC am 2008-05-01 angenommene EN 61355-1 gilt als DIN-Norm ab 2009-03-01.

Daneben darf DIN EN 61355:1997-11 noch bis 2011-05-01 angewendet werden.

Nationales Vorwort

Vorausgegangener Norm-Entwurf: E DIN EN 61355-1 (VDE 0040-3):2007-05.

Für diese Norm ist das nationale Arbeitsgremium K 113 „Produktdatenmodelle, Informationsstrukturen, Dokumentation und graphische Symbole" der DKE Deutsche Kommission Elektrotechnik Elektronik Informationstechnik im DIN und VDE (www.dke.de) zuständig.

Die enthaltene IEC-Publikation wurde vom TC 3 „Information structures, documentation and graphical symbols" erarbeitet.

Das IEC-Komitee hat entschieden, dass der Inhalt dieser Publikation bis zu dem Datum (maintenance result date) unverändert bleiben soll, das auf der IEC-Website unter „http://webstore.iec.ch" zu dieser Publikation angegeben ist. Zu diesem Zeitpunkt wird entsprechend der Entscheidung des Komitees die Publikation
- bestätigt,
- zurückgezogen,
- durch eine Folgeausgabe ersetzt oder
- geändert.

Änderungen

Gegenüber DIN EN 61355:1997-11 wurden folgende Änderungen vorgenommen:

a) die Norm wurde zur Aufnahme weiterer Teile mit branchenbezogenen Dokumentenartensammlungen und Beispielen geöffnet;

b) Tabelle A.2 wurde unter Code P erweitert;

c) Tabelle B.1 aus Ed. 1 ist entfallen (eine der Tabelle B.1 entsprechende Datenbank ist in Vorbereitung).

Frühere Ausgaben

DIN EN 61355: 1997-11

Nationaler Anhang NA
(informativ)
Zusammenhang mit Europäischen und Internationalen Normen

Für den Fall einer undatierten Verweisung im normativen Text (Verweisung auf eine Norm ohne Angabe des Ausgabedatums und ohne Hinweis auf eine Abschnittsnummer, eine Tabelle, ein Bild usw.) bezieht sich die Verweisung auf die jeweils neueste gültige Ausgabe der in Bezug genommenen Norm.

Für den Fall einer datierten Verweisung im normativen Text bezieht sich die Verweisung immer auf die in Bezug genommene Ausgabe der Norm.

Eine Information über den Zusammenhang der zitierten Normen mit den entsprechenden Deutschen Normen ist in Tabelle NA.1 wiedergegeben.

Tabelle NA.1

Europäische Norm	Internationale Norm	Deutsche Norm	Klassifikation im VDE-Vorschriftenwerk
EN 61082-1:2006	IEC 61082-1:2006	DIN EN 61082-1 (VDE 0040-1): 2007-03	VDE 0040-1
EN 62023:2000	IEC 62023:2000	DIN EN 62023:2001-07	–
–	IEC 82045-1:2001	–	–
–	IEC 82045-2:2004	–	–
–	ISO 639-1:2002	DIN 2335:1986-10	–
EN ISO 3166-1:2006	ISO 3166-1:2006	DIN EN ISO 3166:2007-03	–
EN ISO 3166-1: 2006/AC:2007	ISO 3166-1 Technical Corrigendum 1: 2007-07	DIN EN ISO 3166-1 Berichtigung 1:2008-06	–
EN ISO 7200:2004	ISO 7200:2004	DIN EN ISO 7200:2004-05	–
–	ISO 10209-1:1992	–	–
–	ISO/IEC 2382-1:1993	–	–
–	ISO/IEC 8613-1:1994	–	–
–	ISO/IEC 8613-1 Techn. Corr 1:1998-12	–	–

Nationaler Anhang NB
(informativ)

Literaturhinweise

DIN 2335:1986-10, *Sprachenzeichen*

DIN EN 61082-1 (VDE 0040-1):2007-03, *Dokumente der Elektrotechnik – Teil 1: Regeln (IEC 61082-1:2006); Deutsche Fassung EN 61082-1:2006*

DIN EN 62023:2001-07, *Strukturierung technischer Information und Dokumentation (IEC 62023:2000); Deutsche Fassung EN 62023:2000*

DIN EN ISO 3166:2007-03, *Codes für die Namen von Ländern und deren Untereinheiten – Teil 1: Codes für Ländernamen (ISO 3166-1:2006); Deutsche Fassung EN ISO 3166-1:2006*

DIN EN ISO 3166-1 Berichtigung 1:2008-06, *Codes für die Namen von Ländern und deren Untereinheiten – Teil 1: Codes für Ländernamen (ISO 3166-1:2006); Deutsche Fassung EN ISO 3166-1:2006, Berichtigung zu DIN EN ISO 3166-1:2007-03; Deutsche Fassung EN ISO 3166-1:2006/AC:2007*

DIN EN ISO 7200:2004-05, *Technische Produktdokumentation – Datenfelder in Schriftfeldern und Dokumentenstammdaten (ISO 7200:2004); Deutsche Fassung EN ISO 7200:2004*

EUROPÄISCHE NORM
EUROPEAN STANDARD
NORME EUROPÉENNE

EN 61355-1

Juni 2008

ICS 01.080.01; 01.080.30　　　　　　　　　　　　　　　　　　　　　　　Ersatz für EN 61355:1997

Deutsche Fassung

Klassifikation und Kennzeichnung von Dokumenten für Anlagen, Systeme und Ausrüstungen –
Teil 1: Regeln und Tabellen zur Klassifikation
(IEC 61355-1:2008)

Classification and designation of documents for plants, systems and equipment –
Part 1: Rules and classification tables
(IEC 61355-1:2008)

Classification et désignation des documents pour installations industrielles, systèmes et matériels –
Partie 1: Règles et tableaux de classification
(CEI 61355-1:2008)

Diese Europäische Norm wurde von CENELEC am 2008-05-01 angenommen. Die CENELEC-Mitglieder sind gehalten, die CEN/CENELEC-Geschäftsordnung zu erfüllen, in der die Bedingungen festgelegt sind, unter denen dieser Europäischen Norm ohne jede Änderung der Status einer nationalen Norm zu geben ist.

Auf dem letzten Stand befindliche Listen dieser nationalen Normen mit ihren bibliographischen Angaben sind beim Zentralsekretariat oder bei jedem CENELEC-Mitglied auf Anfrage erhältlich.

Diese Europäische Norm besteht in drei offiziellen Fassungen (Deutsch, Englisch, Französisch). Eine Fassung in einer anderen Sprache, die von einem CENELEC-Mitglied in eigener Verantwortung durch Übersetzung in seine Landessprache gemacht und dem Zentralsekretariat mitgeteilt worden ist, hat den gleichen Status wie die offiziellen Fassungen.

CENELEC-Mitglieder sind die nationalen elektrotechnischen Komitees von Belgien, Bulgarien, Dänemark, Deutschland, Estland, Finnland, Frankreich, Griechenland, Irland, Island, Italien, Lettland, Litauen, Luxemburg, Malta, den Niederlanden, Norwegen, Österreich, Polen, Portugal, Rumänien, Schweden, der Schweiz, der Slowakei, Slowenien, Spanien, der Tschechischen Republik, Ungarn, dem Vereinigten Königreich und Zypern.

CENELEC
Europäisches Komitee für Elektrotechnische Normung
European Committee for Electrotechnical Standardization
Comité Européen de Normalisation Electrotechnique

Zentralsekretariat: rue de Stassart 35, B-1050 Brüssel

© 2008 CENELEC – Alle Rechte der Verwertung, gleich in welcher Form und in welchem Verfahren, sind weltweit den Mitgliedern von CENELEC vorbehalten.

Ref. Nr. EN 61355-1:2008 D

DIN EN 61355-1 (VDE 0040-3):2009-03
EN 61355-1:2008

Vorwort

Der Text des Schriftstücks 3/878/FDIS, zukünftige 2. Ausgabe von IEC 61355-1, ausgearbeitet von dem IEC/TC 3 „Information structures, documentation and graphical symbols" zusammen mit dem ISO/TC 10 „Technical product documentation", wurde der IEC-CENELEC Parallelen Abstimmung unterworfen und von CENELEC am 2008-05-01 als EN 61355-1 angenommen.

Diese EN 61355-1:2008 ersetzt zusammen mit der IEC 61355-Datenbank die EN 61355:1997.

Die wesentlichen Änderungen gegenüber EN 61355:1997 sind nachfolgend aufgeführt:

- Tabelle A.2 wurde bezüglich Code P erweitert;
- Tabelle B.1 in EN 61355:1997 wurde durch eine gesonderte Norm, IEC 61355 DB, im Format einer Datenbank ersetzt.

Nachstehende Daten wurden festgelegt:

- spätestes Datum, zu dem die EN auf nationaler Ebene durch Veröffentlichung einer identischen nationalen Norm oder durch Anerkennung übernommen werden muss (dop): 2009-02-01

- spätestes Datum, zu dem nationale Normen, die der EN entgegenstehen, zurückgezogen werden müssen (dow): 2011-05-01

Der Anhang ZA wurde von CENELEC hinzugefügt.

Anerkennungsnotiz

Der Text der Internationalen Norm IEC 61355-1:2008 wurde von CENELEC ohne irgendeine Abänderung als Europäische Norm angenommen.

In der offiziellen Fassung sind unter „Literaturhinweise" zu den aufgelisteten Normen die nachstehenden Anmerkungen einzutragen:

IEC 81346-1	ANMERKUNG	Vorgesehen für Anerkennung als EN 81346-1 (nicht modifiziert).
IEC 82045-1	ANMERKUNG	Harmonisiert als EN 82045-1:2001 (nicht modifiziert).
IEC 82045-2	ANMERKUNG	Harmonisiert als EN 82045-2:2005 (nicht modifiziert).

Inhalt

	Seite
Vorwort	2
Einleitung	5
1 Anwendungsbereich	6
2 Normative Verweisungen	6
3 Begriffe	6
4 Grundlegende Begriffe zu Dokumenten und Dokumentation	8
4.1 Allgemeines	8
4.2 Dokumentenarten	9
4.3 Dokumente	9
4.4 Mischdokumente	9
4.5 Dokumentensätze	10
4.6 Dokumentation	10
5 Klassifizierung von Dokumenten	10
5.1 Klassifizierungsgrundsätze	10
5.2 Zuordnung von Dokumenten zu Klassen	11
5.3 Zuordnung von Mischdokumenten zu Klassen	11
5.4 Aufbau des Dokumentenart-Klassenschlüssels (DCC)	11
6 Dokumentenkennzeichen	13
6.1 Kennzeichnung von Dokumenten und Dokumentenseiten	13
6.2 Dokumentenkennzeichen für Identifikationszwecke	15
7 Dokumentation	16
8 Bezeichnung von Dokumentenarten und Grundsätzliches zur Kommunikation	17
8.1 Grundsätze der Bezeichnung von Dokumentenarten und Dokumenten	17
8.2 Kommunikation zum Dokumentenaustausch	18
Anhang A (normativ) Kennbuchstaben	19
Anhang B (informativ) Zusatzinformationen über Dokumentenarten für Kommunikationszwecke	36
Anhang C (informativ) Kommunikation über Dokumentenaustausch	38
Literaturhinweise	41
Anhang ZA (normativ) Normative Verweisungen auf internationale Publikationen mit ihren entsprechenden europäischen Publikationen	42

Bild 1 – Zusammenhang zwischen dokumentationsbezogenen Begriffen	9
Bild 2 – Klassifizierungsstruktur für Dokumente	10
Bild 3 – Struktur des Dokumentenart-Klassenschlüssels	11
Bild 4 – Beispiel eines Dokuments mit geänderter Klassifikation für den technischen Bereich	13
Bild 5 – Prinzip der Dokumentenkennzeichnung	14
Bild 6 – Anwendung der Seitenzählnummer zur Gruppierung von Seiten	15

DIN EN 61355-1 (VDE 0040-3):2009-03
EN 61355-1:2008

Seite

Bild 7 – Beispiele für die Strukturen eines Systems und für die objektbezogene
Dokumentationsstruktur 17
Bild C.1 – Dokumentenaustauschliste, allgemeiner Teil 39
Bild C.2 – Dokumentenaustauschliste, objektbezogener Teil 39
Bild C.3 – Dokumentenaustauschliste, ausgefülltes Beispiel 40

Tabelle A.1 – Kennbuchstaben für technische Bereiche 19
Tabelle A.2 – DCC und Beschreibung der Dokumentenartklassen 20
Tabelle B.1 – Kennbuchstaben für grundlegende Dokumentenarten und Darstellungsformen ... 36

Einleitung

Dokumentation ist erforderlich, um Informationen für alle Tätigkeiten im Lebenszyklus technischer Produkte, hierin eingeschlossen sind Anlagen, Systeme und deren Einrichtungen, bereitzustellen. Sie kann in jeder Phase oder in jeder Tätigkeit erstellt werden. Dokumente können von anderen Geschäftspartnern zugeliefert oder diesen übergeben werden. Unterschiedliche Partner benötigen möglicherweise unterschiedliche Informationen oder dieselben Informationen unter anderen Gesichtspunkten, abhängig davon, was am besten für den beabsichtigten Zweck geeignet ist.

In diesem Teil der IEC 61355 wird der Begriff „Dokument" in sehr allgemeinem Sinne angewendet. Er umfasst Informationen in allen möglichen Medien, in denen Daten aufgezeichnet werden können. Die Beschreibung der Dokumentenarten wurde jedoch von der Darstellung dieser Informationen auf Papier abgeleitet, d. h., wie die Informationen für den Anwender sichtbar und lesbar gemacht werden.

Ein Ziel dieser Norm ist, eine Methode zur verbesserten Kommunikation und zu einem besseren Verständnis zwischen Partnern, die Dokumente austauschen müssen, einzuführen. Um eine Basis für eine Systematik zu erhalten, ist es notwendig, mehr oder weniger zu ignorieren, wie ein Dokument heute benannt ist. Unterschiedliche Benennungen werden für dieselbe Dokumentenart angewendet, oder die Benennungen haben für unterschiedliche Partner eine unterschiedliche Bedeutung. Auch sind Zweck und Betrachtungsgegenstand manchmal Bestandteil der Dokumentenbenennung, was ein allgemeingültiges Verständnis behindert. Aus diesem Grunde sollte die Basis für ein allgemeingültiges Verständnis die Dokumentenartklassifizierung sein, welche ausschließlich auf dem Informationsinhalt begründet sein.

Ein weiteres Ziel ist die Erfüllung der Anforderungen für eine Informationswiedergewinnung, da diese häufig auf dem erforderlichen Informationsinhalt des Dokuments beruhen.

Ein drittes Ziel dieser Norm ist, besondere Regeln aufzustellen, um Dokumente zu den Objekten, die sie beschreiben, in Bezug zu setzen, d. h. aufzuzeigen, zu welchem Objekt ein spezielles Dokument gehört. Zu diesem Zweck wird ein Dokumentenkennzeichnungssystem eingeführt, welches das Kennzeichen für die Dokumentenart dem Kennzeichen des Objekts, wie es in der Anlage, dem System oder der Einrichtung verwendet wird, zuordnet. Folgt man diesen Regeln und Empfehlungen, so spiegelt die Dokumentation die Struktur der „tatsächlich existierenden Einrichtung" wieder. Dadurch ist auch eine Anleitung gegeben für die Sortierung und Gruppierung, aber ebenso für strukturiertes Suchen nach Informationen, zum Beispiel in Dokumenten-Managementsystemen.

DIN EN 61355-1 (VDE 0040-3):2009-03
EN 61355-1:2008

1 Anwendungsbereich

Dieser Teil der IEC 61355 enthält Regeln und Richtlinien zur Klassifizierung von Dokumenten basierend auf ihrem charakteristischen Informationsinhalt. Ein Buchstabencode zur Angabe der Dokumentenartklasse ist gegeben, zusammen mit Regeln und Richtlinien für dessen Anwendung in einem kodierten Dokumentenkennzeichen. Diese Norm ist für Dokumente aus allen technischen Sachgebieten, die im Lebenszyklus einer Anlage, eines Systems oder einer Einrichtung vorkommen, anwendbar.

ANMERKUNG Die festgelegten Klassen und Kennbuchstaben sind als Werte, zugehörig zu Metadaten in Managementsystemen für Dokumente, vorgesehen (siehe IEC 82045-1 und IEC 82045-2).

2 Normative Verweisungen

Die folgenden zitierten Dokumente sind für die Anwendung dieses Dokuments erforderlich. Bei datierten Verweisungen gilt nur die in Bezug genommene Ausgabe. Bei undatierten Verweisungen gilt die letzte Ausgabe des in Bezug genommenen Dokuments (einschließlich aller Änderungen).

IEC 61082-1:2006, *Preparation of documents used in electrotechnology – Part 1: Rules*

IEC 62023:2000, *Structuring of technical information and documentation*

ISO 639-1:2002, *Code for the representation of names of languages – Part 1: Alpha-2 code*

ISO 3166-1:2006, *Codes for the representation of names of countries and their subdivisions – Part 1: Country codes*

ISO 7200:2004, *Technical product documentation – Data fields in title blocks and document headers*

3 Begriffe

Für die Anwendung dieses Dokuments gelten die folgenden Begriffe.

3.1
Datenträger
Material, in oder auf dem Daten aufgezeichnet und von dem sie wiedergewonnen werden können

[ISO/IEC 2382-1, 01.01.51]

3.2
Dokument
feste und strukturierte Informationsmenge zur Wahrnehmung durch Menschen, welche als Einheit zwischen Anwendern und Systemen gehandhabt und ausgetauscht werden kann

ANMERKUNG 1 Der Begriff „Dokument" ist nicht auf dessen Bedeutung im rechtlichen Sinne beschränkt.

ANMERKUNG 2 Ein Dokument kann in Übereinstimmung mit der Art der Information und der Form ihrer Darstellung bezeichnet werden, zum Beispiel Übersichtsschaltplan, Verbindungstabelle, Funktionsschaltplan.

[IEC 61082-1, 3.1.2]

3.3
Mischdokument
Dokument mit unterschiedlichen Informationsbestandteilen, wobei jeder Bestandteil einer anderen Dokumentenartklasse angehört

DIN EN 61355-1 (VDE 0040-3):2009-03
EN 61355-1:2008

3.4
Dokumentensatz
Sammlung unterschiedlicher Dokumente, die als Einheit behandelt werden soll

ANMERKUNG   Dokumentensätze können aus Dokumenten und Mischdokumenten bestehen.

3.5
Dokumentation
Sammlung von Dokumenten, die einem bestimmten Gegenstand zugeordnet sind

[IEC 61082-1, 3.1.4]

ANMERKUNG 1   Dies kann technische, kaufmännische und/oder andere Dokumente einschließen.

ANMERKUNG 2   Der Begriff „Gegenstand" kann sich auf Objekte im Sinne von IEC 81346* (61346) beziehen oder auf andere zu adressierende Dinge.

* zurzeit noch nicht veröffentlicht

ANMERKUNG 3   Eine Dokumentation kann aus Dokumenten, Mischdokumenten und Dokumentensätzen bestehen.

ANMERKUNG 4   Die Anzahl und Dokumentenarten in einer Dokumentation können zweckentsprechend unterschiedlich sein.

3.6
Dokumentenart
Typ eines Dokuments, definiert im Hinblick auf seinen festgelegten Informationsinhalt und die Darstellungsform

ANMERKUNG   Manchmal wird der Begriff „Dokumententyp" für denselben Sacheverhalt verwendet.

3.7
Dokumentenartklasse
Gruppe von Dokumentenarten mit ähnlichen Eigenschaften hinsichtlich des Informationsinhalts, unabhängig von der Darstellungsform

3.8
Objekt
Betrachtungseinheit, die in einem Konstruktions-, Planungs-, Realisierungs-, Betriebs-, Wartungs-, Demontage- und Entsorgungsprozess behandelt wird

[IEC 81346-1* (IEC 61346-1)].   * zurzeit noch nicht veröffentlicht

ANMERKUNG 1   Das Objekt kann sich auf eine physikalische oder nicht-physikalische „Sache" beziehen, die existieren könnte, existiert oder früher existierte.

ANMERKUNG 2   Das Objekt hat ihm zugeordnete Informationen.

3.9
System
Menge von Objekten, die untereinander in Beziehung stehen, mit dem Zweck, eine gemeinsame Funktion zu erfüllen

3.10
Anlage
Zusammenstellung verschiedener Systeme an einem bestimmten Ort

3.11
Einrichtung
Komponenten und Teile, die für einen bestimmten Zweck angewendet oder benötigt werden

3.12
Projekt
allgemeiner Begriff für die Summe aller kaufmännischen und technischen Aktivitäten, zugehörig zu einem bestimmten Objekt

3.13
Objektkennzeichen
Identifikator für ein bestimmtes Objekt in einem gegebenen Kontext

ANMERKUNG   Beispiele für derartige Kennzeichen sind: Referenzkennzeichen, Typschlüssel, Seriennummer, Benennung.

3.14
Dokumentenkennzeichen
Identifikator für ein bestimmtes Dokument in Beziehung zu einem Objekt, dem das Dokument zugeordnet ist

3.15
Seitenzählnummer
Identifikator einer bestimmten Seite eines durch ein Dokumentenkennzeichen identifizierten Dokuments

3.16
Dokumentenseite-Kennzeichen
Identifikator einer bestimmten Seite als Bestandteil eines mehrseitigen Dokuments, gebildet durch Anwendung eines Dokumentenkennzeichens und einer Seitenzählnummer

4 Grundlegende Begriffe zu Dokumenten und Dokumentation

4.1 Allgemeines

Dokumente stellen Informationen zur Verfügung, die für unterschiedliche Tätigkeiten und Zwecke im Lebenszyklus einer Anlage, eines Systems oder einer Einrichtung erforderlich sind. Der Begriff „Dokument" ist nicht auf eine Darstellung der Informationen auf Papier beschränkt. Er umfasst ebenso andere Formen der Informationsspeicherung wie Dateien auf elektronischen Medien oder in einer Datenbank.

Informationen bedürfen einer vereinbarten Darstellungsform, damit sie für Menschen verständlich sind. In den meisten Fällen sind derartige Formen nur für traditionelle Papierdokumente oder ähnliche Darstellungen festgelegt. In dieser Norm beziehen sich die Beschreibungen der Dokumentenarten auf Darstellungen auf Papier. Andere Formen der Visualisierung, beispielsweise auf einem Bildschirm, werden als gleich oder zumindest ähnlich der Darstellung auf Papier angenommen.

Im Rahmen dieser Norm ist es erforderlich, zwischen folgenden Begriffen und deren Zusammenhängen zu unterscheiden (siehe Bild 1):

- Dokumentenart;
- Dokument;
- Mischdokument;
- Dokumentensatz;
- Dokumentation.

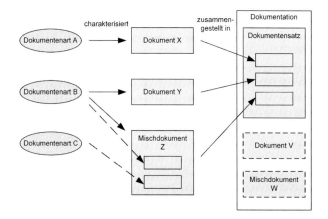

Bild 1 – Zusammenhang zwischen dokumentationsbezogenen Begriffen

4.2 Dokumentenarten

Eine Dokumentenart muss definiert werden durch

- eine allgemeingültige Beschreibung des charakteristischen Informationstyps, die ein auf Basis dieser Dokumentenart erstelltes Dokument beinhalten soll, und
- dessen Darstellungsform.

Zwei unterschiedliche Dokumente gehören derselben Art an, wenn sie ähnliche Eigenschaften bezüglich des Informationsinhalts und dieselbe Darstellungsform haben.

Eine Dokumentenart sollte weder mit Bezug auf ein beschriebenes Objekt noch auf seinen Verwendungszweck hin definiert sein.

Jeder Dokumentenart ist einer Dokumentenartklasse zugewiesen, siehe Abschnitt 5.

4.3 Dokumente

Ein Dokument:

- darf spezielle Informationen zu einem Objekt bereitstellen und darf auf dieses Objekt Bezug nehmen;

    ANMERKUNG 1   Es kann Dokumente geben, für die kein eindeutiger Objektbezug identifizierbar ist.

- darf durch eine entsprechende Dokumentenartklasse klassifiziert sein;
- darf auf seinen Zweck verweisen (für welche Tätigkeit es benötigt wird);
- darf in einer vereinbarten Darstellungsform visualisiert sein.

    ANMERKUNG 2   Ein Dokument kann aus einer oder mehreren Dokumentenseiten bestehen.

4.4 Mischdokumente

Ein Mischdokument hat unterschiedliche Bestandteile an Informationsinhalten, wobei jeder Teil üblicherweise einer unterschiedlichen Dokumentenartklasse angehört. So kann beispielsweise ein Dokument, in dem eine Anordnungszeichnung zusammen mit einer Teileliste dargestellt ist, als Mischdokument bezeichnet werden.

9

Zur Zuweisung einer Dokumentenartklasse zu einem Mischdokument sind besondere Regeln erforderlich, siehe 5.3.

4.5 Dokumentensätze

Ein Dokumentensatz ist eine Zusammenstellung verschiedener Dokumente, d. h. Dokumente und Mischdokumente, die als Einheit behandelt werden soll. Einem Dokumentensatz wird keine eigene Klassifizierung zugewiesen.

ANMERKUNG Falls für einen Dokumentensatz eine eigene Klassifizierung erforderlich ist, wird er im Grunde genommen zu einem Mischdokument.

4.6 Dokumentation

Eine Dokumentation ist eine Zusammenstellung verschiedener Dokumente, Mischdokumente und Dokumentensätze, zugeordnet zu einem gegebenen Sachverhalt. Die Bestandteile einer Dokumentation sind jeder für sich klassifiziert. Die Dokumentation als Ganzes erhält keine gemeinsame Klassifizierung.

5 Klassifizierung von Dokumenten

5.1 Klassifizierungsgrundsätze

Die Klassifizierung von Dokumenten muss auf deren charakteristischen Informationsinhalten beruhen.

ANMERKUNG Dokumente sind durch Dokumentenarten charakterisiert, die auf gleiche Weise wie Dokumente klassifiziert sind.

Kann ein Dokument auf unterschiedliche Weise klassifiziert werden, muss der führende Informationsinhalt seine Klassifizierung bestimmen.

Dokumente müssen mindestens in zwei Ebenen klassifiziert sein (Klassenebenen A2 und A3). Sie dürfen zusätzlich in einer vorangestellten Ebene klassifiziert werden (Klassenebene A1), siehe Bild 2.

Bild 2 – Klassifizierungsstruktur für Dokumente

Klassenebene A1 repräsentiert Dokumente, die Informationen zugehörig zu einem bestimmten technischen Bereich beinhalten. Sie ist optional und darf angewendet werden, wenn Dokumente aus unterschiedlichen technischen Bereichen zusammenkommen, beispielsweise in einem Projekt, und klar voneinander unterscheidbar sein sollen. Jede Klasse für einen technischen Bereich muss dieselben Haupt- und Unterklassen, repräsentiert durch Klassenebenen A2 und A3, anwenden.

ANMERKUNG Gegebenenfalls sind nicht alle Haupt- und Unterklassen für jeden technischen Bereich relevant.

Klassenebene A2 repräsentiert Hauptklassen von Dokumenten. Dokumente gehören derselben Hauptklasse an, wenn sie dieselbe charakteristische Information beinhalten.

Klassenebene A3 repräsentiert Unterklassen von Dokumenten bezogen auf eine spezifische Hauptklasse. Dokumente gehören zur selben Unterklasse, wenn sie eine gemeinsame Beschreibung des Informationsinhalts in der entsprechenden Haupt- und Unterklasse haben.

In dieser Norm ist jede Haupt- und Unterklasse durch eine Kurzbeschreibung des charakteristischen Informationsinhalts definiert (siehe Tabelle A.2). Die Beschreibung der Unterklasse gilt nur im Zusammenhang mit der Beschreibung der entsprechenden Hauptklasse.

5.2 Zuordnung von Dokumenten zu Klassen

Ein Dokument muss einer Hauptklasse und einer zugehörigen Unterklasse zugeordnet werden, wenn der überwiegende charakteristische Informationsinhalt vollständig oder zumindest teilweise mit den Beschreibungen der Haupt- und Unterklasse übereinstimmt.

Es kann vorkommen, dass der Informationsinhalt zwar mit der Beschreibung der Hauptklasse übereinstimmt, nicht jedoch vollständig oder zumindest teilweise mit der Beschreibung der Unterklasse. In diesen Fällen darf ausnahmsweise die unspezifizierte Unterklasse mit dem Kennbuchstaben Z angewendet werden. Die Anwendung dieser Klasse muss begrenzt bleiben. Wird sie angewendet, sollte dies im Dokument oder in begleitender Dokumentation erläutert werden.

ANMERKUNG   Klassen mit Kennbuchstaben Z sind vorläufig. Der Anwender ist aufgefordert, die spätere Normung von fehlenden Klassendefinitionen zu beantragen.

5.3 Zuordnung von Mischdokumenten zu Klassen

Ein Mischdokument muss einer Hauptklasse und einer zugehörigen Unterklasse entsprechend der führenden Dokumentenartklasse, die in der Zusammenstellung identifiziert wird, zugeordnet werden.

Beispielsweise wird ein Anordnungsplan, der gleichzeitig eine Teileliste zeigt, als Anordnungsplan klassifiziert, wenn dieser als führender Bestandteil erkannt wird.

Ist kein führender Bestandteil offensichtlich, darf irgendeine der beinhalteten Dokumentenarten gewählt werden.

ANMERKUNG   Jedem einzelnen Bestandteil eines Mischdokuments darf seine eigene Dokumentenartklasse zugeordnet sein. Dies kann gegebenenfalls für die Anwendung von rechnerbasierenden Dokumentationssystemen von Vorteil sein.

5.4 Aufbau des Dokumentenart-Klassenschlüssels (DCC)

Bild 3 zeigt den Aufbau des Dokumentenart-Klassenschlüssels (DCC). Er besteht aus dem Vorzeichen „&" (kaufmännisches UND), gefolgt von drei Kennbuchstaben, die in dieser Norm festgelegt sind. Die Position für jeden Kennbuchstaben ist mit A1, A2 und A3 bezeichnet. Bei der Darstellung in Dokumenten darf das Vorzeichen weggelassen werden, wenn dadurch keine Unklarheit verursacht wird.

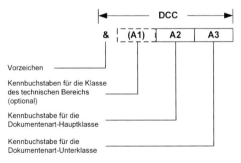

Bild 3 – Struktur des Dokumentenart-Klassenschlüssels

Die Positionen im DCC sind wie folgt definiert:

- A1 repräsentiert die Klassenebene A1. Sie ist optional und gibt die Klasse für den technischen Bereich an (siehe Tabelle A.1).

ANMERKUNG 1   Der Begriff „technischer Bereich" ist in einem allgemeineren Sinne zu sehen. Er umfasst beispielsweise auch Managementaspekte.

- A2 repräsentiert die Klassenebene A2. Sie ist verpflichtend und gibt die Hauptklasse von Dokumenten an (siehe Tabelle A.2).
- A3 repräsentiert die Klassenebene A3. Sie ist verpflichtend und gibt die Unterklasse von Dokumenten, die individuell für jede Hauptklasse definiert ist, an (siehe Tabelle A.2).

Ein Dokumentenart-Klassenschlüssel (DCC) muss entweder aus einem zweistelligen Schlüssel (A2, A3) oder einem dreistelligen Schlüssel (A1, A2, A3) bestehen.

ANMERKUNG 2   Das DCC klassifiziert nur ein Dokument, identifiziert die Dokumentenart jedoch nicht eindeutig. Zum Zweck der Identifikation der Dokumentenart ist in der IEC 61355 DB (IEC-Datenbank zur Sammlung von Dokumentenarten) ein Identifizierer eingeführt.

Für A1, A2 und A3 müssen ausschließlich die im Anhang A, Tabellen A.1 und A.2 gezeigten Schriftzeichen angewendet werden.

ANMERKUNG 3   Es werden nur die Buchstaben A bis Z, mit den Ausnahmen O und I, angewendet.

In Anhang A, Tabelle A.2 sind Kennbuchstaben für Haupt- und Unterklassen von Dokumenten gegeben. Wird ein DCC angewendet, so ist die Anwendung der Kennbuchstaben für A2 und A3 verpflichtend.

In Anhang A, Tabelle A.1 sind diejenigen Kennbuchstaben angeführt, die angewendet werden müssen, wenn Dokumente aus verschiedenen technischen Bereichen in einem Projekt zusammenkommen und Verwechslungsgefahr besteht. Andere Kennbuchstaben als die in Tabelle A.1 gezeigten dürfen für bestimmte Zwecke ebenfalls verwendet werden, falls dies vereinbart wurde.

Einem Dokument muss eine Klasse für einen technischen Bereich nach dessen hauptsächlichem Informationsinhalt zugeordnet werden, nicht entsprechend des technischen Bereichs, zu dem eine Organisation (in der das Dokument erstellt wurde) gehört.

BEISPIELE

- Eine Bauzeichnung, erstellt von einem Architekten, wird als „Dokument des Bauwesens" klassifiziert.
- Eine Bauzeichnung, erstellt in einer Elektroengineeringabteilung, wird als „Dokument des Bauwesens" klassifiziert.

In gewissen Fällen darf die Klassifikation des technischen Bereichs geändert werden, wenn sich der Informationsinhalt im Lebenszyklus ändert, zum Beispiel:

- Für eine Bauzeichnung, erstellt von einem Architekten und von einem Elektroingenieur ergänzt, so dass daraus ein Anordnungsplan für die Elektroinstallation wird, darf die Klasse des technischen Bereichs von „Bauwesen" nach „Elektrotechnik" geändert werden. (Es kann tatsächlich in diesem Fall daraus eine neue Dokumentenart werden. Der Anordnungsplan für die Elektroinstallation basiert auf einer Kopie der Bauzeichnung, während die Original-Bauzeichnung weiterhin für andere Zwecke bestehen bleibt, siehe Bild 4.)

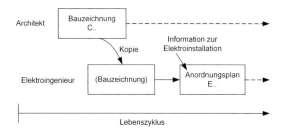

Bild 4 – Beispiel eines Dokuments mit geänderter Klassifikation für den technischen Bereich

Die Kennbuchstaben A und B in der Klassenebene A1 dürfen für Dokumente angewendet werden, die mehr als einem spezifischen technischen Bereich zuzuordnen sind.

6 Dokumentenkennzeichen

6.1 Kennzeichnung von Dokumenten und Dokumentenseiten

Ein Dokumentenkennzeichen nach dieser Norm ist eine optionale Möglichkeit zur Erfüllung folgender Zwecke:

- Bereitstellung eines Mittels zur Angabe einer Beziehung zwischen einem Dokument und dem Objekt, für welches das Dokument gültig ist;

    ANMERKUNG 1   Der Begriff „Objekt" schließt Objekttypen ein. Ist ein Dokument auf einen Objekttyp bezogen, kann es für alle Vorkommen von Objekten desselben Typs gültig sein.

    ANMERKUNG 2   Die Angabe von Beziehungen zwischen Dokumenten und Objekt durch Anwendung von Dokumentenkennzeichen erfordert angemessene Maßnahmen, um sicherzustellen, dass alle relevanten Dokumente zum Objekt gefunden werden. Hierzu kann beispielsweise eine objektbezogene Dokumentenliste dienen.

- Bereitstellung einer Möglichkeit, um Sortierkriterien für eine objektbezogene Dokumentation zu formulieren;
- Bereitstellung einer Möglichkeit, um verschiedene Dokumentenarten zu einem Objekt zu identifizieren;
- Bereitstellung einer objektbezogenen Methode, um auf Dokumente oder Dokumentenseiten zu verweisen, zum Beispiel von anderen Dokumenten.

Zu diesen Zwecken ist ein kodiertes Dokumentenkennzeichen eingeführt, welches ein Kennzeichen des Objekts, dem das Dokument zugeordnet ist, und den DCC zusammen mit einer Zählnummer kombiniert. Zusätzlich darf dieses Dokumentenkennzeichen um eine Seitenzählnummer ergänzt werden (siehe Bild 5).

ANMERKUNG 3   Zum Zweck der Identifikation von Dokumenten wird üblicherweise ein Dokumentennummerierungssystem oder ein anderes Nummerierungssystem angewendet. In den meisten Fällen erfüllen diese Systeme Identifikationszwecke innerhalb der Grenzen einer Organisation zusammen mit anderen organisationsspezifischen Anforderungen. Ein Dokumentenkennzeichen nach dieser Norm soll keine dieser Nummerierungssysteme ersetzen. Es dient vielmehr als zusätzliche Möglichkeit für die beschriebenen Zwecke.

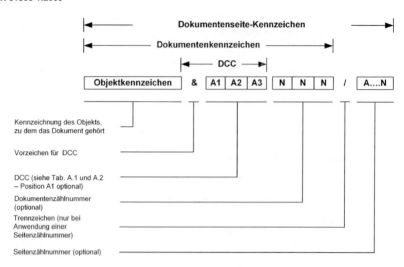

Bild 5 – Prinzip der Dokumentenkennzeichnung

Das Objektkennzeichen muss das Objekt, zu dem ein Dokument zugeordnet ist, unverwechselbar bestimmen. Dies schließt ein, dass ein Objektkennzeichen in einem festgelegten Kontext unverwechselbar sein (oder gemacht werden) muss.

ANMERKUNG 4 Ein Referenzkennzeichen erfüllt die Anforderung nach Unverwechselbarkeit in sich selbst. Für Objekte ohne Referenzkennzeichen kann jedes andere Kennzeichen angewendet werden, zum Beispiel eine Produkt-ID, ein Typkennzeichen, eine Projektnummer oder auch eine Klartextbenennung, vorausgesetzt, die Zeichenfolge ist unverwechselbar.

Unterschiedliche Dokumente, die zum selben Objekt gehören, müssen mittels des DCC voneinander unterschieden werden und um eine Dokumentenzählnummer (numerisch, maximal dreistellig) erweitert werden (zum Beispiel eine Bedienanleitung und eine Serviceanweisung, beide mit EDC klassifiziert). Dokumentenzählnummern haben keine besondere Bedeutung. Ihre Anwendung zusammen mit dem DCC ist freigestellt und darf auch für andere Zwecke angewendet werden.

ANMERKUNG 5 Es ist weder vorgesehen noch empfohlen, die Dokumentenzählnummer zusammen mit dem DCC als Identifikator für Dokumentenarten anzuwenden. Ein Identifikator dient einem anderen Zweck, und es wird empfohlen, diesen gegebenenfalls getrennt einzuführen und zu halten.

Beispiele für Dokumentenkennzeichen:

-W1M3&DA   Datenblatt für Motor 3 im Transportsystem 1
-W1M3&EDC1 Bedienanleitung für Motor 3 im Transportsystem 1
-W1M3&EDC2 Serviceanweisung für Motor 3 im Transportsystem 1

Projekt XYZ&ABE Terminplan im übergeordneten Projektmanagement für Projekt XYZ
Projekt XYZ&EBE Terminplan für das Elektroengineering für Projekt XYZ

Die Seitenzählnummer ist optional und muss aus alphabetischen Zeichen (Buchstaben A ... Z, außer I und O) und/oder numerischen Zeichen (Ziffern 0, 1 ... 9) bestehen. Sie muss vom Dokumentenkennzeichen durch das Zeichen „/" (Schrägstrich) getrennt sein, (siehe Bild 5). Die Darstellung des Trennzeichens kann weggelassen werden, wenn keine Verwechslungsgefahr besteht, zum Beispiel wenn die Seitenzählnummer in einem getrennten Feld im Schriftfeld eines Dokuments oder in einer getrennten Tabellenspalte steht.

DIN EN 61355-1 (VDE 0040-3):2009-03
EN 61355-1:2008

Die Seitenzählnummer ermöglicht die Kennzeichnung jeder einzelnen Seite eines mehrseitigen Dokuments in Kombination mit dem Dokumentenkennzeichen. Zusätzlich darf sie zur Erzwingung einer gewünschten Gruppierung oder Sortierung von Seiten in einem Dokument angewendet werden, siehe Bild 6.

ANMERKUNG 6   Die Seitenzählnummer ist normalerweise nicht identisch mit der Seitennummer, die zu einer Dokumenten-ID oder Zeichnungsnummer gehört.

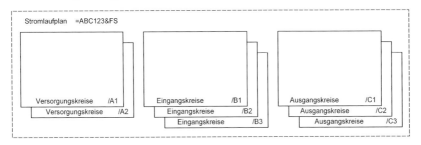

Bild 6 – Anwendung der Seitenzählnummer zur Gruppierung von Seiten

Die Seitenzählnummer sollte wegen besserer Lesbarkeit auf maximal sechs Datenstellen begrenzt sein.

Beispiele für Dokumentenkennzeichen mit Seitenzählnummern:

=G1K1&EFS/MA7   Seite MA7 eines Stromlaufplans (EFS) mit Bezug auf ein Objekt mit dem Referenzkennzeichen =G1K1

-W1M3&DC01/3   Seite 3 einer Betriebsanleitung (DC01) für Motor 3 im Transportsystem 1

Dokumentenkennzeichen zusammen mit Seitenzählnummern werden normalerweise im Schriftfeld eines Dokuments dargestellt. Ein Beispiel für deren Anwendung in einem Schriftfeld nach ISO 7200 und Beispiele für die Anwendung in Querverweisen sind in IEC 61082-1 gegeben.

6.2   Dokumentenkennzeichen für Identifikationszwecke

Der Inhalt eines Dokuments ändert sich üblicherweise in seinem Lebenszyklus, während das Dokumentenkennzeichen nach 6.1 gleich bleiben kann. Deshalb ist das Dokumentenkennzeichen alleine für ein Dokument nicht identifizierend bezüglich des aktuellen Informationsinhalts in einem gegebenen Abschnitt im Lebenszyklus. Zu diesem Zweck sind Zusatzinformationen erforderlich, wie z. B. eine Versionskennung des Dokuments, ein Änderungsindex oder ein Zustandskennzeichen (siehe IEC 82045-1 und IEC 82045-2; bezüglich Statusinformationen siehe auch B.2).

Derartige zusätzliche Identifizierer (Versionsidentifizierer, Änderungsindexe, Statuskennzeichen usw.) müssen als getrennte Informationselemente behandelt werden, unabhängig vom Dokumentenkennzeichen.

Zusätzliche Informationen werden benötigt, um ein Dokumentenkennzeichen im allgemeinen Sinn identifizierend zu machen. Zu diesem Zweck dürfen folgende ergänzende Informationen in Betracht gezogen werden:

- internationaler Länderschlüssel (Alpha-2 Code) nach ISO 3166-1, der aufzeigt, in welchem Land das Dokument erstellt wurde;
- für die Erstellung des Dokuments verantwortliche Firma; ein Firmenschlüssel nach nationalen Normen darf angewendet werden, falls dieser zusammen mit dem internationalen Länderschlüssel genutzt wird;
- Projektkennzeichen, das in der Form firmeninterner Kennungen oder Ähnlichem eingeführt werden darf;
- Sprachenschlüssel nach ISO 639-1 (Alpha-2 code).

ANMERKUNG   Dieselben Prinzipien gelten auch, wenn ein organisationsspezifisches System zur Dokumentenbenummerung angewendet wird und eine Dokumenten-ID im Schriftfeld nach ISO 7200 vorhanden ist.

7 Dokumentation

Die Dokumentation eines Objekts kann aus vielen Dokumenten unterschiedlicher Art bestehen. Da das Objekt aus verschiedenen Bestandteilobjekten bestehen kann, darf jedem davon eine getrennte Dokumentation zugewiesen sein, ebenso mit verschiedenen Dokumentenarten. Daher kann die Dokumentation eines Objekts sehr komplex werden, und sie bedarf einer angemessenen Strukturierung. Die Dokumentation eines Objekts wird häufig in unterschiedliche Teile für unterschiedliche Zwecke aufgeteilt, zum Beispiel unterschiedliche Arten von Spezifikationen, Benutzeranweisungen und Prüfdokumente.

Eine empfohlene Methode zur Strukturierung der Dokumentation ist, diese in Dokumentensätze aufzuteilen, die den Bestandteilen in der Struktur des zu dokumentierenden Objekts (Anlage, System usw.) zugeordnet sind.

ANMERKUNG 1 Andere Methoden zur Bildung einer Dokumentation können existieren, die in dieser Norm nicht behandelt werden.

Das Dokumentenkennzeichen nach Abschnitt 6 ist für diesen Zweck ausgelegt. Es ermöglicht die Zuordnung von Dokumenten zu Objekten und Teilobjekten und die Unterscheidung unterschiedlicher Dokumentenarten. Alle Dokumente, die zum selben Objekt gehören, bilden die Dokumentation für dieses Objekt.

Eine der folgenden Methoden zur Aufstellung einer objektbezogenen Dokumentation sollte angewendet werden:

a) jedem Objekt ist ein Hauptdokument zugeordnet, welches auf alle Zusatzdokumente verweist (siehe IEC 62023), oder

b) jedem Dokument in der Dokumentation wird dasselbe Objektkennzeichen zugewiesen.

Für die zweite Methode gilt das Folgende.

Bild 7 zeigt ein Beispiel für die Dokumentation, die zu zwei unterschiedlichen Strukturen (funktionsbezogen und produktbezogen) eines Systems Bezug hat. In den Baumstrukturen sind diejenigen Knoten (Objekte) markiert, denen Dokumente zugeordnet sind. Entsprechend sind die Dokumente mit dem Referenzkennzeichen des korrespondierenden Knotens, kombiniert mit dem DCC und gegebenenfalls mit der Dokumentenzählnummer, gekennzeichnet. Auf diese Weise wird eine Dokumentation zusammengestellt, die wie dargestellt in Ordner gefasst werden kann.

ANMERKUNG 2 Welche Dokumentenarten benötigt werden und wie sie zusammengehören und zusammengefasst werden, ist zwischen den Vertragspartnern abzustimmen.

Es gelten die folgenden Grundsätze:

- Einem Objekt zugeordnete Dokumente müssen, unmittelbar oder indirekt durch Bezugnahme, erforderliche Informationen zu ihren Bestandteilobjekten beinhalten.
- Den Bestandteilobjekten, die durch Knoten in unterlagerten Ebenen einer Struktur repräsentiert werden, dürfen eigene Dokumente zugewiesen sein, welche detailliertere Informationen zu den Bestandteilobjekten bereitstellen. In diesen Dokumenten enthaltene Informationen sollten dann von den Dokumenten, die zu höheren Knoten zugeordnet sind, ausgeschlossen sein, um redundante Darstellungen zu vermeiden.
- Den Bestandteilobjekten zugeordnete Dokumente sollten keine Verweise auf Dokumente, die Objekten in höheren Ebenen zugeordnet sind, enthalten.
- Einem Objekt oder Bestandteilobjekt zugeordnete Dokumente dürfen auch auf Dokumente verweisen, die nicht einem Objekt in der Referenzkennzeichnungsstruktur zugeordnet sind, beispielsweise auf die Dokumentation eines Objekttyps.

In Bild 7 ist das Prinzip durch strichpunktierte Dreiecke aufgezeigt. Die Spitze des Dreiecks enthält den Knoten in der Struktur, dem Dokumente zugeordnet sind.

Funktionsbezogene Systemstruktur

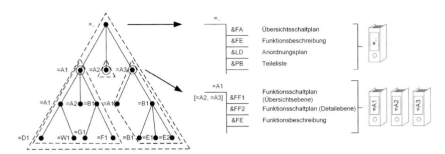

Produktbezogene Systemstruktur

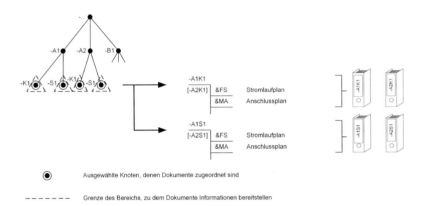

Bild 7 – Beispiele für die Strukturen eines Systems und für die objektbezogene Dokumentationsstruktur

Der Inhalt einer Dokumentation darf in Abhängigkeit von unterschiedlichen Anforderungen und Zwecken variieren. Beispielsweise sollten folgende Gesichtspunkte berücksichtigt werden:

- unterschiedliche Informationsanforderungen für die verschiedenen Arbeitsgänge in einem Projekt (zum Beispiel für Planung, Engineering, Fertigung, Montage, Inbetriebnahme);
- unterschiedliche Zwecke der Dokumentation (zum Beispiel für Vertrieb, Wartung, Management, Zertifizierung).

8 Bezeichnung von Dokumentenarten und Grundsätzliches zur Kommunikation

8.1 Grundsätze der Bezeichnung von Dokumentenarten und Dokumenten

Die einer Dokumentenart zugeordnete Bezeichnung sollte die in einem Dokument bereitgestellte Information charakterisieren. Zu diesem Zweck sollte Folgendes berücksichtigt werden:

- die Art der enthaltenen Information;

- der Zweck (falls für die Dokumentenart ein klarer Zweck identifiziert werden kann);
- die Darstellungsform.

Beispiele:

Verbindungsschaltplan	Art der Information:	Information zu Verbindungen
	Zweck:	nicht festgelegt (viele Zwecke möglich)
	Darstellungsform:	Schaltplan
Wartungsanweisung	Art der Information:	Anweisung zu Tätigkeiten
	Zweck:	für Wartungsaktivitäten
	Darstellungsform:	nicht festgelegt (unterschiedliche Formen möglich)
Anforderungsspezifikation	Art der Information:	Spezifikation der Anforderungen an ein Objekt
	Zweck:	nicht festgelegt, aber implizit gegeben
	Darstellungsform:	nicht festgelegt (unterschiedliche Formen möglich)

Die Bezeichnung von Dokumentenarten nach „Art der Information" und „Darstellungsform" sollte, wenn immer möglich, bevorzugt werden (siehe erstes Beispiel). Dies ist in den meisten Fällen für solche Dokumente möglich, die eine einzige Darstellungsform anwenden und für die der Informationsinhalt mit einem einzelnen Begriff ausgedrückt werden kann.

Das Objekt, dem das Dokument zugeordnet ist, sollte nicht Bestandteil der Bezeichnung der Dokumentenart sein (eine abzulehnende Bezeichnung ist beispielsweise: Motor-Anschlusstabelle). Die Bezeichnung des Objekts sollte im Dokumententitel angegeben werden, zum Beispiel:

Bezeichnung der Dokumentenart: Anschlusstabelle
Dokumententitel: Motorantrieb für Band 1

Die Bezeichnung der Dokumentenart und der Dokumententitel sollten voneinander getrennt gehalten werden, dürfen jedoch benachbart dargestellt sein, zum Beispiel im Schriftfeld eines Dokuments nach ISO 7200.

8.2 Kommunikation zum Dokumentenaustausch

Es wird eine große Anzahl unterschiedlicher Bezeichnungen von Dokumentenarten angewendet. Viele davon sind nicht genormt, können aber innerhalb einer bestimmten Anwendergruppe wohl bekannt sein. Dieselbe Dokumentenart kann in unterschiedlichen Anwendergruppen unterschiedliche Bezeichnungen haben. Daher ist die Anwendung von Bezeichnungen für Dokumentenarten im Hinblick auf die Bestimmung des Informationsbedarfs nicht ausreichend bei der Kommunikation zwischen unterschiedlichen Geschäftspartnern.

Um ein allgemeingültiges Verständnis bei allen Geschäftspartnern bezüglich auszutauschender oder zu liefernder Information zu erreichen, sollte zusätzlich zur Bezeichnung der Dokumentenart der Dokumentenart-Klassenschlüssel (DCC) aus dieser Norm angewendet werden. Die Definition der dem DCC entsprechenden Klasse vermittelt eine grobe Vorstellung bezüglich des erwarteten Informationsinhalts. Sind genormte Dokumentenarten gefordert, sollte auf die entsprechende Norm verwiesen werden, in der häufig der Inhalt genauer spezifiziert ist.

In vielen Fällen, insbesondere bei nicht genormten Dokumentenarten, ist es erforderlich, eine detailliertere Beschreibung des Informationsinhalts bereitzustellen. Es wird empfohlen, die Beschreibung des Informationsinhalts aufzuteilen in „verpflichtende Information" und „optionale Information".

Eine Liste international genormter und bekannter Dokumentenarten steht in Form einer Datenbank, IEC 61355 DB, zur Verfügung, und zwar auf den Internetseiten der IEC unter http://webstore.iec.ch. In dieser Sammlung sind Dokumentenarten mit deren Bezeichnungen, Beschreibungen, verpflichtendem und optionalem Informationsinhalt, Verweis auf Normen und anderen Informationen aufgeführt.

Zusätzliche Informationen zur Kommunikation beim Dokumentenaustausch sind im Anhang B gegeben.

Anhang A
(normativ)

Kennbuchstaben

Die anzuwendenden Kennbuchstaben sind in Tabelle A.1 und Tabelle A.2 enthalten.

Tabelle A.1 – Kennbuchstaben für technische Bereiche

DCC & A A A 1 2 3 ↑	Technischer Bereich
A	Übergeordnetes Management
B	Übergeordnete Technologie
C	Bauwesen (Hoch- und Tiefbau)
E	Elektrotechnik, Instrumentierung und Steuerungstechnik (einschließlich Informations- und Kommunikationstechnik)
M	Maschinenbau (im Regelfall einschließlich Prozesstechnik)
P	Prozesstechnik (nur falls Trennung von M erforderlich)
ANMERKUNG Die Kennbuchstaben in der Tabelle sind nur zum Zwecke der Klassifikation und Kennzeichnung von Dokumenten eingeführt. Sie sind nicht dazu gedacht, technische Bereiche allgemeingültig zu normen.	

Tabelle A.2 – DCC und Beschreibung der Dokumentenartklassen

Übersicht über Hauptklassen (Position A2):

- A.. Dokumentationsbeschreibende Dokumente
- B.. Management-Dokumente
- C.. Vertragliche und nicht-technische Dokumente
- D.. Dokumente mit allgemeiner technischer Information
- E.. Dokumente für technische Anforderungen und Auslegung
- F.. Funktionsbeschreibende Dokumente
- L.. Ortsbeschreibende Dokumente
- M.. Verbindungsbeschreibende Dokumente
- P.. Objektlisten
- Q.. Qualitätsmanagementdokumente; Sicherheitsbeschreibende Dokumente
- T.. Dokumente zur Beschreibung geometrischer Formen
- W.. Betriebliche Protokolle und Aufzeichnungen

ANMERKUNG Die Beispiele für Dokumentenarten, die fett gedruckt dargestellt sind, geben in Übereinstimmung mit IEC 61082-1 die bevorzugten Benennungen an. Weitere Informationen zu Dokumentenarten, z. B. Quellenangaben, sind in IEC 61355 DB (Datenbanksammlung von Dokumentenarten) gegeben. In IEC 61355 DB sind auch identifizierende Kennungen für Dokumentenarten bereitgestellt.

DCC & A1 A2 A3 ↑ ↑	Dokumentenartklassen (Haupt-/Unterklasse)	Informationsinhalt	Beispiele für Dokumentenarten
A ...	Dokumentationsbeschreibende Dokumente	Dokumente, die Informationen über die Dokumentation selbst bereitstellen Informationselemente sind z. B.: • Zeichnungs-/Dokumentennummer • Dokumentenart-Klassenschlüssel • Anzahl der Seiten • Titel des Dokuments (des Dokumentensatzes) • Struktur der Dokumentation	
A A	Verwaltungstechnische Dokumente	Dokumente, die einem Dokumentensatz vorangestellt sind und die allgemeine Informationen über seinen Inhalt und Zusammenhänge geben	**Deckblatt** Titelblatt
A B	Listen (Dokumente betreffend)	Dokumente mit Informationen über die Bestandteile eines Dokuments, Dokumentensatzes oder einer Dokumentation	**Dokumentenverzeichnis** Inhaltsverzeichnis Stichwortverzeichnis

DIN EN 61355-1 (VDE 0040-3):2009-03
EN 61355-1:2008

DCC				Dokumentenartklassen (Haupt-/Unterklasse)	Informationsinhalt	Beispiele für Dokumentenarten
&	A 1	A 2	A 3			
	↑	↑				
A	C			Erläuternde Dokumente (Dokumente betreffend)	Dokumente mit Informationen zur Dokumentation und ihrer Struktur	Dokumentenbeschreibung Dokumentationsstrukturplan
A	D ... A	Y		Reserviert für zukünftige Normung durch IEC		
A	Z			Frei für Anwender		
B	...			Managementdokumente	Dokumente, die hauptsächlich Informationen über Ressourcen wie Personal, Kosten, Material, Zeit usw. bereitstellen, die erforderlich sind für die verschiedenen Tätigkeiten wie Planung, Fertigung, Versand, Errichtung, Inbetriebnahme, Betrieb usw., und/oder Dokumente, die hauptsächlich Informationen über Abläufe und Regeln für die verschiedenen Tätigkeiten beinhalten	
B	A			Register	Dokumente mit Informationen über Geschäftspartner, wie Lieferanten, Kunden, Berater usw.	Händlerliste Lieferantenliste Verteilerliste
B	B			Berichte	Dokumente mit Informationen über Beobachtungen, Managementaspekte betreffend ANMERKUNG Berichte können auch der Klasse QA zugeordnet sein, falls ihr Hauptgegenstand sich auf Qualitätsmanagementaspekte bezieht, oder der Klasse QB, falls er mehr sicherheitsbezogen ist.	Besprechungsbericht Statusbericht Technischer Bericht Schadensmeldung Montagebericht Inbetriebsetzungsbericht Übergabeprotokoll
B	C			Schriftwechsel	Dokumente, wie zum Beispiel Briefe, die nicht anderweitig klassifiziert werden können	Brief Notiz
B	D			Projektleitungsdokumente	Dokumente mit Informationen über Tätigkeiten der Projektleitung und Projektüberwachung	Dokumentenaustauschliste Stundenzettel
B	E			Ressourcen-Planungsdokumente	Dokumente mit Informationen über die Planung von Zeit, Personal und Material	Terminplan Netzplan Kapazitätsplan
B	F			Versand-, Lager- und Transportdokumente	Dokumente mit Informationen, die für den Versand von Gütern erforderlich sind	Versandspezifikation Versandliste Verpackungsliste Luftfrachtbrief Konnossement Ursprungszeugnis Lagerungsspezifikation Transportspezifikation

DIN EN 61355-1 (VDE 0040-3):2009-03
EN 61355-1:2008

DCC				Dokumentenartklassen (Haupt-/Unterklasse)	Informationsinhalt	Beispiele für Dokumentenarten
&	A 1 ↑	A 2 ↑	A 3			
	B	G		Standortsplanungs- und Standortsorganisationsdokumente	Dokumente mit Informationen, die für Personal, Tätigkeiten und Einrichtungen auf dem Standort erforderlich sind	Standortsspezifikationen für Personal
	B	H		Dokumente zum Änderungswesen	Dokumente mit Informationen über das Auftreten von Änderungen	Änderungsmitteilung Änderungsanforderung
					Die Änderungen können sich auf Abläufe oder Anweisungen für verschiedene Tätigkeiten beziehen oder auf die notwendige Behebung von Fehlern oder Abweichungen.	
	B J ... B R			Reserviert für zukünftige Normung durch IEC		
		B	S	Objektschutzdokumente	Dokumente mit Informationen über die Objektsicherheit (Personal und Güter, einschließlich Dokumente und Daten) in Bezug auf die Verhinderung von Gefahr und Beschädigung, verursacht durch externe Einflüsse	Fluchtwegeplan Notfallanweisung Brandschutzplan Lärmschutzplan
		B	T	Schulungsdokumente	Dokumente mit Informationen zur Schulung, wie	Schulungsbeschreibung
					• Schulungsgegenstand	
					• Zeit und Dauer der Schulung	
					• Ort der Schulung	
					• Anzahl der Teilnehmer	
					• Qualifikation der Teilnehmer	
	B U ... B Y			Reserviert für zukünftige Normung durch IEC		
		B	Z	Frei für Anwender		
	C ...			Vertragliche und nicht-technische Dokumente	Dokumente, die hauptsächlich Informationen über vertragliche (technische und kaufmännische) und nicht-technische Aspekte von Anlagen, Systemen oder Ausrüstungen beinhalten	

DCC				Dokumentenartklassen (Haupt-/Unterklasse)	Informationsinhalt	Beispiele für Dokumentenarten
&	A 1 ↑	A 2 ↑	A 3			
	C	A		Anfrage-, Kalkulations- und Angebotsdokumente	Dokumente mit Informationen über vom Kunden benötigte Ausrüstungen und/oder Dienstleistungen, die zur Kalkulation von Teilen, Material, Kosten und Zeitaufwand notwendig sind; Dokumente mit Informationen über die Kalkulation von Kosten entsprechend der spezifizierten und vorzusehenden Waren und/oder Dienstleistungen; Dokumente mit Informationen über Preise, Zeitplanung und vom Lieferer angebotene Teile, Material und Dienstleistungen	Anfrage Kalkulationsblatt (kaufmännisch) Angebot Kaufabsichtserklärung Akzept
	C	B		Genehmigungsdokumente	Dokumente mit Informationen über Genehmigungen, die, basierend auf rechtlichen oder anderen Anforderungen, von Behörden oder autorisierten Personen erteilt werden	Genehmigungsantrag Genehmigung Lizenz
	C	C		Vertragliche Dokumente	Dokumente, die Bestandteil eines Vertrages sind oder diesen begleiten, oder Dokumente mit formellen Informationen über vertragliche Ereignisse	Vertrag Abnahmeprotokoll Lieferbedingungen
	C	D		Bestell- und Lieferdokumente	Dokumente mit Informationen über bestellte Waren und Dienstleistungen	Bestellung, Auftrag Lieferschein
	C	E		Rechnungsdokumente	Dokumente mit Informationen über gelieferte Waren und Dienstleistungen, Preise und Zahlungsbedingungen	Rechnung
	C	F		Versicherungsdokumente	Dokumente mit Informationen zu Versicherungsangelegenheiten	Versicherungspolice Schadensmeldung
	C	G		Gewährleistungsdokumente	Dokumente mit Informationen zu Angelegenheiten der Gewährleistung	Garantieurkunde
	C	H		Gutachten	Dokumente mit Informationen über Expertenmeinungen oder -wissen	Gutachten
	C	J ...	C Y	Reserviert für zukünftige Normung durch IEC		
	C	Z		Frei für Anwender		

DCC	Dokumentenartklassen (Haupt-/Unterklasse)		Informationsinhalt	Beispiele für Dokumentenarten
& A1 A2 A3 ↑ ↑				
D ...	Dokumente mit allgemeiner technischer Information		Dokumente, die hauptsächlich Informationen über allgemeine technische Aspekte einer Anlage, eines Systems oder einer Ausrüstung bereitstellen und die nicht durch eine der anderen, weitergehend spezifizierten Dokumentenartklassen abgedeckt sind	
D A	Datenblätter		Dokumente mit Informationen über technische Daten und Eigenschaften von Material, Produkten oder Systemen, die für eine ordnungsgemäße Anwendung notwendig sind, wie zum Beispiel: • Versorgungsspannung • Leistungsverbrauch • Thermische Grenzwerte • Dichte • Einsatzbereiche • Gewicht • Eigenschaften • Maße • Informationen zur Befestigung	Datenblatt Maßbild
D B	Erläuternde Dokumente		Dokumente mit allgemeinen Informationen zur Erleichterung des technischen Verständnisses eines Systems und/oder des Lesens und Verstehens anderer Dokumente	Systembeschreibung Beschreibung der Anlagenstruktur Beschreibung des Kennzeichnungssystems Beschreibung der Dokumentationsstruktur

DIN EN 61355-1 (VDE 0040-3):2009-03
EN 61355-1:2008

DCC				Dokumentenartklassen (Haupt-/Unterklasse)	Informationsinhalt	Beispiele für Dokumentenarten
&	A1	A2	A3			
	↑	↑				
	D	C		Anleitungen und Handbücher	Dokumente mit allgemeinen Informationen zur Handhabung von Produkten, Einheiten, Systemen, Anlagen oder Einrichtungen, zum Beispiel: • Auspacken • Zusammenbau • Montage • Inbetriebsetzung • Betrieb • Verhinderung von Schäden • Verhalten im Fehlerfall • Wartung	Herstellanleitung Montageanleitung Bedienungsanleitung Prüfanweisung Wartungsanleitung Bedienungshandbuch
	D	D		Technische Berichte	Dokumente mit allgemeinen Informationen über Ergebnisse von Beobachtungen, Überprüfungen, Inspektionen, Erfahrungen usw., welche technische Aspekte betreffen	Technischer Bericht F&E-Bericht
	D	E		Kataloge, Werbeschriften	Dokumente mit Informationen über ein Produktspektrum und Dienstleistungen, die von einem Lieferanten angeboten werden	Katalog Produktprospekt
	D	F		Technische Veröffentlichungen	Dokumente mit Informationen über technische oder wissenschaftliche Themen in Form von Veröffentlichungen	Technischer Fachaufsatz
D G	...	D	Y	Reserviert für zukünftige Normung durch IEC		
	D	Z		Frei für Anwender		
	E	...		**Dokumente für technische Anforderungen und Auslegung**	**Dokumente, die hauptsächlich Informationen über allgemeine technische Aspekte für eine Anlage, ein System oder für Ausrüstungen oder über zugehörige Tätigkeiten im Lebenszyklus bereitstellen**	
	E	A		Dokumente über gesetzliche Anforderungen	Dokumente mit Informationen über technische Restriktionen oder Genehmigungen, die durch Behörden gegeben werden	Bauauflagen Betriebsauflagen Umweltauflagen

DCC & A1 A2 A3 ↑ ↑	Dokumentenartklassen (Haupt-/Unterklasse)	Informationsinhalt	Beispiele für Dokumentenarten
E B	Normen und Richtlinien	International und national anerkannte Regeln, die durch Normungsorganisationen veröffentlicht wurden, und Regeln zu einem bestimmten Zweck, welche internationale oder nationale Normen ergänzen oder die Richtlinien geben, wenn keine Norm verfügbar ist Die Regeln können zum Beispiel durch Kunden, Lieferer oder anerkannte Interessengemeinschaften aufgestellt sein. ANMERKUNG In den meisten Fällen ist ein Verzeichnis der zu beachtenden Normen und Richtlinien ausreichend.	IEC-Norm ISO-Norm
E C	Technische Spezifikations-/ Anforderungsdokumente	Dokumente mit Informationen, die für die Planung und Lieferung von geeigneten Ausrüstungen, von Systemen, Anlagen und Tätigkeiten, welche die Anforderungen des Bestellers erfüllen, erforderlich sind Solche Informationen können sein: • Betriebsbedingungen • Mengen • Funktionale Anforderungen • Grenzwerte • Umgebungsbedingungen • Dimensionierungsdaten, Planungskriterien • Schnittstellen • Anforderungen an Energieversorgung und Hilfseinrichtungen • Zukünftige Erweiterungen	Anforderungsspezifikation (Lastenheft) Technische Spezifikation (Pflichtenheft) Verbraucherliste Komponentenliste/Geräteliste der Leittechnik Messstellen- und Kriterienliste Motoren- und Verbraucherliste Prüfspezifikation Materialspezifikation
E D	Dimensionierungsdokumente	Dokumente mit Informationen über Daten und Basisbedingungen sowohl über getroffene Annahmen, die für die Auswahl geeigneter Systemlösungen, Teile oder Materialien angewendet wurden, als auch über die Weise, wie diese Daten verarbeitet und ausgewertet wurden	Berechnungsblatt (technisch)

DCC					Dokumentenartklassen (Haupt-/Unterklasse)	Informationsinhalt	Beispiele für Dokumentenarten
&	A1	A2	A3				
		↑	↑				
E	E	...	E	Y	Reserviert für zukünftige Normung durch IEC		
		E	Z		Frei für Anwender		

DCC				Dokumentenartklassen (Haupt-/Unterklasse)	Informationsinhalt	Beispiele für Dokumentenarten
&	A 1 ↑	A 2 ↑	A 3			
	F ...			Funktionsbeschreibende Dokumente	Dokumente, die hauptsächlich Funktion, Aufgabe oder Verhalten eines Objekts graphisch oder verbal beschreiben Informationselemente umfassen: • Funktionsbeschreibende Symbole • Verbindungen zwischen Symbolen • Abhängigkeiten • Befehle, Aktionen • Zeitabhängigkeiten	
	F	A		Funktionsübersichtsdokumente	Dokumente, die eine Übersicht über das funktionale Verhalten oder die Struktur eines Systems, überwiegend in graphischer Form, geben	**Übersichtsschaltplan** Netzwerkkarte Blockschaltplan
	F	B		Fließschemata	Dokumente mit Informationen über Technologie und Betriebsabläufe einer Anlage oder eines Systems und über den Materialfluss zwischen Maschinen, Apparaten, Geräten und Ausrüstungen in der Anlage oder im System	**Übersichtsschaltplan** Blockschaltplan Verfahrensfließschema Rohrleitungs- und Instrumentenfließschema Betriebsstofffließschema
	F	C		Dokumente der MMS-Gestaltung (MMS = Mensch-Maschine-Schnittstelle)	Dokumente mit Informationen über das Layout und über Eigenschaften von MMS-Einrichtungen	Bildschirmlayoutzeichnung
	F	D		Reserviert für zukünftige Normung durch IEC		
	F	E		Funktionsbeschreibungen	Dokumente mit Informationen über das funktionale Verhalten eines Systems, Teilsystems, einer Einrichtung, Ausrüstung, von Software usw., überwiegend in Form verbaler Beschreibungen Die Dokumente müssen die verschiedenen Funktionen unter normalen Betriebsbedingungen, die Bedingungen selbst, Bedienelemente oder, ganz allgemein, die Eingangs- und Ausgangsgrößen an der Schnittstelle zum beschriebenen Objekt erläutern. Die Beschreibung darf durch graphische Darstellungen ergänzt sein.	Funktionsbeschreibung

DCC				Dokumentenartklassen (Haupt-/Unterklasse)	Informationsinhalt	Beispiele für Dokumentenarten
&	A1	A2	A3			
	↑	↑				
	F	F		Funktionsschaltpläne	Dokumente, die das funktionale Verhalten aufzeigen, überwiegend unabhängig von der Ausführung	**Funktionsschaltplan** Logik-Funktionsschaltplan Funktionsplan **Ablaufdiagramm** Ersatzschaltplan **Zeit-Ablaufdiagramm** [-tabelle]
F	G	...	F N	Reserviert für zukünftige Normung durch IEC		
	F	P		Signalbeschreibungen	Dokumente mit Informationen über Signale, die als Eingang oder Ausgang von funktionalen Einheiten definiert sind	Signalliste
	F	Q		Einstellwertdokumente	Dokumente mit Informationen über einstellbare Werte und/oder eingestellte Werte	Einstellwertliste
	F	R		Reserviert für zukünftige Normung durch IEC		
	F	S		Schaltkreisdokumente	Dokumente, die Schaltkreise von Systemen, Komponenten und Geräten, dargestellt durch Symbole und Verbindungen zwischen ihnen, aufzeigen	**Stromlaufplan** Anschlussfunktionsschaltplan
	F	T		Softwarespezifische Dokumente	Dokumente mit softwarespezifischen Informationen. Die Informationen repräsentieren entweder die Software selbst oder sie befassen sich mit Objekten, die nur zusammen mit der zugehörigen Software existieren (nur die Dokumente, die nicht einer der anderen Klassen zuordenbar sind).	Programmplan Codeliste Entwurfsbeschreibung
F	U	...	F Y	Reserviert für zukünftige Normung durch IEC		
	F	Z		Frei für Anwender		

DCC & A1 A2 A3	Dokumentenartklassen (Haupt-/Unterklasse)	Informationsinhalt	Beispiele für Dokumentenarten
L ...	Ortsbeschreibende Dokumente	Dokumente, die hauptsächlich die topographische oder geometrische Lage von Objekten in Bezug auf eine gegebene Umgebungsstruktur (Fläche, Gebäude, Schaltschrank usw.) beschreiben Informationselemente umfassen: • Vereinfachte Umrisse von realen Objekten an ihrer tatsächlichen Position • Hauptabmessungen • Symbolische Darstellung von Objekten an ihrer Position	
L A	Erschließungs- und Vermessungsdokumente	Dokumente mit Informationen über die Erschließung (zum Beispiel Anbindung an Straßen, Wasserversorgung, Energieversorgung) und die Vermessung von Standorten	Geländeplan
L B	Erdbau- und Fundamentbaudokumente	Dokumente mit Informationen über Erdarbeiten und/oder Fundamentarbeiten auf einem Standort	Aushubplan Fundamentzeichnung
L C	Rohbaudokumente	Dokumente mit Informationen über Ort und Eigenschaften von Konstruktionen wie Wände, Decken, Böden, Durchbrüche	Bewehrungsplan Statikplan
L D	Dokumente, die Orte auf Standorte beschreiben	Dokumente mit Informationen über die Orte von Einrichtungen auf einem Standort Objekte in Gebäuden: siehe LH Objekte in Einrichtungen: siehe LU	Anordnungsplan (Standort) Lageplan Installationsplan (Standort) Installationsschaltplan (Standort) Kabelwegeplan (Standort) Erdungsplan [-zeichnung] (Standort)
L E ... L G	Reserviert für zukünftige Normung durch IEC		
L H	Dokumente, die Orte in Gebäuden beschreiben ANMERKUNG: Der Begriff „Gebäude" gilt sinngemäß für Schiffe, Flugzeuge usw.	Dokumente mit Informationen über den Ort von Einrichtungen, Bauteilen und Betriebsmitteln in oder auf einem Gebäude, Schiff, Flugzeug usw. Objekte auf Standorten: siehe LD Objekte in Einrichtungen: siehe LU	Anordnungsplan (Gebäude) Gebäudezeichnung Installationsschaltplan (Gebäude) Kabelwegeplan (Gebäude) Erdungszeichnung (Gebäude)
L J ... L T	Reserviert für zukünftige Normung durch IEC		

DIN EN 61355-1 (VDE 0040-3):2009-03
EN 61355-1:2008

DCC & A1 A2 A3 ↑ ↑				Dokumentenartklassen (Haupt-/Unterklasse)	Informationsinhalt	Beispiele für Dokumentenarten
	L		U	Dokumente, die Orte in Einbaueinheiten beschreiben	Dokumente mit Informationen über den Ort kleiner Bauteile und Betriebsmittel in/auf Einrichtungen wie Schränke, Tafeln, Gehäuse oder Flachbaugruppen	Anordnungsplan (Einrichtungen) Gruppenzeichnung
					Objekte auf Standorten: siehe LD Objekte in Gebäuden: siehe LH	
L	V	...	L Y	Reserviert für zukünftige Normung durch IEC		
	L		Z	Frei für Anwender		
	M		...	Verbindungsbeschreibende Dokumente	Dokumente, die hauptsächlich physikalische Verbindungen zwischen Objekten beschreiben, mit Betonung der Verbindungen selbst und deren Art der Realisierung	
					Informationselemente umfassen:	
					• Anschlusskennzeichen	
					• Signalkennzeichen	
					• Kennzeichen beider Enden	
					• Ortskennzeichen der verbundenen Objekte	
					• Verbindungstyp	
	M		A	Verbindungsbezogene Dokumente	Verbindungsbezogene Dokumente enthalten Angaben über die physikalischen Verbindungen, beispielsweise zwischen Komponenten, Geräten, Baugruppen und Anlagen. Verbindungsbezogene Dokumente werden für Montage, Errichtung oder Wartung von Einrichtungen angewendet.	Verbindungsschaltplan Anschlusstabelle Geräteverdrahtungsplan [-tabelle, -liste] Geräte-Verbindungsplan [-tabelle, -liste] Anschlussplan [-tabelle, -liste]
	M		B	Verkabelungs- oder Rohrleitungsdokumente	Dokumente mit Informationen, die für das Verlegen von Kabeln oder Rohrleitungen auf den Standorten erforderlich sind	Verbindungsschaltplan Anschlusstabelle Kabelplan [-tabelle, -liste] Kabelziehkarte Rohrleitungsliste
M	C	...	M Y	Reserviert für zukünftige Normung durch IEC		
	M		Z	Frei für Anwender		

31

DCC	Dokumentenartklassen (Haupt-/Unterklasse)	Informationsinhalt	Beispiele für Dokumentenarten
& A1 A2 A3 ↑ ↑			
P ...	Objektlisten	Dokumente, die hauptsächlich Objekte wie Material und Teile auflisten, die verwendet werden, um eine Anlage, ein System oder Einrichtungen zu bauen, oder Objekte, die Funktionen oder Orte repräsentieren Informationselemente umfassen: • Typ • Technische Daten • Identifizierungsschlüssel • Mengen • Hersteller • Verweise auf Normen	
P A	Materiallisten	Dokumente mit Informationen über Material, das für verschiedene Aktivitäten benötigt wird, hauptsächlich für die Montage und Inbetriebsetzung einer Anlage. Material kann sein: Kabel, Kanäle, Bolzen, Schrauben, Werkzeuge, Messinstrumente usw.	Materialliste
P B	Teilelisten	Dokumente mit Informationen über die Bestandteile des geplanten Objekts oder über Teile, die zum spätere Austausch auf Lager gehalten werden	Teileliste Ersatzteileliste Schilderliste
P C	Stücklisten	Dokumente mit Informationen über z. B. Teile, Material, Werkzeuge und Hilfsmittel, die zur Fertigung benötigt werden, wobei Mengen nicht angegeben sind	Stückliste
P D	Produktlisten und Produkttyplisten	Dokumente mit Informationen über Produkttypen für eine bestimmte Anwendung, wobei Mengen und Verwendungsorte nicht berücksichtigt sind	Produktliste Produkttypliste
P E	Reserviert für zukünftige Normung durch IEC		
P F	Funktionslisten	Dokumente mit Informationen über Bestandteilobjekte, die Funktionen des geplanten Objekts repräsentieren	Funktionsliste
P G ... P K	Reserviert für zukünftige Normung durch IEC		

DIN EN 61355-1 (VDE 0040-3):2009-03
EN 61355-1:2008

DCC				Dokumentenartklassen (Haupt-/Unterklasse)	Informationsinhalt	Beispiele für Dokumentenarten
&	A1	A2	A3			
	↑	↑				
P	L			Ortslisten	Dokumente mit Informationen über Bestandteilobjekte, die Räumlichkeiten des geplanten Objekts repräsentieren	Ortsliste
P	M ... P	Y		Reserviert für zukünftige Normung durch IEC		
P	Z			Frei für Anwender		
Q	...			**Qualitätsmanagementdokumente und Sicherheit beschreibende Dokumente**	**Dokumente, die hauptsächlich Informationen bereitstellen, welche die Erfüllung von Qualitätsanforderungen und die Wirksamkeit des Qualitätssicherungssystem nachweisen** und **Dokumente, die hauptsächlich Informationen über die Verhinderung von Schäden von Personen, Umwelt und Einrichtungen bereitstellen**	
Q	A			Qualitätsmanagementdokumente	Dokumente mit Informationen über Qualitätsmanagement-Aktivitäten Dies können Informationen sein über: • Einrichtung oder Weiterentwicklung eines QM-Systems • Auswertung qualitätsbezogener Angelegenheiten wie Lieferanten, Herstellungsprozesse, Einrichtungen, Schulungsprogramme usw. • Tests über die Erfüllung von Anforderungen an Produkte	Qualitätshandbuch Qualitätsplan (Qualitäts-)Aufzeichnungen (Qualitäts-)Leitfaden Auditplan Auditbericht Abweichungsbericht Konformitätserklärung Korrekturmaßnahmenbericht Audit-follow-up-Bericht Auditpersonal-Liste
Q	B			Sicherheit beschreibende Dokumente	Dokumente mit Informationen über die Sicherheit technischer Produkte im Hinblick auf die Verhütung von Gefahr und Schaden von • Leben und Gesundheit von Personal oder Anwendern • Umwelt • Eigenschaften und Material	Sicherheitsstudie Risikobewertung
Q	C			Qualitätsnachweisdokumente	Dokumente mit Informationen über die Erfüllung spezifizierter Prüfungen	Prüfbescheinigung Materialzertifikat Testbericht Mängelbericht

DCC				Dokumentenartklassen (Haupt-/Unterklasse)	Informationsinhalt	Beispiele für Dokumentenarten
&	A1	A2	A3			
Q	D ... Q		Y	Reserviert für zukünftige Normung durch IEC		
	Q		Z	Frei für Anwender		
	T ...			Dokumente zur Beschreibung geometrischer Formen	Dokumente, die hauptsächlich Informationen über die geometrische Form von zu fertigenden Objekten und über deren Zusammenhänge bereitstellen Informationselemente umfassen: • Graphische Darstellung unter Anwendung verschiedener Ansichten und Schnitte • Graphische Symbole für Form, Bearbeitung, Fertigung • Maßangaben	
	T		A	Entwurfszeichnungen	Dokumente mit Informationen über Objekte im Planungs- oder Konzeptstadium	Konzeptzeichnung Entwurfszeichnung
	T		B	Konstruktionszeichnungen	Dokumente mit Informationen über Objekte im beabsichtigten fertigen Stadium	Maßzeichnung Schnittstellenzeichnung Explosionsdarstellung 3D-Zeichnung
	T		C	Fertigungs- und Errichtungszeichnungen	Dokumente mit Informationen, die besonders für die Fertigung und/oder Errichtung von Ausrüstungen erforderlich sind	Fertigungszeichnung Bohrplan Schweißplan
T	D ... T		K	Reserviert für zukünftige Normung durch IEC		
	T		L	Anordnungsdokumente	Dokumente mit Informationen über die Anordnung von Strukturteilen	Layoutzeichnung
T	M ... T		Y	Reserviert für zukünftige Normung durch IEC		
	T		Z	Frei für Anwender		

DCC				Dokumentenartklassen (Haupt-/Unterklasse)	Informationsinhalt	Beispiele für Dokumentenarten
&	A1 ↑	A2 ↑	A3			
W	...			Betriebliche Protokolle und Aufzeichnungen	Dokumente, die hauptsächlich Informationen über Einstellwerte, Ereignisse und Werte bereitstellen, die fortlaufend oder zyklisch während der Betriebsphase von Anlagen oder Systemen aufgezeichnet werden, sowie deren Auswertungen Informationselemente umfassen: • Einstellwerte • Messwerte • Status (Mengen, Drücke, Temperaturen, Stände) • Zeitzusammenhänge • Text (Bericht) • Auswertungen • Alarmkriterien • Verbrauchswerte • Erzeugungskenngrößen	
	W	A		Einstellwertdokumente	Dokumente mit Informationen über eingestellte Werte im Zusammenhang mit dem Betrieb eines Prozesses	Chargenrezept
	W	B ... W	S	Reserviert für zukünftige Normung durch IEC		
	W	T		Logbücher	Dokumente mit Informationen über regelmäßige Aufzeichnungen von Ereignissen während einer bestimmten Phase oder einer Tätigkeit	Bedienungsprotokoll Wartungs- und Änderungsprotokoll Prüfprotokoll
	W	U ... W	Y	Reserviert für zukünftige Normung durch IEC		
	W	Z		Frei für Anwender		

Anhang B
(informativ)

Zusatzinformationen über Dokumentenarten für Kommunikationszwecke

B.1 Darstellungsform

Für einige Dokumentenarten kann es möglich sein, den Informationsinhalt auf verschiedene Weise darzustellen. Es kann für den Ersteller eines in Frage kommenden Dokumentes wichtig sein, genau zu wissen, welche Darstellungsform verlangt ist.

In IEC 61082-1 und ISO 10209-1 sind verschiedene grundlegende Dokumentenarten eingeführt. Entsprechend sind in Tabelle B.1 Kennbuchstaben für diese Darstellungsformen gezeigt, um die Kommunikation hierüber zu erleichtern. Diese Kennbuchstaben dürfen zum Beispiel in Dokumentenaustauschlisten angewendet werden. Ein Beispiel hierfür ist in diesem Anhang gezeigt.

Es ist anzumerken, dass diese Kennbuchstaben kein Bestandteil des DCC sind und auch nicht als Bestandteil des Dokumentenkennzeichens vorgesehen sind.

Für Dokumente, die mehr als eine Darstellungsform verwenden, zum Beispiel eine Tabelle in einer Zeichnung, darf der Kennbuchstabe für die überwiegende Darstellungsform gewählt werden.

Tabelle B.1 – Kennbuchstaben für grundlegende Dokumentenarten und Darstellungsformen

Kennbuchstabe	Grundlegende Dokumentenarten oder Darstellungsformen
C	Diagramm Darstellung, hauptsächlich unter Nutzung der Zeichnungsform, in der die Beziehung zwischen zwei oder mehr variablen Größen, Ausführungen oder Zuständen ausgedrückt sind [IEC 61082-1, 3.3.3]
D	Schaltplan Darstellung, hauptsächlich unter Nutzung der Zeichnungsform, in der auf die Objekte und deren Zusammenhänge durch graphische Symbole Bezug genommen ist [IEC 61082-1, 3.3.2]
G	Bildform Darstellung von Informationen unter Nutzung von Bildern oder geometrisch genauen Abbildungen unabhängig von der tatsächlich angewendeten Perspektive [IEC 61082-1, 3.2.2]
L	Zeichnung Darstellung von Informationen mit graphischen Mitteln, wobei die Objekte und deren relative Position zueinander, üblicherweise maßstabsgerecht, gezeigt sind [IEC 61082-1, 3.2.1 und 3.3.1]
M	Karte Zeichnung, Plan oder Schaltplan, in dem die Objekte in Bezug auf die umgebende Topographie gezeigt sind
P	Plan Ansicht, Teilansicht oder Schnitt in einer horizontalen Ebene in Draufsicht [ISO 10209-1, 2.8]
S	Skizze Zeichnung, üblicherweise in Freihandausführung und nicht notwendigerweise maßstabsgerecht [ISO 10209-1, 2.10]
T	Tabelle, Liste Darstellung, in der die Informationen in Spalten und Zeilen wiedergegeben sind [IEC 61082-1, 3.3.4]
X	Textform Darstellung von Informationen durch Wörter und Ziffern [IEC 61082-1, 3.2.3]

Andere Darstellungsformen wie photografische Bilder, Sprachaufzeichnungen, Video oder spezifischere Formen wie isometrische, perspektivische oder andere können existieren. In diesen Fällen sollten die Kennbuchstaben ergänzt oder angepasst und bei Bedarf erläutert werden.

B.2 Dokumentenstatus

Manchmal ist es erforderlich, eine Dokumentation mehrmals zu liefern, wobei unterschiedliche Fortschrittsstände gezeigt sind. Die Menge an Informationen kann von einem Stand zum nächsten wachsen. Der Informationsbedarf kann in jedem Stand zu unterschiedlichen Zwecken variieren.

Beispiele für den Status sind wie folgt:

- in Bearbeitung;
- in Überprüfung;
- genehmigt;
- freigegeben;
- ersetzt durch.

Zur Benennung des Status sollten die Geschäftspartner besondere Vereinbarungen treffen, beispielsweise über detailliertere Definitionen und wie derartige Informationen dargestellt werden sollen.

Zu weiteren Informationen zu Metadaten, zugehörig zu Aktivitäten im Lebenszyklus eines Dokuments, siehe IEC 82045-1 und IEC 82045-2.

Anhang C
(informativ)

Kommunikation über Dokumentenaustausch

Unter anderem ist es ein Ziel dieser Norm, ein Mittel zur besseren Planung von und Kommunikation über Dokumente und Dokumentation bereitzustellen, die in einem Projekt zu erstellen und auszutauschen sind.

Welche Dokumentenarten benötigt werden, ist abhängig vom Objekt und dem Zweck, wofür Informationen bereitgestellt werden müssen. Es wird dringend empfohlen, zuerst die Struktur und Referenzkennzeichnung der Anlage zu vereinbaren und danach die erforderlichen Dokumentenarten dieser Struktur zuzuordnen (siehe Abschnitt 7).

Verschiedene Phasen in einem Projekt oder im Lebenszyklus eines Produkts, wie Engineering, Fertigung, Montage, Inbetriebnahme, Betrieb und Wartung, erfordern unterschiedliche Informationen und möglicherweise unterschiedliche Dokumentenarten. Sehr oft werden nur Untermengen der Informationen aus bestimmten Dokumentenarten für bestimmte Zwecke benötigt. Daher ist es von Bedeutung zu wissen,

- welche Phasen zu berücksichtigen sind,
- welche Dokumentenarten für einen bestimmten Zweck benötigt werden,
- und möglicherweise: welche Untermenge an Informationen mindestens für diesen Zweck erforderlich ist.

Welche Dokumentenarten erforderlich sind, sollte mittels des DCC festgelegt werden.

Andere organisatorische Informationen sind beispielsweise:

- wer ist für die Erstellung der Dokumente verantwortlich;
- wer muss die Dokumente erhalten;
- Spezifikation des Speichermediums und des Formats (zum Beispiel Papier, pdf-Datei auf CD-ROM);
- Anzahl von zu liefernden Kopien.

Die Bilder C.1, C.2 und C.3 zeigen Beispiele für Dokumentenaustauschlisten, die gemäß den entsprechenden Bedürfnissen in einem Projekt angepasst werden können. Es wird empfohlen, diese als Basis für die Kommunikation anzuwenden.

Bild C.1 zeigt ein Beispiel für einen Vordruck für allgemeine Informationen, die gemeinsam für alle zu liefernden Dokumente gelten.

Bild C.2 zeigt ein Beispiel für einen Vordruck einer objektbezogenen Dokumentenaustauschliste. Diese kann getrennt für jedes festgelegte Objekt (Schrank, funktionale Einheit, Software usw.) angewendet werden. Hierin wird, soweit existent und bekannt, auch das Referenzkennzeichen für das Objekt angegeben.

Bild C.3 zeigt ein ausgefülltes Beispiel der Dokumentenaustauschliste aus Bild C.2.

Tätigkeit	Lieferanschrift	Anzahl Kopien	Datenträger	Bemerkung
Engineering				
Fertigung				
Montage				
Inbetriebnahme				
Betrieb				
Wartung				

Projekt: .... Objekt: ....: &BD

Bild C.1 – Dokumentenaustauschliste, allgemeiner Teil

DCC	Bezeichnung der Dokumentenart	Darstellungsform	Erstellt durch	Zu liefernde Dokumente für							Bemerkung
				Engineering	Genehmigung	Fertigung	Montage	Inbetriebsetzung	Betrieb	Wartung	

Projekt: .... Objekt: ....: &BD

Bild C.2 – Dokumentenaustauschliste, objektbezogener Teil

DIN EN 61355-1 (VDE 0040-3):2009-03
EN 61355-1:2008

DCC	Bezeichnung der Dokumentenart	Darstellungsform	Erstellt durch	Zu liefernde Dokumente für							Bemerkung
				Engineering	Genehmigung	Fertigung	Montage	Inbetriebsetzung	Betrieb	Wartung	
AB	Dokumentenliste	AAA			X	X	X	X	X			
EC	Motoren- und Verbraucherliste	T	CCC	X							
ED	Selektivitätsberechnung	AAA		X	X			X			
FA	Übersichtsschaltplan	CCC		X				X			
FA	Übersichtsschaltplan	AAA			X			X	X		
FS	Stromlaufplan	AAA				X	X	X	X		
FF	Funktionsplan	AAA			X		X	X			
LU	Anordnungsplan, Schränke	AAA				X	X	X			
LU	Anordnungsplan, Schalttafeln	BBB		X		X	X				
MA	Verbindungsdokumente	AAA				X	X	X			
PB	Teileliste, Schränke	AAA				X	X				
PB	Teileliste, Schalttafeln	BBB		X			X				
QA	Prüfurkunde	AAA			X						
QA	Prüfbericht	AAA			X						

Projekt: .. XYZ ANLAGE   Objekt: Steuerungssystem =AB1   =AB1 &BD

Bild C.3 – Dokumentenaustauschliste, ausgefülltes Beispiel

Literaturhinweise

IEC 61355 DB, *Standardized and established document kinds*

IEC 81346-1* (61346-1), *Industrial systems, installations and equipment, and industrial products – Structuring principles and reference designations – Part 1: Basic rules*

ANMERKUNG   Vorgesehen für Anerkennung als EN 81346-1 (nicht modifiziert).

IEC 82045-1:2001, *Document management – Part 1: Principles and methods*

ANMERKUNG   Harmonisiert als EN 82045-1:2001 (nicht modifiziert).

IEC 82045-2:2004, *Document management – Part 2: Metadata elements and information reference model*

ANMERKUNG   Harmonsiert als EN 82045-2:2005 (nicht modifiziert).

ISO/IEC 2382-1:1993, *Information technology – Vocabulary – Part 1: Fundamental terms*

ISO/IEC 8613-1:1994, *Information technology – Open Document Architecture (ODA) and interchange format: Introduction and general principles*

ISO 10209-1:1992, *Technical product documentation – Vocabulary – Part 1: Terms relating to technical drawings: general and types of drawings*

---

* zurzeit noch nicht veröffentlicht

Anhang ZA
(normativ)

Normative Verweisungen auf internationale Publikationen mit ihren entsprechenden europäischen Publikationen

Die folgenden zitierten Dokumente sind für die Anwendung dieses Dokuments erforderlich. Bei datierten Verweisungen gilt nur die in Bezug genommene Ausgabe. Bei undatierten Verweisungen gilt die letzte Ausgabe des in Bezug genommenen Dokuments (einschließlich aller Änderungen).

ANMERKUNG   Wenn internationale Publikationen durch gemeinsame Abänderungen geändert wurden, durch (mod) angegeben, gelten die entsprechenden EN/HD.

Publikation	Jahr	Titel	EN/HD	Jahr
IEC 61082-1	2006	Preparation of documents used in electrotechnology – Part 1: Rules	EN 61082-1	2006
IEC 62023	2000	Structuring of technical information and documentation	EN 62023	2000
ISO 639-1	2002	Codes for the representation of names of languages – Part 1: Alpha-2 code	–	–
ISO 3166-1	2006	Codes for the representation of names of countries and their subdivisions – Part 1: Country codes	EN ISO 3166-1	2006
ISO 7200	2004	Technical product documentation – Data fields in title blocks and document headers	EN ISO 7200	2004

42

Juli 2011

DIN EN 61666
(VDE 0040-5)

DIN

Diese Norm ist zugleich eine **VDE-Bestimmung** im Sinne von VDE 0022. Sie ist nach Durchführung des vom VDE-Präsidium beschlossenen Genehmigungsverfahrens unter der oben angeführten Nummer in das VDE-Vorschriftenwerk aufgenommen und in der „etz Elektrotechnik + Automation" bekannt gegeben worden.

VDE

ICS 01.080.30

Ersatz für
DIN EN 61666:1998-01
Siehe Anwendungsbeginn

**Industrielle Systeme, Anlagen und Ausrüstungen und Industrieprodukte –
Identifikation von Anschlüssen in Systemen
(IEC 61666:2010);
Deutsche Fassung EN 61666:2010 + Cor.:2010**

Industrial systems, installations and equipment and industrial products –
Identification of terminals within a system
(IEC 61666:2010);
German version EN 61666:2010 + Cor.:2010

Systèmes industriels, installations et appareils, et produits industriels –
Indentification des bornes dans le cadre d'un système
(CEI 61666:2010);
Version allemande EN 61666:2010 + Cor.:2010

Gesamtumfang 20 Seiten

DKE Deutsche Kommission Elektrotechnik Elektronik Informationstechnik im DIN und VDE
Normenausschuss Chemischer Apparatebau (FNCA) im DIN
Normenausschuss Maschinenbau (NAM) im DIN
Normenausschuss Technische Grundlagen (NATG) im DIN
Normenausschuss Sachmerkmale (NSM) im DIN

DIN EN 61666 (VDE 0040-5):2011-07

Anwendungsbeginn

Anwendungsbeginn für die von CENELEC am 2010-09-01 angenommene Europäische Norm als DIN-Norm ist 2011-07-01.

Daneben darf DIN EN 61666:1998-01 noch bis 2013-09-01 angewendet werden.

Nationales Vorwort

Vorausgegangener Norm-Entwurf: E DIN EN 61666 (VDE 0040-5):2009-06.

Für diese Norm ist das nationale Arbeitsgremium K 113 „Produktdatenmodelle, Informationsstrukturen, Dokumentation und graphische Symbole" der DKE Deutsche Kommission Elektrotechnik Elektronik Informationstechnik im DIN und VDE (www.dke.de) zuständig.

Die enthaltene IEC-Publikation wurde vom TC 3 „Information structures, documentation and graphical symbols" erarbeitet.

Das IEC-Komitee hat entschieden, dass der Inhalt dieser Publikation bis zu dem Datum (stability date) unverändert bleiben soll, das auf der IEC-Website unter „http://webstore.iec.ch" zu dieser Publikation angegeben ist. Zu diesem Zeitpunkt wird entsprechend der Entscheidung des Komitees die Publikation
- bestätigt,
- zurückgezogen,
- durch eine Folgeausgabe ersetzt oder
- geändert.

Änderungen

Gegenüber DIN EN 61666:1998-01 wurden folgende Änderungen vorgenommen:

a) Die Terminologie dieser Norm wurde an diejenige von EN 81346-1 angeglichen.

b) Eine umfassendere Beschreibung der Regeln für Kennzeichen wurde zur Verfügung gestellt.

c) Zusätzliche Beispiele zur Veranschaulichung der Anschlusskennzeichnung in Bezug auf den Funktionsaspekt und den Ortsaspekt wurden zur Verfügung gestellt.

d) Ein zusätzliches Beispiel zur Veranschaulichung der Anwendung von Anschlusskennzeichen-Sätzen wurde zur Verfügung gestellt.

e) Der frühere Anhang A wurde in einen Abschnitt dieser Norm umgewandelt.

Frühere Ausgaben

DIN EN 61666: 1998-01

Nationaler Anhang NA
(informativ)
Zusammenhang mit Europäischen und Internationalen Normen

Für den Fall einer undatierten Verweisung im normativen Text (Verweisung auf eine Norm ohne Angabe des Ausgabedatums und ohne Hinweis auf eine Abschnittsnummer, eine Tabelle, ein Bild usw.) bezieht sich die Verweisung auf die jeweils neueste gültige Ausgabe der in Bezug genommenen Norm.

Für den Fall einer datierten Verweisung im normativen Text bezieht sich die Verweisung immer auf die in Bezug genommene Ausgabe der Norm.

Eine Information über den Zusammenhang der zitierten Normen mit den entsprechenden Deutschen Normen ist in Tabelle NA.1 wiedergegeben.

Tabelle NA.1

Europäische Norm	Internationale Norm	Deutsche Norm	Klassifikation im VDE-Vorschriftenwerk
EN 60034-8:2007	IEC 60034-8:2007	DIN EN 60034-8 (VDE 0530-8):2008-04	VDE 0530-8
–	IEC 60050-151	*)	–
EN 60191-3:1999	IEC 60191-3:1999	DIN EN 60191-3:2000-07	–
–	IEC 60417	–	–
EN 60445	IEC 60445:2006	DIN EN 60445 (VDE 0197):2007-11	VDE 0197
–	IEC 60617 DB	–	–
HD 457	IEC 60757	DIN IEC 60757:1986-07	–
EN 61082-1:2006	IEC 61082-1:2006	DIN EN 61082-1 (VDE 0040-1):2007-03	VDE 0040-1
EN 81346-1	IEC 81346-1	DIN EN 81346-1:2010-05	–
EN 81714-3:2001	IEC 81714-3	DIN EN 81714-3:2001-12	–
–	IEC 61355 DB	–	–
EN 61355-1:2008	IEC 61355-1:2008	DIN EN 61355-1 (VDE 0040-3):2009-03	VDE 0040-3

*) „Internationales Elektrotechnisches Wörterbuch – Deutsche Ausgabe", Online-Zugang: http://www.dke.de/dke-iev.

Nationaler Anhang NB
(informativ)

Literaturhinweise

DIN EN 60034-8 (VDE 0530-8):2008-04, *Drehende elektrische Maschinen – Teil 8: Anschlussbezeichnungen und Drehsinn (IEC 60034-8:2007); Deutsche Fassung EN 60034-8:2007*

DIN EN 60191-3:2000-07, *Mechanische Normung von Halbleiterbauelementen – Teil 3: Allgemeine Regeln für die Erstellung von Gehäusezeichnungen für integrierte Schaltungen (IEC 60191-3:1999); Deutsche Fassung EN 60191-3:1999*

DIN EN 60445 (VDE 0197):2007-11, *Grund- und Sicherheitsregeln für die Mensch-Maschine-Schnittstelle – Kennzeichnung der Anschlüsse elektrischer Betriebsmittel und angeschlossener Leiterenden (IEC 60445:2006, modifiziert); Deutsche Fassung EN 60445:2007*

DIN EN 61082-1 (VDE 0040-1):2007-03, *Dokumente der Elektrotechnik – Teil 1: Regeln (IEC 61082-1:2006); Deutsche Fassung EN 61082-1:2006*

DIN EN 61355-1 (VDE 0040-3):2009-03, *Klassifikation und Kennzeichnung von Dokumenten für Anlagen, Systeme und Ausrüstungen – Teil 1: Regeln und Tabellen zur Klassifikation (IEC 61355-1:2008); Deutsche Fassung EN 61355-1:2008*

DIN EN 61666 (VDE 0040-5):2011-07

DIN EN 81346-1:2010-05, *Industrielle Systeme, Anlagen und Ausrüstungen und Industrieprodukte – Strukturierungsprinzipien und Referenzkennzeichnung – Teil 1: Allgemeine Regeln (IEC 81346-1:2009); Deutsche Fassung EN 81346-1:2009*

DIN EN 81714-3:2001-12, *Gestaltung von graphischen Symbolen zur Anwendung in der technischen Produktdokumentation – Teil 3: Klassifikation von Anschlusspunkten, Netzwerken und ihre Codierung (IEC 81714-3:1998); Deutsche Fassung EN 81714-3:2001*

DIN IEC 60757:1986-07, *Elektrotechnik; Code zur Farbkennzeichnung; Identisch mit IEC 60757, Ausgabe 1983*

# EUROPÄISCHE NORM
EUROPEAN STANDARD
NORME EUROPÉENNE

EN 61666

September 2010

ICS 01.080.30

Ersatz für EN 61666:1997

Enthält das Corrigendum Oktober 2010

Deutsche Fassung

Industrielle Systeme, Anlagen und Ausrüstungen und Industrieprodukte – Identifikation von Anschlüssen in Systemen
(IEC 61666:2010)

Industrial systems, installations and equipment and industrial products – Identification of terminals within a system (IEC 61666:2010)

Systèmes industriels, installations et appareils, et produits industriels – Indentification des bornes dans le cadre d'un système (CEI 61666:2010)

Diese Europäische Norm wurde von CENELEC am 2010-09-01 angenommen. Die CENELEC-Mitglieder sind gehalten, die CEN/CENELEC-Geschäftsordnung zu erfüllen, in der die Bedingungen festgelegt sind, unter denen dieser Europäischen Norm ohne jede Änderung der Status einer nationalen Norm zu geben ist.

Auf dem letzten Stand befindliche Listen dieser nationalen Normen mit ihren bibliographischen Angaben sind beim Zentralsekretariat oder bei jedem CENELEC-Mitglied auf Anfrage erhältlich.

Diese Europäische Norm besteht in drei offiziellen Fassungen (Deutsch, Englisch, Französisch). Eine Fassung in einer anderen Sprache, die von einem CENELEC-Mitglied in eigener Verantwortung durch Übersetzung in seine Landessprache gemacht und dem Zentralsekretariat mitgeteilt worden ist, hat den gleichen Status wie die offiziellen Fassungen.

CENELEC-Mitglieder sind die nationalen elektrotechnischen Komitees von Belgien, Bulgarien, Dänemark, Deutschland, Estland, Finnland, Frankreich, Griechenland, Irland, Island, Italien, Kroatien, Lettland, Litauen, Luxemburg, Malta, den Niederlanden, Norwegen, Österreich, Polen, Portugal, Rumänien, Schweden, der Schweiz, der Slowakei, Slowenien, Spanien, der Tschechischen Republik, Ungarn, dem Vereinigten Königreich und Zypern.

CENELEC

Europäisches Komitee für Elektrotechnische Normung
European Committee for Electrotechnical Standardization
Comité Européen de Normalisation Electrotechnique

Zentralsekretariat: Avenue Marnix 17, B-1000 Brüssel

© 2010 CENELEC – Alle Rechte der Verwertung, gleich in welcher Form und in welchem Verfahren, sind weltweit den Mitgliedern von CENELEC vorbehalten.

Ref. Nr. EN 61666:2010 D

DIN EN 61666 (VDE 0040-5):2011-07
EN 61666:2010

Vorwort

Der Text des Schriftstücks 3/1001/FDIS, zukünftige 2. Ausgabe von IEC 61666, ausgearbeitet von dem IEC TC 3 „Information structures, documentation and graphical symbols", wurde der IEC-CENELEC Parallelen Abstimmung unterworfen und von CENELEC am 2010-09-01 als EN 61666 angenommen.

Diese Europäische Norm ersetzt EN 61666:1997.

Diese Europäische Norm enthält bezüglich EN 61666:1997 folgende wesentliche Änderungen:

- Die Terminologie dieser Norm wurde an diejenige von EN 81346-1 angeglichen;

- eine umfassendere Beschreibung der Regeln für Kennzeichen wurde zur Verfügung gestellt;

- zusätzliche Beispiele zur Veranschaulichung der Anschlusskennzeichnung in Bezug auf den Funktionsaspekt und den Ortsaspekt wurden zur Verfügung gestellt;

- ein zusätzliches Beispiel zur Veranschaulichung der Anwendung von Anschlusskennzeichen-Sätzen wurde zur Verfügung gestellt;

- der frühere Anhang A wurde in einen Abschnitt dieser Norm umgewandelt.

Der Inhalt des im Oktober 2010 veröffentlichten Corrigendums ist in dieser Fassung enthalten.

Es wird auf die Möglichkeit hingewiesen, dass einige Elemente dieses Dokuments Patentrechte berühren können. CEN und CENELEC sind nicht dafür verantwortlich, einige oder alle diesbezüglichen Patentrechte zu identifizieren.

Nachstehende Daten wurden festgelegt:

- spätestes Datum, zu dem die EN auf nationaler Ebene
  durch Veröffentlichung einer identischen nationalen
  Norm oder durch Anerkennung übernommen werden
  muss   (dop):   2011-06-01

- spätestes Datum, zu dem nationale Normen, die
  der EN entgegenstehen, zurückgezogen werden
  müssen   (dow):   2013-09-01

Der Anhang ZA wurde von CENELEC hinzugefügt.

Anerkennungsnotiz

Der Text der Internationalen Norm IEC 61666:2010 wurde von CENELEC ohne irgendeine Abänderung als Europäische Norm angenommen.

In der offiziellen Fassung sind unter „Literaturhinweise" zu den aufgelisteten Normen die nachstehenden Anmerkungen einzutragen:

IEC 60034-8:2007   ANMERKUNG Harmonisiert als EN 60034-8:2007 (nicht modifiziert).

IEC 60191-3:1999   ANMERKUNG Harmonisiert als EN 60191-3:1999 (nicht modifiziert).

Inhalt

Seite

Vorwort 2

1 Anwendungsbereich 4

2 Normative Verweisungen 4

3 Begriffe 4

4 Anschlusskennzeichen 6

4.1 Allgemeines 6

4.2 Kennzeichnung von Anschlüssen in Bezug auf den Produktaspekt 7

4.3 Kennzeichnung von Anschlüssen in Bezug auf den Funktionsaspekt 8

4.4 Kennzeichnung von Anschlüssen in Bezug auf den Ortsaspekt 9

4.5 Anschlusskennzeichen-Satz 10

5 Klassifikation von Anschlüssen 12

Anhang A (informativ) Beispiele für nicht vom Hersteller festgelegte Anschlusskennzeichen 13

Literaturhinweise 15

Anhang ZA (normativ) Normative Verweisungen auf internationale Publikationen mit ihren entsprechenden europäischen Publikationen 16

Bilder

Bild 1 – Grundsätzliche Anschlusskennzeichnung 7

Bild 2 – Beispiel für die Kennzeichnung von Anschlüssen eines 3-Phasen-Käfigläufermotors 8

Bild 3 – Betriebsmittel mit Funktionsbezeichnungen, auf denen Anschlusskennzeichen im Funktionsaspekt basieren, sowie mit Anschlusskennzeichen (Pins) bezogen auf den Produktaspekt 9

Bild 4 – Beispiel eines Symbols für einen Motorstarter mit Anschlusskennzeichen bezogen auf den Funktionsaspekt 9

Bild 5 – Beispiel einer Anschlussplatte für Querverbindungen mit Kennzeichnung der Anschlüsse bezogen auf den Ortsaspekt 10

Bild 6 – Beispiel für einen Anschlusskennzeichen-Satz 11

Bild 7 – Beispiel für einen Entwurf mit Anschlusskennzeichen bezogen auf den Funktionsaspekt ... 11

Bild 8 – Beispiel für eine Entwurfsimplementierung basierend auf Bild 7 mit Anschlusskennzeichen bezogen auf den Produktaspekt 12

Bild 9 – Beispiel für eine Entwurfsimplementierung basierend auf Bild 7 mit Anschlusskennzeichen-Sätzen bezogen auf Funktions- und Produktaspekt 12

Bild A.1 – Vier Reihenklemmen bilden eine Klemmenleiste (jede Reihenklemme ist als einzelnes Objekt betrachtet) 13

Bild A.2 – Klemmenblock mit acht Anschlüssen (die komplette Einheit ist ein Objekt) 14

Bild A.3 – Ein Klemmenblock mit acht Anschlüssen, jeder mit zwei Anschlusspunkten 14

3

1 Anwendungsbereich

Diese Internationale Norm legt Grundsätze zur Identifikation von Anschlüssen von Objekten in einem System fest. Diese Grundsätze sind anwendbar in allen technischen Fachbereichen (z. B. im Maschinenbau, in der Elektrotechnik, im Bauwesen und in der Verfahrenstechnik). Sie gelten gleichermaßen für Systeme, die auf unterschiedlichen Technologien begründet sind, als auch für Systeme, in denen mehrere Technologien vereint sind.

Anforderungen an die Bezeichnung der Anschlusskennzeichen von Produkten sind nicht Gegenstand dieser Norm.

ANMERKUNG Diese Norm basiert auf den Grundsätzen zur Strukturierung von Systemen einschließlich der Strukturierung der Information über Systeme, die in der gemeinsam von IEC und ISO veröffentlichten internationalen Normenreihe 81346 festgelegt sind.

2 Normative Verweisungen

Die folgenden zitierten Dokumente sind für die Anwendung dieses Dokuments erforderlich. Bei datierten Verweisungen gilt nur die in Bezug genommene Ausgabe. Bei undatierten Verweisungen gilt die letzte Ausgabe des in Bezug genommenen Dokuments (einschließlich aller Änderungen).

IEC 60417, *Graphical symbols for use on equipment*

IEC 60445, *Basic and safety principles for man-machine interface, marking and identification – Identification of equipment terminals and conductor terminations*

IEC 60757, *Code for designation of colours*

IEC 61082-1:2006, *Preparation of documents used in electrotechnology – Part 1: Basic rules*

IEC 81346-1, *Industrial systems, installations and equipment and industrial products – Structuring principles and reference designations – Part 1: Rules*

IEC 81714-3, *Design of graphical symbols for use in the technical documentation of products – Part 3: Classification of connect nodes, networks and their encoding*

3 Begriffe

Für die Anwendung dieser Norm gelten die folgenden Begriffe.

3.1
Objekt
Betrachtungseinheit, die in einem Prozess der Entwicklung, Realisierung, des Betriebs und der Entsorgung behandelt wird.

ANMERKUNG 1 Die Betrachtungseinheit kann sich auf eine physikalische oder eine nicht-physikalische „Sache" beziehen, die existieren könnte, existiert oder früher existierte.

ANMERKUNG 2 Das Objekt hat ihm zugeordnete Informationen.

[IEC 81346-1, Begriff 3.1]

3.2
System
Gesamtheit miteinander in Verbindung stehender Objekte, die in einem bestimmten Zusammenhang als Ganzes gesehen und als von ihrer Umgebung abgegrenzt betrachtet werden [IEV 3510101 MOD]

ANMERKUNG 1 Ein System wird im Allgemeinen hinsichtlich seiner Zielsetzung, zum Beispiel der Ausführung einer bestimmten Funktion, definiert.

ANMERKUNG 2 Objekte eines Systems können natürliche oder künstliche Gegenstände oder auch Denkweisen und deren Ergebnisse (z. B. Organisationsformen, mathematische Verfahren, Programmiersprachen) sein.

ANMERKUNG 3 Das System wird als von der Umgebung und anderen äußeren Systemen durch eine gedachte Hüllfläche abgegrenzt betrachtet, welche die Verbindungen zwischen diesen Systemen und dem betrachteten System durchschneidet.

ANMERKUNG 4 Die Benennung „System" sollte näher erläutert werden, wenn aus dem Zusammenhang nicht klar hervorgeht, worauf sich diese Benennung bezieht. Beispiele sind Leitsystem, farbmetrisches System, Einheitensystem, Übertragungssystem.

ANMERKUNG 5 Ist ein System Bestandteil eines anderen Systems, darf es als Objekt entsprechend dieser Norm betrachtet werden.

[IEV 151-11-27, modifiziert]

3.3
Aspekt
spezifische Betrachtungsweise eines Objekts

[IEC 81346-1, Begriff 3.3]

3.4
Funktion
geplanter oder vollendeter Zweck oder Aufgabe

[IEC 81346-1, Begriff 3.5]

3.5
Produkt
geplantes oder fertiges Arbeitsergebnis oder Ergebnis eines natürlichen oder künstlichen Prozesses

[IEC 81346-1, Begriff 3.6]

3.6
Komponente
Produkt, welches als Bestandteil in einem zusammengesetzten Produkt, System oder in einer Anlage verwendet wird

[IEC 81346-1, Begriff 3.7]

3.7
Identifikator
Merkmal, dass einem Objekt oder System zugeordnet ist, um dieses unverwechselbar von anderen Objekten oder Systemen in einem festgelegten Geltungsbereich zu unterscheiden

[IEC 81346-1, Begriff 3.10]

3.8
Referenzkennzeichen
Identifikator eines spezifischen Objekts, gebildet in Bezug auf das System, von welchem das Objekt Bestandteil ist, basierend auf einem oder mehreren Aspekten des Systems

[IEC 81346-1, Begriff 3.11]

3.9
Anschluss
Zugangspunkt zu einem Objekt, das zur Verbindung mit einem externen Netzwerk vorgesehen ist

ANMERKUNG 1 Der Anschluss kann sich beziehen auf: a) eine physikalische Schnittstelle zwischen elektrischen Leitern und/oder Kontakten oder Rohrleitungs- und/oder Kanalsystemen zum Bereitstellen von Signal-, Energie- oder Materialflusswegen; b) eine Verbindung funktionaler Art zwischen Logikelementen, Programmmodulen usw. zur Übermittlung von Information.

ANMERKUNG 2 Die externen Netzwerke können von unterschiedlicher Art und dementsprechend klassifiziert sein. In IEC 81714-3 sind derartige Klassifikationen bereitgestellt.

3.10
Anschlusskennzeichen
Identifikator eines Anschlusses in Bezug auf das Objekt, zu dem der Anschluss gehört, und einen Aspekt des Objekts betreffend

3.11
Anschlusskennzeichen-Satz
Gruppe von Anschlusskennzeichen, wobei jedes den gleichen Anschluss unter verschiedenen Aspekten des Objekts kennzeichnet

3.12
Objektkennzeichen
Identifikator für ein bestimmtes Objekt in einem gegebenen Kontext

ANMERKUNG Beispiele für derartige Kennzeichen sind: Referenzkennzeichen, Typschlüssel, Seriennummer, Benennung.

[IEC 61355-1, Begriff 3.13]

4 Anschlusskennzeichen

4.1 Allgemeines

Anschlüsse bilden die Schnittstelle von Objekten, um diese mit anderen Objekten in einem Netzwerk zu verbinden, zum Beispiel zur Verbindung mit einem elektrischen Netzwerk, einem Logik-Funktionsnetzwerk, einem Logiknetzwerk in einer Software, einem Rohrleitungsnetzwerk usw.

Einem Objekt darf eine beliebige Anzahl von Anschlüssen zugeordnet sein.

Jeder Anschluss muss eindeutig gekennzeichnet sein, sowohl in Bezug auf das Objekt selbst als auch auf das System, zu dem dieses Objekt gehört.

Bild 1 zeigt den grundsätzlichen Aufbau eines unverwechselbaren Anschlusskennzeichens.

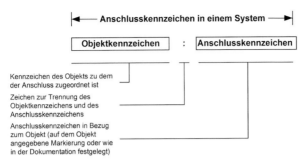

Bild 1 – Grundsätzliche Anschlusskennzeichnung

Das Anschlusskennzeichen muss aus derjenigen Anschlussbezeichnung bestehen, wie sie vom Hersteller oder Planer des Objekts, welches als Komponente im System angewendet wird, festgelegt wurde oder wie sie in der Dokumentation des Objekts definiert ist.

Falls es erforderlich ist, den Aspekt der Anschlusses, auf den sich das Anschlusskennzeichen bezieht, anzugeben (zum Beispiel in für Menschen lesbaren Darstellungen), muss dem Anschlusskennzeichen ein Vorzeichen, welches den Aspekt bestimmt, vorangestellt werden.

ANMERKUNG 1 Dieses Vorzeichen ist zusätzlich zum Trennzeichen vorhanden.

ANMERKUNG 2 Das Vorzeichen wird als Teil des Anschlusskennzeichens betrachtet.

Anschlusskennzeichen müssen nach 4.2, 4.3 oder 4.4 gebildet werden.

Die Darstellung von Anschlusskennzeichen in Dokumenten muss in Übereinstimmung mit IEC 61082-1 erfolgen.

Das Objektkennzeichen muss das Objekt, zu dem der Anschluss gehört, unverwechselbar identifizieren. Dies bedingt, dass ein Objektkennzeichen in einem festgelegten Kontext, d. h. im betrachteten Netzwerk, unverwechselbar sein (oder gemacht werden) muss.

ANMERKUNG 3 Diese Anforderung kann mit Referenzkennzeichen nach IEC 81346-1 erfüllt werden. Im folgenden Text werden daher derartige Kennzeichen angewendet.

4.2 Kennzeichnung von Anschlüssen in Bezug auf den Produktaspekt

Das Kennzeichen eines Anschlusses in Bezug auf den Produktaspekt muss aus demjenigen Kennzeichen des physikalischen Anschlusses bestehen, welches

- auf dem Produkt angebracht ist oder
- durch den Hersteller zugeteilt ist oder
- in relevanten IEC-Publikationen festgelegt ist oder
- aus Vereinbarungen bekannt ist.

Beispiele für die letzten drei Möglichkeiten sind ein DIL-Gehäuse (DIL = dual-in-line) oder ein Schütz.

ANMERKUNG 1 Einige Produktnormen wie IEC 60034-8, IEC 60191-3 und IEC 60616 enthalten Anforderungen an Anschlussbezeichnungen von Produkten.

Falls die Angabe des Produktaspekts in der Anschlusskennzeichnung benötigt wird, muss das Vorzeichen „-" angewendet werden.

ANMERKUNG 2 Das Vorzeichen wird als Teil des Anschlusskennzeichens betrachtet.

Wurden dem Produkt vom Hersteller keine Kennzeichen der physikalischen Anschlüsse vergeben, müssen frei gewählte Anschlusskennzeichen zugewiesen und im Dokument oder in der begleitenden Dokumentation erklärt sein. Gleiches gilt auch, wenn ein vom Hersteller zugeteiltes Kennzeichen unzureichend ist. Siehe auch Anhang A.

Wenn das Kennzeichen des physikalischen Anschlusses die Form eines graphischen Symbols hat oder eine Farbe ist, dann dürfen gleichbedeutende genormte Kennbuchstaben in der Dokumentation angewendet sein, zum Beispiel PE anstatt dem graphischen Symbol für Schutzerde (siehe IEC 60445), BU für die Farbe Blau. Buchstabencodes für Farben müssen mit IEC 60757 übereinstimmen.

Bild 2 zeigt ein Beispiel für die Kennzeichnung von Anschlüssen eines Motors.

Beispiele für die Kennzeichnung von Anschlüssen: -V1-M1: U1 und -V1-M1:PE

ANMERKUNG In diesem Beispiel wurde es nicht als notwendig erachtet, den zum Anschlusskennzeichen zugehörigen Aspekt anzugeben.

Bild 2 – Beispiel für die Kennzeichnung von Anschlüssen eines 3-Phasen-Käfigläufermotors

4.3 Kennzeichnung von Anschlüssen in Bezug auf den Funktionsaspekt

Das Kennzeichen eines Anschlusses in Bezug auf den Funktionsaspekt muss aus einem Kennzeichen, das auf der(den) dem Anschluss zugeordneten Funktion(en) basiert, bestehen.

Für Funktionen von Betriebsmitteln, die in einem Datenblatt oder einem vergleichbaren begleitenden Dokument beschrieben sind, sollte aus der Funktions-Anschlussbezeichnung bestehen, die im Datenblatt oder einem vergleichbaren begleitenden Dokument definiert ist.

ANMERKUNG 1 Derartige Anschlusskennzeichen sind beispielsweise in Übereinstimmung mit dem Anwendungshinweis A00317 in IEC 60617 DB definiert.

ANMERKUNG 2 Die Beispiele in IEC 60617 DB zeigen nicht immer Bezeichnungen, die unverwechselbare Funktions-Anschlusskennzeichen sind. Wenn sie aber als Anschlusskennzeichen gebraucht werden sollen, sind solche Bezeichnungen eindeutig zu machen.

Falls die Angabe des Funktionsaspekts in der Anschlusskennzeichnung benötigt wird, muss das Vorzeichen „=" angewendet werden.

ANMERKUNG 3 Das Vorzeichen wird als Teil des Anschlusskennzeichens betrachtet.

Bild 3 zeigt das Beispiel eines Betriebsmittels mit dargestellten Funktionsbezeichnungen und Produkt-Anschlusskennzeichen.

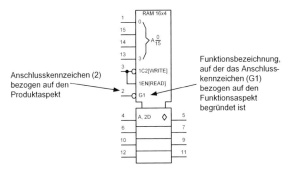

Bild 3 – Betriebsmittel mit Funktionsbezeichnungen, auf denen Anschlusskennzeichen im Funktionsaspekt basieren, sowie mit Anschlusskennzeichen (Pins) bezogen auf den Produktaspekt

Bild 4 zeigt ein Beispiel für einen als Komponente angewendeten Motorstarter mit bekannter Funktionalität, aber unbekannter physikalischer Realisierung (d. h., das anzuwendende Produkt wurde noch nicht ausgewählt). Die Anschlusskennzeichen sind vom Planer des Gesamtsystems, in dem der Motorstarter ein Bestandteil sein könnte, im Funktionsaspekt zugewiesen. Diese Kennzeichen werden während der Systemplanung angewendet und später in der Ausführungsplanung um diejenigen Anschlusskennzeichen im Produktaspekt ergänzt oder durch sie ersetzt (automatisch mittels Rechnerunterstützung), die vom Hersteller des Produkts, das für die Implementierung im speziellen Fall eingesetzt wird, zugewiesen wurden.

ANMERKUNG 4 In Abschnitt 11 von IEC 61082 ist eine Zuordnungsmethode für diesen Fall beschrieben.

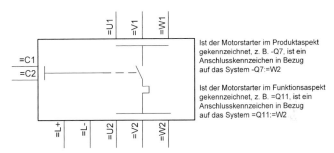

Bild 4 – Beispiel eines Symbols für einen Motorstarter mit Anschlusskennzeichen bezogen auf den Funktionsaspekt

4.4 Kennzeichnung von Anschlüssen in Bezug auf den Ortsaspekt

Ein Anschlusskennzeichen, zugewiesen mit Bezug auf den Ortsaspekt, muss aus einem Kennzeichen bestehen, welches sich auf den Ort des Anschlusses bezieht.

Falls die Angabe des Ortsaspekts in der Anschlusskennzeichnung benötigt wird, muss das Vorzeichen „+" angewendet werden.

ANMERKUNG 1 Das Vorzeichen wird als Teil des Anschlusskennzeichens betrachtet.

Die angewendete Methode zur Ortskennzeichnung von Anschlüssen (z. B. ein Rastersystem) sollte im Dokument oder in begleitender Dokumentation erläutert sein.

ANMERKUNG 2 Einige Methoden der Zuordnung von Ortskennzeichen sind in IEC 81346-1 gegeben.

Bild 5 zeigt das Beispiel einer Anschlussplatte für Querverbindungen mit einer Anzahl von in Matrixform angeordneten Anschlüssen. Die Reihen in Richtung der x-Achse sind durch Buchstaben identifiziert und die Reihen in Richtung der y-Achse durch Nummern. Jeder Anschluss auf der Platte kann durch dessen x-y-Position identifiziert werden.

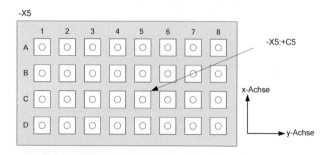

Bild 5 – Beispiel einer Anschlussplatte für Querverbindungen mit Kennzeichnung der Anschlüsse bezogen auf den Ortsaspekt

4.5 Anschlusskennzeichen-Satz

Einem Objektanschluss kann mehr als ein Anschlusskennzeichen zugeordnet sein. Zugleich kann dem Objekt, zu dem der Anschluss gehört, ein Referenzkennzeichen-Satz zugeordnet sein. Dies bedeutet, dass grundsätzlich jedes Mitglied des Referenzkennzeichen-Satzes mit jedem der verschiedenen Anschlusskennzeichen kombiniert werden kann. Dabei stellt jede Kombination ein identifizierendes „Anschlusskennzeichen in einem System" dar. Falls mehr als eines dieser Anschlusskennzeichen zusammen anzugeben ist, muss ein Anschlusskennzeichen-Satz angegeben werden.

Für einen Anschlusskennzeichen-Satz gelten folgende Regeln:

- Jedes Anschlusskennzeichen muss nach den in 4.1, 4.2, 4.3 und 4.4 gegebenen Regeln gebildet werden;
- jedes Anschlusskennzeichen muss klar von den anderen unterscheidbar sein.

Bild 6 zeigt ein Beispiel eines Betriebsmittels mit einem Anschlusskennzeichen-Satz für einen Anschluss.

Bild 7 zeigt ein Beispiel eines Entwurfs mit angegebenen Anschlusskennzeichen bezogen auf den Funktionsaspekt.

Bild 8 zeigt eine Implementierung desselben Entwurfs, jetzt mit angegebenen Anschlusskennzeichen bezogen auf den Produktaspekt.

Bild 9 zeigt die Implementierung des Entwurfs mit angegebenen Anschlusskennzeichen-Sätzen.

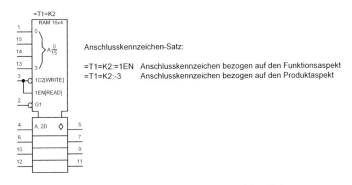

Bild 6 – Beispiel für einen Anschlusskennzeichen-Satz

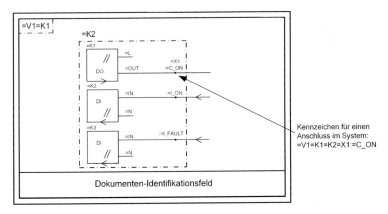

Bild 7 – Beispiel für einen Entwurf mit Anschlusskennzeichen bezogen auf den Funktionsaspekt

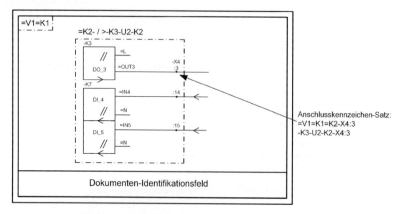

Bild 8 – Beispiel für eine Entwurfsimplementierung basierend auf Bild 7 mit Anschlusskennzeichen bezogen auf den Produktaspekt

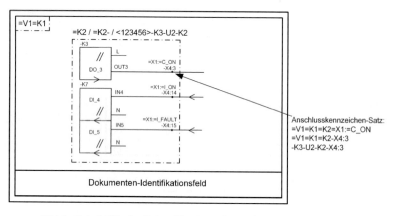

Bild 9 – Beispiel für eine Entwurfsimplementierung basierend auf Bild 7 mit Anschlusskennzeichen-Sätzen bezogen auf Funktions- und Produktaspekt

5 Klassifikation von Anschlüssen

Produkte können mit einer Vielzahl von Anschlussarten ausgestattet sein, wobei diese zum Anschluss an unterschiedliche Arten von Netzwerken vorgesehen sind, zum Beispiel an elektrische, mechanische oder andere. Die Art eines Anschlusses muss in Übereinstimmung mit IEC 81714-3 klassifiziert werden. Ist ein Objekt mit unterschiedlichen Anschlussarten ausgestattet und sind diese in einem gemeinsamen Dokument dargestellt, muss in der begleitenden Dokumentation klar angegeben sein, um welche Art von Anschluss es sich handelt. Zu diesem Zweck muss die in IEC 81714-3 angegebene Codierung für Anschlusspunkte angewendet werden.

DIN EN 61666 (VDE 0040-5):2011-07
EN 61666:2010

Anhang A
(informativ)

Beispiele für nicht vom Hersteller festgelegte Anschlusskennzeichen

Abschnitt 4 legt fest, dass ein Anschlusskennzeichen in Bezug auf das Objekt, zu dem der Anschluss gehört, eindeutig sein muss. Um diese Aussage richtig zu interpretieren, ist zu überlegen, was das Objekt in einem speziellen Fall ist. Wenn das geklärt ist, ist es erfahrungsgemäß oft so, dass das vom Hersteller zugewiesene Kennzeichen einen Anschluss nicht ausreichend kennzeichnet, um ihn in einem System anzuwenden.

Objekte, die durch Referenzkennzeichen gekennzeichnet sind, erscheinen in Teilelisten; Anschlüsse dieser Objekte erscheinen in Anschlusslisten. In Stromlaufplänen erscheinen die gekennzeichneten Objekte zusammen mit ihren Anschlüssen.

Im Folgenden sind einige Beispiele mit identischer Funktionalität gegeben:

a) Baugruppe, bestehend aus vier Reihenklemmen; jede davon hat zwei Anschlüsse, siehe Bild A.1;

b) Klemmenleiste mit acht Anschlüssen, siehe Bild A.2;

c) Klemmenleiste mit 16 Anschlüssen, wobei acht von ihnen für den Anschluss eines Leiters mit größerem und acht für den Anschluss eines Leiters mit kleinerem Querschnitt ausgelegt sind, siehe Bild A.3.

Bild A.1 zeigt das Beispiel einer Klemmenleiste, bestehend aus vier Reihenklemmen, wobei jede Reihenklemme zwei Anschlüsse hat. In diesem Fall enthält die im Handel erhältliche Reihenklemme oft keinerlei Kennzeichnung ihrer Anschlüsse, sondern enthält lediglich einen Platz, um den Anschluss zu kennzeichnen. Üblicherweise werden bei Zusammenstellung der Klemmenleiste die Reihenklemmen gekennzeichnet. In solchen Fällen sind die Anschlusskennzeichen zuzuweisen und im Dokument oder in begleitender Dokumentation zu beschreiben. Diesbezügliche Vereinbarungen können sein:

- 1 für die eine Seite, 2 für die andere Seite usw.;
- A für die eine Seite, B für die andere Seite usw.

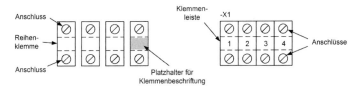

**Bild A.1 – Vier Reihenklemmen bilden eine Klemmenleiste
(jede Reihenklemme ist als einzelnes Objekt betrachtet)**

In diesem Fall wird jede einzelne Reihenklemme als eigenständiges Objekt betrachtet und mit -X1.1, -X1.2, -X1.3 und -X1.4 gekennzeichnet betrachtet. Folglich könnten die Identifikatoren der Anschlüsse -X1.1:1, -X1.1:2 usw. oder -X1.1:A, -X1.1:B usw. sein.

Es ist zu beachten, dass es auch möglich ist, die Anschlusskennzeichen der „vor Ort" zusammengesetzten, wie in Bild A.1 gezeigten, Klemmenleiste genauso zu handhaben, wie die in Bild A.2 gezeigte, wenn die Klemmenleiste in der Dokumentation als das Bezugsobjekt für die Referenzkennzeichnung betrachtet wird.

Bild A.2 zeigt ein Beispiel für einen Klemmenblock mit acht Anschlüssen. In diesem Fall enthält der so im Handel erworbene Klemmenblock Beschriftungen nach Bild A.2 a) oder b). Die gesamte Einheit wird als Objekt mit dem Referenzkennzeichen –X1 betrachtet.

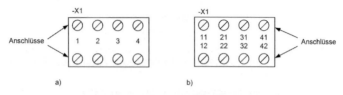

Bild A.2 – Klemmenblock mit acht Anschlüssen
(die komplette Einheit ist ein Objekt)

Im Fall von Bild A.2 a) kennzeichnet die angegebene Beschriftung die Anschlüsse nicht ausreichend. Anschlusskennzeichen sind zuzuweisen und im Dokument oder in begleitender Dokumentation zu beschreiben. Mögliche Vereinbarungen, unter Anwendung des Schriftzeichens PUNKT „." als Trennzeichen hinter den auf dem Produkt angegebenen Beschriftungen, könnten sein:

- 1 für die eine Seite, 2 für die andere Seite usw.;
- A für die eine Seite, B für die andere Seite usw.

Folglich könnten die Identifikatoren der Anschlüsse -X1:1.1, -X1:2.1 usw. oder -X1:1.A, -X1:1.B usw. sein.

Im Fall von Bild A.2 b) sind die Anschlüsse ausreichend beschriftet und sind wie vorgegeben anzuwenden. Die Identifikatoren der Anschlüsse sind -X1:11, -X1:12, -X1:21, -X1:22 usw.

Bild A.3 zeigt ein Beispiel eines Klemmenblocks mit acht Anschlüssen, von denen jeder für den Anschluss eines Leiters mit größerem und gleichzeitig für den Anschluss eines Leiters mit kleinerem Querschnitt vorgesehen ist. Dies ergibt in Summe 16 Zugangspunkte für Leiter, die mit Kennzeichen zu versehen sind, damit sie voneinander unterschieden werden können.

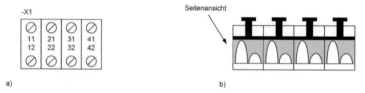

Bild A.3 – Ein Klemmenblock mit acht Anschlüssen, jeder mit zwei Anschlusspunkten

In diesem Fall sind Anschlusskennzeichen zuzuweisen und im Dokument oder in begleitender Dokumentation zu beschreiben. Mögliche Vereinbarungen, unter Anwendung des Schriftzeichens PUNKT „." als Trennzeichen hinter den auf dem Produkt angegebenen Beschriftungen, könnten sein:

- 1, 2, 3 usw.;
- A, B, C usw.

Folglich könnten die Identifikatoren der Anschlüsse -X1:11.1, -X1:11.2 usw. oder -X1:11.A, -X1:11.B usw. sein.

Literaturhinweise

IEC 60034-8:2007, *Rotating electrical machines – Part 8: Terminal markings and direction of rotation*

ANMERKUNG   Harmonisiert als EN 60034-8:2007 (nicht modifiziert).

IEC 60050-151, *International Electrotechnical Vocabulary – Part 151: Electrical and magnetic devices*

IEC 60191-3:1999, *Mechanical standardization of semiconductor devices – Part 3: General rules for the preparation of outline drawings of integrated circuits*

ANMERKUNG   Harmonisiert als EN 60191-3:1999 (nicht modifiziert).

IEC/TR 60616:1978, *Terminal and tapping markings for power transformers*

IEC 60617, *Graphical symbols for diagrams*

IEC 61355, *Classification and designation of documents for plants, systems and equipment – Part 1: Rules and classification tables*

Anhang ZA
(normativ)

Normative Verweisungen auf internationale Publikationen mit ihren entsprechenden europäischen Publikationen

Die folgenden zitierten Dokumente sind für die Anwendung dieses Dokuments erforderlich. Bei datierten Verweisungen gilt nur die in Bezug genommene Ausgabe. Bei undatierten Verweisungen gilt die letzte Ausgabe des in Bezug genommenen Dokuments (einschließlich aller Änderungen).

ANMERKUNG   Wenn internationale Publikationen durch gemeinsame Abänderungen geändert wurden, durch (mod) angegeben, gelten die entsprechenden EN/HD.

Publikation	Jahr	Titel	EN/HD	Jahr
IEC 60417	–	Graphical symbols for use on equipment	–	–
IEC 60445	–	Basic and safety principles for man-machine interface, marking and identification – Identification of equipment terminals, conductor terminations and conductors	EN 60445	–
IEC 60757	–	Code for designation of colours	HD 457	–
IEC 61082-1	2006	Preparation of documents used in electrotechnology – Part 1: Basic rules	EN 61082-1	2006
IEC 81346-1	–	Industrial systems, installations and equipment and industrial products – Structuring principles and reference designations – Part 1: Rules	EN 81346-1	–
IEC 81714-3	–	Design of graphical symbols for use in the technical documentation of products – Part 3: Classification of connect nodes, networks and their encoding	–	–

Januar 2010

DIN EN 62424
(VDE 0810-24)

DIN

Diese Norm ist zugleich eine **VDE-Bestimmung** im Sinne von VDE 0022. Sie ist nach Durchführung des vom VDE-Präsidium beschlossenen Genehmigungsverfahrens unter der oben angeführten Nummer in das VDE-Vorschriftenwerk aufgenommen und in der „etz Elektrotechnik + Automation" bekannt gegeben worden.

VDE

ICS 35.240.50

Ersatz für DIN 19227-1:1993-10 und
DIN V 44366:2004-12
Siehe jedoch Beginn der Gültigkeit

**Darstellung von Aufgaben der Prozessleittechnik –
Fließbilder und Datenaustausch zwischen EDV-Werkzeugen zur
Fließbilderstellung und CAE-Systemen
(IEC 62424:2008);
Deutsche Fassung EN 62424:2009**

Representation of process control engineering –
Requests in P&I diagrams and data exchange between P&ID tools and PCE-CAE tools
(IEC 62424:2008);
German version EN 62424:2009

Représentation de l'ingénierie du contrôle-commande des processus –
Requêtes dans les diagrammes P&ID et échanges de données entre les outils P&ID et PCE-CAE
(CEI 62424:2008);
Version allemande EN 62424:2009

Gesamtumfang 143 Seiten
+ CD-ROM

DKE Deutsche Kommission Elektrotechnik Elektronik Informationstechnik im DIN und VDE
Normenausschuss Chemischer Apparatebau (FNCA)

DIN EN 62424 (VDE 0810-24):2010-01

Beginn der Gültigkeit

Die von CENELEC am 2009-07-01 angenommene EN 62424 gilt als DIN-Norm ab 2010-01-01.

Daneben dürfen DIN 19227-1:1993-10 und DIN V 44366:2004-12 noch bis 2012-07-01 angewendet werden.

Nationales Vorwort

Zu diesem Dokument wurde ein Kurzverfahren in den DIN-Mitteilungen veröffentlicht.

Für diese Norm ist das nationale Arbeitsgremium K 941 „Engineering" der DKE Deutsche Kommission Elektrotechnik Elektronik Informationstechnik im DIN und VDE (www.dke.de) zuständig.

Die enthaltene IEC-Publikation wurde vom TC 65 „Industrial-process measurement and control" erarbeitet.

Zum Gebrauch der beiliegenden CD-ROM siehe Einleitung, letzter Absatz.

Für den Ersatz der Inhalte der Reihe DIN 19227 ist Folgendes vorgesehen:

a) Der Inhalt von DIN 19227-1 ist bis auf Unterabschnitt 3.9 in der vorliegenden Neuausgabe der DIN EN 62424 (VDE 0810-24) enthalten.

b) Der Inhalt von DIN 19227-1, Unterabschnitt 3.9 wird voraussichtlich in der künftigen ISO 10628 enthalten sein, da es sich hier um die rein verfahrenstechnische Darstellung der Wirkrichtung von Stellgeräten handelt.

c) DIN 19227-2 wird voraussichtlich in DIN EN 60617 eingebracht werden.

Das IEC-Komitee hat entschieden, dass der Inhalt dieser Publikation bis zu dem Datum (maintenance result date) unverändert bleiben soll, das auf der IEC-Website unter „http://webstore.iec.ch" zu dieser Publikation angegeben ist. Zu diesem Zeitpunkt wird entsprechend der Entscheidung des Komitees die Publikation
- bestätigt,
- zurückgezogen,
- durch eine Folgeausgabe ersetzt oder
- geändert.

Änderungen

Gegenüber DIN 19227-1:1993-10 wurden folgende Änderungen vorgenommen:

a) Erst- und Folgebuchstaben für Prozessanforderungen teilweise geändert, siehe Tabelle 2 und den nationalen Anhang NC;

b) neue Symbole für sicherheits-, GMP- und qualitätsrelevante Prozessanforderungen festgelegt;

c) Beschreibung des elektronischen Datenaustausches einschließlich Festlegung einer Datenübertragungssprache (CAEX).

Gegenüber DIN V 44366:2004-12 wurden folgende Änderungen vorgenommen:

a) die Festlegungen in CAEX geändert.

Frühere Ausgaben

DIN 19227-1: 1973-09, 1993-10
DIN 19227-3: 1978-09
DIN 19227-4: 1978-09
DIN V 44366: 2004-12

DIN EN 62424 (VDE 0810-24):2010-01

Nationaler Anhang NA
(informativ)

Zusammenhang mit Europäischen und Internationalen Normen

Für den Fall einer undatierten Verweisung im normativen Text (Verweisung auf eine Norm ohne Angabe des Ausgabedatums und ohne Hinweis auf eine Abschnittsnummer, eine Tabelle, ein Bild usw.) bezieht sich die Verweisung auf die jeweils neueste gültige Ausgabe der in Bezug genommenen Norm.

Für den Fall einer datierten Verweisung im normativen Text bezieht sich die Verweisung immer auf die in Bezug genommene Ausgabe der Norm.

Eine Information über den Zusammenhang der zitierten Normen mit den entsprechenden Deutschen Normen ist in Tabelle NA.1 wiedergegeben.

Tabelle NA.1

Europäische Norm	Internationale Norm	Deutsche Norm	Klassifikation im VDE-Vorschriftenwerk
EN 60848	IEC 60848	DIN EN 60848	–
EN 61511-1	IEC 61511-1	DIN EN 61511-1 (VDE 0810-1)	VDE 0810-1
EN 61512-1	IEC 61512-1	DIN EN 61512-1	–
EN 81346-1	IEC 81346-1	E DIN IEC 81346-1[a]	–
EN ISO 10628	ISO 10628	DIN EN ISO 10628	–
EN ISO 13628-6	ISO 13628-6	DIN EN ISO 13628-6	–
EN ISO 13703:2000 + AC:2002	ISO 13703:2000 + Cor. 1:2002	DIN EN ISO 13703:2003-06	–
EN ISO 13849-1	ISO 13849-1	DIN EN ISO 13849-1	–
–	ISO/TS 16952-1:2006	DIN ISO/TS 16952-1:2007-03	–

[a] Veröffentlichung vorgesehen. Ersetzt IEC 61346-1 bzw. DIN EN 61346-1.

Nationaler Anhang NB
(informativ)

Literaturhinweise

DIN EN 60848, *GRAFCET – Spezifikationssprache für Funktionspläne der Ablaufsteuerung*

DIN EN 61511-1 (VDE 0810-1), *Funktionale Sicherheit – Sicherheitstechnische Systeme für die Prozessindustrie – Teil 1: Allgemeines, Begriffe, Anforderungen an Systeme, Software und Hardware*

DIN EN 61512-1, *Chargenorientierte Fahrweise – Teil 1: Modelle und Terminologie*

E DIN IEC 81346-1, *Industrielle Systeme, Anlagen und Ausrüstungen und Industrieprodukte – Strukturierungsprinzipien und Referenzkennzeichnung – Teil 1: Allgemeine Regeln*

DIN EN ISO 10628, *Fließschemata für verfahrenstechnische Anlagen – Allgemeine Regeln*

DIN EN ISO 13628-6, *Erdöl- und Erdgasindustrie – Auslegung und Betrieb von Unterwasser-Produktionssystemen – Teil 6: Steuersysteme für die Unterwasser-Produktion*

DIN EN ISO 13703, *Erdöl- und Erdgasindustrie – Auslegung und Verlegung von Rohrleitungssystemen auf Offshore-Förderplattformen*

DIN EN ISO 13849-1, *Sicherheit von Maschinen – Sicherheitsbezogene Teile von Steuerungen – Teil 1: Allgemeine Gestaltungsleitsätze*

DIN ISO/TS 16952-1, *Technische Produktdokumentation – Referenzkennzeichensystem – Teil 1: Allgemeine Anwendungsregeln*

Anhang NC
(informativ)

Vergleich der ersten Kennbuchstaben von PCE-Kategorien (PLT-Aufgaben) in verschiedenen Normen

In verschiedenen internationalen und nationalen Normen werden für den ersten Buchstaben zur Kennzeichnung von PCE-Kategorien (PLT-Aufgaben) unterschiedliche Festlegungen getroffen. Die nachfolgende Tabelle gibt einen Überblick.

Festlegungen für den ersten Kennbuchstaben von PCE-Kategorien (PLT-Aufgaben)

Erst-Buchstabe	ISO 3511:1977-07-15	ANSI/ISA S5.1:1992-07-13	DIN 19227-1:1993-10 (zurückgezogen)	DIN EN 62424 (VDE 0810-24)
A		Analysis		Analyse
B		Burner Combustion		Brennersteuerung
C		Users' choise		Frei verwendbar
D	Density	Users' choise	Dichte	Dichte
E	All electrical variables	Voltage	Elektrische Größen	Spannung
F	Flow rate	Flow Rate	Durchfluss, Durchsatz	Durchfluss
G	Gauging, position or length	Users' choise	Abstand, Länge, Stellung, Dehnung, Amplitude	Abstand, Länge, Stellung
H	Hand (manually initiated) operated	Hand	Handeingabe, Handegriff	Handeingabe, Handegriff
I		Current		Strom
J	Power	Power	Leistung	Leistung
K	Time or time programme	Time, Time Schedule	Zeit	Zeit
L	Level	Level	Stand (auch von Trennschicht)	Stand
M	Moisture or humidity	Users' choise	Feuchte	Feuchte
N	Users' choise	Users' choise	Frei verfügbar	Stellglied (Motor)
O	Users' choise	Users' choise	Frei verfügbar	Frei verwendbar
P	Pressure or vacuum	Pressure or vacuum	Druck	Druck
Q	Quality, for example Analysis, Concentration, Conductivity	Quantity	Stoffeigenschaft, Qualitätsgrößen, Analyse (ohne D, M, V)	Menge oder Zähler
R	Nuclear radiation	Radiation	Strahlungsgrößen	Strahlung
S	Speed or Frequency	Speed, Frequency	Geschwindigkeit, Drehzahl, Frequenz	Geschwindigkeit oder Frequenz
T	Temperature	Temperature	Temperatur	Temperatur
U	Multivariable	Multivariable	Zusammengesetzte Größen	Nicht benutzen
V	Viscosity	Vibration, Mechanical Analysis	Viskosität	Vibration, Mechanische Analyse
W	Weight or force	Weight force	Gewichtskraft, Masse	Gewicht, Masse, Kraft
X	Unclassified variables	Unclassified	Sonstige Größen	Sonstige Größen
Y	Users' choise	Event State or Presence	Frei verfügbar	Stellglied (Ventil)
Z	Users' choise	Position, Dimension		Frei verwendbar

EUROPÄISCHE NORM
EUROPEAN STANDARD
NORME EUROPÉENNE

EN 62424

August 2009

ICS 35.240.50; 25.040.40

Deutsche Fassung

Darstellung von Aufgaben der Prozessleittechnik – Fließbilder und Datenaustausch zwischen EDV-Werkzeugen zur Fließbilderstellung und CAE-Systemen
(IEC 62424:2008)

Representation of process control engineering – Requests in P&I diagrams and data exchange between P&ID tools and PCE-CAE tools (IEC 62424:2008)

Représentation de l'ingénierie du contrôle-commande des processus – Requêtes dans les diagrammes P&ID et échanges de données entre les outils P&ID et PCE-CAE
(CEI 62424:2008)

Diese Europäische Norm wurde von CENELEC am 2009-07-01 angenommen. Die CENELEC-Mitglieder sind gehalten, die CEN/CENELEC-Geschäftsordnung zu erfüllen, in der die Bedingungen festgelegt sind, unter denen dieser Europäischen Norm ohne jede Änderung der Status einer nationalen Norm zu geben ist.

Auf dem letzten Stand befindliche Listen dieser nationalen Normen mit ihren bibliographischen Angaben sind beim Zentralsekretariat oder bei jedem CENELEC-Mitglied auf Anfrage erhältlich.

Diese Europäische Norm besteht in drei offiziellen Fassungen (Deutsch, Englisch, Französisch). Eine Fassung in einer anderen Sprache, die von einem CENELEC-Mitglied in eigener Verantwortung durch Übersetzung in seine Landessprache gemacht und dem Zentralsekretariat mitgeteilt worden ist, hat den gleichen Status wie die offiziellen Fassungen.

CENELEC-Mitglieder sind die nationalen elektrotechnischen Komitees von Belgien, Bulgarien, Dänemark, Deutschland, Estland, Finnland, Frankreich, Griechenland, Irland, Island, Italien, Lettland, Litauen, Luxemburg, Malta, den Niederlanden, Norwegen, Österreich, Polen, Portugal, Rumänien, Schweden, der Schweiz, der Slowakei, Slowenien, Spanien, der Tschechischen Republik, Ungarn, dem Vereinigten Königreich und Zypern.

CENELEC

Europäisches Komitee für Elektrotechnische Normung
European Committee for Electrotechnical Standardization
Comité Européen de Normalisation Electrotechnique

Zentralsekretariat: Avenue Marnix 17, B-1000 Brüssel

© 2009 CENELEC – Alle Rechte der Verwertung, gleich in welcher Form und in welchem Verfahren, sind weltweit den Mitgliedern von CENELEC vorbehalten.

Ref. Nr. EN 62424:2009 D

DIN EN 62424 (VDE 0810-24):2010-01
EN 62424:2009

Vorwort

Der Text des Schriftstücks 65/420/FDIS, zukünftige 1. Ausgabe von IEC 62424, ausgearbeitet von dem IEC TC 65 „Industrial-process measurement, control and automation", wurde der IEC-CENELEC Parallelen Abstimmung unterworfen und von CENELEC am 2009-07-01 als EN 62424 angenommen.

Nachstehende Daten wurden festgelegt:

- spätestes Datum, zu dem die EN auf nationaler Ebene
  durch Veröffentlichung einer identischen nationalen
  Norm oder durch Anerkennung übernommen werden
  muss   (dop):   2010-04-01

- spätestes Datum, zu dem nationale Normen, die
  der EN entgegenstehen, zurückgezogen werden
  müssen   (dow):   2012-07-01

Der Anhang ZA wurde von CENELEC hinzugefügt.

Anerkennungsnotiz

Der Text der Internationalen Norm IEC 62424:2008 wurde von CENELEC ohne irgendeine Abänderung als Europäische Norm angenommen.

In der offiziellen Fassung sind unter „Literaturhinweise" zu den aufgelisteten Normen die nachstehenden Anmerkungen einzutragen:

IEC 60848	ANMERKUNG	Harmonisiert als EN 60848:2002 (nicht modifiziert).
IEC 61512-1	ANMERKUNG	Harmonisiert als EN 61512-1:1999 (nicht modifiziert).
IEC 61987-1	ANMERKUNG	Harmonisiert als EN 61987-1:2007 (nicht modifiziert).
ISO 13628-6	ANMERKUNG	Harmonisiert als EN ISO 13628-6:2006 (nicht modifiziert).
ISO 13703	ANMERKUNG	Harmonisiert als EN ISO 13703:2000 (nicht modifiziert).

DIN EN 62424 (VDE 0810-24):2010-01
EN 62424:2009

Inhalt

Seite

Vorwort 2

Einleitung 8

1 Anwendungsbereich 10

2 Normative Verweisungen 10

3 Begriffe 10

4 Abkürzungen 15

5 Konformität 15

6 Darstellung von PCE-Aufgaben in einem R&I-Fließbild 17

6.1 PCE-Aufgaben und PCE-Kreis 17

6.2 Ziele und Grundsätze 17

6.3 Anforderungen an die Kennzeichnung und Darstellung von PCE-Aufgaben 18

7 Neutraler Datenaustausch der PCE-relevanten R&I-Informationen 26

7.1 Ziele 26

7.2 Bedeutung der R&I-Elemente 26

7.3 PCE-relevante Informationen der R&I-Werkzeuge 27

7.4 PCE-relevante Informationen in der formalen Darstellung der R&I-Werkzeuge 27

8 Zusätzliche PCE-Attribute 34

Anhang A (normativ) CAEX – Datenmodell zum Austausch von maschinell erstellten Informationen 36

A.1 CAEX und seine Vorschriften für die Diagrammdarstellung 36

A.2 Allgemeine CAEX-Konzepte 37

A.2.1 Allgemeine CAEX-Benennungen 37

A.2.2 Allgemeine Beschreibung des CAEX-Konzepts 40

A.2.3 Datendefinition von SystemUnitClass 42

A.2.4 Definition von Attributen 44

A.2.5 Datendefinition von Schnittstellenklassen (InterfaceClass) 46

A.2.6 Datendefinition von Rollenklassen (RoleClass) 48

A.2.7 Anwendung der Vererbung 50

A.2.8 Anwendung von Pfaden 51

A.2.9 CAEX-Rollenkonzept 51

A.2.10 Anwendung des CAEX-MappingObject 54

A.2.11 Datendefinition von Instanzen und Objektbäumen 55

A.2.12 Verweise auf externe CAEX-Dateien 55

A.2.13 Anwendung des CAEX-Attributes SchemaVersion 57

A.2.14 Datendefinition für Objektnetze 57

A.3 CAEX-Schemadefinition 58

A.3.1 Allgemeines 58

A.3.2 Element CAEXFile 59

A.3.3 CAEXFile/ExternalReference 60

		Seite
A.3.4	CAEXFile/InstanceHierarchy	61
A.3.5	CAEXFile/InstanceHierarchy/InternalElement	62
A.3.6	CAEXFile/InterfaceClassLib	63
A.3.7	CAEXFile/InterfaceClass	64
A.3.8	CAEXFile/RoleClassLib	65
A.3.9	CAEXFile/RoleClass	66
A.3.10	CAEXFile/SystemUnitClassLib	67
A.3.11	CAEXFile/SystemUnitClass	68
A.3.12	Group Header	69
A.3.13	Komplexer CAEX-Typ AttributeType	73
A.3.14	Komplexer CAEX-Typ CAEXBasicObject	81
A.3.15	Komplexer CAEX-Typ CAEXObject	82
A.3.16	Komplexer CAEX-Typ InterfaceClassType	83
A.3.17	Komplexer CAEX-Typ InterfaceFamilyType	85
A.3.18	Komplexer CAEX-Typ InternalElementType	87
A.3.19	Komplexer CAEX-Typ RoleClassType	95
A.3.20	Komplexer CAEX-Typ RoleFamilyType	98
A.3.21	Komplexer CAEX-Typ SystemUnitClassType	100
A.3.22	Komplexer CAEX-Typ SystemUnitFamilyType	107

Anhang B (informativ) Beispiele für PCE-Aufgaben ... 109

Anhang C (normativ) Vollständiges XML-Schema des CAEX-Models ... 120

Anhang D (informativ) Beispiele für Modellbildungen mit CAEX ... 129

D.1 Beispiel einer CAEX-InterfaceLib-Definition ... 129

D.2 Beispiel einer CAEX-RoleLib-Definition ... 130

D.3 Beispiel, wie die für die Darstellung einer PCE-Aufgabe im Fließbild notwendigen Informationen in CAEX abgelegt werden ... 132

Literaturhinweise ... 136

Anhang ZA (normativ) Normative Verweisungen auf internationale Publikationen mit ihren entsprechenden europäischen Publikationen ... 137

Bilder

Bild 1 – Informationsfluss zwischen R&I- und PCE-Werkzeug ... 9

Bild 2 – Organisation von PCE-Aufgaben[N3)] ... 17

Bild 3 – Allgemeine Darstellung einer PCE-Aufgabe in einem R&I-Fließbild ... 18

Bild 4 – Multisensor-Element ... 18

Bild 5 – Lokale Bedienoberfläche ... 19

Bild 6 – Manuell betätigter Schalter in einem lokalen Schaltpult ... 19

Bild 7 – Druckanzeige in einem zentralen Leitstand ... 19

Bild 8 – Beispiel einer Referenzkennzeichnung einer PCE-Aufgabe ... 23

Bild 9 – Beispiel: Durchflussmessung mit Anzeige im zentralen Leitstand, geliefert von Lieferant A,

	Seite
Realisierung gemäß Typical A20	23
Bild 10 – Beispiel: pH-Messung mit Anzeige im zentralen Leitstand	23
Bild 11 – Beispiel: Durchflussmessung mit Anzeige im zentralen Leitstand und oberem wie auch unterem Alarm	24
Bild 12 – Durchflussmessung mit Anzeige im zentralen Leitstand, Hoch-Alarm und Hoch-Hoch-Schaltung	24
Bild 13 – Durchflussmessung mit Anzeige im zentralen Leitstand, Hoch-Alarm, Hoch-Hoch-Schaltung, einem Tief-Alarm und Tief-Tief-Schaltung für eine Sicherheitsfunktion	24
Bild 14 – Eine GMP-relevante, eine sicherheitsrelevante und eine qualitätsrelevante Durchflussmessung mit Anzeige im zentralen Leitstand	24
Bild 15 – PCE-Leitfunktion	25
Bild 16 – Sicherheitsrelevante PCE-Leitfunktion	25
Bild 17 – R&I-Elemente und Verbindungen (PCE-relevante Positionen sind mit schwarzen Linien gekennzeichnet)	26
Bild 18 – Prozess-Datenmodell (PCE-relevante Positionen sind mit schwarzen Linien gekennzeichnet)	28
Bild 19 – Datenmodell einer PCE-Aufgabe	29
Bild 20 – Beispiel zweier Anlagenausschnitte mit einer Signalverbindung über externe Schnittstellen	31
Bild 21 – Vereinfachtes CAEX-Modell indirekter Verbindungen zwischen PCE-Aufgaben über verschiedene Anlagenhierarchieelemente	32
Bild 22 – Beispiel zweier Anlagenausschnitte mit einer direkten Verbindung	33
Bild 23 – Vereinfachtes CAEX-Modell einer direkten Verbindung zwischen PCE-Aufgaben über verschiedene Anlagenhierarchieelemente	34
Bild A.1 – CAEX-Architektur einer SystemUnitClass	43
Bild A.2 – Beispiel einer SystemUnitClassLib	43
Bild A.3 – Beispiele von Attributen	45
Bild A.4 – Beispiele einer Schnittstellenklassenbibliothek	47
Bild A.5 – Anwendung von Verbindungen	48
Bild A.6 – Beispiel einer Rollenklassenbibliothek	49
Bild A.7 – CAEX-Rollenkonzept	51
Bild A.8 – CAEX-Datendefinition für Anwendungsfall 1	52
Bild A.9 – CAEX-Datendefinition für Anwendungsfall 2	52
Bild A.10 – CAEX-Datendefinition für Anwendungsfall 3	53
Bild A.11 – CAEX-Datendefinition eines MappingObject	54
Bild A.12 – Beispiel einer hierarchischen Anlagenstruktur	55
Bild A.13 – CAEX-Datenstruktur	55
Bild A.14 – Aufteilung der Daten auf verschiedene CAEX-Dateien	56
Bild A.15 – Verweis auf externe CAEX-Dateien	56
Bild A.16 – Beispiel für die Anwendung des Alias-Namen	56
Bild A.17 – Mehrfach überkreuzte Strukturen	58
Bild B.1 – Lokale Füllstandsanzeige, ein Prozessanschluss	109
Bild B.2 – Lokale Füllstandsanzeige, zwei Prozessanschlüsse	109

	Seite
Bild B.3 – Lokale Durchflussanzeige	109
Bild B.4 – Lokale Druckanzeige	109
Bild B.5 – Lokale Temperaturanzeige	110
Bild B.6 – Lokales Schaltpult mit Druckanzeige und Hoch-Alarm	110
Bild B.7 – Lokale Temperaturanzeige und Hoch-Alarm mit Schaltung und Anzeige in einem zentralen Leistand	110
Bild B.8 – Lokale Druckanzeige und Hoch-Alarm mit Schaltung in einem zentralen Leitstand	110
Bild B.9 – Durchflussanzeige in einem zentralen Leitstand; Geräteinformation: Messblende	110
Bild B.10 – Druckanzeige in einem zentralen Leitstand mit Tief-, Tief-Tief- und Hoch-Alarmen	111
Bild B.11 – Temperaturanzeige mit Registrierung oder Trendanzeige in einem zentralen Leitstand	111
Bild B.12 – Füllstandsanzeige und Registrierung/Trend in einem zentralen Leitstand, ein Prozessanschluss	111
Bild B.13 – Füllstandsanzeige in einem zentralen Leitstand, zwei Prozessanschlüsse	111
Bild B.14 – Zwei Durchflussanzeigen und Durchfluss-Verhältnis-Regelung in einem zentralen Leitstand	112
Bild B.15 – Durchflussanzeige mit Hoch-Alarm, Durchflussregelung, Stellarmatur mit Auf/Zu-Funktion und Auf/Zu-Anzeige in einem zentralen Leitstand, verknüpft mit einer PCE-Leitfunktion (z. B. Verriegelung)	112
Bild B.16 – Lokale Druckanzeige mit Hoch-Alarm und sicherheitsrelevanter Hoch-Hoch-Schaltung in einem zentralen Leitstand, verknüpft mit einer sicherheitsrelevanten PCE-Leitfunktion	112
Bild B.17 – Lokale Druckanzeige mit verschiedenen Alarmen und Schaltungen in einem zentralen Leitstand, verknüpft mit mehreren PCE-Leitfunktionen	113
Bild B.18 – Druckanzeige mit Tief-Alarm und sicherheitsrelevanter Hoch-Alarm-Schaltung auf ein sicherheitsrelevantes Auf/Zu-Ventil	113
Bild B.19 – Auf/Zu-Ventil mit Auf/Zu-Endlagenmeldungen (Zu-Stellung sicherheitsrelevant), verknüpft mit einer PCE-Leitfunktion und einem sicherheitsrelevanten Auf/Zu-Ventil	113
Bild B.20 – Druckbegrenzung	114
Bild B.21 – Durchflussbegrenzung	114
Bild B.22 – Druck-Temperatur-kompensierte Durchflussregelung mit Registrierung und einem Tief-Alarm (Druck und Temperatur werden im zentralen Leitstand angezeigt), Stellaramtur mit sicherheitsrelevanter Auf/Zu-Funktion, angesteuert durch 2 von 3 Druck-Hoch-Hoch-Schaltungen der Einstufung SIL 3 mit Hoch-Voralarmierung und mit Auf/Zu-Endlagenmeldungen; Auf-Endlage verknüpft mit einer PCE-Leitfunktion	114
Bild B.23 – Temperatur-Regelung mit Tief- und Hoch-Alarm in einem zentralen Leitstand mit zusätzlichen Handstellern für Auf/Zu in einem zentralen Leitstand mit Anzeige und lokalem Schaltpult	115
Bild B.24 – Motor-Typical 11, bestehend aus einem lokalen Aus-Schalter und im zentralen Leitstand befindlichen Ein/Aus-Schalter, Stromanzeige mit Tief- und Hoch-Alarm sowie Statusmeldungen (Fehler und Laufmeldung)	115
Bild B.25 – Mehrgrößenregler	116
Bild B.26 – Auf/Zu-Ventil mit Endlagenanzeige	116
Bild B.27 – Auf/Zu-Ventil mit sicherheitsrelevanter Endlagenanzeige	116
Bild B.28 – Füllstandsregler mit einer vom PID-Regelalgorithmus abweichenden Regelstruktur und Stellarmatur	117
Bild B.29 – Zweipunkt-Füllstandsregler mit einer Auf/Zu-Armatur	117

DIN EN 62424 (VDE 0810-24):2010-01
EN 62424:2009

Seite

Bild B.30 – Kaskadenregelung mit einem Temeperaturregler als Führungsregler einer unterlagerten Durchfluss-Regelung und Stellarmatur 117

Bild B.31 – Sicherheitsrelevante PCE-Leitfunktion in Einstufung SIL 1 mit manuellem Reset auf ein Auf/Zu-Ventil wirkend, Endlagenmeldung desselben, Hand-Automatik-Umschaltung im zentralen Leitstand und sicherheitsrelevanter Verknüpfung auf ein weiteres sicherheitsrelevantes Auf/Zu-Ventil 118

Bild B.32 – Durchfluss-Regler (einfacher PID-Algorithmus) und Stellarmatur in einem zentralen Leitstand 118

Bild B.33 – Temperaturregler mit einer Hoch-Alarm-Schaltung und Stellarmatur mit Auf/Zu-Funktion 118

Bild B.34 – Handregler mit Anzeige in einem zentralen Leitstand 119

Bild B.35 – Durchflussanzeige mit mehreren Alarmen und einer Hoch-Hoch-Schaltung, verknüpft mit einer PCE-Leitfunktion in einem zentralen Leitstand 119

Bild B.36 – Selbsttätige Stellarmatur (ohne Hilfsenergie) für Druck, Durchfluss, Temperatur oder Drehzahl 119

Bild D.1 – Beispiel einer CAEX-Schnittstellenbibliothek 129

Bild D.2 – Beispiel einer CAEX-Rollenbibliothek 130

Bild D.3 – Fließbild-Beispiel, abgebildet mit CAEX 132

Bild D.4 – CAEX-Modell des Beispiels in Bild D.3 133

Tabellen

Tabelle 1 – Abkürzungen 15

Tabelle 2 – PCE-Kategorien 20

Tabelle 3 – PCE-Verarbeitungsfunktion 21

Tabelle 4 – Reihenfolge der Kombinationen 22

Tabelle 5 – PCE-Verarbeitungsfunktionen für Aktoren 22

Tabelle 6 – Für die PCE-Umgebung relevante R&I-Attribute 35

Tabelle 7 – Attribute der Datenverarbeitung 35

Tabelle A.1 – Vorgaben für die XML-Darstellung 36

Tabelle A.2 – CAEX-Datentypen und -Elemente 37

7

Einleitung

Die Auslegung prozesstechnischer Anlagen erfordert in hohem Maße hoch entwickelte Werkzeuge für die unterschiedlichen Arbeitsabläufe und Disziplinen. Diese Ingenieurwerkzeuge sind normalerweise spezialisiert auf Prozessdesign (PD), instrumentierungstechnische Auslegung (PCE, Process Control Engineering) und Ähnliches. Folglich ist Interoperabilität wesentlich, um den gesamten Auslegungsprozess zu optimieren. Daher ist die Definition einer einheitlichen Schnittstelle und Datenverwaltung eine Kernaufgabe, um einen reibungslosen Ablauf während des gesamten Projektes sicherzustellen und um die Konsistenz der Daten in den unterschiedlichen Werkzeugen zu garantieren.

Diese Norm definiert Prozeduren und Festlegungen für den Austausch von PCE-relevanten Daten, die von dem R&I-Werkzeug zur Verfügung gestellt worden sind. Die Grundanforderungen eines Revisionsmanagements werden beschrieben. Dazu wird eine allgemeingültige Technologie zum Austausch von Informationen zwischen Systemen, die Extensible Markup Language (XML), eingesetzt. Hiermit wird eine allgemeine Grundlage zur Integration und zum Austausch von Daten gegeben.

Dazu ist jedoch die Definition einer einheitlichen Semantik notwendig. CAEX (Computer Aided Engineering eXchange), wie es in diesem Dokument definiert ist, ist ein passendes Datenformat für diesen Zweck. Dieses Konzept des Datenaustausches ist offen für verschiedene Anwendungen.

Die Hauptaufgabe eines Datenaustausches ist die Weitergabe und die Synchronisierung von Daten zwischen der R&I-Datenbank und den PCE-Datenbanken. Zur eindeutigen Identifikation der Prozessanforderungen ist ein benutzerabhängiges eineindeutiges Kennzeichnungssystem und eine Prozessbeschreibung notwendig. Eine detaillierte Information über die Beschreibung der Darstellung von PCE-Kreisen in R&Is befindet sich in Abschnitt 6.

Das System zum Datenaustausch kann eine lieferantenunabhängige Einzelanwendung sein oder ein Modul einer Engineering-Umgebung. Der Datenaustausch zwischen dem R&I-Werkzeug und einem PCE-Werkzeug erfolgt in beide Richtungen über CAEX.

Nach dem Datenaustausch sind die Informationen über die Anlage an drei Orten gespeichert. Beide proprietären Datenbanken der betrachteten Werkzeuge beinhalten individuelle und allgemeine Informationen. Beide Datenbanken werden an unterschiedlichen Orten gespeichert und an unterschiedlichen Orten bearbeitet. Die Zwischendatenbank CAEX speichert nur allgemeine Informationen. In einem allgemeineren Ansatz sollte die Zwischendatenbank allgemeine und individuelle Informationen speichern. Dies ist von Belang, wenn eine dritte Anwendung an die neutrale Datenbank angeschlossen wird. Wenn die Zwischendatenbank nur als ein temporärer Zwischenspeicher benutzt wird (ohne die Informationen in einer Datei zu speichern), gehen die Informationen nach dem Datentransfer und -abgleich verloren.

Bild 1 veranschaulicht den Informationsfluss beim Abgleich der R&I- und PCE-Datenbanken. Der Datenaustausch erfolgt über eine neutrale, zwischengeschaltete CAEX-Datenbank und nicht direkt von Datenbank zu Datenbank. Die zwischengeschaltete CAEX-Datenbank sollte eine Datei (für dateibasierten Datenaustausch) oder ein Datenstrom (für netzwerkbasierten Datenaustausch) sein. Die Bezeichnung „CAEX-Datenbank" innerhalb dieser Norm ist in diesem Sinn zu verstehen. Sie bezeichnet kein Datenbankprodukt wie beispielsweise SQL.

Der Anhang C dieser Norm enthält das komplette XML-Schema von CAEX. Es ist dieser Norm im XSD-Format beigefügt.

ANMERKUNG Käufer dieser Veröffentlichung dürfen es für ihren Eigenbedarf in der erforderlichen Menge kopieren.

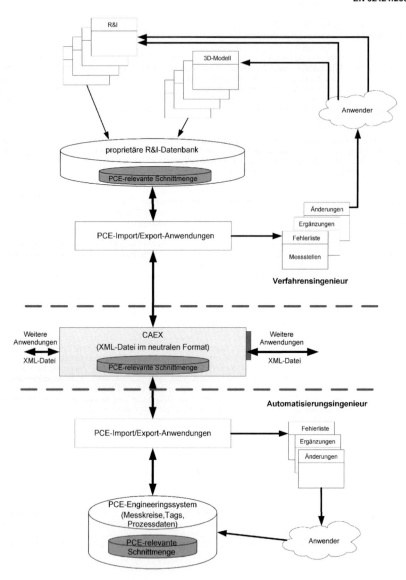

Bild 1 – Informationsfluss zwischen R&I- und PCE-Werkzeug

1 Anwendungsbereich

Diese internationale Norm beschreibt, wie Aufgaben der Prozessleittechnik in einem R&I-Fließbild für einen automatischen Datenaustausch zwischen dem R&I- und PCE-Werkzeug darzustellen sind und wie Fehlinterpretationen der grafischen R&I-Symbole durch das PCE-Werkzeug vermieden werden.

Ebenso definiert sie den Austausch der Daten für die Aufgaben an die Prozessleittechnik zwischen einem PCE-Werkzeug und einem R&I-Werkzeug durch eine Datenübertragungssprache (genannt CAEX). Diese Regelungen betreffen die Export/Import-Anwendungen solcher Werkzeuge.

Die Darstellung der PCE-Funktionalität im R&I-Fließbild wird durch eine möglichst kleine Anzahl von Regeln festgelegt, um genau ihre Kategorie und Verarbeitungsfunktion unabhängig von der realisierten Technik abzubilden (siehe Abschnitt 6). Die Definition der grafischen Symbole für verfahrenstechnische Betriebsmittel (z. B. Behälter, Ventile, Kolonne), ihre Anwendung sowie ein Referenzkennzeichnungssystem liegen nicht im Anwendungsbereich dieser Norm. Solche Festlegungen sind unabhängig von dieser Norm.

Im Abschnitt 7 wird der Datenfluss zwischen den unterschiedlichen Werkzeugen und dem Datenmodell CAEX beschrieben.

2 Normative Verweisungen

Die folgenden zitierten Dokumente sind für die Anwendung dieses Dokuments erforderlich. Bei datierten Verweisungen gilt nur die in Bezug genommene Ausgabe. Bei undatierten Verweisungen gilt die letzte Ausgabe des in Bezug genommenen Dokuments (einschließlich aller Änderungen).

IEC 61346-1, *Industrial systems, installations and equipment and industrial products – Structuring principles and reference designations – Part 1: Basic rules*

IEC 61511-1, *Functional safety – Safety instrumented systems for the process industry sector – Part 1: Framework, definitions, system, hardware and software requirements*

ISO 10628, *Flow diagrams for process plants – General rules*

ISO 13849-1, *Safety of machinery – Safety-related parts of control systems – Part 1: General principles for design*

Extensible Markup Language (XML) 1.0 (3. Ausgabe), W3C Empfehlung vom 04.02.2004, siehe <http://www.w3.org/TR/2004/REC-xml-20040204/>

3 Begriffe

Für die Anwendung dieses Dokuments gelten die folgenden Begriffe.

3.1
Steller, Aktor[N1]
(en: actuator)
Funktionseinheit, die aus der Reglerausgangsgröße die zur Betätigung des Stellgliedes erforderliche Stellgröße bildet (siehe Bild 1)

ANMERKUNG   Wird das Stellglied mechanisch betätigt, erfolgt seine Verstellung durch einen Stellantrieb. Der Steller steuert in diesem Fall den Stellantrieb.

[IEV 351-28-07]

BEISPIEL   Ein pneumatisches Steuerventil, das direkt auf das zu steuernde Element wirkt, ist ein Steller.

[N1] Nationale Fußnote: Zum verbesserten Verständnis wird im Folgenden die Benennung „Aktor" verwendet.

3.2
angepasste nominale Rohrgröße
(en: adjusted nominal pipe size)
Größe des Rohres für den Prozessanschluss der PCE-Aufgabe basierend auf den Prozessanforderungen für den Fall einer Reduzierung der Rohrdurchmesser

3.3
Oval
(en: bubble)
ovales Symbol zur Angabe der PCE-Kategorie und der Verarbeitungsfunktion einer PCE-Aufgabe sowie zu deren eindeutiger Kennzeichnung

ANMERKUNG   Basierend auf ISA S5.1, Abschnitt 3.

3.4
Funktionsbeschreibung
(en: control narrative)
verbale Beschreibung eines Funktionsplanes

3.5
Auslegungsdruck
(en: design Pressure)
höchster Druck, für den das System oder die Komponente bei dauernder Nutzung konzipiert wurde

[ISO 13628-6, 3.4]

3.6
Auslegungstemperatur
(en: design temperature)
höchste Temperatur, für die das System oder die Komponente bei dauernder Nutzung konzipiert wurde

3.7
Anlagenbetriebsmittelkennzeichen
(en: equipment ID)
eindeutige Kennung eines Anlagenbetriebsmittels

3.8
Anlagenkennzeichen/Rohrkennzeichen
(en: equipment/pipe flag)
eindeutige Kennung eines Anlagenbetriebsmittels oder einer Rohrtype

3.9
Funktionsplan für Ablaufsteuerungen
(en: function chart)
grafisches Hilfsmittel zur symbolischen Darstellung von Ablaufsteuerungen

ANMERKUNG 1   Die symbolische Darstellung von Schritten, Befehlen, Übergängen und Wirkverbindungen wird mittels Boolescher Ein- und Ausgangsgrößen sowie mittels interner Zustandsgrößen und binärer Verzögerungsglieder beschrieben.

ANMERKUNG 2   IEC 60848 enthält Elemente, Regeln und Grundstrukturen für Funktionspläne.

[IEV 351-29-22]

3.10
Begleitheizung
(en: heat tracing)
Heizsystem für Rohre, um deren Einfrieren zu verhindern

DIN EN 62424 (VDE 0810-24):2010-01
EN 62424:2009

**3.11
Begleitheizungstyp**
(en: heat tracing type)
Bauart des Heizsystems für Rohre

BEISPIEL ein Dampf- oder elektrisches Heizsystem

**3.12
Temperatursollwert der Begleitheizung**
(en: heat tracing temperature set point)
Sollwert für den Regler einer Begleitheizung

**3.13
Isoliertyp**
(en: insulation type)
Beschreibung der benutzten Isolierung

BEISPIEL Schalldämmung

**3.14
Isolierdicke**
(en: insulation thickness)
Dicke der Isolierung, die dem Außendurchmesser der Rohrdicke hinzugefügt wird

**3.15
Zwischendatenbank**
(en: intermediate database)
Datenzwischenspeicherungssystem zwischen dem Quell- und dem Ziel-Werkzeug

**3.16
Strompunkt**
(en: material balance point)
Referenzpunkt innerhalb eines R&I-Diagramms für die Prozessauslegung

**3.17
Medienkennzeichen**
(en: medium code)
Abkürzung und Kennzeichen für das Fluid, das durch die Prozessrohrleitung fließt

**3.18
Medienbeschreibung**
(en: medium code description)
Beschreibung eines Stoffstromes in einer Prozessanlage

**3.19
neutrale Datenbank**
(en: neutral database)
Lieferantenunabhängiges Datenspeichersystem

**3.20
PCE-Kategorie**
(en: PCE category)
Kennbuchstabe, der die Art der Aufgabe an die Prozessleittechnik kennzeichnet

ANMERKUNG Im Gegensatz zu anderen Normen verwendet diese Norm die Benennung „PCE-Kategorie" anstelle von „zu messender Variable" (z. B. Temperaturmessung) für die erste Stelle der PCE-Aufgabe. Die PCE-Kategorie nach dieser Norm erlaubt eine eindeutige Identifizierung der Art der PCE-Aufgabe ohne die Notwendigkeit eines zweiten Buchstabens für die Kennzeichnung von Stellgeräten. Es ist nur ein Buchstabe für Sensor- und Stellgerätkennzeichnung der PCE- Aufgabe notwendig.

3.21
PCE-Leitfunktion
(en: PCE control function)
Funktion der PCE-Prozessverarbeitung

ANMERKUNG   Nach IEC 61512-1.

3.22
PCE-Kreis
(en: PCE loop)
Sammlung von PCE-Aufgaben und PCE-Leitfunktionen, die deren funktionalen Zusammenhang darstellt

3.23
PCE-Aufgabe
(en: PCE request)
Aufgabe an die Prozessleittechnik. Jede PCE-Aufgabe wird grafisch dargestellt durch ein Oval, in dem alle Informationen über die Funktionsanforderungen gesammelt sind.

3.24
Rohrleitungsdurchmessers
(en: pipe diameter size)
Nenngröße der entsprechenden Rohrleitung für die Prozessanbindung der PCE-Aufgabe

3.25
Rohrleitungskennzeichen
(en: pipe ID)
Eindeutige Kennzeichnung der Rohrleitung

BEISPIEL   Isometrienummer

3.26
Rohrklasse
(en: pipe specification)
Abkürzung und Kennzeichen von Rohrleitungsbauteilen innerhalb eines Rohrleitungssystems. Sie definiert die Größe, den Werkstoff, den Auslegungsdruck und die Auslegungstemperatur für alle Elemente einer Rohrleitung.

3.27
Leiteinrichtung, Einrichtungen der Prozessleittechnik
(en: process control equipment)
Gesamtheit aller für die Aufgabe des Leitens verwendeten Geräte und Programme sowie im weiteren Sinne auch aller Anweisungen und Programme

ANMERKUNG 1   Zu den Leiteinrichtungen gehört auch die Prozessleitwarte, und zu den Anweisungen gehören auch die Betriebshandbücher.

ANMERKUNG 2   Das Ausrüsten eines Prozesses mit einer Leiteinrichtung wird als Prozessautomatisierung bezeichnet.

[IEV 351-32-32]

3.28
Leitfunktion
(en: process control function)
Verarbeitungsfunktion für Prozessgrößen, die aus leittechnischen Grundfunktionen zusammengesetzt und spezifisch auf bestimmte Funktionseinheiten der Anlage zugeschnitten ist

ANMERKUNG   Neben den auf die Leitebenen bezogenen Leitfunktionen kann es auch Leitfunktionen geben, die Ein- und Ausgangsgrößen über mehrere Leitebenen hinweg verbinden. Beispielsweise beschreibt eine Leitfunktion im Rückführzweig mit der Regelgröße als Eingangsgröße und der Stellgröße als Ausgangsgröße den zusammenhängenden Wirkungsweg vom Messgrößenaufnehmer über den Regler bis zur Beeinflussung des Prozesses über das Stellglied.

Eine weitere Leitfunktion verbindet den Bediener mit den Anzeigegeräten für Prozessgrößen. Die derzeitige Vielfalt der Begriffsbestimmungen von Leitfunktionen lässt deren Normung zurzeit nicht möglich erscheinen.

[IEV 351-31-17]

3.29
Verarbeitungsfunktion
(en: processing function)
Funktion in einem Prozess

ANMERKUNG   Eine Verarbeitungsfunktion ist einer Einzelsteuereinheit nach IEC 61512-1, 3.10 und 5.2.2.4, zugeordnet.

3.30
proprietäre Datenbanken
(en: proprietary database)
spezifische Datenbank eines Lieferanten mit Syntax und/oder Semantik, die keinem Standard entspricht

3.31
Unterlieferant
(en: PU-Vendor)
Lieferant einer abgeschlossenen verfahrenstechnischen Einheit innerhalb einer Prozessanlage

3.32
Referenzkennzeichen
(en: reference designation)
Kennung eines spezifischen Objektes in Bezug auf das System, von welchem das Objekt Bestandteil ist. Es basiert auf einem oder mehreren Aspekten dieses Systems.

ANMERKUNG 1   Nach IEC 61346-1.

ANMERKUNG 2   Die Benennungen „Objekt", „Aspekt" und „System" werden in IEC 61346-1 definiert.

3.33
Schema
XML-basierte Beschreibung von Regeln, mit welcher ein XML-Dokument konform sein muss, um „valide" zu sein in Bezug auf das Schema

ANMERKUNG   Die Definition basiert auf der Extensible Mark-up Language (XML) 1.0 (3. Ausgabe), W3C-Empfehlung, Abschnitt 2.

3.34
Messgrößenaufnehmer, Aufnehmer, Sensor[N2]
Funktionseinheit, die an ihrem Eingang die Messgröße erfasst und an ihrem Ausgang ein entsprechendes Messsignal abgibt

ANMERKUNG 1   Die zugehörige Baueinheit hat dieselbe Benennung.

ANMERKUNG 2   Beispiele für Aufnehmer sind:

    a) Thermoelement;

    b) Dehnungsmessstreifen;

    c) pH-Elektrode.

[IEV 351-32-39 angepasst]

[N2] Nationale Fußnote: Zum besseren Verständnis wird im Folgenden die Benennung „Sensor" verwendet.

DIN EN 62424 (VDE 0810-24):2010-01
EN 62424:2009

3.35
Quelldatenbank
(en: source database)
Datenspeicherungssystem des Quellwerkzeuges

3.36
Zieldatenbank
(en: target database)
Datenspeicherungssystem des Zielwerkzeuges

3.37
Typical
(en: typical (diagram))
Repräsentant eines grafischen Diagramms einzelner Funktionen in einer Datenbank

4 Abkürzungen

Tabelle 1 – Abkürzungen

Abkürzung	Deutsche Benennung	Englische Benennung
CAE	Softwaretechnisch unterstützte Ingenieurarbeit	computer aided engineering
CAEX	Softwaretechnisch unterstützter Austausch für Ingenieurarbeit	computer aided engineering eXchange
CCR	Zentraler Leitstand	central control room
GMP	Richtlinien zur qualitätsgerechten Produktion	good manufacturing practice
N.A.	Nicht anwendbar	not applicable
PCE	Ingenieurtechnische Auslegung der Prozessleittechnik	process control engineering
PCS	Prozessleitsystem	process control system
R&I	Rohrleitungs- und Instrumentierungsfliessbild	P&ID piping and instrumentation diagram
PD	Verfahrenstechnische Auslegung	process design
PL	Performance Level nach ISO 13849-1	performance level
PU	Zugelieferter Anlagenteil	package unit
SIL	Sicherheitsintegritäts-Level nach IEC 61511-1	safety integrity level
SIS	Sicherheitstechnisches System nach IEC 61511-1	safety instrumented system
XML	Erweiterbare Auszeichnungssprache	extensible markup language

5 Konformität

Um Konformität mit dieser Norm in Bezug auf die grafische Darstellung von PCE-Aufgaben in R&I-Fließbildern zu beanspruchen, müssen die Anforderungen von Abschnitt 6 erfüllt sein.

Um Konformität mit dieser Norm in Bezug auf den PCE-relevanten Datenaustausch zu beanspruchen, müssen die Anforderungen aus Abschnitt 7 und die folgenden erfüllt sein.

Der Datenaustausch zwischen dem jeweiligen Werkzeug und CAEX muss durch eine eigene oder integrierte Import/Export-Anwendung durchgeführt werden.

DIN EN 62424 (VDE 0810-24):2010-01
EN 62424:2009

ANMERKUNG   Ihr Ziel ist es, einen Abgleich der Daten der Schnittmenge von Quell- und Zieldatenbank herbeizuführen. Sie kann die Datenbank des jeweiligen Werkzeugs lesen und ihre Daten mit der neutralen Datenbank abgleichen.

Die Export/Import-Anwendung muss die Daten der Schnittmenge beider Datenbanken prüfen, anzeigen und bereitstellen. Die CAEX-Datenbank muss offen für zusätzliche Anwendungen sein.

Die Datenimportfunktion muss während des Imports einen konfigurierbaren Prüfschnitt vornehmen (z. B. regelbasiert), ohne entsprechende Veranlassung darf sie keine Veränderung vornehmen. Diese muss eine Funktionalität zur automatischen oder manuellen Annahme von Datenanpassungen beinhalten mit Wirkung auf ein einzelnes Datum bis hin zu einer Menge von Daten.

Die Import-Anwendung muss alle Änderungen in der eigenen Datenbank und alle entdeckten Dateninkonsistenzen berichten. Die Erzeugung des Berichtes muss konfigurierbar sein. Die Import/Export-Anwendung hat sicherzustellen, dass die Schnittmenge der unterschiedlichen Datenbanken die gleiche Information enthält und dass zusätzliche bereichsspezifische Daten konsistent verarbeitet werden. Die Datenbearbeitung durch eine Projektabteilung ist ein fortlaufender Prozess während des gesamten Projektes und darüber hinaus. Daher muss die Datenerzeugung, -veränderung und -löschung während des Lebenszyklus der Anlage möglich sein.

CAEX-Datenbanken müssen konsistent sein. Dies erfordert eine Überprüfung der Konsistenz, bevor Daten exportiert werden. Dieses Vorgehen muss einer erfolgreichen Datenbearbeitung in einem R&I-Werkzeug oder einem PCE-Werkzeug folgen, um die neue Information in die neutrale Datenbank einzufügen oder auszulesen. Vor jeder Datenveränderung muss der Nutzer darüber informiert und um eine Bestätigung gebeten werden. Die Konsistenzprüfung muss mindestens die folgenden Schritte umfassen und folgenden Anforderungen erfüllen:

Der Datenexport von der Datenquelle zur neutralen Datenbank muss folgende Arbeitsschritte beinhalten:

a) Prüfung der R&I- und PCE-Datenbank zumindest auf:

   1) doppelte PCE-Aufgaben oder Kennzeichen von PCE-Kreisen;
   2) ausgefüllte Pflichtfelder;
   3) korrekten Gebrauch des Nummerierungssystems der PCE-Aufgaben.

   Inkonsistente Daten dürfen nicht exportiert werden.

b) Erzeugung der PCE-relevanten Informationen.

c) Prüfung auf geänderte Informationen im Vergleich zu vormals in der neutralen Datenbank gespeicherten Daten.

d) Die Umbenennung von PCE-Aufgaben muss durch die Exportfunktion unterstützt werden.

e) Ausführen eines Datenexports von der eigenen in die neutrale Datenbank.

   1) Wenn z. B. die PCE-Aufgabe geändert wurde, muss die alte PCE-Aufgabe in der neutralen Datenbank gelöscht werden und die neue muss aus der eigenen Datenbank in die neutrale Datenbank exportiert werden. Informationen über die alte PCE-Aufgabe müssen in einem Backup-Speichersystem gespeichert werden.

   2) Andere Änderungen müssen mit dem vorhandenen Objekt ausgeführt werden.

f) Erzeugung von Berichten nach jedem Datenaustausch:

   z. B. neue PCE-Aufgabenliste, Liste mit fehlenden PCE-Aufgaben, Liste mit geänderten PCE-Aufgaben, Liste mit gelöschten PCE-Aufgaben, Liste mit Problemen und Fehlern.

Ein Datenimport von der neutralen Datenbank in die Zieldatenbank muss folgende Arbeitsschritte beinhalten:

g) Erzeugung von PCE-relevanten Informationen aus der neutralen Datenbank.

h) Prüfung auf geänderte Informationen durch den Vergleich der neutralen Datenbank mit der Zieldatenbank.

i) Durchführung des Datenimportes von der neutralen Datenbank zur eigenen Datenbank.

j) Eine Umbenennung von PCE-Aufgaben muss durch die Importfunktionalität unterstützt werden.

DIN EN 62424 (VDE 0810-24):2010-01
EN 62424:2009

k) Erzeugung von Berichten nach jedem Datenaustausch:

1) z. B. Fehlerlisten;

2) Inkonsistenzen aufgrund von importierten Daten müssen während des Importprozesses durch die Zielanwendung aufgedeckt werden und werden nicht innerhalb dieser Norm betrachtet.

6 Darstellung von PCE-Aufgaben in einem R&I-Fließbild

6.1 PCE-Aufgaben und PCE-Kreis

In einem R&I-Fließbild ist die funktionale Auslegung einer Anlage festgelegt. Details über die technische Ausstattung werden nur angegeben, wenn ein Zusammenhang zwischen dieser und den Funktionen einer Anlage besteht. Folglich beschreibt das R&I-Fließbild Aufgaben an die Prozessleittechnik. Jede PCE-Aufgabe muss im R&I-Fließbild individuell gekennzeichnet werden. Um den Anforderungen der Datenverarbeitung Genüge zu leisten, darf die gleiche Kennzeichnung nicht für verschiedene PCE-Aufgaben verwendet werden. Ein funktionaler Zusammenhang von PCE-Aufgaben wird dargestellt, indem diese einem PCE-Kreis zugeordnet werden. Ein PCE-Kreis hat keine grafische Darstellung. Abhängig von der Vorgehensweise besteht ein PCE-Kreis aus mindestens einer PCE-Aufgabe, darf aber auch aus einer Kombination mehrerer bestehen. Werden PCE-Kreise genutzt, so müssen diese in der Kennzeichnung aller betroffenen PCE-Aufgaben dargestellt werden. Ein Beispiel dieses Konzepts stellt Bild 2 dar.

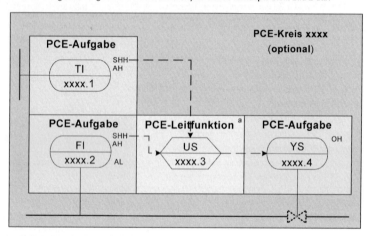

ᵃ Die PCE-Leitfunktion in Bild 2 wird in 6.3.10 definiert.

Bild 2 – Organisation von PCE-Aufgaben[N3]

6.2 Ziele und Grundsätze

Dieser Unterabschnitt definiert die Darstellung der Funktionalität der Prozessleittechnik im R&I-Fließbild. *Technische Details der verwendeten Betriebsmittel dürfen im Allgemeinen nicht dargestellt werden.* Ziel ist es dabei, durch Trennung von Prozess- und Instrumentierungsausführung einen reibungslosen Ablauf der Ausführungsplanung sicherzustellen.

Daher sind die folgenden Punkte in dieser Norm dargelegt:

[N3] Nationale Fußnote: Leitfunktion ist nach 3.2.8 Oberbegriff von Steuerfunktion und Regelfunktion.

DIN EN 62424 (VDE 0810-24):2010-01
EN 62424:2009

1) die PCE-Kategorien und Funktionen;
2) die grafische Darstellung von PCE-Aufgaben in einem R&I-Fließbild;
3) der Art des funktionalen Zusammenhangs zwischen den PCE-Aufgaben: *die Leitfunktionen;*
4) die grafische Darstellung der Signale in einem R&I-Fließbild.

Zusätzlich muss das Kennzeichnungsschema, das für PCE-Aufgaben in einem R&I-Fließbild genutzt wird, angegeben werden.

Detaillierte Informationen über komplexe Leitfunktionen dürfen nicht Teil des R&I-Fließbildes sein. Dafür muss eine zusätzliche Dokumentation erstellt werden (z. B. Funktionsbeschreibungen, Funktionsdiagramme), um die erforderliche Funktionalität festzulegen. Eine Leitfunktion muss individuell gekennzeichnet werden und sollte im R&I-Fließbild dargestellt werden.

6.3 Anforderungen an die Kennzeichnung und Darstellung von PCE-Aufgaben

6.3.1 Allgemein

Jede PCE-Aufgabe muss durch ein Oval, das alle Informationen über die funktionalen Anforderungen enthält, grafisch dargestellt werden. Zur ausführlichen Darstellung aller Informationen einer PCE-Aufgabe sind drei Datenfelder innerhalb und zehn Datenfelder außerhalb des Ovals definiert (siehe Bild 3). Ausführliche Informationen dazu in 6.3.3 bis 6.3.9.

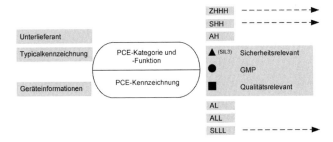

Bild 3 – Allgemeine Darstellung einer PCE-Aufgabe in einem R&I-Fließbild

Wie zuvor festgelegt, muss nur die PCE-Funktionalität im R&I-Fließbild dargestellt werden, nicht die PCE-Ausführung. In Sonderfällen jedoch kann es vorkommen, dass die Darstellung detaillierter Informationen zur Umsetzung unvermeidlich ist, zum Beispiel im Fall eines Multisensor-Elements, das ein Instrument ist, das Messungen für unterschiedliche Kategorien erzeugt. Jede Kategorie muss durch ihr eigenes Oval dargestellt werden. Die Ovale werden nach Bild 4 gestapelt.

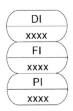

Bild 4 – Multisensor-Element

DIN EN 62424 (VDE 0810-24):2010-01
EN 62424:2009

In allen Fällen, wo die PCE-Aufgabe in Verbindung zu Betriebsmitteln oder der Rohrleitung steht, muss dies durch eine durchgezogene Linie dargestellt werden, die das Oval mit dem Betriebsmittel oder der Rohrleitung verbindet.

6.3.2 Arten von Linien

Signallinien werden zur Darstellung des funktionalen Zusammenhangs zwischen PCE-Aufgaben genutzt. Eine Signallinie muss als gestrichelte Linie mit einem Pfeil dargestellt werden, um den Informationsfluss zu definieren. Die Quelle des Informationsflusses muss ein Oval einer PCE-Leitfunktion, einer PCE-Aufgabe oder einer Schaltfunktion, die aus den sechs Feldern außerhalb des Oval besteht, sein. Die Senke des Informationsflusses muss ein Oval einer PCE-Aufgabe oder eine PCE-Leitfunktion sein.

Prozessverbindungen müssen durch eine durchgezogene richtungslose Linie dargestellt werden. Multisensor-Elemente mit nur einer Prozessverbindung müssen ein separates Oval für jede Kategorie haben und nur eine Prozessverbindung.

6.3.3 Darstellung des Ortes der Bedienoberfläche

Jede PCE-Aufgabe wird grafisch durch ein Oval dargestellt. Diese Norm unterscheidet als Ort der Bedienoberfläche zwischen lokal, in einem lokalen Schaltpult und in einem zentralen Leitstand. Der Ort spiegelt keine Umsetzung in den Systemen wider.

Eine lokale Bedienoberfläche muss wie in Bild 5 dargestellt werden. Es könnte z. B. ein Manometer sein.

Bild 5 – Lokale Bedienoberfläche

Eine Aktion/Information des Bendieners an einem lokalen Schaltpult (nicht im zentralen Leitstand) muss wie in Bild 6 dargestellt werden.

Bild 6 – Manuell betätigter Schalter in einem lokalen Schaltpult

Fernabfragen, die von einem zentralen Leitstand aus durchgeführt werden, müssen wie in Bild 7 dargestellt werden.

Bild 7 – Druckanzeige in einem zentralen Leitstand

6.3.4 PCE-Kategorien und -Verarbeitungsfunktionen

6.3.4.1 Anzeige von PCE-Kategorien und -Verarbeitungsfunktionen

Der obere Teil des Ovals muss die Information über die PCE-Kategorie sowie seine PCE-Verarbeitungsfunktion enthalten. Jedes Oval muss mindestens eine PCE-Kategorie haben und eine PCE-Verarbeitungsfunktion. Ausnahmen von der PCE-Verarbeitungsfunktion siehe 6.3.4.3.

6.3.4.2 PCE-Kategorien

Der erste Buchstabe bezeichnet die PCE-Aufgabe und muss aus Tabelle 2 gewählt werden, wenn die zu messende oder Eingangsvariable in dieser Tabelle aufgeführt ist. Wenn dies nicht der Fall ist, darf eine neue Kategorie definiert werden. Eine eindeutige Definition wird empfohlen, um dem PLT-Ingenieur eine Übernahme in die Gerätespezifikation zu ermöglichen. Im Fall von Änderungen der Kategorien nach Tabelle 2 darf eine Kodierung über den Buchstaben X, wie in Fußnote (b) beschrieben, verwendet werden.

Ein Zweitbuchstabe für die PCE-Kategorie darf nicht genutzt werden, um im Fall der Übernahme in die Gerätespezifikation Fehlinterpretationen zu vermeiden[N4].

Tabelle 2 – PCE-Kategorien

Erstbuchstabe	PCE-Kategorie
A	Analyse
B	Flammenüberwachung
C	(a)
D	Dichte
E	Elektrische Spannung
F	Durchfluss
G	Abstand, Länge, Stellung
H	Handeingabe, Handeingriff (hiermit sind alle Eingriffe und Eingaben durch den Menschen zu kennzeichnen)
I	Elektrischer Strom
J	Elektrische Leistung
K	Zeitbasierte Funktionen
L	Füllstand
M	Feuchte
N	Motor (c)
O	(a)
P	Druck
Q	Menge oder Anzahl
R	Strahlungsgrößen
S	Geschwindigkeit, Drehzahl, Frequenz
T	Temperatur
U	N.A. (siehe 6.3.10)
V	Schwingung
W	Gewicht, Masse, Kraft
X	(b)
Y	Stellventil (c)
Z	(a)

(a) Die Verwendung dieses Buchstabens sollte vom Anwender definiert werden.

(b) Der nicht klassifizierte Buchstabe X ist dazu vorgesehen, nicht aufgelistete Bedeutungen abzudecken, die nur einmal oder begrenzt genutzt werden. Wenn er benutzt wird, darf er eine beliebige Anzhal von Bedeutungen als PCE-Kategorie und eine beliebige Anzahl von Bedeutungen als PCE-Funktion annehmen.

(c) Der Gebrauch von N für motorgesteuerte Stellorgane und Y für Stellventile basiert auf verschiedenen PCE-Tätigkeiten und Instandhaltungsanforderungen an beide Arten von Stellorganen. Außerdem ist angesichts des erhöhten Instandhaltungsbedarfs in der Anlage die sofortige Erkennung für die Übertragung der Daten und zugehöriger Attribute des Aktors zum Instandhaltungssystem notwendig.

[N4] Nationale Fußnote: Die Verwendung eines Zweitbuchstabens als Ergänzungsbuchstabe, wie in der DIN 19227-1, Tabelle 3 noch empfohlen, verhindert den automatischen Datentransfer und die nachfolgende Zuweisung in der ingenieurtechnischen Auslegung.

DIN EN 62424 (VDE 0810-24):2010-01
EN 62424:2009

6.3.4.3 PCE-Prozessverarbeitungsfunktionen

Beginnend mit dem zweiten Buchstaben müssen die aufeinanderfolgenden Buchstaben *im oberen Teil* des Ovals die Verarbeitungsfunktion der PCE-Aufgabe darstellen. Die Buchstaben nach Tabelle 3 müssen genutzt werden, um die Verarbeitungsfunktion einer PCE-Aufgabe anzuzeigen.

Tabelle 3 – PCE-Verarbeitungsfunktion

Folgebuchstabe	Verarbeitungsfunktion
A	Alarm, Meldung
B	Beschränkung, Eingrenzung
C	Regelung
D	Differenz
E	N.A.
F	Verhältnis
G	N.A.
H	oberer Grenzwert, an, offen
I	Analoganzeige
J	N.A.
K	N.A.
L	unterer Grenzwert, aus, geschlossen
M	N.A.
N	N.A.
O	Lokale oder PCS-Statusanzeige von Binärsignalen
P	N.A.
Q	Integral oder Summe
R	Aufgezeichneter Wert
S	Binäre Steuerungsfunktion oder Schaltfunktion (nicht sicherheitsrelevant)
T	N.A.
U	N.A.
V	N.A.
W	N.A.
X	(b)
Y	Rechenfunktion
Z (a)	Binäre Steuerungsfunktion oder Schaltfunktion (sicherheitsrelevant)
(a) Das *Dreieck* am PCE-Aufgabensymbol darf auch benutzt werden, um auf redundante Weise anzuzeigen, dass die Prozessverarbeitungsfunktion sicherheitsrelevant ist (siehe Bild 3).	
(b) Der nicht klassifizierte Buchstabe X ist dafür vorgesehen, nicht aufgeführte Bedeutungen, die nur einmal oder in begrenztem Umfang verwendet werden, zu bezeichnen. Wenn er benutzt wird, darf er eine beliebige Anzahl von Bedeutungen als PCE-Kategorie und eine beliebige Anzahl von Bedeutungen als PCE-Funktion annehmen.	

Die Buchstaben I und R beziehen sich auf das Ergebnis der vorangehenden Verarbeitungsfunktion, z. B. bedeutet FIQI die Anzeige eines Durchflusses und seiner Menge.

Die PCE-Verarbeitungsfunktionen A, H, L, O, S und Z dürfen nur außerhalb des Ovals verwendet werden. In diesem Fall darf die PCE-Kategorie als einzelner Wert im oberen Teil des Ovals stehen. Zusätzlich wird eine genaue Angabe zur Signalinformation (siehe 6.3.2) für die Prozessleittechnik automatisch in die Gerätespezifikation übernommen.

Werden PCE-Verarbeitungsfunktionen kombiniert, so ist die Reihenfolge nach Tabelle 4 einzuhalten. Dabei ist in der Tabelle von links nach rechts und in einer Spalte von oben nach unten vorzugehen.

Tabelle 4 – Reihenfolge der Kombinationen

PCE-Verarbeitungsfunktion		1	2	3	4
Siehe Tabelle 3	1	F	D	Y	C
	2	B	Q	X	

6.3.4.4 PCE-Verarbeitungsfunktion für Aktoren

Die PCE-Verarbeitungsfunktionen müssen für Aktoren und Sensoren in gleicher Weise verwendet werden. Einige Beispiele werden in Tabelle 5 gezeigt.

Tabelle 5 – PCE-Verarbeitungsfunktionen für Aktoren

PCE-Kategorie und -Verarbeitungsfunktion	Bedeutung
YS	Auf/Zu-Ventil
YC	Stellarmatur
YCS	Stellarmatur mit Auf/Zu-Funktion
YZ	Auf/Zu-Ventil (sicherheitsrelevant)
YIC	Stellarmatur mit kontinuierlicher Stellungsanzeige
NS	An/Aus-Motor
NC	Motorsteuerung

Der Antrieb des Stellventils, z. B. elektrisch, pneumatisch oder hydraulisch, wird im Oval des R&I-Fließbildes nicht dargestellt.

Die grafische Darstellung des Betriebsmittels Ventil im R&I-Fließbild einschließlich weiterer Funktionsdetails mit den Symbolen nach ISO 10628 kann im CAEX-Modell nicht verwendet werden. Solche Details müssen in der Datenbank hinterlegt werden.

6.3.5 Referenzkennzeichnung für PCE-Aufgaben

Ein Referenzkennzeichnung (z. B. IEC 81346-1) zur eindeutigen Identifizierung einer PCE-Aufgabe muss verwendet werden. Diese Referenzkennzeichnung muss unabhängig von der PCE-Verarbeitungsfunktion der PCE-Aufgabe sein und im unteren Teil des Ovals dargestellt werden. Vorhergehende Kennzeichnungsstufen (z. B. Anlage, Betrieb, Teilanlage, Bereich) dürfen im Oval ausgelassen werden, wenn die Aufgabe innerhalb des R&I-Fließbildes eindeutig ist (siehe Bild 8). Wenn PCE-Aufgaben in einem PCE-Kreis kombiniert werden, muss ihre Kennzeichnung auf getrennten Ebenen, einmal für den Kreis und einmal für die Leitfunktion, erfolgen.

DIN EN 62424 (VDE 0810-24):2010-01
EN 62424:2009

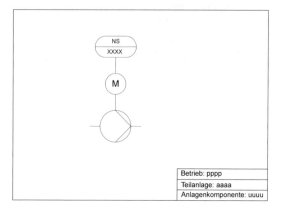

ANMERKUNG   In dem Oval der dargestellten Aufgabe ist lediglich die letzte Ebene des Referenzkennzeichnungssystems dargestellt. Die Information über Betrieb, Bereich und Teilanlage ist in der rechten unteren Ecke ersichtlich. Somit lautet die vollständige Referenzkennezeichnung der Aufgabe: pppp-aaaa-uuuu-xxxx.

Bild 8 – Beispiel einer Referenzkennzeichnung einer PCE-Aufgabe

6.3.6   Unterlieferant und Typicalkennzeichnung

Falls vorhanden, muss die Information zu einem Unterlieferanten oberhalb der horizontalen Linie eingetragen werden, jedoch außerhalb des Messstellensymbols auf seiner oberen linken Seite, wie in Bild 9 dargestellt. Wenn dieses Feld nicht für Informationen zu Unterlieferanten genutzt wird, darf es zur Darstellung anderer projektspezifischer Angaben genutzt werden.

Bild 9 – Beispiel: Durchflussmessung mit Anzeige im zentralen Leitstand, geliefert von Lieferant A, Realisierung gemäß Typical A20

Um die automatische Erstellung von PCE-Kreisen, PCE-Aufgaben und Referenzkennzeichen in einem CAE-Werkzeug zu unterstützen, sollte, besonders bei Motoraufgaben, in der oberen linken Ecke außerhalb des Ovals die Nummer des „Typicals" angezeigt werden. Diese wird durch das Projektteam festgelegt und zur Darstellung mehrerer einzelner PCE-Aufgaben als Platzhalter genutzt, z. B. zur Darstellung der Motoransteuerung (nur mit Start-Stop, mit Start-Stop und Laufmeldung oder mit aktuellen Messwerten) oder zur Kombination von Messsystemen.

6.3.7   Geräteinformationen

Wenn aufgrund der PCE-Kategorie zusätzliche Informationen zum Gerät benötigt werden (z. B. bei Messblenden zur Durchflussmessung), so muss dies im unteren Bereich außerhalb des Ovals auf der linken Seite dargestellt werden (siehe Bild 10).

Bild 10 – Beispiel: pH-Messung mit Anzeige im zentralen Leitstand

23

170

6.3.8 Alarmierung, Schaltung und Anzeige

Die Buchstaben H und L dürfen als PCE-Verarbeitungsfunktionen in Kombination mit A, O, S oder Z bei Erreichen der Grenzen nur verwendet werden, wenn eine automatische Aktion (S oder Z), eine Alarmierung (A) oder eine Anzeige (O) ausgelöst wird. Auf jeder Ebene (z. B. H, HH, HHH) muss es möglich sein, die Alarm- und die Schaltfunktion zu kombinieren, z. B. AS oder AZ. Diese Funktionen müssen immer außerhalb des Messstellensymbols angezeigt werden, wie in Bild 11 dargestellt. Eine Anzeige bis zu drei Ebenen für den oberen wie auch den unteren Alarm-/Schaltungs-/Anzeigewert muss möglich sein.

Bild 11 – Beispiel: Durchflussmessung mit Anzeige im zentralen Leitstand und oberem wie auch unterem Alarm

Die Darstellung muss in der Reihenfolge <Verarbeitungsfunktion><Alarmebene> sein. Die Reihenfolge der Verarbeitungsfunktionen muss O, A, S, Z sein.

Die Darstellung muss von der Ebene der Schaltung/Alarmierung her eindeutig sein. Eine Schaltung muss mit einer Steuerfunktion oder einem Aktor, beginnend mit SH, SHH, SHHH, SL, SLL oder SLLL-Symbolen, verbunden sein, wie in Bild 12 zu sehen ist.

Bild 12 – Durchflussmessung mit Anzeige im zentralen Leitstand, Hoch-Alarm und Hoch-Hoch-Schaltung

Die Kombination von Bild 11 und Bild 12 mit zusätzlichen sicherheitsrelevanten Schaltungen darf wie in Bild 13 dargestellt verwendet werden.

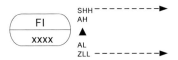

Bild 13 – Durchflussmessung mit Anzeige im zentralen Leitstand, Hoch-Alarm, Hoch-Hoch-Schaltung, einem Tief-Alarm und Tief-Tief-Schaltung für eine Sicherheitsfunktion

6.3.9 Sicherheits-, GMP- und qualitätsrelevante PCE-Aufgaben

Außerhalb des Ovals sollte ein Kreissymbol als Anzeige für GMP-relevante Sensoren oder Aktoren verwendet werden und ein Quadrat für die Anzeige einer qualitätsrelevanten PCE-Aufgabe. Ein Dreieck sollte für eine Sicherheitsfunktion (kategorisiert durch SIL oder PL) genutzt werden (siehe Bild 14).

Bild 14 – Eine GMP-relevante, eine sicherheitsrelevante und eine qualitätsrelevante Durchflussmessung mit Anzeige im zentralen Leitstand

Diese Symbole müssen so nah wie möglich rechts an die Ovale gesetzt werden. Schneiden von Signalleitungen, die im Zentrum verbunden sind, ist annehmbar.

6.3.10 PCE-Leitfunktionen

PCE-Leitfunktionen beinhalten im Wesentlichen den funktionalen Zusammenhang zwischen Sensoren und Aktoren. Sie sind die „Bausteine", die Elemente der gesamten Prozessfunktionalität. Meist werden sie durch die Konfiguration des Prozessleitsystems technisch umgesetzt. Sicherheitsbezogene Leitfunktionen werden üblicherweise durch SIS-Konfigurationen nach IEC 61511-1 implementiert.

Bei einfachen Konfigurationen, z. B. ein Sensor und ein Antrieb, wo der Zusammenhang eindeutig im R&I-Fließbild dargestellt werden kann, sollte die PCE-Leitfunktion ausgelassen werden.

Das Symbol für die PCE-Leitfunktion ist ein Sechseck. Dieses Sechseck, siehe Bild 15, symbolisiert die Leitfunktionalität, die als Eingabe einen oder mehrere Sensoren und als Ausgabe einen oder mehrere Aktoren hat.

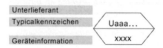

Bild 15 – PCE-Leitfunktion

Das Sechsecksymbol muss mit Signalleitungen (siehe 6.3.2) zu den verschiedenen Ovalen, die die betreffende PCE-Aufgaben darstellen, verbunden werden (siehe Anhang B). Die Pfeile stellen die Richtung der Information dar (Sensor zu PCE-Leitfunktion und PCE-Leitfunktion zu Aktor).

Falls vorhanden, muss die Information über den Unterlieferanten oberhalb der horizontalen Linie eingetragen werden, jedoch außerhalb des Sechsecks auf der oberen linken Seite. Wenn dieses Feld nicht für Informationen zu Unterlieferanten genutzt wird, darf es zur Darstellung anderer projektspezifischer Angaben genutzt werden.

Um die automatische Erstellung von PCE-Kreisen, PCE-Aufgaben und Referenzkennzeichnungen in einem CAE-Werkzeug zu unterstützen, sollte, besonders bei der funktionalen Planung, in der oberen linken Ecke außerhalb des Rechtecks die Nummer des Typicals angegeben werden.

Für sicherheitsrelevante Leitfunktion, UZ..., muss die geforderte SIL (oder PL) im unteren linken Bereich außerhalb des Sechsecks stehen, wie in Bild 16 zu sehen ist. Andere wichtige Informationen, z. B. eine 2oo3-Konfiguration, sollten soweit erforderlich hinzugefügt werden. Für nicht sicherheitsgerichtete Leitfunktionen sollte dieses Feld für zusätzliche wichtige Informationen genutzt werden.

Bild 16 – Sicherheitsrelevante PCE-Leitfunktion

Die PCE-Leitfunktionen müssen getrennt gekennzeichnet werden. Sie müssen eindeutig innerhalb des verwendeten Referenzkennzeichnungssystems gekennzeichnet werden. Diese Referenzkennzeichnung muss unabhängig von der PCE-Verarbeitungsfunktion der PCE-Leitfunktion sein und im unteren Teil des Ovals dargestellt werden. Vorhergehende Kennzeichnungsstufen (z. B. Anlage, Betrieb, Teilanlage, Bereich) dürfen im Oval ausgelassen werden, wenn die Aufgabe innerhalb des R&I eindeutig ist (siehe 6.3.5). Wenn PCE-Leitfunktionen in einem PCE-Kreis kombiniert werden, dann muss ihre Kennzeichnung auf getrennten Ebenen, einmal für den Kreis und einmal für die Leitfunktion, erfolgen.

Die genaue und vollständige Funktion einer PCE-Steuerfunktion U muss in einem gesonderten Dokument dokumentiert sein, das die U-Kennzeichnung in der Überschrift trägt.

Der obere Teil des Sechseck-Symbols muss Uaaa enthalten, wobei a eine oder mehrere der PCE-Verarbeitungsfunktionen A, C, D, F, Q, S, Y oder Z ist (siehe Tabelle 3).

Es ist beispielsweise möglich, dass eine PCE-Leitfunktion US teilweise die Bedeutung einer PCE-Leitfunktion UZ hat. In diesem Fall muss sie die Kennzeichnung USZ erhalten. Jede PCE-Leitfunktion USZ muss mindestens einen Sensor und einen Aktor, der sicherheitsrelevant ist, haben. Das heißt, dass mindestens ein Sensor und ein Aktor, die mit einem USZ verbunden sind, Z als Verarbeitungsfunktion haben.

7 Neutraler Datenaustausch der PCE-relevanten R&I-Informationen

7.1 Ziele

R&I-Fließbilder enthalten unterschiedliche, für die Prozessleittechnik wichtige Informationen. In Abschnitt 6 ist festgelegt, wie die grundlegenden Systeminformationen bezüglich der PCE-Aufgaben und deren prozessrelevanter Funktionalität in einem R&I-Fließbild dargestellt werden müssen. Die Festlegungen betreffen vor allem die grafische Darstellung, jedoch auch strukturelle und semantische. In diesem Abschnitt werden diese strukturellen und semantischen Festlegungen auf eine halbformale Weise abgebildet. Dafür wird die Systembeschreibungssprache CAEX (siehe Anhang A) verwendet. Für diese Sprache enthält der Anhang C eine XML-Darstellung, welche einen offenen Austausch der modellierten Daten zwischen dem R&I-System und den PCE-Systemen erlaubt.

7.2 Bedeutung der R&I-Elemente

Ein R&I-Fließbild stellt eine Anlage (oder einen Teil von ihr) in ihren Funktionen als physikalische Gerüststruktur dar. Die Aspekte sind der Fluss der Stoffe durch die Behälter und Rohre, die physikalischen Betätigungen (Pumpen, Rührwerke, elektrische Heizung), das Zusammenspiel zwischen den physikalischen und den Leitfunktionen (PCE-Aufgaben) und die hauptsächlichen Abhängigkeitsbedingungen der Leitfunktionen untereinander.

R&I-Fließbilder, welche die PCE-Aufgaben entsprechend dieser Norm darstellen, machen die funktionalen Anforderungen (Rollen) sichtbar und nicht den Zusammenbau der Betriebsmittel. Eine dargestellte Pumpe symbolisiert nicht das Betriebsmittel „Pumpe", sondern die Aufgabe. An dieser Stelle wird das Attribut einer „Pumpfunktion" benötigt. Zusätzliche Anforderungsattribute, ähnlich dieser Pumpfunktion, wie „Fließgeschwindigkeit", „Zuströmdruck" usw. können hinzugefügt werden.

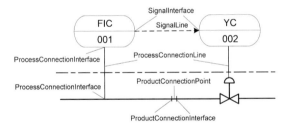

Bild 17 – R&I-Elemente und Verbindungen (PCE-relevante Positionen sind mit schwarzen Linien gekennzeichnet)

R&I-Fließbilder zeigen grafisch den funktionalen Zusammenhang zwischen den Elementen. In dem Beispiel in Bild 17 werden die vier wichtigsten Klassen von Verbindungen dargestellt.

ANMERKUNG   Eine grafische Darstellung von Betriebsmitteln in R&I-Fließbildern, die weitere Funktionsdetails nach ISO 10628 enthalten, kann im CAEX-Modell nicht verwendet werden. Solche Details werden in einer Datenbank hinterlegt.

26

DIN EN 62424 (VDE 0810-24):2010-01
EN 62424:2009

a) Signalverbindungen:

Signalverbindungen werden, wie in Abschnitt 6 angegeben, durch eine gestrichelte Linie dargestellt, die als „Signallinie" („SignalLine") bezeichnet wird. Die Signallinie symbolisiert die funktionale Wirkung der PCE-Aufgaben untereinander und nicht die elektrischen Leitungen.

b) Prozessverbindungen:

Prozessverbindungen werden, wie im Abschnitt 6 angegeben, durch eine einfache Linie dargestellt, die als „Prozessverbindungslinie" („ProcessConnectionLine") bezeichnet wird. Die Prozessverbindungslinie symbolisiert den Informationsfluss zwischen leittechnischen Geräten und prozesstechnischen Geräten oder Betriebsmitteln. Die Prozessverbindungslinie symbolisiert nur die funktionale Verknüpfung zwischen einer PCE-Aufgabe und dem Strompunkt, aber keine tatsächliche Verbindung von Betriebsmitteln.

c) Produktverbindungen:

Produktverbindungen symbolisieren den Anschluss zweier Anlagenteile miteinander und die Möglichkeit der Stoff-Weiterleitung zwischen diesen (Rohr-Rohr, Rohr-Behälter). Die Eigenschaften und die Art dieser Verbindung sind nicht Bestandteil dieser Norm.

d) Mechanische Verbindungen:

Mechanische Verbindungen symbolisieren die mechanische Kopplung innerhalb der Betätigungselemente (Antrieb-Ventil, Motor-Pumpe). Die Eigenschaften und die Art dieser Verbindungen sind nicht Bestandteil dieser Norm.

7.3 PCE-relevante Informationen der R&I-Werkzeuge

Außer den allgemeinen Struktur- und Funktionsinformationen verarbeiten R&I-Werkzeuge eine Vielzahl anderer Informationen, die unmittelbare Bedeutung für die Prozessleittechnik haben:

a) Steuerungsinformationen

PCE-Aufgaben, Prozessverbindungen, Signallinien mit all ihren Attributen und Schnittstellen, wie in Abschnitt 6 beschriebenen, enthalten die für die Prozessleittechnik benötigten, prozessrelevanten Informationen.

b) Zusätzliche Informationen

Die R&I-Werkzeuge unterstützen in vielen Fällen zusätzlich prozessrelevante oder die Technologie betreffende Funktionsanforderungen, die die Prozessverbindungen betreffen. Beispiele dafür sind der maximale Druck, Rohrdurchmesser, das Medium betreffende Informationen usw. Diese Informationen sind für die PCE-Werkzeuge normalerweise ebenfalls wichtig. Die wichtigsten zusätzlichen Parameter sind im Abschnitt 8 angegeben.

7.4 PCE-relevante Informationen in der formalen Darstellung der R&I-Werkzeuge

7.4.1 Allgemeines

Das R&I-Fließbild ist die wichtigste Schnittstelle zwischen der Prozesstechnik und der Prozessleittechnik. Es ist grundsätzlich wichtig, nicht nur eine Norm für die grafische Darstellung der PCE-relevanten Informationen, sondern auch für das Format des Datenaustausches zu haben, das einen offenen Informationsfluss zwischen R&I- und PCE-Werkzeugen unterstützt.

Das PCE-Datenmodell für die in Abschnitt 6 beschriebenen PCE-relevanten Informationen ist in Bild 18 dargestellt.

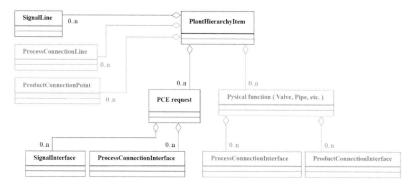

Bild 18 – Prozess-Datenmodell (PCE-relevante Positionen sind mit schwarzen Linien gekennzeichnet)

Durch die Festlegungen nach Abschnitt 6 ergibt sich Folgendes:

- Ein Anlagenhierarchieelement (PlantHierarchyItem) ist ein logisches Element, in dem PCE-Aufgaben, Signallinien, physikalische Funktionen, Prozessverbindungslinien und Produktverbindungspunkte zusammengefasst sind. Die nicht fett gedruckten Objekte im Bild 18 sind nicht Bestandteil dieser Norm. Anlagenhierarchieelemente können weitere ineinander geschachtelte Anlagenhierarchieelemente aufnehmen (dies erlaubt ein hierarchisches Herunterbrechen der Anlagenstruktur).

- Jede PCE-Aufgabe enthält 0...n Prozessverbindungsschnittstellen (ProcessConnectionInterface) und 0...n Signalschnittstellen (SignalInterface).

- Jedes Anlagenhierarchieelement, jede PCE-Aufgabe, Signallinie, Prozessverbindungsschnittstelle und Signalschnittstelle muss einen Attributsatz besitzen.

- Jede PCE-Aufgabe ist Teil eines und nur eines Anlagenhierarchieelements.

- Leitfunktionen müssen auf die gleiche Weise wie PCE-Aufgaben gehandhabt werden, enthalten aber keine Prozessverbindungsschnittstellen.

7.4.2 Modellieren PCE-relevanter Informationen mit der Systembeschreibungssprache CAEX

Die Systembeschreibungssprache CAEX bietet ein Schema, das einen Austausch von CAE-Daten mit Hilfe einer XML-Datei unterstützt. Die Syntax von CAEX und die in dieser Norm festgelegte Semantik lassen den Austausch von Instanzdaten (Anlagendaten), Typdaten (Klassenangaben) sowie vollständiger Bibliotheken zu. Des Weiteren wird das Revisionsmanagement unterstützt.

Das XML-Schema von CAEX und das zugrunde liegende Konzept werden in Anhang A (normativ) spezifiziert und erläutert. Das Dateischema ist in Anhang C (normativ) angegeben. Beispiele werden in Anhang D (informativ) gezeigt.

7.4.3 Grundlegende CAEX-Abbildungen

CAEX unterstützt objektorientierte Konzepte, z. B. Klassen und Instanzen. Klassen sind vordefinierte typische Objektinformationen, nachfolgend als „Schablone" (template) bezeichnet. Instanzen sind konkrete Objektinformationen und werden als Vorgang individuell betrachtet. Instanzen werden nachfolgend auch als „konkrete" Objekte (concrete objects) bezeichnet.

a) CAEX-Darstellungen der Schablonen für PCE-Aufgaben, Schnittstellen und Anlagenhierarchieelemente

Die Schablone für eine PCE-Aufgabe und eine Signallinie muss vordefiniert sein, und zwar als CAEX-Rollenklasse (RoleClass), z. B. „PCE_Request" und „SignalLine". Diese vordefinierten Rollenklassen legen die für den Datenaustausch erforderlichen Standardattribute und die Standardschnittstellen fest. Ein Beispiel für eine CAEX-Rollenklassenbibliothek ist in D.2 angegeben.

DIN EN 62424 (VDE 0810-24):2010-01
EN 62424:2009

Eine Schablone für allgemeine Schnittstellen muss als CAEX-Schnittstellenklasse vordefiniert sein, z. B „SignalSource", „SignalSink", „ActuatorSource", „SignalNode", „AlarmSource", „SensorLink" und „IndicationSource". Ein Beispiel für eine Bibliothek einer CAEX-Schnittstellenklasse ist in D.1 angegeben.

Eine Schablone für ein Anlagenhierarchieelement darf als CAEX-Rollenklasse vordefiniert sein, z. B „PlantHierarchyItem", welche die typischen Eigenschaften eines Anlagenhierarchieelements festlegt. Diese Festlegungen sind nicht Bestandteil dieser Norm.

b) CAEX-Darstellung eines konkreten Anlagenhierarchieelements

Ein konkretes Anlagenhierarchieelement muss in CAEX durch ein internes Element (InternalElement) mit einer wahlfreien Verbindung zu einer Rollenklasse „PlantHierarchyItem" dargestellt werden. Interne Elemente dürfen weitere interne Elemente als ineinander geschachtelte Objekte aufnehmen. Dies erlaubt die Festlegung der gewünschten strukturellen Untergliederung.

c) CAEX-Darstellung einer konkreten PCE-Aufgabe

Die zu einem bestimmten Anlagenhierarchieelement gehörige konkrete PCE-Aufgabe muss in CAEX als internes Element innerhalb des Anlagenhierarchieelements, welches mit einer Rollenklasse „PCE_Request" verbunden ist, dargestellt werden. Die Bezeichnung des internen Elements entspricht der Bezeichnung der PCE-Aufgabe. In der verbundenen Rollenklasse „PCE_Request" stehen allgemeine Attribute und Schnittstellen zur Verfügung, die konkreten Aufgaben der PCE-Aufgabe und die erforderlichen Schnittstellen (Attributwerte) müssen in den Rollenaufgaben (RoleRequirement) des internen Elements (InternalElement) abgelegt werden. Wenn erforderlich, müssen dort zusätzliche Attribute und Schnittstellen, die nicht in der Rollenklasse vordefiniert sind, hinzugefügt werden.

ANMERKUNG   In einem späteren Stadium der ingenieurtechnischen Auslegung kann das gleiche interne Element zusätzlich einer entsprechenden Anlagenkomponentenklasse (SystemUnitClass), welche die konkrete technische Umsetzung der PCE-Aufgabe darstellt, zugeordnet werden.

Bild 19 veranschaulicht das Datenmodell einer PCE-Aufgabe. Eine PCE-Aufgabe muss aus 1…n Schnittstellen und einem Attributsatz bestehen, welcher durch zusätzliche Attribute und Schnittstellen erweitert werden darf. Außerdem werden allgemeine Schnittstellen dargestellt.

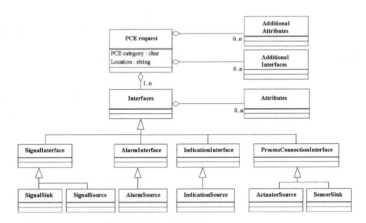

Bild 19 – Datenmodell einer PCE-Aufgabe

Jede konkrete PCE-Aufgabe verfügt in Bezug auf den Signalausgang ihrer Verarbeitungsfunktion über mindestens eine Signalschnittstelle oder eine Prozessverbindungsschnittstelle. Eine PCE-Aufgabe ohne eine Schnittstelle ergibt keinen Sinn.

Jede PCE-Aufgabe muss (obligatorisch) die folgenden Attribute besitzen:

- PCE-Kategorie (siehe Tabelle 2)
- Ort der Bedienoberfläche (lokal, lokales Schaltpult, zentral)

Jede PCE-Aufgabe sollte (optional) eine oder mehrere der folgenden Attribute besitzen:

- Unterlieferant (Zeichenkette, en: string)
- Typicalkennzeichen (Zeichenkette)
- Geräteinformation (Zeichenkette)
- Verarbeitungsfunktion (Zeichenkette) – (siehe Tabelle 3)
- GMP-relevant (logischer Term, en: Boolean)
- sicherheitrelevant (logischer Term)
- qualitätsrelevant (logischer Term)

Zusätzliche PCE-relevante Attribute sind in Abschnitt 8 festgelegt.

Die grafischen Symbole für eine PCE-Aufgabe – Oval oder Sechseck – führen keine weiteren Informationen mit und werden nicht auf das CAEX-Modell abgebildet.

d) CAEX-Darstellung der konkreten Signallinien

CAEX bietet zwei Konzepte, um Signallinien abzubilden. Bei dem ersten wird eine Signallinie zwischen zwei PCE-Aufgaben innerhalb eines Anlagenhierarchieelements durch eine interne Verbindung (InternalLink) des übergeordneten Anlagenhierarchieelements, welches die entsprechenden Schnittstellen der beiden PCE-Aufgaben direkt verbindet, dargestellt. Interne Verbindungen unterstützen keine Eigenschaften, deshalb können nur einfache Zusammenhänge dargestellt werden. Für diese Signallinien ist ein Beispiel in D.3 angegeben. Die zweite Möglichkeit ist, dass die Signallinie selbst als CAEX-Objekt dargestellt wird.

Wenn die Signallinie selbst als Objekt mit eigenen Eigenschaften betrachtet wird, muss sie in CAEX als ein internes Element mit einer zugehörigen Rollenklasse „SignalLine" dargestellt werden. Eine Signallinie verwendet zwei externe Schnittstellen, welche als „Seite A" und „Seite B" zu bezeichnen sind. Die Verbindung zwischen zwei PCE-Aufgaben wird sowohl durch ein internes Element für beide PCE-Aufgaben als auch durch ein internes Element für die Signallinie modelliert. Darüber hinaus sind zwei interne Verbindungen zu definieren: eine verbindet die Schnittstelle der Quelle der PCE-Aufgabe mit der Schnittstelle der Seite A der Signallinie und eine zweite interne Verbindung verknüpft die Schnittstelle der Seite B der Signallinie mit der Schnittstelle der Senke der zweiten PCE-Aufgabe.

Eine Signallinie zwischen zwei Anlagenhierarchieelementen derselben Hierarchiestufe ist genauso darzustellen wie eine Signallinie zwischen zwei PCE-Aufgaben, welche die entsprechenden Schnittstellen der zwei Anlagenhierarchieelemente verbinden. Für diese Signallinien ist ein Beispiel in Bild 20 angegeben.

e) CAEX-Darstellung der konkreten Schnittstellen

Mit Schnittstellen lassen sich die Objektverknüpfungen definieren. Die der Rollenklasse „PCE_Request" zugehörigen PCE-Aufgaben übernehmen die vordefinierten Schnittstellen dieser Rollenklasse. Weitere Schnittstellen, die erforderlich sind, müssen innerhalb des jeweiligen internen Elements durch das CAEX-Element „Externe Schnittstelle" („ExternalInterface") zusätzlich implementiert werden.

Jede definierte Alarmfunktion (AH, A, ALL, ...) implementiert innerhalb der PCE-Aufgabe eine zusätzliche Alarmschnittstelle (Quelle).

Jede zusätzlich definierte Schaltfunktion (SH, SHH, ..., SL, ..., ZH, ...) implementiert innerhalb der PCE-Aufgabe eine zusätzliche Signalschnittstelle (Quelle).

Jede definierte Anzeigefunktion (I, O, OH, ...) implementiert eine zusätzliche Anzeigeschnittstelle.

ANMERKUNG   Die Funktion OSH implementiert sowohl eine Anzeigeschnittstelle als auch eine Signalschnittstelle.

DIN EN 62424 (VDE 0810-24):2010-01
EN 62424:2009

f) CAEX-Darstellung einer konkreten Prozessverbindung

Prozessverbindungen liegen außerhalb des Anwendungsbereiches dieser Norm und werden im Rahmen dieser Norm nicht auf das CAEX-Modell abgebildet. Alle durch das R&I-Werkzeug hinsichtlich einer Prozessverbindung festgelegten Informationen müssen zusätzlich zu den Attributen der entsprechenden Prozessverbindungsschnittstelle abgebildet werden. Mit jedem Ende einer Prozessverbindung an einer PCE-Aufgabe wird an dieser eine zusätzliche Prozessverbindungsschnittstelle implementiert.

7.4.4 Abbildung einer Schnittstelle einer PCE-Aufgabe auf die externe Schnittstelle des zugehörigen Anlagenhierarchieelements

Wenn die Signalschnittstelle einer PCE-Aufgabe eine externe Schnittstelle des zugehörigen Anlagenhierarchieelements darstellt, muss die interne Signalschnittstelle der betrachteten PCE-Aufgabe auf die externe Schnittstelle des jeweiligen Anlagenhierarchieelements abgebildet werden. Die Abbildung einer Schnittstelle einer PCE-Aufgabe auf eine externe Schnittstelle des entsprechenden Anlagenhierarchieelements wird über eine festgelegte zusätzliche interne Verbindung in diesem abgelegt.

Die Darstellung einer Abbildung und eines entsprechenden Anwendungsfalls wird in Bild 20 an einem Beispiel gezeigt, in dem eine Signallinie eine PCE-Aufgabe des Anlagenausschnitts (plant section) A1 mit einer PCE-Aufgabe des Anlagenausschnitts (plant section) A2 verknüpft. Hierbei werden die Anlagenausschnitte selbst jeweils mit den externen Signalschnittstellen „Ein" und „Aus" versehen.

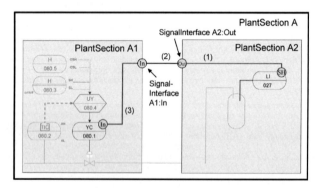

Bild 20 – Beispiel zweier Anlagenausschnitte mit einer Signalverbindung über externe Schnittstellen

ANMERKUNG Die Signallinie wird in diesem Beispiel in CAEX anhand von drei Verbindungen dargestellt:

1) Die Verbindung A2/027:SH mit A2:Out ist Bestandteil von Anlagenausschnitt A2.
2) Die Verbindung A2:Out mit A1:In ist Bestandteil des übergeordneten Anlagenausschnitts A.
3) Die Verbindung A1:In mit A1/080.1:In ist Bestandteil von Anlagenausschnitt A1.

Ein entsprechendes CAEX-Modell, das veranschaulicht, wie die Abschnitte der Signallinie in den internen Elementen A, A1 und A2 getrennt definiert werden, ist in Bild 21 dargestellt. Bei dieser vereinfachten CAEX-Darstellung ist zu beachten, dass nur die betreffenden PCE-Aufgaben modelliert werden.

Bild 21 – Vereinfachtes CAEX-Modell indirekter Verbindungen zwischen PCE-Aufgaben über verschiedene Anlagenhierarchieelemente

Nachfolgend wird der vollständige XML-Text für dieses Beispiel angegeben.

```
<InternalElement Name="A">
    <InternalElement Name="A1">
        <ExternalInterface Name="In"/>
        <InternalElement Name="080.1">
            <ExternalInterface Name="In"/>
            <RoleRequirements RefBaseRoleClassPath="PCE_Request"/>
        </InternalElement>
        <InternalLink Name="3" RefPartnerSideA="080.1:In" RefPartnerSideB="In"/>
    </InternalElement>
    <InternalElement Name="A2">
        <ExternalInterface Name="Out"/>
        <InternalElement Name="027">
            <ExternalInterface Name="SH"/>
            <RoleRequirements RefBaseRoleClassPath="PCE_Request"/>
        </InternalElement>
        <InternalLink Name="1" RefPartnerSideA="027.SH" RefPartnerSideB="Out"/>
    </InternalElement>
    <InternalLink Name="2" RefPartnerSideA="A2:Out" RefPartnerSideB="A1:In"/>
</InternalElement>
```

DIN EN 62424 (VDE 0810-24):2010-01
EN 62424:2009

7.4.5 CAEX-Darstellung der direkten Verbindungen zwischen den Signalschnittstellen von PCE-Aufgaben über verschiedene Anlagehierarchieelemente

Wenn eine Signalschnittstelle einer PCE-Aufgabe nicht durch eine externe Schnittstelle des entsprechenden Anlagenhierarchieelements dargestellt wird, muss eine Verbindung zu einer Signalschnittstelle einer anderen PCE-Aufgabe eines anderen Anlagenhierarchieelements durch eine interne Verbindung mit einem Verweis auf den direkten Pfad zwischen den beiden PCE-Aufgabenschnittstellen dargestellt werden (siehe Bild 22). Diese Verbindung ist Teil eines höheren Anlagenhierarchieelements.

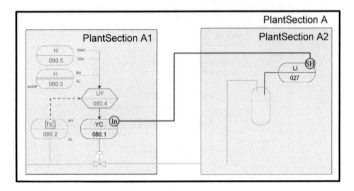

Bild 22 – Beispiel zweier Anlagenausschnitte mit einer direkten Verbindung

Bild 23 zeigt ein entsprechendes CAEX-Modell, in dem veranschaulicht wird, wie die Signallinie als Teil des Elementes A (Anlagenausschnitt A) definiert wird. Bei dieser vereinfachten CAEX-Darstellung ist zu beachten, dass nur die betreffenden PCE-Aufgaben modelliert werden.

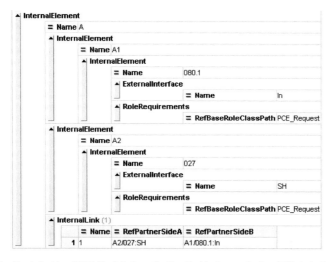

Bild 23 – Vereinfachtes CAEX-Modell einer direkten Verbindung zwischen PCE-Aufgaben über verschiedene Anlagenhierarchieelemente

Nachfolgend wird der vollständige XML-Text für dieses Beispiel angegeben.

```
<InternalElement Name="A">
  <InternalElement Name="A1">
    <InternalElement Name="080.1">
      <ExternalInterface Name="In"/>
      <RoleRequirements RefBaseRoleClassPath="PCE_Request"/>
    </InternalElement>
  </InternalElement>
  <InternalElement Name="A2">
    <InternalElement Name="027">
      <ExternalInterface Name="SH"/>
      <RoleRequirements RefBaseRoleClassPath="PCE_Request"/>
    </InternalElement>
  </InternalElement>
  <InternalLink Name="1" RefPartnerSideA="A2/027:SH" RefPartnerSideB="A1/080.1:In"/>
</InternalElement>
```

7.4.6 PCE-Kreise

PCE-Kreise werden durch die Referenzkennzeichnungen eindeutig bestimmt. PCE-Kreise werden auf CAEX-Strukturelemente abgebildet. Das Zielwerkzeug muss die spezielle Bedeutung der Referenzkennzeichnungen kennen, um die PCE-Kreise identifizieren zu können.

8 Zusätzliche PCE-Attribute

Dieser Abschnitt gibt eine kleine Anzahl typischer Attribute an, die üblicherweise im R&I-System abgelegt werden und wichtig für die PCE-Umgebung sind. Diese Attribute müssen gegebenenfalls mit der in Tabelle 6 angegebenen Syntax mit Hilfe des CAEX-Datenaustauschformats übergeben werden.

Die in Tabelle 6 angegebenen Attribute stellen Informationen mit Bezug auf die speziellen Prozessverbindungen dar. Diese Attribute müssen auf die zusätzlichen Attributen der entsprechenden Prozessverbindungsschnittstellen abgebildet werden.

Tabelle 6 – Für die PCE-Umgebung relevante R&I-Attribute

Attribute	CAEX-Abbildung
Medienkennzeichen	Rollenklasse/Attribut (siehe A.3.19)
Medienbeschreibung	Rollenklasse/Attribut (siehe A.3.19)
Strompunkt	Rollenklasse/Attribut (siehe A.3.19)
Druckmessung	Rollenklasse/Attribut (siehe A.3.19)
Auslegungstemperatur	Rollenklasse/Attribut (siehe A.3.19)
Auslegungsdruck	Rollenklasse/Attribut (siehe A.3.19)
Rohrklasse	Rollenklasse/Attribut (siehe A.3.19)
Rohrleitungsdurchmesser	Rollenklasse/Attribut (siehe A.3.19)
Angepasste nominale Rohrgröße	Rollenklasse/Attribut (siehe A.3.19)
Begleitheizung	Rollenklasse/Attribut (siehe A.3.19)
Begleitheizungstyp	Rollenklasse/Attribut (siehe A.3.19)
Temperatursollwert der Begleitheizung	Rollenklasse/Attribut (siehe A.3.19)
Anlagen-/Rohrkennzeichen	Rollenklasse/Attribut (siehe A.3.19)
Anlagenausrüstungskennzeichen	Rollenklasse/Attribut (siehe A.3.19)
Rohrleitungskennzeichen	Rollenklasse/Attribut (siehe A.3.19)
Isoliertyp	Rollenklasse/Attribut (siehe A.3.19)
Isolierdicke	Rollenklasse/Attribut (siehe A.3.19)

Die in Tabelle 7 angegebenen Attribute betreffen Informationen bezüglich der internen Objektverwaltung. Sie müssen auf die zusätzlichen Attribute des entsprechenden Objektes abgebildet werden.

Tabelle 7 – Attribute der Datenverarbeitung

Attribute	CAEX-Abbildung
Eindeutiges internes Kennzeichen	Rollenklasse/Attribut (siehe A.3.19)
Kurzbeschreibung	Rollenklasse/Attribut (siehe A.3.19)

Anhang A
(normativ)

CAEX – Datenmodell zum Austausch von maschinell erstellten Informationen

A.1 CAEX und seine Vorschriften für die Diagrammdarstellung

Das neutrale Datenformat CAEX legt die Strukturen für die Definition und die Speicherung von Objekten mit deren Eigenschaften und Beziehungen untereinander fest. CAEX ist die Grundlage eines allgemeinen Datenaustauschformates für CAE-Planungsdaten und ist als XML-Schema spezifiziert.

Zum Darstellen der Struktur der CAEX-Schemaelemente, der Elementtypen, der Attribute, der Vorgaben für die wahlfreien Elemente und der Widerholungen werden die folgenden Vorschriften verwendet (siehe Tabelle A.1).

Tabelle A.1 – Vorgaben für die XML-Darstellung

Diagramm-Element	Beschreibung	Beispiel	
Rechteck, durchgehend umrandet	Darstellung eines obligatorischen XML-Elements.	AuthorName / type xs:string	
Rechteck, gestrichelt umrandet	XML-Element, das wahlfrei eingefügt werden kann.	Description / type xs:string	
Datentyp	Zeigt in der zweiten Reihe des Elements nach dem Schlüsselwort „type" den Datentyp eines Elements an.	Description / type xs:string	Datentyp des XML-Elements
Namensraum	Namensraum für den verwendeten Datentyp. (Schlüsselwort „xs:") Das beschriebene CAEX-Schema bezieht sich nur auf den Namensraum des W3C (xs:schema xmlns:xs="http://www.w3.org/2001/XMLSchema)	Description / type xs:string	Namensraum
Ablauf	Zeigt die festgelegte Reihenfolge der nachfolgenden Elemente an.		
Bereich	Zeigt an, wie oft das Element auftreten darf, zum Beispiel 1 bis unendlich.	Version / type xs:string / 1..∞	Bereich des Elements
Pluszeichen	Zeigt an, dass dieses Element weitere Elemente enthält. Die enthaltenen Elemente sind versteckt.	Revision / type / 0..∞	Unterelemente sind enthalten
Minuszeichen	Zeigt an, dass alle enthaltenen XML-Elemente sichtbar sind.	Revision / type / 0..∞	Alle enthaltenen Unterelemente sind angezeigt

Tabelle A.1 *(fortgesetzt)*

Diagramm-Element	Beschreibung	Beispiel
Rechteck, gestrichelt umrandet mit grauem Hintergrund	Zeigt an, dass die dargestellten Elemente Bestandteil eines definierten Datentyps sind. Der Name dieses Datentyps ist oben im gestrichelt umrandeten Rechteck aufgeführt.	

A.2 Allgemeine CAEX-Konzepte

A.2.1 Allgemeine CAEX-Benennungen

In diesem Unterabschnitt werden alle CAEX-Benennungen (siehe Tabelle A.2) beschrieben.

Tabelle A.2 – CAEX-Datentypen und -Elemente

Datentypen und Elemente	Beschreibung
AdditionalInformation	Zusätzliche Informationen Optionales Hilfsfeld, das zusätzliche Informationen über ein CAEX-Objekt enthalten darf. Es muss in der Unterstruktur des Headers verwendet werden.
Alias	Alias Alias-Name einer externen CAEX-Datei, um auf die Elemente der externen CAEX-Datei zu verweisen.
Attribute	Attribut Charakterisiert die Eigenschaften einer Anlagen-Komponentenklasse, Rollenklasse, Schnittstellenklasse, eines internen Elements oder einer Rollenaufgabe.
AttributeDataType	Attributdatentyp Beschreibt den Datentyp des Attributes in der XML-Darstellung.
AttributeNameMapping	Attributnamensabbildung Ermöglicht die Definition der Abbildung zwischen den Attributnamen der entsprechenden Rollenklassen und denen der Anlagenkomponentenklassen.
AttributeType	Attributtyp Legt die Basisstrukturen für die Attributdefinitionen fest.
AttributeValueRequirementType	Attributwert-Anforderungstyp Legt die Basisstrukturen für die Definition der Wertanforderungen eines Attributes fest.
CAEXBasicObject	CAEX-Basisobjekt CAEX-Basisobjekt, welches die grundlegenden Attribute und Header-Angaben enthält, die für alle CAEX-Elemente zur Verfügung stehen.
CAEXFile	CAEX-Datei Root-Element des CAEX-Schemas.
CAEXObject	CAEX-Objekt Das CAEX-Objekt wird von einem CAEX-Basisobjekt abgeleitet und durch Namen (vorgeschrieben) und Kennzeichen (optional) erweitert.

Tabelle A.2 *(fortgesetzt)*

Datentypen und Elemente	Beschreibung
ChangeMode	**Änderungsmodus** Beschreibt optional den Änderungszustand eines CAEX-Objeks. Wird er angewandt, hat er den folgenden Wertebereich: Verbleiben (en: state), Erstellen (en: create), Löschen (en: delete) und Ändern (en: change). Diese Angaben sollten für weitere Anwendungen im Änderungsmanagement verwendet werden.
Constraint	**Beschränkung** Element, mit dem der Wertebereich eines definierten Attributes beschränkt wird.
Copyright	**Urheberrecht** Organisatorische Angaben über die Urheberrechte.
DefaultValue	**Voreinstellwert** Ein für ein Attribut voreingestellter Wert.
Description	**Beschreibung** Textliche Beschreibung von CAEX-Objekten.
ExternalInterface	**Externe Schnittstelle** Die Beschreibung einer externen Schnittstelle einer Rollenklasse, Anlagenkomponentenklasse oder eines internen Elements.
ExternalReference	**Externe Verweisung** Behälterelement für die Alias-Definition der externen CAEX-Dateien.
FileName	**Dateiname** Beschreibt den Namen der CAEX-Datei.
Header	**Header** Definiert organisatorische Angaben wie Beschreibung, Versionsangabe, Korrektur, Urheberrecht usw.
ID	**Kennzeichen** Optionales Attribut, das die eindeutige Kennzeichnung des CAEX-Objekts beschreibt.
InstanceHierarchy	**Instanzhierarchie** Wurzelelement für ein Hierarchiesystem von Objektinstanzen.
InterfaceClass	**Schnittstellenklasse** Klassendefinition für Schnittstellen.
InterfaceClassLib	**SchnittstellenKlassenBibliothek** Behälterelement für eine Hierarchie von Schnittstellenklassen-Definitionen. Es muss alle Klassendefinitionen für Schnittstellen enthalten. CAEX unterstützt mehrere Schnittstellenbibliotheken.
InterfaceClassType	**Schnittstellenklassentyp** Ist für die Definition der Schnittstellenklasse anzuwenden; bietet Grundstrukturen für eine Definition von Schnittstellenklassen.
InterfaceFamilyType	**Schnittstellenfamilientyp** Definiert Basisstrukturen eines hierarchischen Schnittstellenklassenbaums. Die hierarchische Struktur einer Schnittstellenbibliothek hat nur einen organisatorischen Stellenwert.
InterfaceNameMapping	**Schnittstellennamensabbildung** Die Abbildung von Schnittstellennamen der entsprechenden Rollenklassen und Anlagenkomponentenklassen.
InternalElement	**Internes Element** Ist anzuwenden, um innerhalb einer Anlagenkomponentenklasse oder anderer interner Elemente geschachtelte Objekte zu definieren. Erlaubt die Beschreibung der internen Struktur eines CAEX-Objekts.

DIN EN 62424 (VDE 0810-24):2010-01
EN 62424:2009

Tabelle A.2 *(fortgesetzt)*

Datentypen und Elemente	Beschreibung
InternalElementType	**Interner Elementtyp** Typ für die Definition der geschachtelten Objekte innerhalb einer Anlagenkomponentenklasse.
InternalLink	**Interne Verbindung** Ist anzuwenden, um die Verbindungen zwischen den internen Schnittstellen der internen Elemente zu definieren.
MappingObject	**Abbildungsobjekt** Hauptelement für die Attributnamensabbildung und Schnittstellennamensabbildung.
MappingType	**Abbildungstyp** Basiselement für die Attributnamensabbildung und Schnittstellennamensabbildung.
Name	**Name** Beschreibt den Namen des CAEX-Objekts.
NominalScaledType	**Nominal skalierter Typ** Element, um die Beschränkungen nominal skalierter Attributwerte zu definieren.
OrdinalScaledType	**Ordinal skalierter Typ** Element, um die Beschränkungen ordinal skalierter Attributwerte zu definieren.
Path	**Pfad** Beschreibt den Pfad der externen CAEX-Datei. Es sind absolute und relative Pfade zulässig.
RefBaseClassPath	**Referenz-Basisklassenpfad** Speichert den Verweis einer Klasse auf ihre Basisklasse. Die Verweise enthalten den vollständigen Pfad auf das jeweilige Klassenobjekt.
RefBaseSystemUnitPath	**Referenz-Basisanlagenkomponentenpfad** Speichert den Verweis eines Internen Elementes auf seine Klassen- oder Istanzdefinition. Die Verweise enthalten die vollständigen Pfadangaben.
RefSemantic	**Referenzsemantik** Verweis zu einer Definition eines festgelegten Attributes, z. B. Attribute in einer Standardbibliothek; dies erlaubt die Definition der Semantik der Attribute.
RequiredMaxValue	**Geforderter Höchstwert** Element, um den Höchstwert eines Attributes zu definieren.
RequiredMinValue	**Geforderter Kleinstwert** Element, um den kleinsten Wert eines Attributes zu definieren.
RequiredValue – NominalScaledType	**Geforderter Wert (nominal skalierter Typ)** Element, um den geforderten Wert eines Attributes zu definiert. Um einen diskreten Wertebereich des Attributes zu definieren, kann es mehrmals definiert werden.
RequiredValue – OrdinalScaledType	**Geforderter Wert (ordinal skalierter Typ)** Element, um den geforderten Wert eines Attributes zu definieren.
Requirements	**Anforderungen** Definiert informativ Anforderungen, wie die Beschränkung eines Attributwertes.
Revision	**Überarbeitung** Organisatorische Angabe zum Überarbeitungsstand.
RoleClass	**Rollenklasse** Definition einer Klasse eines Rollentyps.
RoleClassFamilyType	**Rollenklassenfamilientyp** Definiert die Basisstruktur eines hierarchischen Rollenklassenbaums. Die hierarchische Struktur einer Rollenbibliothek hat nur einen organisatorischen Stellenwert.

39

Tabelle A.2 *(fortgesetzt)*

Datentypen und Elemente	Beschreibung
RoleClassLib	**Rollenklassenbibliothek** Behälterelement für hierarchische Rollenklassendefinitionen. Es muss alle Rollenklassendefinitionen enthalten. CAEX unterstützt mehrere Rollenbibliotheken.
RoleClassType	**Rollenklassentyp** Ist für die Definition der Rollenklasse anzuwenden, bietet Grundstrukturen für eine Definition von Rollenklassen.
RoleRequirements	**Rollenanforderungen** Beschreibt die Rollenanforderungen eines internen Elements. Sie erlauben die Definition eines Verweises auf eine Rollenklasse und die Spezifikation der Rollenanforderungen wie geforderte Attribute und Schnittstellen.
SchemaVersion	**Schema-Versionsangabe** Versionsangabe des Schemas. Jedes CAEX-Dokument muss angeben, welche CAEX-Version es erfordert. Die Versionsnummer eines CAEX-Dokuments muss zu der Version der CAEX-Schemadatei passen.
SupportedRoleClass	**Unterstütze Rollenklasse** Ermöglicht die Anbindung der entsprechenden Anlagenkomponentenklasse an eine Rollenklasse. Dies beschreibt die Rolle der Anlagenkomponentenklasse. Eine Anlagenkomponentenklasse kann Bezug auf mehrere Rollen nehmen.
SystemUnitClass	**Anlagenkomponentenklasse** Ist für die Definition der Anlagenkomponentenklasse anzuwenden, liefert die Definition der Klasse eines Anlagenkomponentenklassentyps.
SystemUnitClassLib	**Anlagenkomponentenklassenbibliothek** Behälterelement für eine Hierarchie von Definitionen für Anlagenkomponentenklassen. Es muss alle Definitionen der Anlagenkomponentenklasse enthalten. CAEX unterstützt mehrere Bibliotheken von Anlagenkomponentenklassen.
SystemUnitClassType	**Anlagenkomponentenklassentyp** Definiert die Basisstrukturen für Klassendefinition einer Anlagenkomponente.
SystemUnitFamilyType	**Anlagenkomponentenfamilientyp** Definiert die Basisstrukturen für einen Baum hierarchischer Anlagenkomponentenklassen. Die hierarchische Struktur einer Anlagenkomponentenbibliothek hat nur einen organisatorischen Stellenwert.
Unit	**Einheit** Beschreibt die Einheit einer Variablen.
UnknownType	**Unbekannter Typ** Element für die Definition der Beschränkungen von Attributwerten eines unbekannten Skalentyps.
Value	**Wert** Element, das den Wert eines Attributes beschreibt.
Version	**Versionsangabe** Organisatorische Angabe des Versionsstandes.

A.2.2 Allgemeine Beschreibung des CAEX-Konzepts

A.2.2.1 Grundlegendes CAEX-Konzept

Generelle Zielsetzung von CAEX ist die herstellerunabhängige Speicherung hierarchischer Objektinformationen. Objektorientierte Konzepte wie Datenkapselung, Klassen, Klassenbibliotheken, Instanzen, Instanzhierarchien, Vererbung, Bezugssysteme, Attribute und Schnittstellen werden ausdrücklich unterstützt.

CAEX unterstützt drei Typen von Klassen und die zugehörigen Bibliotheken.

a) **SystemUnitClass:** SystemUnitClasses beschreiben physische oder logische Anlagenobjekte oder Einheiten einschließlich deren technischer Realisierung und internen Aufbau. Sie bestehen aus Attributen, Schnittstellen, geschachtelten internen Elementen und Verbindungen zwischen den internen Elementen. Die internen Elemente dürfen weitere geschachtelte Elemente enthalten – dies ermöglicht die Darstellung vordefinierter Strukturen mit mehreren Hierarchieebenen. Das Konzept der internen Elemente erlaubt die Beschreibung der internen Architektur eines Anlagenobjekts.

SystemUnitClasses sind in Bibliotheken des Typs **SystemUnitClassLib** zusammengefasst: Dieses CAEX-Element gestattet die Zusammenführung einer beliebigen Anzahl von Objekten des Typs SystemUnitClassType innerhalb einer Bibliothek. CAEX unterstützt die Abbildung mehrerer Bibliotheken für SystemUnitClasses. SystemUnitClasses können innerhalb der Bibliothek als Baum angeordnet sein, um die Struktur der Anwenderbibliothek abzubilden. Weiterhin kann eine SystemUnitClass von einer anderen SystemUnitClass mit Hilfe einer Referenz abgeleitet sein. Bibliotheken vom Typ SystemUnitClassLib können zum Beispiel für die Speicherung der Produktverzeichnisse verwendet werden.

b) **RoleClass:** RoleClasses beschreiben ebenfalls physische oder logische Anlagenobjekte, aber im Gegensatz zu den SystemUnitClasses sind sie eine Abstraktion der realen technischen Ausführung. RoleClasses bestehen aus Attributen und Schnittstellen, sie beschreiben aber nicht die konkrete interne Realisierung des Objekts. Sie wird verwendet, um die Anforderungen an ein Anlagenobjekt zu definieren.

RoleClassLib: Dieses CAEX-Element gestattet die Zusammenführung einer beliebigen Anzahl von Objekten des Typs RoleClassType innerhalb einer Bibliothek. CAEX unterstützt die Abbildung mehrerer Rollen-Bibliotheken für RoleClasses. Diese können innerhalb der Bibliothek als Baum angeordnet sein, um die Struktur der Anwenderbibliothek abzubilden. Eine RoleClass kann auch von einer anderen RoleClass mittels einer Referenz abgeleitet werden.

c) **InterfaceClass:** InterfaceClasses beschreiben Schnittstellenarten und bestehen aus einer Reihe bestimmter Attribute zur Spezifizierung der Schnittstellen z. B. für RoleClasses und SystemUnitClasses. Schnittstellen sind erforderlich, um die Verbindungen zwischen den Objekten zu definieren.

InterfaceClassLib: Dieses CAEX-Element gestattet die Zusammenführung einer beliebigen Anzahl von Objekten des Typs InterfaceClassType innerhalb einer Bibliothek. CAEX unterstützt die Abbildung mehrerer Bibliotheken für InterfaceClasses. Diese können innerhalb der Bibliothek als Baum angeordnet sein, um die Strukturaufschlüsselung der Anwenderbibliothek zu veranschaulichen. Eine InterfaceClass kann auch von einer anderen InterfaceClass mittels einer Referenz abgeleitet werden.

Das CAEX-Element **InstanceHierarchy** ermöglicht die Speicherung von Instanzinformationen. Die einzelnen Objekte werden nachfolgend als *Instanzen* bezeichnet, der Begriff *Instanz* beschreibt ein Einzelobjekt mit individuellen Eigenschaften. Jede Klasse kann mehrere Male instanziiert sein, z. B. kann eine Klasse „c" die Klasse für die Objektinstanzen „c1", „c2" und „c3" sein. Das CAEX-Element InstanceHierarchy besteht aus einer beliebigen Anzahl interner Elemente, welche rekursiv ineinander geschachtelt sind – dies ermöglicht die Beschreibung beliebig tiefer Objekthierarchien. CAEX unterstützt die Abbildung mehrerer Instanzhierarchien.

Eine InstanceHierarchy kann auf eine der nachfolgend geschilderten Arten modelliert werden:

a) **Modellieren ohne Klassen:** Alle Hierarchieobjekte können in der Instanzhierarchie in Form ineinander geschachtelter interner Elemente als Objektbaum festgelegt werden. Für jedes einzelne Objekt werden alle benötigten Attribute, Schnittstellen, Verbindungen usw. auf der Instanzebene definiert. Dieses Vorgehen unterstützt die Datenspeicherung ohne die Verwendung von Klassen. Dies könnte zum Beispiel sinnvoll sein, wenn Bibliotheken nicht am Datenaustausch teilnehmen sollen.

b) **Modellierung ausschließlich mit Klassen:** Die gewünschte Anlagenhierarchie wird durch ein einzelnes InternalElement in der InstanceHierarchy definiert. Dieses InternalElement verweist auf eine komplexe SystemUnitClass, welche die vollständige Systembeschreibung einschließlich der Anlagenstruktur, Einheiten, Komponenten, Attribute usw. einschließt. Dieser Ablauf ist von Interesse, wenn die im CAEX zu speichernde Anlagen- oder Einheitsstruktur eine Standardlösung ist, die mehrfach verwendet werden soll.

c) **Gemischte Modellierung:** Dies ist das in der Praxis üblicherweise angewendete Vorgehen. Die typischen Komponenten werden als SystemUnitClasses und deren Unterstrukturen durch Zusammenfassung der Objekte als InternalElements festgelegt. Attribute können vordefiniert, Vorgabeattributwerte gesetzt sein. Die InstanceHierarchy wird für die Festlegung der Anlagenstruktur verwendet. Im nächsten Schritt kann jedes definierte interne hierarchische Element mit einer RoleClass verknüpft werden, um die Anforderungen für dieses Objekt festzulegen. Abschließend kann es einer SystemUnitClass zugeordnet werden, welche die technische Umsetzung des Objekts beschreibt.

Die folgenden CAEX-Eigenschaften sind zusätzlich zum CAEX-Schema normativ.

- Alle CAEX-Objekte, für die ein Name vergeben wurde (Klassen, Instanzen, Schnittstellen, Attribute usw.), müssen auf derselben Ebene des entsprechenden Objektbaums zueinander einen einzigartigen Namen besitzen. Dies gewährleistet, dass der Verweis auf eine Klasse, eine Schnittstelle, ein Attribut oder eine Instanz über deren Pfad zu einem eindeutigen Ergebnis führt.

- Die CAEX-Schemadefinition ermöglicht die automatische Prüfung auf korrekte CAEX-Syntax. Für die CAEX-Konformität ist sowohl eine Übereinstimmung mit dem CAEX-Schema als auch mit den zusätzlichen normativen Eigenschaften erforderlich, die einzeln in dieser Norm beschrieben sind.

- CAEX sieht keine Prüfung der Semantik, Konsistenz oder Plausibilität der Daten vor. CAEX ist ein statisches Datenaustauschformat; die Gültigkeit der gespeicherten Daten obliegt dem Ausgangswerkzeug oder dem entsprechenden Export/Import-Werkzeug.

A.2.2.2 Speicherung von Versionsangaben

Alle CAEX-Objekte besitzen einen sog. Header für generische Versionsangaben, der im CAEX-Typ „CAEXBasicObject" definiert ist. Alle CAEX-Elemente stammen von diesem Typ oder Ableitungen von ihm ab. Diese Eigenschaften sind nützlich, wenn der Vorgang des Datenaustauschs mehrere Male erfolgt. Eine ausführliche CAEX-Datendefinition ist unter A.3.14 gegeben.

Die Definition des Datentyps wird durch die folgenden Eigenschaften gekennzeichnet:

- **ChangeMode:** Dieses optionale Attribut gibt gegenüber einem vorangegangenen Datenaustausch Informationen über den Änderungszustand eines Objekts an. Die validen Werte von ChangeMode sind in CAEX definiert, es sind „state", „create", „delete" und „change". Der Wert „state" ist für Objekte anzuwenden, die sich seit dem vorangegangenen Datenaustausch nicht verändert haben, der Wert „create" für geänderte Objekte, der Wert „delete" für Objekte, die zu löschen sind. Letztere werden somit nicht physisch aus der CAEX-Datei entfernt, sind aber als zu löschendes Objekt gekennzeichnet. Der Wert „change" ist für ein Objekt anzuwenden, das sich verändert hat. Der ChangeMode ist nur gültig für seinen Eintrag. Wenn z. B. ein Attribut seinen Wert verändert hat, wird nur dieser Wert mit dem ChangeMode-Wert „change" gekennzeichnet, weder das Attribut selbst noch das Herkunftsobjekt des Attributes.

- **Description, Version, Revision, Copyright:** Diese Attribute ermöglichen die Speicherung der Versionsangaben für jedes Objekt.

- **AdditionalInformation:** Dieses Attribut erlaubt die Speicherung beliebiger zusätzlicher Informationen für jeden Typ.

Die folgende die Versionierung betreffende Eigenschaft von CAEX ist zusätzlich zum CAEX-Schema normativ:

- CAEX sieht selbst keine Versionierung vor. Es ermöglicht nur die Weitergabe der feststehenden Versionsinformation für jedes Objekt.

A.2.3 Datendefinition von SystemUnitClass

A.2.3.1 Architektur von SystemUnitClass

Eine SystemUnitClass wird durch die folgenden Eigenschaften gekennzeichnet (siehe Bild A.1):

- **Attribute:** ermöglicht die Spezifikation der Objektattribute;
- **ExternalInterface:** ermöglicht die Spezifikation der Objektschnittstellen;
- **InternalElement:** ermöglicht die Spezifikation der ineinander verschachtelten internen Objekte;
- **SupportedRoleClass:** ermöglicht die Spezifikation der unterstützten Rollenklassen;
- **InternalLink:** ermöglicht die Spezifikation der Verknüpfungen zwischen den Schnittstellen.

DIN EN 62424 (VDE 0810-24):2010-01
EN 62424:2009

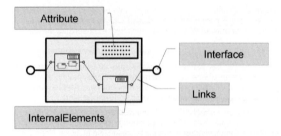

Bild A.1 – CAEX-Architektur einer SystemUnitClass

Das allgemeine Konzept von SystemUnitClasses ist in A.2.2 beschrieben. Für eine ausführliche CAEX-Datendefinition siehe A.3.11 und A.3.21.

A.2.3.2 Beispiel

Das folgende Beispiel veranschaulicht die Konzepte der SystemUnitClass. Bild A.2 stellt die SystemUnitClassLib „ProcessEngineeringClassLib" dar, welche zwei Klassen enthält.
- Die Klasse „TankClass" zeigt die Architektur einer einfachen SystemUnitClass mit Attributen.
- Die Klasse „TankSystemClass" vereinigt die zwei Objekte „T1" und „T2", die auf „TankClass" basieren. Beide Objekte erben die Attribute von „TankClass". „T1" spezifiziert den Wert des geerbten Attributes „V". Die Anwendung des Attributes wird im nächsten Abschnitt näher beschrieben.

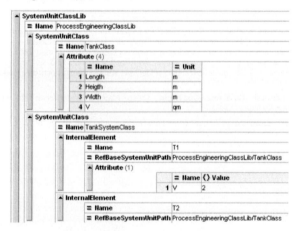

Bild A.2 – Beispiel einer SystemUnitClassLib

Nachfolgend ist der vollständige XML-Text für dieses Beispiel abgebildet.

```xml
<SystemUnitClassLib Name="ProcessEngineeringClassLib">
  <SystemUnitClass Name="TankClass">
    <Attribute Name="Length" Unit="m"/>
    <Attribute Name="Heigth" Unit="m"/>
    <Attribute Name="Width" Unit="m"/>
    <Attribute Name="V" Unit="qm"/>
  </SystemUnitClass>
  <SystemUnitClass Name="TankSystemClass">
    <InternalElement Name="T1" RefBaseSystemUnitPath="ProcessEngineeringClassLib/TankClass">
      <Attribute Name="V">
        <Value>2</Value>
      </Attribute>
    </InternalElement>
    <InternalElement Name="T2" RefBaseSystemUnitPath="ProcessEngineeringClassLib/TankClass"/>
  </SystemUnitClass>
  <SystemUnitClass Name="TankWithInOutNozzlesClass" RefBaseClassPath="ProcessEngineeringClassLib/TankClass">
    <ExternalInterface Name="In" RefBaseClassPath="ProductInterfaceLib/ProductNode">
      <Attribute Name="Direction">
        <Value>In</Value>
      </Attribute>
    </ExternalInterface>
    <ExternalInterface Name="Out" RefBaseClassPath="ProductInterfaceLib/ProductNode">
      <Attribute Name="Direction">
        <Value>Out</Value>
      </Attribute>
    </ExternalInterface>
  </SystemUnitClass>
</SystemUnitClassLib>
```

A.2.4 Definition von Attributen

A.2.4.1 Architektur eines Attributes

Die Attribute legen die Eigenschaften eines Objektes fest, z. B. „length". Für eine ausführliche CAEX-Datendefinition siehe A.3.13. CAEX definiert die folgenden Attributeigenschaften:

- **Value:** Dieses Element ermöglicht die Definition der Eigenschaft Wert, z. B. „3.5". Die Dezimaltrenner müssen entsprechend der Definition von AttributeDataType ausgewählt werden, z. B. „xs.float" verlangt ein „." als Dezimalseparator.

- **Unit:** Dieses Element definiert die Einheit des Attributes, z. B. „m".

- **AttributeDataType:** Dieses Element definiert den Datentyp des Attributes. Wird dieses optionale Attribut nicht definiert, wird von einem Datentyp „xs:string" ausgegangen, wobei „xs" z. B. die Verwendung des XML-Namensraums „http://www.w3.org/2001/XMLSchema" darstellt. Wenn das Attribut definiert ist, muss der Wert die XML-Standard-Datentypen verwenden, z. B. „xs:boolean", „xs:integer", „xs:float" usw. Ein Überblick ist unter http://www.w3.org/TR/xmlschema-2/#built-in-datatypes aufgeführt. Entsprechend des Datentyps muss der Wert eines Attributes mit den XML-Regeln übereinstimmen, z. B. „xs:boolean" verlangt die Werte „true" und „false", während „TRUE" und „FALSE" nicht den Regeln entsprechen.

- **DefaultValue:** Dieses Element ermöglicht die Festlegung des Anfangswerts des Attributes. Er darf durch die Definition eines Wertes überschrieben werden.

- **Constraints:** Dieses Element erlaubt die Festlegung von Beschränkungen. CAEX unterstützt zwei Beschränkungstypen: OrdinalScaledType und NominalScaledType. OrdinalScaledType ermöglicht die Definition von „required value", „max value" und „min value". NominalScaledType ermöglicht die Definition eines diskreten Wertebereiches, z. B. könnte ein Attribut „safe" den zugelassenen Wertebereich „yes" und „no" haben.

- **RefSemantic:** Dieses Element ermöglicht die Festlegung eines Verweises zur Semantik in einem normativen oder informellen Wörterbuch, z. B. SI-Einheiten, IEC 61987-1, eine Internetseite usw.

– **Attribute:** Dieses Element ermöglicht die Definition eines Attributes. Attribute können weitere Attribute enthalten. Dies ermöglicht die Beschreibung einer Attribut-Struktur.

Die folgende die Versionierung betreffende Eigenschaft ist normativ.

– CAEX sieht keine Konsistenzprüfung der Beschränkungen und Attributwerte vor; dies ist Aufgabe des Ausgangs- oder Zielwerkzeuges.

A.2.4.2 Beispiele

Bild A.3 stellt drei Attribute mit unterschiedlichen Eigenschaften dar.

– Das Attribut „Length" veranschaulicht das Konzept von RefSemantic und der Beschränkungen von OrdinalScaledType. Der Wert dieses Attributes muss zwischen 1 und 15 liegen, der geforderte Wert ist 5.

– Das Attribut „Colour" veranschaulicht das Konzept von DefaultValue und der Beschränkungen von NominalScaledType. DefaultValue ist „Yellow", welcher durch die Wertbestimmung „Green" überschrieben wird. Die Beschränkungen durch NominalScaledType definieren den zugelassenen diskreten Wertbereich.

– Das Attribut „Position" veranschaulicht anhand der Unterattribute „x", „y", „z" das Konzept der geschachtelten Attribute.

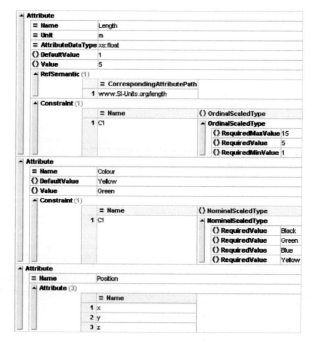

Bild A.3 – Beispiele von Attributen

Nachstehend ist der vollständige XML-Text für dieses Beispiel aufgeführt.

```xml
<Attribute Name="Length" Unit="m" AttributeDataType="xs: float">
    <DefaultValue>1</DefaultValue>
    <Value>2</Value>
    <RefSemantic CorrespondingAttributePath="www.SI-Units.org/length"/>
    <Constraint Name="C1">
        <OrdinalScaledType>
            <RequiredMaxValue>15</RequiredMaxValue>
            <RequiredValue>5</RequiredValue>
            <RequiredMinValue>1</RequiredMinValue>
        </OrdinalScaledType>
    </Constraint>
</Attribute>
<Attribute Name="Colour">
    <DefaultValue>Yellow</DefaultValue>
    <Value>Green</Value>
    <Constraint Name="C1">
        <NominalScaledType>
            <RequiredValue>Black</RequiredValue>
            <RequiredValue>Green</RequiredValue>
            <RequiredValue>Blue</RequiredValue>
            <RequiredValue>Yellow</RequiredValue>
        </NominalScaledType>
    </Constraint>
</Attribute>
<Attribute Name="Position">
    <Attribute Name="x"/>
    <Attribute Name="y"/>
    <Attribute Name="z"/>
</Attribute>
```

A.2.5 Datendefinition von Schnittstellenklassen (InterfaceClass)

A.2.5.1 Architektur von Schnittstellenklassen

CAEX ermöglicht durch Schnittstellenklassen die Definition von Schnittstellen. Schnittstellen können durch CAEX-Attribute gekennzeichnet werden:

- **Attribute:** Attribute erlauben die Spezifikation von Objektattributen.

Die folgenden CAEX-Eigenschaften sind zusätzlich zum CAEX-Schema normativ.

- Schnittstellen besitzen kein Richtungsmerkmal. Ist eine Schnittstellenrichtung erforderlich, muss diese als Attribut dieser Schnittstelle hinzugefügt werden.
- Schnittstellenklassen enthalten keine geschachtelten Objekte.
- Das Konzept von Kind-Schnittstellen in Schnittstellenbibliotheken ermöglicht die Darstellung von Schnittstellenhierarchien; die Hierarchie selber hat keine Semantik. Die Hierarchie kann angewandt werden, um die Struktur der Anwenderbibliothek abzubilden.
- Vererbungsbeziehungen werden über Verweise auf die Eltern-Schnittstellenklasse definiert. Mehr Informationen über Vererbung siehe A.2.7.
- Erforderliche externe Schnittstellen müssen durch das CAEX-Element „ExternalInterface" definiert werden, welches im Rahmen von SystemUnitClasses, RoleClasses und InternalElements zur Anwendung kommt. Die Zusammenführung muss entweder über Verweise auf eine vorhandene Schnittstellenklasse erfolgen oder direkt durch Definition aller erforderlichen Schnittstelleneigenschaften. Zusammengeführte Schnittstellen können erweitert werden, zusätzliche Attribute dürfen definiert und vererbte Attribute spezifiziert werden.

Eine ausführliche CAEX-Datendefinition befindet sich in A.3.7 und A.3.16.

DIN EN 62424 (VDE 0810-24):2010-01
EN 62424:2009

A.2.5.2   Beispiel einer Schnittstellenklassenbibliothek (InterfaceClassLib)

Bild A.4 stellt eine Schnittstellenklassenbibliothek mit der Schnittstellenklasse „ProductNode" dar. Weitere typische Anwendungsfälle für Schnittstellenklassen sind „SignalNode", „DigitalIn", „DigitalOut" usw.

Bild A.4 – Beispiele einer Schnittstellenklassenbibliothek

Nachstehend ist der vollständige XML-Text für dieses Beispiel aufgeführt.

```
<InterfaceClassLib Name="ProductInterfaceLib">
  <InterfaceClass Name="ProductNode">
    <Attribute Name="Direction">
      <Constraint Name="C1">
        <NominalScaledType>
          <RequiredValue>In</RequiredValue>
          <RequiredValue>Out</RequiredValue>
          <RequiredValue>Undirected</RequiredValue>
        </NominalScaledType>
      </Constraint>
    </Attribute>
  </InterfaceClass>
</InterfaceClassLib>
```

A.2.5.3   Anwendung von Schnittstellen und Verbindungen

Schnittstellen beschreiben die Verbindungspunkte der Objekte. Die Verbindungen zwischen den Objektschnittstellen werden durch das CAEX-Element „InternalLink" definiert und sind Teil der CAEX-Definition für SystemUnit. Bild A.5 stellt beispielhaft SystemUnit „A" dar, welche mit den Schnittstellen „In" und „Out" versehen ist. Des Weiteren sind zwei zusammengeführte interne Objekte „A1" und „A2" jeweils mit den Schnittstellen „In" und „Out" in ihr enthalten. Die Verbindungen zwischen den internen Objekten sowie die inneren und externen Schnittstellen von „A" werden untenstehend als CAEX-Beispiel beschrieben. Eine ausführliche CAEX-Datendefinition siehe unter der Definition von SystemUnit in A.3.11.

Die folgenden, Verbindungen betreffenden Eigenschaften, sind zusätzlich zum CAEX-Schema normativ.

- CAEX-Verbindungen besitzen kein Richtungsmerkmal.
- CAEX unterstützt Verbindungen über Pfade durch beliebig viele Hierarchieebenen.
- CAEX-Verbindungen besitzen keinen Datentyp. Sind Datentypen gefordert, müssen sie den entsprechenden Schnittstellen gesondert zugewiesen werden, CAEX sieht dies nicht ausdrücklich vor.
- CAEX sieht keine Konsistenzprüfung für die Verbindungen vor. Ungültige Verbindungen sind vom Ausgangs- oder Zielwerkzeug zu erkennen.

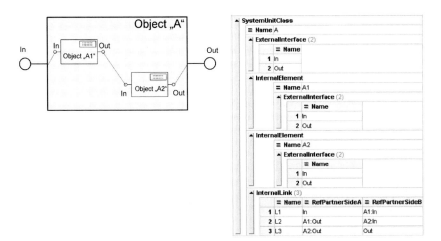

Bild A.5 – Anwendung von Verbindungen

Nachstehend ist der vollständige XML-Text für dieses Beispiel aufgeführt.

```
<SystemUnitClassLib Name="ProcessEngineeringClassLib">
  <SystemUnitClass Name="A">
    <ExternalInterface Name="In"/>
    <ExternalInterface Name="Out"/>
    <InternalElement Name="A1">
      <ExternalInterface Name="I1"/>
      <ExternalInterface Name="I2"/>
    </InternalElement>
    <InternalElement Name="A2">
      <ExternalInterface Name="I1"/>
      <ExternalInterface Name="I2"/>
    </InternalElement>
    <InternalLink Name="L1" RefPartnerSideA="In" RefPartnerSideB="A1:In"/>
    <InternalLink Name="L2" RefPartnerSideA="A1:Out" RefPartnerSideB="A2:In"/>
    <InternalLink Name="L3" RefPartnerSideA="A2:Out" RefPartnerSideB="Out"/>
  </SystemUnitClass>
</SystemUnitClassLib>
```

A.2.6 Datendefinition von Rollenklassen (RoleClass)

A.2.6.1 Architektur von Rollenklassen

CAEX ermöglicht durch Rollenklassen die Definition von Rollen. Rollen werden durch CAEX-Attribute und externe Schnittstellen gekennzeichnet.

- **Attribute:** Ermöglicht die Spezifikation der Rollenattribute.
- **ExternalInterface:** Ermöglicht die Spezifikation der Rollenschnittstellen.

Eine ausführliche Datendefinition befindet sich in A.3.9 und A.3.19.

DIN EN 62424 (VDE 0810-24):2010-01
EN 62424:2009

A.2.6.2 Beispiel von Rollenklassenbibliotheken (RoleClassLib)

Bild A.6 stellt eine Rollenklassenbibliothek „ProcessRoleClassLib" mit zwei Rollenklassen „Pipe" (Rohrleitung) und „Tank" dar.

- Der Rolle „Pipe" ist das Attribut „Diameter" (Durchmesser) zugeordnet ohne nähere Spezifikation seiner Einheit bzw. ohne DefaultValue. Zusätzlich sind zwei Schnittstellen des Typs „ProductNode" enthalten. Diese Basisklasse beinhaltet das Attribut „Direction" (Richtung) – der jeweilige Wert ist „In" oder „Out".

- Die Rolle „Tank" veranschaulicht zusätzlich das Konzept des Erstellens von Rollenhierarchien und der Vererbung von Rollenklassen. Die Rolle „Tank" spezifiziert nur ein Attribut. „TankWithProductNodes" ist als Kind-Rolle zu „Tank" angeordnet. Diese Eltern-Kind-Beziehung hat keine Semantik, erlaubt aber die Festlegung beliebig vieler Bibliothekshierarchien. Zusätzlich verweist die Kind-Rolle „TankWithProductNodes" auf die Rolle „Tank" als Basisklasse. Dies definiert eine Vererbungsbeziehung: Diese Rollenklasse erbt alle Attribute und Schnittstellen von „Tank".

Die folgenden Rollenklassen betreffenden CAEX-Eigenschaften sind zusätzlich zum CAEX-Schema normativ.

- Sie enthalten keine geschachtelten Rollen.

- Das Konzept der Kind-Rolle ermöglicht die Darstellung einer Hierarchie der Rollen, die Hierarchie selbst hat keine Semantik.

- Vererbungsbeziehungen werden durch einen Verweis zur Eltern-Rollenklasse festgelegt.

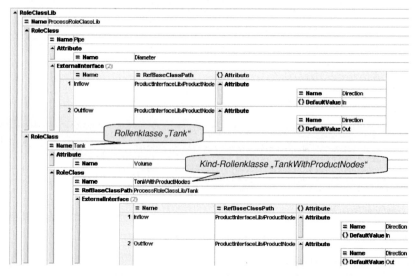

Bild A.6 – Beispiel einer Rollenklassenbibliothek

A.2.7 Anwendung der Vererbung

CAEX unterstützt die Vererbung zwischen zwei Klassen und zwischen Klassen und Instanzen. Die Vererbungsbeziehung wird über das Verweisungskonzept in CAEX definiert. Jede CAEX-Klasse besitzt ein Attribut „RefBaseClassPath", das die Festlegung des Pfades zur zugehörigen Eltern-Klasse ermöglicht. Das Vererbungskonzept für Schnittstellenklassen, Rollenklassen und SystemUnitClasses ist gleich.

- **Vererbung** heißt, dass alle verfügbaren Eltern- und Großeltern-Attribute, Schnittstellen, interne Elemente, Abbildungsobjekte oder andere Inhalte der Eltern und Großeltern automatisch auch in dem Kind-Objekt vorhanden sind.
- **Vererbung** ist innerhalb von Klassen erlaubt. Eine Klasse kann beliebig viele Kind-Klassen haben, aber nur eine Eltern-Klasse. Alle Änderungen in der Klasse werden automatisch in allen Kind-Klassen wiedergegeben.
- **Vererbung** ist ebenfalls zwischen einer Instanz und einer Klasse zulässig. Eine Klasse kann beliebig viele Instanzen besitzen, aber eine Instanz kann nur von einer Klasse erben. Alle Änderungen in der Klasse werden automatisch in allen Instanzen dieser Klasse wiedergegeben.
- **Geerbte Klassen** können auf Klassenebene mit neuen Attributen, Schnittstellen usw. erweitert werden.
- **Geerbte Instanzen** können auf Instanzebene mit neuen Attributen, Schnittstellen usw. erweitert werden. Dies unterstreicht das Klassenmerkmal der Instanzen.
- **Speicherung geerbter Daten:** Geerbte Daten sind gültige Kind-Daten und dürfen, müssen aber nicht, physisch in die Kinder kopiert werden. Die Neufestlegung und Speicherung bereits geerbter Daten ist möglich und sinnvoll, um geerbte Informationen zu überschreiben oder zu erweitern. Wenn die Daten physisch von einer Eltern-Klasse auf ein Kind kopiert und in ihr später wieder geändert werden, müssen die kopierten Kind-Daten, wenn es gefordert wird, aktualisiert werden.
- **Überschreiben geerbter Daten:** Das Überschreiben geerbter Eigenschaften mit neuen Werten ist durch nochmalige Neufestlegung der entsprechenden Daten im Kind-Objekt möglich. Solange in der Eltern-Klasse Attributbeschränkungen festgelegt sind, müssen die überschriebenen Daten diesen Anforderungen entsprechen.
- **Löschen geerbter Daten:** Das Löschen geerbter Eigenschaften ist durch nochmalige Neufestlegung der entsprechenden Daten in dem Kind-Objekt möglich, indem das Wechselmodus-Attribut auf „delete" gesetzt wird.
- **Vererbung** geschieht auf geradlinigem Weg. Eine Kind-Klasse kann von einer Eltern-Klasse erben und darf gleichzeitig selbst für andere Klassen Eltern-Klasse sein. CAEX gestattet auf diesem Weg die Festlegung von Eltern-, Kinder- und Enkelkinder-Strukturen in beliebiger Tiefe. Die Enkelkinder erben demnach von den Eltern und Großeltern. CAEX unterstützt nur das Erben von einem Elternteil.

Die folgenden die Vererbung betreffenden CAEX-Eigenschaften sind zusätzlich zum CAEX-Schema normativ.

- Eine SystemUnitClass darf nur von einer SystemUnitClass, eine Schnittstellenklasse nur von einer Schnittstellenklasse und eine Rollenklasse nur von einer Rollenklasse erben. Eine kreuzende Vererbung ist nicht zulässig.
- Ein InternalElement kann Informationen von einer Rollenklasse erben und gleichzeitig von einer SystemUnitClass oder von einer anderen Instanz.
- Die Vererbung ist freigestellt. Wenn keine Vererbung benötigt wird, muss das Attribut „RefBaseClassPath" leer gelassen werden oder darf überhaupt nicht erscheinen.
- Eine Klasse darf nicht von sich selbst bzw. von seiner eigenen Ableitung erben.
- CAEX sieht keine Konsistenzprüfung von gültigen Vererbungsbeziehungen oder der Gültigkeit des Bezugspunktes vor: Dies ist eine Tool-Leistung.

DIN EN 62424 (VDE 0810-24):2010-01
EN 62424:2009

A.2.8 Anwendung von Pfaden

A.2.8.1 Trennzeichendefinition

In CAEX werden Pfade vielmals verwendet und bilden die Grundlage für den Verweis auf Klassen zum Zwecke der Vererbung oder der Instantiierung. Pfade erfordern die Festlegung eines Trennzeichens zwischen den unterschiedlichen Pfadelementen. CAEX unterscheidet vier Trennzeichentypen: Alias-, Objekt-, Schnittstellen- und Attribut-Trennzeichen.

- Alias-Trennzeichen (nach dem Alias-Namen): „@"
- Objekt-Trennzeichen (zwischen den Objekthierarchien verwendet): „/"
- Attribut-Trennzeichen (vor den Attributhierarchien angewendet): „."
- Schnittstellen-Trennzeichen (vor einer Schnittstelle): „:"

Die folgenden Pfade betreffenden CAEX-Eigenschaften sind zusätzlich zum CAEX-Schema normativ.

- Kommen die definierten Trennzeichen als gültiger Teil eines Objektnamens vor, muss die folgende Syntax angewendet werden: Alle Pfadelemente müssen durch eckige Klammern „[" <Name> „]" getrennt werden. Dies erlaubt die gleichzeitige Verwendung der Originalbezeichnung und des definierten Trennzeichens.
- Im Konfliktfall, wenn die beschriebenen Klammern Teil des Objektnamens sind, muss der Konflikt mit diesen Klammern im Objektnamen mit Hilfe allgemeiner XML-Escape-Sequenzen umgangen werden.
- Es ist zulässig, eckige Klammern auch ohne Auftreten von Konflikten einzusetzen.
- CAEX prüft nicht die Gültigkeit eines Pfades, weder die Verwendung der normativen Trennzeichen noch das Vorhandensein des Bezugspunktes. Die Übereinstimmung mit dieser Norm erfordert den richtigen Gebrauch des Pfades und der definierten Trennzeichen.

A.2.8.2 Beispiele

- Pfad zu einem Objekt: „Project/Plant/Unit/Tank27"
- Pfad zu einer Klasse in einer Bibliothek: „ProcessEngineeringClassLib/Tank"
- Pfad zu einer Schnittstelle: „Project/Plant/Unit/Tank27:Out"
- Pfad zu einem Attribut: „Project/Plant/Unit/Tank27.Diameter"
- Objektpfad mit Klammern: [Unit.01]/[Tank.001]:[@Out.01]
- Pfad zu einem Unterattribut: „Project/Plant/Unit/Tank27/Position.x"
- Pfad zu einer Klasse mit Anwendung der Alias-Definitionen: „ExternalLibAlias@ClassLib/PipeClass"

A.2.9 CAEX-Rollenkonzept

A.2.9.1 Anwendung des Rollenkonzepts

Hauptanliegen des CAEX-Rollenkonzepts ist die Trennung von Informationen über die abstrakte Rolle und die konkrete Implementierung. Bild A.7 veranschaulicht das Rollenkonzept anhand eines CAEX InternalElement „B1", welches an einer beliebigen Stelle der Anlagenstruktur positioniert ist. Eine ausführliche CAEX-Datendefinition gibt A.3.11 und A.3.18.

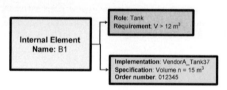

Bild A.7 – CAEX-Rollenkonzept

51

DIN EN 62424 (VDE 0810-24):2010-01
EN 62424:2009

Anwendungsfall 1: B1 wird nur durch seinen Namen beschrieben. B1 hat keine weitere Bedeutung oder Semantik, sondern ist lediglich ein Platzhalter für die spätere Verwendung. Bild A.8 stellt das entsprechende CAEX-Datenmodell dar.

Bild A.8 – CAEX-Datendefinition für Anwendungsfall 1

Anwendungsfall 2: Während des schrittweisen Engineerings wird eine geeignete Rollenklasse ausgewählt, die die Rolle beschreibt, die „B1" übernehmen muss. Dies legt für B1 eine Bedeutung/Semantik fest. Die Rollenklasse stellt die vordefinierten Attribute und Schnittstellen, die gefordert sind, bereit. Wurden keine geeignete Rollenklasse definiert, können hier alle Rollenanforderungen festgelegt werden. Im angegebenen Beispiel wird B1 eine Rolle „Tank" zugewiesen und das geforderte Attribut „V" auf „> 12 m^3" gesetzt. Das Arbeiten mit Rollen ermöglicht die Verallgemeinerung der technischen Umsetzung. Bild A.9 stellt das entsprechende CAEX-Datenmodell dar.

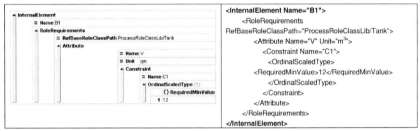

Bild A.9 – CAEX-Datendefinition für Anwendungsfall 2

Anwendungsfall 3: Zu einem späteren Zeitpunkt in der Engineering-Phase ist die genaue technische Umsetzung von Interesse. Basierend auf den Anforderungsdefinitionen ist eine geeignete technische Ausführung in Form einer SystemUnitClass auszuwählen. Im angegebenen Beispiel wird eine Referenz zu „VendorA_Tank37" hergestellt. Diese Klasse erfüllt die gestellten Anforderungen. Bild A.10 stellt die entsprechende CAEX-Datenstruktur dar. Es wird deutlich, dass die in der Rollenanforderung definierten Anforderungen nicht mit den Attributbezeichnungen der entsprechenden SystemUnitClass übereinstimmen müssen. Hierfür bietet CAEX ein MappingObject, welches das Zuordnen der entsprechenden Attributbezeichnungen der Rolle und der SystemUnitClass ermöglicht. Dasselbe gilt für die Schnittstellenbezeichnungen. Mehr Informationen über Abbildungen siehe A.2.10.

DIN EN 62424 (VDE 0810-24):2010-01
EN 62424:2009

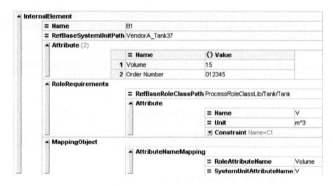

Bild A.10 – CAEX-Datendefinition für Anwendungsfall 3

Nachstehend ist der vollständige XML-Text für dieses Beispiel aufgeführt.

```
<InternalElement Name="B1" RefBaseSystemUnitPath="VendorA_Tank37">
    <Attribute Name="Volumen">
        <Value>15</Value>
    </Attribute>
    <Attribute Name="Order Number">
        <Value>012345</Value>
    </Attribute>
    <RoleRequirements RefBaseRoleClassPath="ProcessRoleClassLib/Tank/Tank">
        <Attribute Name="V" Unit="m^3">
            <Constraint Name="C1">
                <OrdinalScaledType>
                    <RequiredMinValue>12</RequiredMinValue>
                </OrdinalScaledType>
            </Constraint>
        </Attribute>
    </RoleRequirements>
    <MappingObject>
        <AttributeNameMapping RoleAttributeName="Volume" SystemUnitAttributeName="V"/>
    </MappingObject>
</InternalElement>
```

Die folgenden das Rollenkonzept betreffenden Eigenschaften sind zusätzlich normativ.

- Ein InternalElement darf sich gleichzeitig maximal auf eine RoleClass und eine SystemUnitClass beziehen.
- Die Anwendung von RoleClasses oder RoleRequirements ist nicht vorgeschrieben. Alle Projektdaten können ohne Anwendung des Rollenkonzepts modelliert werden. Das Rollenkonzept unterstützt auf vielfältige Weise den schrittweisen Engineeringprozess, ist aber nicht zwingend erforderlich.
- CAEX bietet keine Konsistenzprüfung hinsichtlich des Rollenkonzepts, der gültigen Abbildung der Attribute oder Schnittstellen bzw. der Erfüllung der Anforderungen.

A.2.9.2 Anwendung von SupportedRoleClass (unterstützte Rollenklassen)

Das CAEX-Element SupportedRoleClass ist ein Unterelement von SystemUnitClass. Es kann für jede SystemUnitClass festlegen, welche Rollenklassen es unterstützt. Dieses Konzept macht eine computergestützte Auswahl der geeigneten SystemUnitClasses für eine bestimmte Rollenklasse möglich. Eine ausführliche CAEX-Datendefinition befindet sich in A.3.11 und A.3.21.

Die folgenden unterstützten Rollenklassen (SupportedRoleClass) betreffenden Eigenschaften sind normativ.

- Eine SystemUnitClass kann beliebig viele Rollenklassen unterstützen.
- Kinder oder Eltern der unterstützten Rollenklasse werden nicht automatisch mit unterstützt, da sie zu der SystemUnitClass nicht kompatibel sein könnten. Wenn Kinder einer Rollenklasse ebenfalls durch eine SystemUnitClass unterstützt werden, müssen sie in die Liste der unterstützen Rollenklasse hinzugefügt werden.
- Für jede unterstützte Rollenklasse kann ein MappingObject festgelegt werden, welches festlegt, welche Attributnamen und Schnittstellennamen einander entsprechen. Mehr Informationen über Mappings siehe A.2.10.
- CAEX bietet keine Prüfungen für die Gültigkeit der unterstützten Rollenklassen, weder für deren Vorhandensein noch für die Gültigkeit. Dies muss vom CAEX-Import/Export-Werkzeug oder dem Engineering-Quellen/Ziel-Werkzeug durchgeführt werden.

A.2.10 Anwendung des CAEX-MappingObject

Das CAEX-MappingObject unterstützt das CAEX-Rollenkonzept. Rollenklassen und SystemUnitClasses erlauben die Definition von Attributen und Schnittstellen. Wenn ein InternalElement einer RoleClass und zugleich einer SystemUnitClass zugeordnet ist, müssen deren Attributnamen und Schnittstellennamen nicht zwangsläufig dieselben sein. Das MappingObject ermöglicht die gegenseitige Zuordnung. Eine ausführliche CAEX-Datendefinition siehe A.3.21.

Bild A.11 zeigt ein Beispiel für Abbildungen (Mappings). Die Rollenklasse definiert ein Attribut „Volume", wohingegen in SystemUnit das Gleiche Attribut mit dem Namen „V" definiert wird. Dasselbe gilt für unterschiedliche Namen der Rollenschnittstellen.

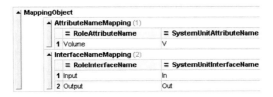

Bild A.11 – CAEX-Datendefinition eines MappingObject

Nachstehend ist der vollständige XML-Text für dieses Beispiel aufgeführt.

```
<MappingObject>
    <AttributeNameMapping RoleAttributeName="Volume" SystemUnitAttributeName="V"/>
    <InterfaceNameMapping RoleInterfaceName="Input" SystemUnitInterfaceName="In"/>
    <InterfaceNameMapping RoleInterfaceName="Output" SystemUnitInterfaceName="Out"/>
</MappingObject>
```

DIN EN 62424 (VDE 0810-24):2010-01
EN 62424:2009

A.2.11 Datendefinition von Instanzen und Objektbäumen

Instanzen stellen individuelle Objekte dar, die einer bestimmten tatsächlichen physischen oder logischen Einheit der Anlage entsprechen. Klassen hingegen repräsentieren wiederverwendbare Vorlagen (template) für eine Vielzahl ähnlicher Objekte: Die Instanz hingegen ist eigenständig. Eine ausführliche CAEX-Datendefinition befindet sich in A.3.4 und A.3.5.

Eine Anlagehierarchie ist innerhalb des CAEX-Elements InstanceHierarchy als Baum von CAEX-Objektinstanzen gespeichert. Das CAEX-Element InstanceHierarchy enthält beliebig viele geschachtelte interne Elemente.

Bild A.12 stellt eine typische Hierarchiestruktur exemplarisch dar. Die Objekte können untergeordnete und übergeordnete Objekte haben.

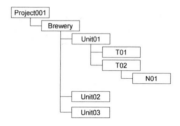

Bild A.12 – Beispiel einer hierarchischen Anlagenstruktur

CAEX stellt die hierarchische Objektstruktur genauso dar. Bild A.13 zeigt für dieses Beispiel die entsprechende CAEX-Datenstruktur und die XML-Darstellung.

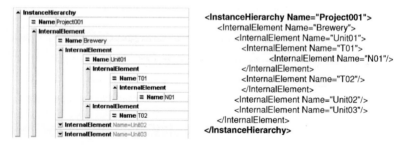

Bild A.13 – CAEX-Datenstruktur

A.2.12 Verweise auf externe CAEX-Dateien

CAEX unterstützt ausdrücklich mit dem Element „ExternalReference" den Zugriff auf externe CAEX-Dateien. Eine ausführliche CAEX-Datendefinition befindet sich in A.3.3.

Bild A.14 zeigt das Beispiel einer CAEX-Datei, die Zugriff auf drei weitere Dateien benötigt. Die Dateien „CAEXFile01", „CAEXFile02" und „CAEXFile03" können beispielsweise unterschiedliche Bibliotheken beinhalten, auf die aus der Hauptdatei „CurrentCAEXFile" verwiesen werden muss.

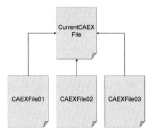

Bild A.14 – Aufteilung der Daten auf verschiedene CAEX-Dateien

Das beschriebene Beispiel muss in CAEX durch die Festlegung von externen Verweisen definiert werden, welche den URI oder den jeweiligen Pfad der externen CAEX-Datei und einen Alias-Namen enthalten, der den internen Zugriff auf diese externe CAEX-Datei ermöglicht. Alias-Namen müssen einzigartig sein und dürfen keine Namen von CAEX-Objekten enthalten, nur auf die Datei selbst wird durch den Pfad verwiesen.

Bild A.15 – Verweis auf externe CAEX-Dateien

Nachstehend ist der vollständige XML-Text für dieses Beispiel aufgeführt.

```
<ExternalReference Path="../MyDirectory/CAEXExternalLibrary.xml" Alias="C01"/>
<ExternalReference Path="file://localhost/c:/Temp/anotherCAEXFile.xml" Alias="C02"/>
<ExternalReference Path="http://www.abc.com/ YetanotherCAEXFile.xml" Alias="C03"/>
```

Bild A.16 zeigt ein Beispiel, wie die definierten Verweise auf externe CAEX-Dateien anzuwenden sind. Es bezieht sich auf das in Bild A.12 dargestellte Beispiel und fügt zu jedem internen Element externe Verweise hinzu. Der Verweis auf die externe Datei wird durch den Alias-Namen beschrieben. Dieser Name wird durch das Alias-Trennzeichen „@" getrennt, dem dann der vollständige Pfad zu der entsprechenden Klasse folgt.

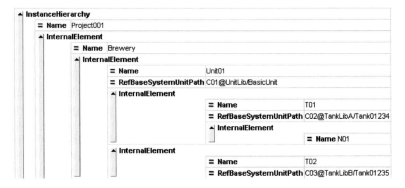

Bild A.16 – Beispiel für die Anwendung des Alias-Namen

Nachstehend ist der vollständige XML-Text für dieses Beispiel aufgeführt.

```
<InstanceHierarchy Name="Project001">
    <InternalElement Name="Brewery">
        <InternalElement Name="Unit01" RefBaseSystemUnitPath="C01@UnitLib/BasicUnit">
            <InternalElement Name="T01" RefBaseSystemUnitPath="C02@TankLibA/Tank01234">
                <InternalElement Name="N01"/>
            </InternalElement>
            <InternalElement Name="T02" RefBaseSystemUnitPath="C03@TankLibB/Tank01235"/>
        </InternalElement>
        <InternalElement Name="Unit02"/>
        <InternalElement Name="Unit03"/>
    </InternalElement>
</InstanceHierarchy>
```

A.2.13 Anwendung des CAEX-Attributes SchemaVersion

CAEX-basierte XML-Dokumente müssen auf die CAEX-Schemadatei verweisen. Um Versionskonflikte zu vermeiden, ist in CAEX das Attribut „SchemaVersion", das die geforderte Versionsangabe des CAEX-Schemas beschreibt, obligatorisch. Eine ausführliche CAEX-Datendefinition befindet sich in A.3.2.

Beispiel: SchemaVersion=„2.15". Dieser Wert entspricht der Versionsausgabe der CAEX-Schemadatei.

A.2.14 Datendefinition für Objektnetze

CAEX unterstützt die gleichzeitige Speicherung mehrerer Hierarchien. Da die Strukturen dieselben Daten auf verschiedene Weise darstellen können, ist es möglich, dass ein einzelnes Objekt Bestandteil zweier Hierarchien mit unterschiedlicher Bedeutung ist. In so einem Fall wird die Datenstruktur zu einem Netzwerk. Bild A.17 veranschaulicht das durch die zwei Beispielstrukturen „Hierarchy 1" und „Hierarchy 2" und eine entsprechende Bibliothek „ClassLib 1". Die Objekte A1 und A2 sind Instanzen der Klasse A. Objekt B1 ist eine Instanz der Klasse B. Objekt B2 sollte Objekt B1 wiedergeben.

CAEX unterstützt dies durch Anwendung von Verweisen. Während der Klassenverweis von B1 den Pfad zur Klasse B definiert, zeigt der Verweis von B2 nach B1. B1 ist demnach das „Master-Objekt", wohingegen B2 als „Spiegelobjekt" (mirror object) bezeichnet wird.

Die folgenden Eigenschaften sind zusätzlich zum CAEX-Schema normativ.

- Eine Instanz kann entweder auf seine Klasse oder auf eine Instanz (Master-Objekt) verweisen. Beide Verweise zur gleichen Zeit werden durch CAEX nicht unterstützt.
- Das Master-Objekt hat keinen Rückverweis zu dem (den) Spiegelobjekt(en). Diese Information ist vom Software-Werkzeug zum Lesen und Schreiben von CAEX zu handhaben.
- Das Spiegelobjekt erbt alle Attribute, Schnittstellen und weitere Eigenschaften vom Master-Objekt, einschließlich der Kinder seines Klassentyps, mit Ausnahme der Kinder des Master-Objektes selbst, die zusätzlich festgelegt werden. Das Master- und das Spiegelobjekt können somit innerhalb ihrer internen Strukturen verschiedene Kinder besitzen. Wenn die Kinder des Master-Objektes auch solche des Spiegelobjektes werden sollen, müssen sie gesondert festgelegt werden.
- Das Spiegelobjekt darf einen anderen Namen als das Master-Objekt besitzen.

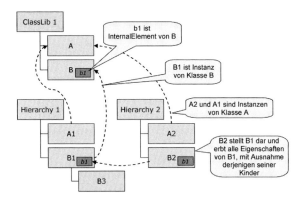

Bild A.17 – Mehrfach überkreuzte Strukturen

A.3 CAEX-Schemadefinition

A.3.1 Allgemeines

Das CAEX-Modell ist in der XML-Schemadatei gespeichert, z. B. „CAEX_ClassModel.xsd", und besteht aus abstrakten XML-Elementen und Attributen zur Spezifikation aller Einheiten der Anlage. Die Elemente können Unterelemente und Attribute besitzen.

CAEX selbst hat eine objektorientierte Architektur und enthält die folgenden Typdefinitionen:

schema location: CAEX_ClassModel.xsd
attribute form default: Unqualified
element form default: Qualified

Elements	Groups	Complex types	Simple types
CAEXFile	Header	AttributeType	ChangeMode
		AttributeValueRequirementType	
		CAEXBasicObject	
		CAEXObject	
		InterfaceClassType	
		InterfaceFamilyType	
		InternalElementType	
		MappingType	
		RoleClassType	
		RoleFamilyType	
		SystemUnitClassType	
		SystemUnitFamilyType	

A.3.2 Element CAEXFile

Das Element „CAEXFile" beschreibt das Wurzelelement des Datenaustauschformats.
- Das Attribut „FileName" muss verwendet werden und den Namen der übertragenen Datei enthalten.
- Das Attribut „SchemaVersion" muss die geforderte CAEX-Version speichern. Siehe A.2.13.
- Das Haupt-Unterelement von CAEX enthält Bibliotheken und Instanzhierarchien sowie Verweisdefinitionen für externe CAEX-Dateien. Einzelheiten siehe A.2.2.

diagram

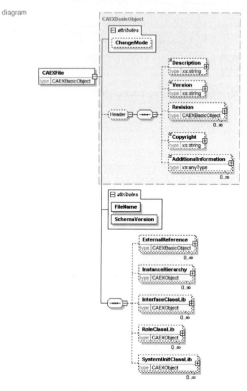

type	extension of **CAEXBasicObject**					
properties	content Complex					
children	Description, Version Revision Copyright AdditionalInformation ExternalReference InstanceHierarchy InterfaceClassLib RoleClassLib SystemUnitClassLib					

attributes	Name	Type	Use	Default	Fixed	Annotation
	ChangeMode	**ChangeMode**	optional	state		
	FileName	xs:string	required			
	SchemaVersion	xs:string	required		2.15	

A.3.3 CAEXFile/ExternalReference

Dieses CAEX-Element ermöglicht die Definition der Verweise zu den externen CAEX-Dateien. Einzelheiten und Beispiele siehe A.2.12.

diagram

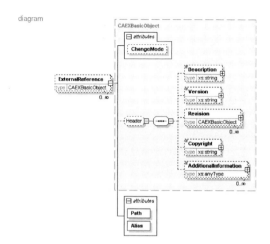

type	extension of **CAEXBasicObject**
properties	isRef 0 minOcc 0 maxOcc unbounded content complex
children	Description Version Revision Copyright AdditionalInformation

attributes	Name	Type	Use	Default	Fixed	Annotation
	ChangeMode	**ChangeMode**	optional	state		
	Path	xs:string	required			
	Alias	xs:string	required			

DIN EN 62424 (VDE 0810-24):2010-01
EN 62424:2009

A.3.4 CAEXFile/InstanceHierarchy

Das CAEX-Element InstanceHierarchy ermöglicht die Speicherung der hierarchischen Objektinformation. CAEX unterstützt die Speicherung mehrerer Instanzhierarchien in der gleichen CAEX-Datei. Einzelheiten und Beispiele siehe A.2.11.

diagram

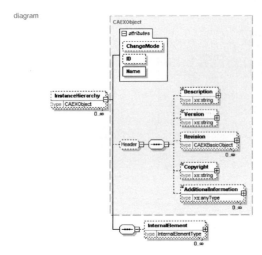

type	extension of **CAEXObject**					
properties	isRef 0 minOcc 0 maxOcc unbounded content complex					
children	**Description Version Revision Copyright AdditionalInformation InternalElement**					
attributes	Name	Type	Use	Default	Fixed	Annotation
	ChangeMode	ChangeMode	optional	state		
	ID	xs:string	optional			
	Name	xs:string	required			

61

A.3.5 CAEXFile/InstanceHierarchy/InternalElement

Das CAEX-Element InternalElement ermöglicht die Speicherung von geschachtelten Objektinformationen. Einzelheiten und Beispiele siehe A.2.3 und A.2.11.

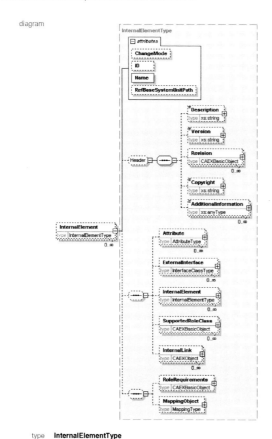

	Name	Type	Use	Default	Fixed	Annotation
attributes	ChangeMode	ChangeMode	optional	state		
	ID	xs:string	optional			
	Name	xs:string	required			
	RefBaseSystemUnitPath		xs:string	optional		

DIN EN 62424 (VDE 0810-24):2010-01
EN 62424:2009

A.3.6 CAEXFile/InterfaceClassLib

Das CAEX-Element InterfaceClassLib ermöglicht die Zusammenführung von Schnittstellenklassen innerhalb von Bibliotheken. Einzelheiten und Beispiele siehe A.2.5 und A.2.5.2.

diagram

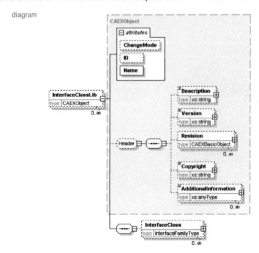

type	extension of **CAEXObject**					
properties	isRef 0					
	minOcc 0					
	maxOcc unbounded					
	content complex					
children	**Description Version Revision Copyright AdditionalInformation InterfaceClass**					
attributes	Name	Type	Use	Default	Fixed	Annotation
	ChangeMode	ChangeMode	optional			
	ID	xs:string	optional			
	Name	xs:string	required			

A.3.7 CAEXFile/InterfaceClass

Das CAEX-Element InterfaceClass ermöglicht die Speicherung der Schnittstellenklassendefinitionen. Einzelheiten und Beispiele siehe A.2.5.

diagram
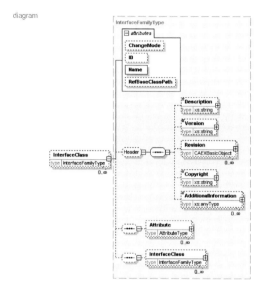

type **InterfaceFamilyType**

properties
isRef 0
minOcc 0
maxOcc unbounded
content complex

children **Description Version Revision Copyright AdditionalInformation Attribute InterfaceClass**

attributes
Name	Type	Use	Default	Fixed	Annotation
ChangeMode	ChangeMode	optional	state		
ID	xs:string	optional			
Name	xs:string	required			
RefBaseClassPath		xs:string		optional	

A.3.8 CAEXFile/RoleClassLib

Das CAEX-Element RoleClassLib ermöglicht die Zusammenführung von Rollenklassen innerhalb von Bibliotheken. Einzelheiten und Beispiele siehe A.2.6.

Element **CAEXFile/RoleClassLib**

diagram

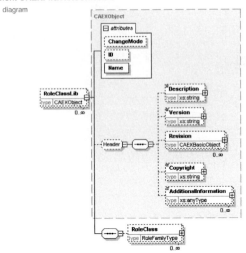

type	extension of **CAEXObject**					
properties	isRef	0				
	minOcc	0				
	maxOcc	unbounded				
	content	complex				

children	Description Version Revision Copyright AdditionalInformation RoleClass						
attributes	Name	Type	Use	Default	Fixed	Annotation
	ChangeMode	ChangeMode	optional	state		
	ID	xs:string	optional			
	Name	xs:string	required			

A.3.9 CAEXFile/RoleClass

Das CAEX-Element RoleClass erlaubt die Speicherung der Rollenklassendefinitionen. Einzelheiten und Beispiele siehe A.2.6.

Element **CAEXFile/RoleClassLib/RoleClass**

diagram
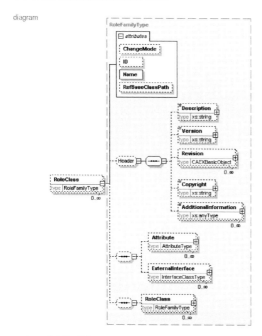

type	RoleFamilyType						
properties	isRef 0 minOcc 0 maxOcc unbounded content complex						
children	Description Version Revision Copyright AdditionalInformation Attribute ExternalInterface RoleClass						
attributes	Name ChangeMode ID Name RefBaseClassPath	Type ChangeMode xs:string xs:string	Use optional optional required xs:string	Default state	Fixed	Annotation optional	

A.3.10 CAEXFile/SystemUnitClassLib

Das CAEX-Element SystemUnitClassLib ermöglicht die Zusammenführung von SystemUnitClasses innerhalb von Bibliotheken. Einzelheiten und Beispiele siehe A.2.3.

diagram

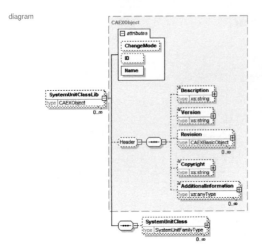

type   extension of **CAEXObject**
properties isRef   0
            minOcc   0
            maxOcc   unbounded
            content   complex

children   **Description Version Revision Copyright AdditionalInformation SystemUnitClass**

attributes	Name	Type	Use	Default	Fixed	Annotation
	ChangeMode	**ChangeMode**	optional	state		
	ID	xs:string	optional			
	Name	xs:string	required			

A.3.11 CAEXFile/SystemUnitClass

Das CAEX-Element SystemUnitClass ermöglicht die Speicherung der Definitionen von Anlagenkomponenten. Einzelheiten und Beispiele siehe A.2.3.

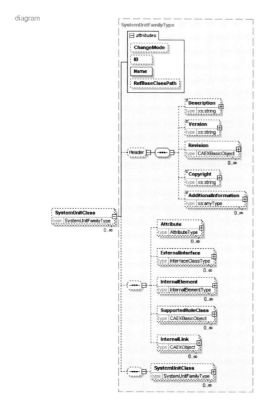

type	SystemUnitFamilyType						
properties	isRef 0 minOcc 0 maxOcc unbounded content complex						
children	Description Version Revision Copyright AdditionalInformation Attribute ExternalInterface InternalElement SupportedRoleClass InternalLink SystemUnitClass						
attributes	Name	Type	Use	Default	Fixed	Annotation
	ChangeMode	ChangeMode	optional	state		
	ID	xs:string	optional			
	Name	xs:string	required			
	RefBaseClassPath		xs:string	optional		

DIN EN 62424 (VDE 0810-24):2010-01
EN 62424:2009

A.3.12 Group Header

Der CAEX-Group Header definiert die Versionsangabe die für jedes CAEX-Objekt wahlweise zur Verfügung steht. Der Header gehört zum CAEX-Basisobjekt „CAEXBasicObject", das die Wurzel-Basisklasse für jedes CAEX-Element ist. Einzelheiten siehe A.2.2.2.

diagram

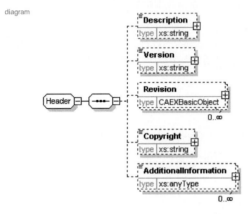

children Description Version Revision Copyright AdditionalInformation
used by   complexType   CAEXBasicObject

a) Element **Header/Description**

diagram

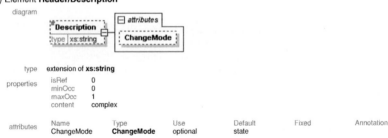

type	extension of **xs:string**	
properties	isRef 0 minOcc 0 maxOcc 1 content complex	

attributes	Name	Type	Use	Default	Fixed	Annotation
	ChangeMode	ChangeMode	optional	state		

69

216

b) Element **Header/Version**

diagram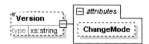

type	extension of **xs:string**					
properties	isRef 0 minOcc 0 maxOcc 1 content complex					
attributes	Name ChangeMode	Type ChangeMode	Use optional	Default state	Fixed	Annotation

c) Element **Header/Revision**

diagram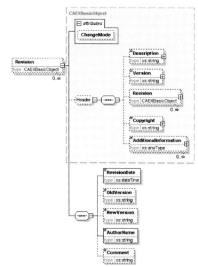

type	extension of **CAEXBasicObject**					
properties	isRef 0 minOcc 0 maxOcc unbounded content complex					
children	Description Version Revision Copyright AdditionalInformation RevisionDate OldVersion NewVersion AuthorName Comment					
attributes	Name ChangeMode	Type ChangeMode	Use optional	Default state	Fixed	Annotation

DIN EN 62424 (VDE 0810-24):2010-01
EN 62424:2009

d) Element **Header/Revision/RevisionDate**

diagram

type	xs:dateTime
properties	isRef 0 content simple

e) Element **Header/Revision/OldVersion**

diagram

type	xs:string
properties	isRef 0 minOcc 0 maxOcc 1 content simple

f) Element **Header/Revision/NewVersion**

diagram

type	xs:string
properties	isRef 0 minOcc 0 maxOcc 1 content simple

g) Element **Header/Revision/AuthorName**

diagram

type	xs:string
properties	isRef 0 content simple

h) Element **Header/Revision/Comment**

diagram

type	xs:string
properties	isRef 0 minOcc 0 maxOcc 1 content simple

i) Element **Header/Copyright**

diagram

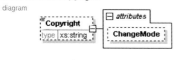

type	extension of **xs:string**					
properties	isRef 0 minOcc 0 maxOcc 1 content complex					
attributes	Name ChangeMode	Type ChangeMode	Use optional	Default state	Fixed	Annotation

j) Element **Header/AdditionalInformation**

diagram

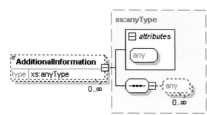

type	**xs:anyType**					
properties	isRef 0 minOcc 0 maxOcc unbounded content complex mixed true					
attributes	Name	Type	Use	Default	Fixed	Annotation

72

A.3.13 Komplexer CAEX-Typ AttributeType

Der CAEX-Typ AttributeType ist der Basistyp für alle CAEX-Attributdefinitionen. Einzelheiten und Beispiele siehe A.2.4.

diagram

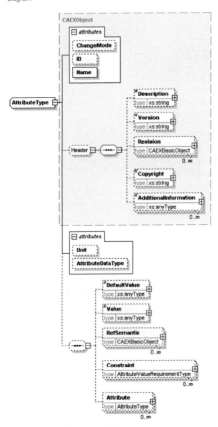

type extension of **CAEXObject**

properties base CAEXObject

children Description Version Revision Copyright AdditionalInformation DefaultValue Value RefSemantic Constraint Attribute

used by elements InterfaceClassType/Attribute RoleClassType/Attribute SystemUnitClassType/Attribute InternalElementType/RoleRequirements/Attribute AttributeType/Attribute

attributes	Name	Type	Use	Default	Fixed	Annotation
	ChangeMode	ChangeMode	optional	state		
	ID	xs:string	optional			
	Name	xs:string	required			
	Unit	xs:string	optional			
	AttributeDataType	derived by: xs:string	optional			

73

a) Element **AttributeType/DefaultValue**

diagram

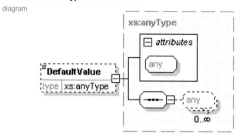

type	xs:anyType	
properties	isRef	0
	minOcc	0
	maxOcc	1
	content	complex
	mixed	true

attributes	Name	Type	Use	Default	Fixed	Annotation

b) Element **AttributeType/Value**

diagram

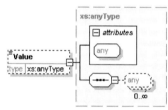

type	xs:anyType	
properties	isRef	0
	minOcc	0
	maxOcc	1
	content	complex
	mixed	true

attributes	Name	Type	Use	Default	Fixed	Annotation

c) Element **AttributeType/RefSemantic**

diagram

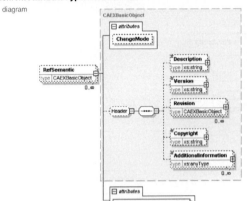

type	extension of **CAEXBasicObject**
properties	isRef 0 minOcc 0 maxOcc unbounded content complex

children **Description Version Revision Copyright AdditionalInformation**

attributes	Name	Type	Use	Default	Fixed	Annotation
	ChangeMode	**ChangeMode**	optional	state		
	CorrespondingAttributePath	**xs:string**	required			

d) Element **AttributeType/Constraint**

diagram

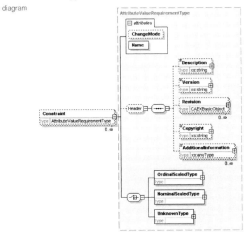

type	AttributeValueRequirementType					
properties	isRef 0 minOcc 0 maxOcc unbounded content complex					
children	Description Version Revision Copyright AdditionalInformation OrdinalScaledType NominalScaledType UnknownType					
attributes	Name ChangeMode Name	Type ChangeMode xs:string	Use optional required	Default state	Fixed	Annotation

76

e) Element **AttributeType/Attribute**

diagram

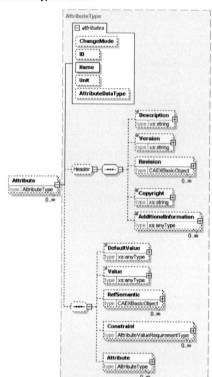

type **AttributeType**

properties
isRef 0
minOcc 0
maxOcc unbounded
content complex

children **Description Version Revision Copyright AdditionalInformation DefaultValue Value RefSemantic Constraint Attribute**

attributes
Name	Type	Use	Default	Fixed	Annotation
ChangeMode	**ChangeMode**	optional	state		
ID	xs:string	optional			
Name	xs:string	required			
Unit	xs:string	optional			
AttributeDataType	derived by: xs:string		optional		

f) Komplexer Typ **AttributeValueRequirementType**

diagram

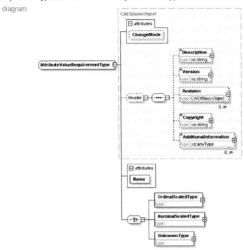

type extension of **CAEXBasicObject**
properties base CAEXBasicObject

children **Description Version Revision Copyright AdditionalInformation OrdinalScaledType NominalScaledType UnknownType**

used by element **AttributeType/Constraint**

attributes	Name	Type	Use	Default	Fixed	Annotation
	ChangeMode	ChangeMode	optional	state		
	Name	xs:string	required			

g) Element **AttributeValueRequirementType/OrdinalScaledType**

diagram

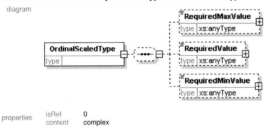

properties isRef 0
            content complex

children **RequiredMaxValue RequiredValue RequiredMinValue**

78

h) Element **AttributeValueRequirementType/OrdinalScaledType/RequiredMaxValue**
   diagram

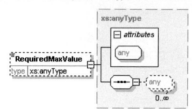

type	xs:anyType					
properties	isRef 0 minOcc 0 maxOcc 1 content complex mixed true					

| attributes | Name | Type | Use | Default | Fixed | Annotation |

i) Element **AttributeValueRequirementType/OrdinalScaledType/RequiredValue**
   diagram

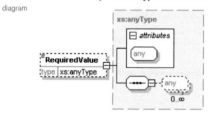

type	xs:anyType					
properties	isRef 0 minOcc 0 maxOcc 1 content complex mixed true					

| attributes | Name | Type | Use | Default | Fixed | Annotation |

j) Element **AttributeValueRequirementType/OrdinalScaledType/RequiredMinValue**

diagram

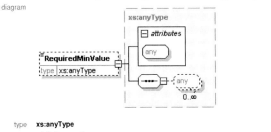

type	xs:anyType
properties	isRef 0 minOcc 0 maxOcc 1 content complex mixed true

attributes	Name	Type	Use	Default	Fixed	Annotation

k) Element **AttributeValueRequirementType/NominalScaledType**

diagram

properties	isRef 0 content complex
children	RequiredValue

l) Element **AttributeValueRequirementType/NominalScaledType/RequiredValue**

diagram

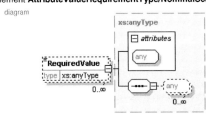

type	xs:anyType
properties	isRef 0 minOcc 0 maxOcc unbounded content complex mixed true

attributes	Name	Type	Use	Default	Fixed	Annotation

m) Element **AttributeValueRequirementType/UnknownType**

diagram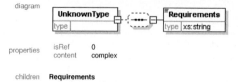

properties
isRef 0
content complex

children **Requirements**

n) Element **AttributeValueRequirementType/UnknownType/Requirements**

diagram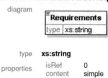

type **xs:string**

properties
isRef 0
content simple

A.3.14 Komplexer CAEX-Typ CAEXBasicObject

Das CAEX-Element CAEXBasicObject ist das Basisobjekt für alle CAEX-Elemente. Einzelheiten siehe A.2.2.2 und A.3.2.

Komplexer Typ **CAEXBasicObject**

diagram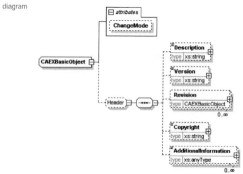

children **Description Version Revision Copyright AdditionalInformation**

used by
elements MappingType/AttributeNameMapping CAEXFile CAEXFile/ExternalReference MappingType/InterfaceNameMapping AttributeType/RefSemantic Header/Revision InternalElementType/RoleRequirements SystemUnitClassType/SupportedRoleClass
complexTypes AttributeValueRequirementType CAEXObject MappingType

attributes	Name	Type	Use	Default	Fixed	Annotation
	ChangeMode	ChangeMode	optional	state		

A.3.15 Komplexer CAEX-Typ CAEXObject

Der komplexe CAEX-Typ CAEXObject wird abgeleitet vom CAEXBasicObject, und die Attribute „Name" und „ID" werden zusätzlich definiert. Dieser komplexe Typ ist die Basisklasse für CAEX-Objekte wie Klassen, Instanzen, Attribute, Schnittstellen usw., die einen Namen besitzen.

- Das Attribut „Name" ist erforderlich und muss eindeutig gegenüber den Objekten auf der gleichen Hierarchieebene sein. Dies gewährleistet, dass der Bezug zu einer Klasse, einer Schnittstelle, einem Attribut oder einer Instanz über deren Pfad zu einem eindeutigen Ergebnis führen. Siehe A.2.2.1.

- Das Attribut „ID" ist optional und erlaubt die Ablage einer eindeutigen Kennzeichnung von einzelnen Objekten. Diese Kennzeichnungen sollten nicht gewechselt werden, solange die Objekte bestehen, und sie sollten keine Angaben über die Position des Objektes enthalten. Eine ID besteht üblicherweise aus einer Zahl oder einer Zeichenkette, z. B. einem GUID. Da nicht alle Ausgangs- oder Zielwerkzeuge IDs unterstützen bzw. das System der Kennzeichnung mit IDs in den verschiedenen Werkzeugen unterschiedlich sein kann, ist die Übertragung der IDs von einem Werkzeug zum anderen in CAEX nicht beschrieben. Das ID-Attribut hilft aber den entsprechenden Export/Import-Werkzeugen, die Objekte zu finden, z. B. wenn sie ihren Namen oder die Position innerhalb der Systemhierarchie gewechselt haben.

diagram

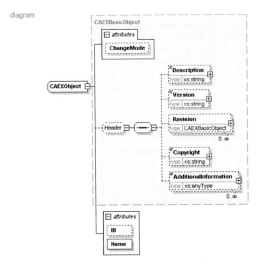

type extension of **CAEXBasicObject**
properties base CAEXBasicObject

children **Description Version Revision Copyright AdditionalInformation**
used by elements **CAEXFile/InstanceHierarchy CAEXFile/InterfaceClassLib SystemUnitClassType/InternalLink CAEXFile/RoleClassLib CAEXFile/SystemUnitClassLib**
complexTypes **AttributeType InterfaceClassType RoleClassType SystemUnitClassType**

attributes

Name	Type	Use	Default	Fixed	Annotation
ChangeMode	ChangeMode	optional	state		
ID	xs:string	optional			
Name	xs:string	required			

A.3.16 Komplexer CAEX-Typ InterfaceClassType

Das CAEX-Element InterfaceClassType ist der Basistyp für die Definitionen von Schnittstellenklassen. Einzelheiten siehe A.2.5, A.3.6 und A.3.7.

diagram

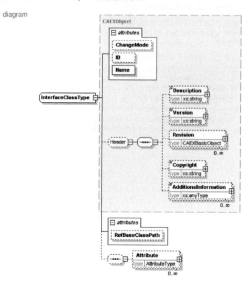

type	extension of **CAEXObject**					
properties	base CAEXObject					
children	Description Version Revision Copyright AdditionalInformation Attribute					
used by	elements RoleClassType/ExternalInterface SystemUnitClassType/ExternalInterface InternalElementType/RoleRequirements/ExternalInterface					
	complexType InterfaceFamilyType					

attributes	Name	Type	Use	Default	Fixed	Annotation
	ChangeMode	ChangeMode	optional	state		
	ID	xs:string	optional			
	Name	xs:string	required			
	RefBaseClassPath		xs:string	optional		

Element **InterfaceClassType/Attribute**
diagram

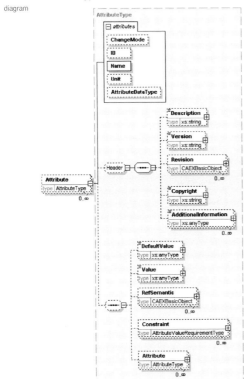

	type	AttributeType					
	properties	isRef	0				
		minOcc	0				
		maxOcc	unbounded				
		content	complex				

children **Description Version Revision Copyright AdditionalInformation DefaultValue Value RefSemantic Constraint Attribute**

attributes	Name	Type	Use	Default	Fixed	Annotation
	ChangeMode	ChangeMode	optional	state		
	ID	xs:string	optional			
	Name	xs:string	required			
	Unit	xs:string	optional			
	AttributeDataType	derived by: xs:string		optional		

84

A.3.17 Komplexer CAEX-Typ InterfaceFamilyType

Das CAEX-Element InterfaceFamilyType ist eine Erweiterung von InterfaceClassType und unterstützt zusätzlich das Hinzufügen von Schnittstellenklassen als Kinder. Diese untergeordnete Klasse ist wiederum vom Typ InterfaceFamilyType – diese rekursive Definition erlaubt das Abspeichern eines Schnittstellenbaums mit beliebigen Hierarchien. Die Vater-Kind-Beziehung zwischen den Schnittstellenklassen hat keine weitere Semantik. Einzelheiten und Beispiele siehe A.2.5.

diagram

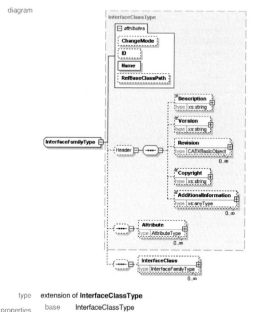

type	extension of **InterfaceClassType**						
properties	base	InterfaceClassType					
children	Description Version Revision Copyright AdditionalInformation Attribute InterfaceClass						
used by	elements	CAEXFile/InterfaceClassLib/InterfaceClass InterfaceFamilyType/InterfaceClass					
attributes	Name	Type	Use	Default		Fixed	Annotation
	ChangeMode	**ChangeMode**	optional	state			
	ID	xs:string	optional				
	Name	xs:string	required				
	RefBaseClassPath		xs:string	optional			

Element **InterfaceFamilyType/InterfaceClass**

diagram

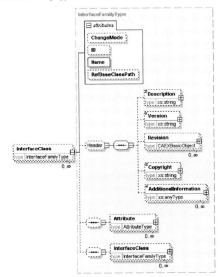

type	InterfaceFamilyType						
properties	isRef 0 minOcc 0 maxOcc unbounded content complex						
children	Description Version Revision Copyright AdditionalInformation Attribute InterfaceClass						
attributes	Name ChangeMode ID Name RefBaseClassPath	Type **ChangeMode** xs:string xs:string	Use optional optional required **xs:string**	Default state	Fixed	Annotation	
			optional				

DIN EN 62424 (VDE 0810-24):2010-01
EN 62424:2009

A.3.18 Komplexer CAEX-Typ InternalElementType

Das CAEX-Element InternalElementType ist der Basistyp des CAEX-Elements InternalElement. Einzelheiten siehe A.3.5.

diagram

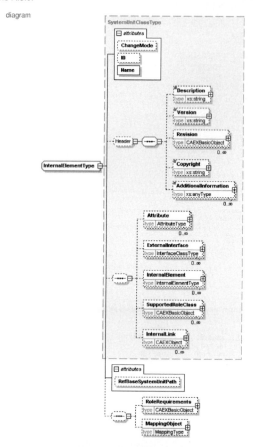

type	extension of **SystemUnitClassType**						
properties	base	SystemUnitClassType					
children	**Description Version Revision Copyright AdditionalInformation Attribute ExternalInterface InternalElement SupportedRoleClass InternalLink RoleRequirements MappingObject**						
used by	elements	CAEXFile/InstanceHierarchy/InternalElement SystemUnitClassType/InternalElement					
attributes	Name	Type	Use	Default	Fixed		Annotation
	ChangeMode	**ChangeMode**	optional	state			
	ID	xs:string	optional				
	Name	xs:string	required				
	RefBaseSystemUnitPath		xs:string	optional			

87

Das CAEX-Element RoleRequirements ermöglicht die Definition sowohl eines Verweises auf eine Rollenklasse als auch der Anforderungen an das zugehörige Objekt. Einzelheiten und Beispiele siehe A.2.9.1.

a) Element **InternalElementType/RoleRequirements**

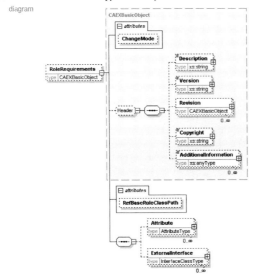

type	extension of **CAEXBasicObject**					
properties	isRef 0 minOcc 0 maxOcc 1 content complex					
children	**Description Version Revision Copyright AdditionalInformation Attribute ExternalInterface**					
attributes	Name	Type	Use	Default	Fixed	Annotation
	ChangeMode	**ChangeMode**	optional	state		
	RefBaseRoleClassPath		xs:string	optional		

88

b) Element **InternalElementType/RoleRequirements/Attribute**
diagram

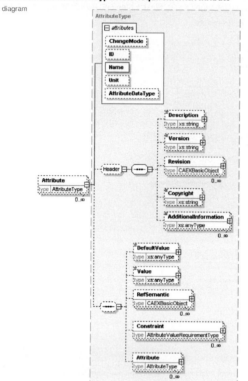

type	**AttributeType**					
properties	isRef 0 minOcc 0 maxOcc unbounded content complex					
children	**Description Version Revision Copyright AdditionalInformation DefaultValue Value RefSemantic Constraint Attribute**					
attributes	Name	Type	Use	Default	Fixed	Annotation
	ChangeMode	ChangeMode	optional	state		
	ID	xs:string	optional			
	Name	xs:string	required			
	Unit	xs:string	optional			
	AttributeDataType	derived by: xs:string	optional			

c) Element **InternalElementType/RoleRequirements/ExternalInterface**

diagram

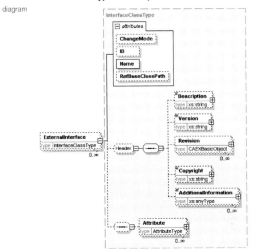

type **InterfaceClassType**

properties
isRef 0
minOcc 0
maxOcc unbounded
content complex

children **Description Version Revision Copyright AdditionalInformation Attribute**

attributes	Name	Type	Use	Default	Fixed	Annotation
	ChangeMode	ChangeMode	optional	state		
	ID	xs:string	optional			
	Name	xs:string	required			
	RefBaseClassPath		xs:string	optional		

d) Element **InternalElementType/MappingObject**

Einzelheiten und Beispiele siehe A.2.10.

diagram
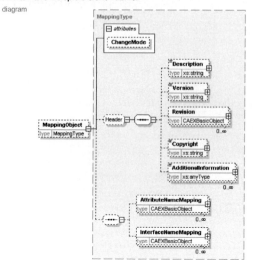

type **MappingType**

properties
isRef 0
minOcc 0
maxOcc 1
content complex

children **Description Version Revision Copyright AdditionalInformation AttributeNameMapping InterfaceNameMapping**

attributes	Name	Type	Use	Default	Fixed	Annotation
	ChangeMode	**ChangeMode**	optional	state		

DIN EN 62424 (VDE 0810-24):2010-01
EN 62424:2009

e) Komplexer Typ **MappingType**

Dieser Typ ist der Basistyp für das CAEX-Abbildungsobjekt. Einzelheiten und Beispiele siehe A.2.10.

diagram

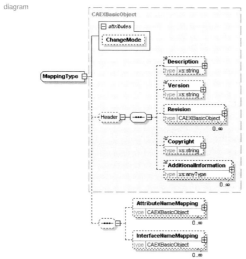

type   extension of **CAEXBasicObject**
properties   base   CAEXBasicObject

children   **Description Version Revision Copyright AdditionalInformation AttributeNameMapping InterfaceNameMapping**
used by   elements   **SystemUnitClassType/SupportedRoleClass/MappingObject InternalElementType/MappingObject**

attributes   Name   Type   Use   Default   Fixed   Annotation
              ChangeMode   **ChangeMode**   optional   state

92

f) Element **MappingType/AttributeNameMapping**

diagram

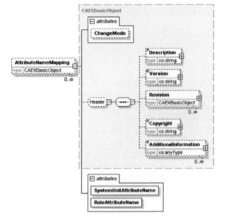

type extension of **CAEXBasicObject**

properties
   isRef   0
   minOcc 0
   maxOcc unbounded
   content complex

children **Description Version Revision Copyright AdditionalInformation**

attributes	Name	Type	Use	Default	Fixed	Annotation
	ChangeMode	**ChangeMode**	optional	state		
	SystemUnitAttributeName		**xs:string**	required		
	RoleAttributeName		**xs:string**	required		

g) Element **MappingType/InterfaceNameMapping**

diagram

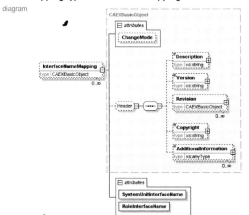

type	extension of **CAEXBasicObject**
properties	isRef 0 minOcc 0 maxOcc unbounded content complex
children	**Description Version Revision Copyright AdditionalInformation**

attributes	Name	Type	Use	Default	Fixed	Annotation
	ChangeMode	**ChangeMode**	optional	state		
	SystemUnitInterfaceName	**xs:string**	required			
	RoleInterfaceName	**xs:string**	required			

94

DIN EN 62424 (VDE 0810-24):2010-01
EN 62424:2009

A.3.19 Komplexer CAEX-Typ RoleClassType

Das CAEX-Element RoleClassType ist der Basistyp des CAEX-Elements Rollenklasse. Einzelheiten siehe A.2.6 und A.3.9.

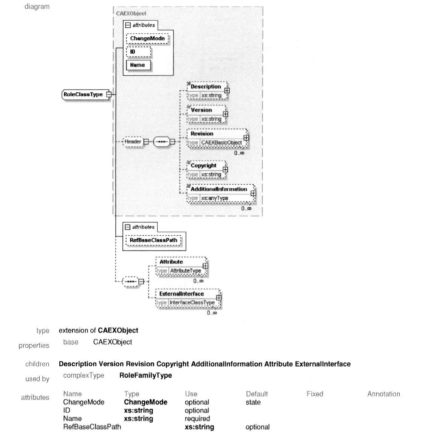

attributes	Name	Type	Use	Default	Fixed	Annotation
	ChangeMode	ChangeMode	optional	state		
	ID	xs:string	optional			
	Name	xs:string	required			
	RefBaseClassPath		xs:string	optional		

95

242

DIN EN 62424 (VDE 0810-24):2010-01
EN 62424:2009

a) Element **RoleClassType/Attribute**
diagram

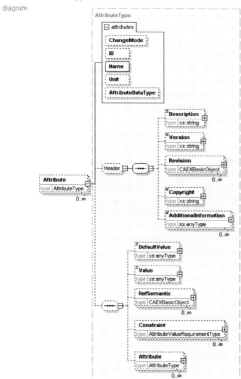

type	**AttributeType**					
properties	isRef 0 minOcc 0 maxOcc unbounded content complex					
children	**Description Version Revision Copyright AdditionalInformation DefaultValue Value RefSemantic Constraint Attribute**					
attributes	Name	Type	Use	Default	Fixed	Annotation
	ChangeMode	**ChangeMode**	optional	state		
	ID	xs:string	optional			
	Name	xs:string	required			
	Unit	xs:string	optional			
	AttributeDataType	derived by: xs:string		optional		

96

243

b) Element **RoleClassType/ExternalInterface**

diagram

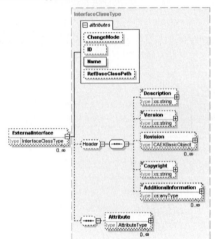

type   extension of **InterfaceClassType**

properties
- isRef   0
- minOcc   0
- maxOcc   unbounded
- content   complex

children   **Description Version Revision Copyright AdditionalInformation Attribute**

attributes

Name	Type	Use	Default	Fixed	Annotation
ChangeMode	**ChangeMode**	optional	state		
ID	**xs:string**	optional			
Name	**xs:string**	required			
RefBaseClassPath		**xs:string**	optional		

A.3.20 Komplexer CAEX-Typ RoleFamilyType

Das CAEX-Element RoleFamilyType ist eine Erweiterung vom RoleClassType und unterstützt zusätzlich das Hinzufügen von Rollenklassen als Kinder. Ein Kind ist wiederum vom Typ RoleFamilyType – diese rekursive Definition erlaubt das Abspeichern eines Rollenbaums mit beliebigen Hierarchien. Einzelheiten und Beispiele siehe A.2.6.

a) Komplexer Typ **RoleFamilyType**

diagram

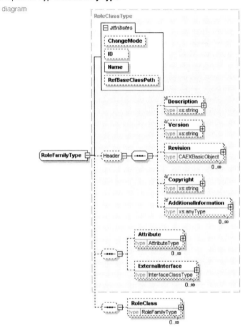

type	extension of **RoleClassType**					
properties	base RoleClassType					
children	**Description Version Revision Copyright AdditionalInformation Attribute ExternalInterface RoleClass**					
used by	elements **CAEXFile/RoleClassLib/RoleClass RoleFamilyType/RoleClass**					
attributes	Name	Type	Use	Default	Fixed	Annotation
	ChangeMode	**ChangeMode**	optional	state		
	ID	xs:string	optional			
	Name	xs:string	required			
	RefBaseClassPath		xs:string	optional		

b) Element **RoleFamilyType/RoleClass**
   diagram

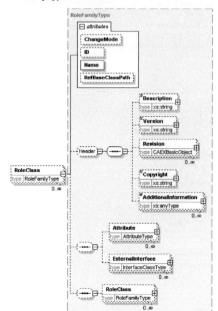

type	**RoleFamilyType**
properties	isRef 0 minOcc 0 maxOcc unbounded content complex
children	**Description Version Revision Copyright AdditionalInformation Attribute ExternalInterface RoleClass**

attributes	Name	Type	Use	Default	Fixed	Annotation
	ChangeMode	**ChangeMode**	optional	state		
	ID	**xs:string**	optional			
	Name	**xs:string**	required			
	RefBaseClassPath		**xs:string**	optional		

99

246

A.3.21 Komplexer CAEX-Typ SystemUnitClassType

Das CAEX-Element SystemUnitClassType ist der Basistyp des CAEX-Elements SystemUnitClass. Einzelheiten siehe A.2.6 und A.3.11.

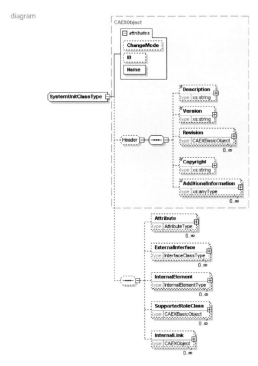

type	extension of **CAEXObject**					
properties	base CAEXObject					
children	**Description Version Revision Copyright AdditionalInformation Attribute ExternalInterface InternalElement SupportedRoleClass InternalLink**					
used by	complexTypes	**InternalElementType SystemUnitFamilyType**				
attributes	Name	Type	Use	Default	Fixed	Annotation
	ChangeMode	**ChangeMode**	optional	state		
	ID	**xs:string**	optional			
	Name	**xs:string**	required			

a) Element **SystemUnitClassType/Attribute**
    diagram

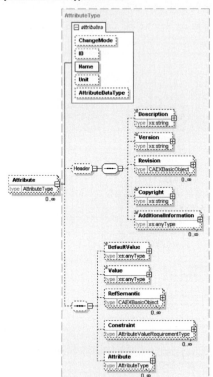

type	**AttributeType**				
properties	isRef 0 minOcc 0 maxOcc unbounded content complex				
children	**Description Version Revision Copyright AdditionalInformation DefaultValue Value RefSemantic Constraint Attribute**				
attributes	Name	Type	Use	Default	Fixed	Annotation
	ChangeMode	**ChangeMode**	optional	state		
	ID	xs:string	optional			
	Name	xs:string	required			
	Unit	xs:string	optional			
	AttributeDataType	**derived by:** xs:string	optional			

b) Element **SystemUnitClassType/ExternalInterface**

diagram

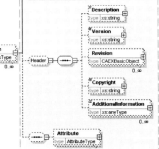

type	InterfaceClassType
properties	isRef 0 minOcc 0 maxOcc unbounded content complex

children	Description Version Revision Copyright AdditionalInformation Attribute					
attributes	Name	Type	Use	Default	Fixed	Annotation
	ChangeMode	ChangeMode	optional	state		
	ID	xs:string	optional			
	Name	xs:string	required			
	RefBaseClassPath		xs:string	optional		

c) Element **SystemUnitClassType/InternalElement**

diagram

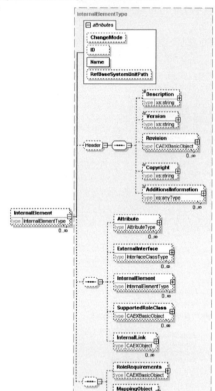

type **InternalElementType**

properties
isRef 0
minOcc 0
maxOcc unbounded
content complex

children **Description Version Revision Copyright AdditionalInformation Attribute ExternalInterface InternalElement SupportedRoleClass InternalLink RoleRequirements MappingObject**

attributes

Name	Type	Use	Default	Fixed	Annotation
ChangeMode	**ChangeMode**	optional	state		
ID	**xs:string**	optional			
Name	**xs:string**	required			
RefBaseSystemUnitPath		**xs:string**	optional		

103

d) Element **SystemUnitClassType/SupportedRoleClass**

diagram

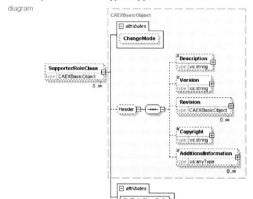

type	extension of **CAEXBasicObject**
properties	isRef 0 minOcc 0 maxOcc unbounded content complex
children	Description Version Revision Copyright AdditionalInformation MappingObject

attributes	Name	Type	Use	Default	Fixed	Annotation
	ChangeMode	**ChangeMode**	optional	state		
	RefRoleClassPath	**xs:string**	required			

DIN EN 62424 (VDE 0810-24):2010-01
EN 62424:2009

e) Element **SystemUnitClassType/SupportedRoleClass/MappingObject**
Einzelheiten und Beispiele siehe A.2.10.

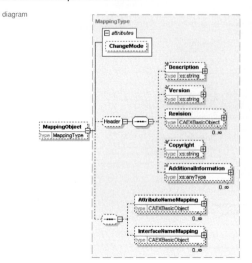

type	**MappingType**					
properties	isRef 0 minOcc 0 maxOcc 1 content complex					
children	**Description Version Revision Copyright AdditionalInformation AttributeNameMapping InterfaceNameMapping**					

attributes	Name	Type	Use	Default	Fixed	Annotation
	ChangeMode	**ChangeMode**	optional	state		

105

252

f) Element **SystemUnitClassType/InternalLink**

diagram

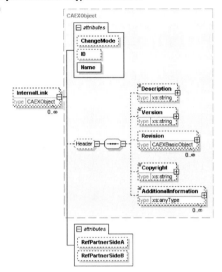

type	extension of **CAEXObject**				
properties	isRef 0 minOcc 0 maxOcc unbounded content complex				
children	**Description Version Revision Copyright AdditionalInformation**				
attributes	Name	Type	Use	Default	Fixed	Annotation
	ChangeMode	**ChangeMode**	optional	state		
	ID	**xs:string**	optional			
	Name	**xs:string**	required			
	RefPartnerSideA	**xs:string**	optional			
	RefPartnerSideB	**xs:string**	optional			

106

A.3.22 Komplexer CAEX-Typ SystemUnitFamilyType

Das CAEX-Element SystemUnitFamilyType ist eine Erweiterung vom SystemUnitClassType und unterstützt zusätzlich das Hinzufügen von untergeordneten SystemUnitClasses. Diese Kind-Klasse ist wiederum vom Typ SystemUnitFamilyType – diese rekursive Definition erlaubt das Abspeichern eines Anlagenkomponentenbaums mit beliebigen Hierarchien. Einzelheiten und Beispiele siehe A.2.3, A.3.10 und A.3.11.

diagram

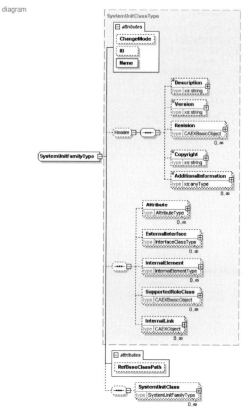

type	extension of **SystemUnitClassType**						
properties	base SystemUnitClassType						
children	Description Version Revision Copyright AdditionalInformation Attribute ExternalInterface InternalElement SupportedRoleClass InternalLink SystemUnitClass						
used by	elements CAEXFile/SystemUnitClassLib/SystemUnitClass SystemUnitFamilyType/SystemUnitClass						
attributes	Name	Type	Use	Default	Fixed	Annotation	
	ChangeMode	ChangeMode	optional	state			
	ID	xs:string	optional				
	Name	xs:string	required				
	RefBaseClassPath		xs:string	optional			

Element **SystemUnitFamilyType/SystemUnitClass**
diagram

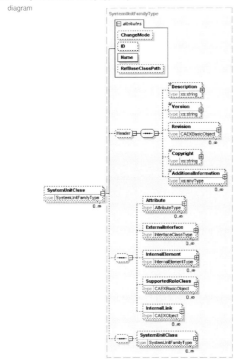

type **SystemUnitFamilyType**

properties
isRef 0
minOcc 0
maxOcc unbounded
content complex

children **Description Version Revision Copyright AdditionalInformation Attribute ExternalInterface InternalElement SupportedRoleClass InternalLink SystemUnitClass**

attributes
Name	Type	Use	Default	Fixed	Annotation
ChangeMode	ChangeMode	optional	state		
ID	xs:string	optional			
Name	xs:string	required			
RefBaseClassPath		xs:string	optional		

Einfacher Typ **ChangeMode**

type restriction of **xs:string**

used by attributes CAEXBasicObject/@ChangeMode Header/Description/@ChangeMode Header/Version/@ChangeMode Header/Copyright/@ChangeMode

facets
enumeration state
enumeration create
enumeration delete
enumeration change

108

Anhang B
(informativ)

Beispiele für PCE-Aufgaben

Dieser Anhang liefert Beispiele für PCE-Aufgaben.

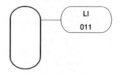

Bild B.1 – Lokale Füllstandsanzeige, ein Prozessanschluss

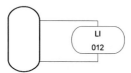

Bild B.2 – Lokale Füllstandsanzeige, zwei Prozessanschlüsse

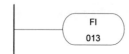

Bild B.3 – Lokale Durchflussanzeige

Bild B.4 – Lokale Druckanzeige

Bild B.5 – Lokale Temperaturanzeige

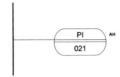

Bild B.6 – Lokales Schaltpult mit Druckanzeige und Hoch-Alarm

Bild B.7 – Lokale Temperaturanzeige und Hoch-Alarm mit Schaltung und Anzeige in einem zentralen Leistand

Bild B.8 – Lokale Druckanzeige und Hoch-Alarm mit Schaltung in einem zentralen Leitstand

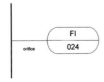

Bild B.9 – Durchflussanzeige in einem zentralen Leitstand; Geräteinformation: Messblende

DIN EN 62424 (VDE 0810-24):2010-01
EN 62424:2009

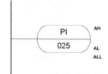

Bild B.10 – Druckanzeige in einem zentralen Leitstand mit Tief-, Tief-Tief- und Hoch-Alarmen

Bild B.11 – Temperaturanzeige mit Registrierung oder Trendanzeige in einem zentralen Leitstand

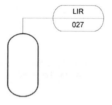

Bild B.12 – Füllstandsanzeige und Registrierung/Trend in einem zentralen Leitstand, ein Prozessanschluss

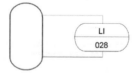

Bild B.13 – Füllstandsanzeige in einem zentralen Leitstand, zwei Prozessanschlüsse

111

DIN EN 62424 (VDE 0810-24):2010-01
EN 62424:2009

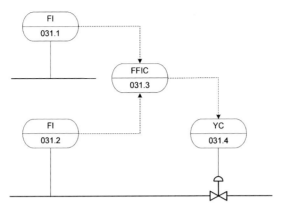

Bild B.14 – Zwei Durchflussanzeigen und Durchfluss-Verhältnis-Regelung in einem zentralen Leitstand

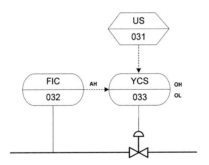

Bild B.15 – Durchflussanzeige mit Hoch-Alarm, Durchflussregelung, Stellarmatur mit Auf/Zu-Funktion und Auf/Zu-Anzeige in einem zentralen Leitstand, verknüpft mit einer PCE-Leitfunktion (z. B. Verriegelung)

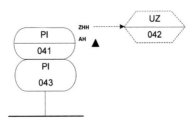

Bild B.16 – Lokale Druckanzeige mit Hoch-Alarm und sicherheitsrelevanter Hoch-Hoch-Schaltung in einem zentralen Leitstand, verknüpft mit einer sicherheitsrelevanten PCE-Leitfunktion

DIN EN 62424 (VDE 0810-24):2010-01
EN 62424:2009

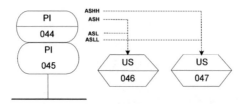

Bild B.17 – Lokale Druckanzeige mit verschiedenen Alarmen und Schaltungen in einem zentralen Leitstand, verknüpft mit mehreren PCE-Leitfunktionen

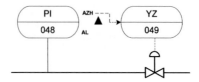

Bild B.18 – Druckanzeige mit Tief-Alarm und sicherheitsrelevanter Hoch-Alarm-Schaltung auf ein sicherheitsrelevantes Auf/Zu-Ventil

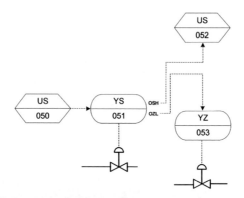

Bild B.19 – Auf/Zu-Ventil mit Auf/Zu-Endlagenmeldungen (Zu-Stellung sicherheitsrelevant), verknüpft mit einer PCE-Leitfunktion und einem sicherheitsrelevanten Auf/Zu-Ventil

Bild B.20 – Druckbegrenzung

Bild B.21 – Durchflussbegrenzung

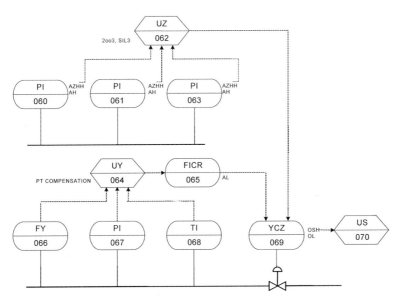

Bild B.22 – Druck-Temperatur-kompensierte Durchflussregelung mit Registrierung und einem Tief-Alarm (Druck und Temperatur werden im zentralen Leitstand angezeigt), Stellaramtur mit sicherheitsrelevanter Auf/Zu-Funktion, angesteuert durch 2 von 3 Druck-Hoch-Hoch-Schaltungen der Einstufung SIL 3 mit Hoch-Voralarmierung und mit Auf/Zu-Endlagenmeldungen; Auf-Endlage verknüpft mit einer PCE-Leitfunktion

DIN EN 62424 (VDE 0810-24):2010-01
EN 62424:2009

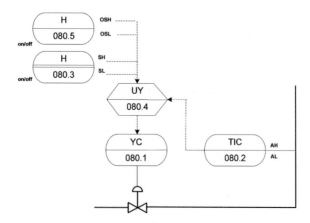

Bild B.23 – Temperatur-Regelung mit Tief- und Hoch-Alarm in einem zentralen Leitstand mit zusätzlichen Handstellern für Auf/Zu in einem zentralen Leitstand mit Anzeige und lokalem Schaltpult

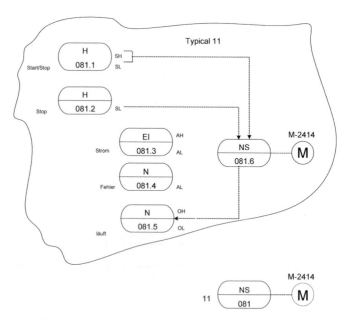

Bild B.24 – Motor-Typical 11, bestehend aus einem lokalen Aus-Schalter und im zentralen Leitstand befindlichen Ein/Aus-Schalter, Stromanzeige mit Tief- und Hoch-Alarm sowie Statusmeldungen (Fehler und Laufmeldung)

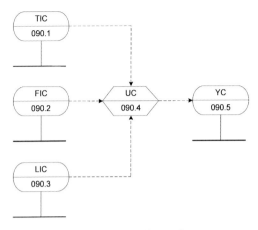

Bild B.25 – Mehrgrößenregler

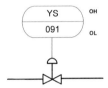

Bild B.26 – Auf/Zu-Ventil mit Endlagenanzeige

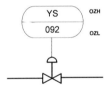

Bild B.27 – Auf/Zu-Ventil mit sicherheitsrelevanter Endlagenanzeige

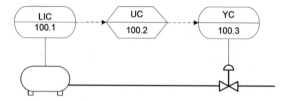

Bild B.28 – Füllstandsregler mit einer vom PID-Regelalgorithmus abweichenden Regelstruktur und Stellarmatur

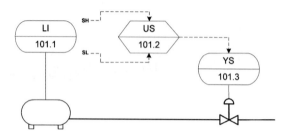

Bild B.29 – Zweipunkt-Füllstandsregler mit einer Auf/Zu-Armatur

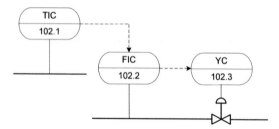

Bild B.30 – Kaskadenregelung mit einem Temeperaturregler als Führungsregler einer unterlagerten Durchfluss-Regelung und Stellarmatur

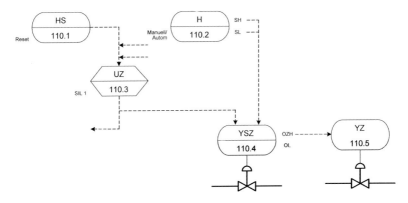

Bild B.31 – Sicherheitsrelevante PCE-Leitfunktion in Einstufung SIL 1 mit manuellem Reset auf ein Auf/Zu-Ventil wirkend, Endlagenmeldung desselben, Hand-Automatik-Umschaltung im zentralen Leitstand und sicherheitsrelevanter Verknüpfung auf ein weiteres sicherheitsrelevantes Auf/Zu-Ventil

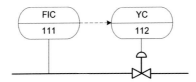

Bild B.32 – Durchfluss-Regler (einfacher PID-Algorithmus) und Stellarmatur in einem zentralen Leitstand

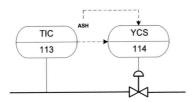

Bild B.33 – Temperaturregler mit einer Hoch-Alarm-Schaltung und Stellarmatur mit Auf/Zu-Funktion

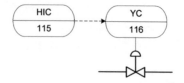

Bild B.34 – Handregler mit Anzeige in einem zentralen Leitstand

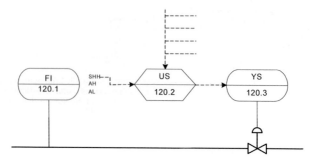

Bild B.35 – Durchflussanzeige mit mehreren Alarmen und einer Hoch-Hoch-Schaltung, verknüpft mit einer PCE-Leitfunktion in einem zentralen Leitstand

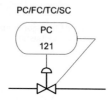

Bild B.36 – Selbsttätige Stellarmatur (ohne Hilfsenergie) für Druck, Durchfluss, Temperatur oder Drehzahl

Anhang C
(normativ)

Vollständiges XML-Schema des CAEX-Models

```xml
<?xml version="1.0" encoding="UTF-8"?>
<!-- CAEX - Computer Aided Engineering Data-Exchange-Metamodel -->
<!-- Version 2.15, 16.05.2007 -->
<xs:schema xmlns:xs="http://www.w3.org/2001/XMLSchema" elementFormDefault="qualified" attributeFormDefault="unqualified">
    <xs:simpleType name="ChangeMode">
        <xs:annotation>
            <xs:documentation>Optionally describes the change state of an CAEX object. If used, the ChangeMode shall have the following value range: state, create, delete and change. This information should be used for further change management applications.</xs:documentation>
        </xs:annotation>
        <xs:restriction base="xs:string">
            <xs:enumeration value="state"/>
            <xs:enumeration value="create"/>
            <xs:enumeration value="delete"/>
            <xs:enumeration value="change"/>
        </xs:restriction>
    </xs:simpleType>
    <xs:group name="Header">
        <xs:annotation>
            <xs:documentation>Defines a group of organizational information, like description, version, revision, copyright, etc.</xs:documentation>
        </xs:annotation>
        <xs:sequence>
            <xs:element name="Description" minOccurs="0">
                <xs:annotation>
                    <xs:documentation>Textual description for CAEX objects.</xs:documentation>
                </xs:annotation>
                <xs:complexType>
                    <xs:simpleContent>
                        <xs:extension base="xs:string">
                            <xs:attribute name="ChangeMode" type="ChangeMode" use="optional" default="state"/>
                        </xs:extension>
                    </xs:simpleContent>
                </xs:complexType>
            </xs:element>
            <xs:element name="Version" minOccurs="0">
                <xs:annotation>
                    <xs:documentation>Organizational information about the state of the version.</xs:documentation>
                </xs:annotation>
                <xs:complexType>
                    <xs:simpleContent>
                        <xs:extension base="xs:string">
                            <xs:attribute name="ChangeMode" type="ChangeMode" use="optional" default="state"/>
                        </xs:extension>
                    </xs:simpleContent>
                </xs:complexType>
            </xs:element>
            <xs:element name="Revision" minOccurs="0" maxOccurs="unbounded">
                <xs:annotation>
                    <xs:documentation>Organizational information about the state of the revision.</xs:documentation>
                </xs:annotation>
                <xs:complexType>
                    <xs:complexContent>
                        <xs:extension base="CAEXBasicObject">
                            <xs:sequence>
                                <xs:element name="RevisionDate" type="xs:dateTime"/>
                                <xs:element name="OldVersion" type="xs:string" minOccurs="0"/>
                                <xs:element name="NewVersion" type="xs:string" minOccurs="0"/>
                                <xs:element name="AuthorName" type="xs:string"/>
                                <xs:element name="Comment" type="xs:string" minOccurs="0"/>
                            </xs:sequence>
                        </xs:extension>
                    </xs:complexContent>
                </xs:complexType>
            </xs:element>
            <xs:element name="Copyright" minOccurs="0">
```

```xml
<xs:annotation>
    <xs:documentation>Organizational information about copyright.</xs:documentation>
</xs:annotation>
<xs:complexType>
    <xs:simpleContent>
        <xs:extension base="xs:string">
            <xs:attribute name="ChangeMode" type="ChangeMode" use="optional" default="state"/>
        </xs:extension>
    </xs:simpleContent>
</xs:complexType>
</xs:element>
<xs:element name="AdditionalInformation" type="xs:anyType" minOccurs="0" maxOccurs="unbounded">
    <xs:annotation>
        <xs:documentation>Optional auxiliary field that may contain any additional information about a CAEX object.</xs:documentation>
    </xs:annotation>
</xs:element>
</xs:sequence>
</xs:group>
<xs:complexType name="CAEXBasicObject">
    <xs:annotation>
        <xs:documentation>CAEX basis object that comprises a basic set of attributes and header information which exist for all CAEX elements.</xs:documentation>
    </xs:annotation>
    <xs:group ref="Header" minOccurs="0"/>
    <xs:attribute name="ChangeMode" type="ChangeMode" use="optional" default="state">
        <xs:annotation>
            <xs:documentation>Optionally describes the change state of an CAEX object. If used, the ChangeMode shall have the following value range: state, create, delete and change. This information should be used for further change management applications.</xs:documentation>
        </xs:annotation>
    </xs:attribute>
</xs:complexType>
<xs:complexType name="CAEXObject">
    <xs:annotation>
        <xs:documentation>CAEX basis object derived from CAEXBasicObject, augmented by (required) and ID (optional).</xs:documentation>
    </xs:annotation>
    <xs:complexContent>
        <xs:extension base="CAEXBasicObject">
            <xs:attribute name="ID" type="xs:string" use="optional">
                <xs:annotation>
                    <xs:documentation>Optional attribute that describes a unique identifier of the CAEX object.</xs:documentation>
                </xs:annotation>
            </xs:attribute>
            <xs:attribute name="Name" type="xs:string" use="required">
                <xs:annotation>
                    <xs:documentation>Describes the name of the CAEX object.</xs:documentation>
                </xs:annotation>
            </xs:attribute>
        </xs:extension>
    </xs:complexContent>
</xs:complexType>
<xs:complexType name="InterfaceClassType">
    <xs:annotation>
        <xs:documentation>Shall be used for InterfaceClass definition, provides base structures for an interface class definition.</xs:documentation>
    </xs:annotation>
    <xs:complexContent>
        <xs:extension base="CAEXObject">
            <xs:sequence minOccurs="0">
                <xs:element name="Attribute" type="AttributeType" minOccurs="0" maxOccurs="unbounded">
                    <xs:annotation>
                        <xs:documentation>Characterizes properties of the InterfaceClass.</xs:documentation>
                    </xs:annotation>
                </xs:element>
            </xs:sequence>
            <xs:attribute name="RefBaseClassPath" type="xs:string" use="optional">
                <xs:annotation>
                    <xs:documentation>Stores the reference of a class to its base class. References contain the full path to the refered class object.</xs:documentation>
                </xs:annotation>
            </xs:attribute>
        </xs:extension>
    </xs:complexContent>
```

```xml
</xs:complexType>
<xs:complexType name="InterfaceFamilyType">
    <xs:annotation>
        <xs:documentation>Defines base structures for a hierarchical InterfaceClass tree. The hierarchical structure of an interface library has organizational character only. </xs:documentation>
    </xs:annotation>
    <xs:complexContent>
        <xs:extension base="InterfaceClassType">
            <xs:sequence minOccurs="0">
                <xs:element name="InterfaceClass" type="InterfaceFamilyType" minOccurs="0" maxOccurs="unbounded">
                    <xs:annotation>
                        <xs:documentation>Element that allows definition of child InterfaceClasses within the class hierarchy. The parent child relation between two InterfaceClasses has no semantic.</xs:documentation>
                    </xs:annotation>
                </xs:element>
            </xs:sequence>
        </xs:extension>
    </xs:complexContent>
</xs:complexType>
<xs:complexType name="RoleClassType">
    <xs:annotation>
        <xs:documentation>Shall be used for RoleClass definition, provides base structures for a role class definition.</xs:documentation>
    </xs:annotation>
    <xs:complexContent>
        <xs:extension base="CAEXObject">
            <xs:sequence minOccurs="0">
                <xs:element name="Attribute" type="AttributeType" minOccurs="0" maxOccurs="unbounded">
                    <xs:annotation>
                        <xs:documentation>Characterizes properties of the RoleClass.</xs:documentation>
                    </xs:annotation>
                </xs:element>
                <xs:element name="ExternalInterface" minOccurs="0" maxOccurs="unbounded">
                    <xs:annotation>
                        <xs:documentation>Description of an external interface.</xs:documentation>
                    </xs:annotation>
                    <xs:complexType>
                        <xs:complexContent>
                            <xs:extension base="InterfaceClassType"/>
                        </xs:complexContent>
                    </xs:complexType>
                </xs:element>
            </xs:sequence>
            <xs:attribute name="RefBaseClassPath" type="xs:string" use="optional">
                <xs:annotation>
                    <xs:documentation>Stores the reference of a class to its base class. References contain the full path to the refered class object.</xs:documentation>
                </xs:annotation>
            </xs:attribute>
        </xs:extension>
    </xs:complexContent>
</xs:complexType>
<xs:complexType name="RoleFamilyType">
    <xs:annotation>
        <xs:documentation>Defines base structures for a hierarchical RoleClass tree. The hierarchical structure of a role library has organizational character only. </xs:documentation>
    </xs:annotation>
    <xs:complexContent>
        <xs:extension base="RoleClassType">
            <xs:sequence minOccurs="0">
                <xs:element name="RoleClass" type="RoleFamilyType" minOccurs="0" maxOccurs="unbounded">
                    <xs:annotation>
                        <xs:documentation>Element that allows definition of child RoleClasses within the class hierarchy. The parent child relation between two RoleClasses has no semantic.</xs:documentation>
                    </xs:annotation>
                </xs:element>
            </xs:sequence>
        </xs:extension>
    </xs:complexContent>
</xs:complexType>
<xs:complexType name="SystemUnitClassType">
    <xs:annotation>
        <xs:documentation>Defines base structures for a SystemUnit class definition.</xs:documentation>
    </xs:annotation>
    <xs:complexContent>
        <xs:extension base="CAEXObject">
```

```xml
<xs:sequence minOccurs="0">
    <xs:element name="Attribute" type="AttributeType" minOccurs="0" maxOccurs="unbounded">
        <xs:annotation>
            <xs:documentation>Characterizes properties of the SystemUnitClass.</xs:documentation>
        </xs:annotation>
    </xs:element>
    <xs:element name="ExternalInterface" type="InterfaceClassType" minOccurs="0" maxOccurs="unbounded">
        <xs:annotation>
            <xs:documentation>Description of an external interface.</xs:documentation>
        </xs:annotation>
    </xs:element>
    <xs:element name="InternalElement" type="InternalElementType" minOccurs="0" maxOccurs="unbounded">
        <xs:annotation>
            <xs:documentation>Shall be used in order to define nested objects inside of a SystemUnitClass or another InternalElement. Allows description of the internal structure of an CAEX object.</xs:documentation>
        </xs:annotation>
    </xs:element>
    <xs:element name="SupportedRoleClass" minOccurs="0" maxOccurs="unbounded">
        <xs:annotation>
            <xs:documentation>Allows the association to a RoleClass which this SystemUnitClass can play. A SystemUnitClass may reference multiple roles.</xs:documentation>
        </xs:annotation>
        <xs:complexType>
            <xs:complexContent>
                <xs:extension base="CAEXBasicObject">
                    <xs:sequence minOccurs="0">
                        <xs:element name="MappingObject" type="MappingType" minOccurs="0"/>
                    </xs:sequence>
                    <xs:attribute name="RefRoleClassPath" type="xs:string" use="required"/>
                </xs:extension>
            </xs:complexContent>
        </xs:complexType>
    </xs:element>
    <xs:element name="InternalLink" minOccurs="0" maxOccurs="unbounded">
        <xs:annotation>
            <xs:documentation>Shall be used in order to define the relationships between internal interfaces of InternalElements.</xs:documentation>
        </xs:annotation>
        <xs:complexType>
            <xs:complexContent>
                <xs:extension base="CAEXObject">
                    <xs:attribute name="RefPartnerSideA" type="xs:string" use="optional"/>
                    <xs:attribute name="RefPartnerSideB" type="xs:string" use="optional"/>
                </xs:extension>
            </xs:complexContent>
        </xs:complexType>
    </xs:element>
</xs:sequence>
</xs:extension>
</xs:complexContent>
</xs:complexType>
<xs:complexType name="SystemUnitFamilyType">
    <xs:annotation>
        <xs:documentation>Defines base structures for a hierarchical SystemUnitClass tree. The hierarchical structure of a SystemUnit library has organizational character only.  </xs:documentation>
    </xs:annotation>
    <xs:complexContent>
        <xs:extension base="SystemUnitClassType">
            <xs:sequence minOccurs="0">
                <xs:element name="SystemUnitClass" type="SystemUnitFamilyType" minOccurs="0" maxOccurs="unbounded">
                    <xs:annotation>
                        <xs:documentation>Element that allows definition of child SystemUnitClasses within the class hierarchy. The parent child relation between two SystemUnitClasses has no semantic.</xs:documentation>
                    </xs:annotation>
                </xs:element>
            </xs:sequence>
            <xs:attribute name="RefBaseClassPath" type="xs:string" use="optional">
                <xs:annotation>
                    <xs:documentation>Stores the reference of a class to its base class. References contain the full path to the refered class object.</xs:documentation>
                </xs:annotation>
            </xs:attribute>
        </xs:extension>
```

```xml
        </xs:complexContent>
    </xs:complexType>
    <xs:complexType name="InternalElementType">
        <xs:annotation>
            <xs:documentation>Type for definition of nested objects inside of a SystemUnitClass.</xs:documentation>
        </xs:annotation>
        <xs:complexContent>
            <xs:extension base="SystemUnitClassType">
                <xs:sequence minOccurs="0">
                    <xs:element name="RoleRequirements" minOccurs="0">
                        <xs:annotation>
                            <xs:documentation>Describes role requirements of an InternalElement. It allows the definition of a reference to a RoleClass and the specification of role requirements like required attributes and required interfaces. </xs:documentation>
                        </xs:annotation>
                        <xs:complexType>
                            <xs:complexContent>
                                <xs:extension base="CAEXBasicObject">
                                    <xs:sequence>
                                        <xs:element name="Attribute" type="AttributeType" minOccurs="0" maxOccurs="unbounded">
                                            <xs:annotation>
                                                <xs:documentation>Characterizes properties of the RoleRequirements.</xs:documentation>
                                            </xs:annotation>
                                        </xs:element>
                                        <xs:element name="ExternalInterface" type="InterfaceClassType" minOccurs="0" maxOccurs="unbounded"/>
                                    </xs:sequence>
                                    <xs:attribute name="RefBaseRoleClassPath" type="xs:string" use="optional"/>
                                </xs:extension>
                            </xs:complexContent>
                        </xs:complexType>
                    </xs:element>
                    <xs:element name="MappingObject" type="MappingType" minOccurs="0">
                        <xs:annotation>
                            <xs:documentation>Host element for AttributeNameMapping and InterfaceNameMapping.</xs:documentation>
                        </xs:annotation>
                    </xs:element>
                </xs:sequence>
                <xs:attribute name="RefBaseSystemUnitPath" type="xs:string" use="optional">
                    <xs:annotation>
                        <xs:documentation>Stores the reference of an InternalElement to a class or instance definition. References contain the full path information. </xs:documentation>
                    </xs:annotation>
                </xs:attribute>
            </xs:extension>
        </xs:complexContent>
    </xs:complexType>
    <xs:complexType name="AttributeType">
        <xs:annotation>
            <xs:documentation>Defines base structures for attribute definitions.</xs:documentation>
        </xs:annotation>
        <xs:complexContent>
            <xs:extension base="CAEXObject">
                <xs:sequence minOccurs="0">
                    <xs:element name="DefaultValue" type="xs:anyType" minOccurs="0">
                        <xs:annotation>
                            <xs:documentation>A predefined default value for an attribute.</xs:documentation>
                        </xs:annotation>
                    </xs:element>
                    <xs:element name="Value" type="xs:anyType" minOccurs="0">
                        <xs:annotation>
                            <xs:documentation>Element describing the value of an attribute.</xs:documentation>
                        </xs:annotation>
                    </xs:element>
                    <xs:element name="RefSemantic" minOccurs="0" maxOccurs="unbounded">
                        <xs:annotation>
                            <xs:documentation>A reference to a definition of a defined attribute, e. g. to an attribute in a standardized library, this allows the semantic definition of the attribute.</xs:documentation>
                        </xs:annotation>
                        <xs:complexType>
                            <xs:complexContent>
                                <xs:extension base="CAEXBasicObject">
                                    <xs:attribute name="CorrespondingAttributePath" type="xs:string" use="required"/>
                                </xs:extension>
```

```
                        </xs:complexContent>
                    </xs:complexType>
                </xs:element>
                <xs:element name="Constraint" type="AttributeValueRequirementType" minOccurs="0" maxOccurs="unbounded">
                    <xs:annotation>
                        <xs:documentation>Element to restrict the range of validity of a defined attribute.</xs:documentation>
                    </xs:annotation>
                </xs:element>
                <xs:element name="Attribute" type="AttributeType" minOccurs="0" maxOccurs="unbounded">
                    <xs:annotation>
                        <xs:documentation>Element that allows the description of nested attributes.</xs:documentation>
                    </xs:annotation>
                </xs:element>
            </xs:sequence>
            <xs:attribute name="Unit" type="xs:string" use="optional">
                <xs:annotation>
                    <xs:documentation>Describes the unit of the attribute.</xs:documentation>
                </xs:annotation>
            </xs:attribute>
            <xs:attribute name="AttributeDataType" use="optional">
                <xs:annotation>
                    <xs:documentation>Describes the data type of the attribute using XML notation.</xs:documentation>
                </xs:annotation>
                <xs:simpleType>
                    <xs:restriction base="xs:string"/>
                </xs:simpleType>
            </xs:attribute>
        </xs:extension>
    </xs:complexContent>
</xs:complexType>
<xs:complexType name="AttributeValueRequirementType">
    <xs:annotation>
        <xs:documentation>Defines base structures for definition of value requirements of an attribute.</xs:documentation>
    </xs:annotation>
    <xs:complexContent>
        <xs:extension base="CAEXBasicObject">
            <xs:choice>
                <xs:element name="OrdinalScaledType">
                    <xs:annotation>
                        <xs:documentation>Element of to define constraints of ordinal scaled attribute values.</xs:documentation>
                    </xs:annotation>
                    <xs:complexType>
                        <xs:sequence minOccurs="0">
                            <xs:element name="RequiredMaxValue" type="xs:anyType" minOccurs="0">
                                <xs:annotation>
                                    <xs:documentation>Element to define a maximum value of an attribute.</xs:documentation>
                                </xs:annotation>
                            </xs:element>
                            <xs:element name="RequiredValue" type="xs:anyType" minOccurs="0">
                                <xs:annotation>
                                    <xs:documentation>Element to define a required value of an attribute.</xs:documentation>
                                </xs:annotation>
                            </xs:element>
                            <xs:element name="RequiredMinValue" type="xs:anyType" minOccurs="0">
                                <xs:annotation>
                                    <xs:documentation>Element to define a minimum value of an attribute.</xs:documentation>
                                </xs:annotation>
                            </xs:element>
                        </xs:sequence>
                    </xs:complexType>
                </xs:element>
                <xs:element name="NominalScaledType">
                    <xs:annotation>
                        <xs:documentation>Element of to define constraints of nominal scaled attribute values.</xs:documentation>
                    </xs:annotation>
                    <xs:complexType>
                        <xs:sequence minOccurs="0">
                            <xs:element name="RequiredValue" type="xs:anyType" minOccurs="0" maxOccurs="unbounded">
```

```xml
            <xs:annotation>
                <xs:documentation>Element to define a required value of an attribute. It may be defined multiple times in order to define a discrete value range of the attribute.</xs:documentation>
            </xs:annotation>
        </xs:element>
    </xs:sequence>
</xs:complexType>
</xs:element>
<xs:element name="UnknownType">
    <xs:annotation>
        <xs:documentation>Element to define constraints for attribute values of an unknown scale type.</xs:documentation>
    </xs:annotation>
    <xs:complexType>
        <xs:sequence minOccurs="0">
            <xs:element name="Requirements" type="xs:string">
                <xs:annotation>
                    <xs:documentation>Defines informative requirements as a constraint for an attribute value.</xs:documentation>
                </xs:annotation>
            </xs:element>
        </xs:sequence>
    </xs:complexType>
</xs:element>
</xs:choice>
<xs:attribute name="Name" type="xs:string" use="required">
    <xs:annotation>
        <xs:documentation>Describes the name of the contraint.</xs:documentation>
    </xs:annotation>
</xs:attribute>
</xs:extension>
</xs:complexContent>
</xs:complexType>
<xs:complexType name="MappingType">
    <xs:annotation>
        <xs:documentation>Base element for AttributeNameMapping and InterfaceNameMapping.</xs:documentation>
    </xs:annotation>
    <xs:complexContent>
        <xs:extension base="CAEXBasicObject">
            <xs:sequence minOccurs="0">
                <xs:element name="AttributeNameMapping" minOccurs="0" maxOccurs="unbounded">
                    <xs:annotation>
                        <xs:documentation>Allows the definition of the mapping between attribute names of corresponding RoleClasses and SystemUnitClasses. </xs:documentation>
                    </xs:annotation>
                    <xs:complexType>
                        <xs:complexContent>
                            <xs:extension base="CAEXBasicObject">
                                <xs:attribute name="SystemUnitAttributeName" type="xs:string" use="required"/>
                                <xs:attribute name="RoleAttributeName" type="xs:string" use="required"/>
                            </xs:extension>
                        </xs:complexContent>
                    </xs:complexType>
                </xs:element>
                <xs:element name="InterfaceNameMapping" minOccurs="0" maxOccurs="unbounded">
                    <xs:annotation>
                        <xs:documentation>Mapping of interface names of corresponding RoleClasses and SystemUnitClasses.</xs:documentation>
                    </xs:annotation>
                    <xs:complexType>
                        <xs:complexContent>
                            <xs:extension base="CAEXBasicObject">
                                <xs:attribute name="SystemUnitInterfaceName" type="xs:string" use="required"/>
                                <xs:attribute name="RoleInterfaceName" type="xs:string" use="required"/>
                            </xs:extension>
                        </xs:complexContent>
                    </xs:complexType>
                </xs:element>
            </xs:sequence>
        </xs:extension>
    </xs:complexContent>
</xs:complexType>
<xs:element name="CAEXFile">
    <xs:annotation>
        <xs:documentation>Root-element of the CAEX schema. </xs:documentation>
    </xs:annotation>
```

```xml
<xs:complexType>
    <xs:complexContent>
        <xs:extension base="CAEXBasicObject">
            <xs:sequence>
                <xs:element name="ExternalReference" minOccurs="0" maxOccurs="unbounded">
                    <xs:annotation>
                        <xs:documentation>Container element for the alias definition of external CAEX files.</xs:documentation>
                    </xs:annotation>
                    <xs:complexType>
                        <xs:complexContent>
                            <xs:extension base="CAEXBasicObject">
                                <xs:attribute name="Path" type="xs:string" use="required">
                                    <xs:annotation>
                                        <xs:documentation>Describes the path of the external CAEX file. Absolute and relative paths are allowed.</xs:documentation>
                                    </xs:annotation>
                                </xs:attribute>
                                <xs:attribute name="Alias" type="xs:string" use="required">
                                    <xs:annotation>
                                        <xs:documentation>Describes the alias name of an external CAEX file to enable referencing elements of the external CAEX file.</xs:documentation>
                                    </xs:annotation>
                                </xs:attribute>
                            </xs:extension>
                        </xs:complexContent>
                    </xs:complexType>
                </xs:element>
                <xs:element name="InstanceHierarchy" minOccurs="0" maxOccurs="unbounded">
                    <xs:annotation>
                        <xs:documentation>Root element for a system hierarchy of object instances.</xs:documentation>
                    </xs:annotation>
                    <xs:complexType>
                        <xs:complexContent>
                            <xs:extension base="CAEXObject">
                                <xs:sequence>
                                    <xs:element name="InternalElement" type="InternalElementType" minOccurs="0" maxOccurs="unbounded">
                                        <xs:annotation>
                                            <xs:documentation>Shall be used in order to define nested objects inside of a SystemUnitClass or another InternalElement. Allows description of the internal structure of an CAEX object.</xs:documentation>
                                        </xs:annotation>
                                    </xs:element>
                                </xs:sequence>
                            </xs:extension>
                        </xs:complexContent>
                    </xs:complexType>
                </xs:element>
                <xs:element name="InterfaceClassLib" minOccurs="0" maxOccurs="unbounded">
                    <xs:annotation>
                        <xs:documentation>Container element for a hierarchy of InterfaceClass definitions. It shall contain any interface class definitions. CAEX supports multiple interface libraries..</xs:documentation>
                    </xs:annotation>
                    <xs:complexType>
                        <xs:complexContent>
                            <xs:extension base="CAEXObject">
                                <xs:sequence>
                                    <xs:element name="InterfaceClass" type="InterfaceFamilyType" minOccurs="0" maxOccurs="unbounded">
                                        <xs:annotation>
                                            <xs:documentation>Class definition for interfaces.</xs:documentation>
                                        </xs:annotation>
                                    </xs:element>
                                </xs:sequence>
                            </xs:extension>
                        </xs:complexContent>
                    </xs:complexType>
                </xs:element>
                <xs:element name="RoleClassLib" minOccurs="0" maxOccurs="unbounded">
                    <xs:annotation>
                        <xs:documentation>Container element for a hierarchy of RoleClass definitions. It shall contain any RoleClass definitions. CAEX supports multiple role libraries.</xs:documentation>
                    </xs:annotation>
```

```xml
            <xs:complexType>
                <xs:complexContent>
                    <xs:extension base="CAEXObject">
                        <xs:sequence>
                            <xs:element name="RoleClass" type="RoleFamilyType" minOccurs="0" maxOccurs="unbounded">
                                <xs:annotation>
                                    <xs:documentation>Definition of a class of a role type.</xs:documentation>
                                </xs:annotation>
                            </xs:element>
                        </xs:sequence>
                    </xs:extension>
                </xs:complexContent>
            </xs:complexType>
        </xs:element>
        <xs:element name="SystemUnitClassLib" minOccurs="0" maxOccurs="unbounded">
            <xs:annotation>
                <xs:documentation>Container element for a hierarchy of SystemUnitClass definitions. It shall contain any SystemunitClass definitions. CAEX supports multiple SystemUnitClass libraries.</xs:documentation>
            </xs:annotation>
            <xs:complexType>
                <xs:complexContent>
                    <xs:extension base="CAEXObject">
                        <xs:sequence>
                            <xs:element name="SystemUnitClass" type="SystemUnitFamilyType" minOccurs="0" maxOccurs="unbounded">
                                <xs:annotation>
                                    <xs:documentation>Shall be used for SystemUnitClass definition, provides definition of a class of a SystemUnitClass type.</xs:documentation>
                                </xs:annotation>
                            </xs:element>
                        </xs:sequence>
                    </xs:extension>
                </xs:complexContent>
            </xs:complexType>
        </xs:element>
    </xs:sequence>
    <xs:attribute name="FileName" type="xs:string" use="required">
        <xs:annotation>
            <xs:documentation>Describes the name of the CAEX file.</xs:documentation>
        </xs:annotation>
    </xs:attribute>
    <xs:attribute name="SchemaVersion" type="xs:string" use="required" fixed="2.15">
        <xs:annotation>
            <xs:documentation>Describes the version of the schema. Each CAEX document must specify which CAEX version it requires. The version number of a CAEX document must fit to the version number specified in the CAEX schema file. </xs:documentation>
        </xs:annotation>
    </xs:attribute>
            </xs:extension>
        </xs:complexContent>
    </xs:complexType>
  </xs:element>
</xs:schema>
```

Anhang D
(informativ)

Beispiele für Modellbildungen mit CAEX

D.1 Beispiel einer CAEX-InterfaceLib-Definition

Die folgende CAEX-Schnittstellenbibliothek definiert eine Menge von Schnittstellenklassen für übliche PCE-Aufgaben (siehe Bild D.1).

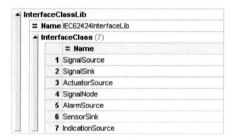

Bild D.1 – Beispiel einer CAEX-Schnittstellenbibliothek

Der komplette XML-Text nachfolgend als Beispiel:

```
<InterfaceClassLib Name="IEC62424InterfaceLib">
        <InterfaceClass Name="SignalSource"/>
        <InterfaceClass Name="SignalSink"/>
        <InterfaceClass Name="ActuatorSource"/>
        <InterfaceClass Name="SignalNode"/>
        <InterfaceClass Name="AlarmSource"/>
        <InterfaceClass Name="SensorSink"/>
        <InterfaceClass Name="IndicationSource"/>
</InterfaceClassLib>
```

D.2 Beispiel einer CAEX-RoleLib-Definition

Die folgende CAEX-Rollenbibliothek definiert Rollenklassen für PCE-Aufgaben mit einer Grundmenge von Attributen und externen Schnittstellen (siehe Bild D.2).

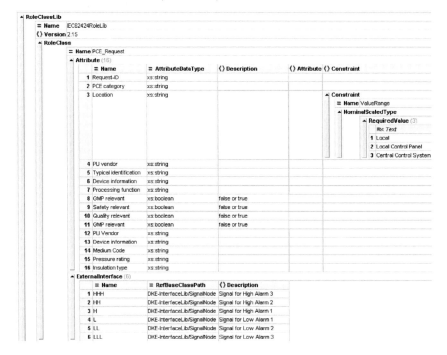

Bild D.2 – Beispiel einer CAEX-Rollenbibliothek

Der vollständige XML-Text nachfolgend als Beispiel:

```xml
<RoleClassLib Name="IEC62424RoleLib">
  <Version>2.15</Version>
  <RoleClass Name="PCE_Request">
    <Attribute Name="Request-ID" AttributeDataType="xs:string">
      <Description/>
    </Attribute>
    <Attribute Name="PCE category" AttributeDataType="xs:string"/>
    <Attribute Name="Location" AttributeDataType="xs:string">
      <Constraint Name="ValueRange">
        <NominalScaledType>
          <RequiredValue>Local</RequiredValue>
          <RequiredValue>Local Control Panel</RequiredValue>
          <RequiredValue>Central Control System</RequiredValue>
        </NominalScaledType>
      </Constraint>
    </Attribute>
    <Attribute Name="PU vendor" AttributeDataType="xs:string"/>
    <Attribute Name="Typical identification" AttributeDataType="xs:string"/>
    <Attribute Name="Device information" AttributeDataType="xs:string"/>
    <Attribute Name="Processing function" AttributeDataType="xs:string"/>
    <Attribute Name="GMP relevant" AttributeDataType="xs:boolean">
      <Description>false or true</Description>
    </Attribute>
    <Attribute Name="Safety relevant" AttributeDataType="xs:boolean">
      <Description>false or true</Description>
    </Attribute>
    <Attribute Name="Quality relevant" AttributeDataType="xs:boolean">
      <Description>false or true</Description>
    </Attribute>
    <Attribute Name="GMP relevant" AttributeDataType="xs:boolean">
      <Description>false or true</Description>
    </Attribute>
    <Attribute Name="PU Vendor" AttributeDataType="xs:string"/>
    <Attribute Name="Device information" AttributeDataType="xs:string"/>
    <Attribute Name="Medium Code" AttributeDataType="xs:string"/>
    <Attribute Name="Pressure rating" AttributeDataType="xs:string"/>
    <Attribute Name="Insulation type" AttributeDataType="xs:string"/>
    <ExternalInterface Name="HHH" RefBaseClassPath="DKE-InterfaceLib/SignalNode">
      <Description>Signal for High Alarm 3</Description>
    </ExternalInterface>
    <ExternalInterface Name="HH" RefBaseClassPath="DKE-InterfaceLib/SignalNode">
      <Description>Signal for High Alarm 2</Description>
    </ExternalInterface>
    <ExternalInterface Name="H" RefBaseClassPath="DKE-InterfaceLib/SignalNode">
      <Description>Signal for High Alarm 1</Description>
    </ExternalInterface>
    <ExternalInterface Name="L" RefBaseClassPath="DKE-InterfaceLib/SignalNode">
      <Description>Signal for Low Alarm 1</Description>
    </ExternalInterface>
    <ExternalInterface Name="LL" RefBaseClassPath="DKE-InterfaceLib/SignalNode">
      <Description>Signal for Low Alarm 2</Description>
    </ExternalInterface>
    <ExternalInterface Name="LLL" RefBaseClassPath="DKE-InterfaceLib/SignalNode">
      <Description>Signal for Low Alarm 3</Description>
    </ExternalInterface>
  </RoleClass>
</RoleClassLib>
```

D.3 Beispiel, wie die für die Darstellung einer PCE-Aufgabe im Fließbild notwendigen Informationen in CAEX abgelegt werden

Das folgende Beispiel zeigt die Speicherung maßgeblicher PCE-Informtionen unter Verwendung des CAEX-HierarchyItem. Bild D.3 zeigt ein Beispiel aus einem Fließbild, siehe Elemente 1, 2 und 3.

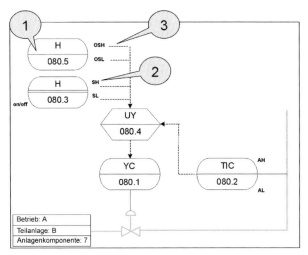

1 beschreibt die PCE-Aufgabe „080.5"
2 beschreibt das Signal „SH"
3 beschreibt die Verbindung zwischen „080.4" und „OSH"

Bild D.3 – Fließbild-Beispiel, abgebildet mit CAEX

Das gesamte System wird mit dem CAEX InternalElement „A-B-7" beschrieben. Die PCE-Aufgabe „080.5" wird beschrieben als InternalElement, die Rollenanforderungen beziehen sich auf die Rollenklasse „PCE_Request", welche die notwendigen Attribute und externen Schnittstellen einer PCE-Aufgabe enthält. Darüber hinaus legt es die konkreten Werte für die PCE-Aufgabe fest. Diese wird ggf. mit optionalen Attributen erweitert.

Bild D.4 beschreibt die zugehörige CAEX-XML-Struktur. Die InternalElements „B" und „7" werden in der InstanceHierarchy „A" abgelegt. Die unterschiedlichen PCE-Aufgaben des Beispiels werden durch ineinander verschachtelte InternalElements, jedes mit einer RoleRequirements-Definition, dargestellt. Das Element „080.5" verweist dabei auf die Rollenklasse „IEC62424RoleLib/PCE_Request". Zusätzlich notwendige Signale sind ebenso definiert. Zum Schluß sind noch die Verbindungen zwischen den verschiedenen Objekten definiert.

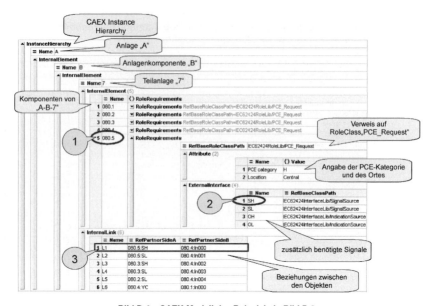

Bild D.4 – CAEX-Modell des Beispiels in Bild D.3

Der vollständige XML-Text der InstanceHierarchy für dieses Beispiel:

```xml
<InstanceHierarchy Name="A">
  <InternalElement Name="B">
    <InternalElement Name="7">
      <InternalElement Name="080.1">
        <RoleRequirements RefBaseRoleClassPath="IEC62424RoleLib/PCE_Request">
          <Attribute Name="Processing function">
            <Value>C</Value>
          </Attribute>
          <Attribute Name="PCE category">
            <Value>Y</Value>
          </Attribute>
          <Attribute Name="Location">
            <Value>Central</Value>
          </Attribute>
          <ExternalInterface Name="In000" RefBaseClassPath="IEC62424InterfaceLib/SignalSink"/>
          <ExternalInterface Name="Y" RefBaseClassPath="IEC62424InterfaceLib/ActuatorSource"/>
        </RoleRequirements>
      </InternalElement>
      <InternalElement Name="080.2">
        <RoleRequirements RefBaseRoleClassPath="IEC62424RoleLib/PCE_Request">
          <Attribute Name="Processing function">
            <Value>I</Value>
          </Attribute>
          <Attribute Name="Processing function">
            <Value>C</Value>
          </Attribute>
          <Attribute Name="PCE category">
            <Value>T</Value>
```

```xml
        </Attribute>
        <Attribute Name="Location">
            <Value>Central</Value>
        </Attribute>
        <ExternalInterface Name="TIC" RefBaseClassPath="IEC62424InterfaceLib/SignalSource"/>
        <ExternalInterface Name="AH" RefBaseClassPath="IEC62424InterfaceLib/AlarmSource"/>
        <ExternalInterface Name="AL" RefBaseClassPath="IEC62424InterfaceLib/AlarmSource"/>
        <ExternalInterface Name="In000" RefBaseClassPath="IEC62424InterfaceLib/SensorSink"/>
        <ExternalInterface Name="I" RefBaseClassPath="IEC62424InterfaceLib/IndicationSource"/>
    </RoleRequirements>
</InternalElement>
<InternalElement Name="080.3">
    <RoleRequirements RefBaseRoleClassPath="IEC62424RoleLib/PCE_Request">
        <Attribute Name="Device Information"/>
        <Attribute Name="PCE category">
            <Value>H</Value>
        </Attribute>
        <Attribute Name="Location">
            <Value>Local panel</Value>
        </Attribute>
        <ExternalInterface Name="SH" RefBaseClassPath="IEC62424InterfaceLib/SignalSource"/>
        <ExternalInterface Name="SL" RefBaseClassPath="IEC62424InterfaceLib/SignalSource"/>
    </RoleRequirements>
</InternalElement>
<InternalElement Name="080.4">
    <RoleRequirements RefBaseRoleClassPath="IEC62424RoleLib/PCE_Request">
        <Attribute Name="Processing function">
            <Value>Y</Value>
        </Attribute>
        <Attribute Name="PCE category">
            <Value>U</Value>
        </Attribute>
        <Attribute Name="Location">
            <Value>Central</Value>
        </Attribute>
        <ExternalInterface Name="Y" RefBaseClassPath="IEC62424InterfaceLib/SignalSource"/>
        <ExternalInterface Name="In000" RefBaseClassPath="IEC62424InterfaceLib/SignalSink"/>
        <ExternalInterface Name="In001" RefBaseClassPath="IEC62424InterfaceLib/SignalSink"/>
        <ExternalInterface Name="In002" RefBaseClassPath="IEC62424InterfaceLib/SignalSink"/>
        <ExternalInterface Name="In003" RefBaseClassPath="IEC62424InterfaceLib/SignalSink"/>
        <ExternalInterface Name="In004" RefBaseClassPath="IEC62424InterfaceLib/SignalSink"/>
    </RoleRequirements>
</InternalElement>
<InternalElement Name="080.5">
    <RoleRequirements RefBaseRoleClassPath="IEC62424RoleLib/PCE_Request">
        <Attribute Name="PCE category">
            <Value>H</Value>
        </Attribute>
        <Attribute Name="Location">
            <Value>Central</Value>
        </Attribute>
        <ExternalInterface Name="SH" RefBaseClassPath="IEC62424InterfaceLib/SignalSource"/>
        <ExternalInterface Name="SL" RefBaseClassPath="IEC62424InterfaceLib/SignalSource"/>
        <ExternalInterface Name="OH" RefBaseClassPath="IEC62424InterfaceLib/IndicationSource"/>
        <ExternalInterface Name="OL" RefBaseClassPath="IEC62424InterfaceLib/IndicationSource"/>
    </RoleRequirements>
</InternalElement>
<InternalLink Name="L1" RefPartnerSideA="080.5:SH" RefPartnerSideB="080.4:In000"/>
<InternalLink Name="L2" RefPartnerSideA="080.5:SL" RefPartnerSideB="080.4:In001"/>
<InternalLink Name="L3" RefPartnerSideA="080.3:SH" RefPartnerSideB="080.4:In002"/>
```

```xml
            <InternalLink Name="L4" RefPartnerSideA="080.3:SL" RefPartnerSideB="080.4:In003"/>
            <InternalLink Name="L5" RefPartnerSideA="080.2:SL" RefPartnerSideB="080.4:In004"/>
            <InternalLink Name="L6" RefPartnerSideA="080.4:YC" RefPartnerSideB="080.1:In000"/>
        </InternalElement>
    </InternalElement>
</InstanceHierarchy>
```

Literaturhinweise

IEC 60050, *International Electrotechnical Vocabulary (IEV) Part 351: Control Technology*

IEC 60848, GRAFCET *Specification language for sequential function charts*

ANMERKUNG   Harmonisiert als EN 60848:2002 (nicht modifiziert).

IEC 61512-1, *Batch control – Part 1: Models and terminology*

ANMERKUNG   Harmonisiert als EN 61512-1:1999 (nicht modifiziert).

IEC 61987-1, *Industrial-process measurement and control – Data structures and elements in process equipmert catalogues – Part 1: Measuring equipment with analogue and digital output*

ANMERKUNG   Harmonisiert als EN 61987-1:2007 (nicht modifiziert).

ISO 13628-6, *Petroleum and natural gas industries – Design and operation of subsea production systems – Part 6: Subsea production control systems*

ANMERKUNG   Harmonisiert als EN ISO 13628-6:2006 (nicht modifiziert).

ISO 13703, *Petroleum and natural gas industries – Design and installation of piping systems on offshore production platforms*

ANMERKUNG   Harmonisiert als EN ISO 13703:2000 (nicht modifiziert).

ISO 14617-6:2002, *Graphical symbols for diagrams – Part 6: Measurement and control functions*

ISO/TS 16952-1, *Technical product documentation – Reference designation system – Part 1: General application rules*

ISA-5.1-1984 – (R1992), *Instrumentation Symbols and Identification*, available at http://www.isa.org

DIN EN 62424 (VDE 0810-24):2010-01
EN 62424:2009

Anhang ZA
(normativ)

Normative Verweisungen auf internationale Publikationen mit ihren entsprechenden europäischen Publikationen

Die folgenden zitierten Dokumente sind für die Anwendung dieses Dokuments erforderlich. Bei datierten Verweisungen gilt nur die in Bezug genommene Ausgabe. Bei undatierten Verweisungen gilt die letzte Ausgabe des in Bezug genommenen Dokuments (einschließlich aller Änderungen).

ANMERKUNG   Wenn internationale Publikationen durch gemeinsame Abänderungen geändert wurden, durch (mod) angegeben, gelten die entsprechenden EN/HD.

Publikation	Jahr	Titel	EN/HD	Jahr
IEC 61346-1	–[1]	Industrial systems, installations and equipment and industrial products – Structuring principles and reference designations – Part 1: Basic rules	EN 61346-1	1996[2]
IEC 61511-1	–[1]	Functional safety – Safety instrumented systems for the process industry sector – Part 1: Framework, definitions, system, hardware and software requirements	EN 61511-1	2004[2]
ISO 10628	–[1]	Flow diagrams for process plants – General rules	EN ISO 10628	2000[2]
ISO 13849-1	–[1]	Safety of machinery – Safety-related parts of control systems – Part 1: General principles for design	EN ISO 13849-1	2008[2]
XML 1.0	2004	Extensible Markup Language, W3C Recommendation	–	–

---

[1] Undatierte Verweisung.

[2] Zum Zeitpunkt der Veröffentlichung dieser Norm gültige Ausgabe.

Entwurf Mai 2014

**DIN EN 62424
(VDE 0810-24)**

Diese Norm ist zugleich eine **VDE-Bestimmung** im Sinne von VDE 0022. Sie ist nach Durchführung des vom VDE-Präsidium beschlossenen Genehmigungsverfahrens unter der oben angeführten Nummer in das VDE-Vorschriftenwerk aufgenommen und in der „etz Elektrotechnik + Automation" bekannt gegeben worden.

ICS 35.240.50

Einsprüche bis 2014-06-18

Vorgesehen als Ersatz für
DIN EN 62424
(VDE 0810-24):2010-01

Entwurf

**Darstellung von Aufgaben der Prozessleittechnik –
Fließbilder und Datenaustausch zwischen EDV-Werkzeugen zur
Fließbilderstellung und CAE-Systemen
(IEC 65/544/CDV:2013);
Deutsche Fassung FprEN 62424:2013**

Representation of process control engineering –
Request in P&I diagrams and data exchange between P&ID tools and PCE-CAE tools
(IEC 65/544/CDV:2013);
German version FprEN 62424:2013

Anwendungswarnvermerk

Dieser Norm-Entwurf mit Erscheinungsdatum 2014-04-18 wird der Öffentlichkeit zur Prüfung und Stellungnahme vorgelegt.

Weil die beabsichtigte Norm von der vorliegenden Fassung abweichen kann, ist die Anwendung dieses Entwurfs besonders zu vereinbaren.

Stellungnahmen werden erbeten

– vorzugsweise online im Norm-Entwurfs-Portal des DIN unter www.entwuerfe.din.de bzw. für Norm-Entwürfe der DKE auch im Norm-Entwurfs-Portal der DKE unter www.entwuerfe.normenbibliothek.de, sofern dort wiedergegeben;

– oder als Datei per E-Mail an dke@vde.com möglichst in Form einer Tabelle. Die Vorlage dieser Tabelle kann im Internet unter www.din.de/stellungnahme oder für Stellungnahmen zu Norm-Entwürfen der DKE unter www.dke.de/stellungnahme abgerufen werden;

– oder in Papierform an die DKE Deutsche Kommission Elektrotechnik Elektronik Informationstechnik im DIN und VDE, Stresemannallee 15, 60596 Frankfurt am Main.

Die Empfänger dieses Norm-Entwurfs werden gebeten, mit ihren Kommentaren jegliche relevanten Patentrechte, die sie kennen, mitzuteilen und unterstützende Dokumentationen zur Verfügung zu stellen.

Gesamtumfang 107 Seiten

DKE Deutsche Kommission Elektrotechnik Elektronik Informationstechnik im DIN und VDE

— Entwurf —

E DIN EN 62424 (VDE 0810-24):2014-05

Anwendungsbeginn

Anwendungsbeginn dieser Norm ist ... .

Nationales Vorwort

Die Deutsche Fassung des europäischen Dokuments FprEN 62424:2013 „Darstellung von Aufgaben der Prozessleittechnik – Fließbilder und Datenaustausch zwischen EDV-Werkzeugen zur Fließbilderstellung und CAE-Systemen" (Entwurf in der Umfrage) ist unverändert in diesen Norm-Entwurf übernommen worden.

Die Internationale Elektrotechnische Kommission (IEC) und das Europäische Komitee für Elektrotechnische Normung (CENELEC) haben vereinbart, dass ein auf IEC-Ebene erarbeiteter Entwurf für eine Internationale Norm zeitgleich (parallel) bei IEC und CENELEC zur Umfrage (CDV-Stadium) und Abstimmung als FDIS (en: Final Draft International Standard) bzw. Schluss-Entwurf für eine Europäische Norm gestellt wird, um eine Beschleunigung und Straffung der Normungsarbeit zu erreichen. Dem entsprechend ist das internationale Dokument IEC 65/544/CDV:2013 „Representation of process control engineering – Request in P&I diagrams and data exchange between P&ID tools and PCE-CAE tools" unverändert in den Entwurf FprEN 62424:2013 übernommen worden.

Das internationale Dokument wurde vom TC 65 „Industrial-process measurement and control" der Internationalen Elektrotechnischen Kommission (IEC) erarbeitet.

Bei der Abstimmung zu dem Europäischen Schluss-Entwurf bei CENELEC und dem Internationalen Schluss-Entwurf bei IEC [Final Draft International Standard (FDIS)] sind jeweils nur „JA/NEIN"-Entscheidungen möglich, wobei „NEIN"-Entscheidungen fundiert begründet werden müssen. Dokumente, die bei CENELEC als Europäische Norm angenommen und ratifiziert werden, sind unverändert als Deutsche Normen zu übernehmen.

Für dieses Dokument ist das nationale Arbeitsgremium K 941 „Engineering" der DKE Deutsche Kommission Elektrotechnik Elektronik Informationstechnik im DIN und VDE (www.dke.de) zuständig.

Das Original-Dokument enthält Bilder in Farbe, die in der Papierversion in einer Graustufen-Darstellung wiedergegeben werden. Elektronische Versionen dieses Dokuments enthalten die Bilder in der originalen Farbdarstellung.

Änderungen

Gegenüber DIN EN 62424 (VDE 0810-24):2010-01 wurden folgende Änderungen vorgenommen:

a) Unterstützung mehrfacher nativer Rollen;
b) Verschachtelung von Schnittstellen;
c) Einführung von Metainformationen über den Lebenszyklus;
d) Einführung einer Bibliothek für Attribute;
e) Beispiele auf den neuesten Stand gebracht;
f) Datenmodell für die PCE-Anforderung auf den neuesten Stand gebracht;
g) Bibliothek eingeführt für Attribute von PCE-Anforderungen.

— *Entwurf* —

E DIN EN 62424 (VDE 0810-24):2014-05

Nationaler Anhang NA
(informativ)

Zusammenhang mit Europäischen und Internationalen Normen

Für den Fall einer undatierten Verweisung im normativen Text (Verweisung auf eine Norm ohne Angabe des Ausgabedatums und ohne Hinweis auf eine Abschnittsnummer, eine Tabelle, ein Bild usw.) bezieht sich die Verweisung auf die jeweils neueste gültige Ausgabe der in Bezug genommenen Norm.

Für den Fall einer datierten Verweisung im normativen Text bezieht sich die Verweisung immer auf die in Bezug genommene Ausgabe der Norm.

Eine Information über den Zusammenhang der zitierten Normen mit den entsprechenden Deutschen Normen ist nachstehend wiedergegeben.

Tabelle NA.1

Europäische Norm	Internationale Norm	Deutsche Norm	Klassifikation im VDE-Vorschriftenwerk
–	IEC 60050	a	–
EN 60848:2002	IEC 60848	DIN EN 60848	–
–	IEC 65A/622/CD	E DIN EN 61511-1 (VDE 0810-1)	VDE 0810-1
EN 61512-1	IEC 61512-1	DIN EN 61512-1	–
EN 61987-1	IEC 61987-1	DIN EN 61987-1	–
EN 81346-1:2009	IEC 81346-1:2009	DIN EN 81346-1:2010-05	–
prEN ISO 10628-1	ISO/DIS 10628-1	E DIN EN ISO 10628-1	–
EN ISO 10628-2	ISO 10628-2	DIN EN ISO 10628-2	–
EN ISO 13628-6	ISO 13628-6	DIN EN ISO 13628-6	–
EN ISO 13703	ISO 13703	DIN EN ISO 13703	–
EN ISO 13849-1	ISO 13849-1	DIN EN ISO 13849-1	–
–	ISO/TS 16952-1	DIN ISO/TS 16952-1	–
–	ISO 14617-6:2002	–	–
–	ISA-5.1-1984	–	–

a „Internationales Elektrotechnisches Wörterbuch – Deutsche Ausgabe", Online-Zugang: http://www.dke.de/dke-iev.

Nationaler Anhang NB
(informativ)

Literaturhinweise

DIN EN 60848, *GRAFCET, Spezifikationssprache für Funktionspläne der Ablaufsteuerung*

E DIN EN 61511-1 (VDE 0810-1), *Funktionale Sicherheit – Sicherheitstechnische Systeme für die Prozessindustrie – Teil 1: Allgemeines, Begriffe, Anforderungen an Systeme, Software und Hardware*

— Entwurf —

E DIN EN 62424 (VDE 0810-24):2014-05

DIN EN 61512-1, *Chargenorientierte Fahrweise – Teil 1: Modelle und Terminologie*

DIN EN 61987-1, *Industrielle Leittechnik – Datenstrukturen und -elemente in Katalogen der Prozessleittechnik – Teil 1: Messeinrichtungen mit analogen und digitalen Ausgängen*

DIN EN 81346-1:2010-05, *Industrielle Systeme, Anlagen und Ausrüstungen und Industrieprodukte – Strukturierungsprinzipien und Referenzkennzeichnung – Teil 1: Allgemeine Regeln (IEC 81346-1:2009); Deutsche Fassung EN 81346-1:2009*

E DIN EN ISO 10628-1, *Schemata für die chemische und petrochemische Industrie – Teil 1: Spezifikation der Schemata*

DIN EN ISO 10628-2, *Schemata für die chemische und petrochemische Industrie – Teil 2: Graphische Symbole*

DIN EN ISO 13628-6, *Erdöl- und Erdgasindustrie – Auslegung und Betrieb von Unterwasser-Produktionssystemen – Teil 6: Steuersysteme für die Unterwasser-Produktion*

DIN EN ISO 13703, *Erdöl- und Erdgasindustrie – Auslegung und Verlegung von Rohrleitungssystemen auf Offshore-Förderplattformen*

DIN EN ISO 13849-1, *Sicherheit von Maschinen – Sicherheitsbezogene Teile von Steuerungen – Teil 1: Allgemeine Gestaltungsleitsätze*

DIN ISO/TS 16952-1, *Technische Produktdokumentation – Referenzkennzeichensystem – Teil 1: Allgemeine Anwendungsregeln*

— Entwurf —

E DIN EN 62424 (VDE 0810-24):2014-05
FprEN 62424:2013

Darstellung von Aufgaben der Prozessleittechnik –
Fließbilder und Datenaustausch zwischen EDV-Werkzeugen zur Fließbilderstellung und CAE-Systemen

Inhalt

Seite

Einleitung ... 6
1 Anwendungsbereich ... 8
2 Normative Verweisungen ... 8
3 Begriffe ... 8
4 Abkürzungen ... 14
5 Konformität ... 14
6 Darstellung von PCE-Aufgaben in einem R&I-Fließbild ... 16
6.1 PCE-Aufgaben und PCE-Kreis ... 16
6.2 Ziele und Grundsätze ... 16
6.3 Anforderungen an die Referenzkennzeichnung und Darstellung von PCE-Aufgaben ... 17
7 Neutraler Datenaustausch der PCE-relevanten R&I-Informationen ... 26
7.1 Ziele ... 26
7.2 Bedeutung der R&I-Elemente ... 26
7.3 PCE-relevante Informationen der R&I-Werkzeuge ... 27
7.4 PCE-relevante Informationen in der formalen Darstellung der R&I-Werkzeuge ... 27
7.5 Modellieren PCE-relevanter Informationen mit der Systembeschreibungssprache CAEX ... 29
8 Zusätzliche PCE-Attribute ... 36
Anhang A (normativ) CAEX – Datenmodell zum Austausch von maschinell erstellten Informationen ... 38
A.1 CAEX und Vorschriften für die Diagrammdarstellung ... 38
A.2 Allgemeine CAEX-Konzepte ... 39
A.2.1 Allgemeine CAEX-Benennungen ... 39
A.2.2 Allgemeine Beschreibung des CAEX-Konzeptes ... 43
A.2.3 Datendefinition von SystemUnitClass ... 48
A.2.4 Definition von Attributen ... 50
A.2.5 Datendefinition von AttributeType ... 52
A.2.6 Datendefinition von InterfaceClass ... 54
A.2.7 Datendefinition von RoleClass ... 57
A.2.7.2 Beispiel ... 58
A.2.8 Modellieren von Beziehungen ... 58
A.2.9 Anwendung von Pfaden ... 65
A.2.10 CAEX-Rollenkonzept ... 66
A.2.11 Anwendung von MappingObject in CAEX ... 70
A.2.12 Verweise auf externe CAEX-Dateien ... 71
Anhang B (informativ) Beispiele für PCE-Aufgaben ... 74

— *Entwurf* —

E DIN EN 62424 (VDE 0810-24):2014-05
FprEN 62424:2013

Seite

Anhang C (normativ) Vollständiges XML-Schema des CAEX-Modells 85
Anhang D (informativ) Beispiele für Modellbildungen mit CAEX 96
D.1 Definition einer CAEX-Attributtypenbibliothek für zusätzliche Attribute 96
D.2 Beispieldefinition einer CAEX-Schnittstellenbibliothek 97
D.3 Beispieldefinition einer CAEX-Rollenbibliothek 98
D.4 CAEX-Beispieldefinition von PCE-relevanten Informationen eines R&I-Fließbildes 99
Literaturhinweise 103

Bilder
Bild 1 – Informationsfluss zwischen R&I- und PCE-Werkzeug 7
Bild 2 – Organisation von PCE-Aufgaben 16
Bild 3 – Allgemeine Darstellung einer PCE-Aufgabe in einem R&I-Fließbild 17
Bild 4 – Multisensor-Element 18
Bild 5 – Lokale Bedienoberfläche 18
Bild 6 – Manuell betätigter Schalter in einem lokalen Schaltpult 18
Bild 7 – Druckanzeige in einem zentralen Leitstand 19
Bild 8 – Beispiel einer Referenzkennzeichnung einer PCE-Aufgabe 23
Bild 9 – Beispiel einer Durchflussmessung mit Anzeige im zentralen Leitstand, geliefert von Lieferant A, gekennzeichnet durch Typicalkennzeichnung A20 23
Bild 10 – Beispiel einer pH-Messung mit Anzeige im zentralen Leitstand 23
Bild 11 – Beispiel einer Durchflussmessung mit Anzeige im zentralen Leitstand, Hoch-Alarm und Tief-Alarm 24
Bild 12 – Durchflussmessung mit Anzeige im zentralen Leitstand, Hoch-Alarm und Hoch-Hoch-Schaltung 24
Bild 13 – Durchflussmessung mit Anzeige im zentralen Leitstand, Hoch-Alarm, Hoch-Hoch-Schaltung, einem Tief-Alarm und Tief-Tief-Schaltung für eine Sicherheitsfunktion 24
Bild 14 – Eine GMP-relevante, eine sicherheitsrelevante und eine qualitätsrelevante Durchflussmessung mit Anzeige im zentralen Leitstand 24
Bild 15 – PCE-Leitfunktion 25
Bild 16 – Sicherheitsrelevante PCE-Leitfunktion 25
Bild 17 – R&I-Elemente und -Verbindungen (PCE-relevante Positionen sind mit schwarzen Linien gekennzeichnet) 26
Bild 18 – Prozess-Datenmodell (PCE-relevante Elemente sind mit schwarzen Linien gekennzeichnet) 28
Bild 19 – Datenmodell einer PCE-Aufgabe 29
Bild 20 – CAEX-Datenmodell der Hauptattribute der PCE-Aufgabe 32
Bild 21 – XML-Code der Attributtypenbibliothek 32
Bild 22 – Beispiel zweier Anlagenausschnitte mit einer Signalverbindung über externe Schnittstellen 33
Bild 23 – Vereinfachtes CAEX-Modell indirekter Verbindungen zwischen PCE-Aufgaben über verschiedene Anlagenhierarchieelemente 34
Bild 24 – Vereinfachtes CAEX-Modell indirekter Verbindungen zwischen PCE-Aufgaben über verschiedene Anlagenhierarchieelemente 35
Bild 25 – Beispiel zweier Anlagenausschnitte mit einer direkten Verbindung 35

— *Entwurf* —

E DIN EN 62424 (VDE 0810-24):2014-05
FprEN 62424:2013

Seite

Bild 26 – Vereinfachtes CAEX-Modell direkter Verbindungen zwischen PCE-Aufgaben über verschiedene Anlagenhierarchieelemente ... 36

Bild 27 – XML-Code des vereinfachten CAEX-Modells ... 36

Bild A.1 – XML-Text der Quelleninformationen zum CAEX-Dokument ... 46

Bild A.2 – CAEX-Architektur einer Anlagenkomponentenklasse ... 49

Bild A.3 – Beispiel einer Bibliothek für Anlagenkomponentenklassen ... 49

Bild A.4 – XML-Code für das Beispiel der Bibliothek für Anlagenkomponentenklassen ... 50

Bild A.5 – Beispiele von Attributen ... 51

Bild A.6 – XML-Code für das Beispiel ... 52

Bild A.7 – Beispiel einer Attributtypenbibliothek und ihrer Anwendung in einer Instanzhierarchie ... 53

Bild A.8 – XML-Code für das Beispiel der Attributtypenbibliothek ... 53

Bild A.9 – Beispiel einer Schnittstellenklassenbibliothek ... 54

Bild A.10 – XML-Code für das Beispiel einer Schnittstellenklassenbibliothek ... 54

Bild A.11 – Zweites Beispiel einer Schnittstellenklassenbibliothek und die Anwendung von verschachtelten Schnittstellen ... 55

Bild A.12 – XML-Code für das zweite Beispiel ... 56

Bild A.13 – Anwendung von Verbindungen ... 57

Bild A.14 – XML-Code für die Anwendung von Verbindungen ... 57

Bild A.15 – Beispiel einer Rollenklassenbibliothek ... 58

Bild A.16 – Beziehungen in CAEX ... 59

Bild A.17 – XML-Darstellung des Beziehungsbeispiels ... 60

Bild A.18 – XML-Text der Instanzhierarchie des Beziehungsbeispiels ... 60

Bild A.19 – XML-Text der Bibliothek für Anlagenkomponentenklassen des Beziehungsbeispiels ... 60

Bild A.20 – Beispiel einer Eltern-Kind-Beziehung zwischen internen Elementen in CAEX ... 61

Bild A.21 – Beispiel einer hierarchischen Anlagenstruktur ... 61

Bild A.22 – Beispiel einer Eltern-Kind-Beziehung zwischen Klassen ... 62

Bild A.23 – Mehrfach überkreuzte Strukturen ... 64

Bild A.24 – CAEX-Rollenkonzept ... 66

Bild A.25 – CAEX-Datendefinition für Anwendungsfall 1 ... 66

Bild A.26 – CAEX-Datendefinition für Anwendungsfall 2 ... 66

Bild A.27 – CAEX-Datendefinition für Anwendungsfall 3 ... 67

Bild A.28 – XML-Code für Anwendungsfall 3 ... 67

Bild A.29 – Unterstützung mehrerer Rollen ... 69

Bild A.30 – XML-Code des Beispiels zur Unterstützung mehrerer Rollen ... 70

Bild A.31 – CAEX-Datendefinition von MappingObject ... 71

Bild A.32 – XML-Code für die CAEX-Datendefinition von MappingObject ... 71

Bild A.33 – Aufteilung der Daten auf verschiedene CAEX-Dateien ... 72

Bild A.34 – Verweise auf externe CAEX-Dateien ... 72

Bild A.35 – XML-Code für Verweise auf externe CAEX-Dateien ... 72

— *Entwurf* —

E DIN EN 62424 (VDE 0810-24):2014-05
FprEN 62424:2013

Seite

Bild A.36 – Beispiel für die Verwendung von Alias-Namen 73

Bild A.37 – XML-Code für das Beispiel der Alias-Namen 73

Bild B.1 – Lokale Füllstandsanzeige, ein Prozessanschluss 74

Bild B.2 – Lokale Füllstandsanzeige, zwei Prozessanschlüsse 74

Bild B.3 – Lokale Durchflussanzeige 74

Bild B.4 – Lokale Druckanzeige 74

Bild B.5 – Lokale Temperaturanzeige 74

Bild B.6 – Lokales Schaltpult mit Druckanzeige und Hoch-Alarm 75

Bild B.7 – Lokale Temperaturanzeige, zentrale Temperaturanzeige und Hoch-Alarm mit Schaltung (Anmerkung: Wenn nur ein Oval verwendet wird, muss im R&I-Fließbild eine allgemeine Erläuterung angegeben werden.) 75

Bild B.8 – Lokale Druckanzeige, zentrale Druckanzeige und Hoch-Alarm mit Schaltung 75

Bild B.9 – Durchflussanzeige in einem zentralen Leitstand; Geräteinformation: Messblende 75

Bild B.10 – 'Zentrale Druckanzeige mit Tief-, Tief-Tief- und Hoch-Alarmen 75

Bild B.11 – Temperaturanzeige und Aufzeichnung in einem zentralen Leitstand 76

Bild B.12 – Füllstandsanzeige und Aufzeichnung in einem zentralen Leitstand, ein Prozessanschluss 76

Bild B.13 – Füllstandsanzeige in einem zentralen Leitstand, zwei Prozessanschlüsse 76

Bild B.14 – Zwei Durchflussanzeigen und Durchfluss-Verhältnis-Regelung in einem zentralen Leitstand 76

Bild B.15 – Zentrale Durchflussanzeige mit Hoch-Alarm, Durchflussregelung, Stellventil mit Auf/Zu-Funktion und Auf/Zu-Anzeige 77

Bild B.16 – Lokale Druckanzeige, zentrale Druckanzeige mit Hoch-Alarm und sicherheitsrelevanter Hoch-Hoch-Schaltung; Darstellung von Messaufnehmern mit integrierter lokaler Anzeige (sofern nicht anderweitig in einer Spezifikation des Feldgerätes definiert) 77

Bild B.17 – Lokale Druckanzeige, zentrale Druckanzeige mit verschiedenen Alarmen und Schaltungen 77

Bild B.18 – Zentrale Druckanzeige mit Hoch- und Tief-Alarm und sicherheitsrelevanter Schaltfunktion auf ein Auf/Zu-Ventil 77

Bild B.19 – Ventil mit Auf/Zu-Anzeige und -Schaltfunktion, sicherheitsrelevantes Schaltventil 78

Bild B.20 – Druckbegrenzung 78

Bild B.21 – Durchflussbegrenzung 78

Bild B.22 – Druck-Temperatur-kompensierte Durchflussregelung, Druckventil mit sicherheitsrelevanter Auf/Zu-Funktion (2oo3-Steuerung), Stellventil mit Auf/Zu-Anzeige und -Schaltfunktion bei Auf-Stellung 79

Bild B.23 – Zentrale Temperaturregelung, zusätzliche Handsteller für Auf/Zu in einem zentralen Leitstand mit Anzeige und lokalem Schaltpult 79

Bild B.24 – Motor-Typicalkennzeichnung, lokaler Ein/Aus-Schalter und zentraler Aus-Schalter, Statusmeldungen (Strom, Fehler mit Alarm, Laufmeldung) 80

Bild B.25 – Mehrgrößenregler 81

Bild B.26 – Auf/Zu-Ventil mit Stellungsanzeige 81

Bild B.27 – Auf/Zu-Ventil mit sicherheitsrelevanter Schaltung und Stellungsanzeige 81

Bild B.28 – Füllstandsregelung mit Stetigregler 81

— *Entwurf* —

E DIN EN 62424 (VDE 0810-24):2014-05
FprEN 62424:2013

Seite

Bild B.29 – Füllstandsregelung mit Auf/Zu-Schalter 82

Bild B.30 – Kaskadenregelung mit einem Temperaturregler als Führungsregler einer unterlagerten Durchfluss-Regelung und Stellarmatur 82

Bild B.31 – Sicherheitsgerichtete Regelung auf ein weiteres Ventil, manuelle Regelung der Reset-Funktion und der Hand-Automatik-Umschaltung für das Ventil, Ventil mit Auf/Zu-Anzeige und sicherheitsrelevanter Schaltung auf ein weiteres Ventil 82

Bild B.32 – Durchflussregelung in einem zentralen Leitstand 83

Bild B.33 – Temperaturregelung mit Hoch-Alarm und Hoch-Schaltung 83

Bild B.34 – Manuelle Regelung in einem zentralen Leitstand 83

Bild B.35 – Zentrale Durchflussanzeige mit mehreren Alarmen, Hoch-Hoch-Schaltung für PCE-Leitfunktion und Auf/Zu-Ventil 83

Bild B.36 – Selbsttätige Stellarmatur (ohne Hilfsenergie) für Druck, Durchfluss, Temperatur oder Drehzahl 84

Bild D.1 – Attributtypenbibliothek mit zusätzlichen Attributen für PCE-Aufgaben 96

Bild D.2 – XML-Code der Attributtypenbibliothek 97

Bild D.3 – Beispiel einer CAEX-Schnittstellenbibliothek 97

Bild D.4 – XML-Code für das Beispiel der CAEX-Schnittstellenbibliothek 98

Bild D.5 – Beispiel einer CAEX-Rollenbibliothek zur Veranschaulichung der Modellierung einer PCE-Aufgabenrolle mit Verweisen auf Attribute für PCE-Aufgaben 98

Bild D.6 – XML-Code für das Beispiel der CAEX-Rollenbibliothek 99

Bild D.7 – Beispieldaten eines R&I-Fließbildes zur Abbildung in CAEX 99

Bild D.8 – CAEX-Modell des Beispiels in Bild D.7 100

Bild D.9 – XML-Code für das Beispiel in Bild D.7 102

Tabellen

Tabelle 1 – Abkürzungen 14

Tabelle 2 – PCE-Kategorien 19

Tabelle 3 – PCE-Verarbeitungsfunktion 20

Tabelle 4 – Reihenfolge der Kombinationen 22

Tabelle 5 – PCE-Verarbeitungsfunktionen für Aktoren 22

Tabelle 6 – Für die PCE-Umgebung relevante R&I-Attribute 37

Tabelle 7 – Attribute der Datenverarbeitung 37

Tabelle A.1 – Vorgaben für die XML-Darstellung 38

Tabelle A.2 – CAEX-Datentypen und –Elemente 39

— Entwurf —

E DIN EN 62424 (VDE 0810-24):2014-05
FprEN 62424:2013

Einleitung

Die effiziente Auslegung prozesstechnischer Anlagen erfordert hoch entwickelte Werkzeuge für die unterschiedlichen Arbeitsabläufe und Disziplinen. Diese Ingenieurwerkzeuge sind normalerweise auf Prozessdesign (PD), instrumentierungstechnische Auslegung (PCE, Process Control Engineering) und Ähnliches spezialisiert. Interoperabilität ist somit von grundlegender Bedeutung, um den gesamten Auslegungsprozess zu optimieren. Die Definition einer einheitlichen Schnittstelle und Datenverwaltung ist deshalb eine Kernaufgabe, um einen reibungslosen Ablauf während des gesamten Projektes sicherzustellen und um die Konsistenz der Daten in den unterschiedlichen Werkzeugen zu gewährleisten.

Diese Norm definiert Prozeduren und Spezifikationen für den Austausch von PCE-relevanten Daten, die von dem R&I-Werkzeug bereitgestellt worden sind. Die Grundanforderungen eines Änderungsmanagements werden beschrieben. Dazu wird eine allgemeingültige Technologie zum Austausch von Informationen zwischen Systemen, die Extensible Markup Language (XML), eingesetzt. Hiermit wird eine allgemeine Grundlage zur Integration und zum Austausch von Daten gegeben.

Dazu ist jedoch die Definition einer einheitlichen Semantik notwendig. CAEX (Computer Aided Engineering eXchange) ist nach der Definition in diesem Dokument ein geeignetes Datenformat für diesen Zweck. Dieses Konzept des Datenaustausches ist für verschiedene Anwendungen offen.

Die Hauptaufgabe eines Datenaustausches ist die Weitergabe und die Synchronisierung von Daten zwischen der R&I-Datenbank und den PCE-Datenbanken. Zur eindeutigen Identifikation sind ein benutzerabhängiges Referenzkennzeichnungssystem sowie eine eindeutige Beschreibung der Prozessanforderungen erforderlich. Ausführliche Informationen zur Darstellung von PCE-Kreisen in R&Is sind in Abschnitt 6 enthalten.

Das System zum Datenaustausch kann eine anbieterunabhängige Einzelanwendung oder ein Modul einer Engineering-Umgebung sein. Der Datenaustausch zwischen dem R&I-Werkzeug und einem PCE-Werkzeug erfolgt in beide Richtungen über CAEX.

Nach dem Datenaustausch sind die Informationen zur Anlage an drei Orten gespeichert. Beide proprietären Datenbanken der betrachteten Werkzeuge enthalten individuelle und allgemeine Informationen. Beide Datenbanken werden an unterschiedlichen Orten gespeichert und von unterschiedlichen Bereichen bearbeitet. Die zwischengeschaltete CAEX-Datenbank speichert nur allgemeine Informationen. Bei einem weiter gefassten Ansatz sollte die Zwischendatenbank allgemeine und individuelle Informationen speichern. Dies ist von Belang, wenn eine dritte Anwendung an die neutrale Datenbank angeschlossen wird. Sofern die Zwischendatenbank nur als temporärer Zwischenspeicher benutzt wird (ohne die Informationen in einer Datei zu speichern), gehen die Informationen nach dem Datentransfer und -abgleich verloren.

Bild 1 veranschaulicht den Informationsfluss beim Abgleich der R&I- und PCE-Datenbanken. Der Datenaustausch erfolgt über eine neutrale, zwischengeschaltete CAEX-Datenbank und nicht direkt von Datenbank zu Datenbank. Die CAEX-Zwischendatenbank sollte eine Datei (für dateibasierten Datenaustausch) oder ein Datenstrom (für netzwerkbasierten Datenaustausch) sein. Die Bezeichnung „CAEX-Datenbank" in dieser Norm ist in diesem Sinn zu verstehen; sie bezeichnet kein Datenbankprodukt wie beispielsweise SQL.

Anhang C dieser Norm enthält das komplette XML-Schema des CAEX-Modells. Es ist dieser Norm im XSD-Format beigefügt.

ANMERKUNG   Käufer dieser Veröffentlichung dürfen es für ihren Eigenbedarf in der erforderlichen Menge kopieren.

— *Entwurf* —

E DIN EN 62424 (VDE 0810-24):2014-05
FprEN 62424:2013

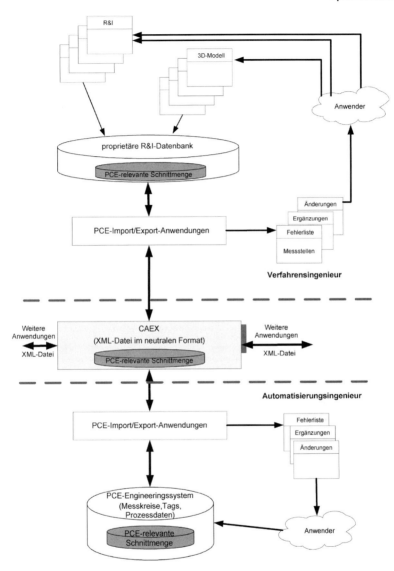

Bild 1 – Informationsfluss zwischen R&I- und PCE-Werkzeug

— Entwurf —

E DIN EN 62424 (VDE 0810-24):2014-05
FprEN 62424:2013

1 Anwendungsbereich

Diese Internationale Norm legt fest, wie Aufgaben der Prozessleittechnik in einem R&I-Fließbild für einen automatischen Datenaustausch zwischen dem R&I- und PCE-Werkzeug darzustellen sind, um Fehlinterpretationen der graphischen R&I-Symbole durch das PCE-Werkzeug zu vermeiden.

Ebenso definiert sie den Austausch der Daten für die Aufgaben der Prozessleittechnik zwischen einem PCE-Werkzeug und einem R&I-Werkzeug über eine Datenübertragungssprache (genannt CAEX). Diese Regelungen betreffen die Export/Import-Anwendungen solcher Werkzeuge.

Die Darstellung der PCE-Funktionalität im R&I-Fließbild wird durch eine möglichst kleine Anzahl von Regeln festgelegt, um ihre Kategorie und Verarbeitungsfunktion unabhängig von der realisierten Technik präzise abzubilden (siehe Abschnitt 6). Die Definition der graphischen Symbole für verfahrenstechnische Betriebsmittel (z. B. Behälter, Ventile, Kolonne), ihre Anwendung sowie Regeln für ein Referenzkennzeichnungssystem liegen außerhalb des Anwendungsbereiches dieser Norm. Derartige Festlegungen sind unabhängig von dieser Norm.

In Abschnitt 7 wird der Datenfluss zwischen den unterschiedlichen Werkzeugen und dem CAEX-Datenmodell beschrieben.

2 Normative Verweisungen

Die folgenden zitierten Dokumente sind für die Anwendung dieses Dokuments erforderlich. Bei datierten Verweisungen gilt nur die in Bezug genommene Ausgabe. Bei undatierten Verweisungen gilt die letzte Ausgabe des in Bezug genommenen Dokuments (einschließlich aller Änderungen).

IEC 81346-1 ed. 1.0 2009-07, *Industrial systems, installations and equipment and industrial products – Structuring principles and reference designations – Part 1: Basic rules*

IEC 61511-1, *Functional safety – Safety instrumented systems for the process industry sector – Part 1: Framework, definitions, system, hardware and software requirements*

IEC 60050-351, *International Electrotechnical Vocabulary Part 351: Control Technology 2006-10*

ISO 10628-1, *Diagrams for chemical and petrochemical industry – Part 1: Specifications of diagrams*

ISO 10628-2, *Diagrams for chemical and petrochemical industry – Part 213: Graphical symbols*

ISO 13849-1, *Safety of machinery – Safety-related parts of control systems – Part 1: General principles for design*

Extensible Markup Language (XML) 1.0 (3. Ausgabe), W3C-Empfehlung vom 04.02.2004, verfügbar unter <http://www.w3.org/TR/2004/REC-xml-20040204/>

3 Begriffe

Für die Anwendung dieses Dokuments gelten die folgenden Begriffe.

3.1
Steller, Aktor
(en: actuator)
Funktionseinheit, die aus der Reglerausgangsgröße die zur Betätigung des Stellgliedes erforderliche Stellgröße bildet

ANMERKUNG   Wird das Stellglied mechanisch betätigt, erfolgt seine Verstellung durch einen Stellantrieb. Der Steller steuert in diesem Fall den Stellantrieb.

— *Entwurf* —

E DIN EN 62424 (VDE 0810-24):2014-05
FprEN 62424:2013

[IEV 351-28-07]

BEISPIEL Ein pneumatisches Steuerventil, das direkt auf das zu steuernde Element wirkt, ist ein Steller.

3.2
Stellgliedantrieb
(en: actuating drive)
physikalische Einheit zum Antrieb mechanischer betätigter Stellglieder

ANMERKUNG 1: Elektrische, hydraulische oder pneumatische Antriebe sind Beispiele hierfür sowie Stellglieder mit Membranen oder Kolben.

ANMERKUNG 2: Ein Stellglied benötigt keinen Antrieb, wenn die Stellgröße (Reglerausgang) direkt einen Massestrom oder Energiefluss beeinflussen kann, d. h. ohne eine mechanische Zwischenvariable.

[IEV 351-32-24]

3.3
angepasste nominale Rohrgröße
(en: adjusted nominal pipe size)
Größe des Rohres für den Prozessanschluss der PCE-Aufgabe basierend auf den Prozessanforderungen für den Fall einer Reduzierung der Rohrdurchmesser

3.4
Oval
(en: bubble)
ovales Symbol zur Angabe der PCE-Kategorie und der Verarbeitungsfunktion einer PCE-Aufgabe sowie zur eindeutigen Kennzeichnung einer PCE-Aufgabe

ANMERKUNG Basierend auf ISA S5.1, Abschnitt 3.

3.5
Regeln, Regelung
(en: closed-loop control)
Vorgang, bei dem fortlaufend eine variable Größe, die Regelgröße, erfasst, mit einer anderen variablen Größe, der Führungsgröße, verglichen und im Sinne einer Angleichung an die Führungsgröße beeinflusst wird

ANMERKUNG Kennzeichen für das Regeln ist der geschlossene Wirkungsablauf, bei dem sich die Regelgröße im Wirkungsweg des Regelkreises fortlaufend selbst beeinflusst.

3.6
Funktionsbeschreibung
(en: control narrative)
verbale Beschreibung eines Funktionsplans

3.7
Auslegungsdruck
(en: design pressure)
höchster Druck, für den das System oder die Komponente bei dauernder Nutzung konzipiert wurde

[ISO 13628-6, 3.4]

3.8
Auslegungstemperatur
(en: design temperature)
höchste Temperatur, für die das System oder die Komponente bei dauernder Nutzung konzipiert wurde

— Entwurf —

E DIN EN 62424 (VDE 0810-24):2014-05
FprEN 62424:2013

3.9
Anlagenbetriebsmittelkennzeichen
(en: equipment ID)
eindeutige Kennung eines Anlagenbetriebsmittels

3.10
Anlagenkennzeichen/Rohrkennzeichen
(en: equipment/pipe flag)
eindeutige Kennung eines Anlagenbetriebsmittelstyps oder eines Rohrtyps

3.11
Stellglied im Regelkreis, Stellglied
(en: final controlling element)
zur Strecke gehörende, am Eingang der Strecke angeordnete Funktionseinheit, die durch die Stellgröße beeinflusst wird und den Massenstrom oder Energiefluss beeinflusst

ANMERKUNG 1 Bei mechanisch betätigten Stellgliedern wird gelegentlich ein zusätzlicher Steller (Positionierer) verwendet.

ANMERKUNG 2 Die Ausgangsgröße der Stelleinrichtung ist im Allgemeinen nicht rückwirkungsfrei. Die Schnittstelle zwischen Steller und Stellglied ist deshalb so zu wählen, dass das Stellglied keine Rückwirkung auf die Stellgröße ausübt.

[IEV 351-28-08]

3.12
Stelleinrichtung
(en: final controlling equipment)
aus Steller und Stellglied bestehende Funktionseinheit

[IEV 351-28-09]

3.13
Funktionsplan für Ablaufsteuerungen
(en: function chart)
graphisches Hilfsmittel zur symbolischen Darstellung von Ablaufsteuerungen

ANMERKUNG 1 Die symbolische Darstellung von Schritten, Befehlen, Übergängen und Wirkverbindungen wird mittels Boolescher Ein- und Ausgangsgrößen sowie mittels interner Zustandsgrößen und binärer Verzögerungsglieder beschrieben.

ANMERKUNG 2 IEC 60848 enthält Elemente, Regeln und Grundstrukturen für Funktionspläne.

[IEV 351-29-22]

3.14
Begleitheizung
(en: heat tracing)
Heizsystem für Rohre, um deren Einfrieren zu verhindern

3.15
Begleitheizungstyp
(en: heat tracing type)
Bauart des Heizsystems für Rohre

BEISPIEL Dampf- oder elektrisches Heizsystem.

3.16
Temperatursollwert der Begleitheizung
(en: heat tracing temperature set point)
Sollwert für den Regler einer Begleitheizung

3.17
Isoliertyp
(en: insulation type)
Beschreibung der verwendeten Isolierung

BEISPIEL Schalldämmung

3.18
Isolierdicke
(en: insulation thickness)
Dicke der Isolierung, die dem Außendurchmesser der Rohrdicke hinzugefügt wird

3.19
Zwischendatenbank
(en: intermediate database)
Datenzwischenspeicherungssystem zwischen dem Quell- und dem Ziel-Werkzeug

3.20
Strompunkt
(en: material balance point)
Referenzpunkt innerhalb eines R&I-Diagramms für die Prozessauslegung

3.21
Medienkennzeichen
(en: medium code)
Abkürzung und Kennzeichen für das Fluid, das durch die Prozessrohrleitung fließt

3.22
Medienbeschreibung
(en: medium code description)
Beschreibung des Fluids, das durch die Prozessrohrleitung fließt

3.23
neutrale Datenbank
(en: neutral database)
anbieterunabhängiges Datenspeichersystem

3.24
Steuern, Steuerung
(en: open-loop control)
Vorgang in einem System, bei dem eine oder mehrere variable Größen als Eingangsgrößen andere variable Größen als Ausgangsgrößen auf Grund der dem System eigenen Gesetzmäßigkeiten beeinflussen

ANMERKUNG Kennzeichen für das Steuern ist der offene Wirkungsweg oder ein geschlossener Wirkungsweg, bei dem die durch die Eingangsgrößen beeinflussten Ausgangsgrößen nicht fortlaufend und nicht wieder über dieselben Eingangsgrößen auf sich selbst wirken.

[IEV 351-26-02]

3.25
PCE-Kategorie
(en: PCE category)
Kennbuchstabe, der die Art der Aufgabe der Prozessleittechnik kennzeichnet

ANMERKUNG Im Gegensatz zu anderen Normen verwendet diese Norm die Benennung „PCE-Kategorie" anstelle von „zu messender Variable" (z. B. Temperaturmessung) für die erste Stelle der PCE-Aufgabe. Die PCE-Kategorie nach dieser Norm erlaubt eine eindeutige Identifizierung der Art der PCE-Aufgabe ohne die Notwendigkeit eines zweiten Buchstabens für die Kennzeichnung von Stelleinrichtungen. Auf dieser Grundlage ist nur ein Buchstabe für die Kennzeichnung von Sensor und Stelleinrichtung der PCE- Aufgabe erforderlich.

— Entwurf —

E DIN EN 62424 (VDE 0810-24):2014-05
FprEN 62424:2013

**3.26
PCE-Leitfunktion
(en: PCE control function)**
Funktion der PCE-Prozessverarbeitung

ANMERKUNG   Nach IEC 61512-1, 4.2.7.

**3.27
PCE-Kreis
(en: PCE loop)**
Sammlung von PCE-Aufgaben und PCE-Leitfunktionen, die deren funktionalen Zusammenhang darstellt

**3.28
PCE-Aufgabe
(en: PCE request)**
Aufgabe an die Prozessleittechnik. Jede PCE-Aufgabe wird graphisch durch ein Oval, in dem alle Informationen zu den Funktionsanforderungen zusammengetragen sind, dargestellt

**3.29
Rohrleitungsdurchmesser
(en: pipe diameter size)**
Nenngröße der entsprechenden Rohrleitung für die Prozessanbindung der PCE-Aufgabe

**3.30
Rohrleitungskennzeichen
(en: pipe ID)**
eindeutige Kennzeichnung der Rohrleitung

BEISPIEL Isometrienummer.

**3.31
Rohrklasse
(en: pipe specification)**
Abkürzung und Kennzeichen zur Spezifikation von Rohrleitungsbauteilen innerhalb eines Rohrleitungssystems. Sie definiert die Größe, den Werkstoff, den Auslegungsdruck und die Auslegungstemperatur für alle Elemente einer Rohrleitung

**3.32
Leiteinrichtung, Einrichtungen der Prozessleittechnik
(en: process control equipment)**
Gesamtheit aller für die Aufgabe des Leitens verwendeten Geräte und Programme sowie im weiteren Sinne auch aller Anweisungen und Programme

ANMERKUNG 1 Zu den Leiteinrichtungen gehört auch die Prozessleitwarte, und zu den Anweisungen gehören auch die Betriebshandbücher.

ANMERKUNG 2 Das Ausrüsten eines Prozesses mit einer Leiteinrichtung wird als Prozessautomatisierung bezeichnet.
[IEV 351-32-32]

**3.33
Leitfunktion
(en: process control function)**
Verarbeitungsfunktion für Prozessgrößen, die aus leittechnischen Grundfunktionen zusammengesetzt und spezifisch auf bestimmte Funktionseinheiten der Anlage zugeschnitten ist

ANMERKUNG   Neben den auf die Leitebenen bezogenen Leitfunktionen kann es auch Leitfunktionen geben, die Ein- und Ausgangsgrößen über mehrere Leitebenen hinweg verbinden. Beispielsweise beschreibt eine Leitfunktion im Rückführzweig mit der Regelgröße als Eingangsgröße und der Stellgröße als Ausgangsgröße den zusammenhängenden Wirkungsweg vom Sensor über den Regler bis zur Beeinflussung des Prozesses über das Stellglied. Eine weitere

— Entwurf —

Leitfunktion verbindet den Bediener mit den Anzeigegeräten für Prozessgrößen. Aufgrund der Vielfalt der Begriffsbestimmungen von Leitfunktionen ist eine Normung an dieser Stelle nicht angemessen.

[IEV 351-31-17]

3.34
Verarbeitungsfunktion
(en: processing function)
Funktion in einem Prozess

ANMERKUNG   Eine Verarbeitungsfunktion ist einer Einzelsteuereinheit nach IEC 61512-1, 3.10 und 5.2.2.4, zugeordnet.

3.35
proprietäre Datenbank
(en: proprietary database)
spezifisches Datenspeichersystem eines Anbieters mit Syntax und/oder Semantik, die keinem Standard entspricht

3.36
Unterlieferant
(en: PU-vendor, Package Unit vendor)
Lieferant einer abgeschlossenen verfahrenstechnischen Einheit innerhalb einer Prozessanlage

3.37
Referenzkennzeichnung
(en: reference designation)
Kennung eines spezifischen Objektes, die in Bezug auf das System, von welchem das Objekt Bestandteil ist, basierend auf einem oder mehreren Aspekten dieses Systems gebildet wird

ANMERKUNG 1   Nach IEC 81346-1.

ANMERKUNG 2   Die Benennungen „Objekt", „Aspekt" und „System" werden in IEC 81346-1 definiert.

3.38
Schema
(en: schema)
XML-basierte Beschreibung von Regeln, die ein XML-Dokument einhalten muss, um in Bezug auf dieses Schema „valide" zu sein

ANMERKUNG   Diese Definition basiert auf „Extensible Mark-up Language (XML) 1.0 (3. Ausgabe), W3C-Empfehlung, Abschnitt 2".

3.39
Messgrößenaufnehmer, Sensor
(en: sensor)
Funktionseinheit, die an ihrem Eingang die Messgröße erfasst und an ihrem Ausgang ein entsprechendes Messsignal abgibt

ANMERKUNG 1   Die zugehörige Baueinheit hat dieselbe Benennung.

ANMERKUNG 2   Beispiele für Sensoren sind:

a)   Thermoelement;
b)   Dehnungsmessstreifen;
c)   pH-Elektrode.

[IEV 351-32-39, abgeändert]

— *Entwurf* —

E DIN EN 62424 (VDE 0810-24):2014-05
FprEN 62424:2013

3.40
Quelldatenbank
(en: source database)
Datenspeichersystem des Quellwerkzeuges

3.41
Zieldatenbank
(en: target database)
Datenspeichersystem des Zielwerkzeuges

3.42
Typicalkennzeichnung
(en: typical identification)
Abkürzung und Kennzeichen für ein graphisches Diagramm in einer Datenbank, eine Gruppe von Signalen oder gruppierte PCE-Aufgaben

4 Abkürzungen

Tabelle 1 – Abkürzungen

Abkürzung	Deutsche Benennung	Englische Benennung
CAE	Softwaretechnisch unterstützte Ingenieurarbeit	Computer Aided Engineering
CAEX	Softwaretechnisch unterstützter Austausch für Ingenieurarbeit	Computer Aided Engineering eXchange
CCR	Zentraler Leitstand	Central Control Room
GMP	Richtlinien zur qualitätsgerechten Produktion	Good Manufacturing Practice
PCE	Ingenieurtechnische Auslegung der Prozessleittechnik	Process Control Engineering
PCS	Prozessleitsystem	Process Control System
R&I	Rohrleitungs- und Instrumentierungsfließbild	P&ID: Piping and Instrumentation Diagram
PD	Verfahrenstechnische Auslegung	Process Design
PL	Performance Level nach ISO 13849-1	Performance Level
PU	Zugelieferter Anlagenteil	Package Unit
SIL	Sicherheitsintegritäts-Level nach IEC 61511-1	Safety Integrity Level
SIS	Sicherheitstechnisches System nach IEC 61511-1	Safety Instrumented System
XML	Erweiterbare Auszeichnungssprache	Extensible Markup Language

5 Konformität

Um Konformität mit dieser Norm in Bezug auf die graphische Darstellung von PCE-Aufgaben in R&I-Fließbildern zu beanspruchen, müssen die Anforderungen in Abschnitt 6 erfüllt sein.

Um Konformität mit dieser Norm in Bezug auf den PCE-relevanten Datenaustausch zu beanspruchen, müssen die Anforderungen in Abschnitt 7 sowie die folgenden Anforderungen erfüllt sein.

Der Datenaustausch zwischen dem jeweiligen Werkzeug und CAEX muss durch eine separate oder integrierte Import/Export-Anwendung durchgeführt werden.

— *Entwurf* —

E DIN EN 62424 (VDE 0810-24):2014-05
FprEN 62424:2013

ANMERKUNG   Das Ziel der Import/Export-Anwendung ist es, einen Abgleich der Daten der Schnittmenge von Quell- und Zieldatenbank herbeizuführen. Sie kann die proprietäre Datenbank des jeweiligen Werkzeuges lesen und ihre Daten mit der neutralen Datenbank abgleichen.

Die Export/Import-Anwendung muss die Daten der Schnittmenge beider Datenbanken prüfen, berichten und bereitstellen. Die neutrale Datenbank muss offen für zusätzliche Anwendungen sein.

Die Datenimportfunktion muss während des Imports einen konfigurierbaren Prüfschritt vornehmen (z. B. regelbasiert); ohne entsprechende Veranlassung darf sie keine Veränderungen vornehmen. Dieser konfigurierbare Prüfschritt muss eine Funktionalität zur automatischen oder manuellen Annahme von Datenanpassungen mit Wirkung auf ein einzelnes Datum bis hin zu einer Menge von Daten beinhalten.

Die Import-Anwendung muss alle Änderungen in der proprietären Datenbank und alle entdeckten Dateninkonsistenzen berichten. Die Erzeugung des Berichtes muss konfigurierbar sein. Die Import/Export-Anwendung muss sicherstellen, dass die Schnittmenge der unterschiedlichen Datenbanken dieselben Informationen enthält und dass zusätzliche bereichsspezifische Daten konsistent verarbeitet werden. Die Datenbearbeitung durch eine Projektabteilung ist ein fortlaufender Prozess während des gesamten Projektes und darüber hinaus. Daher muss die Erzeugung, Veränderung und Löschung von Daten während des Lebenszyklus der Anlage möglich sein.

CAEX-Datenbanken müssen konsistent sein. Dies erfordert eine Überprüfung der Konsistenz, bevor Daten exportiert werden. Dieses Vorgehen muss nach einer erfolgreichen Datenbearbeitung in einem R&I-Werkzeug oder einem PCE-Werkzeug erfolgen, um die neuen Informationen in die neutrale Datenbank einzufügen oder um sie aus dieser auszulesen. Vor jeder Datenveränderung muss der Anwender darüber informiert und um eine Bestätigung gebeten werden. Die Konsistenzprüfung muss mindestens die folgenden Schritte umfassen und die folgenden Anforderungen erfüllen:

Der Datenexport von der Datenquelle zur neutralen Datenbank muss die folgenden Arbeitsschritte beinhalten:

a) Prüfung der R&I- und PCE-Datenbank mindestens auf:

   1) doppelte PCE-Aufgaben oder doppelte Kennzeichen von PCE-Kreisen;
   2) ausgefüllte Pflichtfelder;
   3) korrekten Gebrauch des Nummerierungssystems der PCE-Aufgaben.

Inkonsistente Daten dürfen nicht exportiert werden.

b) Erzeugung der PCE-relevanten Informationen;
c) Prüfung auf geänderte Informationen im Vergleich zu vormals in der neutralen Datenbank gespeicherten Daten;
d) die Umbenennung von PCE-Aufgaben muss von der Exportfunktion unterstützt werden;
e) Ausführen eines Datenexports von der proprietären in die neutrale Datenbank:

   1) Wenn z. B. die PCE-Aufgabe geändert wurde, muss die alte PCE-Aufgabe in der neutralen Datenbank gelöscht werden und die neue PCE-Aufgabe aus der proprietären Datenbank in die neutrale Datenbank exportiert werden. Die Informationen zur alten PCE-Aufgabe müssen in einem Backup-Speichersystem gespeichert werden;
   2) andere Änderungen müssen mit dem vorhandenen Objekt ausgeführt werden.

f) Erzeugung von Berichten nach jedem Datenaustausch:

   z. B. Liste neuer PCE-Aufgaben, Liste mit fehlenden PCE-Aufgaben, Liste mit geänderten PCE-Aufgaben, Liste mit gelöschten PCE-Aufgaben, Liste mit Problemen und Fehlern.

Der Datenimport von der neutralen Datenbank in die Zieldatenbank muss die folgenden Arbeitsschritte beinhalten:

g) Erzeugung von PCE-relevanten Informationen aus der neutralen Datenbank;

— *Entwurf* —

E DIN EN 62424 (VDE 0810-24):2014-05
FprEN 62424:2013

h) Prüfung auf geänderte Informationen durch den Vergleich der neutralen Datenbank mit der Zieldatenbank;

i) Durchführung des Datenimports von der neutralen Datenbank zur proprietären Datenbank;

j) die Umbenennung von PCE-Aufgaben muss von der Importfunktion unterstützt werden;

k) Erzeugung von Berichten nach jedem Datenaustausch:

  1) z. B. Fehlerlisten;

  2) Inkonsistenzen aufgrund von importierten Daten müssen während des Importprozesses durch die Zielanwendung aufgedeckt werden und werden in dieser Norm nicht berücksichtigt.

6 Darstellung von PCE-Aufgaben in einem R&I-Fließbild

6.1 PCE-Aufgaben und PCE-Kreis

In einem R&I-Fließbild ist die funktionale Auslegung einer Anlage festgelegt. Details zur technischen Ausstattung werden nur angegeben, wenn ein Zusammenhang zwischen dieser Ausstattung und den Funktionen einer Anlage besteht. In einem solchen Fall beschreibt das R&I-Fließbild Anforderungen an die Einrichtungen der Prozessleittechnik. Jede PCE-Aufgabe muss im R&I-Fließbild mit einer individuellen Referenzkennzeichnung dargestellt werden. Um den Anforderungen der Datenverarbeitung Genüge zu leisten, darf dieselbe Referenzkennzeichnung nicht für verschiedene PCE-Aufgaben verwendet werden. Ein funktionaler Zusammenhang zwischen PCE-Aufgaben wird dargestellt, indem diese einem PCE-Kreis zugeordnet werden. Ein PCE-Kreis wird graphisch nicht dargestellt. Abhängig von der Vorgehensweise besteht ein PCE-Kreis aus mindestens einer PCE-Aufgabe, kann aber auch eine Kombination mehrerer PCE-Aufgaben sein. Werden PCE-Kreise genutzt, müssen sie in der Referenzkennzeichnung aller betroffenen PCE-Aufgaben dargestellt werden. Ein Beispiel für dieses Konzept ist in Bild 2 dargestellt.

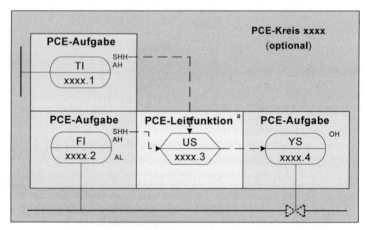

[a] Die PCE-Leitfunktion in Bild 2 ist in 6.3.10 definiert.

Bild 2 – Organisation von PCE-Aufgaben

6.2 Ziele und Grundsätze

Dieser Unterabschnitt legt die Darstellung der Funktionalität der Prozessleittechnik im R&I-Fließbild fest. Technische Details der eingesetzten Betriebsmittel dürfen im Allgemeinen nicht dargestellt werden. Ziel ist es

— *Entwurf* —

E DIN EN 62424 (VDE 0810-24):2014-05
FprEN 62424:2013

dabei, durch Trennung von Prozess- und Instrumentierungsausführung einen reibungslosen Ablauf der Ausführungsplanung sicherzustellen.

Demzufolge sind die folgenden Punkte in dieser Norm dargelegt:

1) die PCE-Kategorien und -Funktionen;
2) die graphische Darstellung von PCE-Aufgaben in einem R&I-Fließbild;
3) die Art des funktionalen Zusammenhangs zwischen den PCE-Aufgaben: die Leitfunktionen;
4) die graphische Darstellung von Signalen in einem R&I-Fließbild.

Zusätzlich muss das Referenzkennzeichnungsschema, das für PCE-Aufgaben in einem R&I-Fließbild verwendet wird, angegeben werden (siehe 6.3.5).

Ausführliche Informationen zu komplexen Leitfunktionen dürfen nicht Teil des R&I-Fließbildes sein. Dafür muss eine zusätzliche Dokumentation (z. B. Funktionsbeschreibungen, Funktionsdiagramme) erstellt werden, um die erforderliche Funktionalität festzulegen. Eine Leitfunktion muss ebenfalls individuell gekennzeichnet werden und muss im R&I-Fließbild dargestellt werden.

6.3 Anforderungen an die Referenzkennzeichnung und Darstellung von PCE-Aufgaben

6.3.1 Allgemein

Jede PCE-Aufgabe muss durch ein Oval, das alle Informationen zu den funktionalen Anforderungen enthält, graphisch dargestellt werden. Zur Darstellung aller Informationen einer PCE-Aufgabe sind drei Datenfelder innerhalb und zehn Datenfelder außerhalb des Ovals definiert (siehe Bild 3). Für ausführliche Informationen siehe 6.3.3 bis 6.3.9.

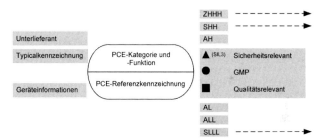

Bild 3 – Allgemeine Darstellung einer PCE-Aufgabe in einem R&I-Fließbild

Wie zuvor festgelegt, muss nur die PCE-Funktionalität im R&I-Fließbild dargestellt werden, nicht die PCE-Ausführung. In Sonderfällen jedoch kann es vorkommen, dass die Darstellung detaillierter Informationen zur Umsetzung unvermeidlich ist. Im Fall eines Multisensor-Elementes zum Beispiel, das ein Instrument ist, welches Messungen für unterschiedliche Kategorien erzeugt, muss jede Kategorie durch ihr eigenes Oval dargestellt werden. Die Ovale werden wie in Bild 4 gezeigt übereinander gestapelt.

E DIN EN 62424 (VDE 0810-24):2014-05
FprEN 62424:2013

— *Entwurf* —

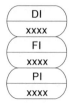

Bild 4 – Multisensor-Element

In allen Fällen, in denen die PCE-Aufgabe in Verbindung zu Betriebsmitteln oder der Rohrleitung steht, muss dies durch eine durchgezogene Linie dargestellt werden, die das Oval mit dem Betriebsmittel oder der Rohrleitung verbindet.

6.3.2 Arten von Linien

Signallinien werden zur Darstellung des funktionalen Zusammenhangs zwischen PCE-Aufgaben verwendet. Eine Signallinie muss als gestrichelte Linie mit einem Pfeil zur Anzeige des Informationsflusses dargestellt werden. Die Quelle des Informationsflusses muss ein Oval einer PCE-Leitfunktion, einer PCE-Aufgabe oder einer Schaltfunktion sein, das aus den sechs Feldern rechts neben dem Oval besteht. Die Senke des Informationsflusses muss einem Oval einer PCE-Aufgabe oder einer PCE-Leitfunktion entsprechen.

Prozessverbindungen müssen durch eine durchgezogene richtungslose Linie dargestellt werden. Multi-sensorGeräte mit nur einer Prozessverbindung müssen ein separates Oval für jede Kategorie haben und dürfen nur eine Prozessverbindung aufweisen.

6.3.3 Darstellung des Ortes der Bedienoberfläche

Jede PCE-Aufgabe wird graphisch durch ein Oval dargestellt. In dieser Norm wird bei dem Ort der Bedienoberfläche zwischen lokal, in einem lokalen Schaltpult und in einem zentralen Leitstand unterschieden. Der Ort spiegelt keine Umsetzung in den Systemen wider.

Eine lokale Bedienoberfläche muss wie in Bild 5 dargestellt werden. Es könnte sich z. B. um einen Manometer handeln.

Bild 5 – Lokale Bedienoberfläche

Eine Aktion/Information des Bedieners an einem lokalen Schaltpult muss wie in Bild 6 dargestellt werden.

Bild 6 – Manuell betätigter Schalter in einem lokalen Schaltpult

Fernabfragen, die von einem zentralen Leitstand aus durchgeführt werden, müssen wie in Bild 7 dargestellt werden.

— *Entwurf* —

E DIN EN 62424 (VDE 0810-24):2014-05
FprEN 62424:2013

Bild 7 – Druckanzeige in einem zentralen Leitstand

ANMERKUNG   Für den Fall der Kombination einer lokalen Bedienoberfläche mit der Anzeige in einem zentralen Leitstand wird empfohlen, die PCE-Darstellung durch ein einziges Oval zu vereinfachen, wie in Bild 7 gezeigt.

6.3.4 PCE-Kategorien und -Verarbeitungsfunktionen

6.3.4.1 Anzeige von PCE-Kategorien und -Verarbeitungsfunktionen

Der obere Teil des Ovals muss die Information der PCE-Kategorie sowie die PCE-Verarbeitungsfunktion enthalten. Jedes Oval muss eine PCE-Kategorie und mindestens eine PCE-Verarbeitungsfunktion aufweisen. Für die Definition der Verarbeitungsfunktion siehe 6.3.4.3.

6.3.4.2 PCE-Kategorien

Der erste Buchstabe bezeichnet die PCE-Kategorie und muss aus Tabelle 2 gewählt werden, sofern die zu messende Variable oder die Eingangsvariable in dieser Tabelle aufgeführt ist. Wenn dies nicht der Fall ist, kann eine neue Kategorie definiert werden. Es wird eine eindeutige Definition empfohlen, um dem Prozessleittechnik-Ingenieur eine Übernahme in die Gerätespezifikation zu ermöglichen. Im Fall von Änderungen der Kategorien aus Tabelle 2 kann eine Codierung mithilfe des Buchstabens X, wie in Fußnote (b) beschrieben, verwendet werden.

Andere Buchstaben dürfen für die PCE-Kategorie nicht genutzt werden, um Fehlinterpretationen bei der Übernahme in die Gerätespezifikation durch den PLT-Ingenieur zu vermeiden.

Tabelle 2 – PCE-Kategorien (1 von 2)

Buchstabe	PCE-Kategorie
A	Analyse
B	Optische Messung, z. B. Flammenüberwachung
C	(a)
D	Dichte
E	Elektrische Spannung
F	Durchfluss
G	Abstand, Länge, Stellung
H	Handeingabe, Handeingriff
I	Elektrischer Strom
J	Elektrische Leistung
K	Zeitbasierte Funktionen
L	Füllstand
M	Feuchte
N	Elektrische Betätigung (alle elektrischen Verbraucher, z. B. Motor, Heizung) (c)
O	(a)
P	Druck

— *Entwurf* —

Tabelle 2 (2 von 2)

Buchstabe	PCE-Kategorie
Q	Menge oder Anzahl
R	Strahlungsgrößen
S	Geschwindigkeit oder Frequenz (einschließlich Beschleunigung)
T	Temperatur
U	Verwendet für PCE-Leitfunktion (siehe 6.3.10)
V	Schwingung, mechanische Analyse, Drehmoment
W	Gewicht, Masse, Kraft
X	(b)
Y	Hydraulische oder pneumatische Betätigung (Schaltung, Wechsel, Beschränkung (z. B. durch ein Stellventil)) (c)
Z	(a)

(a) Die Verwendung dieses Buchstabens sollte vom Anwender definiert werden.

(b) Der nicht klassifizierte Buchstabe X ist dazu vorgesehen, nicht aufgelistete Bedeutungen abzudecken, die nur einmal oder begrenzt genutzt werden. Wenn er verwendet wird, darf er eine beliebige Anzahl von Bedeutungen als PCE-Kategorie und eine beliebige Anzahl von Bedeutungen als PCE-Funktion annehmen.

(c) Der Gebrauch von N für motorgesteuerte Stelleinrichtungen oder Heizungssteller und Y für Stellventile basiert auf verschiedenen PCE-Tätigkeiten und spezifischen Instandhaltungsanforderungen an beide Arten von Stelleinrichtungen. Außerdem ist angesichts des erhöhten Instandhaltungsbedarfs in der Anlage die sofortige Erkennung für die Übertragung der Daten und zugehöriger Attribute der Stelleinrichtung zum Instandhaltungssystem notwendig.

6.3.4.3 PCE-Prozessverarbeitungsfunktionen

Beginnend mit dem zweiten Buchstaben müssen die aufeinanderfolgenden Buchstaben im oberen Teil des Ovals die Verarbeitungsfunktion der PCE-Aufgabe darstellen. Um die Verarbeitungsfunktion einer PCE-Aufgabe anzuzeigen, müssen die in Tabelle 3 festgelegten Buchstaben verwendet werden.

Tabelle 3 – PCE-Verarbeitungsfunktion (1 von 2)

Buchstabe	Verarbeitungsfunktion
A	Alarm, Meldung
B	Beschränkung
C	Regelung (alle Arten von Funktionsplänen, z. B. Regelung mit Bereichsaufspaltung, PID-Regler oder Zweipunktregler – typischerweise für Regelungen verwendet)
D	Differenz
E	Darf nicht verwendet werden.
F	Verhältnis
G	Darf nicht verwendet werden.
H	Oberer Grenzwert, an, offen
I	Analoganzeige
J	Darf nicht verwendet werden.

— *Entwurf* —

E DIN EN 62424 (VDE 0810-24):2014-05
FprEN 62424:2013

Tabelle 3 (2 von 2)

Buchstabe	Verarbeitungsfunktion
K	Zeitliche Änderungsrate, z. B. für Beschleunigung oder Berechnung einer Ableitung)
L	Unterer Grenzwert, aus, geschlossen
M	Darf nicht verwendet werden.
N	Darf nicht verwendet werden.
O	Lokale oder PCS-Statusanzeige von Binärsignalen
P	Punkt(prüf)verbindung
Q	Integral, Menge oder Summe
R	Aufgezeichneter Wert
S	Binäre Steuerungsfunktion oder Schaltfunktion (nicht sicherheitsrelevant)
T	Darf nicht verwendet werden.
U	Darf nicht verwendet werden.
V	Darf nicht verwendet werden.
W	Darf nicht verwendet werden.
X	(b)
Y	Rechenfunktion
Z	Binäre Steuerungsfunktion oder Schaltfunktion (sicherheitsrelevant)
(a)	Das Dreieck am PCE-Aufgabensymbol darf auch verwendet werden, um auf redundante Weise anzuzeigen, dass die Prozessverarbeitungsfunktion sicherheitsrelevant ist (siehe Bild 3).
(b)	Der nicht klassifizierte Buchstabe X ist dafür vorgesehen, nicht aufgeführte Bedeutungen, die nur einmal oder in begrenztem Umfang verwendet werden, zu bezeichnen. Wenn er benutzt wird, darf er eine beliebige Anzahl von Bedeutungen als PCE-Kategorie und eine beliebige Anzahl von Bedeutungen als PCE-Funktion annehmen.

Die Buchstaben B, Q, I und R beziehen sich auf die vorangehende Verarbeitungsfunktion und können in einer Verarbeitungsfunktion mehrmals verwendet werden; z. B. bedeutet FIQI die Anzeige eines Durchflusses und seiner Summe.

Die PCE-Verarbeitungsfunktionen A, H, L, O, S und Z dürfen nur außerhalb des Ovals verwendet werden. In diesem Fall darf die PCE-Kategorie als einzelner Wert im oberen Teil des Ovals stehen. Zusätzlich wird eine genaue Angabe zur Signalinformation (siehe 6.3.2) für die Prozessleittechnik automatisch in die Gerätespezifikation übernommen.

ANMERKUNG   Die Buchstaben O, A, S und Z werden für eine bestimmte Ebene verwendet, z. B. AH für Hoch-Alarm oder SHH für Hoch-Hoch-Schaltung. Auf jeder Ebene ist es möglich, die Buchstaben OASZ zu kombinieren, z. B. OSL für binäre Statusanzeige und Tief-Schaltung.

Bei den PCE-Kategorien N und Y verbleiben die Verarbeitungsfunktionen S und Z aufgrund der reinen einzigen Binärfunktion „auf/zu" innerhalb des Ovals (siehe Tabelle 5).

Werden PCE-Verarbeitungsfunktionen kombiniert, so ist die Reihenfolge nach Tabelle 4 einzuhalten. Dabei ist in der Tabelle von links nach rechts und in einer Spalte von oben nach unten vorzugehen.

— *Entwurf* —

E DIN EN 62424 (VDE 0810-24):2014-05
FprEN 62424:2013

Tabelle 4 – Reihenfolge der Kombinationen

Kategorie	Reihenfolge	1	2	3	4
Siehe Tabelle 3	1	F	D	Y	C
	2	B	Q	X	

ANMERKUNG Die Buchstaben O, A, S und Z werden für eine bestimmte Ebene verwendet, z. B. AH für Hoch-Alarm oder SHH für Hoch-Hoch-Schaltung. Auf jeder Ebene ist es möglich, die Buchstaben OASZ zu kombinieren, z. B. OSL für binäre Statusanzeige und Tief-Schaltung.

6.3.4.4 PCE-Verarbeitungsfunktionen für Stelleinrichtungen

Die PCE-Verarbeitungsfunktionen müssen für Stelleinrichtungen und Sensoren in gleicher Weise verwendet werden. Tabelle 5 enthält einige Beispiele.

Tabelle 5 – PCE-Verarbeitungsfunktionen für Aktoren

PCE-Kategorie und - Verarbeitungsfunktion	Bedeutung
YS	Auf/Zu-Ventil
YC	Stellarmatur
YCS	Stellarmatur mit Auf/Zu-Funktion
YZ	Auf/Zu-Ventil (sicherheitsrelevant)
YIC	Stellarmatur mit kontinuierlicher Stellungsanzeige
NS	An/Aus-Motor
NC	Motorsteuerung

ANMERKUNG Die graphische Darstellung des Betriebsmittels Ventil im R&I-Fließbild einschließlich weiterer Funktionsdetails mit den Symbolen nach ISO 10628 kann im CAEX-Modell nicht verwendet werden. Solche Details müssen in der Datenbank hinterlegt werden.

6.3.5 Referenzkennzeichnung für PCE-Aufgaben

Zur eindeutigen Identifizierung einer PCE-Aufgabe muss ein Referenzkennzeichnungsschema (z. B. IEC 81346-1) verwendet werden. Diese Referenzkennzeichnung muss unabhängig von der PCE-Verarbeitungsfunktion der PCE-Aufgabe sein und muss im unteren Teil des Ovals dargestellt werden. Vorhergehende Referenzkennzeichnungsstufen (z. B. Betrieb, Anlage, Anlagenkomponente, Bereich) dürfen im Oval ausgelassen werden, wenn die Aufgabe innerhalb des R&I-Fließbildes eindeutig ist (siehe Bild 8). Wenn PCE-Aufgaben in einem PCE-Kreis kombiniert werden, muss ihre Kennzeichnung auf getrennten Ebenen, einmal für den Kreis und einmal für die Aufgabe, erfolgen.

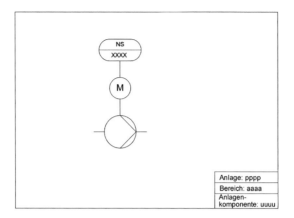

Bild 8 – Beispiel einer Referenzkennzeichnung einer PCE-Aufgabe

6.3.6 Unterlieferant und Typicalkennzeichnung

Falls vorhanden, muss die Information zu einem Unterlieferanten oberhalb der horizontalen Linie, jedoch außerhalb des Ovals auf der linken oberen Seite eingetragen werden, wie in Bild 9 dargestellt. Wenn dieses Feld nicht für Informationen zu Unterlieferanten genutzt wird, kann es zur Darstellung anderer projektspezifischer Angaben genutzt werden.

Bild 9 – Beispiel einer Durchflussmessung mit Anzeige im zentralen Leitstand, geliefert von Lieferant A, gekennzeichnet durch Typicalkennzeichnung A20

Um die automatische Erstellung von PCE-Kreisen, PCE-Aufgaben und Referenzkennzeichnungen in einem CAE-Werkzeug zu unterstützen, sollte, besonders bei Motoraufgaben, in der linken oberen Ecke außerhalb des Ovals eine Typicalkennzeichnung angegeben werden. Diese Typicalkennzeichnungen werden vom Projektteam festgelegt und zur Bestimmung der Zusammensetzung der PCE-Aufgabe, z. B. zur Darstellung der Motoransteuerung (nur mit Start-Stopp, mit Start-Stopp und Laufmeldung oder mit aktuellen Messwerten usw.), oder zur Festlegung einer Kombination von Messsystemen verwendet.

6.3.7 Geräteinformationen

Wenn aufgrund der PCE-Kategorie zusätzliche Informationen zum Gerät benötigt werden (z. B. bei Messblenden zur Durchflussmessung), muss dies im unteren Bereich außerhalb des Ovals auf der linken Seite dargestellt werden (siehe Bild 10).

Bild 10 – Beispiel einer pH-Messung mit Anzeige im zentralen Leitstand

— *Entwurf* —

E DIN EN 62424 (VDE 0810-24):2014-05
FprEN 62424:2013

6.3.8 Alarmierung, Schaltung und Anzeige

Die Buchstaben H und L dürfen als PCE-Verarbeitungsfunktionen zur Anzeige des oberen und unteren Grenzwertes nur dann in Kombination mit A, O, S oder Z verwendet werden, wenn bei Erreichen der Grenzen eine automatische Aktion (S oder Z), eine Alarmierung (A) oder eine Anzeige (O) ausgelöst wird. Auf jeder Ebene (z. B. H, HH, HHH) muss es möglich sein, die Alarm- und die Schaltfunktion zu kombinieren, z. B. AS oder AZ. Diese Funktionen müssen immer außerhalb des Ovals angezeigt werden, wie in Bild 11 dargestellt. Es müssen bis zu drei Ebenen für den oberen wie auch den unteren Alarm-/Schaltungs-/Anzeigewert möglich sein.

Bild 11 – Beispiel einer Durchflussmessung mit Anzeige im zentralen Leitstand, Hoch-Alarm und Tief-Alarm

Die Darstellung muss in der Reihenfolge <Verarbeitungsfunktion><Alarmebene> sein, wohingegen die Reihenfolge der Verarbeitungsfunktionen O, A, S, Z entsprechen muss.

Die Darstellung muss von der Ebene der Schaltung/Alarmierung her eindeutig sein. Eine Schaltung muss mit einer Steuerfunktion oder der Stelleinrichtung, beginnend mit den SH-, SHH-, SHHH-, SL-, SLL- oder SLLL-Symbolen, verbunden sein, wie in Bild 12 dargestellt ist.

Bild 12 – Durchflussmessung mit Anzeige im zentralen Leitstand, Hoch-Alarm und Hoch-Hoch-Schaltung

Die Kombination von Bild 11 und Bild 12 mit zusätzlichen sicherheitsrelevanten Schaltungen darf wie in Bild 13 dargestellt verwendet werden.

Bild 13 – Durchflussmessung mit Anzeige im zentralen Leitstand, Hoch-Alarm, Hoch-Hoch-Schaltung, einem Tief-Alarm und Tief-Tief-Schaltung für eine Sicherheitsfunktion

6.3.9 Sicherheits-, GMP- und qualitätsrelevante PCE-Aufgaben

Außerhalb des Ovals sollte ein Kreissymbol als Anzeige für GMP-relevante Sensoren oder Stelleinrichtungen und ein Quadrat für die Anzeige einer qualitätsrelevanten PCE-Aufgabe verwendet werden. Ein Dreieck sollte für eine Sicherheitsfunktion (kategorisiert durch SIL oder PL) genutzt werden (siehe Bild 14).

Bild 14 – Eine GMP-relevante, eine sicherheitsrelevante und eine qualitätsrelevante Durchflussmessung mit Anzeige im zentralen Leitstand

Diese Symbole müssen so nah wie möglich rechts an die Ovale gesetzt werden. Das Schneiden von Signallinien, die in der Mitte verbunden sind, ist zulässig.

6.3.10 PCE-Leitfunktionen

PCE-Leitfunktionen beinhalten im Wesentlichen den funktionalen Zusammenhang zwischen Sensoren und Stelleinrichtungen. Sie sind die „Bausteine", die Elemente der gesamten Prozessfunktionalität. Meist werden sie durch die Konfiguration des Prozessleitsystems technisch umgesetzt. Sicherheitsbezogene Leitfunktionen werden üblicherweise durch SIS-Konfigurationen (Logiksystem) nach IEC 61511-1 implementiert.

Bei einfachen Konfigurationen, z. B. ein Sensor und eine Stelleinrichtung, bei denen der Zusammenhang im R&I-Fließbild eindeutig dargestellt werden kann, sollte die PCE-Leitfunktion ausgelassen werden.

Das Symbol für die PCE-Leitfunktion ist ein Sechseck. Dieses Sechseck, siehe Bild 15, symbolisiert die Leitfunktionalität, die als Eingabe einen oder mehrere Sensoren und als Ausgabe eine oder mehrere Stelleinrichtungen hat.

Bild 15 – PCE-Leitfunktion

Das Sechsecksymbol muss mithilfe von Signallinien (siehe 6.3.2) mit den verschiedenen Ovalen, die die entsprechenden PCE-Aufgaben darstellen, verbunden werden (siehe Anhang B). Die Pfeile zeigen die Richtung der Information an (Sensor zu PCE-Leitfunktion und PCE-Leitfunktion zu Stelleinrichtung).

Falls vorhanden, muss die Information zum Unterlieferanten oberhalb der horizontalen Linie, jedoch außerhalb des Sechsecks auf der linken oberen Seite eingetragen werden. Wenn dieses Feld nicht für Informationen zu Unterlieferanten genutzt wird, darf es zur Darstellung anderer projektspezifischer Angaben genutzt werden.

Um die automatische Erstellung von PCE-Kreisen, PCE-Aufgaben und Referenzkennzeichnungen in einem CAE-Werkzeug zu unterstützen, sollte, besonders bei der funktionalen Planung, in der linken oberen Ecke außerhalb des Rechtecks eine Typicalkennzeichnung angegeben werden.

Für eine sicherheitsrelevante Leitfunktion „UZ..." muss das geforderte SIL oder PL im linken unteren Bereich außerhalb des Sechsecks stehen, wie in Bild 16 gezeigt. Andere wichtige Informationen, z. B. eine 2oo3-Konfiguration, sollten soweit erforderlich hinzugefügt werden. Bei nicht sicherheitsgerichteten Leitfunktionen sollte dieses Feld für zusätzliche relevante Informationen genutzt werden.

Bild 16 – Sicherheitsrelevante PCE-Leitfunktion

Die PCE-Leitfunktionen müssen getrennt gekennzeichnet werden. Sie müssen innerhalb des verwendeten Referenzkennzeichnungssystems eindeutig gekennzeichnet werden. Diese Referenzkennzeichnung muss unabhängig von der PCE-Verarbeitungsfunktion der PCE-Leitfunktion sein und im unteren Teil des Ovals dargestellt werden. Vorhergehende Referenzkennzeichnungsstufen (z. B. Betrieb, Anlage, Anlagenkomponente, Bereich) dürfen im Oval ausgelassen werden, wenn die Aufgabe innerhalb des R&I-Fließbild eindeutig ist (siehe 6.3.5). Wenn PCE-Leitfunktionen in einem PCE-Kreis kombiniert werden, muss ihre Referenzkennzeichnung auf getrennten Ebenen, einmal für den Kreis und einmal für die Leitfunktion, erfolgen.

— *Entwurf* —

E DIN EN 62424 (VDE 0810-24):2014-05
FprEN 62424:2013

Die genaue und vollständige Funktion einer PCE-Leitfunktion U muss in einem gesonderten Dokument dokumentiert sein, das mit der U-Referenzkennzeichnung überschrieben ist.

Der obere Teil des Sechseck-Symbols muss „Uaaa" enthalten, wobei „a" eine oder mehrere der PCE-Verarbeitungsfunktionen A, C, D, F, Q, S, Y oder Z ist (siehe Tabelle 3).

ANMERKUNG   Im Vergleich zu einer PCE-Aufgabe sind die Verarbeitungsfunktionen in einer PCE-Leitfunktion normalerweise nicht eindeutig. Aus diesem Grund bleiben die Verarbeitungsfunktionen A, S und Z im Sechseck als Platzhalter und allgemeine Erklärung der vollständigen Funktion stehen.

Es ist beispielsweise möglich, dass eine PCE-Leitfunktion US teilweise die Bedeutung einer PCE-Leitfunktion UZ hat. In diesem Fall muss sie die Kennzeichnung USZ erhalten. Jede PCE-Leitfunktion USZ muss mindestens einen sicherheitsrelevanten Sensor und eine sicherheitsrelevante Stelleinrichtung aufweisen; das heißt, dass mindestens ein Sensor und eine Stelleinrichtung, die mit einem USZ verbunden sind, Z als Verarbeitungsfunktion haben.

7   Neutraler Datenaustausch der PCE-relevanten R&I-Informationen

7.1   Ziele

R&I-Fließbilder enthalten unterschiedliche, für die Prozessleittechnik wichtige Informationen. In Abschnitt 6 ist festgelegt, wie die grundlegenden Systeminformationen bezüglich der PCE-Aufgaben und deren prozessrelevanter Funktionalität in einem R&I-Fließbild dargestellt werden müssen. Die Festlegungen betreffen vor allem die graphische Darstellung, schließen aber auch strukturelle und semantische Definitionen ein. In diesem Abschnitt werden diese strukturellen und semantischen Festlegungen auf eine halbformale Weise abgebildet. Dafür wird die Systembeschreibungssprache CAEX (siehe Anhang A) verwendet. Für diese Sprache enthält der Anhang C eine XML-Darstellung, welche einen offenen Austausch der modellierten Daten zwischen dem R&I-System und den PCE-Systemen erlaubt.

7.2   Bedeutung der R&I-Elemente

Ein R&I-Fließbild stellt eine Anlage (oder einen Teil von ihr) in ihrer Funktion als physikalische Gerüststruktur dar. Aspekte sind der Fluss der Stoffe durch Behälter und Rohre, die physikalischen Betätigungen (Pumpen, Rührwerke, elektrische Heizung), das Zusammenspiel zwischen den physikalischen und den Leitfunktionen (PCE-Aufgaben) und die hauptsächlichen Abhängigkeitsbedingungen der Leitfunktionen untereinander.

R&I-Fließbilder, welche die PCE-Aufgaben entsprechend dieser Norm darstellen, veranschaulichen funktionale Anforderungen (Rollen) und nicht den Zusammenbau der Betriebsmittel. Eine dargestellte Pumpe symbolisiert nicht das Betriebsmittel „Pumpe", sondern die Aufgabe. An dieser Stelle wird das Attribut einer „Pumpfunktion" benötigt. Zusätzliche Anforderungsattribute bezüglich dieser Pumpfunktion, wie „Fließgeschwindigkeit", „Zuströmdruck" usw., können hinzugefügt werden.

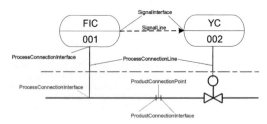

Bild 17 – R&I-Elemente und -Verbindungen (PCE-relevante Positionen sind mit schwarzen Linien gekennzeichnet)

— *Entwurf* —

R&I-Fließbilder zeigen graphisch den funktionalen Zusammenhang zwischen den Elementen. In dem Beispiel in Bild 17 werden die vier wichtigsten Klassen von Verbindungen dargestellt.

ANMERKUNG   Graphische Darstellungen von Betriebsmitteln in R&I-Fließbildern, die weitere Funktionsdetails in den Symbolen für Betriebsmittel nach ISO 10628 enthalten, können im CAEX-Modell nicht verwendet werden. Solche Details werden in einer Datenbank hinterlegt.

a) Signalverbindungen:

Signalverbindungen werden, wie in Abschnitt 6 angegeben, durch eine gestrichelte Linie dargestellt, die als „Signallinie" („SignalLine") bezeichnet wird. Die Signallinie symbolisiert die funktionale Wirkung der PCE-Aufgaben untereinander und nicht die elektrischen Leitungen.

b) Prozessverbindungen:

Prozessverbindungen werden, wie im Abschnitt 6 angegeben, durch eine einfache Linie dargestellt, die als „Prozessverbindungslinie" („ProcessConnectionLine") bezeichnet wird. Die Prozessverbindungslinie symbolisiert den Informationsfluss zwischen leittechnischen Geräten und prozesstechnischen Geräten oder Betriebsmitteln. Die Prozessverbindungslinie symbolisiert nur die funktionale Verknüpfung zwischen einer PCE-Aufgabe und dem Strompunkt, aber keine tatsächliche Verbindung von Betriebsmitteln in der Anlage.

c) Produktverbindungen:

Produktverbindungen symbolisieren den Anschluss zweier Anlagenteile miteinander und die Möglichkeit der Stoffweiterleitung zwischen diesen Teilen (z. B. Rohr-Rohr oder Rohr-Behälter). Die Eigenschaften dieser Art der Verbindung sind nicht Bestandteil dieser Norm.

d) Mechanische Verbindungen:

Mechanische Verbindungen symbolisieren die mechanische Kopplung innerhalb von Betätigungselementen (Antrieb-Ventil, Motor-Pumpe). Die Eigenschaften dieser Art von Verbindungen sind nicht Bestandteil dieser Norm.

7.3 PCE-relevante Informationen der R&I-Werkzeuge

Neben den allgemeinen Struktur- und Funktionsinformationen verarbeiten R&I-Werkzeuge eine Vielzahl anderer Informationen, die unmittelbare Bedeutung für die Prozessleittechnik haben:

a) Steuerungsinformationen

PCE-Aufgaben, Prozessverbindungen, Signallinien mit all ihren Attributen und Schnittstellen, wie in Abschnitt 6 beschriebenen, enthalten die für die Prozessleittechnik benötigten, prozessrelevanten Informationen.

b) Zusätzliche Informationen

Die R&I-Werkzeuge unterstützen in vielen Fällen zusätzliche prozess- oder technologierelevante Funktionsanforderungen, die die Prozessverbindungen betreffen. Beispiele dafür sind der maximale Druck, Rohrdurchmesser, das Medium betreffende Informationen usw. Diese Informationen sind für die PCE-Werkzeuge normalerweise ebenfalls wichtig. Die wichtigsten zusätzlichen Parameter sind in Abschnitt 8 angegeben.

7.4 PCE-relevante Informationen in der formalen Darstellung der R&I-Werkzeuge

7.4.1 Allgemeines Objektmodell einer Anlagenhierarchie

Das R&I-Fließbild ist die wichtigste Schnittstelle zwischen der Prozesstechnik und der Prozessleittechnik. Es ist grundsätzlich wichtig, nicht nur eine Norm für die graphische Darstellung der PCE-relevanten Informationen, sondern auch für das Format des Datenaustausches zu haben, das einen offenen Informationsfluss zwischen den R&I- und PCE-Werkzeugen unterstützt.

Bild 18 zeigt ein allgemeines Datenmodell einer Anlagenhierarchie, wobei das PCE-Datenmodell für die in Abschnitt 6 beschrieben PCE-relevanten Informationen hervorgehoben ist.

— *Entwurf* —

E DIN EN 62424 (VDE 0810-24):2014-05
FprEN 62424:2013

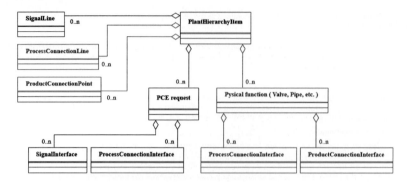

Bild 18 – Prozess-Datenmodell (PCE-relevante Elemente sind mit schwarzen Linien gekennzeichnet)

Durch die Festlegungen nach Abschnitt 6 ergibt sich Folgendes:

- Ein Anlagenhierarchieelement (PlantHierarchyItem) ist ein logisches Element, in dem PCE-Aufgaben, Signallinien, physikalische Funktionen, Prozessverbindungslinien und Produktverbindungspunkte zusammengefasst sind. Die grau dargestellten Objekte in Bild 18 sind nicht Bestandteil dieser Norm. Anlagenhierarchieelemente können weitere ineinander geschachtelte Anlagenhierarchieelemente aufnehmen (dies erlaubt ein hierarchisches Herunterbrechen der Anlagenstruktur).
- Jede PCE-Aufgabe enthält 0…n Prozessverbindungsschnittstellen (ProcessConnectionInterface) und 0…n Signalschnittstellen (SignalInterface).
- Jedes Anlagenhierarchieelement, jede PCE-Aufgabe, Signallinie, Prozessverbindungsschnittstelle und Signalschnittstelle muss über einen Satz von Attributen verfügen.
- Jede PCE-Aufgabe ist Teil eines einzigen Anlagenhierarchieelements.
- Leitfunktionen müssen auf die gleiche Weise wie PCE-Aufgaben gehandhabt werden, enthalten aber keine Prozessverbindungsschnittstellen.

7.4.2 Allgemeines Objektmodell einer PCE-Aufgabe

Bild 19 veranschaulicht das Datenmodell einer PCE-Aufgabe. Eine PCE-Aufgabe muss aus 1…n Schnittstellen und einem Attributsatz bestehen, welcher durch zusätzliche Attribute und Schnittstellen erweitert werden kann. Außerdem werden allgemeine Schnittstellen dargestellt.

— *Entwurf* —

E DIN EN 62424 (VDE 0810-24):2014-05
FprEN 62424:2013

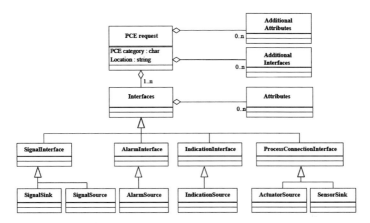

Bild 19 – Datenmodell einer PCE-Aufgabe

Jede konkrete PCE-Aufgabe verfügt in Bezug auf den Signalausgang ihrer Verarbeitungsfunktion über mindestens eine Signalschnittstelle oder eine Prozessverbindungsschnittstelle. Eine PCE-Aufgabe ohne eine Schnittstelle ergibt keinen Sinn.

Jede PCE-Aufgabe muss die folgenden Attribute besitzen (obligatorisch):

– PCE-Kategorie (siehe Tabelle 2);
– Ort der Bedienoberfläche (lokal, lokales Schaltpult, zentral).

Jede PCE-Aufgabe sollte eines oder mehrere der folgenden Attribute besitzen (optional):

– Unterlieferant (Zeichenkette);
– Typikalkennzeichnung (Zeichenkette);
– Geräteinformation (Zeichenkette);
– Verarbeitungsfunktion (Zeichenkette) – (siehe Tabelle 3);
– GMP-relevant (logischer Term);
– sicherheitsrelevant (logischer Term);
– qualitätsrelevant (logischer Term).

Zusätzliche PCE-relevante Attribute sind in Abschnitt 8 festgelegt.

Die graphischen Symbole für eine PCE-Aufgabe – Oval oder Sechseck – führen keine weiteren Informationen mit und werden nicht auf das CAEX-Modell abgebildet.

7.5 Modellieren PCE-relevanter Informationen mit der Systembeschreibungssprache CAEX

Die Darstellung elektronischer Daten sowie der Austausch von Anlageninformationen, einschließlich PCE-Aufgaben, wird durch das in dieser Norm festgelegte Datenaustauschformat CAEX unterstützt. Die Systembeschreibungssprache CAEX stellt ein XML-Schema bereit, das einen Austausch von CAE-Daten mithilfe einer XML-Datei unterstützt. Die Syntax von CAEX und die in dieser Norm festgelegte Semantik lassen den Austausch von Instanzdaten (Anlagendaten), Typdaten (Klassenangaben) sowie vollständiger Bibliotheken zu. Des Weiteren wird das Änderungsmanagement unterstützt.

— *Entwurf* —

E DIN EN 62424 (VDE 0810-24):2014-05
FprEN 62424:2013

Das XML-Schema von CAEX und das zugrunde liegende Konzept werden in Anhang A (normativ) spezifiziert und erläutert. Das Dateischema ist in Anhang C (normativ) angegeben. Beispiele werden in Anhang D (informativ) gezeigt.

7.5.1 Grundlegende CAEX-Abbildungen

Für den Austausch von Anlageninformationen mit CAEX müssen die beschriebenen Ingenieurdaten in einem CAEX-Datenmodell modelliert werden. Dies umfasst die Modellierung von Schablonen:

a) ein CAEX-Datenmodell der mit der PCE-Aufgabe verbundenen Attributtypen: Grundlage der Schablonenmodellierung bildet eine vordefinierte Attributtypenbibliothek. Eine normative Definition einer CAEX-Attributtypenbibliothek ist in 7.5.2 enthalten. In D.1 sind informativ zusätzliche Attribute definiert. Anwendungsbeispiele zu beiden Bibliotheken sind in D.4 angegeben.

b) ein CAEX-Datenmodell der erforderlichen Signalklassen: Eine Schablone für allgemeine Schnittstellen muss als CAEX-Schnittstellenklasse (InterfaceClass) vordefiniert sein, z. B „SignalSource", „SignalSink", „ActuatorSource", „SignalNode", „AlarmSource", „SensorLink" und „IndicationSource". Ein Beispiel für eine Bibliothek einer CAEX-Schnittstellenklasse ist in Bild D.3 angegeben.

c) ein CAEX-Datenmodell der Rollenklasse einer PCE-Aufgabe: Ein Beispiel für eine CAEX-Rollenklasse ist in D.3 angegeben. Eine Schablone für eine PCE-Aufgabe und eine Signalleitung muss jeweils als CAEX-Rollenklasse (RoleClass) vordefiniert sein, z. B „PCERequest" und „SignalLine". Diese vordefinierten Rollenklassen verwenden die Standardattribute aus der Attributtypenbibliothek (a) und die für den Datenaustausch erforderlichen Schnittstellenklassen (b). Ein informatives Beispiel für die CAEX-Rollenklasse „DemoPCERequest" ist in Bild D.5 angegeben.

Zusätzlich zu den beschriebenen Schablonen ist für den Austausch von Anlageninformationen die Modellierung konkreter und individueller Objektinstanzen nach Bild 18 erforderlich. Dazu gehört:

d) ein CAEX-Datenmodell einer konkreten Anlagenhierarchie, das einzelne Instanzen von physikalischen Funktionen oder PCE-Aufgaben mit deren Schnittstellen, Attributen und Verbindungen enthält. Die Anlagenhierarchie muss dabei durch ein CAEX-Element „InstanceHierarchy" dargestellt werden.

e) eine CAEX-Darstellung von konkreten Anlagenhierarchieelementen. Diese Anlagenelemente, z. B. die physikalische Funktion eines Rohrs, muss durch ein internes CAEX-Element (InternalElement) mit einer optionalen Verbindung zu einer Rollenklasse, z. B. „Rohr", dargestellt werden. Interne CAEX-Elemente dürfen weitere interne Elemente als ineinander geschachtelte Objekte aufnehmen. Dies erlaubt die Festlegung der gewünschten strukturellen Untergliederung. Das detaillierte Datenmodell der internen Elemente kann benutzerdefiniert sein und liegt außerhalb des Anwendungsbereiches dieser Norm.

f) eine CAEX-Darstellung einer konkreten PCE-Aufgabe: Eine PCE-Aufgabe muss in CAEX als internes Element (InternalElement) innerhalb der Anlagenhierarchie dargestellt werden, das mit einer Rollenklasse der PCE-Aufgabe verbunden ist. Die CAEX-Kennzeichnung „Name" des internen Elementes muss dem Namen der PCE-Aufgabe entsprechen. Die mit der PCE-Aufgabe verbundene Rollenklasse referenziert Standardattribute in CAEX, die in (a) vordefiniert wurden. Die konkreten Aufgaben der PCE-Aufgabe und die erforderlichen Schnittstellen (Attributwerte) müssen in den Rollenanforderungen (RoleRequirement) des internen Elementes (InternalElement) abgelegt werden. Wenn erforderlich, müssen dort zusätzliche Attribute und Schnittstellen, die nicht in der Rollenklasse (RoleClass) vordefiniert sind, hinzugefügt werden.

ANMERKUNG   In einem späteren Stadium der ingenieurtechnischen Auslegung kann das gleiche interne Element zusätzlich einer entsprechenden Anlagenkomponentenklasse (SystemUnitClass), welche die konkrete technische Umsetzung der PCE-Aufgabe darstellt, zugeordnet werden. Dies liegt außerhalb des Anwendungsbereiches dieser Norm. Siehe A.2.10 für entsprechende Einzelheiten zu diesem CAEX-Konzept.

g) ein CAEX-Datenmodell der konkreten Signallinien, das auf zwei Weisen unterstützt wird:

  (i) eine Signallinie zwischen zwei PCE-Aufgaben derselben Anlagenhierarchie wird in CAEX durch eine interne Verbindung (InternalLink) der zugehörigen PCE-Aufgabe, welche die entsprechenden Schnittstellen der beiden PCE-Aufgaben direkt verbindet, dargestellt. Interne Verbindungen unterstützen keine Eigenschaften, deshalb können nur einfache Zusammenhänge dargestellt werden. Ein Beispiel für diese Signallinien ist in D.3 angegeben.

— *Entwurf* —

E DIN EN 62424 (VDE 0810-24):2014-05
FprEN 62424:2013

(ii) die Signallinie selbst wird als CAEX-Objekt dargestellt. Wenn die Signallinie selbst als Objekt mit eigenen Eigenschaften betrachtet wird, muss sie als ein internes CAEX-Element mit einer zugehörigen Rollenklasse „SignalLine" dargestellt werden. Eine Signallinie verwendet zwei externe Schnittstellen, welche als „Seite A" und „Seite B" zu bezeichnen sind. Die Verbindung zwischen zwei PCE-Aufgaben wird sowohl durch ein internes Element für beide PCE-Aufgaben als auch durch ein internes Element für die Signallinie modelliert. Darüber hinaus sind zwei interne Verbindungen zu definieren: eine verbindet die Schnittstelle der Quelle der PCE-Aufgabe mit der Schnittstelle der Seite A der Signallinie und eine zweite verknüpft die Schnittstelle der Seite B der Signallinie mit der Schnittstelle der Senke der zweiten PCE-Aufgabe.

Eine Signallinie zwischen zwei Anlagenelementen derselben Hierarchiestufe ist genauso darzustellen wie Signallinien zwischen zwei PCE-Aufgaben, welche die entsprechenden Schnittstellen der zwei Anlagenhierarchieelemente verbinden. Ein Beispiel für diese Signallinien ist in Bild 22 gezeigt.

h) ein CAEX-Datenmodell der konkreten Schnittstellen: Die der Rollenklasse der PCE-Aufgabe zugehörigen PCE-Aufgaben übernehmen die vordefinierten Schnittstellen dieser Rollenklasse. Weitere erforderliche Schnittstellen müssen innerhalb des jeweiligen internen Elementes durch das CAEX-Element „ExternalInterface" zusätzlich implementiert werden.

- Jede definierte Alarmfunktion (AH, A, ALL, ...) implementiert innerhalb der PCE-Aufgabe eine zusätzliche Alarmschnittstelle.

- Jede zusätzlich definierte Schaltfunktion (SH, SHH, ..., SL, ..., ZH, ...) implementiert innerhalb der PCE-Aufgabe eine zusätzliche Signalschnittstelle.

- Jede definierte Anzeigefunktion (I, O, OH, ...) implementiert eine zusätzliche Anzeigeschnittstelle.

ANMERKUNG   Die Funktion OSH implementiert sowohl eine Anzeigeschnittstelle als auch eine Signalschnittstelle.

f) CAEX-Darstellung konkreter Prozessverbindungen

Prozessverbindungen liegen außerhalb des Anwendungsbereiches dieser Norm und werden im Rahmen dieser Norm nicht auf das CAEX-Modell abgebildet. Alle durch das R&I-Werkzeug hinsichtlich einer Prozessverbindung festgelegten Informationen müssen auf Attribute der entsprechenden Prozessverbindungsschnittstelle abgebildet werden. Mit jedem Ende einer Prozessverbindung an einer PCE-Aufgabe wird an dieser eine zusätzliche Prozessverbindungsschnittstelle implementiert.

7.5.2   CAEX-Standardbibliothek für Attribute einer PCE-Aufgabe

In diesem Abschnitt wird eine standardmäßige CAEX-Darstellung für zu einer PCE-Aufgabe gehörige Attribute nach 7.4.2 in Form einer standardmäßigen CAEX-Attributtypenbibliothek festgelegt. Diese Bibliothek mit dem Namen „IEC62424AttributeLib" ist in Bild 20 und Bild 21 dargestellt. Diese Standard-Attributtypenbibliothek legt die Syntax und Semantik des CAEX-Datenmodells der Attribute fest. Hinsichtlich dieser Bibliothek gelten die folgenden Festlegungen:

- Attribute von PCE-Aufgaben müssen die entsprechenden Attribute der Attributtypenbibliothek „IEC62424AttributeLib" referenzieren.

ANMERKUNG   Beispiele für die Anwendung dieser Bibliothek sind in D.4 enthalten.

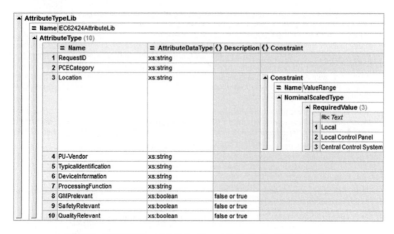

Bild 20 – CAEX-Datenmodell der Hauptattribute der PCE-Aufgabe

```xml
<AttributeTypeLib Name="IEC62424AttributeLib">
  <Version>1.0.0</Version>
  <AttributeType Name="RequestID" AttributeDataType="xs:string"/>
  <AttributeType Name="PCECategory" AttributeDataType="xs:string"/>
  <AttributeType Name="Location" AttributeDataType="xs:string">
    <Constraint Name="ValueRange">
      <NominalScaledType>
        <RequiredValue>Local</RequiredValue>
        <RequiredValue>Local Control Panel</RequiredValue>
        <RequiredValue>Central Control System</RequiredValue>
      </NominalScaledType>
    </Constraint>
  </AttributeType>
  <AttributeType Name="PU-Vendor" AttributeDataType="xs:string"/>
  <AttributeType Name="TypicalIdentification" AttributeDataType="xs:string"/>
  <AttributeType Name="DeviceInformation" AttributeDataType="xs:string"/>
  <AttributeType Name="ProcessingFunction" AttributeDataType="xs:string"/>
  <AttributeType Name="GMPrelevant" AttributeDataType="xs:boolean">
    <Description>false or true</Description>
  </AttributeType>
  <AttributeType Name="SafetyRelevant" AttributeDataType="xs:boolean">
    <Description>false or true</Description>
  </AttributeType>
  <AttributeType Name="QualityRelevant" AttributeDataType="xs:boolean">
    <Description>false or true</Description>
  </AttributeType>
</AttributeTypeLib>
```

Bild 21 – XML-Code der Attributtypenbibliothek

7.5.3 Abbildung von indirekten Verbindungen zwischen PCE-Aufgaben verschiedener Anlagenausschnitte

In diesem Abschnitt wird festgelegt, wie indirekte Verbindungen zwischen PCE-Aufgaben verschiedener Anlagenausschnitte zu modellieren sind. Wenn die Signalschnittstelle einer PCE-Aufgabe eine externe Schnittstelle des zugehörigen Anlagenausschnitts darstellt, muss die interne Signalschnittstelle der betrachteten PCE-Aufgabe auf die externen Schnittstellen des jeweiligen Anlagenausschnitts abgebildet werden. Die Abbildung einer Schnittstelle einer PCE-Aufgabe auf eine externe Schnittstelle des entsprechenden Anlagenausschnitts wird über eine festgelegte zusätzliche interne Verbindung (InternalLink) in diesem Anlagenausschnitts abgelegt.

Die beschriebene Abbildung und ein entsprechender Anwendungsfall werden in Bild 20 an einem Beispiel gezeigt, in dem eine Signallinie eine PCE-Aufgabe des Anlagenausschnitts (PlantSection) A1 mit einer PCE-Aufgabe des Anlagenausschnitts A2 verknüpft. Hierbei werden die Anlagenausschnitte selbst jeweils mit den externen Signalschnittstellen „Ein" bzw. „Aus" versehen.

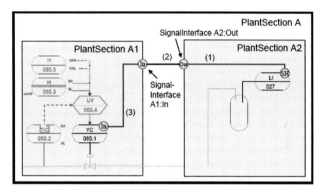

Bild 22 – Beispiel zweier Anlagenausschnitte mit einer Signalverbindung über externe Schnittstellen

Die Signallinie wird in diesem Beispiel in CAEX anhand von drei Verbindungen dargestellt:
1) die Verbindung A2/027:SH mit A2:Out ist Bestandteil von Anlagenausschnitt A2;
2) die Verbindung A2:Out mit A1:In ist Bestandteil des übergeordneten Anlagenausschnitts A;
3) die Verbindung A1:In mit [A1]/[080.1]:[In] ist Bestandteil von Anlagenausschnitt A1.

Bild 21 zeigt ein entsprechendes CAEX-Modell, das veranschaulicht, wie die Abschnitte der Signallinie in den internen Elementen A, A1 und A2 getrennt definiert werden. Bei dieser vereinfachten CAEX-Darstellung ist zu beachten, dass nur die betreffenden PCE-Aufgaben modelliert werden.

— *Entwurf* —

E DIN EN 62424 (VDE 0810-24):2014-05
FprEN 62424:2013

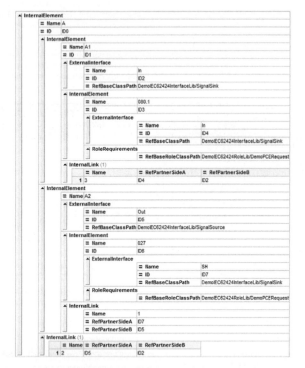

Bild 23 – Vereinfachtes CAEX-Modell indirekter Verbindungen zwischen PCE-Aufgaben über verschiedene Anlagenhierarchieelemente

Nachfolgend ist der vollständige XML-Text für dieses Beispiel angegeben.

— *Entwurf* —

E DIN EN 62424 (VDE 0810-24):2014-05
FprEN 62424:2013

```xml
<InternalElement Name="A" ID="ID0">
  <InternalElement Name="A1" ID="ID1">
    <ExternalInterface Name="In" ID="ID2" RefBaseClassPath="DemoIEC62424InterfaceLib/SignalSink"/>
    <InternalElement Name="080.1" ID="ID3">
      <ExternalInterface Name="In" ID="ID4" RefBaseClassPath="DemoIEC62424InterfaceLib/SignalSink"/>
      <RoleRequirements RefBaseRoleClassPath="DemoIEC62424RoleLib/DemoPCERequest"/>
    </InternalElement>
    <InternalLink Name="3" RefPartnerSideA="ID4" RefPartnerSideB="ID2"/>
  </InternalElement>
  <InternalElement Name="A2">
    <ExternalInterface Name="Out" ID="ID5" RefBaseClassPath="DemoIEC62424InterfaceLib/SignalSource"/>
    <InternalElement Name="027" ID="ID6">
      <ExternalInterface Name="SH" ID="ID7" RefBaseClassPath="DemoIEC62424InterfaceLib/SignalSink"/>
      <RoleRequirements RefBaseRoleClassPath="DemoIEC62424RoleLib/DemoPCERequest"/>
    </InternalElement>
    <InternalLink Name="1" RefPartnerSideA="ID7" RefPartnerSideB="ID5"/>
  </InternalElement>
  <InternalLink Name="2" RefPartnerSideA="ID5" RefPartnerSideB="ID2"/>
</InternalElement>
```

Bild 24 – Vereinfachtes CAEX-Modell indirekter Verbindungen zwischen PCE-Aufgaben über verschiedene Anlagenhierarchieelemente

7.5.4 CAEX-Darstellung der direkten Verbindungen zwischen den Signalschnittstellen von PCE-Aufgaben über verschiedene Anlagenausschnitte

In diesem Abschnitt wird festgelegt, wie direkte Verbindungen zwischen PCE-Aufgaben verschiedener Anlagenausschnitte zu modellieren sind. Wenn eine Signalschnittstelle einer PCE-Aufgabe nicht durch eine externe Schnittstelle des entsprechenden Anlagenhierarchieelements dargestellt wird, muss eine Verbindung zu einer Signalschnittstelle einer anderen PCE-Aufgabe eines anderen Anlagenhierarchieelements durch eine interne CAEX-Verbindung dargestellt werden, die auf beide PCE-Aufgabenschnittstellen mithilfe deren IDs direkt verweist (siehe Bild 22). Diese Verbindung ist Teil eines höheren Anlagenhierarchieelements.

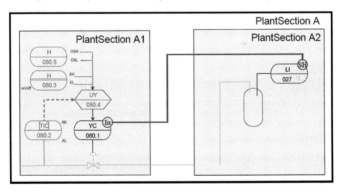

Bild 25 – Beispiel zweier Anlagenausschnitte mit einer direkten Verbindung

Bild 23 zeigt ein entsprechendes CAEX-Modell, das veranschaulicht, wie die Signallinie als Teil des Elementes A (Anlagenausschnitt A) definiert wird. Bei dieser vereinfachten CAEX-Darstellung ist zu beachten, dass nur die betreffenden PCE-Aufgaben modelliert werden.

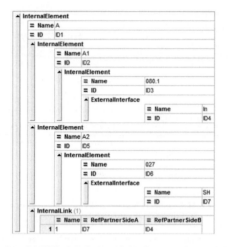

Bild 26 – Vereinfachtes CAEX-Modell direkter Verbindungen zwischen PCE-Aufgaben über verschiedene Anlagenhierarchieelemente

Nachfolgend ist der vollständige XML-Text für dieses Beispiel angegeben.

```
<InternalElement Name="A" ID="ID1">
   <InternalElement Name="A1" ID="ID2">
      <InternalElement Name="080.1" ID="ID3">
         <ExternalInterface Name="In" ID="ID4"/>
      </InternalElement>
   </InternalElement>
   <InternalElement Name="A2" ID="ID5">
      <InternalElement Name="027" ID="ID6">
         <ExternalInterface Name="SH" ID="ID7"/>
      </InternalElement>
   </InternalElement>
   <InternalLink Name="1" RefPartnerSideA="ID7" RefPartnerSideB="ID4"/>
</InternalElement>
```

Bild 27 – XML-Code des vereinfachten CAEX-Modells

7.5.5 PCE-Kreise

PCE-Kreise werden durch ein Referenzkennzeichnungsschema eindeutig bestimmt. PCE-Kreise werden nicht auf CAEX-Strukturelemente abgebildet. Das Zielwerkzeug muss die spezielle Bedeutung der Referenzkennzeichnungen kennen, um die PCE-Kreise identifizieren zu können.

8 Zusätzliche PCE-Attribute

Dieser Abschnitt gibt eine kleine Anzahl typischer Attribute an, die üblicherweise im R&I-System abgelegt werden und für die PCE-Umgebung relevant sind. Wenn anwendbar, müssen diese Attribute mit der in Tabelle 6 angegebenen Syntax über das CAEX-Datenaustauschformat übergeben werden.

Die in Tabelle 6 angegebenen Attribute stellen Informationen mit Bezug auf die speziellen Prozessverbindungen dar. Diese Attribute müssen auf die zusätzlichen Attribute der entsprechenden Prozessverbindungsschnittstellen abgebildet werden.

— *Entwurf* —

E DIN EN 62424 (VDE 0810-24):2014-05
FprEN 62424:2013

Tabelle 6 – Für die PCE-Umgebung relevante R&I-Attribute

Attribute	CAEX-Abbildung
Medienkennzeichen	Rollenklasse/Attribut (siehe A.3.24)
Medienbeschreibung	Rollenklasse/Attribut (siehe A.3.24)
Strompunkt	Rollenklasse/Attribut (siehe A.3.24)
Druckmessung	Rollenklasse/Attribut (siehe A.3.24)
Auslegungstemperatur	Rollenklasse/Attribut (siehe A.3.24)
Auslegungsdruck	Rollenklasse/Attribut (siehe A.3.24)
Rohrklasse	Rollenklasse/Attribut (siehe A.3.24)
Rohrleitungsdurchmesser	Rollenklasse/Attribut (siehe A.3.24)
Angepasste nominale Rohrgröße	Rollenklasse/Attribut (siehe A.3.24)
Begleitheizung	Rollenklasse/Attribut (siehe A.3.24)
Begleitheizungstyp	Rollenklasse/Attribut (siehe A.3.24)
Temperatursollwert der Begleitheizung	Rollenklasse/Attribut (siehe A.3.24)
Anlagen-/Rohrkennzeichen	Rollenklasse/Attribut (siehe A.3.24)
Anlagenbetriebsmittelkennzeichen	Rollenklasse/Attribut (siehe A.3.24)
Rohrleitungskennzeichen	Rollenklasse/Attribut (siehe A.3.24)
Isoliertyp	Rollenklasse/Attribut (siehe A.3.24)
Isolierdicke	Rollenklasse/Attribut (siehe A.3.24)

Die in Tabelle 7 angegebenen Attribute betreffen Informationen bezüglich der internen Objektverwaltung. Sie müssen auf die zusätzlichen Attribute des entsprechenden Objektes abgebildet werden.

Tabelle 7 – Attribute der Datenverarbeitung

Attribute	CAEX-Abbildung
Eindeutiges internes Kennzeichen	Rollenklasse/Attribut (siehe A.3.24)
Kurzbeschreibung	Rollenklasse/Attribut (siehe A.3.24)

Anhang A
(normativ)

CAEX – Datenmodell zum Austausch von maschinell erstellten Informationen

A.1 CAEX und Vorschriften für die Diagrammdarstellung

Das neutrale Datenformat CAEX legt die Strukturen für die Definition und die Speicherung von Objekten mit deren Eigenschaften und Beziehungen untereinander fest. CAEX ist die Grundlage eines allgemeinen Datenaustauschformates für CAE-Planungsdaten und ist als XML-Schema spezifiziert.

Zur Darstellung der Struktur der CAEX-Schemaelemente, der Elementtypen, der Attribute, der Vorgaben für die optionalen Elemente und der Wiederholungen werden die folgenden Vorschriften verwendet (siehe Tabelle A.1).

Tabelle A.1 – Vorgaben für die XML-Darstellung (1 von 2)

Diagramm-Element	Beschreibung	Beispiel
Rechteck, durchgehend umrandet	Zeigt ein obligatorisches XML-Element an	AuthorName / type xs:string
Rechteck, gestrichelt umrandet	Zeigt ein XML-Element an, das optional eingefügt werden kann	Description / type xs:string
Datentyp	Zeigt in der zweiten Reihe des Elements nach dem Schlüsselwort „type" den Datentyp eines Elements an	Description / type xs:string — Datentyp des XML-Elements
Namensraum	Zeigt den Namensraum für den verwendeten Datentyp an (Schlüsselwort „xs:"). Das beschriebene CAEX-Schema bezieht sich auf den Namensraum des W3C (xs:schema xmlns:xs="http://www.w3.org/2001/XMLSchema"). Der Zielnamensraum (targetNamespace) der CAEX-Typen ist http://www.dke.de/CAEX.	Description / type xs:string — Namensraum
Ablauf	Zeigt die festgelegte Reihenfolge der nachfolgenden Elemente an	(Ablaufsymbol)
Bereich	Zeigt an, wie oft das Element auftreten darf, zum Beispiel 1 bis unendlich	Version / type xs:string / 1..∞ — Bereich des Elements
Pluszeichen	Zeigt an, dass dieses Element weitere Elemente enthält. Die enthaltenen Elemente sind versteckt.	Revision / type / 0..∞ — Unterelemente sind enthalten

— *Entwurf* —

Tabelle A.1 (2 von 2)

Diagramm-Element	Beschreibung	Beispiel
Minuszeichen	Zeigt an, dass alle enthaltenen XML-Elemente sichtbar sind	Alle enthaltenen Unterelemente sind angezeigt
Rechteck, gestrichelt umrandet mit grauem Hintergrund	Zeigt an, dass die dargestellten Elemente Bestandteil eines definierten Datentyps sind. Der Name dieses Datentyps ist oben im gestrichelt umrandeten Rechteck aufgeführt.	

A.2 Allgemeine CAEX-Konzepte

A.2.1 Allgemeine CAEX-Benennungen

In diesem Unterabschnitt werden alle CAEX-Benennungen beschrieben (siehe Tabelle A.2).

Tabelle A.2 – CAEX-Datentypen und –Elemente (1 von 5)

Datentypen und Elemente	Beschreibung
AdditionalInformation	Zusätzliche Informationen Optionales Hilfsfeld, das zusätzliche Informationen zu einem CAEX-Objekt enthalten darf. Es muss in der Unterstruktur des Headers verwendet werden.
Alias	Alias Alias-Name einer externen CAEX-Datei, um auf die Elemente der externen CAEX-Datei zu verweisen
Attribute	Attribut Charakterisiert die Eigenschaften einer Anlagenkomponentenklasse, Rollenklasse, Schnittstellenklasse, eines internen Elements oder einer Rollenaufgabe.
AttributeDataType	Attributdatentyp Beschreibt den Datentyp des Attributes in der XML-Darstellung.
AttributeFamilyType	Attributfamilientyp Legt die Grundstrukturen für die Attributtypdefinitionen fest.
AttributeNameMapping	Attributnamenszuordnung Ermöglicht die Festlegung der Zuordnung zwischen den Attributnamen der entsprechenden Rollenklassen und Anlagenkomponentenklassen.
AttributeType	Attributtyp Legt die Grundstrukturen für die Attributdefinitionen fest.
AttributeTypeLib	Attributtypenbibliothek Behälterelement für eine Hierarchie von Attributtypendefinitionen. CAEX unterstützt mehrere Attributtypenbibliotheken.
AttributeValueRequirementType	Attributwert-Anforderungstyp Legt die Grundstrukturen für die Definition der Wertanforderungen eines Attributes fest.

Tabelle A.2 (2 von 5)

Datentypen und Elemente	Beschreibung
CAEXBasicObject	CAEX-Basisobjekt CAEX-Basisobjekt, welches die grundlegenden Attribute und Header-Angaben enthält, die für alle CAEX-Elemente zur Verfügung stehen
CAEXFile	CAEX-Datei Wurzelelement des CAEX-Schemas
CAEXObject	CAEX-Objekt CAEX-Objekt, das von einem CAEX-Basisobjekt abgeleitet und durch Namen (vorgeschrieben) und Kennzeichen (optional) erweitert wird
ChangeMode	Änderungsmodus Beschreibt optional den Änderungszustand eines CAEX-Objekts. Wird er angewandt, muss er den folgenden Wertebereich haben: Verbleiben (state), Erstellen (create), Löschen (delete) und Ändern (change). Diese Angaben sollten für weitere Anwendungen im Änderungsmanagement verwendet werden.
Constraint	Beschränkung Element, mit dem der Wertebereich eines definierten Attributes beschränkt wird
Copyright	Urheberrecht Organisatorische Angaben zu den Urheberrechten
DefaultValue	Voreinstellwert Ein für ein Attribut voreingestellter Wert
Description	Beschreibung Textliche Beschreibung von CAEX-Objekten
ExternalInterface	Externe Schnittstelle Beschreibung einer externen Schnittstelle einer Rollenklasse, Anlagenkomponentenklasse oder eines internen Elements
ExternalReference	Externe Verweisung Behälterelement für die Alias-Definition der externen CAEX-Dateien
FileName	Dateiname Beschreibt den Namen der CAEX-Datei
Header	Header Definiert organisatorische Angaben wie Beschreibung, Versionsangabe, Korrektur, Urheberrecht usw.
ID	Kennzeichen Optionales Attribut, das eine eindeutige Kennzeichnung eines CAEX-Objekts beschreibt
InstanceHierarchy	Instanzhierarchie Wurzelelement für ein Hierarchiesystem von Objektinstanzen
InterfaceClass	Schnittstellenklasse Klassendefinition für Schnittstellen
InterfaceClassLib	Schnittstellenklassenbibliothek Behälterelement für eine Hierarchie von Schnittstellenklassen-Definitionen. Es muss alle Klassendefinitionen für Schnittstellen enthalten. CAEX unterstützt mehrere Schnittstellenbibliotheken.
InterfaceClassType	Schnittstellenklassentyp Ist für die Definition der Schnittstellenklasse anzuwenden; liefert Grundstrukturen für eine Definition von Schnittstellenklassen.
InterfaceFamilyType	Schnittstellenfamilientyp Legt die Grundstrukturen eines hierarchischen Schnittstellenklassenbaums fest. Die hierarchische Struktur einer Schnittstellenbibliothek hat nur organisatorischen Stellenwert.

— *Entwurf* —

E DIN EN 62424 (VDE 0810-24):2014-05
FprEN 62424:2013

Tabelle A.2 (3 von 5)

Datentypen und Elemente	Beschreibung
InterfaceNameMapping	Schnittstellennamenszuordnung Zuordnung zwischen den Schnittstellennamen der entsprechenden Rollenklassen und Anlagenkomponentenklassen
InternalElement	Internes Element Ist anzuwenden, um verschachtelte Objekte innerhalb einer Anlagenkomponentenklasse oder eines anderen internen Elements zu definieren. Erlaubt die Beschreibung der internen Struktur eines CAEX-Objekts.
InternalElementType	Interner Elementtyp Typ für die Definition der verschachtelten Objekte innerhalb einer Anlagenkomponentenklasse
InternalLink	Interne Verbindung Ist anzuwenden, um die Verbindungen zwischen den internen Schnittstellen der internen Elemente zu definieren.
LastWritingDateTime	Datum und Uhrzeit der Erstellung des CAEX-Dokuments
MappingObject	Zuordnungsobjekt Hauptelement für die Zuordnung von Attributnamen und Schnittstellennamen
MappingType	Zuordnungstyp Basiselement für die Zuordnung von Attributnamen und Schnittstellennamen
Name	Name Beschreibt den Namen des CAEX-Objekts
NominalScaledType	Nominal skalierter Typ Element, um die Beschränkungen nominal skalierter Attributwerte zu definieren
OrdinalScaledType	Ordinal skalierter Typ Element, um die Beschränkungen ordinal skalierter Attributwerte zu definieren
OriginName	Quellenname Name der Quelle des CAEX-Dokuments, z. B. das Engineering-Quell-Werkzeug oder eine Export-Software
OriginID	Quellenkennung Eindeutige Kennung der Quelle des CAEX-Dokuments, z. B. die eindeutige Kennung eines Engineering-Quell-Werkzeugs oder einer Export-Software. Die Kennung darf sich auch bei Umbenennung der Quelle nicht ändern.
OriginVendor	Quellenanbieter Anbieter der Datenquelle des CAEX-Dokuments
OriginVendorURL	URL des Quellenanbieters URL des Anbieters der Datenquelle des CAEX-Dokuments
OriginVersion	Quellenversion Version der Quelle des CAEX-Dokuments, z. B. die Version des Engineering-Quell-Werkzeugs oder der Export-Software
OriginRelease	Quellenausgabe Informationen zur Ausgabe der Quelle des CAEX-Dokuments, z. B. die Version des Engineering-Quell-Werkzeugs oder der Export-Software
OriginProjectTitle	Quellenprojekttitel Titel des entsprechenden Quellenprojekts
OriginProjectID	Quellenprojektkennung Eindeutige Kennung des entsprechenden Quellenprojekts
Path	Pfad Beschreibt den Pfad der externen CAEX-Datei. Es sind absolute und relative Pfade zulässig.

Tabelle A.2 (4 von 5)

Datentypen und Elemente	Beschreibung
RefAttributeType	Referenz-Attributtyp Verweist auf einen Attributtyp in der Attributbibliothek
RefBaseClassPath	Referenz-Basisklassenpfad Speichert den Verweis einer Klasse auf ihre Basisklasse. Die Verweise enthalten den vollständigen Pfad auf das jeweilige Klassenobjekt.
RefBaseSystemUnitPath	Referenz-Basisanlagenkomponentenpfad Speichert den Verweis eines internen Elements auf eine Klassen- oder Instanzdefinition. Die Verweise enthalten die vollständigen Pfadangaben.
RefSemantic	Referenzsemantik Verweis auf eine Definition eines festgelegten Attributes, z. B. auf ein Attribut in einer Standardbibliothek; dies erlaubt die Definition der Semantik des Attributes.
RequiredMaxValue	Geforderter Höchstwert Element, um den Höchstwert eines Attributes zu definieren
RequiredMinValue	Geforderter Mindestwert Element, um den Mindestwert eines Attributes zu definieren
RequiredValue (NominalScaledType)	Geforderter Wert (nominal skalierter Typ) Element, um den geforderten Wert eines Attributes zu definieren. Um einen diskreten Wertebereich des Attributes festzulegen, kann es mehrmals definiert werden.
RequiredValue (OrdinalScaledType)	Geforderter Wert (ordinal skalierter Typ) Element, um den geforderten Wert eines Attributes zu definieren
Requirements	Anforderungen Definiert informative Anforderungen, wie die Beschränkung eines Attributwertes
Revision	Überarbeitung Organisatorische Angabe zum Überarbeitungsstand
RoleClass	Rollenklasse Definition einer Klasse eines Rollentyps
RoleClassFamilyType	Rollenklassenfamilientyp Legt die Grundstrukturen eines hierarchischen Rollenklassenbaums fest. Die hierarchische Struktur einer Rollenbibliothek hat nur organisatorischen Stellenwert.
RoleClassLib	Rollenklassenbibliothek Behälterelement für hierarchische Rollenklassendefinitionen. Es muss alle Rollenklassendefinitionen enthalten. CAEX unterstützt mehrere Rollenbibliotheken.
RoleClassType	Rollenklassentyp Ist für die Definition der Rollenklasse anzuwenden, liefert Grundstrukturen für eine Definition von Rollenklassen.
RoleRequirements	Rollenanforderungen Beschreibt die Rollenanforderungen eines internen Elements. Sie erlauben die Definition eines Verweises auf eine Rollenklasse und die Spezifikation der Rollenanforderungen, wie geforderte Attribute und Schnittstellen.
SchemaVersion	Schema-Versionsangabe Beschreibt die Version des Schemas. Jedes CAEX-Dokument muss angeben, welche CAEX-Version es erfordert. Die Versionsnummer eines CAEX-Dokuments muss zu der Version der CAEX-Schemadatei passen.
SourceDocumentInformationType	Quelldokument-Informationstyp Legt eine Struktur zur Modellierung von Informationen zur Datenquelle des vorliegenden CAEX-Dokuments fest.

— *Entwurf* —

Tabelle A.2 (5 von 5)

Datentypen und Elemente	Beschreibung
SourceObjID	Quellobjektkennung Attribut, das die Kennung des Quellobjekts im Quelldatenmodell wiedergibt
SourceObjectInformation	Quellobjektinformationen Organisatorische Angaben zur Quelle des entsprechenden CAEX-Objekts
SuperiorStandardVersion	Version der übergeordneten Norm Beschreibt die Version der übergeordneten Norm. Die Angabe der Version ist in der übergeordneten Norm definiert.
SupportedRoleClass	Unterstütze Rollenklasse Ermöglicht die Anbindung der entsprechenden Anlagenkomponentenklasse an eine Rollenklasse. Dies beschreibt die Rolle der Anlagenkomponentenklasse. Eine Anlagenkomponentenklasse kann Bezug auf mehrere Rollen nehmen.
SystemUnitClass	Anlagenkomponentenklasse Ist für die Definition der Anlagenkomponentenklasse anzuwenden; liefert die Definition der Klasse eines Anlagenkomponentenklassentyps.
SystemUnitClassLib	Anlagenkomponentenklassenbibliothek Behälterelement für eine Hierarchie von Definitionen für Anlagenkomponentenklassen. Es muss alle Definitionen für Anlagenkomponentenklassen enthalten. CAEX unterstützt mehrere Bibliotheken von Anlagenkomponentenklassen.
SystemUnitClassType	Anlagenkomponentenklassentyp Legt die Grundstrukturen der Definition einer Anlagenkomponentenklasse fest
SystemUnitFamilyType	Anlagenkomponentenfamilientyp Legt die Grundstrukturen für einen Baum hierarchischer Anlagenkomponentenklassen fest. Die hierarchische Struktur einer Anlagenkomponentenbibliothek hat nur organisatorischen Stellenwert.
Unit	Einheit Beschreibt die Einheit einer Variablen
UnknownType	Unbekannter Typ Element für die Definition der Beschränkungen von Attributwerten eines unbekannten Skalentyps
Value	Wert Element, das den Wert eines Attributes beschreibt
Version	Versionsangabe Organisatorische Angabe zum Versionsstand

A.2.2 Allgemeine Beschreibung des CAEX-Konzeptes

A.2.2.1 Grundlegendes CAEX-Konzept

Generelle Zielsetzung von CAEX ist die anbieterunabhängige Speicherung hierarchischer Objektinformationen. Objektorientierte Konzepte wie Datenkapselung, Klassen, Klassenbibliotheken, Instanzen, Instanzhierarchien, Vererbung, Bezugssysteme, Attribute, Attributtypen, Attributtypenbibliotheken und Schnittstellen werden ausdrücklich unterstützt. Mit XML können Klassen und Instanzen modelliert werden.

Eine CAEX-Klasse oder ein -Attributtyp stellt ein wiederverwendbares Datenmodell (Schablone) eines realen physischen oder logischen Elements dar und wird entweder als Anlagenkomponentenklasse, Rollenklasse, Schnittstellenklasse oder Attributtyp modelliert.

a) Anlagenkomponentenklassen (SystemUnitClasses) beschreiben physische oder logische Anlagenobjekte oder Einheiten einschließlich deren technischer Umsetzung und internen Aufbaus. Sie bestehen aus Attributen, Schnittstellen, verschachtelten internen Elementen und Verbindungen zwischen den internen Elementen. Die internen Elemente können weitere verschachtelte Elemente enthalten – dies ermöglicht die Darstellung vordefinierter Strukturen mit mehreren Hierarchieebenen. Das Konzept der internen Elemente erlaubt die Beschreibung der internen Architektur eines Anlagenobjekts.

Anlagenkomponentenklassen sind in Bibliotheken des Typs „SystemUnitClassLib" zusammengefasst: Dieses CAEX-Element gestattet die Zusammenführung einer beliebigen Anzahl von Objekten des Typs „SystemUnitClassType" innerhalb einer Bibliothek. CAEX unterstützt die Definition mehrerer Bibliotheken für Anlagenkomponentenklassen. Anlagenkomponentenklassen können innerhalb der Bibliothek als Baum angeordnet sein, um die Struktur der Anwenderbibliothek abzubilden. Weiterhin kann eine Anlagenkomponentenklasse von einer anderen Anlagenkomponentenklasse mittels einer Referenz abgeleitet sein. Bibliotheken vom Typ „SystemUnitClassLib" können zum Beispiel für die Speicherung der Produktverzeichnisse verwendet werden.

b) Rollenklassen (RoleClasses) beschreiben ebenfalls physische oder logische Anlagenobjekte, aber im Gegensatz zu Anlagenkomponentenklassen sind sie eine Abstraktion der konkreten technischen Ausführung. Rollenklassen bestehen aus Attributen und Schnittstellen, beschreiben aber nicht die konkrete interne Realisierung des Objekts. Sie werden verwendet, um die Anforderungen an ein Anlagenobjekt zu definieren.

RoleClassLib: Dieses CAEX-Element gestattet die Zusammenführung einer beliebigen Anzahl von Objekten des Typs „RoleClassType" innerhalb einer Bibliothek. CAEX unterstützt die Definition mehrerer Bibliotheken für Rollenklassen. Rollenklassen können innerhalb der Bibliothek als Baum angeordnet sein, um die Struktur der Anwenderbibliothek abzubilden. Eine Rollenklasse kann auch von einer anderen Rollenklasse mittels einer Referenz abgeleitet werden.

c) Schnittstellenklassen (InterfaceClasses) beschreiben Schnittstellenarten. Sie umfassen eine Reihe von spezifischen Attributen und werden verwendet, um Schnittstellen zum Beispiel für Rollenklassen und Anlagenkomponentenklassen festzulegen. Schnittstellen sind erforderlich, um Verbindungen zwischen Objekten zu definieren.

InterfaceClassLib: Dieses CAEX-Element gestattet die Zusammenführung einer beliebigen Anzahl von Objekten des Typs „InterfaceClassType" innerhalb einer Bibliothek. CAEX unterstützt die Definition mehrerer Bibliotheken für Schnittstellenklassen. Schnittstellenklassen können innerhalb der Bibliothek als Baum angeordnet sein, um die Strukturaufschlüsselung der Anwenderbibliothek zu veranschaulichen. Eine Schnittstellenklasse kann auch von einer anderen Schnittstellenklasse mittels einer Referenz abgeleitet werden.

d) AttributeTypes beschreiben Attributtypen.

AttributeTypeLib: Dieses CAEX-Element gestattet die Zusammenführung einer beliebigen Anzahl von Attributtypen innerhalb einer Bibliothek. CAEX unterstützt die Definition mehrerer Bibliotheken für Attributtypen. Attributtypen können innerhalb der Bibliothek als Baum angeordnet sein, um die Strukturaufschlüsselung der Anwenderbibliothek zu veranschaulichen. Ein Attributtyp kann auch von einem anderen Attributtyp mittels einer Referenz abgeleitet werden.

Das CAEX-Element „InstanceHierarchy" ermöglicht die Speicherung von Objektinstanzen. Eine CAEX-Objektinstanz ist ein konkretes Datenobjekt, das einem bestimmten realen physischen oder logischen Element entspricht. Eine CAEX-Instanz wird entweder als internes Element (InternalElement) oder als externe Schnittstelle (ExternalInterface) modelliert. Der Begriff „Instanz" beschreibt ein Einzelobjekt mit individuellen Eigenschaften. Jede Klasse kann mehrere Male instanziiert sein, z. B. können die Objektinstanzen „c1", „c2" und „c3" von der Klasse „c" instanziiert sein.

Das CAEX-Element „InstanceHierarchy" besteht aus einer beliebigen Anzahl von internen Elementen, welche rekursiv ineinander geschachtelt sind – dies ermöglicht die Beschreibung beliebig tiefer Objekthierarchien. Die Eltern-Kind-Beziehung zwischen Instanzen ist in A.2.8.2 erläutert. CAEX unterstützt die Abbildung mehrerer Instanzhierarchien.

Eine Instanzhierarchie kann auf eine der nachfolgend geschilderten Arten modelliert werden:

a) Modellieren ohne Klassen: Instanzen können in der Instanzhierarchie in Form von ineinander geschachtelten internen Elementen als Objektbaum festgelegt werden. Für jedes einzelne Objekt werden alle benötigten Attribute, Schnittstellen, Verbindungen usw. auf Instanzebene definiert. Dieses Vorgehen unterstützt die Datenspeicherung ohne die Verwendung von Klassen. Dies könnte zum Beispiel sinnvoll sein, wenn vorhandene Bibliotheken nicht am Datenaustausch teilnehmen sollen.

— *Entwurf* —

E DIN EN 62424 (VDE 0810-24):2014-05
FprEN 62424:2013

b) Modellierung ausschließlich mit Klassen: Die gewünschte Anlagenhierarchie wird durch ein einzelnes internes Element (InternalElement) in der Instanzhierarchie (InstanceHierarchy) definiert. Dieses interne Element verweist auf eine komplexe Anlagenkomponentenklasse (SystemUnitClass), welche die vollständige Systembeschreibung einschließlich der Anlagenstruktur, Einheiten, Komponenten, Attribute usw. einschließt. Dieser Ablauf ist dann sinnvoll, wenn die in CAEX zu speichernde Anlagen- oder Einheitenstruktur eine Standardlösung ist, die mehrfach verwendet werden soll.

c) Gemischte Modellierung: Dies ist das in der Praxis üblicherweise angewendete Vorgehen. Die typischen Komponenten werden als Anlagenkomponentenklassen (SystemUnitClasses) und deren Unterstrukturen durch Zusammenfassung der Objekte als interne Elemente (InternalElements) festgelegt. Attribute können vordefiniert, Vorgabeattributwerte gesetzt sein. Die Instanzhierarchie wird für die Festlegung der Anlagenstruktur verwendet. Im nächsten Schritt kann jedes definierte interne Hierarchieelement mit einer Rollenklasse (RoleClass) verknüpft werden, um die Anforderungen für dieses Objekt festzulegen. Abschließend kann es einer Anlagenkomponentenklasse (SystemUnitClass) zugeordnet werden, welche die technische Umsetzung des Objekts beschreibt.

Eine ausführliche CAEX-Datendefinition für Klassen und Instanzen ist in A.3.6 bis A.3.13 und A.3.20 enthalten.

A.2.2.2 Allgemeine Regeln für CAEX-Dokumente

Für die allgemeine Anwendung von CAEX gelten die folgenden Regelungen:

- CAEX wird in dieser Norm als XML-Schema festgelegt. Die entsprechende XML-Schemadatei muss den Namen „CAEX_ClassModel_V.3.0.xsd" erhalten.

- Jedes CAEX-Dokument, das Konformität mit dieser Norm beansprucht, muss in Bezug auf die CAEX-Schemadatei wohlgeformt sein. Mithilfe der CAEX-Schemadefinition (xsd-Datei) kann automatisch überprüft werden, ob das CAEX-Dokument mit der CAEX-Schemadatei übereinstimmt.

- Neben der Konformität mit dem CAEX-Schema muss ein CAEX-Dokument alle weiteren normativen Bestimmungen, die in dieser Norm festgelegt sind, einhalten.

- Da es sich bei CAEX um ein statisches Datenaustauschformat handelt, darf ein CAEX-Dokument nicht als Datenbank angesehen werden. Für die Gültigkeit der gespeicherten Daten ist das Quellwerkzeug des entsprechenden Export-/Import-Werkzeuges verantwortlich. CAEX stellt keine Softwarefunktionalität bereit und sieht keine Prüfung der Semantik, Konsistenz und Plausibilität der Daten vor.

A.2.2.3 Version der übergeordneten Norm

Ein CAEX-Dokument kann über diesen Teil von IEC 62424 hinaus weiteren übergeordneten Normen mit zusätzlichen Regeln und normativen Bestimmungen unterliegen. In einem solchen Fall gelten die folgenden Regelungen:

- Informationen zu übergeordneten Normen müssen in dem CAEX-Element „SuperiorStandardVersion" abgelegt werden. Die Kennzeichnung der übergeordneten Norm ist in der übergeordneten Norm festgelegt.

- Das CAEX-Element „SuperiorStandardVersion" kann bei der Anwendung mehrerer übergeordneter Normen mehrfach verwendet werden.

Eine ausführliche CAEX-Datendefinition der Version einer übergeordneten Norm ist in A.3.3 enthalten.

A.2.2.4 Version des CAEX-Dokuments

Ein CAEX-Dokument muss mit einer einzigen Version des CAEX-XML-Schemas kompatibel sein. Um Versionskonflikte zu vermeiden, gelten die folgenden normativen Bestimmungen:

- Für jedes CAEX-Dokument muss das obligatorische CAEX-Attribut „SchemaVersion" auf eine Version festgelegt werden. Dieser Wert entspricht der Version der CAEX-Schemadatei. Der Wert für die Version der vorliegenden Norm lautet „3.0".

- Für jedes referenzierte externe CAEX-Dokument gelten die Schemaversionen, die in der CAEX-Versionsangabe des bezugnehmenden CAEX-Dokuments angegeben sind.

— *Entwurf* —

E DIN EN 62424 (VDE 0810-24):2014-05
FprEN 62424:2013

- Die Anwendung verschiedener CAEX-Schemaversionen auf externe CAEX-Dokumente ist unzulässig.

Eine ausführliche CAEX-Datendefinition der Version des CAEX-Dokuments ist in A.3.2 enthalten.

A.2.2.5 Speichern von Informationen zur Quelle eines CAEX-Dokuments

CAEX kann sowohl standardisierte als auch proprietäre oder benutzerdefinierte Objekte und Attribute mithilfe einer nicht genormten Semantik speichern. Um diese Informationen deuten zu können, müssen Informationen zum Ursprung des CAEX-Dokuments modelliert werden. Der Ursprung kann ein Engineering-Quell-Werkzeug oder eine Norm sein. Es gelten die folgenden Regelungen:

- Jedes CAEX-Dokument muss Angaben zur Quelle des CAEX-Dokuments bereitstellen.
- In einer Kette von Datenaustauschwerkzeugen müssen alle teilnehmenden Werkzeuge ihre Quelleninformationen in das CAEX-Dokument einfügen. Demzufolge kann ein CAEX-Dokument Informationen zu mehreren Quell-Werkzeugen aus einer Kette von Datenaustauschwerkzeugen enthalten.

ANMERKUNG   Ein Werkzeug ist in der Lage, die Quellenangaben von anderen Werkzeugen zu entfernen. Dadurch kann der wiederholte Datenaustausch mit anderen Werkzeugen verhindert werden. Aus diesem Grund wird das Entfernen von Quelleninformationen anderer Werkzeuge nicht empfohlen.

- Die Quelleninformationen sind mithilfe des CAEX-Elements „SourceDocumentInformation" des Wurzelobjekts des CAEX-Dokuments abzulegen. Sie müssen Folgendes umfassen:
  - Ein geeigneter Name der Quelle muss in dem CAEX-Attribut „OriginName" abgelegt werden.
  - Eine eindeutige Kennung der Quelle muss in dem CAEX-Attribut „OriginID" abgelegt werden. Diese Kennung sollte während der Lebensdauer der Quelle nicht geändert werden.
  - Optional kann der Anbieter der Quelle in dem CAEX-Attribut „OriginVendor" abgelegt werden.
  - Optional kann die URL des Anbieters der Quelle in dem CAEX-Attribut „OriginVendorURL" abgelegt werden.
  - Die Version der Quelle muss in dem CAEX-Attribut „OriginVersion" abgelegt werden.
  - Optional können die Informationen zur Ausgabe der Quelle in dem CAEX-Attribut „OriginRelease" abgelegt werden.
  - Das Datum und die Uhrzeit der Erstellung des CAEX-Dokuments müssen in dem CAEX-Attribut „LastWritingDateTime" abgelegt werden.
  - Optional kann der Titel des Quellenprojekts in dem CAEX-Attribut „OriginProjectTitle" abgelegt werden.
  - Optional kann die Kennung des Quellenprojekts in dem CAEX-Attribut „OriginProjectID" abgelegt werden. Diese Kennung sollte im Laufe der Zeit nicht geändert werden.
- Die Werte der Quelleninformationen sind durch das Werkzeug, welches das CAEX-Dokument erstellt, einzubetten und müssen vom Typ „xs:string" sein.

Bild A.1 zeigt ein Beispiel für quellenbezogene Angaben.

SourceDocumentInformation	
≡ OriginName	DemoTool
≡ OriginID	TemoTool123
≡ OriginVendor	DemoToolVendor
≡ OriginVendorURL	www.DemoToolVendor.org
≡ OriginVersion	1.0
≡ OriginRelease	1.0.0
≡ LastWritingDateTime	2012-12-24T09:30:47.0Z
≡ OriginProjectTitle	DemoProject
≡ OriginProjectID	DemoProject123

Bild A.1 – XML-Text der Quelleninformationen zum CAEX-Dokument

— *Entwurf* —

E DIN EN 62424 (VDE 0810-24):2014-05
FprEN 62424:2013

Eine ausführliche CAEX-Datendefinition der Quelleninformationen zum CAEX-Dokument ist in A.3.4 und A.3.26 enthalten.

A.2.2.6 Identifikation von CAEX-Objekten

CAEX folgt einem objektorientierten Konzept. Alle ingenieurtechnischen Informationen werden als Objekte modelliert oder gehören zu einem Objekt. In einer heterogenen IT-Landschaft jedoch setzen die verschiedenen Werkzeuge unterschiedliche Konzepte für die Identifikation von Objekten ein, z. B. einen eindeutigen Namen, eine eindeutige Kennung oder einen eindeutigen Pfad. Bei einigen Werkzeugen sind Änderungen der Kennungen während der Lebensdauer zulässig, bei anderen nicht. IEC 62424 ermöglicht den Datenaustauch zwischen verschiedenen Engineering-Werkzeugen mit derartigen individuellen Konzepten zur Objektidentifikation. Aufgrund der beschriebenen Merkmale hebt diese Norm die bestehende Vielfalt auf und legt ein vorgeschriebenes Konzept zur Objektidentifikation fest.

In Bezug auf die Identifikation von Objekten gelten die folgenden Regelungen:

- CAEX-Klassen oder –Typen (RoleClasses, InterfaceClasses, SystemUnitClasses und AttributeTypes) und Attribute sind durch das CAEX-Kennzeichen „Name" zu kennzeichnen. Dieser Name muss während der Lebensdauer der Klasse oder des Typs unter allen Kind-Elementen desselben CAEX-Eltern-Elements eindeutig sein. Dadurch wird sichergestellt, dass die Referenzierung einer Klasse oder eines Typs mit dem entsprechenden Pfad ein eindeutiges Ergebnis liefert.
- Das Referenzieren von Klassen muss über vollständige Pfade unter Verwendung der entsprechenden Pfadtrennzeichen nach A.2.9 erfolgen.
- Alle CAEX-Instanzen (InternalElements und ExternalInterfaces) sind durch das CAEX-Kennzeichen „ID" zu kennzeichnen. Nach ihrer Erstellung darf die Kennung desselben internen Elements oder derselben externen Schnittstelle während der Lebensdauer des entsprechenden Objekts nicht geändert werden. Um dies zu erreichen, wird die Verwendung einer universell eindeutigen Kennung (UUID) nach ISO/IEC 9834-8 oder die Einhaltung einer geeigneten eindeutigen Namenskonvention, die über die gesamte Lebensdauer Eindeutigkeit sicherstellt, empfohlen.

ANMERKUNG 1 Eine mögliche Implementierung des UUID-Standards ist GUID (global eindeutige Kennung).

ANMERKUNG 2 In dieser Norm werden UUIDs in einer verkürzten Form dargestellt, z. B. „GUID1" oder „ID1" usw., um die Lesbarkeit des vorliegenden Dokuments zu verbessern.

ANMERKUNG 3 Für Objektinstanzen stellt das CAEX-Kennzeichen „Name" einen Anzeigenamen dar, der nur informativen Stellenwert hat und im Laufe der Zeit geändert werden kann bzw. je nach Werkzeug variieren kann.

ANMERKUNG 4 Alternativen zu einer UUID sind zulässig, sofern die Eindeutigkeit sichergestellt ist, z. B. eine eindeutige Pfadzeichenkette.

- Der Wert „ID" der Objektinstanz ist bei jedem Verweis auf eine Objektinstanz (entweder InternalElement oder ExternalInterface) zu verwenden.

ANMERKUNG 1 Bei einer internen Verbindung (InternalLink) müssen z. B. die Kennungen der entsprechenden Schnittstellen verwendet werden.

ANMERKUNG 2 Beispiele für die Objektidentifikation sind in Bild A.3 und Bild A.17 dargestellt.

Eine ausführliche CAEX-Datendefinition für die Objektkennung ist in A.3.20 enthalten.

A.2.2.7 Speicherung von Versionsangaben

CAEX ermöglicht die Übertragung von statischen Versionsangaben für jedes Objekt. Dafür werden alle CAEX-Objekte direkt oder indirekt von dem CAEX-Basistyp „CAEXBasisObject" abgeleitet, welcher eine Untermenge von optionalen und generischen Versionsangaben festlegt. Diese Eigenschaften sind nützlich für den wiederholten Datenaustausch mit mehrfachem Export und Import.

Eine ausführliche CAEX-Datendefinition ist in A.3.15 und A.3.19 enthalten.

— *Entwurf* —

Die Definition des Datentyps wird durch die folgenden Eigenschaften gekennzeichnet:

- ChangeMode: Dieses optionale Attribut gibt gegenüber einem vorangegangenen Datenaustausch Informationen zum Änderungszustand eines Objekts an. Die gültigen Werte für ChangeMode sind in CAEX definiert, es sind „state", „create", „delete" und „change" (siehe A.3.29). Der Wert „state" ist für Objekte anzuwenden, die sich seit dem vorangegangenen Datenaustausch nicht verändert haben. Der Wert „create" ist für neu erstellte Objekte anzuwenden. Der Wert „delete" ist für Objekte anzuwenden, die zu löschen sind. Letztere werden somit nicht physisch aus der CAEX-Datei entfernt, sind aber als zu löschende Objekte markiert. Der Wert „change" ist für ein Objekt anzuwenden, das sich verändert hat. Der ChangeMode ist nur gültig für den Eintrag selbst. Wenn sich z. B. der Wert eines Attributes verändert hat, wird nur dieser Wert mit dem ChangeMode-Wert „change" markiert, jedoch weder das Attribut selbst noch das Herkunftsobjekt des Attributes.

- Description, Version, Revision, Copyright: Diese Attribute und Elemente ermöglichen die Speicherung der Versionsangaben für jedes Objekt.

- AdditionalInformation: Dieses Attribut erlaubt die Speicherung beliebiger zusätzlicher Informationen jeden Typs.

- SourceObjectInformation, OriginID und SourceObjID: Diese CAEX-Elemente ermöglichen die Speicherung organisatorischer Angaben zur Herkunft eines jeden CAEX-Objekts.

Für die Anwendung der genannten versionsbezogenen Elemente und Attribute gelten neben dem CAEX-Schema folgende normative Bestimmungen:

- Jede CAEX-Bibliothek muss ihre Versionsnummer unter Verwendung des CAEX-Elements „Version" festlegen. Die Syntax des Wertes der Versionsnummer ist in diesem Teil von IEC 62424 nicht definiert.

- Wenn erforderlich, müssen CAEX-Klassen ihre Versionsnummer unter Verwendung des CAEX-Elements „Version" definieren. Die Syntax und Semantik der Versionsnummer von Klassen innerhalb einer Bibliothek ist in diesem Teil von IEC 62424 nicht definiert.

- Es dürfen keine Bibliotheken und Instanzhierarchien mit gleichem Namen in der gleichen CAEX-Datei gespeichert werden.

ANMERKUNG Dadurch wird die Eindeutigkeit von Bibliotheksnamen innerhalb einer CAEX-Datei sichergestellt.

- Der Ersteller eines CAEX-Dokuments muss sicherstellen, dass nur auf versionskompatible Klassen und externe Dokumente verwiesen wird.

- Bei einer neuen Version einer Klasse sollte immer eine neue Version dieser Klasse mit einem anderen Namen erstellt werden. Innerhalb der neuen Klasse sollte der vollständige Pfad zu der alten Version der Klasse in dem CAEX-Kennzeichen „OldVersion" des CAEX-Elements „Revision" abgelegt werden.

ANMERKUNG Durch diese Regelung können Änderungen über verschiedene Versionen einer Klasse hinweg nachverfolgt werden.

A.2.3 Datendefinition von SystemUnitClass

A.2.3.1 Architektur einer Anlagenkomponentenklasse

Eine Anlagenkomponentenklasse wird durch die folgenden Eigenschaften gekennzeichnet (siehe Bild A.2):

- Attribute: ermöglicht die Spezifikation von Objektattributen;
- ExternalInterface: ermöglicht die Spezifikation von Objektschnittstellen;
- InternalElement: ermöglicht die Spezifikation von verschachtelten internen Objekten;
- SupportedRoleClass: ermöglicht die Spezifikation der unterstützten Rollenklassen;
- InternalLink: ermöglicht die Spezifikation von Verbindungen zwischen Schnittstellen.

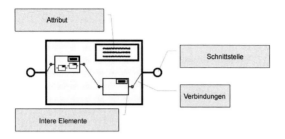

Bild A.2 – CAEX-Architektur einer Anlagenkomponentenklasse

Das allgemeine Konzept von Anlagenkomponentenklassen ist in A.2.2 beschrieben. Eine ausführliche CAEX-Datendefinition ist in A.3.12, A.3.13 und A.3.27 enthalten.

A.2.3.2 Beispiel

Das folgende Beispiel veranschaulicht die Konzepte der Anlagenkomponentenklasse. Bild A.3 stellt die Anlagenkomponentenklassen-Bibliothek „ProcessEngineeringClassLib" dar, welche zwei Klassen enthält.

- Die Klasse „TankClass" zeigt die Architektur einer einfachen Anlagenkomponentenklasse mit benutzerdefinierten Attributen.
- Die Klasse „TankSystemClass" vereinigt die zwei Objekte „T1" und „T2", die auf „TankClass" basieren. Beide Objekte erben die Attribute von „TankClass". „T1" spezifiziert den Wert des geerbten Attributes „V". Die Anwendung von Attributen wird im nächsten Abschnitt näher beschrieben.

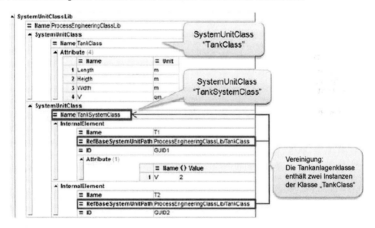

Bild A.3 – Beispiel einer Bibliothek für Anlagenkomponentenklassen

In Bild A.4 ist der vollständige XML-Text für dieses Beispiel abgebildet.

```xml
<SystemUnitClassLib Name="ProcessEngineeringClassLib">
  <SystemUnitClass Name="TankClass">
    <Attribute Name="Length" Unit="m"/>
    <Attribute Name="Heigth" Unit="m"/>
    <Attribute Name="Width" Unit="m"/>
    <Attribute Name="V" Unit="qm"/>
  </SystemUnitClass>
  <SystemUnitClass Name="TankSystemClass">
    <InternalElement Name="T1" RefBaseSystemUnitPath="ProcessEngineeringClassLib/TankClass" ID="GUID1">
      <Attribute Name="V">
        <Value>2</Value>
      </Attribute>
    </InternalElement>
    <InternalElement Name="T2" RefBaseSystemUnitPath="ProcessEngineeringClassLib/TankClass" ID="GUID2"/>
  </SystemUnitClass>
</SystemUnitClassLib>
```

Bild A.4 – XML-Code für das Beispiel der Bibliothek für Anlagenkomponentenklassen

A.2.4 Definition von Attributen

A.2.4.1 Architektur eines Attributes

Attribute legen die Eigenschaften eines Objektes und individuelle Werte fest. Neben dem Attributnamen definiert CAEX die folgenden Informationen:

- Value: Dieses Element ermöglicht die Definition der Eigenschaft „Wert", z. B. „3.5". Die Dezimaltrenner müssen entsprechend der Definition des Attributdatentyps (AttributeDataType) ausgewählt werden, z. B. verlangt „xs.float" einen „." als Dezimaltrenner.

- Unit: Dieses Element definiert die Einheit des Attributes, z. B. „m".

- AttributeDataType: Dieses Element definiert den Datentyp des Attributes. Wird dieses optionale Attribut nicht definiert, wird von einem Datentyp „xs:string" ausgegangen, wobei „xs" z. B. die Verwendung des XML-Namensraums „http://www.w3.org/2001/XMLSchema" darstellt. Wenn das Attribut definiert ist, muss der Wert die XML-Standard-Datentypen verwenden, z. B. „xs:boolean", „xs:integer", „xs:float" usw. Ein Überblick ist unter „http://www.w3.org/TR/xmlschema-2/#built-in-datatypes" gegeben. Entsprechend des Datentyps müssen die Werte eines Attributes mit den XML-Regeln übereinstimmen, z B. verlangt „xs:boolean" die Werte „true" und „false", während die Werte „TRUE" und „FALSE" nicht den Regeln entsprechen.

- RefAttributeType: Dieses Element speichert einen Pfadverweis auf einen in einer Attributtypenbibliothek definierten Attributtyp. Basiert der referenzierte Attributtyp auf einem XML-Datentyp, muss der Attributdatentyp diesen Basistyp bereitstellen. Liegt dem referenzierten Attributtyp kein XML-Standardbasistyp zugrunde, darf der Attributdatentyp leer bleiben bzw. muss nicht vorhanden sein. Ein Beispiel hierfür ist in Bild A.7 dargestellt.

- DefaultValue: Dieses Element ermöglicht die Festlegung des Anfangswerts des Attributes. Es darf durch die Definition eines Wertes überschrieben werden.

- Constraints: Dieses Element erlaubt die Festlegung von Beschränkungen. CAEX unterstützt zwei Beschränkungstypen: OrdinalScaledType und NominalScaledType. OrdinalScaledType ermöglicht die Definition des geforderten Wertes (required value), des Maximalwertes (max value) und des Mindestwertes (min value). NominalScaledType ermöglicht die Definition eines diskreten Wertebereiches, z. B. könnte ein Attribut „safe" den zugelassenen Wertebereich „yes" und „no" haben.

- RefSemantic: Dieses Element ermöglicht die Festlegung eines Verweises zur Semantik in einem normativen oder informellen Wörterbuch, z. B. SI-Einheiten, IEC 61987-1, eine Internetseite usw.

- Attribute: Dieses Element ermöglicht die Definition eines Attributes, das weitere Attribute enthalten kann. Dadurch kann eine Attribut-Struktur beschrieben werden.

Die folgenden, Attribut-Informationen betreffenden Eigenschaften sind normativ.

- Die Semantik eines Attributes ist in der Regel benutzerdefiniert. Die Syntax und die Semantik von Attributen für PCE-Aufgaben sind in 7.5.1 in dieser Norm festgelegt. Weitere semantische Definitionen

— *Entwurf* —

E DIN EN 62424 (VDE 0810-24):2014-05
FprEN 62424:2013

sind möglicherweise in anderen Normen enthalten und liegen außerhalb des Anwendungsbereiches dieses Teils von IEC 62424.
- CAEX ist nicht für die Richtigkeit von Attributen verantwortlich und sieht daher keine Konsistenzprüfung der Beschränkungen und Attributwerte vor; dies ist Aufgabe des Quell- oder Ziel-Werkzeuges.

Eine ausführliche CAEX-Datendefinition ist in A.3.18 enthalten.

A.2.4.2 Beispiel

In Bild A.5 sind drei Attribute mit unterschiedlichen Eigenschaften dargestellt.
- Das Attribut „Length" veranschaulicht das Konzept von RefSemantic und der Beschränkungen von OrdinalScaledType. Der Wert dieses Attributes muss zwischen 1 und 15 liegen, der geforderte Wert ist 5.
- Das Attribut „Colour" veranschaulicht das Konzept von DefaultValue und der Beschränkungen von NominalScaledType. DefaultValue ist „Yellow", welcher durch die Wertbestimmung „Green" überschrieben wird. Die Beschränkungen durch NominalScaledType definieren den zugelassenen diskreten Wertbereich.
- Das Attribut „Position" veranschaulicht anhand der Unterattribute „x", „y", „z" das Konzept der verschachtelten Attribute.

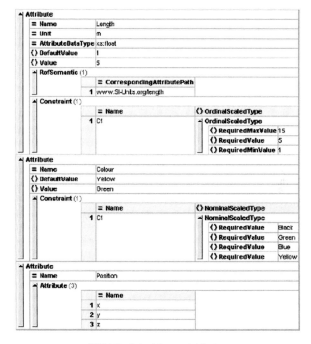

Bild A.5 – Beispiele von Attributen

Nachstehend ist der vollständige XML-Text für dieses Beispiel aufgeführt.

```xml
<Attribute Name="Length" Unit="m" AttributeDataType="xs:float">
    <DefaultValue>1</DefaultValue>
    <Value>2</Value>
    <RefSemantic CorrespondingAttributePath="www.SI-Units.org/length"/>
    <Constraint Name="C1">
        <OrdinalScaledType>
            <RequiredMaxValue>15</RequiredMaxValue>
            <RequiredValue>5</RequiredValue>
            <RequiredMinValue>1</RequiredMinValue>
        </OrdinalScaledType>
    </Constraint>
</Attribute>
<Attribute Name="Colour">
    <DefaultValue>Yellow</DefaultValue>
    <Value>Green</Value>
    <Constraint Name="C1">
        <NominalScaledType>
            <RequiredValue>Black</RequiredValue>
            <RequiredValue>Green</RequiredValue>
            <RequiredValue>Blue</RequiredValue>
            <RequiredValue>Yellow</RequiredValue>
        </NominalScaledType>
    </Constraint>
</Attribute>
<Attribute Name="Position">
    <Attribute Name="x"/>
    <Attribute Name="y"/>
    <Attribute Name="z"/>
</Attribute>
```

Bild A.6 – XML-Code für das Beispiel

A.2.5 Datendefinition von AttributeType

A.2.5.1 Architektur eines Attributtyps

CAEX ermöglicht die Definition von Attributtypenbibliotheken, die benutzerdefinierte oder standardisierte Attributtypen zur Wiederverwendung enthalten. Attributtypenbibliotheken können zur Festlegung komplexer Attribute oder eines vordefinierten Satzes von Attributen mit genau festgelegter Syntax und Semantik verwendet werden. Attributtypen werden durch die folgenden CAEX-Elemente gekennzeichnet:

- AttributeType: Attribute ermöglichen die Spezifikation eines Attributtyps. Der Typ eines Attributes weist dieselbe Architektur wie ein allgemeines CAEX-Attribut auf (siehe A.2.4.1).
- Attribute: Attribute ermöglichen die Spezifikation von Attribut-Strukturen.

Die folgenden, Attributtypen betreffenden Eigenschaften sind zusätzlich zum CAEX-Schema normativ:

- Attributtypen können Kind-Attribute enthalten. Das Konzept von Kind-Attributen ermöglicht die Darstellung einer benutzerdefinierten Attribut-Struktur.
- Attributtypen können Kind-Attributtypen enthalten. Das Konzept von Kind-Attributtypen ermöglicht die Darstellung einer benutzerdefinierter Hierarchie von Attributtypen; die Hierarchie selbst weist keine Semantik auf.
- Vererbungsbeziehungen zwischen Attributtypen werden über Verweise auf den Eltern-Attributtyp definiert.

Eine ausführliche CAEX-Datendefinition ist in A.3.14 a) enthalten.

A.2.5.2 Beispiel

In Bild A.7 ist beispielhaft eine Attributtypenbibliothek dargestellt und ihre Anwendung in einer Instanzhierarchie veranschaulicht.

— *Entwurf* —

E DIN EN 62424 (VDE 0810-24):2014-05
FprEN 62424:2013

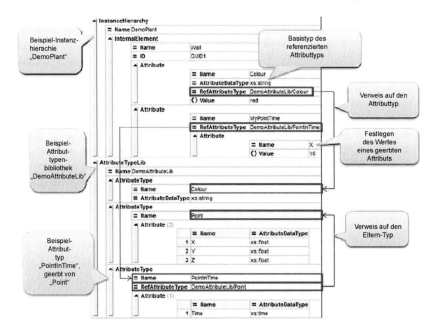

Bild A.7 – Beispiel einer Attributtypenbibliothek und ihrer Anwendung in einer Instanzhierarchie

```xml
<InstanceHierarchy Name="DemoPlant">
  <InternalElement Name="Wall" ID="GUID1">
    <Attribute Name="Colour" AttributeDataType="xs:string" RefAttributeType="DemoAttributeLib/Colour">
      <Value>red</Value>
    </Attribute>
    <Attribute Name="MyPointTime" RefAttributeType="DemoAttributeLib/PointInTime">
      <Attribute Name="X">
        <Value>10</Value>
      </Attribute>
    </Attribute>
  </InternalElement>
</InstanceHierarchy>
<AttributeTypeLib Name="DemoAttributeLib">
  <AttributeType Name="Colour" AttributeDataType="xs:string"/>
  <AttributeType Name="Point">
    <Attribute Name="X" AttributeDataType="xs:float"/>
    <Attribute Name="Y" AttributeDataType="xs:float"/>
    <Attribute Name="Z" AttributeDataType="xs:float"/>
  </AttributeType>
  <AttributeType Name="PointInTime" RefAttributeType="DemoAttributeLib/Point">
    <Attribute Name="Time" AttributeDataType="xs:time"/>
  </AttributeType>
</AttributeTypeLib>
```

Bild A.8 – XML-Code für das Beispiel der Attributtypenbibliothek

A.2.6 Datendefinition von InterfaceClass

A.2.6.1 Architektur einer Schnittstellenklasse

CAEX ermöglicht durch Schnittstellenklassen die Definition von Schnittstellen. Schnittstellen können durch die folgenden CAEX-Elemente gekennzeichnet werden:

- Attribute: Attribute erlauben die Spezifikation von Objektattributen.
- ExternalInterface: Ermöglicht die Spezifikation von verschachtelten Schnittstellen. Das Konzept der ineinander geschachtelten Schnittstellen unterstützt die Modellierung komplexer Schnittstellen.

Die folgenden CAEX-Eigenschaften sind zusätzlich zum CAEX-Schema normativ.

- Schnittstellen besitzen kein Richtungsmerkmal. Ist eine Schnittstellenrichtung erforderlich, muss diese als benutzerdefiniertes CAEX-Attribut der Schnittstelle hinzugefügt werden.
- Das Konzept von Kind-Schnittstellenklassen in Schnittstellenbibliotheken ermöglicht die Darstellung von benutzerdefinierten Schnittstellenhierarchien; die Hierarchie selbst weist keine Semantik auf. Die Hierarchie kann angewendet werden, um die Struktur der Anwenderbibliothek abzubilden.
- Vererbungsbeziehungen werden über Verweise auf die Eltern-Schnittstellenklasse definiert. Weitere Informationen zur Vererbung sind in A.2.8.4 enthalten.
- Erforderliche externe Schnittstellen müssen durch das CAEX-Element „ExternalInterface" definiert werden. Die Zusammenführung muss entweder über Verweise auf eine vorhandene Schnittstellenklasse oder direkt durch Definition aller erforderlichen Schnittstelleneigenschaften erfolgen. Zusammengeführte Schnittstellen können erweitert, zusätzliche Attribute dürfen definiert, vererbte Attribute spezifiziert und verschachtelte Schnittstellen hinzugefügt werden.

Eine ausführliche CAEX-Datendefinition ist in A.3.8, A.3.8 und A.3.21 enthalten.

A.2.6.2 Beispiele

In Bild A.9 ist eine Schnittstellenklassenbibliothek mit der Schnittstellenklasse „ProductNode" dargestellt. Weitere typische Anwendungsfälle für Schnittstellenklassen sind „SignalNode", „DigitalIn", „DigitalOut" usw.

Bild A.9 – Beispiel einer Schnittstellenklassenbibliothek

Nachstehend ist der vollständige XML-Text für dieses Beispiel aufgeführt.

Bild A.10 – XML-Code für das Beispiel einer Schnittstellenklassenbibliothek

In Bild A.11 und Bild A.12 ist ein zweites Beispiel zur Veranschaulichung der Anwendung verschachtelter Schnittstellen dargestellt.

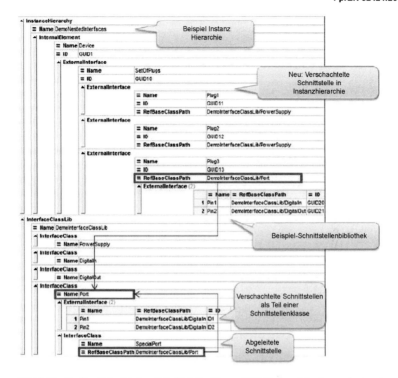

Bild A.11 – Zweites Beispiel einer Schnittstellenklassenbibliothek und die Anwendung von verschachtelten Schnittstellen

— *Entwurf* —

E DIN EN 62424 (VDE 0810-24):2014-05
FprEN 62424:2013

```xml
<InstanceHierarchy Name="DemoNestedInterfaces">
    <InternalElement Name="Device" ID="GUID1">
        <ExternalInterface Name="SetOfPlugs" ID="GUID10">
            <ExternalInterface Name="Plug1" ID="GUID11" RefBaseClassPath="DemoInterfaceClassLib/PowerSupply"/>
            <ExternalInterface Name="Plug2" ID="GUID12" RefBaseClassPath="DemoInterfaceClassLib/PowerSupply"/>
            <ExternalInterface Name="Plug3" ID="GUID13" RefBaseClassPath="DemoInterfaceClassLib/Port"/>
            <ExternalInterface Name="Pin1" RefBaseClassPath="DemoInterfaceClassLib/DigitalIn" ID="GUID20"/>
            <ExternalInterface Name="Pin2" RefBaseClassPath="DemoInterfaceClassLib/DigitalOut" ID="GUID21"/>
        </ExternalInterface>
    </ExternalInterface>
    </InternalElement>
</InstanceHierarchy>
<InterfaceClassLib Name="DemoInterfaceClassLib">
    <InterfaceClass Name="PowerSupply"/>
    <InterfaceClass Name="DigitalIn"/>
    <InterfaceClass Name="DigitalOut"/>
    <InterfaceClass Name="Port">
        <ExternalInterface Name="Pin1" RefBaseClassPath="DemoInterfaceClassLib/DigitalIn" D="D1"/>
        <ExternalInterface Name="Pin2" RefBaseClassPath="DemoInterfaceClassLib/DigitalIn" D="D2"/>
        <InterfaceClass Name="SpecialPort" RefBaseClassPath="DemoInterfaceClassLib/Port"/>
    </InterfaceClass>
</InterfaceClassLib>
```

Bild A.12 – XML-Code für das zweite Beispiel

A.2.6.3 Anwendung von Schnittstellen und Verbindungen von Schnittstellen

Schnittstellen beschreiben die Verbindungspunkte von Objekten. Verbindungen zwischen Objektschnittstellen sind mithilfe des CAEX-Elements „InternalLink" zu modellieren, das Teil der Definition für die CAEX-Anlagenkomponente ist. Bild A.13 stellt beispielhaft die Anlagenkomponente „A" dar, welche mit den Schnittstellen „In" und „Out" versehen ist. Weiterhin enthält sie die beiden zusammengeführten internen Objekte „A1" und „A2" jeweils mit den Schnittstellen „In" und „Out". Die Verbindungen zwischen den internen Objekten sowie die internen und externen Schnittstellen von „A" werden nachstehend beispielhaft in CAEX beschrieben. Eine ausführliche CAEX-Datendefinition ist unter der Definition für Anlagenkomponenten in A.3.13 enthalten.

Die folgenden, Verbindungen betreffenden Eigenschaften sind zusätzlich zum CAEX-Schema normativ.

- Eine CAEX-Verbindung muss zwei entsprechende Schnittstellen mithilfe deren Kennungen miteinander verbinden.
- CAEX-Verbindungen besitzen kein Richtungsmerkmal.
- Verbindungen sind durch beliebig viele Hierarchieebenen hindurch erlaubt.
- CAEX-Verbindungen besitzen keinen Datentyp. Sind Datentypen gefordert, müssen sie den entsprechenden Schnittstellen gesondert zugewiesen werden, CAEX sieht dies jedoch nicht ausdrücklich vor.
- CAEX sieht keine Konsistenzprüfung für Verbindungen vor. Ungültige Verbindungen müssen vom Quell- oder Ziel-Werkzeug erkannt werden.

— *Entwurf* —

E DIN EN 62424 (VDE 0810-24):2014-05
FprEN 62424:2013

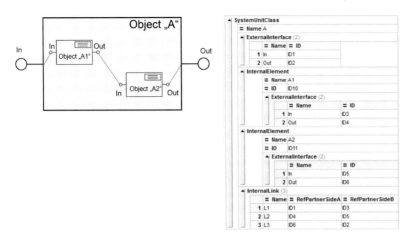

Bild A.13 – Anwendung von Verbindungen

In Bild A.14 ist der vollständige XML-Text abgebildet.

```xml
<SystemUnitClass Name="A">
    <ExternalInterface Name="In" ID="ID1"/>
    <ExternalInterface Name="Out" ID="ID2"/>
    <InternalElement Name="A1" ID="ID10">
        <ExternalInterface Name="In" ID="ID3"/>
        <ExternalInterface Name="Out" ID="ID4"/>
    </InternalElement>
    <InternalElement Name="A2" ID="ID11">
        <ExternalInterface Name="In" ID="ID5"/>
        <ExternalInterface Name="Out" ID="ID6"/>
    </InternalElement>
    <InternalLink Name="L1" RefPartnerSideA="ID1" RefPartnerSideB="ID3"/>
    <InternalLink Name="L2" RefPartnerSideA="ID4" RefPartnerSideB="ID5"/>
    <InternalLink Name="L3" RefPartnerSideA="ID6" RefPartnerSideB="ID2"/>
</SystemUnitClass>
```

Bild A.14 – XML-Code für die Anwendung von Verbindungen

A.2.7 Datendefinition von RoleClass

A.2.7.1 Architektur einer Rollenklasse

CAEX ermöglicht durch Rollenklassen die Definition von Rollen. Rollen werden durch CAEX-Attribute und externe Schnittstellen gekennzeichnet.

– Attribute: Ermöglicht die Spezifikation von Rollenattributen.
– ExternalInterface: Ermöglicht die Spezifikation von Rollenschnittstellen.

In Bezug auf Rollenklassen gelten die folgenden Regelungen:

– Rollenklassen enthalten keine verschachtelten Rollen.
– Das Konzept von Kind-Rollen ermöglicht die Darstellung einer Hierarchie von Rollen; die Hierarchie selbst weist keine Semantik auf.

— *Entwurf* —

E DIN EN 62424 (VDE 0810-24):2014-05
FprEN 62424:2013

- Vererbungsbeziehungen werden durch Verweise auf die Eltern-Rollenklasse festgelegt.

Eine ausführliche Datendefinition ist in A.3.10, A.3.11 und A.3.24 enthalten.

A.2.7.2 Beispiel

In Bild A.15 ist die Rollenklassenbibliothek „ProcessRoleClassLib" mit zwei Rollenklassen, „Pipe" (Rohrleitung) und „Tank", dargestellt.

- Der Rolle „Pipe" ist das Attribut „Diameter" (Durchmesser) ohne nähere Spezifikation seiner Einheit (Unit) bzw. ohne Anfangswert (DefaultValue) zugeordnet. Zusätzlich sind zwei Schnittstellen vom Typ „ProductNode" enthalten. Diese Basisklasse beinhaltet das Attribut „Direction" (Richtung) – der jeweilige Wert ist „In" oder „Out".

- Die Rolle „Tank" veranschaulicht zusätzlich das Konzept des Erstellens von Rollenhierarchien und der Vererbung von Rollenklassen. Die Rolle „Tank" spezifiziert nur ein Attribut. „TankWithProductNodes" ist als Kind-Rolle zu „Tank" angeordnet. Diese Eltern-Kind-Beziehung hat keine Semantik, erlaubt aber die Festlegung beliebig vieler Bibliothekshierarchien. Zusätzlich verweist die Kind-Rolle „TankWithProduct-Nodes" auf die Rolle „Tank" als Basisklasse. Dadurch wird eine Vererbungsbeziehung definiert: diese Rollenklasse erbt alle Attribute und Schnittstellen von „Tank".

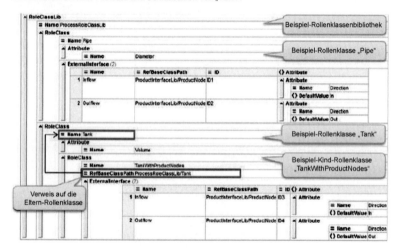

Bild A.15 – Beispiel einer Rollenklassenbibliothek

A.2.8 Modellieren von Beziehungen

A.2.8.1 Überblick

Das Modellieren von Objekten erfordert die Festlegung von Mechanismen, mithilfe derer diese Objekte in Beziehung zu anderen Objekten gesetzt werden können. Für die Verknüpfung dieser Objekte mit extern gespeicherten Daten werden zusätzliche Mechanismen benötigt.

Eine Beziehung drückt eine Verbindung zwischen zwei oder mehreren Objekten aus. Diese Abhängigkeit kann unterschiedlicher Natur sein, einschließlich physischer und logischer Abhängigkeiten. In CAEX werden die folgenden Beziehungen unterstützt:

- Eltern-Kind-Beziehungen (siehe A.2.8.2 und A.2.8.3)

— *Entwurf* —

E DIN EN 62424 (VDE 0810-24):2014-05
FprEN 62424:2013

- – Eltern-Kind-Beziehungen zwischen internen Elementen in CAEX
- – Eltern-Kind-Beziehungen zwischen CAEX-Klassen
- Vererbungsbeziehungen (siehe A.2.8.4)
  - – Vererbungsbeziehungen zwischen Anlagenkomponentenklassen
  - – Vererbungsbeziehungen zwischen Rollenklassen
  - – Vererbungsbeziehungen zwischen Schnittstellenklassen
  - – Vererbungsbeziehungen zwischen Attributtypen
- Klasse-Instanz-Beziehungen (siehe A.2.8.5)
  - – Beziehungen zwischen einer Anlagenkomponentenklasse und einem internen Element
  - – Beziehungen zwischen einer Rollenklasse und einem internen Element
  - – Beziehungen zwischen einer Schnittstellenklasse und einer externen Schnittstelle
  - – Beziehungen zwischen einem Attributtyp und einem Attribut
- Instanz-Instanz-Beziehungen (siehe A.2.8.6 und A.2.8.7)
  - – Beziehungen zwischen externen Schnittstellen in CAEX
  - – Beziehungen zwischen internen Elementen in CAEX

In Bild A.16 sind die von AML unterstützten genannten Beziehungstypen in Form eines Beispiels dargestellt.

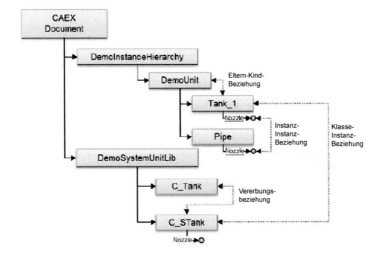

Bild A.16 – Beziehungen in CAEX

In Bild A.17 bis Bild A.19 ist das dazugehörige CAEX-Modell in Tabellenform und mit dem entsprechenden XML-Code veranschaulicht.

— *Entwurf* —

E DIN EN 62424 (VDE 0810-24):2014-05
FprEN 62424:2013

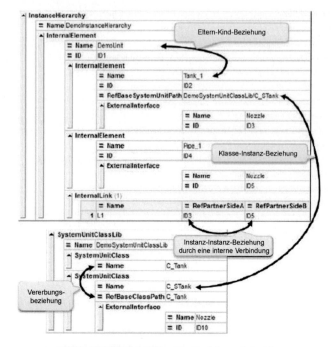

Bild A.17 – XML-Darstellung des Beziehungsbeispiels

```xml
<InstanceHierarchy Name="DemoInstanceHierarchy">
  <InternalElement Name="DemoUnit" ID="ID1">
    <InternalElement Name="Tank_1" ID="ID2" RefBaseSystemUnitPath="DemoSystemUnitClassLib/C_STank">
      <ExternalInterface Name="Nozzle" ID="ID3"/>
    </InternalElement>
    <InternalElement Name="Pipe_1" ID="ID4">
      <ExternalInterface Name="Nozzle" ID="ID5"/>
    </InternalElement>
    <InternalLink Name="L1" RefPartnerSideA="ID3" RefPartnerSideB="ID5"/>
  </InternalElement>
</InstanceHierarchy>
```

Bild A.18 – XML-Text der Instanzhierarchie des Beziehungsbeispiels

```xml
<SystemUnitClassLib Name="DemoSystemUnitClassLib">
  <SystemUnitClass Name="C_Tank"/>
  <SystemUnitClass Name="C_STank" RefBaseClassPath="C_Tank">
    <ExternalInterface Name="Nozzle" ID="ID10"/>
  </SystemUnitClass>
</SystemUnitClassLib>
```

Bild A.19 – XML-Text der Bibliothek für Anlagenkomponentenklassen des Beziehungsbeispiels

— *Entwurf* —

E DIN EN 62424 (VDE 0810-24):2014-05
FprEN 62424:2013

A.2.8.2 Eltern-Kind-Beziehungen zwischen CAEX-Objektinstanzen

Eltern-Kind-Beziehungen zwischen Objektinstanzen werden verwendet, um hierarchische Objektstrukturen darzustellen. In Bezug auf Eltern-Kind-Beziehungen zwischen CAEX-Objekten gilt die folgende Regelung:
- Eine Anlagenhierarchie wird innerhalb eines CAEX-Elementes vom Typ „InstanceHierarchy" als Baum von CAEX-Objektinstanzen abgelegt. Dieses Element besteht aus einer beliebigen Anzahl von ineinander geschachtelten internen Elementen.
- Überkreuzte Hierarchien (Objektnetzwerke) werden explizit unterstützt und nach A.2.8.7 modelliert.

In Bild A.20 sind ein Beispiel einer einfachen Objekthierarchie sowie das entsprechende CAEX-Datenmodell dargestellt.

```
<InstanceHierarchy Name="Parent child relations example">
    <InternalElement Name="ObjectA" ID="GUID1">
        <InternalElement Name="ObjectA_1" ID="GUID2"/>
        <InternalElement Name="ObjectA_2" ID="GUID3">
            <InternalElement Name="ObjectA_2_1" ID="GUID4"/>
        </InternalElement>
    </InternalElement>
</InstanceHierarchy>
```

Bild A.20 – Beispiel einer Eltern-Kind-Beziehung zwischen internen Elementen in CAEX

Auf der Grundlage dieses Verfahrens können Hierarchien von Industrieanlagen wie in Bild A.21 gezeigt modelliert werden.

Bild A.21 – Beispiel einer hierarchischen Anlagenstruktur

A.2.8.3 Eltern-Kind-Beziehungen zwischen CAEX-Klassen

In Bezug auf Eltern-Kind-Beziehungen zwischen CAEX-Klassen/-Typen gelten die folgenden Regelungen:

— *Entwurf* —

- Eine Eltern-Kind-Beziehung zwischen AML-Klassen/-Typen darf nur deren hierarchische Nachbarschaft darstellen. Dies ermöglicht die Definition beliebiger benutzerdefinierter hierarchischer Strukturen.
- Diese Beziehung weist keine weiteren Semantiken auf.

ANMERKUNG   Eine Eltern-Kind-Beziehung schließt keine Vererbungsbeziehung ein.

In Bild A.22 ist ein Beispiel einer Eltern-Kind-Beziehung zwischen den Klassen „ParentClass" und „ChildClass" dargestellt. Die Klasse „ChildClass" hat keine Vererbungsbeziehung zu ihrer Eltern-Klasse.

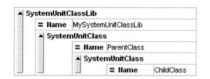

Bild A.22 – Beispiel einer Eltern-Kind-Beziehung zwischen Klassen

A.2.8.4   Vererbungsbeziehungen zwischen CAEX-Klassen

CAEX unterstützt die Vererbung zwischen zwei Klassen. Die Vererbungsbeziehung wird in CAEX über ein Verweisungskonzept definiert. Jede CAEX-Klasse besitzt ein Attribut „RefBaseClassPath", das die Festlegung des Pfades zur zugehörigen Eltern-Klasse ermöglicht. Das Vererbungskonzept ist für Schnittstellenklassen, Rollenklassen, Anlagenkomponentenklassen und Attributtypen gleich. In Bezug auf Vererbungsbeziehungen gelten die folgenden Regelungen:

- Vererbung ist innerhalb von Klassen erlaubt. Eine Klasse kann beliebig viele Kind-Klassen haben, aber nur eine Eltern-Klasse. Alle Änderungen in der Klasse werden automatisch in allen Kind-Klassen wiedergegeben.
- Vererbung bedeutet, dass alle verfügbaren Attribute, Schnittstellen, internen Elemente, Zuordnungsobjekte oder anderen Inhalte der Eltern und Großeltern automatisch auch in den Kind-Objekten vorhanden sind.
- Geerbte Klassen können auf Klassenebene mit neuen Attributen, Schnittstellen usw. erweitert werden.
- Speicherung geerbter Daten: Geerbte Daten sind gültige Kind-Daten und dürfen, müssen aber nicht, im XML-Dokument physisch auf das Kind kopiert werden. Die Neufestlegung und Speicherung bereits geerbter Daten ist möglich und sinnvoll, um geerbte Informationen zu überschreiben oder zu erweitern. Wenn die Daten physisch von einer Eltern-Klasse auf ein Kind kopiert und in ihr später wieder geändert werden, müssen die kopierten Kind-Daten aktualisiert werden.
- Überschreiben geerbter Daten: Das Überschreiben geerbter Eigenschaften mit aktualisierten Werten ist durch nochmalige Neufestlegung der entsprechenden Daten im Kind-Objekt möglich. Solange in der Eltern-Klasse Attributbeschränkungen festgelegt sind, müssen die überschriebenen Daten diesen Anforderungen entsprechen.
- Löschen geerbter Daten: Das Löschen geerbter Eigenschaften ist durch nochmalige Neufestlegung der entsprechenden Daten in dem Kind-Objekt möglich, indem das Änderungsmodus-Attribut auf „delete" gesetzt wird.
- Vererbung geschieht auf geradlinigem Weg. Eine Kind-Klasse kann von einer Eltern-Klasse erben und darf gleichzeitig selbst für andere Klassen eine Eltern-Klasse sein. CAEX gestattet auf diesem Weg die Festlegung von Eltern, Kindern und Enkelkindern in beliebiger Tiefe. Die Enkelkinder erben demnach von den Eltern und Großeltern usw. CAEX unterstützt nur das Erben von einem Eltern-Objekt.
- Wenn Vererbung erforderlich ist, muss die Eltern-Klasse mithilfe des CAEX-Kennzeichens „RefBaseClassPath", das den vollständigen Pfad der Klasse umfasst, festgelegt werden. Die referenzierte Klasse muss vorhanden und gültig sein.
- Wird die vorgesehene Eltern-Klasse eine Hierarchieebene über der Kind-Klasse angeordnet, kann die Eltern-Klasse durch Speichern des Namens der Eltern-Klasse im CAEX-Kennzeichen „RefBaseClassPath" ohne Angabe des vollständigen Pfades spezifiziert werden.

— *Entwurf* —

E DIN EN 62424 (VDE 0810-24):2014-05
FprEN 62424:2013

ANMERKUNG   In Bild A.16 und Bild A.17 ist ein Beispiel der Eltern-Klasse „C_Tank" und der abgeleiteten Klasse „C_STank" gegeben. Da die Eltern-Klasse eine Hierarchieebene über der Klasse „C_STank" liegt, kann das CAEX-Kennzeichen „RefBaseClassPath" sowohl „DemoSystemUnitClassLib/C_Tank" als auch „C_Tank" enthalten.

- Eine Anlagenkomponentenklasse darf nur von einer Anlagenkomponentenklasse, eine Schnittstellenklasse nur von einer Schnittstellenklasse, eine Rollenklasse nur von einer Rollenklasse und ein Attributtyp nur von einem Attributtyp erben. Eine Vererbung über Kreuz ist nicht zulässig.
- Die Vererbung ist optional. Wenn keine Vererbung benötigt wird, muss das Referenzattribut „RefBaseClassPath" leer gelassen werden bzw. darf überhaupt nicht erscheinen.
- Eine Klasse darf nicht von sich selbst bzw. von seiner eigenen Ableitung erben.
- CAEX sieht weder eine Konsistenzprüfung von gültigen Vererbungsbeziehungen noch eine Gültigkeitsprüfung des referenzierten Elements vor.

A.2.8.5   Klasse-Instanz-Beziehungen

Instanzen werden durch eine eindeutige Kennung und einen Parametersatz gekennzeichnet. In Bezug auf Klasse-Instanz-Beziehungen gelten die folgenden Regelungen:

- Ein internes Element oder eine externe Schnittstelle darf in CAEX ein einzelnes Element ohne eine Beziehung zu einer Klasse darstellen.
- Wenn ein internes CAEX-Element eine Klasse-Instanz-Beziehung zu einer Anlagenkomponentenklasse aufweist, muss es als Kopie dieser Anlagenkomponentenklasse einschließlich der internen Architektur dieser Klasse und allen zu diesem Zeitpunkt geerbten Informationen erstellt werden. Die kopierte Quellklasse muss für die weitere Verwendung in dem CAEX-Kennzeichen „RefBaseSystemUnitPath" der Instanz angegeben werden. Dieses Kennzeichen muss den vollständigen Pfad und den Namen der Quellklasse umfassen. Es kann jeweils nur eine Anlagenkomponentenklasse referenziert werden.

ANMERKUNG   Eine Klasse dient auf diese Weise als Schablone. Änderungen in der Klasse werden nicht automatisch in der entsprechenden Objektinstanz wiedergegeben. Des Weiteren kann die Objektinstanz ohne die Klasseninformationen verschoben werden; sie selbst enthält vollständige zugehörige Informationen.

ANMERKUNG   Eine Änderung der Quellklasse einer Instanz führt nicht zu einer Änderung der Instanz. Die automatische Wiedergabe oder Aktualisierung von Instanzdaten entsprechend einer geänderten Quellklasse ist Teil der Funktionalität von Werkzeugen und liegt außerhalb des Anwendungsbereiches von IEC 62424. Der vorhandene Pfad zur Quellklasse unterstützt diese Funktionalität.

- Wenn eine externe Schnittstelle in CAEX eine Klasse-Instanz-Beziehung zu einer Schnittstellenklasse aufweist, muss sie als Kopie dieser Schnittstellenklasse einschließlich der internen Architektur der Klasse und allen zu diesem Zeitpunkt geerbten Informationen erstellt werden. Die kopierte Quellklasse muss für die weitere Verwendung in dem CAEX-Kennzeichen „RefBaseClassPath" der externen Schnittstelle angegeben werden. Dieses Kennzeichen muss den vollständigen Pfad und den Namen der Quellklasse umfassen. Es kann jeweils nur eine Schnittstellenklasse referenziert werden.
- Die Beziehung zwischen einem internen Element in CAEX und einer Rollenklasse muss durch das Attribut „RefBaseRoleClassPath" des zugehörigen CAEX-Elements „RoleRequirement" angezeigt werden. Alle Rollenklassenspezifikationen müssen in das entsprechende CAEX-Objekt kopiert werden. Besitzt ein Attribut einer Rollenklasse keinen Wert, darf es aus den Instanzdaten entfernt werden, sofern es nicht benötigt wird.
- Die Erweiterung oder Kürzung von Instanzdaten ist im Vergleich zur Quellklasse zulässig.

ANMERKUNG   Die Quellklasse ist als geeigneter Anfangspunkt für das Instanzmodell vorgesehen.

In Bild A.16 und Bild A.17 ist das Beispiel einer Klasse-Instanz-Beziehung zwischen dem Objekt „Tank_1" und der benutzerdefinierten Anlagenkomponentenklasse „C_STank" abgebildet.

A.2.8.6   Instanz-Instanz-Beziehungen zwischen zwei externen Schnittstellen in CAEX

Instanz-Instanz-Beziehungen sind Beziehungen zwischen zwei Schnittstellen beliebiger interner Elemente in CAEX. In Bezug auf Instanz-Instanz-Beziehungen gelten die folgenden Regelungen:

— *Entwurf* —

E DIN EN 62424 (VDE 0810-24):2014-05
FprEN 62424:2013

- Instanz-Instanz-Beziehungen sind nach A.2.6.3 mithilfe von internen CAEX-Verbindungen zu speichern.
- Interne CAEX-Verbindungen sollten bei dem internen Element oder der Anlagenkomponentenklasse, das/die das niedrigste gemeinsame Eltern-Element der entsprechenden verbundenen CAEX-Objekte ist, gespeichert werden.

In Bild A.16 und Bild A.17 ist dies mithilfe der internen Verbindung „L1" veranschaulicht.

A.2.8.7 Instanz-Instanz-Beziehungen zwischen internen Elementen in CAEX

CAEX unterstützt die gleichzeitige Speicherung mehrerer Hierarchien. Da verschiedene hierarchische Strukturen die gleichen Daten auf unterschiedliche Weise wiedergeben können, kann ein einzelnes Objekt unter Umständen Teil zweier Hierarchien mit unterschiedlicher Bedeutung sein. In einem solchen Fall wird die Datenstruktur zu einem Netzwerk.

In Bild A.23 ist dieser Fall mithilfe der beiden Beispiel-Strukturen „Hierarchy 1" und „Hierarchy 2" sowie der entsprechenden Bibliothek „ClassLib 1" erläutert. Die Objekte A1 und A2 sind Instanzen der Klasse A.

Objekt B1 ist eine Instanz der Klasse B. Objekt B2 sollte Objekt B1 darstellen. CAEX unterstützt dies durch die Verwendung von Verweisen. Während die Klassenreferenz von B1 den Pfad zu Klasse B definiert, zeigt der Verweis von B2 auf B1. B1 ist somit das „Masterobjekt", während B2 als „Spiegelobjekt" bezeichnet wird.

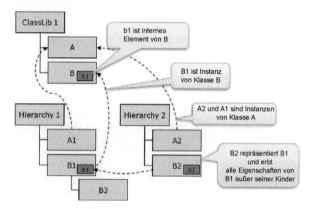

Bild A.23 – Mehrfach überkreuzte Strukturen

Demzufolge wird ein einziges internes CAEX-Element in einer oder mehreren Objekthierarchien an mehreren Positionen modelliert. CAEX unterstützt dies durch das „Spiegelkonzept". Für dieses Konzept sind die folgenden CAEX-Eigenschaften normativ:

- Alle erforderlichen Mehrfachdarstellungen von Daten müssen als interne CAEX-Elemente an der entsprechenden Position modelliert werden.
- Eines der internen Elemente ist als „Masterobjekt" zu bestimmen. Dieses Masterobjekt enthält alle benötigten Eigenschaften und internen Datenstrukturen und darf eine Instanz-Klasse-Beziehung zu einer Anlagenkomponentenklasse haben, welche in dem CAEX-Kennzeichen „RefBaseSystemUnitPath" referenziert ist.
- Die anderen internen Elemente werden als „Spiegelobjekte" bezeichnet und müssen das Masterobjekt mithilfe der Masterobjektkennung im CAEX-Kennzeichen „RefBaseSystemUnitPath" referenzieren. Das Spiegelobjekt darf auf keine Anlagenkomponentenklasse verweisen.
- Ein Masterobjekt darf keine Rückverweise auf die Spiegelobjekte enthalten. Diese Information muss von dem Softwarewerkzeug, das zum Lesen und Schreiben von CAEX eingesetzt wird, verarbeitet werden.

64

— *Entwurf* —

- Ein Spiegelobjekt erbt alle Attribute, Schnittstellen und weiteren Eigenschaften des Masterobjekts, einschließlich der Kinder des Klassentyps des Masterobjekts, abgesehen von den Kindern des Masterobjekts selbst, welche zusätzlich definiert werden. Das Masterobjekt und das Spiegelobjekt können deshalb unterschiedliche Kinder innerhalb ihrer internen Strukturen enthalten. Wenn Kinder des Masterobjekts auch als Kinder des Spiegelobjekts dargestellt werden sollen, müssen sie für das Spiegelobjekt gesondert definiert werden.
- Das Speiegelobjekt darf einen anderen Namen als das Masterobjekt haben.
- Ein Spiegelobjekt muss eine eigene eindeutige Kennung haben.

ANMERKUNG Ein Spiegelobjekt gilt als identisch mit dem Masterobjekt. Mithilfe der Kennung kann die Spiegeldarstellung vom Master unterschieden werden.

- Wenn ein Masterobjekt gelöscht wird, müssen alle entsprechenden Spiegelobjekte ebenfalls gelöscht werden, um Inkonsistenzen zu vermeiden.

ANMERKUNG Hierbei handelt es sich um eine Funktionalität des Werkzeuges außerhalb des Anwendungsbereiches dieses Teils der Norm.

- Das Löschen eines Spiegelobjekts darf keine Auswirkungen auf das Masterobjekt haben.

A.2.9   Anwendung von Pfaden

A.2.9.1   Trennzeichendefinition

Pfade bilden die Grundlage für den Verweis auf Klassen und Attributtypen. Pfade erfordern die Festlegung von Trennzeichen zwischen den unterschiedlichen Pfadelementen. CAEX unterscheidet vier Trennzeichentypen: Alias-, Objekt-, Schnittstellen- und Attribut-Trennzeichen.

- Alias-Trennzeichen (nach dem Alias-Namen verwendet): „@"
- Objekt-Trennzeichen (zwischen den Objekthierarchien verwendet): „/"

Die folgenden, Pfade betreffenden CAEX-Eigenschaften sind zusätzlich zum CAEX-Schema normativ.

- Kommen die definierten Trennzeichen als gültiger Teil eines Objektnamens vor, muss die folgende Syntax angewendet werden: Alle Pfadelemente müssen durch eckige Klammern „[" <Name> „]" getrennt werden. Dies erlaubt die gleichzeitige Verwendung der Originalbezeichnungen und des definierten Trennzeichens.
- Wenn die beschriebenen Klammern Teil des Objektnamens sind, muss der Konflikt mit diesen Klammern im Objektnamen mithilfe allgemeiner XML-Escape-Sequenzen umgangen werden.
- Es ist zulässig, eckige Klammern auch ohne Auftreten von Konflikten einzusetzen.
- CAEX prüft nicht die Gültigkeit eines Pfades, weder die Verwendung der normativen Trennzeichen noch das Vorhandensein des referenzierten Elements. Die Übereinstimmung mit dieser Norm erfordert den richtigen Gebrauch von Pfaden und der definierten Trennzeichen.

A.2.9.2   Beispiele

- Pfad zu einer Klasse in einer Bibliothek: „ProcessEngineeringClassLib/Tank"
- Pfad zu einer Klasse in einer Bibliothek mit eckigen Klammern: [DemoLib]/[Tank/@01]"
- Pfad zu einer Klasse in einer Bibliothek unter Anwendung der Alias-Definitionen: „ExternalLibAlias@ClassLib/PipeClass"
- Pfad zu einem Attributtyp: „MyAliasTypeLib/BaseStringAttribute/SpecialStringAttribute"
- Pfad zu einem Attribut im Zuordnungsobjekt: Printer/Speed

— *Entwurf* —

E DIN EN 62424 (VDE 0810-24):2014-05
FprEN 62424:2013

A.2.10 CAEX-Rollenkonzept

A.2.10.1 Anwendung des Rollenkonzepts

Hauptanliegen des CAEX-Rollenkonzepts ist die Separation von Informationen zur abstrakten Rolle sowie die Definition von Informationen zur konkreten Implementierung. Bild A.24 veranschaulicht das Rollenkonzept anhand des internen Elements „B1", das an einer beliebigen Stelle der Anlagenstruktur positioniert ist. Eine ausführliche CAEX-Datendefinition ist in A.3.11 und A.3.23 enthalten.

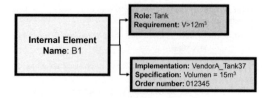

Bild A.24 – CAEX-Rollenkonzept

Anwendungsfall 1: B1 wird nur durch seinen Namen beschrieben. B1 hat keine weitere Bedeutung oder Semantik, sondern ist lediglich ein Platzhalter für die spätere Verwendung. In Bild A.25 ist das entsprechende CAEX-Datenmodell dargestellt.

Bild A.25 – CAEX-Datendefinition für Anwendungsfall 1

Anwendungsfall 2: Während des schrittweisen Engineerings wird eine geeignete Rollenklasse ausgewählt, die die Rolle beschreibt, die „B1" übernehmen muss. Dies legt für B1 eine Bedeutung/Semantik fest. Die Rollenklasse stellt die geforderten vordefinierten Attribute und Schnittstellen bereit. Wurde keine geeignete Rollenklasse definiert, können hier alle Rollenanforderungen festgelegt werden. Im angegebenen Beispiel wird B1 eine Rolle „Tank" zugewiesen und das geforderte Attribut „V" auf „$\geq 12\ m^3$" gesetzt. Das Arbeiten mit Rollen ermöglicht die Verallgemeinerung der technischen Umsetzung. In Bild A.26 ist das entsprechende CAEX-Datenmodell dargestellt.

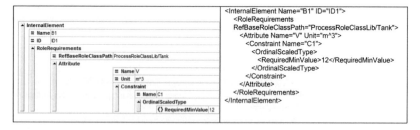

Bild A.26 – CAEX-Datendefinition für Anwendungsfall 2

Anwendungsfall 3: Zu einem späteren Zeitpunkt in der Engineering-Phase ist die genaue technische Umsetzung von Interesse. Basierend auf den Anforderungsdefinitionen ist eine geeignete technische Ausführung in Form einer Anlagenkomponentenklasse (SystemUnitClass) auszuwählen. Im angegebenen Beispiel wird eine Referenz zu „VendorA_Tank37" hergestellt. Diese Klasse erfüllt die gestellten

— *Entwurf* —

E DIN EN 62424 (VDE 0810-24):2014-05
FprEN 62424:2013

Anforderungen. In Bild A.27 ist die entsprechende CAEX-Datenstruktur dargestellt. Es wird deutlich, dass die in den Rollenanforderungen definierten Attribute nicht mit den Attributbezeichnungen der entsprechenden Anlagenkomponentenklasse übereinstimmen müssen. Hierfür bietet CAEX ein Zuordnungsobjekt (MappingObject), das die Zuordnung der entsprechenden Attributbezeichnungen der Rolle zu denen der Anlagenkomponentenklasse ermöglicht. Das Gleiche gilt für Schnittstellenbezeichnungen. Weitere Informationen zu Zuordnungen sind in A.2.11 enthalten.

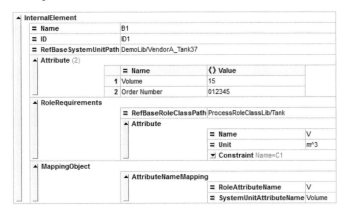

Bild A.27 – CAEX-Datendefinition für Anwendungsfall 3

Nachfolgend ist der vollständige XML-Text für dieses Beispiel angegeben.

```
<InternalElement Name="B1" ID="ID1" RefBaseSystemUnitPath="DemoLib/VendorA_Tank37">
    <Attribute Name="Volume">
        <Value>15</Value>
    </Attribute>
    <Attribute Name="Order Number">
        <Value>012345</Value>
    </Attribute>
    <RoleRequirements RefBaseRoleClassPath="ProcessRoleClassLib/Tank">
        <Attribute Name="V" Unit="m^3">
            <Constraint Name="C1">
                <OrdinalScaledType>
                    <RequiredMinValue>12</RequiredMinValue>
                </OrdinalScaledType>
            </Constraint>
        </Attribute>
    </RoleRequirements>
    <MappingObject>
        <AttributeNameMapping RoleAttributeName="V" SystemUnitAttributeName="Volume"/>
    </MappingObject>
</InternalElement>
```

Bild A.28 – XML-Code für Anwendungsfall 3

In Bezug auf das Rollenkonzept gelten die folgenden Regelungen:

– Ein internes Element darf gleichzeitig maximal eine Anlagenkomponentenklasse, aber mehrere Rollenklassen referenzieren (siehe A.2.10.2).
– Die Anwendung von Rollenklassen oder Rollenanforderungen ist nicht vorgeschrieben. Alle Projektdaten können ohne Anwendung des Rollenkonzepts gespeichert werden. Das Rollenkonzept unterstützt auf vielfältige Weise den schrittweisen Engineering-Prozess, ist aber nicht zwingend erforderlich.

— *Entwurf* —

E DIN EN 62424 (VDE 0810-24):2014-05
FprEN 62424:2013

- CAEX sieht keine Konsistenzprüfung hinsichtlich des Rollenkonzepts, der gültigen Zuordnung der Attribute oder Schnittstellen und der Erfüllung der Anforderungen vor.

A.2.10.2 Unterstützung mehrerer Rollen

Industrieanlagen erfüllen möglicherweise gleichzeitig mehr als eine Rolle. CAEX unterstützt deshalb die Referenzierung mehrerer Rollen. Dies ist dann interessant, wenn ein Objekt mehrere Funktionen haben kann.

Ein Beispiel hierfür ist ein Multifunktionsgerät, das gleichzeitig Scanner, Drucker und Faxgerät ist. In Bild A.29 ist das Objekt „MultiDevice01" mit den drei Attributen „FaxBoudRate", „PrintSpeed" und „FaxSpeed" und den zwei Schnittstellen „PowerSupply" und „USB" modelliert.

Da dieses Objekt drei Rollen gleichzeitig einnehmen kann, modelliert das interne Element „MultiDevice01" drei separate CAEX-Rollenanforderungen (RoleRequirements), welche die Rollen „Printer" (Drucker), „Fax" und „Scanner" einzeln referenzieren. Die Anforderungen der drei verschiedenen Rollen sind einzeln modelliert und durch die individuellen Rollenattribute „Speed" (Geschwindigkeit) für Drucker, Fax und Scanner sowie die vorhandenen Rollenschnittstellen veranschaulicht.

Ein CAEX-Zuordnungsobjekt stellt Informationen dazu bereit, welches Rollenattribut bzw. welche Rollenschnittstelle welchem Instanzattribut bzw. welcher Instanzschnittstelle zuzuordnen ist. Um die Attribute der verschiedenen Rollen, die in diesem Beispiel gleich benannt sind, unterscheiden zu können, wird der Rollenname hinzugefügt, welcher einen Pfad zu den Rollenattributen bereitstellt.

In Bild A.30 ist der entsprechende XML-Code zu diesem Beispiel dargestellt.

— *Entwurf* —

E DIN EN 62424 (VDE 0810-24):2014-05
FprEN 62424:2013

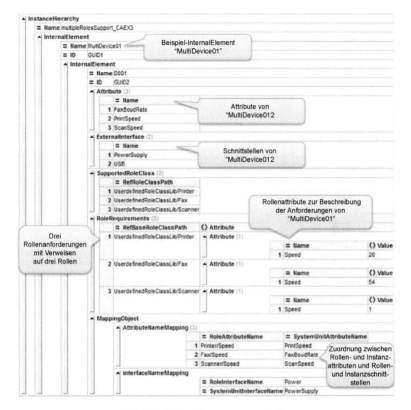

Bild A.29 – Unterstützung mehrerer Rollen

```xml
<InstanceHierarchy Name="multipleRolesSupport_CAEX3">
    <InternalElement Name="MultiDevice01" ID="GUID1">
        <InternalElement Name="D001" ID="GUID2">
            <Attribute Name="FaxBoudRate"/>
            <Attribute Name="PrintSpeed"/>
            <Attribute Name="ScanSpeed"/>
            <ExternalInterface Name="PowerSupply"/>
            <ExternalInterface Name="USB"/>
            <SupportedRoleClass RefRoleClassPath="UserdefinedRoleClassLib/Printer"/>
            <SupportedRoleClass RefRoleClassPath="UserdefinedRoleClassLib/Fax"/>
            <SupportedRoleClass RefRoleClassPath="UserdefinedRoleClassLib/Scanner"/>
            <RoleRequirements RefBaseRoleClassPath="UserdefinedRoleClassLib/Printer">
                <Attribute Name="Speed">
                    <Value>20</Value>
                </Attribute>
            </RoleRequirements>
            <RoleRequirements RefBaseRoleClassPath="UserdefinedRoleClassLib/Fax">
                <Attribute Name="Speed">
                    <Value>54</Value>
                </Attribute>
            </RoleRequirements>
            <RoleRequirements RefBaseRoleClassPath="UserdefinedRoleClassLib/Scanner">
                <Attribute Name="Speed">
                    <Value>1</Value>
                </Attribute>
            </RoleRequirements>
            <MappingObject>
                <AttributeNameMapping RoleAttributeName="Printer/Speed" SystemUnitAttributeName="PrintSpeed"/>
                <AttributeNameMapping RoleAttributeName="Fax/Speed" SystemUnitAttributeName="FaxBoudRate"/>
                <AttributeNameMapping RoleAttributeName="Scanner/Speed" SystemUnitAttributeName="ScanSpeed"/>
                <InterfaceNameMapping RoleInterfaceName="Power" SystemUnitInterfaceName="PowerSupply"/>
            </MappingObject>
        </InternalElement>
    </InternalElement>
</InstanceHierarchy>
```

Bild A.30 – XML-Code des Beispiels zur Unterstützung mehrerer Rollen

A.2.10.3 Anwendung von SupportedRoleClass

Das CAEX-Element „SupportedRoleClass" (unterstützte Rollenklasse) ist ein Unterelement von „SystemUnitClass". Es kann für jede Anlagenkomponentenklasse festlegen, welche Rollenklassen sie unterstützt. Dieses Konzept ermöglicht eine computergestützte Auswahl von geeigneten Anlagenkomponentenklassen für eine bestimmte Rollenklasse.

In Bezug auf unterstützte Rollenklassen gelten die folgenden Regelungen:

- Eine Anlagenkomponentenklasse kann beliebig viele Rollenklassen unterstützen.
- Kinder oder Eltern der unterstützten Rollenklasse werden nicht automatisch mit unterstützt, da sie mit der Anlagenkomponentenklasse inkompatibel sein könnten. Wenn Kinder einer Rollenklasse ebenfalls durch eine Anlagenkomponentenklasse unterstützt werden, müssen sie der Definition der unterstützen Rollenklasse hinzugefügt werden.
- Für jede unterstützte Rollenklasse kann ein Zuordnungsobjekt festgelegt werden, welches festlegt, welche Attributnamen und Schnittstellennamen einander entsprechen. Weitere Informationen zu Zuordnungen sind in A.2.11 enthalten.
- CAEX sieht keine Prüfung der Gültigkeit oder des Vorhandenseins der unterstützten Rollenklassen vor. Dies muss von dem CAEX-Import/Export-Werkzeug oder dem Engineering-Quell/Ziel-Werkzeug durchgeführt werden.

A.2.11 Anwendung von MappingObject in CAEX

Das CAEX-Zuordnungsobjekt unterstützt das CAEX-Rollenkonzept. Sowohl Rollenklassen als auch Anlagenkomponentenklassen erlauben die Definition von Attributen und Schnittstellen. Wenn ein internes Element einer Rollenklasse und einer Anlagenkomponentenklasse zugeordnet ist, müssen deren Attributnamen und

— *Entwurf* —

E DIN EN 62424 (VDE 0810-24):2014-05
FprEN 62424:2013

Schnittstellennamen nicht zwangsläufig dieselben sein. Das Zuordnungsobjekt ermöglicht die gegenseitige Zuordnung. Eine ausführliche CAEX-Datendefinition ist in A.3.23 enthalten.

In Bezug auf das Zuordnungsobjekt gelten die folgenden Regelungen:

- Wenn die Attribut- oder Schnittstellennamen eines internen Elements nicht den dazugehörigen Rollenanforderungsdefinitionen entsprechen, muss das interne Element die Zuordnung mithilfe des CAEX-Elements „MappingObject" modellieren.
- Für jede Attributnamenszuordnung muss dem Zuordnungsobjekt ein Element „AttributeNameMapping" hinzugefügt werden, das den Namen des Rollenattributes und den Namen des entsprechenden Attributes des internen Elements getrennt durch „/" bereitstellt.
- Für jede Schnittstellennamenszuordnung muss dem Zuordnungsobjekt ein Element „InterfaceName-Mapping" hinzugefügt werden, das den Namen der Rollenschnittstelle und den Namen der entsprechenden Schnittstelle des internen Elements getrennt durch „/" bereitstellt.
- Wenn ein internes Element mehreren Rollenklassen zugeordnet ist, muss der Name der Rollenklasse dem Rollenattributnamen hinzugefügt werden; siehe Bild A.29.

In Bild A.31 ist ein Beispiel für Zuordnungen abgebildet. Die Rollenklasse definiert ein Attribut „Volume", wohingegen das interne Element das gleiche Attribut mit dem Namen „V" definiert. Dasselbe gilt für unterschiedliche Namen von Rollenschnittstellen.

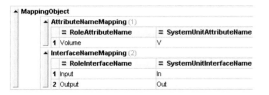

Bild A.31 – CAEX-Datendefinition von MappingObject

Nachstehend ist der vollständige XML-Text für dieses Beispiel aufgeführt.

```
<MappingObject>
    <AttributeNameMapping RoleAttributeName="Volume" SystemUnitAttributeName="V"/>
    <InterfaceNameMapping RoleInterfaceName="Input" SystemUnitInterfaceName="In"/>
    <InterfaceNameMapping RoleInterfaceName="Output" SystemUnitInterfaceName="Out"/>
</MappingObject>
```

Bild A.32 – XML-Code für die CAEX-Datendefinition von MappingObject

A.2.12 Verweise auf externe CAEX-Dateien

A.2.12.1 Allgemeine Regelungen

CAEX unterstützt mit dem Element „ExternalReference" ausdrücklich den Zugriff auf externe CAEX-Dateien. Eine ausführliche CAEX-Datendefinition befindet ist in A.3.5 enthalten.

In Bezug auf externe Verweise gelten die folgenden Regelungen:

- Jeder externe Verweis muss auf ein anderes CAEX-Dokument derselben Schemaversion verweisen.
- Jeder externe Verweis muss einen gültigen URI zu dem externen CAEX-Dokument und einen Alias, der innerhalb des CAEX-Dokuments eindeutig ist, bereitstellen. Es dürfen keine weiteren Informationen abgelegt werden.
- Die in Bezug genommenen externen CAEX-Dokumente müssen gültig und zugänglich sein.

- Der Alias kann für die Referenzierung von Klassen oder Schnittstellen verwendet werden. In einem solchen Fall muss die Referenzkennzeichnung mit dem Alias-Namen beginnen, gefolgt von dem Alias-Trennzeichen „@", gefolgt von dem Pfad zur referenzierten Klasse oder der Kennung des referenzierten internen Elements oder der referenzierten externen Schnittstelle.

A.2.12.2 Beispiel

Bild A.33 zeigt das Beispiel einer CAEX-Datei, die Zugriff auf drei weitere Dateien benötigt. Die Dateien „CAEXFile01", „CAEXFile02" und „CAEXFile03" können unterschiedliche Bibliotheken beinhalten, auf die in der Hauptdatei „CurrentCAEXFile" verwiesen werden muss.

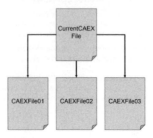

Bild A.33 – Aufteilung der Daten auf verschiedene CAEX-Dateien

Das beschriebene Beispiel muss in CAEX durch die Festlegung von externen Verweisen definiert werden, welche den URI oder den relativen Pfad der externen CAEX-Dateien sowie einen Alias-Namen für den internen Zugriff auf diese externen CAEX-Dateien umfassen. Alias-Namen müssen eindeutig sein und dürfen keine Namen von CAEX-Objekten enthalten; nur auf das CAEX-Dokument selbst darf durch den Pfad verwiesen werden.

Bild A.34 – Verweise auf externe CAEX-Dateien

Der vollständige XML-Text für dieses Beispiel ist in Bild A.35 abgebildet.

```
<ExternalReference Path=".../MyDirectory/CAEXExternalLibrary.xml" Alias="C01"/>
<ExternalReference Path="file://localhost/c:/Temp/anotherCAEXFile.xml" Alias="C02"/>
<ExternalReference Path="http://www.abc.com/ YetanotherCAEXFile.xml" Alias="C03"/>
```

Bild A.35 – XML-Code für Verweise auf externe CAEX-Dateien

Bild A.36 zeigt beispielhaft, wie die definierten Verweise auf externe CAEX-Dateien anzuwenden sind. Der Verweis auf die externe Datei wird durch den Alias-Namen beschrieben. Dieser Name wird durch das Alias-Trennzeichen „@" von dem vollständigen Pfad zu der entsprechenden Klasse getrennt.

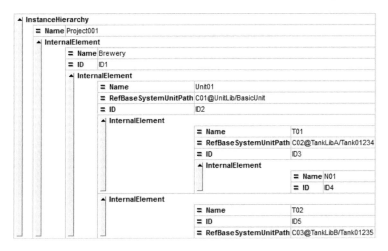

Bild A.36 – Beispiel für die Verwendung von Alias-Namen

Der vollständige XML-Text für dieses Beispiel ist in Bild A.37 abgebildet.

```xml
<InstanceHierarchy Name="Project001">
  <InternalElement Name="Brewery" ID="ID1">
    <InternalElement Name="Unit01" RefBaseSystemUnitPath="C01@UnitLib/BasicUnit" ID="ID2">
      <InternalElement Name="T01" RefBaseSystemUnitPath="C02@TankLibA/Tank01234" ID="ID3">
        <InternalElement Name="N01" ID="ID4"/>
      </InternalElement>
      <InternalElement Name="T02" ID="ID5" RefBaseSystemUnitPath="C03@TankLibB/Tank01235"/>
    </InternalElement>
  </InternalElement>
</InstanceHierarchy>
```

Bild A.37 – XML-Code für das Beispiel der Alias-Namen

E DIN EN 62424 (VDE 0810-24):2014-05
FprEN 62424:2013

— *Entwurf* —

Anhang B
(informativ)

Beispiele für PCE-Aufgaben

Dieser Anhang liefert Beispiele für PCE-Aufgaben.

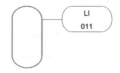

Bild B.1 – Lokale Füllstandsanzeige, ein Prozessanschluss

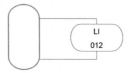

Bild B.2 – Lokale Füllstandsanzeige, zwei Prozessanschlüsse

Bild B.3 – Lokale Durchflussanzeige

Bild B.4 – Lokale Druckanzeige

Bild B.5 – Lokale Temperaturanzeige

— *Entwurf* —

E DIN EN 62424 (VDE 0810-24):2014-05
FprEN 62424:2013

Bild B.6 – Lokales Schaltpult mit Druckanzeige und Hoch-Alarm

oder

Bild B.7 – Lokale Temperaturanzeige, zentrale Temperaturanzeige und Hoch-Alarm mit Schaltung
(Anmerkung: Wenn nur ein Oval verwendet wird, muss im R&I-Fließbild eine allgemeine Erläuterung angegeben werden.)

Bild B.8 – Lokale Druckanzeige, zentrale Druckanzeige und Hoch-Alarm mit Schaltung

Bild B.9 – Durchflussanzeige in einem zentralen Leitstand; Geräteinformation: Messblende

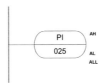

Bild B.10 – ´Zentrale Druckanzeige mit Tief-, Tief-Tief- und Hoch-Alarmen

E DIN EN 62424 (VDE 0810-24):2014-05
FprEN 62424:2013

Bild B.11 – Temperaturanzeige und Aufzeichnung in einem zentralen Leitstand

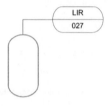

Bild B.12 – Füllstandsanzeige und Aufzeichnung in einem zentralen Leitstand, ein Prozessanschluss

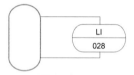

Bild B.13 – Füllstandsanzeige in einem zentralen Leitstand, zwei Prozessanschlüsse

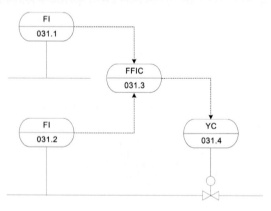

Bild B.14 – Zwei Durchflussanzeigen und Durchfluss-Verhältnis-Regelung in einem zentralen Leitstand

— *Entwurf* —

E DIN EN 62424 (VDE 0810-24):2014-05
FprEN 62424:2013

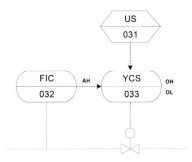

Bild B.15 – Zentrale Durchflussanzeige mit Hoch-Alarm, Durchflussregelung, Stellventil mit Auf/Zu-Funktion und Auf/Zu-Anzeige

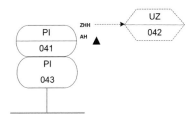

Bild B.16 – Lokale Druckanzeige, zentrale Druckanzeige mit Hoch-Alarm und sicherheitsrelevanter Hoch-Hoch-Schaltung; Darstellung von Messaufnehmern mit integrierter lokaler Anzeige
(sofern nicht anderweitig in einer Spezifikation des Feldgerätes definiert)

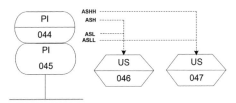

Bild B.17 – Lokale Druckanzeige, zentrale Druckanzeige mit verschiedenen Alarmen und Schaltungen

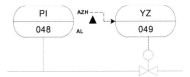

Bild B.18 – Zentrale Druckanzeige mit Hoch- und Tief-Alarm und sicherheitsrelevanter Schaltfunktion auf ein Auf/Zu-Ventil

E DIN EN 62424 (VDE 0810-24):2014-05
FprEN 62424:2013

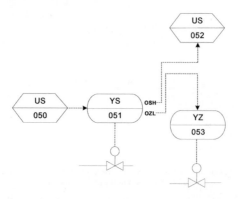

Bild B.19 – Ventil mit Auf/Zu-Anzeige und -Schaltfunktion, sicherheitsrelevantes Schaltventil

Bild B.20– Druckbegrenzung

Bild B.21 – Durchflussbegrenzung

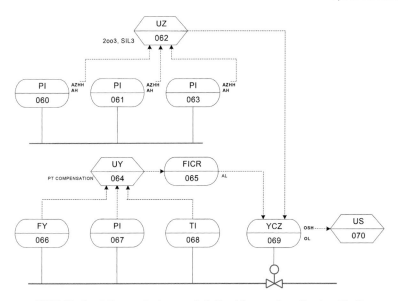

Bild B.22 – Druck-Temperatur-kompensierte Durchflussregelung, Druckventil mit sicherheitsrelevanter Auf/Zu-Funktion (2oo3-Steuerung), Stellventil mit Auf/Zu-Anzeige und -Schaltfunktion bei Auf-Stellung

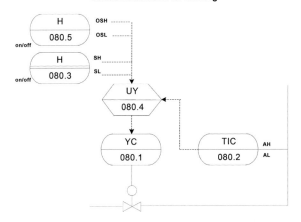

Bild B.23 – Zentrale Temperaturregelung, zusätzliche Handsteller für Auf/Zu in einem zentralen Leitstand mit Anzeige und lokalem Schaltpult

E DIN EN 62424 (VDE 0810-24):2014-05
FprEN 62424:2013

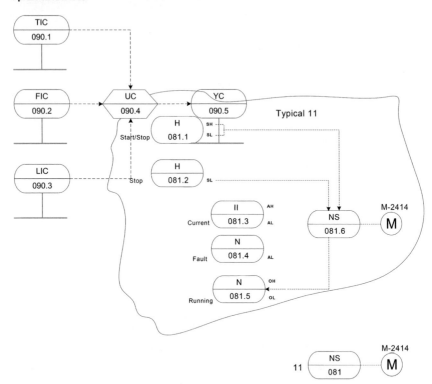

Bild B.24 – Motor-Typicalkennzeichnung, lokaler Ein/Aus-Schalter und zentraler Aus-Schalter, Statusmeldungen (Strom, Fehler mit Alarm, Laufmeldung)

— *Entwurf* —

E DIN EN 62424 (VDE 0810-24):2014-05
FprEN 62424:2013

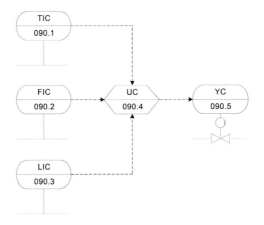

Bild B.25 – Mehrgrößenregler

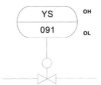

Bild B.26 – Auf/Zu-Ventil mit Stellungsanzeige

Bild B.27 – Auf/Zu-Ventil mit sicherheitsrelevanter Schaltung und Stellungsanzeige

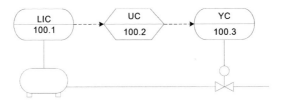

Bild B.28 – Füllstandsregelung mit Stetigregler

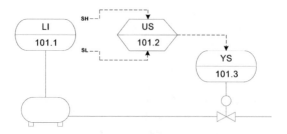

Bild B.29 – Füllstandsregelung mit Auf/Zu-Schalter

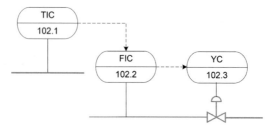

Bild B.30 – Kaskadenregelung mit einem Temperaturregler als Führungsregler einer unterlagerten Durchfluss-Regelung und Stellarmatur

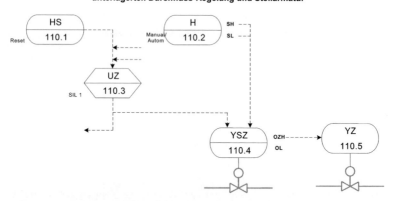

Bild B.31 – Sicherheitsgerichtete Regelung auf ein weiteres Ventil, manuelle Regelung der Reset-Funktion und der Hand-Automatik-Umschaltung für das Ventil, Ventil mit Auf/Zu-Anzeige und sicherheitsrelevanter Schaltung auf ein weiteres Ventil

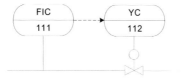

Bild B.32 – Durchflussregelung in einem zentralen Leitstand

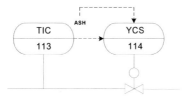

Bild B.33 – Temperaturregelung mit Hoch-Alarm und Hoch-Schaltung

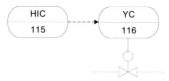

Bild B.34 – Manuelle Regelung in einem zentralen Leitstand

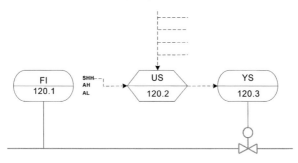

Bild B.35 – Zentrale Durchflussanzeige mit mehreren Alarmen, Hoch-Hoch-Schaltung für PCE-Leitfunktion und Auf/Zu-Ventil

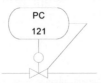

Bild B.36 – Selbsttätige Stellarmatur (ohne Hilfsenergie) für Druck, Durchfluss, Temperatur oder Drehzahl

— *Entwurf* —

Anhang C
(normativ)

Vollständiges XML-Schema des CAEX-Modells

```xml
<?xml version="1.0" encoding="UTF-8"?>
<!-- CAEX - Computer Aided Engineering Data-Exchange-Metamodel -->
<!-- Version 3.0, 22.11.2012 -->
<xs:schema xmlns:xs="http://www.w3.org/2001/XMLSchema xmlns"="http://www.dke.de/CAEX"
targetNamespace="http://www.dke.de/CAEX" elementFormDefault="qualified" attributeFormDefault="unqualified">
    <xs:simpleType name="ChangeMode">
        <xs:restriction base="xs:string">
            <xs:enumeration value="state"/>
            <xs:enumeration value="create"/>
            <xs:enumeration value="delete"/>
            <xs:enumeration value="change"/>
        </xs:restriction>
    </xs:simpleType>
    <xs:group name="Header">
        <xs:annotation>
            <xs:documentation>Defines a group of organizational information, like description, version, revision, copyright, etc.</xs:documentation>
        </xs:annotation>
        <xs:sequence>
            <xs:element name="Description" minOccurs="0">
                <xs:annotation>
                    <xs:documentation>Textual description for CAEX objects.</xs:documentation>
                </xs:annotation>
                <xs:complexType>
                    <xs:simpleContent>
                        <xs:extension base="xs:string">
                            <xs:attribute name="ChangeMode" type="ChangeMode" use="optional" default="state"/>
                        </xs:extension>
                    </xs:simpleContent>
                </xs:complexType>
            </xs:element>
            <xs:element name="Version" minOccurs="0">
                <xs:annotation>
                    <xs:documentation>Organizational information about the state of the version.</xs:documentation>
                </xs:annotation>
                <xs:complexType>
                    <xs:simpleContent>
                        <xs:extension base="xs:string">
                            <xs:attribute name="ChangeMode" type="ChangeMode" use="optional" default="state"/>
                        </xs:extension>
                    </xs:simpleContent>
                </xs:complexType>
            </xs:element>
            <xs:element name="Revision" minOccurs="0" maxOccurs="unbounded">
                <xs:annotation>
                    <xs:documentation>Organizational information about the state of the revision.</xs:documentation>
                </xs:annotation>
                <xs:complexType>
                    <xs:complexContent>
                        <xs:extension base="CAEXBasicObject">
                            <xs:sequence>
                                <xs:element name="RevisionDate" type="xs:dateTime"/>
                                <xs:element name="OldVersion" type="xs:string" minOccurs="0"/>
                                <xs:element name="NewVersion" type="xs:string" minOccurs="0"/>
                                <xs:element name="AuthorName" type="xs:string"/>
                                <xs:element name="Comment" type="xs:string" minOccurs="0"/>
                            </xs:sequence>
                        </xs:extension>
                    </xs:complexContent>
                </xs:complexType>
            </xs:element>
            <xs:element name="Copyright" minOccurs="0">
                <xs:annotation>
                    <xs:documentation>Organizational information about copyright.</xs:documentation>
                </xs:annotation>
                <xs:complexType>
```

```xml
                        <xs:simpleContent>
                            <xs:extension base="xs:string">
                                <xs:attribute name="ChangeMode" type="ChangeMode" use="optional" default="state"/>
                            </xs:extension>
                        </xs:simpleContent>
                    </xs:complexType>
                </xs:element>
                <xs:element name="AdditionalInformation" type="xs:anyType" minOccurs="0" maxOccurs="unbounded">
                    <xs:annotation>
                        <xs:documentation>Optional auxiliary field that may contain any additional information about a CAEX object.</xs:documentation>
                    </xs:annotation>
                </xs:element>
                <xs:element name="SourceObjectInformation" minOccurs="0" maxOccurs="unbounded">
                    <xs:annotation>
                        <xs:documentation>Organizational information about the source of the corresponding CAEX object.</xs:documentation>
                    </xs:annotation>
                    <xs:complexType>
                        <xs:simpleContent>
                            <xs:extension base="xs:string">
                                <xs:attribute name="OriginID" type="xs:string" use="required">
                                    <xs:annotation>
                                        <xs:documentation>This attribute describes the ID of the origin of the belonging object, e.g. a source engineering tool. The value is according to the vendor specific OriginID.</xs:documentation>
                                    </xs:annotation>
                                </xs:attribute>
                                <xs:attribute name="SourceObjID" type="xs:string">
                                    <xs:annotation>
                                        <xs:documentation>Optional attribute representing the ID of the source object in the source data model. </xs:documentation>
                                    </xs:annotation>
                                </xs:attribute>
                            </xs:extension>
                        </xs:simpleContent>
                    </xs:complexType>
                </xs:element>
            </xs:sequence>
        </xs:group>
        <xs:complexType name="CAEXBasicObject">
            <xs:annotation>
                <xs:documentation>CAEX basis object that comprises a basic set of attributes and header information which exist for all CAEX elements.</xs:documentation>
            </xs:annotation>
            <xs:group ref="Header" minOccurs="0"/>
            <xs:attribute name="ChangeMode" type="ChangeMode" use="optional" default="state">
                <xs:annotation>
                    <xs:documentation>Optionally describes the change state of an CAEX object. If used, the ChangeMode shall have the following value range: state, create, delete and change. This information should be used for further change management applications.</xs:documentation>
                </xs:annotation>
            </xs:attribute>
        </xs:complexType>
        <xs:complexType name="CAEXObject">
            <xs:annotation>
                <xs:documentation>CAEX basis object derived from CAEXBasicObject, augmented by (required) and ID (optional).</xs:documentation>
            </xs:annotation>
            <xs:complexContent>
                <xs:extension base="CAEXBasicObject">
                    <xs:attribute name="ID" type="xs:string" use="optional">
                        <xs:annotation>
                            <xs:documentation>Optional attribute that describes a unique identifier of the CAEX object.</xs:documentation>
                        </xs:annotation>
                    </xs:attribute>
                    <xs:attribute name="Name" type="xs:string" use="required">
                        <xs:annotation>
                            <xs:documentation>Describes the name of the CAEX object.</xs:documentation>
                        </xs:annotation>
                    </xs:attribute>
                </xs:extension>
            </xs:complexContent>
        </xs:complexType>
        <xs:complexType name="InterfaceClassType">
```

```xml
<xs:annotation>
    <xs:documentation>Shall be used for InterfaceClass definition, provides base structures for an interface class definition.</xs:documentation>
</xs:annotation>
<xs:complexContent>
    <xs:extension base="CAEXObject">
        <xs:sequence minOccurs="0">
            <xs:element name="Attribute" type="AttributeType" minOccurs="0" maxOccurs="unbounded">
                <xs:annotation>
                    <xs:documentation>Characterizes properties of the InterfaceClass.</xs:documentation>
                </xs:annotation>
            </xs:element>
            <xs:element name="ExternalInterface" type="InterfaceClassType" minOccurs="0" maxOccurs="unbounded"/>
        </xs:sequence>
        <xs:attribute name="RefBaseClassPath" type="xs:string" use="optional">
            <xs:annotation>
                <xs:documentation>Stores the reference of a class to its base class. References contain the full path to the refered class object.</xs:documentation>
            </xs:annotation>
        </xs:attribute>
    </xs:extension>
</xs:complexContent>
</xs:complexType>
<xs:complexType name="InterfaceFamilyType">
    <xs:annotation>
        <xs:documentation>Defines base structures for a hierarchical InterfaceClass tree. The hierarchical structure of an interface library has organizational character only. </xs:documentation>
    </xs:annotation>
    <xs:complexContent>
        <xs:extension base="InterfaceClassType">
            <xs:sequence minOccurs="0">
                <xs:element name="InterfaceClass" type="InterfaceFamilyType" minOccurs="0" maxOccurs="unbounded">
                    <xs:annotation>
                        <xs:documentation>Element that allows definition of child InterfaceClasses within the class hierarchy. The parent child relation between two InterfaceClasses has no semantic.</xs:documentation>
                    </xs:annotation>
                </xs:element>
            </xs:sequence>
        </xs:extension>
    </xs:complexContent>
</xs:complexType>
<xs:complexType name="RoleClassType">
    <xs:annotation>
        <xs:documentation>Shall be used for RoleClass definition, provides base structures for a role class definition.</xs:documentation>
    </xs:annotation>
    <xs:complexContent>
        <xs:extension base="CAEXObject">
            <xs:sequence minOccurs="0">
                <xs:element name="Attribute" type="AttributeType" minOccurs="0" maxOccurs="unbounded">
                    <xs:annotation>
                        <xs:documentation>Characterizes properties of the RoleClass.</xs:documentation>
                    </xs:annotation>
                </xs:element>
                <xs:element name="ExternalInterface" minOccurs="0" maxOccurs="unbounded">
                    <xs:annotation>
                        <xs:documentation>Description of an external interface.</xs:documentation>
                    </xs:annotation>
                    <xs:complexType>
                        <xs:complexContent>
                            <xs:extension base="InterfaceClassType"/>
                        </xs:complexContent>
                    </xs:complexType>
                </xs:element>
            </xs:sequence>
            <xs:attribute name="RefBaseClassPath" type="xs:string" use="optional">
                <xs:annotation>
                    <xs:documentation>Stores the reference of a class to its base class. References contain the full path to the refered class object.</xs:documentation>
                </xs:annotation>
            </xs:attribute>
        </xs:extension>
    </xs:complexContent>
</xs:complexType>
<xs:complexType name="RoleFamilyType">
    <xs:annotation>
```

```xml
            <xs:documentation>Defines base structures for a hierarchical RoleClass tree. The hierarchical structure of a role library has organizational character only.</xs:documentation>
        </xs:annotation>
        <xs:complexContent>
            <xs:extension base="RoleClassType">
                <xs:sequence minOccurs="0">
                    <xs:element name="RoleClass" type="RoleFamilyType" minOccurs="0" maxOccurs="unbounded">
                        <xs:annotation>
                            <xs:documentation>Element that allows definition of child RoleClasses within the class hierarchy. The parent child relation between two RoleClasses has no semantic.</xs:documentation>
                        </xs:annotation>
                    </xs:element>
                </xs:sequence>
            </xs:extension>
        </xs:complexContent>
    </xs:complexType>
    <xs:complexType name="SystemUnitClassType">
        <xs:annotation>
            <xs:documentation>Defines base structures for a SystemUnit class definition.</xs:documentation>
        </xs:annotation>
        <xs:complexContent>
            <xs:extension base="CAEXObject">
                <xs:sequence minOccurs="0">
                    <xs:element name="Attribute" type="AttributeType" minOccurs="0" maxOccurs="unbounded">
                        <xs:annotation>
                            <xs:documentation>Characterizes properties of the SystemUnitClass.</xs:documentation>
                        </xs:annotation>
                    </xs:element>
                    <xs:element name="ExternalInterface" type="InterfaceClassType" minOccurs="0" maxOccurs="unbounded">
                        <xs:annotation>
                            <xs:documentation>Description of an external interface.</xs:documentation>
                        </xs:annotation>
                    </xs:element>
                    <xs:element name="InternalElement" type="InternalElementType" minOccurs="0" maxOccurs="unbounded">
                        <xs:annotation>
                            <xs:documentation>Shall be used in order to define nested objects inside of a SystemUnitClass or another InternalElement. Allows description of the internal structure of an CAEX object.</xs:documentation>
                        </xs:annotation>
                    </xs:element>
                    <xs:element name="SupportedRoleClass" minOccurs="0" maxOccurs="unbounded">
                        <xs:annotation>
                            <xs:documentation>Allows the association to a RoleClass which this SystemUnitClass can play. A SystemUnitClass may reference multiple roles.</xs:documentation>
                        </xs:annotation>
                        <xs:complexType>
                            <xs:complexContent>
                                <xs:extension base="CAEXBasicObject">
                                    <xs:sequence minOccurs="0">
                                        <xs:element name="MappingObject" type="MappingType" minOccurs="0"/>
                                    </xs:sequence>
                                    <xs:attribute name="RefRoleClassPath" type="xs:string" use="required"/>
                                </xs:extension>
                            </xs:complexContent>
                        </xs:complexType>
                    </xs:element>
                    <xs:element name="InternalLink" minOccurs="0" maxOccurs="unbounded">
                        <xs:annotation>
                            <xs:documentation>Shall be used in order to define the relationships between internal interfaces of InternalElements.</xs:documentation>
                        </xs:annotation>
                        <xs:complexType>
                            <xs:complexContent>
                                <xs:extension base="CAEXObject">
                                    <xs:attribute name="RefPartnerSideA" type="xs:string" use="optional"/>
                                    <xs:attribute name="RefPartnerSideB" type="xs:string" use="optional"/>
                                </xs:extension>
                            </xs:complexContent>
                        </xs:complexType>
                    </xs:element>
                </xs:sequence>
            </xs:extension>
        </xs:complexContent>
    </xs:complexType>
    <xs:complexType name="SystemUnitFamilyType">
        <xs:annotation>
```

```xml
            <xs:documentation>Defines base structures for a hierarchical SystemUnitClass tree. The hierarchical structure of a SystemUnit library has organizational character only.  </xs:documentation>
        </xs:annotation>
        <xs:complexContent>
            <xs:extension base="SystemUnitClassType">
                <xs:sequence minOccurs="0">
                    <xs:element name="SystemUnitClass" type="SystemUnitFamilyType" minOccurs="0" maxOccurs="unbounded">
                        <xs:annotation>
                            <xs:documentation>Element that allows definition of child SystemUnitClasses within the class hierarchy. The parent child relation between two SystemUnitClasses has no semantic.</xs:documentation>
                        </xs:annotation>
                    </xs:element>
                </xs:sequence>
                <xs:attribute name="RefBaseClassPath" type="xs:string" use="optional">
                    <xs:annotation>
                        <xs:documentation>Stores the reference of a class to its base class. References contain the full path to the refered class object.</xs:documentation>
                    </xs:annotation>
                </xs:attribute>
            </xs:extension>
        </xs:complexContent>
    </xs:complexType>
    <xs:complexType name="InternalElementType">
        <xs:annotation>
            <xs:documentation>Defines base structures for a hierarchical object instance. The instance maybe part of the InstanceHierarchy or a SystemUnitClass.</xs:documentation>
        </xs:annotation>
        <xs:complexContent>
            <xs:extension base="SystemUnitClassType">
                <xs:sequence minOccurs="0">
                    <xs:element name="RoleRequirements" minOccurs="0" maxOccurs="unbounded">
                        <xs:annotation>
                            <xs:documentation>Describes role requirements of an InternalElement. It allows the definition of a reference to a RoleClass and the specification of role requirements like required attributes and required interfaces. </xs:documentation>
                        </xs:annotation>
                        <xs:complexType>
                            <xs:complexContent>
                                <xs:extension base="CAEXBasicObject">
                                    <xs:sequence>
                                        <xs:element name="Attribute" type="AttributeType" minOccurs="0" maxOccurs="unbounded">
                                            <xs:annotation>
                                                <xs:documentation>Characterizes properties of the RoleRequirements.</xs:documentation>
                                            </xs:annotation>
                                        </xs:element>
                                        <xs:element name="ExternalInterface" type="InterfaceClassType" minOccurs="0" maxOccurs="unbounded"/>
                                    </xs:sequence>
                                    <xs:attribute name="RefBaseRoleClassPath" type="xs:string" use="required"/>
                                </xs:extension>
                            </xs:complexContent>
                        </xs:complexType>
                    </xs:element>
                    <xs:element name="MappingObject" type="MappingType" minOccurs="0">
                        <xs:annotation>
                            <xs:documentation>Host element for AttributeNameMapping and InterfaceNameMapping.</xs:documentation>
                        </xs:annotation>
                    </xs:element>
                </xs:sequence>
                <xs:attribute name="RefBaseSystemUnitPath" type="xs:string" use="optional">
                    <xs:annotation>
                        <xs:documentation>Stores the reference of an InternalElement to a class or instance definition. References contain the full path information. </xs:documentation>
                    </xs:annotation>
                </xs:attribute>
            </xs:extension>
        </xs:complexContent>
    </xs:complexType>
    <xs:complexType name="AttributeType">
        <xs:annotation>
            <xs:documentation>Defines base structures for attribute definitions.</xs:documentation>
        </xs:annotation>
        <xs:complexContent>
```

```xml
<xs:extension base="CAEXObject">
    <xs:sequence minOccurs="0">
        <xs:element name="DefaultValue" type="xs:string" minOccurs="0">
            <xs:annotation>
                <xs:documentation>A predefined default value for an attribute.</xs:documentation>
            </xs:annotation>
        </xs:element>
        <xs:element name="Value" type="xs:string" minOccurs="0">
            <xs:annotation>
                <xs:documentation>Element describing the value of an attribute.</xs:documentation>
            </xs:annotation>
        </xs:element>
        <xs:element name="RefSemantic" minOccurs="0" maxOccurs="unbounded">
            <xs:annotation>
                <xs:documentation>A reference to a definition of a defined attribute, e. g. to an attribute in a standardized library, this allows the semantic definition of the attribute.</xs:documentation>
            </xs:annotation>
            <xs:complexType>
                <xs:complexContent>
                    <xs:extension base="CAEXBasicObject">
                        <xs:attribute name="CorrespondingAttributePath" type="xs:string" use="required"/>
                    </xs:extension>
                </xs:complexContent>
            </xs:complexType>
        </xs:element>
        <xs:element name="Constraint" type="AttributeValueRequirementType" minOccurs="0" maxOccurs="unbounded">
            <xs:annotation>
                <xs:documentation>Element to restrict the range of validity of a defined attribute.</xs:documentation>
            </xs:annotation>
        </xs:element>
        <xs:element name="Attribute" type="AttributeType" minOccurs="0" maxOccurs="unbounded">
            <xs:annotation>
                <xs:documentation>Element that allows the description of nested attributes.</xs:documentation>
            </xs:annotation>
        </xs:element>
    </xs:sequence>
    <xs:attribute name="Unit" type="xs:string" use="optional">
        <xs:annotation>
            <xs:documentation>Describes the unit of the attribute.</xs:documentation>
        </xs:annotation>
    </xs:attribute>
    <xs:attribute name="AttributeDataType" use="optional">
        <xs:annotation>
            <xs:documentation>Describes the data type of the attribute using XML notation.</xs:documentation>
        </xs:annotation>
        <xs:simpleType>
            <xs:restriction base="xs:string"/>
        </xs:simpleType>
    </xs:attribute>
    <xs:attribute name="RefAttributeType" type="xs:string" use="optional">
        <xs:annotation>
            <xs:documentation>Refences an attribute type in the attribute library.</xs:documentation>
        </xs:annotation>
    </xs:attribute>
</xs:extension>
</xs:complexContent>
</xs:complexType>
<xs:complexType name="AttributeFamilyType">
    <xs:annotation>
        <xs:documentation>Defines base structures for attribute type definitions.</xs:documentation>
    </xs:annotation>
    <xs:complexContent>
        <xs:extension base="AttributeType">
            <xs:sequence>
                <xs:element name="AttributeType" type="AttributeFamilyType" minOccurs="0" maxOccurs="unbounded"/>
            </xs:sequence>
        </xs:extension>
    </xs:complexContent>
</xs:complexType>
<xs:complexType name="AttributeValueRequirementType">
    <xs:annotation>
        <xs:documentation>Defines base structures for definition of value requirements of an attribute.</xs:documentation>
    </xs:annotation>
    <xs:complexContent>
        <xs:extension base="CAEXBasicObject">
```

```xml
                        <xs:choice>
                            <xs:element name="OrdinalScaledType">
                                <xs:annotation>
                                    <xs:documentation>Element of to define constraints of ordinal scaled attribute values.</xs:documentation>
                                </xs:annotation>
                                <xs:complexType>
                                    <xs:sequence minOccurs="0">
                                        <xs:element name="RequiredMaxValue" type="xs:string" minOccurs="0">
                                            <xs:annotation>
                                                <xs:documentation>Element to define a maximum value of an attribute.</xs:documentation>
                                            </xs:annotation>
                                        </xs:element>
                                        <xs:element name="RequiredValue" type="xs:string" minOccurs="0">
                                            <xs:annotation>
                                                <xs:documentation>Element to define a required value of an attribute.</xs:documentation>
                                            </xs:annotation>
                                        </xs:element>
                                        <xs:element name="RequiredMinValue" type="xs:string" minOccurs="0">
                                            <xs:annotation>
                                                <xs:documentation>Element to define a minimum value of an attribute.</xs:documentation>
                                            </xs:annotation>
                                        </xs:element>
                                    </xs:sequence>
                                </xs:complexType>
                            </xs:element>
                            <xs:element name="NominalScaledType">
                                <xs:annotation>
                                    <xs:documentation>Element of to define constraints of nominal scaled attribute values.</xs:documentation>
                                </xs:annotation>
                                <xs:complexType>
                                    <xs:sequence minOccurs="0">
                                        <xs:element name="RequiredValue" type="xs:string" minOccurs="0" maxOccurs="unbounded">
                                            <xs:annotation>
                                                <xs:documentation>Element to define a required value of an attribute. It may be defined multiple times in order to define a discrete value range of the attribute.</xs:documentation>
                                            </xs:annotation>
                                        </xs:element>
                                    </xs:sequence>
                                </xs:complexType>
                            </xs:element>
                            <xs:element name="UnknownType">
                                <xs:annotation>
                                    <xs:documentation>Element to define constraints for attribute values of an unknown scale type.</xs:documentation>
                                </xs:annotation>
                                <xs:complexType>
                                    <xs:sequence minOccurs="0">
                                        <xs:element name="Requirements" type="xs:string">
                                            <xs:annotation>
                                                <xs:documentation>Defines informative requirements as a constraint for an attribute value.</xs:documentation>
                                            </xs:annotation>
                                        </xs:element>
                                    </xs:sequence>
                                </xs:complexType>
                            </xs:element>
                        </xs:choice>
                        <xs:attribute name="Name" type="xs:string" use="required">
                            <xs:annotation>
                                <xs:documentation>Describes the name of the contraint.</xs:documentation>
                            </xs:annotation>
                        </xs:attribute>
                    </xs:extension>
                </xs:complexContent>
            </xs:complexType>
            <xs:complexType name="MappingType">
                <xs:annotation>
                    <xs:documentation>Base element for AttributeNameMapping and InterfaceNameMapping.</xs:documentation>
                </xs:annotation>
                <xs:complexContent>
                    <xs:extension base="CAEXBasicObject">
```

```xml
<xs:sequence minOccurs="0">
    <xs:element name="AttributeNameMapping" minOccurs="0" maxOccurs="unbounded">
        <xs:annotation>
            <xs:documentation>Allows the definition of the mapping between attribute names of corresponding RoleClasses and SystemUnitClasses. </xs:documentation>
        </xs:annotation>
        <xs:complexType>
            <xs:complexContent>
                <xs:extension base="CAEXBasicObject">
                    <xs:attribute name="SystemUnitAttributeName" type="xs:string" use="required"/>
                    <xs:attribute name="RoleAttributeName" type="xs:string" use="required"/>
                </xs:extension>
            </xs:complexContent>
        </xs:complexType>
    </xs:element>
    <xs:element name="InterfaceNameMapping" minOccurs="0" maxOccurs="unbounded">
        <xs:annotation>
            <xs:documentation>Mapping of interface names of corresponding RoleClasses and SystemUnitClasses.</xs:documentation>
        </xs:annotation>
        <xs:complexType>
            <xs:complexContent>
                <xs:extension base="CAEXBasicObject">
                    <xs:attribute name="SystemUnitInterfaceName" type="xs:string" use="required"/>
                    <xs:attribute name="RoleInterfaceName" type="xs:string" use="required"/>
                </xs:extension>
            </xs:complexContent>
        </xs:complexType>
    </xs:element>
</xs:sequence>
                </xs:extension>
            </xs:complexContent>
        </xs:complexType>
        <xs:complexType name="SourceDocumentInformationType">
            <xs:annotation>
                <xs:documentation>Defines a structure to model information about the data source of the present CAEX document.</xs:documentation>
            </xs:annotation>
            <xs:attribute name="OriginName" type="xs:string" use="required">
                <xs:annotation>
                    <xs:documentation>Name of the origin of the CAEX document, e.g. the source engineering tool or an exporter software</xs:documentation>
                </xs:annotation>
            </xs:attribute>
            <xs:attribute name="OriginID" type="xs:string" use="required">
                <xs:annotation>
                    <xs:documentation>Unique identifier of the origin of the CAEX document, e.g. a unique identifier of a source engineering tool or an exporter software. The ID shall not change even if the origin gets renamed. </xs:documentation>
                </xs:annotation>
            </xs:attribute>
            <xs:attribute name="OriginVendor" type="xs:string" use="optional">
                <xs:annotation>
                    <xs:documentation>Optional: the vendor of the data source of the CAEX document</xs:documentation>
                </xs:annotation>
            </xs:attribute>
            <xs:attribute name="OriginVendorURL" type="xs:string" use="optional">
                <xs:annotation>
                    <xs:documentation>Optional: the vendors URL of the data source of the CAEX document</xs:documentation>
                </xs:annotation>
            </xs:attribute>
            <xs:attribute name="OriginVersion" type="xs:string" use="required">
                <xs:annotation>
                    <xs:documentation>Version of the origin of the CAEX document, e.g. the version of the source engineering tool or the exporter software.</xs:documentation>
                </xs:annotation>
            </xs:attribute>
            <xs:attribute name="OriginRelease" type="xs:string" use="optional">
                <xs:annotation>
                    <xs:documentation>Optional: release information of the origin of the CAEX document, e.g. the version of the source engineering tool or the exporter software.</xs:documentation>
                </xs:annotation>
            </xs:attribute>
            <xs:attribute name="LastWritingDateTime" type="xs:dateTime" use="required">
                <xs:annotation>
                    <xs:documentation>Date and time of the creation of the CAEX document.</xs:documentation>
```

```xml
            </xs:annotation>
        </xs:attribute>
        <xs:attribute name="OriginProjectTitle" type="xs:string" use="optional">
            <xs:annotation>
                <xs:documentation>Optional: the title of the corresponding source project</xs:documentation>
            </xs:annotation>
        </xs:attribute>
        <xs:attribute name="OriginProjectID" type="xs:string" use="optional">
            <xs:annotation>
                <xs:documentation>Optional: a unique identifier of the corresponding source project</xs:documentation>
            </xs:annotation>
        </xs:attribute>
    </xs:complexType>
    <xs:element name="CAEXFile">
        <xs:annotation>
            <xs:documentation>Root-element of the CAEX schema. </xs:documentation>
        </xs:annotation>
        <xs:complexType>
            <xs:complexContent>
                <xs:extension base="CAEXBasicObject">
                    <xs:sequence>
                        <xs:element name="SuperiorStandardVersion" type="xs:string" minOccurs="0" maxOccurs="unbounded">
                            <xs:annotation>
                                <xs:documentation>Describes the version of a superior standard, e.g. AutomationML x.y. The version string is defined in the superior standard.</xs:documentation>
                            </xs:annotation>
                        </xs:element>
                        <xs:element name="SourceDocumentInformation" type="SourceDocumentInformationType" maxOccurs="unbounded">
                            <xs:annotation>
                                <xs:documentation>Provides information about the source(s) of the CAEX document.</xs:documentation>
                            </xs:annotation>
                        </xs:element>
                        <xs:element name="ExternalReference" minOccurs="0" maxOccurs="unbounded">
                            <xs:annotation>
                                <xs:documentation>Container element for the alias definition of external CAEX files.</xs:documentation>
                            </xs:annotation>
                            <xs:complexType>
                                <xs:complexContent>
                                    <xs:extension base="CAEXBasicObject">
                                        <xs:attribute name="Path" type="xs:string" use="required">
                                            <xs:annotation>
                                                <xs:documentation>Describes the path of the external CAEX file. Absolute and relative paths are allowed.</xs:documentation>
                                            </xs:annotation>
                                        </xs:attribute>
                                        <xs:attribute name="Alias" type="xs:string" use="required">
                                            <xs:annotation>
                                                <xs:documentation>Describes the alias name of an external CAEX file to enable referencing elements of the external CAEX file.</xs:documentation>
                                            </xs:annotation>
                                        </xs:attribute>
                                    </xs:extension>
                                </xs:complexContent>
                            </xs:complexType>
                        </xs:element>
                        <xs:element name="InstanceHierarchy" minOccurs="0" maxOccurs="unbounded">
                            <xs:annotation>
                                <xs:documentation>Root element for a system hierarchy of object instances.</xs:documentation>
                            </xs:annotation>
                            <xs:complexType>
                                <xs:complexContent>
                                    <xs:extension base="CAEXObject">
                                        <xs:sequence>
                                            <xs:element name="InternalElement" type="InternalElementType" minOccurs="0" maxOccurs="unbounded">
                                                <xs:annotation>
                                                    <xs:documentation>Shall be used in order to define nested objects inside of a SystemUnitClass or another InternalElement. Allows description of the internal structure of an CAEX object.</xs:documentation>
                                                </xs:annotation>
                                            </xs:element>
                                        </xs:sequence>
                                    </xs:extension>
```

— Entwurf —

E DIN EN 62424 (VDE 0810-24):2014-05
FprEN 62424:2013

```xml
                </xs:complexContent>
              </xs:complexType>
            </xs:element>
            <xs:element name="InterfaceClassLib" minOccurs="0" maxOccurs="unbounded">
              <xs:annotation>
                <xs:documentation>Container element for a hierarchy of InterfaceClass definitions. It shall contain any interface class definitions. CAEX supports multiple interface libraries.</xs:documentation>
              </xs:annotation>
              <xs:complexType>
                <xs:complexContent>
                  <xs:extension base="CAEXObject">
                    <xs:sequence>
                      <xs:element name="InterfaceClass" type="InterfaceFamilyType" minOccurs="0" maxOccurs="unbounded">
                        <xs:annotation>
                          <xs:documentation>Class definition for interfaces.</xs:documentation>
                        </xs:annotation>
                      </xs:element>
                    </xs:sequence>
                  </xs:extension>
                </xs:complexContent>
              </xs:complexType>
            </xs:element>
            <xs:element name="RoleClassLib" minOccurs="0" maxOccurs="unbounded">
              <xs:annotation>
                <xs:documentation>Container element for a hierarchy of RoleClass definitions. It shall contain any RoleClass definitions. CAEX supports multiple role libraries.</xs:documentation>
              </xs:annotation>
              <xs:complexType>
                <xs:complexContent>
                  <xs:extension base="CAEXObject">
                    <xs:sequence>
                      <xs:element name="RoleClass" type="RoleFamilyType" minOccurs="0" maxOccurs="unbounded">
                        <xs:annotation>
                          <xs:documentation>Definition of a class of a role type.</xs:documentation>
                        </xs:annotation>
                      </xs:element>
                    </xs:sequence>
                  </xs:extension>
                </xs:complexContent>
              </xs:complexType>
            </xs:element>
            <xs:element name="SystemUnitClassLib" minOccurs="0" maxOccurs="unbounded">
              <xs:annotation>
                <xs:documentation>Container element for a hierarchy of SystemUnitClass definitions. It shall contain any SystemunitClass definitions. CAEX supports multiple SystemUnitClass libraries.</xs:documentation>
              </xs:annotation>
              <xs:complexType>
                <xs:complexContent>
                  <xs:extension base="CAEXObject">
                    <xs:sequence>
                      <xs:element name="SystemUnitClass" type="SystemUnitFamilyType" minOccurs="0" maxOccurs="unbounded">
                        <xs:annotation>
                          <xs:documentation>Shall be used for SystemUnitClass definition, provides definition of a class of a SystemUnitClass type.</xs:documentation>
                        </xs:annotation>
                      </xs:element>
                    </xs:sequence>
                  </xs:extension>
                </xs:complexContent>
              </xs:complexType>
            </xs:element>
            <xs:element name="AttributeTypeLib" minOccurs="0" maxOccurs="unbounded">
              <xs:annotation>
                <xs:documentation>Container element for a hierarchy of Attribute type definitions. CAEX supports multiple attribute type libraries.</xs:documentation>
              </xs:annotation>
              <xs:complexType>
                <xs:complexContent>
                  <xs:extension base="CAEXObject">
                    <xs:sequence>
```

```xml
                                    <xs:element name="AttributeType" type="AttributeFamilyType" minOccurs="0" maxOccurs="unbounded">
                                        <xs:annotation>
                                            <xs:documentation>Class definition for attribute Types</xs:documentation>
                                        </xs:annotation>
                                    </xs:element>
                                </xs:sequence>
                            </xs:extension>
                        </xs:complexContent>
                    </xs:complexType>
                </xs:element>
            </xs:sequence>
            <xs:attribute name="SchemaVersion" type="xs:string" use="required" fixed="3.0">
                <xs:annotation>
                    <xs:documentation>Describes the version of the schema. Each CAEX document must specify which CAEX version it requires. The version number of a CAEX document must fit to the version number specified in the CAEX schema file.</xs:documentation>
                </xs:annotation>
            </xs:attribute>
            <xs:attribute name="FileName" type="xs:string" use="required">
                <xs:annotation>
                    <xs:documentation>Describes the name of the CAEX file.</xs:documentation>
                </xs:annotation>
            </xs:attribute>
        </xs:extension>
    </xs:complexContent>
  </xs:complexType>
 </xs:element>
</xs:schema>
```

E DIN EN 62424 (VDE 0810-24):2014-05
FprEN 62424:2013

— *Entwurf* —

Anhang D
(informativ)

Beispiele für Modellbildungen mit CAEX

D.1 Definition einer CAEX-Attributtypenbibliothek für zusätzliche Attribute

In diesem Abschnitt wird eine Attributtypenbibliothek definiert, die zusätzliche Attribute für PCE-Aufgaben nach Abschnitt 8 modelliert.

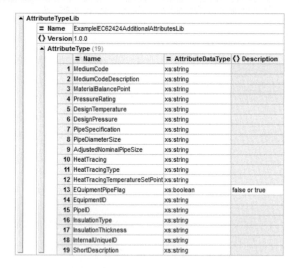

Bild D.1 – Attributtypenbibliothek mit zusätzlichen Attributen für PCE-Aufgaben

— *Entwurf* —

```xml
<AttributeTypeLib Name="ExampleIEC62424AdditionalAttributesLib">
    <Version>1.0.0</Version>
    <AttributeType Name="MediumCode" AttributeDataType="xs:string"/>
    <AttributeType Name="MediumCodeDescription" AttributeDataType="xs:string"/>
    <AttributeType Name="MaterialBalancePoint" AttributeDataType="xs:string"/>
    <AttributeType Name="PressureRating" AttributeDataType="xs:string"/>
    <AttributeType Name="DesignTemperature" AttributeDataType="xs:string"/>
    <AttributeType Name="DesignPressure" AttributeDataType="xs:string"/>
    <AttributeType Name="PipeSpecification" AttributeDataType="xs:string"/>
    <AttributeType Name="PipeDiameterSize" AttributeDataType="xs:string"/>
    <AttributeType Name="AdjustedNominalPipeSize" AttributeDataType="xs:string"/>
    <AttributeType Name="HeatTracing" AttributeDataType="xs:string"/>
    <AttributeType Name="HeatTracingType" AttributeDataType="xs:string"/>
    <AttributeType Name="HeatTracingTemperatureSetPoint" AttributeDataType="xs:string"/>
    <AttributeType Name="EQuipmentPipeFlag" AttributeDataType="xs:boolean">
        <Description>false or true</Description>
    </AttributeType>
    <AttributeType Name="EquipmentID" AttributeDataType="xs:string"/>
    <AttributeType Name="PipeID" AttributeDataType="xs:string"/>
    <AttributeType Name="InsulationType" AttributeDataType="xs:string"/>
    <AttributeType Name="InsulationThickness" AttributeDataType="xs:string"/>
    <AttributeType Name="InternalUniqueID" AttributeDataType="xs:string"/>
    <AttributeType Name="ShortDescription" AttributeDataType="xs:string"/>
</AttributeTypeLib>
```

Bild D.2 – XML-Code der Attributtypenbibliothek

D.2 Beispieldefinition einer CAEX-Schnittstellenbibliothek

In Bild D.3 ist eine Beispiel-Schnittstellenbibliothek in CAEX dargestellt, die alle Schnittstellentypen nach 7.4.2 definiert.

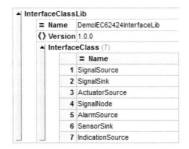

Bild D.3 – Beispiel einer CAEX-Schnittstellenbibliothek

Nachstehend ist der vollständige XML-Text für dieses Beispiel aufgeführt.

— *Entwurf* —

E DIN EN 62424 (VDE 0810-24):2014-05
FprEN 62424:2013

```
<InterfaceClassLib Name="DemoIEC62424InterfaceLib">
    <Version>1.0.0</Version>
    <InterfaceClass Name="SignalSource"/>
    <InterfaceClass Name="SignalSink"/>
    <InterfaceClass Name="ActuatorSource"/>
    <InterfaceClass Name="SignalNode"/>
    <InterfaceClass Name="AlarmSource"/>
    <InterfaceClass Name="SensorSink"/>
    <InterfaceClass Name="IndicationSource"/>
</InterfaceClassLib>
```

Bild D.4 – XML-Code für das Beispiel der CAEX-Schnittstellenbibliothek

D.3 Beispieldefinition einer CAEX-Rollenbibliothek

Dieser Abschnitt veranschaulicht beispielhaft, wie eine PCE-Aufgabenschablone als CAEX-Rollenklasse modelliert wird. Dafür wird die Bibliothek „DemoIEC62424RoleLib" definiert, welche die Rollenklasse „DemoPCERequest" enthält. Diese Klasse legt Attribute für PCE-Aufgaben fest, die von der Standardattributbibliothek nach 7.5.2 abgeleitet sind (siehe Bild D.5).

Dieses Beispiel zeigt, dass die Attributnamen der Rollenklasse einer PCE-Aufgabe nicht zwangsläufig mit den Definitionen in IEC 62424 identisch sind; stattdessen wird die Semantik der Attribute durch einen Verweis auf den entsprechenden Standardattributtyp festgelegt. Auf diese Weise erhalten alle Attribute eine wohldefinierte Syntax und Semantik.

ANMERKUNG Das Beispiel „DemoPCERequest" enthält nicht alle obligatorischen Attribute einer PCE-Aufgabe. Es dient nur zum Zweck der Veranschaulichung.

Bild D.5 – Beispiel einer CAEX-Rollenbibliothek zur Veranschaulichung der Modellierung einer PCE-Aufgabenrolle mit Verweisen auf Attribute für PCE-Aufgaben

Auf der folgenden Seite ist der vollständige XML-Text für dieses Beispiel aufgeführt.

— *Entwurf* —

E DIN EN 62424 (VDE 0810-24):2014-05
FprEN 62424:2013

```xml
<RoleClassLib Name="DemoIEC62424RoleLib">
  <Version>3.0.0 Final</Version>
  <RoleClass Name="DemoPCERequest">
    <Attribute Name="DemoRequestID" AttributeDataType="xs:string" RefAttributeType="IEC62424AttributeLib/RequestID"/>
    <Attribute Name="DemoPCECategory" AttributeDataType="xs:string" RefAttributeType="IEC62424AttributeLib/PCECategory"/>
    <Attribute Name="DemoLocation" AttributeDataType="xs:string" RefAttributeType="IEC62424AttributeLib/Location"/>
    <Attribute Name="DemoPUVendor" AttributeDataType="xs:string" RefAttributeType="IEC62424AttributeLib/PU-Vendor"/>
    <Attribute Name="DemoTypicalID" AttributeDataType="xs:string" RefAttributeType="IEC62424AttributeLib/TypicalIdentification"/>
    <Attribute Name="DemoDevInfo" AttributeDataType="xs:string" RefAttributeType="IEC62424AttributeLib/DeviceInformation"/>
    <Attribute Name="DemoProcFunction" AttributeDataType="xs:string" RefAttributeType="IEC62424AttributeLib/ProcessingFunction"/>
  </RoleClass>
</RoleClassLib>
```

Bild D.6 – XML-Code für das Beispiel der CAEX-Rollenbibliothek

D.4 CAEX-Beispieldefinition von PCE-relevanten Informationen eines R&I-Fließbildes

Das folgende Beispiel veranschaulicht, wie PCE-relevante Informationen innerhalb einer CAEX-Instanzhierarchie abgelegt werden. Bild D.7 zeigt beispielhaft eine R&I-Fließbilddarstellung mit dem besonderen Augenmerk auf den Elementen 1) bis 3).

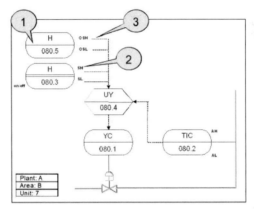

1) stellt die PCE-Aufgabe „080.5" dar
2) stellt das Signal „SH" dar
3) stellt die Verbindung zwischen „080.4" und „OSH" dar

Bild D.7 – Beispieldaten eines R&I-Fließbildes zur Abbildung in CAEX

Das gesamte System wird mithilfe des internen CAEX-Elements „A/B/7" beschrieben. Jede PCE-Aufgabe, z. B. „080.5", wird als internes CAEX-Element, das der Beispiel-Rollenklasse „PCERequest" zugeordnet ist, beschrieben. Darüber hinaus sind in diesem Beispiel konkrete Werte für diese PCE-Aufgabe festgelegt. Die PCE-Aufgabe kann auch mit optionalen Attributen erweitert werden.

In Bild D.8 ist die entsprechende CAEX-XML-Struktur abgebildet. Die internen Elemente „B" und „7" werden innerhalb der Instanzhierarchie „A" abgelegt. Die verschiedenen PCE-Aufgaben in diesem Beispiel werden durch verschachtelte interne Elemente, jeweils mit einer Rollenanforderungsdefinition, wiedergegeben. Das Element „080.5" verweist dabei auf die Rollenklasse „DemoIEC62424RoleLib/DemoPCERequest". Zusätzlich benötigte Signale sind ebenso definiert. Schließlich sind die Beziehungen zwischen den verschiedenen Objekten definiert.

— *Entwurf* —

E DIN EN 62424 (VDE 0810-24):2014-05
FprEN 62424:2013

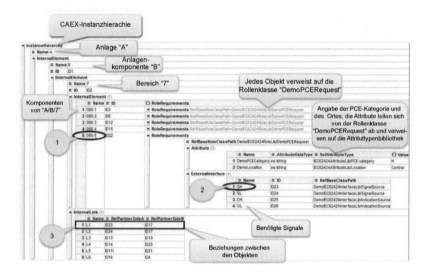

Bild D.8 – CAEX-Modell des Beispiels in Bild D.7

Nachfolgend ist der vollständige XML-Text der Instanzhierarchie für dieses Beispiel abgebildet.

```xml
<InstanceHierarchy Name="A">
  <InternalElement Name="B" ID="ID1">
    <InternalElement Name="7" ID="ID2">
      <InternalElement Name="080.1" ID="ID3">
        <RoleRequirements RefBaseRoleClassPath="DemoIEC62424RoleLib/DemoPCERequest">
          <Attribute Name="DemoProcFunction" AttributeDataType="xs:string" RefAttributeType="IEC62424AttributeLib/Processing function">
            <Value>C</Value>
          </Attribute>
          <Attribute Name="DemoPCECategory" AttributeDataType="xs:string" RefAttributeType="IEC62424AttributeLib/PCE category">
            <Value>Y</Value>
          </Attribute>
          <Attribute Name="DemoLocation" AttributeDataType="xs:string" RefAttributeType="IEC62424AttributeLib/Location">
            <Value>Central</Value>
          </Attribute>
          <ExternalInterface Name="In000" ID="ID4" RefBaseClassPath="DemoIEC62424InterfaceLib/SignalSink"/>
          <ExternalInterface Name="Y" ID="ID5" RefBaseClassPath="DemoIEC62424InterfaceLib/ActuatorSource"/>
        </RoleRequirements>
      </InternalElement>
      <InternalElement Name="080.2" ID="ID6">
        <RoleRequirements RefBaseRoleClassPath="DemoIEC62424RoleLib/DemoPCERequest">
          <Attribute Name="DemoProcFunction" AttributeDataType="xs:string" RefAttributeType="IEC62424AttributeLib/Processing function">
            <Value>I</Value>
          </Attribute>
          <Attribute Name="DemoProcFunction" AttributeDataType="xs:string" RefAttributeType="IEC62424AttributeLib/Processing function">
            <Value>C</Value>
          </Attribute>
          <Attribute Name="DemoPCECategory" AttributeDataType="xs:string" RefAttributeType="IEC62424AttributeLib/PCE category">
            <Value>T</Value>
          </Attribute>
          <Attribute Name="DemoLocation" AttributeDataType="xs:string" RefAttributeType="IEC62424AttributeLib/Location">
            <Value>Central</Value>
          </Attribute>
          <ExternalInterface Name="TIC" ID="ID7" RefBaseClassPath="DemoIEC62424InterfaceLib/SignalSource"/>
          <ExternalInterface Name="AH" ID="ID8" RefBaseClassPath="DemoIEC62424InterfaceLib/AlarmSource"/>
          <ExternalInterface Name="AL" ID="ID9" RefBaseClassPath="DemoIEC62424InterfaceLib/AlarmSource"/>
          <ExternalInterface Name="In000" ID="ID10" RefBaseClassPath="DemoIEC62424InterfaceLib/SensorSink"/>
          <ExternalInterface Name="I" ID="ID11" RefBaseClassPath="DemoIEC62424InterfaceLib/IndicationSource"/>
          <ExternalInterface Name="SL" ID="ID111" RefBaseClassPath="DemoIEC62424InterfaceLib/SignalSource"/>
        </RoleRequirements>
      </InternalElement>
      <InternalElement Name="080.3" ID="ID12">
        <RoleRequirements RefBaseRoleClassPath="DemoIEC62424RoleLib/DemoPCERequest">
          <Attribute Name="DemoDevInfo" AttributeDataType="xs:string" RefAttributeType="IEC62424AttributeLib/Device information"/>
          <Attribute Name="DemoPCECategory" AttributeDataType="xs:string" RefAttributeType="IEC62424AttributeLib/PCE category">
            <Value>H</Value>
          </Attribute>
```

```xml
            <Attribute Name="DemoLocation" AttributeDataType="xs:string" RefAttributeType="IEC62424AttributeLib/Location">
              <Value>Local panel</Value>
            </Attribute>
            <ExternalInterface Name="SH" ID="ID13" RefBaseClassPath="DemoIEC62424InterfaceLib/SignalSource"/>
            <ExternalInterface Name="SL" ID="ID14" RefBaseClassPath="DemoIEC62424InterfaceLib/SignalSource"/>
          </RoleRequirements>
        </InternalElement>
        <InternalElement Name="080.4" ID="ID15">
          <RoleRequirements RefBaseRoleClassPath="DemoIEC62424RoleLib/DemoPCERequest">
            <Attribute Name="DemoProcFunction" AttributeDataType="xs:string" RefAttributeType="IEC62424AttributeLib/Processing function">
              <Value>Y</Value>
            </Attribute>
            <Attribute Name="DemoPCECategory" AttributeDataType="xs:string" RefAttributeType="IEC62424AttributeLib/PCE category">
              <Value>U</Value>
            </Attribute>
            <Attribute Name="DemoLocation" AttributeDataType="xs:string" RefAttributeType="IEC62424AttributeLib/Location">
              <Value>Central</Value>
            </Attribute>
            <ExternalInterface Name="Y" ID="ID16" RefBaseClassPath="DemoIEC62424InterfaceLib/SignalSource"/>
            <ExternalInterface Name="In000" ID="ID17" RefBaseClassPath="DemoIEC62424InterfaceLib/SignalSink"/>
            <ExternalInterface Name="In001" ID="ID18" RefBaseClassPath="DemoIEC62424InterfaceLib/SignalSink"/>
            <ExternalInterface Name="In002" ID="ID19" RefBaseClassPath="DemoIEC62424InterfaceLib/SignalSink"/>
            <ExternalInterface Name="In003" ID="ID20" RefBaseClassPath="DemoIEC62424InterfaceLib/SignalSink"/>
            <ExternalInterface Name="In004" ID="ID21" RefBaseClassPath="DemoIEC62424InterfaceLib/SignalSink"/>
          </RoleRequirements>
        </InternalElement>
        <InternalElement Name="080.5" ID="ID22">
          <RoleRequirements RefBaseRoleClassPath="DemoIEC62424RoleLib/DemoPCERequest">
            <Attribute Name="DemoPCECategory" AttributeDataType="xs:string" RefAttributeType="IEC62424AttributeLib/PCE category">
              <Value>H</Value>
            </Attribute>
            <Attribute Name="DemoLocation" AttributeDataType="xs:string" RefAttributeType="IEC62424AttributeLib/Location">
              <Value>Central</Value>
            </Attribute>
            <ExternalInterface Name="SH" ID="ID23" RefBaseClassPath="DemoIEC62424InterfaceLib/SignalSource"/>
            <ExternalInterface Name="SL" ID="ID24" RefBaseClassPath="DemoIEC62424InterfaceLib/SignalSource"/>
            <ExternalInterface Name="OH" ID="ID25" RefBaseClassPath="DemoIEC62424InterfaceLib/IndicationSource"/>
            <ExternalInterface Name="OL" ID="ID26" RefBaseClassPath="DemoIEC62424InterfaceLib/IndicationSource"/>
          </RoleRequirements>
        </InternalElement>
        <InternalLink Name="L1" RefPartnerSideA="ID23" RefPartnerSideB="ID17"/>
        <InternalLink Name="L2" RefPartnerSideA="ID24" RefPartnerSideB="ID17"/>
        <InternalLink Name="L3" RefPartnerSideA="ID13" RefPartnerSideB="ID19"/>
        <InternalLink Name="L4" RefPartnerSideA="ID14" RefPartnerSideB="ID20"/>
        <InternalLink Name="L5" RefPartnerSideA="ID111" RefPartnerSideB="ID21"/>
        <InternalLink Name="L6" RefPartnerSideA="ID16" RefPartnerSideB="ID4"/>
      </InternalElement>
    </InternalElement>
    <InternalElement Name="A">
      <InternalElement Name="A1" ID="ID1">
        <ExternalInterface Name="In" ID="ID2"/>
        <InternalElement Name="080.1" ID="ID3">
          <ExternalInterface Name="In" ID="ID4"/>
        </InternalElement>
        <InternalLink Name="3" RefPartnerSideA="ID4" RefPartnerSideB="ID2"/>
      </InternalElement>
      <InternalElement Name="A2">
        <ExternalInterface Name="Out" ID="ID5"/>
        <InternalElement Name="027" ID="ID6">
          <ExternalInterface Name="SH" ID="ID7"/>
        </InternalElement>
        <InternalLink Name="1" RefPartnerSideA="ID7" RefPartnerSideB="ID5"/>
      </InternalElement>
      <InternalLink Name="2" RefPartnerSideA="ID5" RefPartnerSideB="ID2"/>
    </InternalElement>
    <InternalElement Name="A" ID="ID1">
      <InternalElement Name="A1" ID="ID2">
        <InternalElement Name="080.1" ID="ID3">
          <ExternalInterface Name="In" ID="ID4"/>
        </InternalElement>
      </InternalElement>
      <InternalElement Name="A2" ID="ID5">
        <InternalElement Name="027" ID="ID6">
          <ExternalInterface Name="SH" ID="ID7"/>
        </InternalElement>
      </InternalElement>
      <InternalLink Name="1" RefPartnerSideA="ID7" RefPartnerSideB="ID4"/>
    </InternalElement>
</InstanceHierarchy>
```

Bild D.9 – XML-Code für das Beispiel in Bild D.7

— *Entwurf* —

Literaturhinweise

IEC 60050-351, *International Electrotechnical Vocabulary (IEV) – Part 351: Control Technology*

IEC 60848, *GRAFCET Specification language for sequential function charts*

IEC 61512-1, *Batch control – Part 1: Models and terminology*

IEC 61987-1, *Industrial-process measurement and control – Data structures and elements in process equipment catalogues – Part 1: Measuring equipment with analogue and digital output*

ISO 13628-6, *Petroleum and natural gas industries – Design and operation of subsea production systems – Part 6: Subsea production control systems*

ISO 13703, *Petroleum and natural gas industries – Design and installation of piping systems on offshore production platforms*

ISO/TS 16952-1, *Technical product documentation – Reference designation system – Part 1: General application rules*

ISA-5.1-1984 – (R1992), *Instrumentation Symbols and Identification*, verfügbar unter <http://www.isa.org>

DIN EN 62491
(VDE 0040-4)

Diese Norm ist zugleich eine **VDE-Bestimmung** im Sinne von VDE 0022. Sie ist nach Durchführung des vom VDE-Präsidium beschlossenen Genehmigungsverfahrens unter der oben angeführten Nummer in das VDE-Vorschriftenwerk aufgenommen und in der „etz Elektrotechnik + Automation" bekannt gegeben worden.

ICS 29.060.01

Industrielle Systeme, Anlagen und Ausrüstungen und Industrieprodukte – Beschriftung von Kabeln/Leitungen und Adern
(IEC 62491:2008);
Deutsche Fassung EN 62491:2008

Industrial systems, installations and equipment and industrial products –
Labelling of cables and cores
(IEC 62491:2008);
German version EN 62491:2008

Systèmes industriels, installations et appareils et produits industriels –
Etiquetage des câbles et des conducteurs isolés
(CEI 62491:2008);
Version allemande EN 62491:2008

Gesamtumfang 33 Seiten

DKE Deutsche Kommission Elektrotechnik Elektronik Informationstechnik im DIN und VDE

DIN EN 62491 (VDE 0040-4):2009-05

Beginn der Gültigkeit

Die von CENELEC am 2008-07-01 angenommene EN 62491 gilt als DIN-Norm ab 2009-05-01.

Nationales Vorwort

Vorausgegangener Norm-Entwurf: E DIN IEC 62491 (VDE 0040-4):2007-06.

Für diese Norm ist das nationale Arbeitsgremium K 113 „Produktdatenmodelle, Informationsstrukturen, Dokumentation und graphische Symbole" der DKE Deutsche Kommission Elektrotechnik Elektronik Informationstechnik im DIN und VDE (www.dke.de) zuständig.

Die enthaltene IEC-Publikation wurde vom TC 3 „Information structures, documentation and graphical symbols" erarbeitet.

Das IEC-Komitee hat entschieden, dass der Inhalt dieser Publikation bis zu dem Datum (maintenance result date) unverändert bleiben soll, das auf der IEC-Website unter „http://webstore.iec.ch" zu dieser Publikation angegeben ist. Zu diesem Zeitpunkt wird entsprechend der Entscheidung des Komitees die Publikation
- bestätigt,
- zurückgezogen,
- durch eine Folgeausgabe ersetzt oder
- geändert.

Nationaler Anhang NA
(informativ)

Zusammenhang mit Europäischen und Internationalen Normen

Für den Fall einer undatierten Verweisung im normativen Text (Verweisung auf eine Norm ohne Angabe des Ausgabedatums und ohne Hinweis auf eine Abschnittsnummer, eine Tabelle, ein Bild usw.) bezieht sich die Verweisung auf die jeweils neueste gültige Ausgabe der in Bezug genommenen Norm.

Für den Fall einer datierten Verweisung im normativen Text bezieht sich die Verweisung immer auf die in Bezug genommene Ausgabe der Norm.

Eine Information über den Zusammenhang der zitierten Normen mit den entsprechenden Deutschen Normen ist in Tabelle NA.1 wiedergegeben.

Tabelle NA.1

Europäische Norm	Internationale Norm	Deutsche Norm	Klassifikation im VDE-Vorschriftenwerk
–	IEC 60050-151	N1)	–
–	IEC 60050-195	N1)	–
–	IEC 60050-461	N1)	–
–	IEC 60050-581	N1)	–
EN 60445:2007	IEC 60445 :2006 (mod)	DIN EN 60445 (VDE 0197): 2007-11	VDE 0197
EN 60446:2007	IEC 60446 :2007	DIN EN 60446 (VDE 0198): 2008-02	VDE 0198
–	IEC 60757	DIN IEC 60757:1986-07	–
EN 61082-1:2006	IEC 61082-1	DIN EN 61082-1 (VDE 0040-1): 2007-03	VDE 0040-1
EN 61175:2005	IEC 61175	DIN EN 61175:2006-07	–
EN 61346-1:1996	IEC 61346-1	DIN EN 61346-1:1997-01	–
–	IEC 81346-1:200X b)	–	–
EN 61666:1997	IEC 61666:1997	DIN EN 61666:1998-01	–
–	ISO/IEC 646:1991-12	Vorgänger: DIN 66003:1974	–
		Nachfolger: DIN 66003:1999-02	

N1) „Internationales Elektrotechnisches Wörterbuch - Deutsche Ausgabe", im Rahmen der Datenbankanwendung DIN-TERM zu beziehen über Beuth Verlag.

b) Zu veröffentlichen.

Nationaler Anhang NB
(informativ)

Literaturhinweise

DIN 66003:1999-02, *Informationstechnik – 7-Bit-Code*

DIN EN 60445 (VDE 0197):2007-11, *Grund- und Sicherheitsregeln für die Mensch-Maschine-Schnittstelle – Kennzeichnung der Anschlüsse elektrischer Betriebsmittel und angeschlossener Leiterenden (IEC 60445:2006, modifiziert); Deutsche Fassung EN 60445:2007*

DIN EN 60446 (VDE 0198):2008-02, *Grund- und Sicherheitsregeln für die Mensch-Maschine-Schnittstelle – Kennzeichnung von Leitern durch Farben oder alphanumerische Zeichen (IEC 60446:2007); Deutsche Fassung EN 60446:2007*

DIN EN 61082-1 (VDE 0040-1):2007-03, *Dokumente der Elektrotechnik – Teil 1: Regeln (IEC 61082-1:2006); Deutsche Fassung EN 61082-1:2006*

DIN EN 61175:2006-07, *Industrielle Systeme, Anlagen und Ausrüstungen und Industrieprodukte – Kennzeichnung von Signalen (IEC 61175:2005); Deutsche Fassung EN 61175:2005*

DIN EN 61346-1:1997-01, *Industrielle Systeme, Anlagen und Ausrüstungen und Industrieprodukte – Strukturierungsprinzipien und Referenzkennzeichnung – Teil 1: Allgemeine Regeln (IEC 61346-1:1996); Deutsche Fassung EN 61346-1:1996*

DIN EN 61666:1998-01, *Industrielle Systeme, Anlagen und Ausrüstungen und Industrieprodukte – Identifikation von Anschlüssen in Systemen (IEC 61666:1997); Deutsche Fassung EN 61666:1997*

DIN IEC 60757:1986-07, *Elektrotechnik; Code zur Farbkennzeichnung; Identisch mit IEC 60757, Ausgabe 1983*

EUROPÄISCHE NORM
EUROPEAN STANDARD
NORME EUROPÉENNE

EN 62491

September 2008

ICS 01.110; 29.020.20

Deutsche Fassung

Industrielle Systeme, Anlagen und Ausrüstungen und Industrieprodukte – Beschriftung von Kabeln/Leitungen und Adern
(IEC 62491:2008)

Industrial systems, installations and equipment and industrial products – Labelling of cables and cores (IEC 62491:2008)

Systèmes industriels, installations et appareils et produits industriels – Etiquetage des câbles et des conducteurs isolés (CEI 62491:2008)

Diese Europäische Norm wurde von CENELEC am 2008-07-01 angenommen. Die CENELEC-Mitglieder sind gehalten, die CEN/CENELEC-Geschäftsordnung zu erfüllen, in der die Bedingungen festgelegt sind, unter denen dieser Europäischen Norm ohne jede Änderung der Status einer nationalen Norm zu geben ist.

Auf dem letzten Stand befindliche Listen dieser nationalen Normen mit ihren bibliographischen Angaben sind beim Zentralsekretariat oder bei jedem CENELEC-Mitglied auf Anfrage erhältlich.

Diese Europäische Norm besteht in drei offiziellen Fassungen (Deutsch, Englisch, Französisch). Eine Fassung in einer anderen Sprache, die von einem CENELEC-Mitglied in eigener Verantwortung durch Übersetzung in seine Landessprache gemacht und dem Zentralsekretariat mitgeteilt worden ist, hat den gleichen Status wie die offiziellen Fassungen.

CENELEC-Mitglieder sind die nationalen elektrotechnischen Komitees von Belgien, Bulgarien, Dänemark, Deutschland, Estland, Finnland, Frankreich, Griechenland, Irland, Island, Italien, Lettland, Litauen, Luxemburg, Malta, den Niederlanden, Norwegen, Österreich, Polen, Portugal, Rumänien, Schweden, der Schweiz, der Slowakei, Slowenien, Spanien, der Tschechischen Republik, Ungarn, dem Vereinigten Königreich und Zypern.

CENELEC

Europäisches Komitee für Elektrotechnische Normung
European Committee for Electrotechnical Standardization
Comité Européen de Normalisation Electrotechnique

Zentralsekretariat: rue de Stassart 35, B-1050 Brüssel

© 2008 CENELEC – Alle Rechte der Verwertung, gleich in welcher Form und in welchem Verfahren, sind weltweit den Mitgliedern von CENELEC vorbehalten.

Ref. Nr. EN 62491:2008 D

DIN EN 62491 (VDE 0040-4):2009-05
EN 62491:2008

Vorwort

Der Text des Schriftstücks 3/849/CDV, zukünftige 1. Ausgabe von IEC 62491, ausgearbeitet von dem IEC/TC 3 „Information structures, documentation and graphical symbols" wurde der IEC-CENELEC Parallelen Abstimmung unterworfen und von CENELEC am 2008-07-01 als EN 62491 angenommen.

Nachstehende Daten wurden festgelegt:

- spätestes Datum, zu dem die EN auf nationaler Ebene durch Veröffentlichung einer identischen nationalen Norm oder durch Anerkennung übernommen werden muss   (dop):   2009-04-01

- spätestes Datum, zu dem nationale Normen, die der EN entgegenstehen, zurückgezogen werden müssen   (dow):   2011-07-01

Der Anhang ZA wurde von CENELEC hinzugefügt.

Anerkennungsnotiz

Der Text der Internationalen Norm IEC 62491:2008 wurde von CENELEC ohne irgendeine Abänderung als Europäische Norm angenommen.

In der offiziellen Fassung ist unter „Literaturhinweise" zu der aufgelistete Norm die nachstehende Anmerkung einzutragen:

IEC 60446   ANMERKUNG   Harmonisiert als EN 60446:2007 (nicht modifiziert).

DIN EN 62491 (VDE 0040-4):2009-05
EN 62491:2008

Inhalt

Seite

Vorwort 2

Einleitung 5

1 Anwendungsbereich 6
2 Normative Verweisungen 6
3 Begriffe 6
4 Regeln 8
4.1 Allgemeine Anforderungen 8
4.2 Anwendung gekennzeichneter Adern in Kabeln 8
4.3 Anwendung zusätzlicher Beschriftung 9
5 Identifikationsbeschriftung 9
5.1 Allgemeines 9
6 Anschlussbeschriftung 12
6.1 Allgemeines 12
6.2 Beschriftung mit dem örtlichen Anschluss 12
6.3 Beschriftung mit dem Anschluss am Gegenende 13
6.4 Beschriftung mit den Anschlüssen beider Enden 14
7 Beschriftung mit Signal 15
7.1 Allgemeines 15
7.2 Beschriftung mit Signalkennzeichen 15
7.3 Beschriftung der Kabel für bestimmte gekennzeichnete Leiter 16
8 Gemischte Beschriftung 17
9 Anordnung zusätzlicher Beschriftungen 18
9.1 Allgemeines 18
9.2 Relative Anordnung der Beschriftung 18
9.3 Anzuwendende Schriftzeichen 18
10 Übereinstimmung zwischen Beschriftung und Dokumentation 19
11 Konformität mit dieser Norm 19

Anhang A (informativ) Beispiele von Beschriftungen 20

Literaturhinweise 28

Anhang ZA (normativ) Normative Verweisungen auf internationale Publikationen mit ihren entsprechenden europäischen Publikationen 29

Bild 1 – Beispiel zur Identifikationsbeschriftung eines einadrigen Kabels (W23) und eines mehradrigen Kabels (W24), in dem auch die verschiedenen Adern beschriftet sind 10

Bild 2 – Beispiel für die Identifikationsbeschriftung von Adern, wobei der Anfangsteil des Referenzkennzeichens teilweise weggelassen wurde 11

Bild 3 – Beispiel einer Beschriftung mit dem örtlichen Anschluss 13

Bild 4 – Beispiel einer Beschriftung mit dem Anschluss am Gegenende für eine Verbindung innerhalb einer Baueinheit 13

	Seite
Bild 5 – Beispiel einer Beschriftung mit dem Anschluss am Gegenende für ein Kabel zwischen unterschiedlichen Baueinheiten	14
Bild 6 – Beispiel für die Beschriftung mit den Anschlüssen beider Enden	15
Bild 7 – Beispiel der Beschriftung mit dem örtlichen Anschluss in Kombination mit der Beschriftung mit Signal	17
Bild 8 – Beispiel für die gemischte Beschriftung mit Beschriftung der Anschlüsse beider Enden zusammen mit Identifikationsbeschriftung und Beschriftung mit Signal	17
Bild 9 – Beispiele für die Anordnung von Beschriftungen auf Adern oder Leitungen	18
Bild A.1 – Stromlaufplan, als Ausgangspunkt für die folgenden Beispiele	20
Bild A.2 – Beispiel einer Identifikationsbeschriftung	21
Bild A.3 – Beispiel einer Beschriftung jeweils mit dem örtlichen Anschluss	22
Bild A.4 – Beispiel einer Beschriftung mit den Anschlüssen beider Enden	23
Bild A.5 – Beispiel einer Beschriftung mit dem örtlichen Anschluss und ergänzenden Informationen	24
Bild A.6 – Beispiel einer Beschriftung mit Signal	25
Bild A.7 – Beispiel einer gemischten Beschriftung	26
Bild A.8 – Beispiel der Nutzung von Kabelfarben	27

Tabelle 1 – Beispiel einer Anschlusstabelle mit Identifikation der Kabeladern durch ihren Farbcode	9
Tabelle 2 – Anschlusstabelle entsprechend Bild 1 mit Beschriftung	10
Tabelle 3 – Anschlusstabelle entsprechend Bild 2 mit Beschriftung	12
Tabelle 4 – Markierung bestimmter gekennzeichneter Leiter	16
Tabelle 5 – Methoden für die Beschriftung nach dieser Norm	19

Einleitung

Eine zusätzliche Beschriftung von Kabeln und Adern könnte innerhalb größerer Systeme oder Einrichtungen mit vielen Adern derselben Farbe oder mit vielen Kabeln erforderlich sein, weil die Anwendung der vom Hersteller der Kabel vorgesehenen Markierungen allein nicht eindeutig sein würde.

Die Tatsache, dass zusätzliche Beschriftung zusätzliche Kosten verursacht, sollte gebührende Berücksichtigung finden, wobei üblicherweise die Kosten mit der Anzahl der Zeichen in der Zeichenfolge der Beschriftung und mit der Anzahl der unterschiedlichen Beschriftungselemente ansteigen. Auch der verfügbare Platz kann Beschränkungen auferlegen im Hinblick auf die Anzahl der Zeichen, deren Höhe und der Länge der Beschriftung. Als generelle Regel sollten zusätzliche Beschriftungen auf ein notwendiges Minimum beschränkt werden und diese gegebenenfalls so kurz wie möglich gehalten werden.

Es sollten jedoch auch bei der Wahl zusätzlicher Beschriftung von Kabeln und Adern die Vorteile und Nutzen in Betracht gezogen werden.

Es ist wichtig festzustellen, dass jede einzelne Maschine oder jedes System unterschiedliche Informationsanforderungen in seinen verschiedenen Lebenslauf-Phasen (Zusammenbau, Fertigung, Wartung und Instandhaltung) hat.

Eine zusätzliche Beschriftung von Kabeln und Adern hat folgende Vorteile:

- die Möglichkeit, Signale und Verbindungen über die Grenzen verschiedener beteiligter Engineeringfachrichtungen und -abteilungen hinweg zu identifizieren und darüber zu kommunizieren, wie:
    - Prozessengineering;
    - Softwareengineering;
    - Elektrotechnisches Engineering;
    - Maschinenbautechnisches Engineering;
    - Engineering für Steuer- und Regeltechnik;
- Verringerung der benötigten Zeit für die Fehlerlokalisierung (und dessen Ursache) in der Prüfphase;
- Verringerung der benötigten Zeit für die Fehlerlokalisierung (und dessen Ursache) in der Wartungs- und Instandhaltungsphase;
- Vermeidung von Fehlern beim Wiederanschluss von ausgetauschten Komponenten, die eng nebeneinander platziert sind;
- Falls in der Vorplanung angewendet, vermittelt die Beschriftung ein klares Bild für die Fertigung der Schalttafeln, für Elektriker/Techniker, Wartung/Instandhaltung und Systemverantwortliche, was zur Vermeidung von Missverständnissen in Bezug auf Verbindungen führen wird.

Neben einer Anwendung bei Verbindungen zwischen Verteilern kann die Beschriftung auch bei einadrigen Kabeln die Komponenten innerhalb einer Baueinheit, wie z. B. Schaltschränke, Steuerpulte, Gehäuse, usw. genutzt werden. Derartige Methoden ermöglichen:

- eine schnelle und sichere Verkabelung der Anschlüsse zweier Objekte;
- eine schnelle visuelle Überprüfung der Verkabelung ohne notwendigerweise im Stromlaufplan nachschauen zu müssen;
- einen korrekten und sicheren Austausch eines Objekts während Instandhaltungsmaßnahmen von Anlagen.

1 Anwendungsbereich

Diese Norm beinhaltet Regeln und Anleitungen zur Beschriftung von Kabeln und Adern/Leitern in industriellen Anlagen, Ausrüstungen und Produkten, mit dem Zweck, eine klare Beziehung zwischen der technischen Dokumentation und der tatsächlichen Ausrüstung zu erhalten. Die folgenden Methoden sind beschrieben und benannt:

- Anwendung farbiger Kabel und gekennzeichneter Adern;
- zusätzliche Identifikationsbeschriftung;
- zusätzliche Anschlussbeschriftung;
- zusätzliche Beschriftung mit Signal.

Die physikalische Auslegung der Beschriftung, das hierfür zu verwendende Material und die vom Kabelhersteller festgelegte produktbezogene Beschriftung von Kabeln und Adern sind nicht Gegenstand dieser Norm.

2 Normative Verweisungen

Die folgenden zitierten Dokumente sind für die Anwendung dieses Dokuments erforderlich. Bei datierten Verweisungen gilt nur die in Bezug genommene Ausgabe. Bei undatierten Verweisungen gilt die letzte Ausgabe des in Bezug genommenen Dokuments (einschließlich aller Änderungen).

IEC 60445, *Basic and safety principles for man-machine interface, marking and identification – Identification of equipment terminals and conductor terminations*

IEC 60757, *Code for designation of colours*

IEC 61082-1:2006, *Preparation of documents used in electrotechnology – Part 1: Rules*

IEC 61175, *Industrial systems, installations and equipment and industrial products – Designation of signals*

IEC 61666, *Industrial systems, installations and equipment and industrial products – Identification of terminals within a system*

IEC 81346-1, *Industrial systems, installations and equipment and industrial products – Structuring principles and reference designations – Part 1: Basic rules (to be published)*

ISO/IEC 646, *Information technology – ISO 7-bit coded character set for information interchange*

3 Begriffe

Für die Anwendung dieses Dokuments gelten die folgenden Begriffe.

3.1
Leiter (eines Kabels)
(en: conductor (of a cable))
Teil eines Kabels, das zur Stromübertragung dient
[IEV 461-01-01]

3.2
Kabel
(en: cable)
Zusammenstellung aus einem oder mehreren Leitern und/oder Glasfasern, einer Schutzumhüllung und möglicherweise Füll-, Isolier- und Schutzstoffen
[IEV 151-12-38]

3.3
Ader
(en: core)
Baueinheit, die aus einem Leiter mit seiner Isolierung (einschließlich eventuell vorhandener Leitschichten) besteht

[IEV 461-04-04]

3.4
Anschluss
(en: terminal)
leitfähiges Teil einer Einrichtung, eines Stromkreises oder eines elektrischen Netzes, das für die Verbindung dieser Einrichtung, dieses Stromkreises oder dieses elektrischen Netzes mit einem oder mehreren äußeren Leitern vorgesehen ist

[IEV 151-12-12]

3.5
Verteiler
(en: terminal block)
Gruppe von Anschlussstücken in einem Gehäuse oder einem Isolierkörper zur Erleichterung von Zwischenverbindungen mehrerer Leiter

[IEV 581-06-36]

3.6
Anschlusskennzeichen
(en: terminal designation)
Kennung eines Anschlusses in Bezug auf das Objekt, zu dem er gehört, bezogen auf einen Aspekt des Objekts

[IEC 61666, 3.8]

3.7
Signalkennzeichen
(en: signal designation)
eindeutiger Identifikator eines Signals innerhalb eines Systems

[IEC 61175, 3.2]

3.8
Referenzkennzeichen
(en: reference designation)
Kennung eines spezifischen Objekts in Bezug auf das System, von welchem das Objekt Bestandteil ist. Das Referenzkennzeichen basiert auf einem oder mehreren Aspekten dieses Systems.

3.9
Beschriftung (eines Kabels oder einer Ader)
(en: labelling (of a cable or core))
eine oder mehrere Beschriftungen, die an einem Kabel oder einer Ader angebracht sind und geeignete Kenndaten aufzeigen

3.10
Identifikationsbeschriftung
(en: identification labelling)
Beschriftung, die den Identifikator eines Objekts als Bestandteil einer bestimmten Einrichtung, eines Systems, einer Ausrüstung oder eines Produkts angibt

3.11
Beschriftung mit dem Anschluss
(en: connection labelling)
Beschriftung eines Kabels oder einer Ader, die den Identifikator des Anschlusses, des Verteilers oder der Einrichtung angibt, an den/die es angeschlossen ist

3.12
Beschriftung mit dem örtlichen Anschluss
(en: local-end connection labelling)
System der Beschriftung von Kabeln oder Adern, bei dem die Beschriftung am Kabelende oder an der Ader den Anschluss, den Verteiler oder die Einrichtung angibt, an dem das Kabel/die Ader angeschlossen ist

3.13
Beschriftung mit dem Anschluss am Gegenende
(en: remote-end connection labelling)
System der Beschriftung von Kabeln oder Adern, bei dem die Beschriftung an einem Kabelende oder an der Ader den Anschluss, den Verteiler oder die Einrichtung angibt, an dem sein/ihr anderes Ende angeschlossen ist

3.14
Beschriftung mit den Anschlüssen beider Enden
(en: both-end connection labelling)
System der Beschriftung von Kabeln oder Adern, bei dem jedes Ende sowohl mit einer Beschriftung mit dem örtlichen Anschluss als auch einer Beschriftung mit dem Anschluss am Gegenende versehen ist

3.15
Beschriftung mit Signal
(en: signal labelling)
System der Beschriftung von Kabeln oder Adern als Zusatz zu anderen Beschriftungen, das allgemein auf einem oder mehreren vom Kabel oder von der Ader übertragenen Signalen basiert

3.16
Gemischte Beschriftung
(en: composite labelling)
System der Beschriftung, bei dem zwei oder mehrere Arten der Identifikationsbeschriftung, Beschriftung mit dem Anschluss und Beschriftung mit Signal angewendet werden

4 Regeln

4.1 Allgemeine Anforderungen

Kabel und Adern müssen an jedem Ende kenntlich gemacht sein, und es muss möglich sein, sie mit der technischen Dokumentation in Beziehung zu setzen.

Dies darf ausgeführt werden durch

- die Kennzeichnung und Markierung, die durch den Hersteller des Leiters oder Kabels vorgesehen ist, siehe 4.2, oder
- eine zusätzliche Beschriftung, siehe 4.3.

Eine zusätzliche Beschriftung könnte innerhalb größerer Systeme oder Einrichtungen mit vielen Adern derselben Farbe oder mit vielen Kabeln erforderlich sein, weil die ausschließliche Anwendung der vom Hersteller der Kabel oder Adern vorgesehenen Markierungen allein nicht eindeutig sein würde.

Die zusätzliche Beschriftung muss auf einer oder mehreren der folgenden Arten basieren:
- dem Identifikator des Kabels oder der Ader, siehe Abschnitt 5;
- dem Anschluss des Kabels oder der Ader, siehe Abschnitt 6;
- dem Signal, das durch das Kabel oder die Ader übertragen wird, siehe Abschnitt 7.

4.2 Anwendung gekennzeichneter Adern in Kabeln

Adern in Kabeln sind oft durch den Hersteller gekennzeichnet, wobei folgende Methoden angewandt werden:
- farbige Isolation von Einzeladern;
- unterschiedlich gefärbte (einschließlich Anwendung mehrerer Farben) Isolation der Adern von Kabeln oder
- unterschiedlich nummerierte Adern von Kabeln.

Diese Kennzeichnungen sollten wenn immer möglich zur Identifikation der Adern genutzt werden. Eine zusätzliche Beschriftung ist üblicherweise in solchen Fällen nicht erforderlich.

Die Anwendung derartiger Kennzeichnungen muss nach IEC 61082-1 (siehe 7.5 und 9.3) in der Dokumentation der Ausrüstung beschrieben sein.

Zur Angabe der Farben von Adern in Kabeln muss in der Dokumentation der Farbcode nach IEC 60757 angewendet werden.

ANMERKUNG   Die Farbe gibt keine Information darüber, wo die Ader anzuschließen ist. Die Anschlussinformationen sind in vollem Umfang in zugehörigen Anschlusstabellen oder Anschlussschaltplänen zu finden.

In Tabelle 1 ist ein Beispiel einer Anschlusstabelle dargestellt, in der die Farben der Kabeladern (gekennzeichnet nach IEC 60757) zu deren Identifikation angewendet werden.

Tabelle 1 – Beispiel einer Anschlusstabelle mit Identifikation der Kabeladern durch ihren Farbcode

Farbe der Ader	Örtlicher Anschluss	Gegenende
GNYE	A4X1:PE	B4X1:PE
BK	A4X1:11	B4X1:33
BN	A4X1:17	B4X1:34
RD	A4X1:18	B4X1:35

4.3 Anwendung zusätzlicher Beschriftung

Ist eine zusätzliche Beschriftung erforderlich, muss diese einer der folgenden Arten entsprechen:
- Identifikationsbeschriftung des Kabels bzw. der Ader, siehe Abschnitt 5;
- Beschriftung mit dem Anschluss des Kabels bzw. der Ader, siehe Abschnitt 6:
  - Beschriftung mit dem örtlichen Anschluss,
  - Beschriftung mit dem Anschluss am Gegenende,
  - Beschriftung mit den Anschlüssen beider Enden;
- Beschriftung des Kabels bzw. der Ader mit dem Signal, siehe Abschnitt 7;
- gemischte Beschriftung, siehe Abschnitt 8.

Die angewendete Methode muss in der begleitenden Dokumentation festgelegt sein, siehe Abschnitt 11.

Zusätzliche Informationen, beispielsweise eine Referenz auf die Seite eines Stromlaufplans, dürfen der Beschriftung hinzugefügt werden. Die Handhabung derartiger zusätzlicher Informationen muss in der technischen Dokumentation erläutert sein. Bezüglich eines Beispiels siehe A.5.

5 Identifikationsbeschriftung

5.1 Allgemeines

Zweck der Identifikationsbeschriftung ist die Darstellung des Identifikators des Kabels oder der Ader des Systems, dessen Bestandteil das Kabel oder die Ader ist. Dieselbe Beschriftung gilt für das gesamte Kabel oder die gesamte Ader und darf an jeder Stelle in seinem/ihrem Verlauf angebracht werden, auch wenn dazwischen Verbindungsstellen vorhanden sind.

Die Identifikationsbeschriftung vermittelt keine Informationen über Anschlüsse. Anschlussinformationen sind in vollem Umfang in der zugehörigen Dokumentation zu finden.

ANMERKUNG 1   Für zusätzliche Informationen zur Erstellung entsprechender Dokumentenarten siehe IEC 61082-1.

Der bevorzugte Identifikator eines Kabels oder einer Ader ist ein Referenzkennzeichen nach IEC 81346-1. In dieser Norm sind weitere Anleitungen zur Erzeugung eindeutiger Referenzkennzeichen innerhalb einer Anlage, eines Systems oder einer Ausrüstung gegeben.

Das Referenzkennzeichen kann in Abhängigkeit von der Struktur, in der eine Ader identifiziert wird und daran, zu welchem Objekt die Ader gehört, unterschiedliche Form annehmen.

ANMERKUNG 2 „Kabelnummern" werden als eine Art von Referenzkennzeichen angesehen. Für weitere Informationen siehe IEC 81346-1.

Das Referenzkennzeichen sollte üblicherweise mit dem entsprechenden Vorzeichen dargestellt sein. Dieses darf aber weggelassen werden, falls keine Verwechslungsgefahr besteht.

ANMERKUNG 3 In dieser Norm wurde das erste Vorzeichen in den in Beispielen gezeigten Referenzkennzeichen (auch bei den als „vollständig" bezeichneten) absichtlich weggelassen, um beim Leser nicht den Eindruck zu erwecken, dass ein bestimmtes Vorzeichen für die Kennzeichnung von Kabeln und Verbindungen gefordert wird.

BEISPIEL 1: Kabel zwischen Anschlüssen desselben Objekts, innerhalb dessen Kabel oder Ader identifiziert werden können, siehe Bild 1 und Tabelle 2. Dargestellt sind die Beschriftungen an jedem Ende und ebenso mögliche Beschriftungen dazwischen.

- W23 ist ein einadriges Kabel mit Beschriftungen der Enden und einer Beschriftung dazwischen.
- W24 ist ein Kabel mit Beschriftungen der Enden und dazwischen. Auch die Beschriftungen jeder Kabelader sind in dem Beispiel gezeigt. Es ist zu beachten, dass die zusätzlichen Beschriftungen der Kabeladern entfallen könnten, falls die Kabeladern eindeutig mit Nummern oder Farben durch den Kabelhersteller gekennzeichnet sind, wie in 4.2 beschrieben.

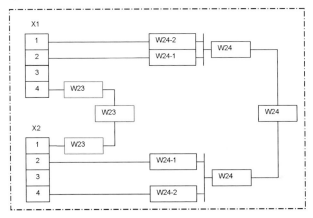

Bild 1 – Beispiel zur Identifikationsbeschriftung eines einadrigen Kabels (W23) und eines mehradrigen Kabels (W24), in dem auch die verschiedenen Adern beschriftet sind

Tabelle 2 – Anschlusstabelle entsprechend Bild 1 mit Beschriftung

Kabel-Referenzkennzeichen	Ader-Referenzkennzeichen	Anschluss	Anschluss	Beschriftung
W23	–	X1:4	X2:1	W23
W24	-1	X1:2	X2:2	W24-1
–	-2	X1:1	X2:4	W24-2

Der Anfangsteil des Referenzkennzeichens, der das Objekt identifiziert, innerhalb dessen die Beschriftung eindeutig sein soll, darf weggelassen werden, falls keine Verwechslungsgefahr besteht. Dies erfordert, dass das Referenzkennzeichen für dieses Objekt klar auf einer diesem Objekt zugeordneten Beschriftung gezeigt ist.

ANMERKUNG 4 Das vollständige Referenzkennzeichen des Kabels oder der Ader setzt sich nach wie vor durch Verkettung des Referenzkennzeichens des Objekts und dem des Kabels oder der Ader zusammen.

BEISPIEL 2 (siehe Bild 2 und Tabelle 3):

Hat das Objekt, von dem die Ader des Kabels ein vollständiger Bestandteil ist, ein Referenzkennzeichen A1B2C3D4 und verbindet das Kabel zwei Anschlüsse innerhalb dieser Baueinheit, könnte die Beschriftung der Ader auf W23 abgekürzt werden, obwohl das vollständige Referenzkennzeichen dieser Ader A1B2C3D4W23 ist.

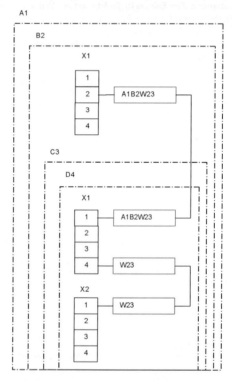

Bild 2 – Beispiel für die Identifikationsbeschriftung von Adern, wobei der Anfangsteil des Referenzkennzeichens teilweise weggelassen wurde

Tabelle 3 – Anschlusstabelle entsprechend Bild 2 mit Beschriftung

Referenz- kennzeichen	Anschluss	Anschluss	Beschriftung
A1B2C3D4W23	A1B2C3D4X1:4	A1B2C3D4X2:1	W23
A1B2W23	A1B2X1:2	A1B2C3D4X1:1	A1B2W23

BEISPIEL 3 (siehe Bild 2 und Tabelle 3):

Überquert die Ader die Grenzen zwischen Objekten, ist es erforderlich, das vollständige Referenzkennzeichen in der Beschriftung anzugeben. Zum Beispiel ist die Ader, die den Verteiler X1 innerhalb A1B2C3D4 mit dem Verteiler X1 innerhalb A1B2 verbindet, in Bezug auf das Objekt, dessen vollständiges Bestandteil sie ist (d. h. A1B2), identifiziert durch A1B2W23.

6 Anschlussbeschriftung

6.1 Allgemeines

Der Zweck der Anschlussbeschriftung ist, mittels des Anschlusskennzeichens den Identifikator des Anschlusses aufzuzeigen, mit dem das Kabel oder die Ader des Kabels verbunden (zu verbinden) ist.

Bei einem mehradrigen Kabel kann es möglich sein, das nur der Identifikator des Verteilers oder der Einrichtung, mit dem/der das Kabel zu verbinden ist, angegeben werden kann.

Der bevorzugte Identifikator eines Anschlusses ist das Anschlusskennzeichen nach IEC 61666. In dieser Norm sind weitere Anleitungen zu finden, wie eindeutige Anschlusskennzeichen innerhalb einer Anlage oder eines Systems zu bilden sind.

Der Anfangsteil des Anschlusskennzeichens, der das Objekt kennzeichnet, innerhalb dessen eine eindeutige Beschriftung erforderlich ist, kann weggelassen werden, falls keine Verwechselungsgefahr besteht.

6.2 Beschriftung mit dem örtlichen Anschluss

Bei einer Beschriftung mit dem örtlichen Anschluss muss jede Ader mit dem Kennzeichen desjenigen Anschlusses beschriftet werden, mit dem sie verbunden ist. Dies ermöglicht, die Ader vom Anschluss zu lösen und wieder anzuschließen, ohne auf eine Anschlusstabelle oder einen Anschlussschaltplan zurückgreifen zu müssen.

Die Beschriftungen von Kabeln und Adern innerhalb einer Baueinheit dürfen auf die Angabe des Einzelebenen-Referenzkennzeichens des Anschlusses gekürzt sein, wobei das Referenzkennzeichen der Baueinheit, von der der Anschluss Bestandteil ist, weggelassen wird, siehe Bild 3. (Im Beispiel kann das vollständige Anschlusskennzeichen A1S1X1:2 sein.)

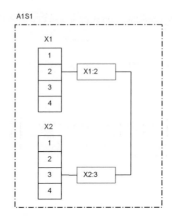

Bild 3 – Beispiel einer Beschriftung mit dem örtlichen Anschluss

6.3 Beschriftung mit dem Anschluss am Gegenende

Bei der Beschriftung mit dem Anschluss am Gegenende muss jedes Ende eines Kabels oder einer Ader mit dem Kennzeichen desjenigen Anschlusses beschriftet werden, an dem das andere Ende des Kabels oder der Ader angeschlossen ist. Dies kann vorteilhaft sein bei der Fehlersuche und für Wartungsarbeiten, erfordert jedoch Zugriff auf eine Anschlusstabelle oder einen Anschlussschaltplan, um den korrekten Wiederanschluss eines gelösten Anschlusses zu ermöglichen.

Die Beschriftungen von Kabeln und Adern innerhalb einer Baueinheit dürfen auf die Angabe des Einzelebenen-Referenzkennzeichens des Anschlusses gekürzt sein, wobei das Referenzkennzeichen der Baueinheit, von der der Anschluss Bestandteil ist, weggelassen wird, siehe Bild 4. (Im Beispiel kann das vollständige Anschlusskennzeichen A1S1X2:3 sein.)

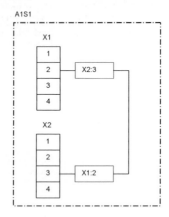

Bild 4 – Beispiel einer Beschriftung mit dem Anschluss am Gegenende für eine Verbindung innerhalb einer Baueinheit

Verbindet die Ader unterschiedliche Baueinheiten, müssen vollständige Referenzkennzeichen der Anschlüsse an den Gegenenden angegeben werden, siehe Bild 5.

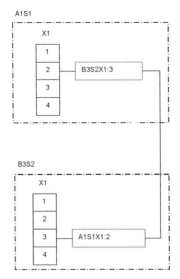

Bild 5 – Beispiel einer Beschriftung mit dem Anschluss am Gegenende für ein Kabel zwischen unterschiedlichen Baueinheiten

6.4 Beschriftung mit den Anschlüssen beider Enden

Bei einer Beschriftung mit den Anschlüssen beider Enden muss jedes Kabel oder jede Ader sowohl mit dem Kennzeichen des örtlichen Anschlusses als auch mit dem Kennzeichen des Anschlusses am Gegenende beschriftet werden, siehe Bild 6.

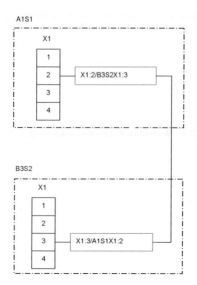

Bild 6 – Beispiel für die Beschriftung mit den Anschlüssen beider Enden

7 Beschriftung mit Signal

7.1 Allgemeines

Der Zweck einer Beschriftung mit Signal ist, den (die) Identifikator(en) des (der) übertragenen Signals (Signale) aufzuzeigen. Mit Ausnahme der Beschriftung bestimmter gekennzeichneter Adern, wie in 7.3 beschrieben, sollte die Beschriftung mit Signal als eine zusätzliche Beschriftung betrachtet werden.

Der bevorzugte Identifikator eines Signals ist ein Signalkennzeichen nach IEC 61175. In dieser Norm sind weitere Anleitungen gegeben, wie eindeutige Signalkennzeichen innerhalb einer Anlage oder eines Systems gebildet werden.

Stromversorgungen mit konstantem Pegel sind nach IEC 61175 als besondere Arten von Signalen zu betrachten. Die Beschriftung der Anschlüsse von besonderen Adern nach IEC 60445 sind daher in diesem Zusammenhang als Beschriftung mit Signal anzusehen.

7.2 Beschriftung mit Signalkennzeichen

Signalkennzeichen nach IEC 61175 haben folgende Struktur:

> Referenzkennzeichen ; Signalname : Variante (zusätzliche Information)

Vollständige Signalkennzeichen können lang werden. Daher sollte die Information in einer auf dem Kabel oder der Ader angebrachten Beschriftung auf ein dem Zweck angemessenes Minimum beschränkt werden.

In vielen Fällen reicht die Angabe der Kennzeichnungsteile „Signalname" oder sogar von „Basissignalname" (Beschreibung siehe IEC 61175) aus, insbesondere, wenn dies im Zusammenhang mit einer Identifikationsbeschriftung erfolgt. Es sollte auch gebührend berücksichtigt werden, dass ein Leiter (-paar) häufig mehr als ein Signal überträgt (z. B.: LEISTUNGSSCHALTER EIN – LEISTUNGSSCHALTER AUS), besonders auch bei digitalen Anwendungen.

DIN EN 62491 (VDE 0040-4):2009-05
EN 62491:2008

BEISPIEL 1: Im vollständigen Signalkennzeichen =A5W1M1;C_Motor_Stopp entspricht der Teil „Motor_Stopp" dem Basissignalnamen, welcher die „Nachricht" beschreibt. Dieser kann für die Beschriftung ausreichend sein.

7.3 Beschriftung der Kabel für bestimmte gekennzeichnete Leiter

Die Kennbuchstaben in Tabelle 4 sind in IEC 60445 zur Markierung von Anschlüssen für bestimmte gekennzeichnete Leiter festgelegt. Sie werden als Teil des Signalkennzeichens für Stromversorgungen mit konstantem Pegel angewendet und sollten erforderlichenfalls zur Beschriftung entsprechender Kabel oder Adern mit einem Signal genutzt werden.

Tabelle 4 – Markierung bestimmter gekennzeichneter Leiter

Beschriftung			Leiter
L1			Außenleiter 1 des Wechselstromnetzes
L2			Außenleiter 2 des Wechselstromnetzes
L3			Außenleiter 3 des Wechselstromnetzes
M			Mittelleiter des Wechselstromnetzes
N			Neutralleiter des Wechselstromnetzes
L+			Positiver Leiter des Gleichstromnetzes
L -			Negativer Leiter des Gleichstromnetzes
PE			Schutzleiter
	PEN		Schutzleiter PEN (siehe Definition in IEC 60050-195)
	PEL		Schutzleiter PEL (siehe Definition in IEC 60050-195)
	PEM		Schutzleiter PEM (siehe Definition in IEC 60050-195)
PB			Schutzpotentialausgleichsleiter (siehe Definition in IEC 60050-195)
	PBE		Schutzpotentialausgleichsleiter, geerdet
	PBU		Schutzpotentialausgleichsleiter, ungeerdet
FE			Funktionserdungsleiter
FB			Funktionspotentialausgleichsleiter

BEISPIEL 1: In Bild 7 ist eine Beschriftung mit dem örtlichen Anschluss kombiniert mit einer Beschriftung mit Signal gezeigt. Der vorhandene Leiter wird zum Zwecke der Funktionserdung genutzt.

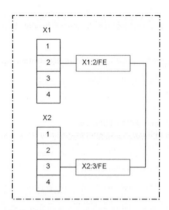

Bild 7 – Beispiel der Beschriftung mit dem örtlichen Anschluss in Kombination mit der Beschriftung mit Signal

8 Gemischte Beschriftung

Eine gemischte Beschriftung muss aus der Kombination von zwei oder mehr Beschriftungsarten bestehen, beispielsweise aus einer Identifikationsbeschriftung und einer Beschriftung mit dem Anschluss. Die Beschriftung mit dem Anschluss könnte als Beschriftung mit dem örtlichen Anschluss, dem Anschluss am Gegenende oder mit den Anschlüssen beider Enden erfolgen.

Bei Zwischenbeschriftungen, die im Verlauf eines Kabels erforderlich sein könnten, darf die Beschriftung mit dem Anschluss am örtlichen Ende und am Gegenende weggelassen werden. Siehe Bild 8.

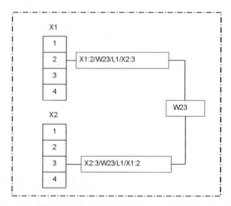

Bild 8 – Beispiel für die gemischte Beschriftung mit Beschriftung der Anschlüsse beider Enden zusammen mit Identifikationsbeschriftung und Beschriftung mit Signal

9 Anordnung zusätzlicher Beschriftungen

9.1 Allgemeines

Zusätzliche Beschriftungen müssen an den Enden von Kabeln oder Adern angebracht werden und erforderlichenfalls zur Übersichtlichkeit an sichtbaren Stellen in ihrem Verlauf.

Besteht die Beschriftung aus verschiedenen Elementen, sollte jedes davon von den anderen unterschieden werden, beispielsweise durch (siehe Bild 9):

- Anordnung jeden Elements in einer getrennten Zeile;
- Trennung der Elemente durch ein geeignetes Schriftzeichen, z. B. durch einen Schrägstrich (/);
- Trennung der Elemente durch eine ausreichende Anzahl von Leerstellen;
- Anwendung von erkennbar unterschiedlichen typographischen Schriftarten.

ANMERKUNG Die Beschriftungen im Bild 9 verweisen auf das gleiche Beispiel wie im Bild 8.

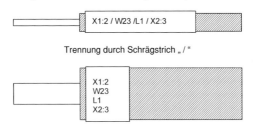

Trennung durch Schrägstrich „ / "

Anordnung in getrennten Zeilen

Bild 9 – Beispiele für die Anordnung von Beschriftungen auf Adern oder Leitungen

9.2 Relative Anordnung der Beschriftung

Die unterschiedlichen Beschriftungen müssen in der folgenden Reihenfolge angeordnet werden, ausgehend von der örtlichen Anschlussstelle und beginnend mit der Beschriftung des örtlichen Anschlusses:

Örtlicher Anschluss / Identifikation / Signal / Anschluss am Gegenende

oder

Örtlicher Anschluss
Identifikation
Signal
Anschluss am Gegenende

Diese Reihenfolge muss auch beibehalten werden, falls eine oder mehrere der Beschriftungen entfallen.

9.3 Anzuwendende Schriftzeichen

Die zur Beschriftung genutzte Information muss mit der in der zugehörigen - üblicherweise nach IEC 61082-1 erstellten Dokumentation - dargestellten Information übereinstimmen. Dies schließt ein, dass die Zeichen beschränkt sein sollten auf die Schriftzeichen des 7-bit-codierten Zeichensatzes, Basis-Code-Tabelle nach ISO/IEC 646, ausgenommen Steuerzeichen und nationale Ersatzzeichen.

10 Übereinstimmung zwischen Beschriftung und Dokumentation

In der Dokumentation muss angegeben sein, welche Art von Beschriftungssystem angewendet wurde (siehe Abschnitt 11) und gegebenenfalls, wie die verschiedenen Beschriftungsarten voneinander getrennt sind, oder wie sie sonst erkannt werden können (siehe Abschnitt 9).

Wurde die Dokumentation nach IEC 61082-1 erstellt, sind alle für die Beschriftung zugrunde liegenden Identifikatoren (d. h. Referenzkennzeichen, Anschlusskennzeichen, Signalkennzeichen) in der Dokumentation vorhanden. Daher besteht in diesem Fall keine Notwendigkeit für zusätzliche Angaben bezüglich der Beschriftung.

11 Konformität mit dieser Norm

Eine Übereinstimmung mit dieser Norm muss durch Angabe der Methode für die Beschriftung nach Tabelle 5 erklärt werden.

Tabelle 5 – Methoden für die Beschriftung nach dieser Norm

Methode	Abschnitt	Beschreibung	Anmerkung
0	–	Keine Beschriftung	Alle Kabel können sichtbar verfolgt werden.
A	4.2	Anwendung gekennzeichneter Kabel oder Adern	Keine zusätzliche Beschriftung. Die permanente Markierung der Isolation durch Farben oder Nummern wird angewendet.
R	5	Identifikationsbeschriftung mittels Referenzkennzeichen (einschließlich Kabelnummern)	Zusätzliche Beschriftung
CL	6.2	Beschriftung mit örtlichem Anschluss	Zusätzliche Beschriftung
CR	6.3	Beschriftung mit Anschluss am Gegenende	Zusätzliche Beschriftung
CB	6.4	Beschriftung mit Anschlüssen beider Enden	Zusätzliche Beschriftung
S	7	Beschriftung mit Signal	Zusätzliche Beschriftung
Angabe durch zwei oder mehr der obigen Methoden	8	Gemischte Beschriftung	Zusätzliche Beschriftung

Anhang A
(informativ)

Beispiele von Beschriftungen

A.1 Allgemeines

In diesem Anhang sind mehrere Beispiele zusammengestellt, bei denen die verschiedenen Beschriftungsmethoden von Kabeln innerhalb einer Baueinheit dargestellt werden.

Der Stromlaufplan in Bild A.1 ist der gemeinsame Ausgangspunkt für die Beispiele von Beschriftungen. Zur leichteren Unterscheidung der im Schaltplan vorkommenden Kennzeichnungen sind diese mit farbigem Hintergrund wie folgt dargestellt:

- gelb: Referenzkennzeichen von angeschlossenen Objekten;
- grün: Referenzkennzeichen von Kabeln und
- grau: Signalkennzeichen.

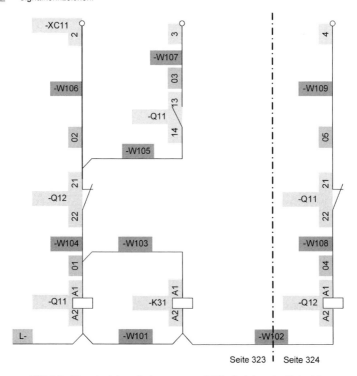

Bild A.1 – Stromlaufplan, als Ausgangspunkt für die folgenden Beispiele

DIN EN 62491 (VDE 0040-4):2009-05
EN 62491:2008

A.2 Identifikationsbeschriftung (Methode R)

Die Identifikationsbeschriftung ist, in Übereinstimmung mit Abschnitt 5, auf Referenzkennzeichen von Kabeln oder Adern begründet. Im Beispiel sind die Referenzkennzeichen in der produktorientierten Struktur zugeordnet und für die Kabel bestehen sie aus dreistelligen Zählnummern.

Da alle Referenzkennzeichen in diesem Fall sich auf die produktorientierte Struktur beziehen, wurde im folgenden Beispiel das Vorzeichen der Referenzkennzeichnung bei der Beschriftung weggelassen (siehe Bild A.2).

ANMERKUNG   Bei der „Darstellung der Beschriftung" wurde, in Übereinstimmung mit 9.2 zur korrekten Darstellung der vorgegebenen Anordnungsreihenfolge beider Enden, die Beschriftung auf der rechten Seite am Ende des Kabels (Ende 2) auf dem Kopf stehend dargestellt. Dieses Phänomen tritt bei einer Darstellung auf, bei der beide Enden zusammen mit einem Kabel gradlinig verbunden dargestellt sind; Konsequenzen für die Praxis sind hierdurch aber nicht gegeben.

Kabel	Signal	Ende 1			Ende 2			Darstellung der Beschriftung
		Ob-jekt	An-schluss	Be-schrif-tung	Ob-jekt	An-schluss	Be-schrif-tung	
-W101	L-	-Q11	:A2	101	-K31	:A2	101	101 ... 101
-W102	L-	-K31	:A2	102	-Q12	:A2	102	102 ... 102
-W103	01	-Q11	:A1	103	-K31	:A1	103	103 ... 103
-W104	01	-Q11	:A1	104	-Q12	:22	104	104 ... 104
-W105	02	-Q12	:21	105	-Q11	:14	105	105 ... 105
-W106	02	-Q12	:21	106	-XC11	:2	106	106 ... 106
-W107	03	-Q12	:13	107	-XC11	:3	107	107 ... 107
-W108	04	-Q12	:A1	108	-Q11	:22	108	108 ... 108
-W109	05	-Q11	:21	109	-XC11	:4	109	109 ... 109

Bild A.2 – Beispiel einer Identifikationsbeschriftung

A.3 Beschriftung mit dem örtlichen Anschluss (Methode CL)

Der Ausgangspunkt für die Beschriftung ist in Übereinstimmung mit 6.2 das jeweilige Referenzkennzeichen des Anschlusses, an dem das Kabel angeschlossen ist. Diese Beschriftung wird an beiden Enden angebracht.

Da alle Referenzkennzeichen in diesem Fall sich auf die produktorientierte Struktur beziehen, wurde im folgenden Beispiel das Vorzeichen der Referenzkennzeichnung bei der Beschriftung weggelassen (siehe Bild A.3).

Kabel	Signal	Ende 1			Ende 2			Darstellung der Beschriftung
		Objekt	An-schluss	Be-schrif-tung	Objekt	An-schluss	Be-schrif-tung	
-W101	L-	-Q11	:A2	Q11:A2	-K31	:A2	K31:A2	Q11:A2 — K31:A2
-W102	L-	-K31	:A2	K31:A2	-Q12	:A2	Q12:A2	K31:A2 — Q12:A2
-W103	01	-Q11	:A1	Q11:A1	-K31	:A1	K31:A1	Q11:A1 — K31:A1
-W104	01	-Q11	:A1	Q11:A1	-Q12	:22	Q12:A22	Q11:A1 — Q12:A22
-W105	02	-Q12	:21	Q12:21	-Q11	:14	Q11:14	Q12:21 — Q11:14
-W106	02	-Q12	:21	Q12:21	-XC11	:2	XC11:2	Q11:21 — XC11:2
-W107	03	-Q11	:13	Q11:13	-XC11	:3	XC11:3	Q11:13 — XC11:3
-W108	04	-Q12	:A1	Q12:A1	-Q11	:22	Q11:22	Q12:A1 — Q11:22
-W109	05	-Q11	:21	Q11:21	-XC11	:4	XC11:4	Q11:21 — XC11:4

Bild A.3 – Beispiel einer Beschriftung jeweils mit dem örtlichen Anschluss

A.4 Beschriftung mit den Anschlüssen beider Enden (Methode CB)

Der Ausgangspunkt für die Beschriftung der beiden Enden ist in Übereinstimmung mit 6.4 das Referenzkennzeichen des örtlichen Anschlusses und des Anschlusses an der Gegenseite, an der jeweils das Kabel angeschlossen ist. Diese Beschriftung wird an beiden Enden angebracht.

Da alle Referenzkennzeichen in diesem Fall sich auf die produktorientierte Struktur beziehen, wurde im folgenden Beispiel das Vorzeichen der Referenzkennzeichnung bei der Beschriftung weggelassen (siehe Bild A.4). Es ist zu beachten, dass die Reihenfolge der Beschriftung an den zwei Enden unterschiedlich ist.

DIN EN 62491 (VDE 0040-4):2009-05
EN 62491:2008

Ende 1			Ende 2			Darstellung der Beschriftung
Objekt	Anschluss	Beschriftung	Objekt	Anschluss	Beschriftung	
-Q11	:A2	Q11:A2/K31:A2	-K31	:A2	K31:A2/Q11:A2	
-K31	:A2	K31:A2/Q12:A2	-Q12	:A2	Q12:A2/K31:A2	
-Q11	:A1	Q11:A1/K31:A1	-K31	:A1	K31:A1/Q11:A1	
-Q11	:A1	Q11:A1/Q12:A22	-Q12	:22	Q12:A22/Q11:A1	
-Q12	:21	Q12:21/Q11:14	-Q11	:14	Q11:14/Q12:21	
-Q12	:21	Q12:21/XC11:2	-XC11	:2	XC11:2/Q11:21	
-Q11	:13	Q11:13/XC11:3	-XC11	:3	XC11:3/Q11:13	
-Q12	:A1	Q12:A1/Q11:22	-Q11	:22	Q11:22/Q12:A1	
-Q11	:21	Q11:21/XC11:4	-XC11	:4	XC11:4/Q11:21	

Bild A.4 – Beispiel einer Beschriftung mit den Anschlüssen beider Enden

A.5 Zusatz ergänzender Informationen

In diesem Beispiel (siehe Bild A.5) ist dargestellt, wie ergänzende Informationen der Anschlussbeschriftung (CL) hinzugefügt werden können.

In diesem Beispiel besteht die Zusatzinformation aus der Seitenzahl der Seite des Stromlaufplans, auf der die Verbindung dargestellt ist.

Zur Unterscheidung dieser Zusatzinformation von der genormten Schreibweise wird die Zusatzinformation in Klammern dargestellt.

ANMERKUNG   Das Hinzufügen der Seitenzahl eines spezifischen Dokuments als Zusatzinformation zur Beschriftung ist nur bei fester Seitenzahl des Bezugdokuments praktikabel. Falls ein CAD-System mit dynamischer Zuweisung der Seitenzahlen genutzt wird, wird ein endgültiges Dokument (wie gebaut) benötigt.

DIN EN 62491 (VDE 0040-4):2009-05
EN 62491:2008

Seite	Ende 1			Ende 2			Darstellung der Beschriftung
	Ob-jekt	An-schluss	Beschrif-tung	Ob-jekt	An-schluss	Beschrif-tung	
323	-Q11	:A2	Q11:A2[323]	-K31	:A2	K31:A2[323]	Q11:A2[323] — K31:A2[323]
323+324*	-K31	:A2	K31:A2[323]	-Q12	:A2	Q12:A2[324]	K31:A2[323] — Q12:A2[324]
323	-Q11	:A1	Q11:A1[323]	-K31	:A1	K31:A1[323]	Q11:A1[323] — K31:A1[323]
323	-Q11	:A1	Q11:A1[323]	-Q12	:22	Q12:A22[323]	Q11:A1[323] — Q12:A22[323]
323	-Q12	:21	Q12:21[323]	-Q11	:14	Q11:14[323]	Q12:21[323] — Q11:14[323]
323	-Q11	:21	Q11:21[323]	-XC11	:2	XC11:2[323]	Q11:21[323] — XC11:2[323]
323	-Q11	:13	Q11:13[323]	-XC11	:3	XC11:3[323]	Q11:13[323] — XC11:3[323]
324	-Q12	:A1	Q12:A1[324]	-Q11	:22	Q11:22[324]	Q12:A1[324] — Q11:22[324]
324	-Q11	:21	Q11:21[324]	-XC11	:4	XC11:4[324]	Q11:21[324] — XC11:4[324]

* Für diese Verbindung erscheint ein Ende des Kabels auf einer Seite und das andere Ende des Kabels auf einer anderen.

Bild A.5 – Beispiel einer Beschriftung mit dem örtlichen Anschluss
und ergänzenden Informationen

A.6 Beschriftung mit Signal (Methode S)

Der Ausgangspunkt für die Beschriftung ist in Übereinstimmung mit Abschnitt 7 das von dem Kabel übertragene Signal.

Kabel, die das gleiche Signal übertragen, haben die gleiche Kennzeichnung. Hieraus folgt, dass eine Gruppe verbundener Kabel (Kabelsegmente), die das gleiche elektrische Potential (am gleichen „elektrischen Knoten") haben, aus Sicht des Signals alle die gleiche Kennzeichnung haben.

In den Beispielen sind solche Kabelgruppen zweiziffrig dargestellt. Kabel zur Übertragung der Versorgungsspannung sind in Übereinstimmung mit 7.3 gekennzeichnet.

DIN EN 62491 (VDE 0040-4):2009-05
EN 62491:2008

Kabel	Signal	Ende 1			Ende 2			Darstellung der Beschriftung
		Objekt	An-schluss	Be-schrif-tung	Objekt	An-schluss	Be-schrif-tung	
W101	L-	-Q11	:A2	L-	-K31	:A2	L-	
W102	L-	-K31	:A2	L-	-Q12	:A2	L-	
W103	01	-Q11	:A1	01	-K31	:A1	01	
W104	01	-Q11	:A1	01	-Q12	:22	01	
W105	02	-Q12	:21	02	-Q11	:14	02	
W106	02	-Q12	:21	02	-XC11	:2	02	
W107	03	-Q11	:13	03	-XC11	:3	03	
W108	04	-Q12	:A1	04	-Q11	:22	04	
W109	05	-Q11	:21	05	-XC11	:4	05	

Bild A.6 – Beispiel einer Beschriftung mit Signal

A.7 Gemischte Beschriftung (Methode R + S)

Der Ausgangspunkt für diese Art der Beschriftung ist Abschnitt 8.

In diesem Beispiel ist die Kombination von Identifikationsbeschriftung (siehe A.2) und Beschriftung mit Signal (siehe A.6) dargestellt. Dies ist eine der möglichen Kombinationen.

Kabel	Signal	Ende 1			Ende 2			Darstellung der Beschriftung
		Ob-jekt	An-schluss	Be-schrif-tung	Ob-jekt	An-schluss	Be-schrif-tung	
-W101	L-	-Q11	:A2	101/L-	-K31	:A2	101/L-	101/L- — 101/L-
-W102	L-	-K31	:A2	102/L-	-Q12	:A2	102/L-	102/L- — 102/L-
-W103	01	-Q11	:A1	103/01	-K31	:A1	103/01	103/01 — 103/01
-W104	01	-Q11	:A1	104/01	-Q12	:22	104/01	104/01 — 104/01
-W105	02	-Q12	:21	105/02	-Q11	:14	105/02	105/02 — 105/02
-W106	02	-Q12	:21	106/02	-XC11	:2	106/02	106/02 — 106/02
-W107	03	-Q11	:13	107/03	-XC11	:3	107/03	107/03 — 107/03
-W108	04	-Q12	:A1	108/04	-Q11	:22	108/04	108/04 — 108/04
-W109	05	-Q11	:21	109/05	-XC11	:4	109/05	109/05 — 109/05

Bild A.7 – Beispiel einer gemischten Beschriftung

A.8 Anwendung von Kabelfarben (Methode A)

Der Ausgangspunkt für diese Art der Beschriftung ist 4.2.

Im folgenden Beispiel wurden Farben zur Identifizierung der Kabel genutzt. In dem Beispiel werden Kabel gleicher Farbe zur Übertragung des gleichen Signals oder der gleichen Versorgungsspannung genutzt.

DIN EN 62491 (VDE 0040-4):2009-05
EN 62491:2008

Kabel	Signal	Ende 1			Ende 2			Darstellung
		Objekt	An-schluss	Farbe	Objekt	An-schluss	Farbe	
-W101	L-	-Q11	:A2	BLAU	-K31	:A2	BLAU	
-W102	L-	-K31	:A2	BLAU	-Q12	:A2	BLAU	
-W103	01	-Q11	:A1	SCHWARZ	-K31	:A1	SCHWARZ	
-W104	01	-Q11	:A1	SCHWARZ	-Q12	:22	SCHWARZ	
-W105	02	-Q12	:21	BRAUN	-Q11	:14	BRAUN	
-W106	02	-Q12	:21	BRAUN	-XC11	:2	BRAUN	
-W107	03	-Q11	:13	GRÜN	-XC11	:3	GRÜN	
-W108	04	-Q12	:A1	GRAU	-Q11	:22	GRAU	
-W109	05	-Q11	:21	WEISS	-XC11	:4	WEISS	

Bild A.8 – Beispiel der Nutzung von Kabelfarben

Literaturhinweise

IEC 60050-151, *International Electrotechnical Vocabulary – Part 151: Electrical and magnetic devices*

IEC 60050-195, *International Electrotechnical Vocabulary – Part 195: Earthing and protection against shock*

IEC 60050-461, *International Electrotechnical Vocabulary – Chapter 461: Electric cables*

IEC 60050-581, *Advance edition of the International Electrotechnical Vocabulary – Chapter 581: Electromechanical components for electronic equipment*

IEC 60446, *Basic and safety principles for man-machine interface, marking and identification – Identification of conductors by colours or alphanumerics*

ANMERKUNG   Harmonisiert als EN 60446:2007 (nicht modifiziert).

DIN EN 62491 (VDE 0040-4):2009-05
EN 62491:2008

Anhang ZA
(normativ)

Normative Verweisungen auf internationale Publikationen mit ihren entsprechenden europäischen Publikationen

Die folgenden zitierten Dokumente sind für die Anwendung dieses Dokuments erforderlich. Bei datierten Verweisungen gilt nur die in Bezug genommene Ausgabe. Bei undatierten Verweisungen gilt die letzte Ausgabe des in Bezug genommenen Dokuments (einschließlich aller Änderungen).

ANMERKUNG   Wenn internationale Publikationen durch gemeinsame Abänderungen geändert wurden, durch (mod) angegeben, gelten die entsprechenden EN/HD.

Publikation	Jahr	Titel	EN/HD	Jahr
IEC 60445 (mod)	–[1]	Basic and safety principles for man-machine interface, marking and identification – Identification of equipment terminals and conductor terminations	EN 60445	2007[2]
IEC 60757	–[1]	Code for designation of colours	HD 457 S1	1985[2]
IEC 61082-1	2006	Preparation of documents used in electrotechnology – Part 1: Rules	EN 61082-1	2006
IEC 61175	–[1]	Industrial systems, installations and equipment and industrial products – Designation of signals	EN 61175	2005[2]
IEC 61666	–[1]	Industrial systems, installations and equipment and industrial products – Identification of terminals within a system	EN 61666	1997[2]
IEC 81346-1	200X[3]	Industrial systems, installations and equipment and industrial products – Structuring principles and reference designations – Part 1: Basic rules	–	–
ISO/IEC 646	–[1]	Information technology – ISO 7-bit coded character set for information interchange	–	–

---

[1] Undatierte Verweisung.

[2] Zum Zeitpunkt der Veröffentlichung dieser Norm gültige Ausgabe.

[3] Zu veröffentlichen.

März 2012

DIN EN 62507-1
(VDE 0040-2-1)

Diese Norm ist zugleich eine **VDE-Bestimmung** im Sinne von VDE 0022. Sie ist nach Durchführung des vom VDE-Präsidium beschlossenen Genehmigungsverfahrens unter der oben angeführten Nummer in das VDE-Vorschriftenwerk aufgenommen und in der „etz Elektrotechnik + Automation" bekannt gegeben worden.

ICS 01.140.20; 35.240

Anforderungen an Identifikationssysteme zur Unterstützung eines eindeutigen Informationsaustauschs –
Teil 1: Grundsätze und Methodik
(IEC 62507-1:2010);
Deutsche Fassung EN 62507-1:2011

Identification systems enabling unambiguous information interchange –
Requirements –
Part 1: Principles and methods
(IEC 62507-1:2010);
German version EN 62507-1:2011

Systèmes d'identification permettant l'échange non ambigu de l'information –
Exigences –
Partie 1: Principes et méthodes
(CEI 62507-1:2010);
Version allemande EN 62507-1:2011

Gesamtumfang 61 Seiten

DKE Deutsche Kommission Elektrotechnik Elektronik Informationstechnik im DIN und VDE

Anwendungsbeginn

Anwendungsbeginn für die von CENELEC am 2011-01-02 angenommene Europäische Norm als DIN-Norm ist 2012-03-01.

Nationales Vorwort

Vorausgegangener Norm-Entwurf: E DIN IEC 62507 (VDE 0040-2):2007-05.

Für diese Norm ist das nationale Arbeitsgremium K 113 „Produktdatenmodelle, Informationsstrukturen, Dokumentation und graphische Symbole" der DKE Deutsche Kommission Elektrotechnik Elektronik Informationstechnik im DIN und VDE (www.dke.de) zuständig.

Die enthaltene IEC-Publikation wurde vom TC 3 „Information structures, documentation and graphical symbols" erarbeitet.

Das IEC-Komitee hat entschieden, dass der Inhalt dieser Publikation bis zu dem Datum (stability date) unverändert bleiben soll, das auf der IEC-Website unter „http://webstore.iec.ch" zu dieser Publikation angegeben ist. Zu diesem Zeitpunkt wird entsprechend der Entscheidung des Komitees die Publikation
- bestätigt,
- zurückgezogen,
- durch eine Folgeausgabe ersetzt oder
- geändert.

Der in dieser Norm im Anhang B enthaltene Abschnitt B.4 „Beschreibung der Entitäten", der sich primär an Implementierer richtet, ist nur in englischer Sprache verfügbar. Eine Übersetzung ins Deutsche würde aufgrund der der Modellierungssprache entstammenden und nicht übersetzbaren Begriffe Missverständnisse und Fehlinterpretationen hervorrufen.

Nationaler Anhang NA
(informativ)
Zusammenhang mit Europäischen und Internationalen Normen

Für den Fall einer undatierten Verweisung im normativen Text (Verweisung auf eine Norm ohne Angabe des Ausgabedatums und ohne Hinweis auf eine Abschnittsnummer, eine Tabelle, ein Bild usw.) bezieht sich die Verweisung auf die jeweils neueste gültige Ausgabe der in Bezug genommenen Norm.

Für den Fall einer datierten Verweisung im normativen Text bezieht sich die Verweisung immer auf die in Bezug genommene Ausgabe der Norm.

Eine Information über den Zusammenhang der zitierten Normen mit den entsprechenden Deutschen Normen ist in Tabelle NA.1 wiedergegeben.

Tabelle NA.1

Europäische Norm	Internationale Norm	Deutsche Norm	Klassifikation im VDE-Vorschriftenwerk
EN 61360-1:2002 + A1:2004	IEC 61360-1:2002 + A1:2003	DIN EN 61360-1:2004-12	–
EN 81346-1:2009	IEC 81346-1:2009	DIN EN 81346-1:2010-05	–
EN 81346-2:2009	IEC 81346-2:2009	DIN EN 81346-2:2010-05	–
EN 82045-1:2001	IEC 82045-1:2001	DIN EN 82045-1:2002-11	–
EN 82045-2:2005	IEC 82045-2:2004	DIN EN 82045-2:2005-11	–
–	ISO/IEC 646:1991	–	–
–	ISO/IEC 6523-1	–	–
–	ISO/IEC 9834-8	–	–
–	ISO/IEC 15418	–	–
–	ISO/IEC 15434	–	–
–	ISO/IEC 15459-1	–	–
–	ISO/IEC 15459-2	–	–
–	ISO/IEC 15459-4	–	–
EN ISO 3166-1:2006/ AC:2007	ISO 3166-1:2006 + Techn Corr. 2007	DIN EN ISO 3166-1:2007-03	–
		DIN EN ISO 3166-1 Berichtigung 1: 2008-06	–
–	ISO 7064	–	–
–	ISO 7372	–	–
EN ISO 9000:2005	ISO 9000:2005	DIN EN ISO 9000:2005-12	
–	Reihe ISO 10303	–	–
–	ISO 13616	–	–

Nationaler Anhang NB
(informativ)

Literaturhinweise

DIN EN 61360-1:2004-12, *Genormte Datenelementtypen mit Klassifikationsschema für elektrische Bauteile – Teil 1: Definitionen – Regeln und Methoden (IEC 61360-1:2002 + A1:2003); Deutsche Fassung EN 61360-1:2002 + A1:2004*

DIN EN 81346-1:2010-05, *Industrielle Systeme, Anlagen und Ausrüstungen und Industrieprodukte – Strukturierungsprinzipien und Referenzkennzeichnung – Teil 1: Allgemeine Regeln (IEC 81346-1:2009); Deutsche Fassung EN 81346-1:2009*

DIN EN 81346-2:2010-05, *Industrielle Systeme, Anlagen und Ausrüstungen und Industrieprodukte – Strukturierungsprinzipien und Referenzkennzeichnung – Teil 2: Klassifizierung von Objekten und Kennbuchstaben von Klassen (IEC 81346-2:2009); Deutsche Fassung EN 81346-2:2009*

DIN EN 82045-1:2002-11, *Dokumentenmanagement – Teil 1: Prinzipien und Methoden (IEC 82045-1:2001); Deutsche Fassung EN 82045-1:2001*

DIN EN 82045-2:2005-11, *Dokumentenmanagement – Teil 2: Metadaten und Informationsreferenzmodelle (IEC 82045-2:2004); Deutsche Fassung EN 82045-2:2005*

DIN EN ISO 3166-1:2007-03, *Codes für die Namen von Ländern und deren Untereinheiten – Teil 1: Codes für Ländernamen (ISO 3166-1:2006); Deutsche Fassung EN ISO 3166-1:2006*

DIN EN ISO 3166-1 Berichtigung 1:2008-06, *Codes für die Namen von Ländern und deren Untereinheiten – Teil 1: Codes für Ländernamen (ISO 3166-1:2006); Deutsche Fassung EN ISO 3166-1:2006, Berichtigung zu DIN EN ISO 3166-1:2007-03; Deutsche Fassung EN ISO 3166-1:2006/AC:2007*

DIN EN ISO 9000:2005-12, *Qualitätsmanagementsysteme – Grundlagen und Begriffe (ISO 9000:2005); Dreisprachige Fassung EN ISO 9000:2005*

EUROPÄISCHE NORM
EUROPEAN STANDARD
NORME EUROPÉENNE

EN 62507-1

Februar 2011

ICS 01.140; 35.240

Deutsche Fassung

Anforderungen an Identifikationssysteme zur Unterstützung eines eindeutigen Informationsaustauschs –
Teil 1: Grundsätze und Methodik
(IEC 62507-1:2010)

Identification systems enabling unambiguous
information interchange –
Requirements –
Part 1: Principles and methods
(IEC 62507-1:2010)

Systèmes d'identification permettant l'échange
non ambigu de l'information –
Exigences –
Partie 1: Principes et méthodes
(CEI 62507-1:2010)

Diese Europäische Norm wurde von CENELEC am 2011-01-02 angenommen. Die CENELEC-Mitglieder sind gehalten, die CEN/CENELEC-Geschäftsordnung zu erfüllen, in der die Bedingungen festgelegt sind, unter denen dieser Europäischen Norm ohne jede Änderung der Status einer nationalen Norm zu geben ist.

Auf dem letzten Stand befindliche Listen dieser nationalen Normen mit ihren bibliographischen Angaben sind beim Zentralsekretariat oder bei jedem CENELEC-Mitglied auf Anfrage erhältlich.

Diese Europäische Norm besteht in drei offiziellen Fassungen (Deutsch, Englisch, Französisch). Eine Fassung in einer anderen Sprache, die von einem CENELEC-Mitglied in eigener Verantwortung durch Übersetzung in seine Landessprache gemacht und dem Zentralsekretariat mitgeteilt worden ist, hat den gleichen Status wie die offiziellen Fassungen.

CENELEC-Mitglieder sind die nationalen elektrotechnischen Komitees von Belgien, Bulgarien, Dänemark, Deutschland, Estland, Finnland, Frankreich, Griechenland, Irland, Island, Italien, Kroatien, Lettland, Litauen, Luxemburg, Malta, den Niederlanden, Norwegen, Österreich, Polen, Portugal, Rumänien, Schweden, der Schweiz, der Slowakei, Slowenien, Spanien, der Tschechischen Republik, Ungarn, dem Vereinigten Königreich und Zypern.

CENELEC

Europäisches Komitee für Elektrotechnische Normung
European Committee for Electrotechnical Standardization
Comité Européen de Normalisation Electrotechnique

Zentralsekretariat: Avenue Marnix 17, B-1000 Brüssel

© 2011 CENELEC – Alle Rechte der Verwertung, gleich in welcher Form und in welchem Verfahren, sind weltweit den Mitgliedern von CENELEC vorbehalten.

Ref. Nr. EN 62507-1:2011 D

DIN EN 62507-1 (VDE 0040-2-1):2012-03
EN 62507-1:2011

Vorwort

Der Text des Schriftstücks 3/1007/FDIS, zukünftige 1. Ausgabe von IEC 62507-1, ausgearbeitet von dem IEC/TC 3 „Information structures, documentation and graphical symbols", wurde der IEC-CENELEC Parallelen Abstimmung unterworfen und von CENELEC am 2011-01-02 als EN 62507-1 angenommen.

Es wird auf die Möglichkeit hingewiesen, dass einige Elemente dieses Dokuments Patentrechte berühren können. CEN und CENELEC sind nicht dafür verantwortlich, einige oder alle diesbezüglichen Patentrechte zu identifizieren.

Nachstehende Daten wurden festgelegt:

– spätestes Datum, zu dem die EN auf nationaler Ebene durch Veröffentlichung einer identischen nationalen Norm oder durch Anerkennung übernommen werden muss (dop): 2011-10-02

– spätestes Datum, zu dem nationale Normen, die der EN entgegenstehen, zurückgezogen werden müssen (dow): 2014-01-01

Der Anhang ZA wurde von CENELEC hinzugefügt.

Anerkennungsnotiz

Der Text der Internationalen Norm IEC 62507-1:2010 wurde von CENELEC ohne irgendeine Abänderung als Europäische Norm angenommen.

In der offiziellen Fassung sind unter „Literaturhinweise" zu den aufgelisteten Normen die nachstehenden Anmerkungen einzutragen:

IEC 81346-1   ANMERKUNG   Harmonisiert als EN 81346-1.

ISO 9000:2005   ANMERKUNG   Harmonisiert als EN ISO 9000:2005 (nicht modifiziert).

Inhalt

		Seite
Vorwort		2
1	Anwendungsbereich	5
2	Normative Verweisungen	5
3	Begriffe	6
4	Allgemein	9
4.1	Zweck der Identifikation	9
4.2	Referenzierung und Rückverfolgbarkeit	11
4.3	Langlebigkeit	11
4.4	Arten von Objekten	12
4.5	Änderungen eines identifizierten Objekts	13
4.6	Identifikationsschemata	14
4.7	Identifizierende Attribute eines Objekts	15
4.8	Identifikation der Herausgeber-Domäne	15
4.9	Mehrfach-Identifikation desselben Objekts	17
4.10	Speicherung und Anwendung von Identifikationsnummern	18
5	Dokumentation eines Identifikationssystems	18
6	Erzeugung der Identifikationsnummern	18
6.1	Prinzipielle Methoden	18
6.1.1	Allgemein	18
6.1.2	Methode 1	19
6.1.3	Methode 2	19
6.2	Aufbau der Identifikationsnummern	19
6.2.1	Allgemein	19
6.2.2	Ausgabe (Registrierung)	21
6.2.3	Identifikationsnummerngenerator	21
6.2.4	Validierung	21
7	Identifikation im globalen Kontext	22
8	Repräsentation und Darstellung von Identifikationsnummern	22
8.1	Repräsentation zur Nutzung in Computersystemen	22
8.2	Darstellungen zur Wahrnehmung durch Menschen	23
8.2.1	Allgemeines	23
8.2.2	Darstellung verketteter Identifikatoren für die Wahrnehmung durch Menschen	23
8.2.3	Darstellung mehrfacher Identifikatoren für die Wahrnehmung durch Menschen	24
8.3	Identifikation einer Subdomäne	24
8.4	Anwendung der Domänenidentifikation	24
9	Empfehlungen in Bezug auf Organisationsänderungen	25
10	Konformität	25

	Seite
Anhang A (informativ) Typen von Identifikationssystemen	26
Anhang B (normativ) Referenz-Informationsmodell	30
Anhang C (informativ) Beispiel der Dokumentation eines Identifikationssystems	53
Anhang D (informativ) Feste Zeichen aus ISO/IEC 646	54
Literaturhinweise	55
Anhang ZA (normativ) Normative Verweisungen auf internationale Publikationen mit ihren entsprechenden europäischen Publikationen	56

Bilder

Bild 1 – Referenzierungsmechanismus	11
Bild 2 – Beziehungen zwischen den Instanzen (identifiziert durch verkettete Buchstabencodes) von Typen (identifiziert durch Nummern) in einer Baumstruktur	13
Bild 3 – Prinzip eines Informationsmodells	14
Bild 4 – Beispiel für identifizierende Attribute eines Objekts in einer gegebenen Domäne	15
Bild 5 – Erläuterung zu Domänen	16
Bild 6 – Organisationsbasierte Identifikation der Domäne	16
Bild 7 – Identifikation in mehreren Domänen	17
Bild 8 – Erläuterung der Domänenidentifikation	22

Tabellen

Tabelle 1 – Verwendung von Identifikatoren im Kontext eines Produkts	13
Tabelle 2 – Beziehungen zwischen Domänen, Identifikatoren und Identifikationsnummern	17
Tabelle 3 – Anzahl möglicher Identifikationsnummern	20

1 Anwendungsbereich

Dieser Teil der Reihe IEC 62507 beschreibt die elementaren Anforderungen an Identifizierungssysteme zur eindeutigen Kennzeichnung von Objekten (wie z. B. Produkte, Gegenstände, Dokumente usw.; menschliche Individuen sind ausgeschlossen). Die Norm fokussiert auf die Festlegung von Kennzeichnungen zu Objekten zu Zwecken der Referenzierung.

Die Klassifizierung von Objekten für irgendeinen Zweck und die Prüfung, ob das Objekt wirklich das Objekt ist, für das es sich ausgibt, sind ausgeschlossen.

Diese Norm enthält Empfehlungen für die von Menschen lesbare als auch seine maschinenlesbare Darstellung der Kennzeichnung, welche bei der Festlegung der Kennzeichnung und Kennzeichnungsnummern zu berücksichtigen sind.

Diese Norm enthält zusätzlich Anforderungen für die Anwendung der Kennzeichnungen in rechnerinterpretierbarer Form in Übereinstimmung mit solchen Systemen sowie die Anforderungen für ihren Datenaustausch.

Die Spezifizierung eines physikalischen Dateiformates oder Austauschformates zwischen Rechnern ist ausgeschlossen. Gleichfalls ausgeschlossen sind die Spezifikation und Festlegung eines Austauschformates für deren Implementierung mittels eines physikalischen Mediums, z. B. Datei, Barcode, Radio-Frequenz-Identifikationsverfahren (RFID), zum Zwecke des Informationsaustausches und die Markierungen an beteiligten Objekten zum Zwecke der Kennzeichnung.

2 Normative Verweisungen

Die folgenden zitierten Dokumente sind für die Anwendung dieses Dokuments erforderlich. Bei datierten Verweisungen gilt nur die in Bezug genommene Ausgabe. Bei undatierten Verweisungen gilt die letzte Ausgabe des in Bezug genommenen Dokuments (einschließlich aller Änderungen).

IEC 61360-1, *Standard data element types with associated classification scheme for electric components – Part 1: Definitions – Principles and methods*

IEC 81346-2, *Industrial systems, installations and equipment and industrial products – Structuring principles and reference designations – Part 2: Classification of objects and codes for classes*

IEC 82045-1, *Document management – Part 1: Principles and methods*

IEC 82045-2, *Document management – Part 2: Metadata elements and information reference model*

ISO/IEC 646:1991, *Information technology – ISO 7-bit coded character set for information interchange*

ISO 6523-1, *Information technology – Structure for the identification of organizations and organization parts – Part 1: Identification of organization identification schemes*

ISO/IEC 15418, *Information technology – Automatic identification and data capture techniques – GS1 Application identifiers and ASC MH 10 data identifiers and maintenance*

ISO/IEC 15434, *Information technology – Automatic identification and data capture techniques – Syntax for high-capacity ADC media*

ISO/IEC 15459-1, *Information technology – Unique identifiers – Part 1: Unique identifiers for transport units*

ISO/IEC 15459-2, *Information technology – Unique identifiers – Part 2: Registration procedures*

ISO/IEC 15459-4, *Information technology – Unique identifiers – Part 4: Individual items*

DIN EN 62507-1 (VDE 0040-2-1):2012-03
EN 62507-1:2011

ISO 3166-1, *Codes for the representation of names of countries and their subdivisions – Part 1: Country codes*

ISO 7064, *Information technology – Security techniques – Check character systems*

ISO 10303-11, *Industrial automation systems and integration – Product data representation and exchange – Part 11: Description methods: The EXPRESS language reference manual*

3 Begriffe

Für die Anwendung dieses Dokuments gelten die folgenden Begriffe.

3.1
Chargennummer
Losnummer [Fertigung]
Identifikationsnummer, die einer als ein *Objekt* betrachteten Gruppe von Einzelexemplaren zugeordnet ist, um diejenigen Einzelexemplare zu identifizieren, die zusammen, unter angenommen identischen Bedingungen und in einem begrenzten Zeitintervall, gefertigt wurden

ANMERKUNG   Die Chargennummer/Losnummer wird üblicherweise während der Produktion eines Objekts vergeben.

3.2
Domäne
Unterscheidbarer Teil eines abstrakten oder physikalischen Raums, in dem etwas existiert

ANMERKUNG   Eine Domäne kann z. B. eine Organisation oder ein Land sein oder ein Teil davon.

3.3
Domänennummer
Domäne ID
Identifikationsnummer einer *Domäne*

ANMERKUNG   Die zugeordnete *Domänennummer* kann mit der *Organisationsnummer* übereinstimmen.

[IEC 82045-2, abgeleitet]

3.4
Identifikation [Aktivität]
Aktion der Zuordnung von *Identifikationsnummern* zu einem *Objekt*

3.5
Identifikationsnummer
ID
Zeichenfolge, die den Wert des *Identifikators* repräsentiert

ANMERKUNG 1   Es ist Praxis, dass, obwohl die Benennung den Begriff „Nummer" enthält, die Zeichenfolge auch andere Zeichentypen enthalten kann.

ANMERKUNG 2   Es ist zu beachten dass der Begriff *Identifikator* als Attribut und der Begriff *Identifikationsnummer* als der Wert des Attributes hier als verschiedene Dinge betrachtet werden; oft jedoch werden sie in existierenden Definitionen vermischt.

ANMERKUNG 3 Von einer *Identifikationsnummer* wird oft gefordert, eindeutig zu sein (ein *Objekt* darf nur eine einzige Nummer haben). Dies ist eine unnötig strenge Anforderung; es ist ausreichend wenn sie innerhalb einer spezifizierten *Domäne* eindeutig ist. Ein *Objekt* darf daher mehr als eine *Identifikationsnummer* haben.

Weiterhin wird in der Definition angenommen, dass eine *Organisation* für mehr als eine *Identifikationsnummerndomäne* verantwortlich sein darf. Dies kommt im Allgemeinen vor, wenn *Organisationen* zusammengelegt werden usw..

[IEC 82045-2, abgeleitet]

3.6
Identifikationsschema
Definition und Beschreibung der Strukturen der *Identifikatoren*

3.7
Kennzeichnungssystem
System definierter und dokumentierter Regeln und Prozeduren innerhalb einer *Organisation* zum Zwecke der unverwechselbaren *Identifikation* und Nachverfolgung eines betrachteten *Objekts* mittels der Anwendung eines *Identifikationsschemas*

3.8
Identifikator
einem *Objekt* zugeordnetes *Attribut* zwecks eindeutiger *Identifikation* innerhalb einer spezifizierten *Domäne*

ANMERKUNG   In einem *Identifikationssystem* können verschiedene Typen von *Identifikatoren* erforderlich sein.

3.9
Identität
eingeführte Beziehung zwischen einem *Objekt* und einer *Identifikationsnummer*

3.10
Herausgeber
Organisation, welche von einer *Registrierungsstelle* oder seitens der Leitung einer *Organisation* autorisiert ist, *Identifikationsnummern* in einer vorgegebenen *Domäne* zu vergeben

[ISO 6523, abgeleitet]

3.11
Metadaten
Metainformation
Information (unabhängig von ihrer Form) zur Beschreibung eines realen oder abstrakten *Objekts*

[IEC 82045-2, abgeleitet]

3.12
Objekt
Betrachtungseinheit, die in einem Prozess der Entwicklung, Realisierung, Betriebs-, und Entsorgung behandelt wird

ANMERKUNG 1 Die Betrachtungseinheit kann sich auf eine physikalische oder eine nicht-physikalische „Sache" beziehen, die existieren könnte, existiert oder früher existierte.

ANMERKUNG 2 Das Objekt hat ihm zugeordnete Informationen.

[IEC 81346-1, 3.1]

3.13
Objektnummer
Objekt ID
Identifikationsnummer eines *Objekts*

DIN EN 62507-1 (VDE 0040-2-1):2012-03
EN 62507-1:2011

ANMERKUNG 1   Die Begriffe Produktnummer, Positionsnummer, Teilenummer, Artikelnummer, Produkt-Identifikationsnummer, Rückverfolgbarkeitsnummer (Seriennummer oder Chargennummer) sind oft Synonyme zur *Objektnummer*.

ANMERKUNG 2   Für Produkte wird die Identifikationsnummer normalerweise während der Planung eines Objekts vergeben. Es wird daher angenommen, dass Objekte mit derselben Identifikationsnummer der Anforderung nach derselben „form, fit and function" (Anm.: physikalischen Gestalt, Passung und Funktionalität) entsprechen und infolgedessen austauschbar sind.

3.14
individuelles Objekt
Exemplar eines *Objekttyps*, unabhängig davon, wo es benutzt wird

3.15
Instanz eines Objekts
Anwendung eines *Objekttyps* in einem bestimmten Zusammenhang (innerhalb eines anderen *Objekts* oder *Systems*), unabhängig davon, welches individuelle *Objekt* verwendet wird

3.16
Objekttyp
Klasse von *Objekten* mit demselben Satz charakteristischer Eigenschaften

3.17
Organisation
Unternehmen, Gesellschaft, Firma, Betrieb, Behörde oder Institution oder Teile oder Kombinationen davon, inkorporiert oder nicht, öffentlich oder privat, welche ihre eigenen Funktionen und Verwaltung haben

3.18
Organisationsnummer
Organisation ID
Identifikationsnummer einer *Organisation*

ANMERKUNG   Die zugeordnete *Organisationsnummer* kann mit der *Domänennummer* übereinstimmen.

[ISO 6523-1, abgeleitet]

3.19
Registrierungsstelle
verantwortliche *Organisation* zur Annahme von Anträgen von anderen Organisationen und Vergabe von Rechten an diese, selbst als *Herausgeber* in einer gegebenen *Domäne* tätig zu sein

[ISO 6523, abgeleitet]

3.20
Seriennummer
Identifikationsnummer eines individuellen Exemplars von *Objekten* oder eines *Objekttyps*

ANMERKUNG   In den meisten industriellen Anwendungen wird eine Seriennummer angewendet, um verschiedene individuelle Exemplare eines Produkttyps während deren Lebenszyklen zu verfolgen, z. B. individuell gefertigte Autos einer spezifischen Baureihe eines Autos.

In anderen Fällen wird die Seriennummer als laufende Nummer verwendet, um zwischen den verschiedenen Objekten innerhalb einer Domäne zu unterscheiden.

3.21
Rückverfolgbarkeit
Fähigkeit, die Information der einzelnen Lebenszyklen, welche zu einem bestimmten Punkt innerhalb eines Prozesses führt, nachzuverfolgen (zu identifizieren und wiederzufinden),

[ISO 9000, 3.5.4, modifiziert]

3.22
Variante
Objekttyp, abgeleitet von einer Grundausführung (allgemeinen Ausführung) eines Objekttyps

ANMERKUNG Varianten können bestimmungsgemäß gleichzeitig existieren, was deren gleichzeitiges Management erfordert, wogegen Versionen zeitlich aufeinander folgen. Versionen können jedoch ebenfalls gleichzeitig existieren; dies hängt davon ab, wie ältere Versionen ausgemustert werden.

3.23
Version
identifizierbarer Status eines *Objekts*, um Änderungen innerhalb seines Lebenszyklus anzugeben, bezogen auf eine gegebene *Objektnummer* eines *Objekttyps*

ANMERKUNG 1 Eine *Dokumentversion* ist ein identifizierter Status in der Entwicklung eines Dokuments während seines Lebenszyklus und wird identifiziert und für Suchzwecke gespeichert. Der Begriff *Dokumentrevision* wird üblicherweise verwendet, um anzugeben, dass die *Dokumentversion* nach formalen Kriterien geprüft ist, siehe z. B. IEC 82045-1 und IEC 82045-2.

ANMERKUNG 2 Eine *Produktversion* ist ein identifizierter Status in der Entwicklung eines Produkttyps und identifiziert in Bezug auf den Lebenszyklus der Produktserie.

[IEC 82045-2, abgeleitet]

3.24
Versionsnummer
Version ID
Identifikationsnummer einer Version

ANMERKUNG Die Objektnummer des relevanten Objekts dient als Domänennummer für die Versionsnummern.

[IEC 82045-2, abgeleitet]

4 Allgemein

4.1 Zweck der Identifikation

Der Zweck der Identifikation ist, ein eindeutiges und genaues Referenzieren (Herstellen von Bezügen) sicherzustellen.

Referenzieren ist eine grundlegende Anforderung an eine Rückverfolgbarkeit.

Eine Identifikator ist ein Attribut zu einem Objekt zum Zwecke von dessen Identifikation.

Eine Identifikationsnummer ist der Wert des Identifikators; eine Zeichenfolge zur Bereitstellung einer absoluten und unverwechselbaren Referenz auf ein bestimmtes Objekt (Produkt, Dokument, Informationsobjekt usw.), wodurch es innerhalb einer angegebenen Domäne (oder eines angegebenen Kontexts) eindeutig gemacht wird.

Die wichtigste Anforderung an eine Identifikationsnummer ist, dass sie innerhalb einer gegebenen Domäne, basierend auf den in dieser Domäne gegebenen und festgelegten Regeln unverwechselbar ist.

ANMERKUNG 1 Da zum Beispiel Identifikationsnummern für Produkte sowohl auf den Produkten selbst als auch in der für deren Wartung während der gesamten Lebensdauer verwendeten zugehörigen Produktdokumentation dargestellt werden, dienen Produktnummern während der gesamten Lebensdauer eines Produkts als Referenzen (oft über 100 Jahre hinaus dauernd).

ANMERKUNG 2 Werden Änderungen eines Objekts mittels Versionsmanagement identifiziert, dient die Objektnummer als Domänennummern für die Versionsnummern. Falls kein Versionsmanagement angewendet wird, sind den geänderten Objekten in der betroffenen Domäne vollständig neue Objektnummern zu vergeben.

DIN EN 62507-1 (VDE 0040-2-1):2012-03
EN 62507-1:2011

Die Spezifikation einer (Identifikations-)Domäne, die Art der in ihr zu identifizierenden Objekte und die Regeln zur Konstruktion von Identifikationsnummern in dieser Domäne werden üblicherweise **Identifikationssystem** genannt.

Die wichtigste Anforderung an ein Identifikationssystem ist, dass es von Dauer ist.

ANMERKUNG 3 Beispiele möglicher Methoden, um im Falle von Übernahmen von Firmen erforderliche Änderungen zu verwalten sind in Abschnitt 9 beschrieben.

Die Anforderungen bezüglich Eindeutigkeit und Dauerhaftigkeit werden zunehmend wichtiger wegen dem existierenden und weiterhin zunehmenden Einsatzes elektronischen Datenaustausches im internen als auch im externen Handel.

In Verbindung mit den Phasen Entwurf, Planung, Realisierung, Betrieb, Wartung und Entsorgung, d. h. dem Lebenszyklus eines Produkts oder Systems, ist es notwendig, eine Anzahl von Identifikationssystemen für verschiedene Zwecke und für verschiedene Arten von Objekten zu verwenden, zum Beispiel:

- Produkt/Teile-Identifikationssystem für die Identifikation verschiedener Produkttypen;
- (Produkt/Teile) Serien-Identifikationssystem für die Identifikation individueller Exemplare eines Produkts;
- (Produkt/Teile) Los/Chargen-Identifikationssystem für die Identifikation von Gruppen von Produktion desselben Typs, gefertigt unter identischen Bedingungen, von denen daher angenommen werden kann, dass alle Produkte gleich sind;
- Dokumenten-Identifikationssystem für die Identifikation von Dokumenten;
- Anfragen-Identifikationssystem für die Identifikation von Anfragen/Angeboten;
- Auftrags-Identifikationssystem für die Identifikation von Aufträgen/Verträgen;
- Asset-Identifikationssystem zur Identifikation im Anlagengegenstands-Management oder für Leasinggeschäfte;
- usw.

Solche Identifikationssysteme haben den Zweck, die Objekte innerhalb der Domäne(n), die in der für sie *verantwortlichen Organisation* angewendet wird, zu identifizieren und somit das identifizierte Objekt dieser Organisation zuzuordnen.

Eine andere Gruppe von Identifikationssystemen, die sich oftmals auf die Vereinfachung von Handel und Logistik konzentrieren und für welche üblicherweise internationale Organisationen verantwortlich sind, hat den Zweck, Objekte aus verschiedenen Quellen zu identifizieren, um auf globaler Basis eine Auffinden, Suchen und Rückverfolgen zu ermöglichen, wie zum Beispiel:

- Handelsartikel (Artikel)-Identifikationssystem;
- Inventar-Identifikationssystem;
- Buch-Identifikationssystem;
- Bankkonten-Identifikationssystem
- Zeitschriften-Identifikationssystem;
- Identifikationssysteme für Verpackungen, die ein oder mehrere Handelsartikel enthalten;
- Identifikationssysteme für Gepäckstücke, z.B. für Luftfahrtgesellschaften;
- Identifikationssysteme für Zertifikate;
- Identifikationssysteme für eine Public-Key-Infrastruktur;
- Identifikationssysteme für einem Netzwerk zugeordnete Geräte usw.

Eine dritte Gruppe von Identifikationssystemen hat den Zweck, die identifizierten Objektinstanzen demjenigen *Produkt, System oder der Anlage zuzuordnen, von denen sie Bestandteil sind*:

- Referenzkennzeichnungssystem zur Identifizierung von Objekten und
- Dokumentenkennzeichnungssystem zur Identifizierung von Dokumenten.

Anhang A beschreibt verschiedene Arten von Kennzeichnungssystemen und deren Anforderungen.

ANMERKUNG Beispiele von Identifikationssystemen werden in Teil 2 diese Normenreihe angegeben *(in Vorbereitung)*.

4.2 Referenzierung und Rückverfolgbarkeit

Die Identifikationsnummer macht es möglich, sich auf ein bestimmtes Objekt (oder eine Gruppe von Objekten) zu beziehen.

Um die Erfordernisse für eine Nachverfolgbarkeit zu erfüllen, muss sich eine Identifikationsnummer auf ein Dokument oder einer Dokumentation beziehen oder allgemein ausgedrückt auf eine Quelle mit *Metadaten* des Objekts. Die Metadaten liefern die relevante Beschreibung. Siehe Bild 1.

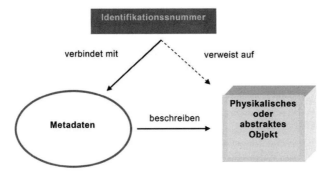

Bild 1 – Referenzierungsmechanismus

Eine Identifikationsnummer darf sich auch auf Information „an sich" beziehen, ohne jedes zugehörige Objekt.

4.3 Langlebigkeit

Die Anforderung nach Langlebigkeit eines Identifikationssystem wird in erster Linie erfüllt von:
- der Auswahl einer langlebigen Domäne; zweitens
- durch stabile Regeln für die Erzeugung von Identifikationsnummern innerhalb dieser Domäne; und zuletzt
- von einem Register, welches die Rückgewinnung der Metadaten der Identifikationsnummer selbst erlaubt (wann und von wem wurde die Nummer erzeugt).

Interne und externe Organisationseinheiten, die für die Identifikationssysteme verantwortlich sind, werden sich wahrscheinlich im Laufe der Zeit ändern, um externe und interne Geschäftsanforderungen zu erfüllen. Informationstechnische Systemumgebungen, in denen die Identifikatoren verwendet werden, können sich ebenfalls im Laufe der Zeit ändern.

Dennoch muss ein eingeführtes Identifikationssystem sicherstellen, dass eine Identifikationsnummer nie zwei verschiedene Objekte beschreiben kann und dass für ein Objekt keine Notwendigkeit besteht mehr als eine Identifikationsnummer in derselben Domäne zu haben.

Prinzipiell dürfen Informationen über ein eingeführtes und bereits angewendetes Identifikationssystem nicht gelöscht werden.

Eine einmal verwendete Identifikationsnummer darf nicht erneut verwendet werden, solange nichts anderes in der Beschreibung des Identifikationssystems festgelegt ist und bis erwartet werden kann, dass niemand sich mehr darauf bezieht; dies bedeutet einen Zeitraum jenseits der Lebensdauer des Gegenstands, welchen die Identifikationsnummer zuvor identifizierte.

ANMERKUNG   Internationale, regionale oder nationale Gesetze, falls vorhanden, sollten Vorrang haben.

Ein Identifikationssystem muss deshalb – gesehen in dieser Zeitperspektive - unabhängig sein von der unbeständigen internen Organisation einer Firma oder einer anderen Organisation und von der verwendeten informationstechnischen Systemumgebung.

4.4 Arten von Objekten

Ein *Typ* ist eine Klasse von Objekten mit einem Satz gemeinsamer Merkmale. In Abhängigkeit von der Anzahl der gemeinsamen Merkmale kann ein Typ ein sehr generischer oder sehr spezifischer Typ sein.

- Bei generischen Objekttypen, wie zum Beispiel in IEC 81346-2 und ISO/IEC 15418 beschrieben, wird ein Typ durch eine Zeichenfolge identifiziert.
- Viele Arten von Produkten, zum Beispiel Motoren, Transformatoren oder Schütze, sind als Baureihe von Größen mit gemeinsamen Merkmalen geplant. In solchen Fällen könnte der Identifikator für die Baureihe als ganzes ein Typkennzeichen sein; für jede einzelne Größe dieser Baureihe könnte ein spezifischeres Kennzeichen erforderlich sein (eine Variante dieses Typs).
- Jede Produktvariante einer Produktserie hat ihre eigne Identifikationsnummer.
- Die kommerzielle Verpackung von Produkten kann weitere Typen bedingen; Packungen, die zum Beispiel 1, 5 oder 10 Produkte beinhalten, benötigen eine Unterscheidung durch unterschiedliche Identifikationsnummern.

Ein Individuum (Objekt) ist ein Exemplar eines Produkttyps unabhängig davon, wo es eingesetzt wird. Jedes der produzierten Einzelexemplare des genannten Produkttyps ist möglicherweise individuell zu identifizieren. Ist es nicht erforderlich oder praktisch nicht möglich zwischen den Individuen zu unterscheiden, darf stattdessen der Identifikator der Charge oder des Loses angewendet werden.

ANMERKUNG   Der Begriff Individuum (Objekt) in dieser Norm schließt menschliche Individuen aus.

Die Instanz eines Typs verweist auf die Anwendung eines Typs in einer Anlage oder einem System unabhängig davon, welches Individuum es ist.

In Bild 2 ist die Beziehung zwischen Typen und Instanzen eines Typs dargestellt. In Tabelle 1 sind Beispiele für Identifikatoren von Typen, Instanzen von Typen und von Individuen in verschiedenen Zusammenhängen gezeigt.

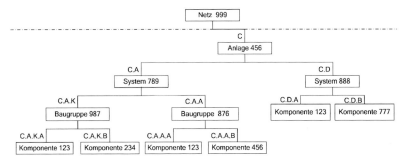

ANMERKUNG   Die Objekte unterhalb der strichpunktierten Linie sind alles Objekte, die als Instanzen im „Netzwerk 999" identifiziert wurden. Das letztere repräsentiert in diesem Beispiel einen „obersten Knoten", welcher nicht als Instanz identifizierbar ist.

Bild 2 – Beziehungen zwischen den Instanzen (identifiziert durch verkettete Buchstabencodes) von Typen (identifiziert durch Nummern) in einer Baumstruktur

Tabelle 1 – Verwendung von Identifikatoren im Kontext eines Produkts

Herkunft/Hauptanwendung	Typen	Instanzen der Typen	Individuen
Entwicklung	Typkennzeichen	(Referenzkennzeichen)	Nicht anwendbar
	Produktnummer		
Engineering	Typkennzeichen	Referenzkennzeichen	Anlagennummer
	Produktnummer		
Fertigung	Typkennzeichen	Referenzkennzeichen	Seriennummer, Chargennummer, Losnummer
	Produktnummer	Teilereferenz	
Marketing, Verkauf und Versand	Typkennzeichen	(Referenzkennzeichen)	Seriennummer, Chargennummer, Losnummer, Verpackungsnummer, Transportnummer, Auftragsnummer
	Produktnummer		
Betrieb und Wartung	Typkennzeichen	Referenzkennzeichen	Anlagennummer, Seriennummer, Inventarnummer
	Produktnummer		

4.5 Änderungen eines identifizierten Objekts

Ein Objekt, das Änderungen unterworfen ist, muss, solange seine Relevanz aus der Sicht der Anwendungen weiterhin dieselbe ist, mit derselben Objektnummer identifiziert werden. Dies ist erforderlich, um unnötige Änderungen im Kontext vorhandener Querverweise zu vermeiden. Somit vermeidet man potentielle „Änderungslawinen" von Identifikationsnummern, die sonst unvermeidlich wären.

Um solche Änderungen im Zusammenhang mit einer festen Identifikationsnummer aus anderen Perspektiven als der Anwendungen handhaben zu können, muss eine vollständige Identifikation des Objekts, neben der Identifikationsnummer, mindestens eine der folgenden Angaben umfassen:

- Versionsnummer;
- Seriennummer und/oder Losnummer/Chargennummer; und/oder
- Produktionsdatum, Verpackungsdatum oder Ablaufdatum.

4.6 Identifikationsschemata

Ein detailliertes Informationsmodell für Referenzzwecke ist in Anhang B dargestellt.

In den folgenden Abschnitten werden die Attribute zusätzlich durch vereinfachte Informationsmodelle beschrieben.

Die Informationsmodelle (Entity-Relationship-Diagramme) sind in den Bildern 4, 6 und 8 dargestellt und müssen wie folgt gelesen werden (siehe auch Bild 3):

- Von innen nach außen, beginnend mit der „Entität" in fett gedruckten Großbuchstaben;
- (verbundene) Entitäten sind durch Ellipsen dargestellt;
- eine Beziehung zwischen einer Entität und einer (verbundenen) Entität wird durch eine Linie zwischen den Ellipsen angegeben;
- der Text neben der Linie zwischen einer Entität und einer (verbundenen) Entität beschreibt die Beziehung;
- die Kombination einer Beziehung und einer Entität bildet das Attribut eines Datenelementtyps;
- zwei Zahlen, durch einen Punkt getrennt, geben die Instanzen des Attributes an: die erste Zahl gibt die minimale, die zweite Zahl die maximale Anzahl von Instanzen an;
- Beziehungen und die korrespondierenden Angaben zu Instanzen sind auf derselben Seite der Beziehungslinie positioniert;
- in den Informationsmodellen werden die Namen der Entitäten in Grossbuchstaben und die Namen der verbundenen Entitäten in Kleinbuchstaben dargestellt.

Entität: OBJEKT

Beziehung: hat

Verbundene Entität: Identifikator

Attribut: hat einen Identifikator

ANMERKUNG   Das Attribut ist zusammengesetzt aus der Beziehung und der relevanten Entität.

Kardinalität: 1.1 (mindestens einen und nicht mehr als einen)

Bild 3 – Prinzip eines Informationsmodells

4.7 Identifizierende Attribute eines Objekts

Bild 4 – Beispiel für identifizierende Attribute eines Objekts in einer gegebenen Domäne

Ein Objekt hat identifizierende Attribute, siehe Bild 4. Jedes dieser Attribute hat einen Wert – die korrespondierende Identifikationsnummer. Die Identifikationsnummer gehört zu einer definierten und identifizierten Domäne.

4.8 Identifikation der Herausgeber-Domäne

Eine Domäne darf Teil einer weiteren Domäne und als ihr Teil identifiziert sein. Die Identifikationsnummer, die in der übergeordneten Domäne vergeben wurde, muss innerhalb dieser Domäne eindeutig sein und sie dient dann als Domänennummer (Domänen-ID) für die untergeordnete Domäne, siehe Bild 5. Die Prinzipien gelten wie in Abschnitt 6 dargestellt.

ANMERKUNG Abschnitt 6.1.2 kann angewendet werden, wenn eine Registrierungsstelle für die größere Domäne existiert. Falls keine Registrierungsstelle existiert, gilt 6.1.3.

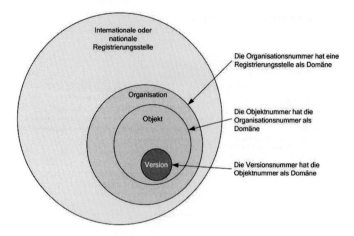

Bild 5 – Erläuterung zu Domänen

Dieses Prinzip wird angewandt, um eine weltweit eindeutige Identifikation zu erreichen. Die herausgebende (lokale) Domäne wird innerhalb einer größeren Domäne identifiziert, diese wiederum in einer noch größeren usw. Die Serie von aufeinanderfolgenden größeren Domänen endet mit der Identifikation einer Domäne (national oder international), welche global anerkannt ist. Die Registrierung kann entweder durch eine internationale (in Übereinstimmung mit ISO 65234-1 oder ISO/IEC 15459-2) oder durch eine nationale Registrierungsstelle erfolgen, wobei letztere weitergehend durch den Ländercode (in Übereinstimmung mit ISO 3166-1) identifiziert wird.

Zur vollständigen Identifikation eines Objekts ist es notwendig, die Domänennummern aller relevanten Domänen anzugeben.

Die Information zu einer Domäne ist in Bild 6 dargestellt. Falls eine Domäne nicht wie oben beschrieben mit einer Domänennummer versehen ist, ist zum Erreichen einer Eindeutigkeit im relevanten Kontext die Kombination einer Anzahl der anderen Informationselemente notwendig.

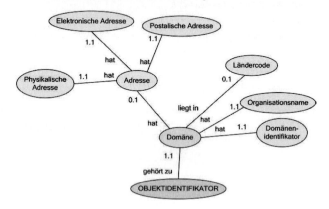

Bild 6 – Organisationsbasierte Identifikation der Domäne

Die Beziehungen zwischen Domänen, Identifikatoren und Identifikationsnummern sind in Tabelle 2 dargestellt.

Tabelle 2 – Beziehungen zwischen Domänen, Identifikatoren und Identifikationsnummern

Herausgeber-Domäne ist identifiziert durch	Identifiziertes Objekt	Objektidentifikator	Attributwert
Nummer der Registrierungsstelle	Organisation	Organisationsidentifikator	Organisationsnummer
Organisationsnummer	Objekttyp	Objektidentifikator	Objektnummer
Organisationsnummer oder Objektnummer	Charge/Los	Chargen-/Losidentifikator	Chargen-/Losnummer
Organisationsnummer oder Objektnummer	Individuum	Individuum-Identifikator	Seriennummer
Organisationsnummer oder Objektnummer	Instanz (eines Objekts)	Referenzidentifikator	Referenzkennzeichnung
Objektnummer	Version	Versionsidentifikator	Versionsnummer

4.9 Mehrfach-Identifikation desselben Objekts

Innerhalb einer gegebenen Domäne muss ein darin befindliches Objekt mit einer Identifikationsnummer versehen sein. In den meisten Fällen wird dies die Identifikation des Objekts innerhalb der Domäne derjenigen Organisation sein, welche für das Objekt zuständig ist, zum Beispiel für dessen Fertigung. Es liegt in der Hand der Organisation, welches der Identifikationsverfahren angewendet wird, siehe 6.1.2 und 6.1.3.

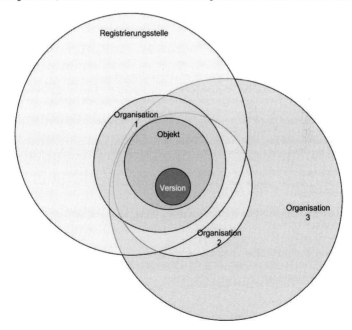

Bild 7 – Identifikation in mehreren Domänen

Aus verschiedenen Gründen, wie für Marketing- oder Exportzwecke, kann es wünschenswert sein, demselben Objekt zusätzliche Identifikatoren, die zu unterschiedlichen Domänen gehören, zuzuordnen; zum Beispiel die Zuweisung einer Identifikationsnummer basierend auf einem anerkannten internationalen Identifikationssystem.

Der für die Mehrfach-Identifikation des Objekts zuständigen Organisation (dem verantwortlichen Objektzuständigen) wird dringend empfohlen, ein Register zu führen, in welchem alle zu einem Objekt vergebenen Objektnummern verwaltet werden, um Querbezüge zu ermöglichen. Zum Beispiel im Fall einer Versionsänderung des Objekts, auf das Bezug genommen wird, ist dann unmittelbar erkenntlich, welche Identifikatoren zu aktualisieren sind.

ANMERKUNG Die Handhabung eines solchen Systems im regionalen oder globalen Bereich erfordert Verwaltungsdienstleistungen. (Daher benötigen solche Dienste Finanzierungen.)

4.10 Speicherung und Anwendung von Identifikationsnummern

Ein System zur Speicherung und Verwaltung verschiedener Typen von Identifikationsnummern aus unterschiedlichen Identifikationssystemen darf nicht die Anzahl der Zeichen in einer Zeichenfolge limitieren. Die global festgelegte maximale Länge für den Informationsaustausch ist in 6.2.1 festgelegt.

ANMERKUNG Falls eine Verkettung der verschiedenen Bestandteile einer identifizierenden Zeichenfolge angewendet wird, gilt die Limitierung für die verkettete Zeichenfolge.

5 Dokumentation eines Identifikationssystems

Ein Identifikationssystem muss *dokumentiert* sein, und zwar mittels der Beschreibung folgender Punkte:

- die *Domäne*, in welcher es angewendet wird, möglicherweise einschließlich seiner Beziehung zu anderen Identifikationssystemen in derselben Umgebung;
- die Art der zu identifizierenden *Objekte*;
- die Regeln, wie die Identifikationsnummern gebildet werden müssen, um sie innerhalb der Domäne eindeutig zu machen, siehe 6.2;
- die Regeln, wie die Domäne im zeitlichen Verlauf verwaltet werden sollte;
- eine Beschreibung der relevanten *Werkzeuge* für die Verwaltung des Systems, zumindest einem Register, siehe 6.2.2, möglicherweise erweitert um Generatoren für Identifikationsnummern, siehe 6.2.3.

In Anhang C ist ein Beispiel für die Dokumentation eines Identifikationssystems angeführt.

Die Integrität eines Identifikationssystems muss beibehalten werden. Um dies zu unterstützen, sollte die Anwendung eines Identifikationssystems für andere Zwecke als ursprünglich vorgesehen vermieden werden.

Tabelle 1 zeigt generische Beispiele von Identifikationssystemen mittels Angabe der Namen der Identifikatoren und Zuordnung der Domäne zu den jeweiligen Kontexten, denen sie entstammen und innerhalb denen sie angewendet werden.

Die Domäne ist in der Tabelle mittels des Namens einer Aktivität, für welche der Betreuer der Domäne verantwortlich ist, ausgedrückt.

6 Erzeugung der Identifikationsnummern

6.1 Prinzipielle Methoden

6.1.1 Allgemein

Um die Identifikationsnummern zu erstellen, können zwei grundsätzlich unterschiedlichen Methoden angewendet werden:

a) Die identifizierenden Nummern sind im Hinblick auf das identifizierte Objekt frei von jeglicher semantischer Bedeutung; sie werden von einem verwalteten Identifikationsnummernsystem herausgegeben, um eine doppelte Vergabe und Mehrdeutigkeit zu vermeiden. Diese Nummer bezieht sich auf Informationen, welche die erforderliche Beschreibung des identifizierten Objekts liefert.

b) Die erforderliche Beschreibung ist entsprechend einem definierten Codierungsschema in die identifizierende Nummer codiert. Eine derartige Nummer ist entweder die vollständige Beschreibung oder sie bezieht sich auf Metainformation, welche zusätzliche Informationen liefert.

6.1.2 Methode 1

Die Methode 1 erfordert eine zentralisierte Verwaltung des Identifikationsnummernregisters innerhalb der Domäne. Sie erfordert keine langen Identifikationsnummern und ist flexibel in dem Sinne, dass die Metainformationen, auf die sie sich bezieht, beliebig groß und strukturiert werden, und gleichzeitig jede gewünschte Granularität der Information bereitstellen kann. Die Identifikationsnummer kann leicht über die Zeit stabil gehalten werden; zugleich kann der Inhalt der Metainformation dem jeweiligen aktuellen Bedarf angepasst werden (zum Beispiel durch Umstrukturierung, Erhöhung der Detailvielfalt).

Es wird deshalb empfohlen, diese Methode für – jedoch nicht nur auf diese beschränkt – Identifikatoren von Objekten anzuwenden, die einer Organisation als Ganzes zuzuordnen sind und zwar aus Gründen der Rückverfolgbarkeit, Produkthaftung usw. und daher unter strikter Kontrolle gehalten werden müssen.

6.1.3 Methode 2

Methode 2 erfordert keine zentralisierte Verwaltung des Identifikationsnummernregisters innerhalb einer Domäne, jedoch sind die verwendeten Codierungsschemata zentral festzulegen und zu verwalten.

Die Erzeugung der Identifikationsnummern kann dann dezentralisiert werden, jedoch kann es zum Zwecke der Eindeutigkeit erforderlich sein, Subdomänen einzurichten. Die Anwendung der Methode führt üblicherweise zu langen Identifikationsnummern, da deren Länge von der Anzahl der notwendigen Merkmale abhängt, die zu codieren sind. Die Methode ist in Bezug auf Änderungen der Informationsanforderungen sehr empfindlich; die Einstellung auf den Einschluss weiterer codierter Merkmale oder die Änderung von existierenden zu anderen Merkmalen erfordert selbst auch dann Änderungen im Codierungssystem, wenn die bereits beschriebenen Objekte per se unverändert bleiben.

Es wird empfohlen, diese Methode vorwiegend zur – jedoch nicht nur darauf beschränkt – Identifikation von Instanzen von (Informations- oder anderen) Objekten innerhalb eines begrenzten Kontexts anzuwenden, zum Beispiel innerhalb einer Lieferung oder innerhalb einer Bibliothek.

Methode 2 hat zudem einen Nachteil im Risiko, dass der Nummernvorrat ausgehen kann, da es zum Zeitpunkt der Erstellung der Codierungsregeln nicht möglich ist, den in der Zukunft auftretenden Bedarf vorauszusehen.

ANMERKUNG Ein extremes Beispiel für die Möglichkeit einer Dezentralisierung ist das UUID-System (UUID = Universally Unique Identifier) entsprechend RFC4122 (ISO/IEC 9834-8:2004). Ein UUID ist eine 128 Bit lange Identifikatinsnummer, basierend auf Zeitstempeln und Knoten-IDs, und die gewährleistet, über Raum und Zeit hinweg eindeutig zu sein ohne Notwendigkeit einer Registrierung. Beispiel für solch ein UUID: b5ef6610-b746-1da-a94d -0800200c9a66. Das UUID-System wird allgemein zur globalen Identifikation in Rechnersystemen angewendet, es kann jedoch wegen der Länge der Identifikationsnummern nur in maschinenlesbarer Weise genutzt werden.

6.2 Aufbau der Identifikationsnummern

6.2.1 Allgemein

Eine Identifikationsnummer muss aus einer Zeichenkette bestehen und den Festlegungen in 6.1.2 oder 6.1.3 folgen.

Die Zeichen zum Zusammensetzen einer Identifikationsnummer müssen aus dem G0-Satz der Internationalen Referenzversion (IRV) von ISO/IEC 646 ausgewählt werden. Ausgeschlossen sind nationale oder anwendungsorientierte Zeichen.

ANMERKUNG Die Bit-Kombinationen für nationale oder anwendungsorientierte Zeichen sind 4/10, 5/11 bis inkl. 5/14, 6/0 und 7/11 bis einschließlich 7/14. Siehe hierzu 6.4.3 und Tabellen 4 und 5 von ISO/IEC 646.

Empfohlenen Zeichen für durch Menschen lesbare Notationen sind: Zahlen 0, …, 9 und lateinische Großbuchstaben A, …, Z, insgesamt also 36 Zeichen.

Für Notationen, die primär der Lesbarkeit durch Maschinen dienen, dürfen auch Kleinbuchstaben angewendet werden.

Für spezifische Anwendungen dürfen die folgenden Zeichen zusätzlich benutzt werden: NUMMERZEICHEN („#"), AMPERSAND („&"), PLUSZEICHEN („+"), BINDESTRICH-MINUS („-"), PUNKT („."), SCHRÄGSTRICH („/"), DOPPELPUNKT („:"); SEMIKOLON („;"), GLEICHHEITSZEICHEN („="), KLEINER ALS („<"),GRÖSSER ALS („>").

Anhang D listet die in dieser Norm unterstützten Zeichen auf.

Wenn keine semantische Bedeutung in bestimmte Zeichenpositionen zugeordnet wird, brauchen die Identifikationsnummern nicht sehr lang zu sein, wie in der folgenden Tabelle 3 auf Grundlage von 34 Zeichen erläutert ist (ausgeschlossen sind die Buchstaben I und O).

Tabelle 3 – Anzahl möglicher Identifikationsnummern

Zeichenanzahl n	Anzahl möglicher Identifikationsnummern (34^n)
3	39 304
4	1 336 336
5	45 435 424
8	$1{,}78 * 10^{12}$
10	$2{,}06 * 10^{15}$
20	$4{,}26 * 10^{30}$

In dieser Norm ist die Anzahl der Zeichen in der Zeichenfolge weder limitiert noch spezifiziert, da sie vom Anwendungsbereich abhängt. Folgendes sollte jedoch berücksichtigt werden:

- Identifikationsnummern, von denen beabsichtigt ist, dass sie für Menschen lesbar und handhabbar sind, sollten so kurz wie möglich gehalten werden.
- Für Identifikationsnummern, mit denen beabsichtigt ist, dass sie für Menschen lesbar sind, ist es gute Praxis, Bildzeichen ähnlicher Gestalt zu vermeiden: Grossbuchstabe O um eine Verwechslung mit der Zahl 0 zu vermeiden; Grossbuchstabe I um eine Verwechslung mit dem Kleinbuchstaben l und der Zahl 1 zu vermeiden, da nicht alle möglicherweise zur Darstellung der Nummern benutzten Fonts eindeutig zwischen diesen Zeichen unterscheiden;
- Für Identifikationsnummern, von denen beabsichtigt ist, dass sie in erster Linie maschinenlesbar sind (mittels Strichcodierung, RFID usw.), empfehlen ISO/IEC 15479-1 und ISO/IEC 15479-4 eine Beschränkung auf 20 Zeichen; EDIFACT erlaubt 35 Zeichen für Transporteinheiten. Informationen über die Länge von Datenelementtypen liefern ISO 7372 und IEC 61360-1.

Es wird dringend angeraten, dass bei einem Datenaustausch das empfangende System fähig sein muss, die volle Zeichenfolgenlänge des sendenden Systems zu empfangen. Für diesen Zweck wird die Anwendung einer variablen Länge von bis zu 256 Zeichen empfohlen.

6.2.2 Ausgabe (Registrierung)

Jede vergebene Identifikationsnummer muss durch den Herausgeber innerhalb der relevanten Domäne registriert werden, um sicherzustellen, dass keine Duplikate vergeben werden.

Aus praktischen Gründen kann es möglich sein, diese Verantwortung innerhalb einer Organisation an verschiedene Organisationseinheiten zu delegieren.

ANMERKUNG 1 Diese Delegation kann realisiert werden entweder durch die formale Erzeugung von Subdomänen, identifiziert durch Zeichen zu Beginn der Identifikationsnummern, oder durch die Vergabe limitierter Sub-Serien von Identifikationsnummern an Organisationseinheiten. Diese Nutzung von Zeichenpositionen darf nicht als ein Zuweisen semantischer Bedeutung in Bezug auf das identifizierte Objekt interpretiert werden, da die Verantwortlichkeit für eine gegebene Serie im Laufe der Zeit weitergegeben werden kann.

ANMERKUNG 2 Die Verwaltung der Information zu den tatsächlich identifizierten Objekten ist nicht im Anwendungsbereich dieser Publikation enthalten. Für weitere Informationen siehe z. B. die gemeinsam von IEC und ISO entwickelte IEC 82045 zum Thema Dokumentenmanagement.

Die Wiederverwendung einmal registrierter Identifikationsnummern innerhalb einer Domäne darf nicht gestattet werden.

6.2.3 Identifikationsnummerngenerator

Ein Generator für Identifikationsnummern ist typischerweise ein Softwareprogramm, welches Identifikationsnummern entsprechend zuvor definierten Regeln erstellt. Es stellt sicher, dass keine Duplikate herausgegeben werden, und protokolliert das Ergebnis. Auf Anforderung antwortet das Programm mit der nächsten verfügbaren Nummer.

Generatoren für Identifikationsnummern sind im Allgemeinen in Rechnersysteme integriert, mit dem Zweck, eindeutige Identifikationsnummern zum Gebrauch innerhalb dieses Systems zu erstellen.

Sind solche Identifikationsnummern außerhalb des Systems zu übermittelten, zum Beispiel als Produktidentifikationsnummern, so müssen die Regeln für die Erzeugung der Identifikationsnummern in Übereinstimmung sein mit den langfristig gültigen Regeln für Identifikationsnummern innerhalb der Domäne, zu der die Identifikationsnummer gehört. Dies ist deswegen erforderlich, da die Lebensdauer eines Rechnersystems wahrscheinlich kurz sein wird, zum Beispiel im Vergleich zur Lebensdauer von Investitionsgütern.

Wenn mehrere solcher Generatoren für Identifikationsnummern innerhalb einer Organisation benutzt werden, so ist es möglich, die Verantwortung für die Erzeugung von Nummern, wie in 6.2.2 beschrieben, zu verteilen, in diesem Fall jedoch nicht auf organisatorische Einheiten, sondern auf Generatoren für Identifikationsnummern.

ANMERKUNG Bei dem Aufbau eines solchen Generators für Identifikationsnummern ist es gute Praxis, eine Subdomäne oder den Teil einer Serie für Schulung, Ausbildung Softwaretest, Fehlersuche und andere ähnliche Zwecke zu reservieren. Anwender sind ansonsten sehr kreativ und verwenden bereits vergebene Identifikationsnummern oder definieren alte Dinge um, weil es für sie keinen Weg gibt, der ihnen erlaubt, neue Nummern für jene Zwecke zu erstellen, ohne andere Mechanismen in einer integrierten Umgebung auszulösen. Dies könnte sich schädlich auswirken.

6.2.4 Validierung

Für Identifikationsnummern, die wahrscheinlich mehrmals von einem Datenmedium zu einem anderen transferiert werden, zum Beispiel mittels Tastatureingabe durch einen Menschen oder mittels Einscannverfahren (manuall oder automatisiert), kann es nützlich sein, die Integrität der Nummer vor einem weiteren Verfahrensschritt zu überprüfen. Dies kann in einfacheren Fällen mittels einer Formatprüfung erfolgen oder für erhöhte Sicherheit mittels einer Prüfziffer.

Die Validierung mittels einer Formatprüfung oder einer Prüfziffer könnte sowohl für eine einzelne Identifikationsnummer als auch für die Verkettung verschiedner Identifikationsnummern angewendet werden.

ISO 7064 gibt Informationen über die Anwendung von Prüfziffern. Falls solche verwendet werden, müssen Prüfsysteme, welche in Identifikationssystemen angewendet werden, öffentlich zugänglich sein. Es wird empfohlen, Einrichtungen bereitzustellen, die ein dezentrales Prüfen erlauben.

7 Identifikation im globalen Kontext

Eine global eindeutige Identifikation kann auf zwei verschiedenen Wegen erreicht werden:

- Eine herausgebende (lokale) Domäne mit Gültigkeit innerhalb einer Organisation wird um deren Identifikator ergänzt, und dieser möglicherweise mit einem zusätzlichen Identifikator für das Land usw., siehe 6.2 und Bild 8. Oder
- die Domäne für das Identifikationssystem ist bereits als globale Domäne festgelegt und bei einer internationalen Registrierungsstelle registriert.

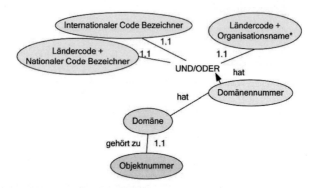

* Weitere Informationen sind erforderlich, falls mehrere Firmen mit demselben Namen innerhalb eines Landes existieren.

Bild 8 – Erläuterung der Domänenidentifikation

8 Repräsentation und Darstellung von Identifikationsnummern

8.1 Repräsentation zur Nutzung in Computersystemen

Für Informationen, die in Austauschmedien angewendet werden, zum Beispiel Computersysteme, Strichcodierung, RFID usw., muss jeder der verschiedenen Identifikatoren zusammen mit den zugewiesenen Identifikationsnummern übertragen werden.

Es ist Aufgabe des physikalisch erfolgenden elektronischen Austauschformats festzulegen:

- Welches Trennzeichen zwischen den verschiedenen Identifikationsnummern angewendet wird, und
- welches Schriftzeichen zur Segmentierung zwischen den verschiedenen Informationselementen innerhalb einer Identifikationsnummer dient.

Als Alternativlösung für das Schriftzeichenzeichen zur Segmentierung darf das Zeichen GRUPPEN-TRENNZEICHEN <GS> (ASCI Zeichen 029) in Übereinstimmung mit ISO/IEC 15434 angewendet werden.

Dies erlaubt einem IT-System (informationstechnischen System), die erhaltenen Information zum Zweck der Darstellung zur Wahrnehmung durch Menschen gemäß 8.2 und 8.2.3 abzuleiten.

ANMERKUNG   IT-Systeme sollten die Strukturen der verschiedenen Identifikatoren einer Objektidentifikation beibehalten, um den elektronischen Transaktionsprozess zu unterstützen und spätere Prozessschritte zu vereinfachen, anstatt die Struktur für Darstellungszwecke zu einer einzigen Zeichenfolge zu verflachen. Im Falle einer gedruckten Objektidentifikation, z. B. mittels einer Strichkodierung, wird die Datenstruktur zu einer einzelnen Zeichenfolge verflacht. Es ist daher Aufgabe der Scan-Software für Strichcodes, diese Zeichenfolge zu lesen und sie in die vorherige Datenstruktur zu konvertieren.

8.2 Darstellungen zur Wahrnehmung durch Menschen

8.2.1 Allgemeines

Eine Identifikationsnummer muss als eine einzige Zeichenfolge dargestellt werden.

Falls keine Eindeutigkeit in Bezug auf den Typ der Identifikationsnummer besteht, muss der korrespondierende Identifikator für die verwendete Identifikationsnummer entweder als von Menschen lesbarer Text oder als Code visualisiert werden. Ihm sollte die relevante Identifikationsnummer mit vorangestelltem Trennzeichen LEERZEICHEN („ ") folgen.

Falls die vollständige Identifikation eines Objekts die Darstellung der zugeordneten Domänenidentifikationsnummern erfordert, so sollten diese entweder explizit mittels ihrer Identifikatoren oder zu einer einzelnen Zeichenfolge verkettet entsprechend den folgenden Regeln dargestellt werden:

- Falls der vollständige Identifikator zu einer einzelnen Zeichenfolge verkettet wird, dann muss die Notation von links nach rechts aufgebaut sein, beginnend mit dem Identifikator der umfassendsten Domäne.

- Die verschiedenen Identifikatoren dürfen visuell mittels eines Trennzeichens nach den Festlegungen des Herausgebers getrennt werden. Die Trennzeichen dürfen keine semantische Bedeutung haben.

ANMERKUNG   Solch ein Trennzeichen soll als Steuerzeichen in einem verarbeitendem System dienen.

8.2.2 Darstellung verketteter Identifikatoren für die Wahrnehmung durch Menschen

Da mehrere Identifikatoren für Darstellungszwecke verkettet werden dürfen, dürfen die zugeordneten Identifikationsnummern visuell durch ein Trennzeichen nach Angaben des Herausgebers separiert werden. Solche Trennzeichen dürfen keine semantische Bedeutung haben. Die Darstellung muss mit dem Top-Level (größte Domäne) beginnen und fortlaufend zur kleineren (bis zur kleinsten) Domäne gehen.

Um die Lesbarkeit für den Menschen zu verbessern, dürfen die folgenden Zeichen als Trennzeichen angewendet werden: LEERZEICHEN („ ") oder UNTERSTRICH („_"). Weitere Trennzeichen sind gemeinsam zu vereinbaren.

BEISPIEL

Struktur der IBAN, zusammengesetzt in dieser Reihenfolge gemäß ISO 13616:

- Code des Identifikators IBAN, gefolgt von einem Leerzeichen („ ");
- 2-stelliger Länderschlüssel gemäß ISO 3166-1; unmittelbar gefolgt durch
- 2-stellige Prüfziffer für die vollständige Identifikationsnummer;
- maximal 30-stellige Basis-Kontonummer; eingeschlossen sind die Bankidentifikation und Kontenidentifikation innerhalb der identifizierten Bank, mit dem Leerzeichen („ ") als Trennzeichen wie vom Herausgeber festgelegt.

Beispiel für die Darstellung einer IBAN für Deutschland:

   IBAN DE 21 7005 1995 0000 0072 29.

DIN EN 62507-1 (VDE 0040-2-1):2012-03
EN 62507-1:2011

8.2.3 Darstellung mehrfacher Identifikatoren für die Wahrnehmung durch Menschen

Falls mehrfache Identifikationsnummern desselben Objekts dargestellt werden, sollte vor jeder der Identifikationsnummern der Name des Identifikators des Identifikationsnummerntyps (möglicherweise abgekürzt oder codiert) stehen, um jegliche Mehrdeutigkeit zu vermeiden.

BEISPIEL

ABC 12345678

DEF 9012345678

8.3 Identifikation einer Subdomäne

Werden innerhalb desselben Identifikationssystems verschiedene Notationen zwecks Angabe einer Subdomäne innerhalb dieses Systems angewendet, zum Beispiel durch die Anwendung unterschiedlicher Anzahl von Schriftzeichen zur Darstellung dieser Subdomäne, dann sollte der codierte Identifikator des Identifikationssystems erweitert werden durch Hinzufügen des Zeichens BINDESTRICH („-") unmittelbar gefolgt durch eine Zeichenfolge, zum Beispiel um die Zeichenfolge zur Angabe der anwendbaren Subdomäne.

Dem codierten Domänenidentifikator muss das Trennzeichen LEERZEICHEN („ ") folgen, unmittelbar gefolgt von der Identifikationsnummer.

BEISPIEL (mit dem Wert ABC als Domänenidentifikation):

ABC-8 40804330

ABC-13 400267801721

8.4 Anwendung der Domänenidentifikation

In den meisten Fällen genügen alleine die Identifikationsnummern als Identifikatoren, da die Domäne in diesem bestimmten Kontext bekannt und vorausgesetzt wird.

- Eine auf einem Leistungsschild eines Produkts angegebene Identifikationsnummer wird dahingehend interpretiert, dass sie der Domäne zugehörig ist, die der Organisation entspricht, die mit ihrem Namen oder Firmenlogo auf dem Schild dargestellt ist.
- Eine Identifikationsnummer, welche als Dokumentennummer verwendet wird, wird dahingehend interpretiert, dass sie der Domäne zugehörig ist, die der Organisation entspricht, deren Name oder Firmenlogo im Zeichnungskopf/Schriftfeld des Dokuments gezeigt ist, oder zum Beispiel in einem Briefkopf.
- Eine Identifikationsnummer welche im Inhalt eines Dokuments (Auflistung von Teilen oder Dokumenten, Verweise auf zugehörige Dokumente usw.) erscheint, wird ebenso dahingehend interpretiert, dass sie der Domäne zugehörig ist, die der Organisation entspricht, deren Name oder Firmenlogo in der Kopf oder in der Fußzeile des Dokuments gezeigt ist.

Wo immer eine Identifikationsnummer gezeigt oder angewendet wird und wo die zugehörige Domäne nicht aus dem Kontext ersichtlich ist, muss die Information über den Domänenidentifikator explizit angegeben sein.

Die Domänennummer kann in verschiedenen Kontexten unterschiedlich angegeben sein:

- In Darstellungen als Feldnamen auf Bildschirmen, Kopfzeilen in Tabellen, in Klartexten usw. könnte die Domäne in einem Feldnamen, einer Kopfzeile über Spalten usw. integriert dargestellt sein.
- in Anwendungen, in denen Identifikationsnummern aus mehreren verschiedener Domänen regelmäßig gehandhabt werden, sind die Domänennummer (oder deren Name) und die Identifikationsnummer als separate Felder anzugeben, die immer als Paar zu kommunizieren sind.
- als verketteter Teil einer Identifikationszeichenkette, welche die Domänennummer beinhaltet, wobei die Identifikationsnummer durch eine Trennzeichen visualisiert sein kann, siehe 6.2.

In der Kommunikation zwischen verschiedenen Parteien sollten der Domänenidentifikator und die Identifikationsnummer als zwei separate Identifikatoren, jedoch als ein Paar, übertragen werden, sofern die Domäne nicht dieselbe ist (in einem solchen Fall kann sie als bekannt vorausgesetzt werden).

9 Empfehlungen in Bezug auf Organisationsänderungen

Die Anforderung an Langlebigkeit ist recht leicht zu erreichen, vorausgesetzt, dass die für eine Domäne verantwortliche Organisation auch über die Zeit stabil ist. Organisationen werden jedoch manchmal geteilt oder mit anderen Organisationen verschmolzen. Im Falle einer Verschmelzung sieht sich die neue Organisation einer Situation gegenüber, in der es zwei oder mehr Identifikationsdomänen gibt. In ungünstigen Fällen könnte es unmöglich sein, diese zu integrieren, da dann einige der Identifikationsnummern nicht mehr eindeutig wären. Wahrscheinlich ist es notwendig, die Identifikationsnummern der früheren Organisationen in einem gemeinsamen Informationssystemumgebung zu verwalten, wobei es wahrscheinlich Kollisionen geben wird.

Eine Umänderung der Identifikation der Objekte ist unter solchen Umständen weder eine praktische noch eine mögliche Lösung. Sie wäre in den meisten Fällen (wegen der Änderungen in der vorhandenen Dokumentation) äußerst kostspielig; zum Beispiel erscheinen die Produktnummern auf allen Leistungsschildern von lange zuvor bereits verkauften und verteilten Produkten.

Die Methode der Erstellung einer global eindeutigen Identifikation mittels einer Domänenidentifikation kann auch für diesen Zweck angewandt werden. Die Domänennummer zeigt in diesem Fall die frühere Herausgeber-Organisation auf, d. h. den Eigner und Manager des Benummerungsschemas, woraus die alte Identifikationsnummer ursprünglich generiert wurde. Diese Domäne wird somit eine Subdomäne innerhalb der Domäne des neuen Eigners

Es ist zu beachten, dass die frühere Organisation in vielen Fällen nicht mehr existiert und daher weder internationale noch nationale Organisationsschlüssel usw. verfügbar sein werden. Deshalb kann es erforderlich sein, die Domänennummer vollständig als eine separate Einheit innerhalb der neuen Organisation zu behandeln.

10 Konformität

Konformität mit dieser Norm kann für solche Identifikationssysteme behauptet werden, welche in Übereinstimmung mit den in den Abschnitten 5 bis 9 (welche Teile von Abschnitt 4 durch Referenzen einschließen) definiert und dokumentiert sind.

Anhang A enthält Beispiele, wie solche Systeme festgelegt und abgegrenzt werden können. Anhang C zeigt, wie sie dokumentiert werden können.

Konformität mit diesem Teil von IEC 62507 für globale oder regionale Anwendung kann behauptet werden, wenn der Satz von Datenelementen aus mindestens einem der Abschnitte A.2.2, A.2.3 oder A.3.2 bereitgestellt wird.

Konformität mit diesem Teil von IEC 62507 für den lokalen Gebrauch kann behauptet werden, wenn der Satz von Datenelementen aus mindestens einem der Abschnitte A.2.4 oder A.3.3 bereitgestellt wird.

Konformität mit diesem Teil von IEC 62507 für Identifikationen innerhalb einer objektgebundenen Domäne kann behauptet werden, wenn der Satz von Datenelementen aus mindestens einem der Abschnitte A.4.2 oder A.4.3 bereitgestellt wird.

Anhang A
(informativ)

Typen von Identifikationssystemen

A.1 Allgemein

Die folgenden Abschnitte beschreiben eine nicht erschöpfende Liste von Identifikationssystemen.

Abschnitte A.2 und A.3 beschreiben Identifikationssysteme, um Objekte einer Organisation zuzuordnen.

Abschnitt A.4 beschreibt Identifikationssysteme, um Objekte anderen Objekten (Systemen) zuzuordnen.

Ausdrücke aus dem EXPRESS-Modell (Anm.: siehe Anhang B) sind in rechteckigen Klammern dargestellt.

A.2 Identifikationssysteme mit einem Verwalter der mittels Schlüssel erkennbar ist

A.2.1 Allgemein

Die Erkennung eines Verwalters (Organisation) mittels Schlüssel (Organisationsnummer) erfordert die Inanspruchnahme einer Registrierungsstelle (oder einer Organisation, die im Auftrag dieser Registrierungsstelle handelt), durch welche diese Organisationsnummer [coded_organization_id] zugewiesen und registriert wird. Solche Registrierungsstellen können sowohl international als auch national sein.

A.2.2 International registriertes Identifikationssystem

Die Nutzung eines international registrierten Identifikationssystems erfordert eine Registrierung derjenigen Organisation, welche für die Domäne zuständig ist, auf internationaler Ebene. Während dieses Registrierungsprozesses erhält der Verwalter die entsprechende Domänennummer [domain_id], welche als Attribut zur Identifikation der Objekte in seiner Domäne dient.

Eine globale Identifikation von Objekten erfordert die folgenden zugehörigen Attribute:

- Organisationsnummer;
- Domänennummer;
- Objektnummer (vergeben durch den Verwalter des Identifikationssystems).

Die Identifikation von Versionen ist in international registrierten Identifikationssystemen nicht allgemein üblich. Falls eine solche jedoch angewendet wird, muss das folgende Attribute ergänzt werden:

- Versionsnummer (vergeben durch die für das Objekt verantwortliche Organisation).

Falls eine Verkettung erfolgt, muss die resultierende Zeichenfolge folgende Struktur haben:

Organisationsnummer + Domänennummer + Objektnummer + Versionsnummer.

In Bezug auf das EXPRESS-Modell in Anhang B: [coded_organization_id + domain_id + object_id + version_id].

BEISPIEL Firmenidentifikationssysteme mit international registrierter Organisation. Dies schließt Systeme für Seriennummern und Chargennummern/Losnummern für den Fall, dass diese Nummern direkt einer Organisationsdomäne zugeordnet sind, ein (vergleiche Beispiel 2 in A.4.2 bezüglich einer weiteren Methode).

A.2.3 National registriertes Identifikationssystem

Die Nutzung eines national registrierten Identifikationssystems erfordert zuvor auf nationaler Ebene eine Registrierung derjenigen Organisation, welche der Verwalter der Domäne ist. Während dieses Registrierungsprozesses erhält der Verwalter die zugewiesene *Organisationsnummer* [coded_organization_id] und auch die entsprechende *Domänennummer* [domain_id], welche als Attribute zur Identifikation der Objekte in seiner Domäne dienen. Um die Domäne global eindeutig zu machen, muss auch der *Ländercode* [country_code] ergänzt werden.

Eine globale Identifikation von Objekten erfordert die folgenden zugehörigen Attribute:

- **Ländercode** (in Übereinstimmung mit ISO/IEC 3166-1);
- **Organisationsnummer**;
- **Domänennummer** (vergeben durch die Registrierungsstelle);
- **Objektnummer** (vergeben durch den Verwalter des Identifikationssystems);
- **Versionsnummer** (vergeben durch die für das Objekt verantwortliche Organisation).

Falls eine Verkettung erfolgt, muss die verkettete Zeichenfolge folgende Struktur haben:

Ländercode + Organisationsnummer + Domänennummer + Objektnummer + Versionsnummer.

In Bezug auf das EXPRESS-Modell in Anhang B: [country_code + coded_organization_id + domain_id + object_id + version_id].

BEISPIEL Firmenidentifikationssysteme mit national registrierter Organisation. Dies schließt Systeme für Produktnummern, Seriennummern und Chargennummern/Losnummern für den Fall, dass diese Nummern direkt einer Organisationsdomäne zugeordnet sind, ein (vergleiche Beispiel 2 in A.4.2 bezüglich einer weiteren Methode).

A.2.4 Registriertes Identifikationssystem für Subdomänen

Identifikationssysteme können auch für eine Domäne festgelegt werden, welche eine Subdomäne eines international oder national registrierten Identifikationssystems ist (Domäne in höherer Ebene) und für welches bereits eine Domänennummer vorliegt, oder zu einer Subdomäne einer solchen Domäne.

Die Anwendung von Subdomänen erfordert eine Registrierung beim Verwalter der Domäne der höheren Ebene oder beim Verwalter einer Subdomäne einer solchen Domäne. Während dieses Registrierungsprozesses erhält der Verwalter der Subdomäne eine *Organisationsnummer* [coded_organization_id] und auch die entsprechende *Domänennummer* [domain_id], welche als Attribute zur Identifikation der Objekte in der Subdomäne dienen.

Die globale Identifikation eines Objekts in einer Subdomäne erfordert zusätzlich zu den Identifikationen der Domäne, in welcher die lokale Domäne registriert ist:

- **... + Domänennummer** (vergeben durch den Verwalter der Domäne in der höheren Ebene);
- **Objektnummer** (vergeben durch den Verwalter des Identifikationssystems);
- **Versionsnummer** (vergeben durch die für das Objekt verantwortliche Organisation).

Im Falle einer Verkettung muss die Zeichenfolge mit den Identifikationen der international oder national registrierten Domäne beginnen, gefolgt von folgender Struktur:

... + Domänennummer (der Domäne in der höheren Ebene) + Domänennummer (der Subdomäne) + Objektnummer + Versionsnummer.

In Bezug auf das EXPRESS-Modell in Anhang B: [... + domain_id (für die Domäne in der höheren Ebene) + domain_id (für die Subdomäne) + object_id + version_id].

Beispiele von Subdomänen: ABC-8, ABC-13, DEF-A, DEF-B, DEF-C.

A.3 Identifikationssysteme mit einem Verwalter der mittels seiner Benennung erkennbar ist

A.3.1 Allgemein

Das Erkennen des Verwalters (Organisation) eines Identifikationssystems mittels seiner Benennung erfordert, dass ausreichend Information bereit gestellt wird, um die Organisation unverwechselbar zu machen.

A.3.2 Identifikationssystem auf globaler Ebene

Zur Erkennung des Verwalters des Identifikationssystems auf globaler Ebene sind folgende Angaben erforderlich:

- Ländername oder Ländercode;
- Organisationsname.

In Bezug auf das EXPRESS-Modell in Anhang B: [country_name | country_code + organization_name].

In einigen Ländern ist nicht gefordert, dass die Namen von Organisationen innerhalb eines Lands eindeutig sein müssen. In solchen Fällen muss die zuvor genannte Information mindestens um die physikalische Adresse der Organisation ergänzt werden, wie in Anhang B gezeigt.

Die globale Identifikation eines Objekts in der Domäne erfordert dazu zusätzlich:

- ... + Objektnummer (vergeben durch den Verwalter des Identifikationssystems);
- Versionsnummer (vergeben durch die für das Objekt verantwortliche Organisation).

Falls verkettet: **Objektnummer + Versionsnummer.**

In Bezug auf das EXPRESS-Modell in Anhang B: [... + object_id + version_id].

BEISPIEL Firmenidentifikationssysteme ohne Registrierung ihrer Organisation. Dies schließt Systeme für Produktnummern, Seriennummern und Chargennummern/Losnummern für den Fall, das diese Nummern direkt einer Organisationsdomäne zugeordnet sind, ein. (Vergleiche Beispiel 2 in A.4.2 bezüglich einer weiteren Methode.)

A.3.3 Identifikationssysteme für Subdomänen

Identifikationssysteme können auch für Domänen festgelegt werden welche *Subdomänen* eines Identifikationssystems ist, für welches der Verwalter mittels seiner Benennung erkennbar ist (Domäne der höheren Ebene).

Um die Beziehung zu der Domäne in der höheren Ebene zu erkennen, erfordert die Anwendung von Subdomänen deren Registrierung bei dem Verwalter der Domäne in der höheren Ebene, oder bei dem Verwalter einer Subdomäne, die einer solchen Domäne zugeordnet ist.

Dieser Fall stimmt mit dem vorhergehenden Fall in A.2.4 überein, mit dem Unterschied, dass die Domäne in der höheren Ebene in Übereinstimmung mit A.3.2 gehandhabt wird.

BEISPIEL Firmenidentifikationssysteme ohne Registrierung ihrer Organisation, für die Subdomänen erzeugt und auf Firmenebene registriert werden.

A.4 Identifikationssysteme für Teilobjekte

A.4.1 Allgemein

Identifikationssysteme für Teilobjekte werden angewendet, um Beziehungen zwischen Teilobjekten, gebildet in einem bestimmten Aspekt, zu einem Objekt in der höheren Ebene herzustellen, wobei dieses Objekt auf eine der in den Abschnitten A.2 und A.3 beschriebenen Weisen identifiziert wird.

A.4.2 Einzelebenen-Identifikation

Das Objekt in der höheren Ebene dient im aktuellen Kontext als Domäne für das Identifikationssystem seiner Teilobjekte.

Eine Identifikation eines Objekts im Kontext eines anderen Objekts erfordert:

- **Objektnummer (für das Objekt in der höchsten Ebene im aktuellen Kontext, welches als Domäne für die darunter liegende Ebene benutzt wird);**
- **Objektnummer (für das Teilobjekt innerhalb dieser Domäne).**

In Bezug auf das EXPRESS-Modell in Anhang B: [object_id (für die Domäne = domain_id) + object_id].

BEISPIEL 1 Einzelebenen-Referenzkennzeichen (IEC 81346-1, mit Identifikation des obersten Knotens), lokale Telefonnummer.

BEISPIEL 2 Seriennummer für individuelle Exemplare eines Objekttyps, wobei die Identifikationsnummer des Objekttyps als Domänenidentifikation für die Seriennummern dient.

A.4.3 Mehrebenen-Identifikation

Die *Objektnummer* [object_id], festgelegt in A.4.2, kann wiederum als *Domänennummer* für die Teilobjekte des Objekts dienen. Mit dieser Methode kann die Unterteilung rekursiv wiederholt werden.

Die Identifikation eines Objekts in Kontext eines weiteren Objekts erfordert:

- **Objektnummer (für das Objekt in der höchsten Ebene im aktuellen Kontext, angewendet als Domäne für die darunter liegende Ebene);**
- **Objektnummer (für das Teilobjekt, eindeutig zusammen mit der zuvor definierten Domäne und zugleich als Domäne für die darunter liegende Ebene angewendet);**
- **usw.**

In Bezug auf das EXPRESS-Modell in Anhang B: [object_id (für die Domäne = domain_id) + object_id (= domain_id) + usw.].

BEISPIEL Mehrebenen-Referenzkennzeichen (IEC 81346-1, mit Identifikation des obersten Knotens), internationale Telefonnummer, IP-Adresse.

DIN EN 62507-1 (VDE 0040-2-1):2012-03
EN 62507-1:2011

Anhang B
(normativ)

Referenz-Informationsmodell

B.1 Allgemeines

Das in diesem Anhang gezeigte Referenz-Informationsmodell stellt ein formales Modell der in diesem Teil der Reihe IEC 62507 beschriebenen Konzepte und Methoden zur Verfügung. Es ist normativ in Bezug auf den Datenaustausch, d. h., wenn Daten transferiert oder ausgetauscht werden, muss der Austausch in Übereinstimmung mit diesem Referenzmodell erfolgen.

B.2 Referenzmodell

Das in Abschnitt B.5 beschriebene Referenzmodell ist eine graphische Darstellung der Struktur und Beschränkungen der Anwendungsobjekte, die in Abschnitt B.6 spezifiziert sind. Die graphische Form des Referenzmodells entspricht der Notation in EXPRESS-G. Das Referenzmodell ist unabhängig von einer bestimmten Implementierungsmethode.

Das Referenzmodell beschreibt die gegebenen Anforderungen und nutzt, wenn möglich, bereits verfügbare Untermengen aus Anwendungsreferenzprotokollen der Reihe ISO 10303.

Das Modell kann nicht als vollständig betrachtet werden, weder innerhalb des Rahmens der integrierten Ressourcenmodelle noch der Anwendungsreferenzprotokolle, die innerhalb der Reihe ISO 10303 entwickelt wurden. Es ist jedoch vollständig in Bezug auf die in dieser Norm festgelegten Anforderungen.

ANMERKUNG 1 Bezüglich einer Einführung in EXPRESS-G siehe http://tc3.iec.ch/txt/xpress.pdf.

ANMERKUNG 2 Dieser Anhang ist weitestgehend nur in englischer Sprache verfügbar.

B.3 Liste der Entitäten und Attribute

Dieser Abschnitt enthält eine alphabetisch sortierte Liste der Entitäten und Attribute des im Abschnitt B.4 beschriebenen Referenzmodells.

(INV) has_version S[0:?] 34
(INV) identified_by S[1:?] 32, 34, 37
addition 36, 38
Address 43
affecting 36, 38
associated_with 32
classified_as S[0:?] 34
coded_organization_id 42
Coded_organization_identifier 42
copy 36, 38
country_code 42, 43
country_name 43
custodian 39, 40
customer 40
decomposition 36, 38

derivation	36, 38
description S[0:?]	34
Domain	32
domain_id	33
Domain_identifier	33
Domain_relationship	33
domain_relationship_type	33
Electronic_address	43
employee	41
employer	41
id	34
identifier	42
identifies	33, 35, 37
is_role_of	39
license_holder	40
local_representative	40
maintained_by	32
manufacturer	40
Named_organization_identifier	43
Object	33
Object_class	34
object_id	35
Object_identifier	34
Object_relationship	35
object_relationship_type	35
Object_version	37
Object_version_identifier	37
Object_version_relationship	37
Object_version_relationship_type	38
operator	40
Organization	42
Organization_identifier	42
organization_name	43
owner	40
Party	39
Party_relationship	41
party_relationship_type	41
Party_role	39
Party_to_address_relationship	41
peer	36, 38
Person	42
Physical_adress	43
Postal_address	44
referencing	36, 39
related_address	41

related_domain 33
related_object 35
related_object_version 38
related_party 41
related_to 35, 37
relating_domain 33
relating_object 35
relating_object_version 37
relating_party 41
responsible_party 40
Role_type 39
sequence 36, 39
substitution 36, 39
superseding 36, 39
supplier 40
translation 36, 39
uses_classification_system 34
valid_domain 42
variant 36, 39
vendor 41
version_id 37
version_of 37
withdrawal 36, 39

B.4 Beschreibung der Entitäten

B.4.1 Domain

The Domain is a collection of attributes establishing the relationship between the Domain_identifier, and the Party serving as custodian of the domain and, in the case that an object serves as domain, to the Object_identifier of this object.

The data associated with a Domain are the following:

- (INV) identified_by S[1:?];
- maintained_by;
- associated_with.

B.4.1.1 (INV) identified_by S[1:?]

Provides the relation between Domain and the Domain_identifier. A Domain has at least one identifier, and may have more than one.

B.4.1.2 maintained_by

Provides the relation between Domain and the Party serving as custodian.

B.4.1.3 associated_with

Domains belonging to an organization may belong to other organization related domains.

A domain may optionally be associated to an **object** identified within such a domain. The object identification number of such an object serves as domain_id for sub-objects of this object.

NOTE This association describes the creation of reference designations according i.a to IEC 81346, based on tree-like structures (consists-of/is-part-of). Hierarchical reference designations are concatenated identification numbers for domains of this type.

B.4.2 Domain_identifier

The Domain_identifier provides the identification of a Domain.

The attributes associated with an Doamin_identifier are:
- identifies;
- domain_id.

B.4.2.1 identifies

Provides the relation to the identified Domain.

B.4.2.2 domain_id

A string providing the domain identification number.

B.4.3 Domain_relationship

This enity contains the description of the relations between domains.

The associated attributes are:
- relating_domain;
- related_domain;
- domain_relationship_type.

B.4.3.1 relating_domain

Specifies the first of the two Domains related by the Domain_relationship.

B.4.3.2 related_domain

Specifies the second of the two Domains related by the Domain_relationship.

B.4.3.3 domain_relationship_type

The domain relationship_type specifies the meaning of the relation.

The prefined domain_relationship_types are:
- decomposition;
- substitution.

B.4.4 Object

The Object entity is a collection of attributes establishing relationships among and Object_identifier, Object_version and Object_class.

The data associated with an Object are the following:
- (INV) identified_by S[1:?];
- (INV) has_version S[0:?],
- classified_as S[0:?];

B.4.4.1 (INV) identified_by S[1:?]

Provides the relation between Object and the Object_identifier. An Object has at least one identifier, and may have many.

B.4.4.2 (INV) has_version S[0:?]

Provides the relation between Object and Object_version. An object does not need to have any versions, but may have many.

B.4.4.3 classified_as S[0:?]

Provides the relation from the entity Object to the entity Object_class. An object may belong to many classes.

B.4.5 Object_class

The Object_class is a collection of attributes allowing assigning multiple classifications to an object.

The data associated with an Object_class are the following:
- id;
- description S[0:?];
- uses_classification_system.

B.4.5.1 id

Specifies the classification code associated to a specific object class based on a specified classification system.

B.4.5.2 uses_classification_system

Specifies the information about the classification system applied.

B.4.5.3 description S[0:?]

Provides a clear language-bound text description of the classification code associated within the specific object based on a given classification system.

B.4.6 Object_identifier

The Object_identifier provides identification of an Object within an Domain identified by a domain_id.

The attributes associated with an Object_identifier are:
- identifies;
- related_to;
- object_id

B.4.6.1 identifies

Provides the relation to the identified Object.

B.4.6.2 related_to

Provides the relation to the Domain_identifer.

B.4.6.3 object_id

A string providing the object number.

B.4.7 Object_relationship

This enity contains the description of the relations between objects.

The associated attributes are:
- relating_object;
- related_object;
- object_relationship_type.

B.4.7.1 relating_object

Specifies the first of the two Objects related by the Object_relationship.

B.4.7.2 related_object

Specifies the second of the two Objects related by the Object_relationship.

B.4.7.3 object_relationship_type

The object_relationship_type specifies the meaning of the relation.

The prefined object_relationship_types are:
- addition;
- affecting;
- copy;
- decomposition;
- derivation
- peer;
- referencing;
- sequence;
- substitution;
- superseding;
- translation;
- variant;
- withdrawal.

B.4.7.3.1 addition

Defines a relationship where the related item provides supplementary or collateral information with regard to the information provided by the relating item.

B.4.7.3.2 affecting

Defines a relationship where the related item affects the relating item.

B.4.7.3.3 copy

Defines a relationship where the related item is a copy of the relating item.

B.4.7.3.4 decomposition

Defines a relationship where the related item is a decomposition of the relating item.

B.4.7.3.5 derivation

Defines a relationship where the related item is derived from the relating item.

NOTE As synonym for derivation "based on" is often used.

B.4.7.3.6 peer

Defines a relationship where the related item provides required information with regard to that provided by the relating item. The peer item is essential for contributing completeness of understanding.

B.4.7.3.7 referencing

Defines a relationship where the related item is referencing the relating item.

B.4.7.3.8 sequence

Defines a relationship where the related item follows the relating item sequentially.

B.4.7.3.9 substitution

Defines a relationship where the related item replaces the relating item.

B.4.7.3.10 superseding

Defines a relationship where the related item supersedes the relating item.

B.4.7.3.11 translation

Defines a relationship where the related item is generated through a translation process from the relating item.

B.4.7.3.12 variant

Defines a relationship where the related item is a variant of the relating item.

B.4.7.3.13 withdrawal

Defines a relationship where the related item is withdrawn without replacement.

B.4.8 Object_version

The Object_version is a collection of attributes establishing relationships between Object and Object_version_identifier,

The data associated with an Object_version are the following:

- version of;
- (INV) identified_by S[1:?].

B.4.8.1 version_of

Provides the relation to the Object of which the Object_version is a version.

B.4.8.2 (INV) identified_by S[1:?]

Provides the relation between Object_version and the Object_version_identifier. An Object_version (if existing) has at least one identifier.

B.4.9 Object_version_identifier

The Object_version_identifier provides identification of an Object_version within a Domain identified by the object_id for the related Object.

The attributes associated with an Object_version_identifier are:

- identifies;
- related_to;

B.4.9.1 identifies

Provides the relation to the identified Object_version.

B.4.9.2 related_to

Provides the relation to the Object_identifer. The attribute object_id to the Object_identifier serves as domain_id for the version_id.

B.4.9.3 version_id

A string providing the version number.

B.4.10 Object_version_relationship

This enity contains the description of the relations between Object_versions.

The associated attributes are:

- relating_object_version;
- related_object_version;
- object_version_relationship_type.

B.4.10.1 relating_object_version

Specifies the first of the two Object_versions related by the Object_version_relationship.

B.4.10.2 related_object_version

Specifies the second of the two Object_versions related by the Object_version_relationship.

B.4.10.3 Object_version_relationship_type

The object_version_relationship_type specifies the meaning of the relation.

The prefined object_version_relationship_types are:
- addition;
- affecting;
- copy;
- decomposition;
- derivation
- peer;
- referencing;
- sequence;
- substitution;
- superseding;
- translation;
- variant;
- withdrawal.

B.4.10.3.1 addition

Defines a relationship where the related item provides supplementary or collateral information with regard to the information provided by the relating item.

B.4.10.3.2 affecting

Defines a relationship where the related item affects the relating item.

B.4.10.3.3 copy

Defines a relationship where the related item is a copy of the relating item.

B.4.10.3.4 decomposition

Defines a relationship where the related item is a decomposition of the relating item.

B.4.10.3.5 derivation

Defines a relationship where the related item is derived from the relating item.

NOTE As synonym for derivation "based on" is often used.

B.4.10.3.6 peer

Defines a relationship where the related item provides required information with regard to that provided by the relating item. The peer item is essential for contributing completeness of understanding.

B.4.10.3.7 referencing

Defines a relationship where the related item is referencing the relating item.

B.4.10.3.8 sequence

Defines a relationship where the related item follows the relating item sequentially.

B.4.10.3.9 substitution

Defines a relationship where the related item replaces the relating item.

B.4.10.3.10 superseding

Defines a relationship where the related item supersedes the relating item.

B.4.10.3.11 translation

Defines a relationship where the related item is generated through a translation process from the relating item.

B.4.10.3.12 variant

Defines a relationship where the related item is a variant of the relating item.

B.4.10.3.13 withdrawal

Defines a relationship where the related item is withdrawn without replacement.

B.4.11 Party

The Party is an abstract supertype of Person and Organization.

B.4.12 Party_role

The Party_role specifies the role of the Party.

In the context of this specific model the Party_role is that of a Party being custodian of a Domain

The attributes are:
- is_role_of;
- custodian.

B.4.12.1 is_role_of

Specifies the Party in charge of the role.

B.4.12.2 custodian

Specified type of role, with reference to a defined list of Role_type.

B.4.12.3 Role_type

Specifies the responsibility of the assigned individual or organization with respect to the item to which it is applied. The value is either user defined or predefined.

The predefined values of Role_type are:
- custodian;
- customer;
- license_holder;
- local_representative;
- manufacturer;
- operator;
- owner;
- responsible_party;
- supplier;
- vendor.

B.4.12.3.1 custodian

The assigned individual or organization is responsible for the existence and integrity of the referenced item.

B.4.12.3.2 customer

The assigned individual or organization acts as a purchaser or consumer of the referenced item.

NOTE The customer may be part of the same organization as the supplier.

B.4.12.3.3 license_holder

The assigned individual or organization produces the referenced item under license.

B.4.12.3.4 local_representative

The assigned individual or organization acts as a local contact point for the referenced item.

EXAMPLE The jobsite management of a construction site may act as local_representative of its company.

B.4.12.3.5 manufacturer

The assigned individual or organization produces the referenced item.

B.4.12.3.6 operator

The assigned individual or organization is running the referenced item.

B.4.12.3.7 owner

The assigned individual or organization owns the referenced item.

B.4.12.3.8 responsible_party

The assigned individual or organization is in charge of managing the referenced item.

B.4.12.3.9 supplier

The assigned individual or organization provides the referenced item.

B.4.12.3.10 vendor

The assigned individual or organization is the seller of the referenced item.

B.4.13 Party_to_address_relationship

This entity relates party to applicable Address.

The attributes are:
- related_address;
- related_party.

B.4.13.1 related_address

This attribute specifies the relation to a related address.

B.4.13.2 related_party

This attribute specifies the Party.

B.4.14 Party_relationship

This entity contains the description of the relations between Parties.

The associated attributes are:
- relating_party;
- related_party;
- party_relation_type.

B.4.14.1 relating_party

Specifies the first of the two parties related by the Party_relationship.

B.4.14.2 related_party

Specifies the second of the two parties related by the Party_relationship.

B.4.14.3 party_relationship_type

The party relationship_type specifies the meaning of the relation.

The prefined domain_relationship_types are:
- employer;
- employee

B.4.14.3.1 employer

The assigned party is employed by the other.

B.4.14.3.2 employee

The assigned party employes the other.

B.4.15 Person

Person is a subtype of Party.

The attributes are:
- id;
- last_name;
- first_name;
- middle_name;
- prefix_title;
- suffix_title;
- digital_signature.

B.4.16 Organization

Organization is a subtype of Party.

The attributes are:
- identifier.

B.4.16.1 identifier

Describes the relation between Organization and (ABS) Organization_identifier. An Organization has at least one and can have many Organization_identifiers.

B.4.17 Organization_identifier

Organization_identifier is an abstract supertype of Named_organization_idenifier and Coded_organization_identifier.

B.4.18 Coded_organization_identifier

The Coded_organization_identifier is a subtype of Organization_identifier. The identifier may be either international or national.

The attributes are:
- coded_organization_id;
- valid_domain; and optionally
- country_code.

B.4.18.1 coded_organization_id

The coded_organization_id provides the organization number.

B.4.18.2 valid_domain

The valid domain specifies the relation to a domain for which the organization is custodian.

B.4.18.3 country_code

The two-letter country_code as specified in ISO 3166-1.

B.4.19 Named_organization_identifier

The Named_organization_identifier is a subtype of Organization_identifier.

The attributes are:
- country_name;
- organization_name; and optionally
- country_code.

B.4.19.1 country_name

The country_name as specified in ISO 3166-1.

B.4.19.2 organization_name

The official name of the organization.

B.4.19.3 country_code

The two-letter country_code as specified in ISO 3166-1.

B.4.20 Address

Abstract supertype of Postal_address, Electronic_address and Physical_address.

B.4.21 Electronic_address

The Electronic_address is a subtype of Address. It is the set of attributes needed to address a Party electronically.

The attributes are:
- electronic_mail_address;
- telephone_number;
- mobile_number;
- facsimile_numkber
- telex_number
- url.

B.4.22 Physical_adress

The Physical_address is a sub_type of Address. It is the set of attributes needed to address a Party physically:

The attributes are:
- postal_code;
- country;
- region;
- town;
- street
- street_number;

- internal location;
- property_name.

NOTE If other attributes than those listed are required they should be subject to agreement between the involved parties.

B.4.23 Postal_address

The Postal_address is a sub_type of Address. It is the set of attributes intended specifically for postal purposes. Note that in many cases the Physical address is also used for postal purposes.

The attributes are:

- postal_name;
- postal_box;
- postal_code;
- country.

B.5 Graphische Modellierungssprache EXPRESS-G

EXPRESS-G als eine graphische Modellierungssprache ist in ISO 10303-11 spezifiziert. Zum Zwecke der Darstellung ist das vollständige Modell auf den folgenden zwei Seiten mit den internen Seitennummern 1 und 2 dargestellt.

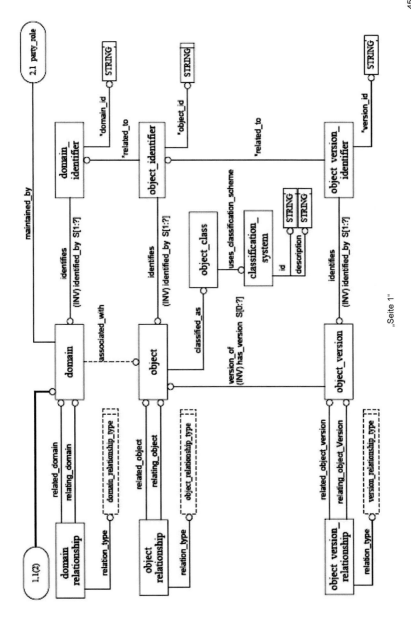

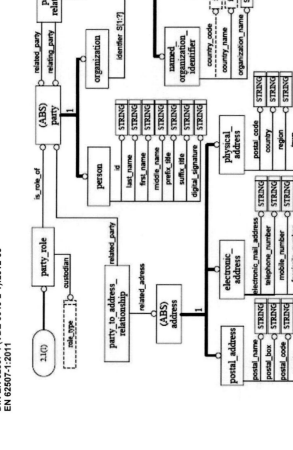

B.6 EXPRESS-Quellcode

Dieser Abschnitt enthält die Darstellung des EXPRESS-Quellcodes. Er ist für Testzwecke elektronisch verfügbar unter URL http://tc3.iec.ch/stp/IEC62507-1_EXPRESS_V10_SCHEMA.txt. Diese Datei wird im Zusammenhang mit der Veröffentlichung des vorliegenden Dokuments elektronisch verfügbar.

ANMERKUNG   Die dargestellten Aufzählungen von ISO 3166-1 zeigen nur eine Untermenge. Für den vollständigen Satz siehe ISO 3166-1.

```
SCHEMA IEC_62507-1_V00;

    TYPE iso_3166_1_codes = ENUMERATION OF
       (BE,
        DE,
        DK,
        ES,
        FI,
        FR,
        IT,
        NL,
        NO,
        PT,
        SE,
        UK,
        US);
    END_TYPE;

    TYPE iso_3166_1_names = ENUMERATION OF
       (BELGIUM,
        DENMARK,
        FINLAND,
        FRANCE,
        GERMANY,
        GREAT_BRITAIN,
        ITALY,
        NORWAY,
        PORTUGAL,
        SPAIN,
        SWEDEN,
        THE_NETHERLANDS,
        USA);
    END_TYPE;

    TYPE role_type = ENUMERATION OF
       (CUSTODIAN,
```

```
    CUSTOMER,
    LICENSE_HOLDER,
    LOCAL_REPRESENTATIVE,
    MANUFACTURER,
    OPERATOR,
    OWNER,
    RESPONSIBLE_PARTY,
    SUPPLIER,
    VENDOR);
END_TYPE;

TYPE domain_relationship_type = ENUMERATION OF
    (DECOMPOSITION,
    SUBSTITUTION);
END_TYPE;

TYPE object_relationship_type = ENUMERATION OF
    (ADDITION,
    AFFECTING,
    COPY,
    DECOMPOSITION,
    DERIVATION,
    PEER,
    REFERENCING,
    SEQUENCE,
    SUBSTITUTION,
    SUPERSEDING,
    SUPPLIED,
    TRANSLATION,
    VARIANT,
    WITHDRAWAL);
END_TYPE;

TYPE version_relationship_type = ENUMERATION OF
    (ADDITION,
    AFFECTING,
    COPY,
    DECOMPOSITION,
    DERIVATION,
    PEER,
    REFERENCING,
    SEQUENCE,
    SUBSTITUTION,
```

```
            SUPERSEDING,
            SUPPLIED,
            TRANSLATION,
            VARIANT,
            WITHDRAWAL);
END_TYPE;

TYPE party_relationship_type = ENUMERATION OF
            (EMPLOYER,
            EMPLOYEE);
END_TYPE;

ENTITY classification_system;
    id      : STRING;
    description: STRING;
END_ENTITY;

ENTITY object_class;
    uses_classification_scheme: classification_system;
END_ENTITY;

ENTITY domain_relationship;
    relating_domain: domain;
    related_domain : domain;
    relation_type  : domain_relationship_type;
END_ENTITY;

ENTITY domain;
    associated_with: OPTIONAL object;
    maintained_by  : party_role;
    INVERSE
    identified_by  : SET [1:?] OF domain_identifier FOR identifies;
END_ENTITY;

ENTITY object;
    classified_as: object_class;
    INVERSE
    has_version  : SET OF object_version FOR version_of;
    identified_by: SET [1:?] OF object_identifier FOR identifies;
END_ENTITY;

ENTITY object_version;
    version_of  : object;
```

```
    INVERSE
      identified_by: SET [1:?] OF object_version_identifier FOR identifies;
    END_ENTITY;

    ENTITY object_version_identifier;
      identifies: object_version;
      related_to: object_identifier;
      version_id: STRING;
     UNIQUE
      identifier: version_id, related_to;
    END_ENTITY;

    ENTITY object_identifier;
      identifies: object;
      related_to: domain_identifier;
      object_id : STRING;
     UNIQUE
      identifier: object_id, related_to;
    END_ENTITY;

    ENTITY domain_identifier;
      identifies: domain;
      domain_id : STRING;
     UNIQUE
      identifier: domain_id;
    END_ENTITY;

    ENTITY party_role;
      is_role_of: party;
      custodian : role_type;
    END_ENTITY;

    ENTITY party
     ABSTRACT SUPERTYPE OF (ONEOF(person, organization));
    END_ENTITY;

    ENTITY person
     SUBTYPE OF(party);
      id          : STRING;
      last_name   : STRING;
      first_name  : STRING;
      middle_name : STRING;
      prefix_title : STRING;
```

```
    suffix_title   : STRING;
    digital_signature: STRING;
END_ENTITY;

ENTITY organization
 SUBTYPE OF(party);
   identfier: SET [1:?] OF organization_identifier;
END_ENTITY;

ENTITY organization_identifier
   ABSTRACT SUPERTYPE OF (ONEOF(named_organization_identifier, coded_organization_identifier));
END_ENTITY;

ENTITY named_organization_identifier
 SUBTYPE OF(organization_identifier);
   country_code    : OPTIONAL iso_3166_1_codes;
   organization_name: STRING;
   country_name    : iso_3166_1_names;
END_ENTITY;

ENTITY coded_organization_identifier
 SUBTYPE OF(organization_identifier);
   coded_organization_id: STRING;
   country_code    : OPTIONAL iso_3166_1_codes;
   valid_domain    : domain;
END_ENTITY;

ENTITY object_relationship;
   relation_type : object_relationship_type;
   relating_object: object;
   related_object : object;
END_ENTITY;

ENTITY object_version_relationship;
   relation_type    : version_relationship_type;
   relating_object_Version: object_version;
   related_object_version : object_version;
END_ENTITY;

ENTITY party_to_address_relationship;
   related_adress: address;
   related_party : party;
END_ENTITY;
```

```
ENTITY address
  ABSTRACT SUPERTYPE OF (ONEOF(postal_address, electronic_address, physical_address));
END_ENTITY;

ENTITY postal_address
  SUBTYPE OF(address);
    postal_name: STRING;
    postal_box : STRING;
    postal_code: STRING;
    country   : STRING;
END_ENTITY;

ENTITY electronic_address
  SUBTYPE OF(address);
    electronic_mail_address: STRING;
    telephone_number   : STRING;
    mobile_number      : STRING;
    facsimile_number   : STRING;
    telex_number       : STRING;
    url                : STRING;
END_ENTITY;

ENTITY physical_address
  SUBTYPE OF(address);
    postal_code     : STRING;
    country         : STRING;
    region          : STRING;
    town            : STRING;
    street          : STRING;
    street_number   : STRING;
    internal_location: STRING;
    property_name   : STRING;
END_ENTITY;

ENTITY party_relationship;
    relation_type : party_relationship_type;
    relating_party: party;
    related_party : party;
END_ENTITY;
END_SCHEMA;
```

Anhang C
(informativ)

Beispiel der Dokumentation eines Identifikationssystems

Domäne ID				
Herausgeber	Organisation		Name Organisation ID Postalische Adresse Elektronische Adresse Physikalische Adresse	
Verwaltendee Organisation	Organisation		Name Organisation ID (falls vorhanden) Postalische Adresse Elektronische Adresse Physikalische Adresse	
	Verantwortliche Person		Name Person ID Postalische Adresse Elektronische Adresse Physikalische Adresse	
Herausgegebene Subdomänen (falls vorhanden)	Domäne ID		verantwortliche Organisation	Verweis auf Dokument
	Domäne ID		verantwortliche Organisation	Verweis auf Dokument
	Domäne ID		verantwortliche Organisation	Verweis auf Dokument
Beschreibung des Identifikationssystems	Objekttyp			
	☐ mehrfache Identifikation desselben Objektes ist erlaubt			
	☐ mehrfache Identifikation desselben Objektes ist NICHT erlaubt			
	Regeln zur Erstellung der Identifikationsnummern Methode zur Erzeugung ANMERKUNG Siehe 6.1			Verweis auf Dokument ☐ Methode 1 ☐ Methode 2
	Registrierung der Identifikationsnummern	☐ manuelles Register Id: Ort:		☐ Online Register URL:
	Registrierte Metadaten	☐ Datum der Registrierung der Identifikationsnummer		
		☐ Name der Person welche die Identifikationsnummer vergeben hat		
		Nummerntyp:		
		☐ Identifikationsnummer		
		☐ Seriennummer		
		☐ Losnummer/Chargennummer		
		☐ Verpackungsdatum		
		☐ Herstelldatum		
		☐ Verfallsdatum / Ablaufdatum		
	Wiederverwendung von Identifikationsnummern Versionsidentifikationsnummern	☐ Nicht erlaubt ☐ nicht angewendet		☐ Erlaubt nach Ablauf von Jahren ☐ angewendet Identifiziert durch:
	Genutzte Trennzeichen (falls vorhanden)			

Anhang D
(informativ)

Feste Zeichen aus ISO/IEC 646

	0	1	2	3	4	5	6	7
0			SP	0		P		p
1			!	1	A	Q	a	q
2			"	2	B	R	b	r
3			#	3	C	S	c	s
4			$	4	D	T	d	t
5			%	5	E	U	e	u
6			&	6	F	V	f	v
7			'	7	G	W	g	w
8			(	8	H	X	h	x
9			)	9	I	Y	i	y
10			*	:	J	Z	j	z
11			+	;	K		k	
12			,	<	L		l	
13			-	=	M		m	
14			.	>	N		n	
15			/	?	O	_	o	

ANMERKUNG Nicht-schattiert dargestellte Werte werden besonders zur Nutzung in Identifikationssystemen nach dieser Norm unterstützt.

Bezüglich der grau unterlegten Werte siehe 6.2.1

Literaturhinweise

IEC 81346-1, *Industrial systems, installations and equipment and industrial products – Structuring principles and reference designations – Part 1: Basic rules*

ANMERKUNG   Harmonisiert als EN 81346-1.

ISO/IEC 9834-8, *Information technology – Open Systems Interconnection – Procedures for the operation of OSI Registration Authorities: Generation and registration of Universally Unique Identifiers (UUIDs) and their use as ASN.1 Object Identifier components*

ISO 7372, *Trade data interchange – Trade data elements dictionary*

ISO 9000:2005, *Quality management systems – Fundamentals and vocabulary*

ANMERKUNG   Harmonisiert als EN ISO 9000:2005 (nicht modifiziert).

ISO 13616, *Banking and related financial services – International bank account number (IBAN)*

ISO 10303 (all parts), *Industrial automation systems and integration – Product data representation and exchange*

Anhang ZA
(normativ)

Normative Verweisungen auf internationale Publikationen mit ihren entsprechenden europäischen Publikationen

Die folgenden zitierten Dokumente sind für die Anwendung dieses Dokuments erforderlich. Bei datierten Verweisungen gilt nur die in Bezug genommene Ausgabe. Bei undatierten Verweisungen gilt die letzte Ausgabe des in Bezug genommenen Dokuments (einschließlich aller Änderungen).

ANMERKUNG   Wenn internationale Publikationen durch gemeinsame Abänderungen geändert wurden, durch (mod) angegeben, gelten die entsprechenden EN/HD.

Publikation	Jahr	Titel	EN/HD	Jahr
IEC 61360-1	–	Standard data elements types with associated classification scheme for electric items – Part 1: Definitions – Principles and methods	EN 61360-1	–
IEC 81346-2	–	Industrial systems, installations and equipment and industrial products – Structuring principles and reference designations – Part 2: Classification of objects and codes for classes	EN 81346-2	–
IEC 82045-1	–	Document management – Part 1: Principles and methods	EN 82045-1	–
IEC 82045-2	–	Document management – Part 2: Metadata elements and information reference model	EN 82045-2	–
ISO/IEC 646	1991	Information technology – ISO 7-bit coded character set for information interchange	–	–
ISO/IEC 6523-1	–	Information technology – Structure for the identification of organizations and organization parts – Part 1: Identification of organization identification schemes	–	–
ISO/IEC 15418	–	Information technology – Automatic identification and data capture techniques – GS1 Application Identifiers and ASC MH10 Data Identifiers and maintenance	–	–
ISO/IEC 15434	–	Information technology – Syntax for high-capacity automatic data capture (ADC) media	–	–
ISO/IEC 15459-1	–	Information technology – Unique identification of transport units – Part 1: General	–	–
ISO/IEC 15459-2	–	Information technology – Unique identifiers – Part 2: Registration procedures	–	–
ISO/IEC 15459-4	–	Information technology – Unique identifiers – Part 4: Individual items	–	–
ISO/IEC 7064	–	Information technology – Security techniques – Check character systems	–	–

Publikation	Jahr	Titel	EN/HD	Jahr
ISO 3166-1	–	Codes for the representation of names of countries and their subdivisions – Part 1: Country codes	EN ISO 3166-1	–
ISO 10303-11	–	Industrial automation systems and integration – Product data representation and exchange – Part 11: Description methods: The EXPRESS language reference manual	–	–

DIN EN 81346-1

Mai 2010

ICS 01.110; 29.020

Ersatz für
DIN EN 61346-1:1997-01
Siehe jedoch Beginn der
Gültigkeit

**Industrielle Systeme, Anlagen und Ausrüstungen und Industrieprodukte –
Strukturierungsprinzipien und Referenzkennzeichnung –
Teil 1: Allgemeine Regeln (IEC 81346-1:2009);
Deutsche Fassung EN 81346-1:2009**

Industrial systems, installations and equipment and industrial products –
Structuring principles and reference designations –
Part 1: Basic rules (IEC 81346-1:2009);
German version EN 81346-1:2009

Systèmes industriels, installations et appareils, et produits industriels –
Principes de structuration et désignations de référence –
Partie 1: Règles de base (CEI 81346-1:2009);
Version allemande EN 81346-1:2009

Gesamtumfang 88 Seiten

DKE Deutsche Kommission Elektrotechnik Elektronik Informationstechnik im DIN und VDE
Normenausschuss Chemischer Apparatebau (FNCA) im DIN
Normenausschuss Maschinenbau (NAM) im DIN
Normenausschuss Sachmerkmale (NSM) im DIN
Normenausschuss Technische Grundlagen (NATG) im DIN
Normenstelle Schiffs- und Meerestechnik (NSMT) im DIN

DIN EN 81346-1:2010-05

Beginn der Gültigkeit

Die von CENELEC am 2009-08-01 angenommene EN 81346-1 gilt als DIN-Norm ab 2010-05-01.

Daneben darf DIN EN 61346-1:1997-01 noch bis 2012-08-01 angewendet werden.

Nationales Vorwort

Vorausgegangener Norm-Entwurf: E DIN IEC 81346-1:2007-12.

Für diese Norm ist das nationale Arbeitsgremium K 113 „Produktdatenmodelle, Informationsstrukturen, Dokumentation und graphische Symbole" der DKE Deutsche Kommission Elektrotechnik Elektronik Informationstechnik im DIN und VDE (www.dke.de) zuständig.

Das internationale Dokument IEC 81346-1:2009 wurde von der MT 18 des IEC/TC 3 „Information structures, documentation and graphical symbols" der Internationalen Elektrotechnischen Kommission (IEC) unter Beteiligung des ISO/TC 10 „Technical product documentation" erarbeitet und den nationalen Komitees zur Stellungnahme vorgelegt.

Das IEC-Komitee hat entschieden, dass der Inhalt dieser Publikation bis zu dem Datum (maintenance result date) unverändert bleiben soll, das auf der IEC-Website unter „http://webstore.iec.ch" zu dieser Publikation angegeben ist. Zu diesem Zeitpunkt wird entsprechend der Entscheidung des Komitees die Publikation
- bestätigt,
- zurückgezogen,
- durch eine Folgeausgabe ersetzt oder
- geändert.

Änderungen

Gegenüber DIN EN 61346-1:1997-01 wurden folgende Änderungen vorgenommen:

a) ein einleitender Abschnitt mit Beschreibungen und Erläuterungen der in der Norm angewendeten Begriffe wurde neu aufgenommen;

b) die Strukturierungsprinzipien und Regeln zur Strukturierung wurden eingehender beschrieben;

c) das Konzept „Andere Aspekte" wurde eingeführt und diesem das Vorzeichen # zugeordnet;

d) das Konzept „Referenzkennzeichengruppe" wurde entfernt;

e) der besondere Begriff „Übergang" (englisch: „Transition") wurde vermieden und durch eine verbesserte textliche Beschreibung der Gegebenheit im Anhang D ersetzt;

f) der Abschnitt „Beschriftung" wurde neu aufgenommen;

g) die bisherigen Anhänge wurden entfernt mit Ausnahme des Anhangs, in dem die Anwendung von Referenzkennzeichen in einem System aufgezeigt ist;

h) ein Anhang mit Erläuterung der Handhabung von Objekten wurde neu aufgenommen;

i) vier Anhänge mit Detailbeispielen oder erläuternden Informationen wurden neu angefügt.

Frühere Ausgaben

DIN 40719-2: 1976-01, 1978-06
DIN 40719-2 Beiblatt 1: 1978-06
DIN EN 61346-1: 1997-01

Nationaler Anhang NA
(informativ)

Zusammenhang mit Europäischen und Internationalen Normen

Für den Fall einer undatierten Verweisung im normativen Text (Verweisung auf eine Norm ohne Angabe des Ausgabedatums und ohne Hinweis auf eine Abschnittsnummer, eine Tabelle, ein Bild usw.) bezieht sich die Verweisung auf die jeweils neueste gültige Ausgabe der in Bezug genommenen Norm.

Für den Fall einer datierten Verweisung im normativen Text bezieht sich die Verweisung immer auf die in Bezug genommene Ausgabe der Norm.

Eine Information über den Zusammenhang der zitierten Normen mit den entsprechenden Deutschen Normen ist in Tabelle NA.1 wiedergegeben.

Tabelle NA.1

Europäische Norm	Internationale Norm	Deutsche Norm	Klassifikation im VDE-Vorschriftenwerk
–	IEC 60050-151	N1)	–
–	IEC 60050-351	N1)	–
–		–	
–	IEC 60113-2:1971	–	–
–	IEC 60297-1:1986	–	–
EN 60297-3-101	IEC 60297-3-101	DIN EN 60297-3-101	–
	IEC 60750:1983		
EN 61082-1	IEC 61082-1	DIN EN 61082-1 (VDE 0040-1)	VDE 0040-1
EN 61346-1	IEC 61346-1	DIN EN 61346-1	–
–	IEC 61355 DB	–	–
EN 61355-1	IEC 61335-1	DIN EN 61355-1 (VDE 0040-3)	VDE 0040-3
EN 62023	IEC 62023:2000	DIN EN 62023	–
EN 62027	IEC 62027	DIN EN 62027	–
EN 62491:2008	IEC 62491:2008	DIN EN 62491 (VDE 0040-4):2009-05	VDE 0040-4
–	IEC 81346	–	–
	IEC 81346-1	–	–
	IEC 81346-2	–	–
	ISO/IEC 646	–	–
EN ISO 3166-1	ISO 3166-1	DIN EN ISO 3166-1	–
Normen der Reihe EN ISO 4157	Normen der Reihe ISO 4157	Normen der Reihe DIN EN ISO 4157	–
EN ISO 4157-3	ISO 4157-3	DIN EN ISO 4157-3	–
–	ISO 15519-1	–	–
ISO/TS 16952-1:2006	ISO/TS 16952-1:2006	DIN ISO/TS 16952-1:2007-03	–
–	ISO/TS 16952-10:2008	–	–

N1) Nationale Fußnote: „Internationales Elektrotechnisches Wörterbuch – Deutsche Ausgabe", im Rahmen der Datenbankanwendung DIN-TERM zu beziehen über Beuth Verlag.

Nationaler Anhang NB
(informativ)

Literaturhinweise

DIN EN 60297-3-101, *Bauweisen für elektronische Einrichtungen – Maße der 482,6-mm-(19-in-)Bauweise – Teil 3-101: Baugruppenträger und Baugruppen*

DIN EN 61082-1 (VDE 0040-1), *Dokumente der Elektrotechnik – Teil 1: Regeln*

DIN EN 61346-1, *Industrielle Systeme, Anlagen und Ausrüstungen und Industrieprodukte – Strukturierungsprinzipien und Referenzkennzeichnung – Teil 1: Allgemeine Regeln*

DIN EN 61355-1 (VDE 0040-3), *Klassifikation und Kennzeichnung von Dokumenten für Anlagen, Systeme und Ausrüstungen – Teil 1: Regeln und Tabellen zur Klassifikation*

DIN EN 62023, *Strukturierung technischer Information und Dokumentation*

DIN EN 62027, *Erstellung von Teilelisten*

DIN EN 62491 (VDE 0040-4):2009-05, *Industrielle Systeme, Anlagen und Ausrüstungen und Industrieprodukte – Beschriftung von Kabeln/Leitungen und Adern (IEC 62491:2008); Deutsche Fassung EN 62491:2008*

DIN EN ISO 3166-1, *Codes für die Namen von Ländern und deren Untereinheiten – Teil 1: Codes für Ländernamen*

Normen der Reihe DIN EN ISO 4157, *Zeichnungen für das Bauwesen – Bezeichnungssysteme*

DIN EN ISO 4157-3, *Zeichnungen für das Bauwesen – Bezeichnungssysteme – Teil 3: Raum-Kennzeichnungen*

DIN ISO/TS 16952-1:2007-03, *Technische Produktdokumentation – Referenzkennzeichensystem – Teil 1: Allgemeine Anwendungsregeln (ISO/TS 16952-1:2006)*

EUROPÄISCHE NORM

EUROPEAN STANDARD

NORME EUROPÉENNE

EN 81346-1

Oktober 2009

ICS 01.110; 29.020

Ersatz für EN 61346-1:1996

Deutsche Fassung

Industrielle Systeme, Anlagen und Ausrüstungen und Industrieprodukte – Strukturierungsprinzipien und Referenzkennzeichnung – Teil 1: Allgemeine Regeln
(IEC 81346-1:2009)

Industrial systems, installations and equipment and industrial products – Structuring principles and reference designations – Part 1: Basic rules
(IEC 81346-1:2009)

Systèmes industriels, installations et appareils, et produits industriels – Principes de structuration et désignations de référence – Partie 1: Règles de base
(CEI 81346-1:2009)

Diese Europäische Norm wurde von CENELEC am 2009-08-01 angenommen. Die CENELEC-Mitglieder sind gehalten, die CEN/CENELEC-Geschäftsordnung zu erfüllen, in der die Bedingungen festgelegt sind, unter denen dieser Europäischen Norm ohne jede Änderung der Status einer nationalen Norm zu geben ist.

Auf dem letzten Stand befindliche Listen dieser nationalen Normen mit ihren bibliographischen Angaben sind beim Zentralsekretariat oder bei jedem CENELEC-Mitglied auf Anfrage erhältlich.

Diese Europäische Norm besteht in drei offiziellen Fassungen (Deutsch, Englisch, Französisch). Eine Fassung in einer anderen Sprache, die von einem CENELEC-Mitglied in eigener Verantwortung durch Übersetzung in seine Landessprache gemacht und dem Zentralsekretariat mitgeteilt worden ist, hat den gleichen Status wie die offiziellen Fassungen.

CENELEC-Mitglieder sind die nationalen elektrotechnischen Komitees von Belgien, Bulgarien, Dänemark, Deutschland, Estland, Finnland, Frankreich, Griechenland, Irland, Island, Italien, Lettland, Litauen, Luxemburg, Malta, den Niederlanden, Norwegen, Österreich, Polen, Portugal, Rumänien, Schweden, der Schweiz, der Slowakei, Slowenien, Spanien, der Tschechischen Republik, Ungarn, dem Vereinigten Königreich und Zypern.

CENELEC

Europäisches Komitee für Elektrotechnische Normung
European Committee for Electrotechnical Standardization
Comité Européen de Normalisation Electrotechnique

Zentralsekretariat: Avenue Marnix 17, B-1000 Brüssel

© 2009 CENELEC – Alle Rechte der Verwertung, gleich in welcher Form und in welchem Verfahren, sind weltweit den Mitgliedern von CENELEC vorbehalten.

Ref. Nr. EN 81346-1:2009 D

DIN EN 81346-1:2010-05
EN 81346-1:2009

Vorwort

Der Text des Schriftstücks 3/947/FDIS, zukünftige 1. Ausgabe von IEC 81346-1, ausgearbeitet von dem IEC/TC 3 „Information structures, documentation and graphical symbols" in enger Zusammenarbeit mit dem ISO/TC 10, „Technical product documentation", wurde der IEC-CENELEC Parallelen Abstimmung unterworfen und von CENELEC am 2009-08-01 als EN 81346-1 angenommen.

Diese Europäische Norm ersetzt EN 61346-1:1996.

EN 81346-1:2009 enthält bezüglich EN 61346-1:1996 folgende wesentliche Änderungen:

- ein neuer einleitender Abschnitt mit Beschreibungen und Erläuterungen der in der Norm aufgenommenen Begriffe;
- die Strukturierungsprinzipien und Regeln zur Strukturierung wurden eingehender beschrieben;
- das Konzept „Andere Aspekte" wurde eingeführt und diesem das Vorzeichen # zugeordnet;
- das Konzept „Referenzkennzeichengruppe" wurde entfernt;
- der besondere Begriff „Übergang" (englisch: „Transition") wurde vermieden und durch eine verbesserte textliche Beschreibung der Gegebenheit im Anhang D ersetzt;
- der Abschnitt „Beschriftung" wurde neu aufgenommen;
- die bisherigen Anhänge wurden entfernt mit Ausnahme des Anhangs, in dem die Anwendung von Referenzkennzeichen in einem System aufgezeigt ist;
- ein Anhang mit Erläuterung der Handhabung von Objekten wurde neu aufgenommen;
- vier Anhänge mit Detailbeispielen oder erläuternden Informationen wurden neu angefügt.

Nachstehende Daten wurden festgelegt:

- spätestes Datum, zu dem die EN auf nationaler Ebene durch Veröffentlichung einer identischen nationalen Norm oder durch Anerkennung übernommen werden muss (dop): 2010-05-01

- spätestes Datum, zu dem nationale Normen, die der EN entgegenstehen, zurückgezogen werden müssen (dow): 2012-08-01

Der Anhang ZA wurde von CENELEC hinzugefügt.

Anerkennungsnotiz

Der Text der Internationalen Norm IEC 81346-1:2009 wurde von CENELEC ohne irgendeine Abänderung als Europäische Norm angenommen.

In der offiziellen Fassung sind unter „Literaturhinweise" zu den aufgelisteten Normen die nachstehenden Anmerkungen einzutragen:

IEC 60297-3-101	ANMERKUNG	Harmonisiert als EN 60297-3-101:2004 (nicht modifiziert).
IEC 61082-1	ANMERKUNG	Harmonisiert als EN 61082-1:2006 (nicht modifiziert).
IEC 61335-1	ANMERKUNG	Harmonisiert als EN 61335-1:2008 (nicht modifiziert).
IEC 62023	ANMERKUNG	Harmonisiert als EN 62023:2000 (nicht modifiziert).
IEC 62027	ANMERKUNG	Harmonisiert als EN 62027:2000 (nicht modifiziert).

IEC 62491	ANMERKUNG	Harmonisiert als EN 62491:2008 (nicht modifiziert).
IEC 81346-2	ANMERKUNG	Harmonisiert als EN 81346-2:2009 (nicht modifiziert).
ISO 3166-1	ANMERKUNG	Harmonisiert als EN ISO 3166-1:2006 (nicht modifiziert).
ISO 4157	ANMERKUNG	Harmonisiert in der Reihe EN ISO 4157 (nicht modifiziert).

Inhalt

		Seite
Vorwort		2
Einleitung		8
0.1	Allgemeines	8
0.2	Grundsatzanforderungen an diese Norm	8
0.3	Geforderte Eigenschaften dieser Norm	9
1	Anwendungsbereich	11
2	Normative Verweisungen	11
3	Begriffe	11
4	Konzepte	13
4.1	Objekt	13
4.2	Aspekt	14
4.3	Technisches System	15
4.4	Strukturierung	15
4.5	Funktion	16
4.6	Produkte und Komponenten	16
4.7	Ort	17
4.8	Typen, Instanzen und Individuen	17
5	Strukturierungsprinzipien	19
5.1	Allgemeines	19
5.2	Bildung von Strukturen (d. h. Typen und Instanzen)	21
5.3	Funktionsbezogene Struktur	24
5.4	Produktbezogene Struktur	25
5.5	Ortsbezogene Struktur	26
5.6	Strukturen in „anderen Aspekten"	27
5.7	Strukturen in mehr als einem Aspekt	28
6	Bildung von Referenzkennzeichen	29
6.1	Allgemeines	29
6.2	Format von Referenzkennzeichen	29
6.2.1	Einzelebenen	29
6.2.2	Mehrebenen	30
6.2.3	Anwendung von Kennbuchstaben	31
6.3	Unterschiedliche Strukturen im selben Aspekt	32
7	Referenzkennzeichen-Satz	32
8	Kennzeichnung von Orten	33
8.1	Allgemeines	33

	Seite
8.2 Baueinheiten	34
9 Darstellung von Referenzkennzeichen	36
9.1 Referenzkennzeichen	36
9.2 Referenzkennzeichen-Satz	37
9.3 Darstellung von Identifikatoren für den obersten Knoten	38
10 Beschriftung	39
Anhang A (informativ) Historischer Hintergrund	41
Anhang B (informativ) Einführung und Lebenslauf von Objekten	43
Anhang C (informativ) Handhabung von Objekten	54
Anhang D (informativ) Interpretation von Referenzkennzeichen mit unterschiedlichen Aspekten	66
Anhang E (normativ) Objekt mit mehreren obersten Knoten in einem Aspekt	69
Anhang F (informativ) Beispiele für mehrere Strukturen, die auf demselben Aspekt basieren	71
Anhang G (informativ) Beispiel für Strukturen und Referenzkennzeichen	74
Anhang H (informativ) Beispiel: Referenzkennzeichen in einem System	76
Literaturhinweise	82
Anhang ZA (normativ) Normative Verweisungen auf internationale Publikationen mit ihren entsprechenden europäischen Publikationen	84
Bild 1 – Internationale Normen bilden ein konsistentes System zur Kennzeichnung, Dokumentation und Informationsdarstellung	10
Bild 2 – Darstellung eines Objekts	13
Bild 3 – Aspekte eines Objekts	15
Bild 4 – Darstellung einer Funktion und deren Teilfunktionen	16
Bild 5 – Darstellung der Konzepte Produkt, Komponente, Typ, Instanz und Individuum	18
Bild 6 – Darstellung der strukturellen Zerlegung eines Objekts in unterschiedlichen Aspekten	20
Bild 7 – Darstellung einer funktionsbezogenen Zerlegung und einer produktbezogenen Zusammensetzung	21
Bild 8 – Strukturbaum für Objekt A (Alternative 1)	22
Bild 9 – Strukturbaum für Objekt A (Alternative 2)	22
Bild 10 – Bestandteile in einem Aspekt von Objekttyp 1	23
Bild 11 – Bestandteile in einem Aspekt von Objekttyp 2	23
Bild 12 – Bestandteile in einem Aspekt von Objekttyp 5	23
Bild 13 – Strukturbaum von Objekttyp 1	24
Bild 14 – Veranschaulichung einer funktionsbezogenen Struktur	25
Bild 15 – Veranschaulichung einer produktbezogenen Struktur	26
Bild 16 – Veranschaulichung einer ortsbezogenen Struktur	27
Bild 17 – Beispiel zur Anwendung von „anderer Aspekt"	28
Bild 18 – Darstellung eines Objekts, auf das in mehreren Aspekten zugegriffen werden kann und bei dem diese Aspekte auch für die interne Strukturierung angewendet werden	28
Bild 19 – Darstellung eines Objekts, das in einem Aspekt identifiziert ist und dessen Teilobjekte in einem anderen Aspekt identifiziert sind	29

	Seite
Bild 20 – Beispiele für Einzelebenen-Referenzkennzeichen	30
Bild 21 – Beziehung zwischen einem Mehrebenen-Referenzkennzeichen und seinen Einzelebenen-Referenzkennzeichen	31
Bild 22 – Beispiele für Mehrebenen-Referenzkennzeichen mit vervielfachten Vorzeichen	32
Bild 23 – Beispiele für Referenzkennzeichen-Sätze	33
Bild 24 – Beispiele für die Kennzeichnung von Montageflächen in einer fabrikfertigen Baueinheit	34
Bild 25 – Beispiele für die Kennzeichnung von Orten in einer fabrikfertigen Baueinheit	36
Bild 26 – Beispiele für die Darstellung von Mehrebenen-Referenzkennzeichen	37
Bild 27 – Darstellung der Referenzkennzeichen eines Referenzkennzeichen-Satzes	38
Bild 28 – Unterschiedliche Objekte auf einem Gelände, gekennzeichnet durch Identifikatoren der obersten Knoten	39
Bild 29 – Der gemeinsame Anfangsteil von Referenzkennzeichen	39
Bild 30 – Beschriftung mit Referenzkennzeichen	40
Bild A.1 – Anwendungsbereich der Normen für Referenzkennzeichen	41
Bild B.1 – Entwicklungssituationen eines Objekts	43
Bild C.1 – Integration externer Information durch Kopieren	55
Bild C.2 – Integration eines externen Objekts durch Referenzierung	56
Bild C.3 – Drei unabhängig voneinander definierte Objekte	57
Bild C.4 – Drei unterschiedliche Objekte mit gegenseitigen Beziehungen	57
Bild C.5 – Drei Objekte zu einem zusammengeführt	58
Bild C.6 – Übersicht über das Prozesssystem	59
Bild C.7 – Baumstrukturen des technischen Systems	59
Bild C.8 – Vervollständigte Strukturen des technischen Systems	60
Bild C.9 – Strukturen mit gekennzeichneten Teilobjekten	61
Bild C.10 – Strukturen mit einigen zusammengeführten und gemeinsam genutzten Objekten	61
Bild C.11 – Beziehungen, ausgedrückt durch Referenzkennzeichen-Sätze, in denen beide Kennzeichen unverwechselbar sind	62
Bild C.12 – Beziehungen, ausgedrückt durch Referenzkennzeichen-Sätze, in denen ein Kennzeichen verwechselbar ist	63
Bild C.13 – Einige Situationen zu Beginn der Entwicklung eine Objekts mit Zugang in drei Aspekten	63
Bild C.14 – Situationen zu Beginn des Lebenszyklus von eng aufeinander bezogenen Objekten, jedes in einem anderen Aspekt zugänglich	64
Bild D.1 – Wechsel vom Funktions- zum Produktaspekt	66
Bild D.2 – Wechsel vom Produkt- zum Funktionsaspekt	66
Bild D.3 – Wechsel vom Produkt- zum Ortsaspekt	67
Bild D.4 – Wechsel vom Orts- zum Produktaspekt	67
Bild D.5 – Wechsel vom Funktions- zum Ortsaspekt	68
Bild D.6 – Wechsel vom Orts- zum Funktionsaspekt	68
Bild E.1 – Objekt mit mehreren unabhängigen obersten Knoten in einem Aspekt	69
Bild E.2 – Beispiel für Mehrebenen-Referenzkennzeichen mit unterschiedlichen Aspekten für ein Objekt mit mehreren unabhängigen obersten Knoten in einem Aspekt	70

Seite

Bild F.1 – Veranschaulichung des Konzepts zusätzlicher Funktionssichten einer industriellen Prozessanlage ... 71

Bild F.2 – Ortsbezogene Struktur einer Anlage ... 72

Bild F.3 – Ortsbezogene Struktur innerhalb einer Baueinheit ... 72

Bild F.4 – Ortsbezogene Strukturen der Anlage ... 72

Bild F.5 – Beispiel für zusätzliche produktbezogene Strukturen ... 73

Bild G.1 – Funktionsbezogene Struktur von Objekttyp 1 ... 74

Bild G.2 – Funktionsbezogene Struktur von Objekttyp 2 ... 74

Bild G.3 – Funktionsbezogene Struktur von Objekttyp 5 ... 74

Bild G.4 – Verkettete funktionsbezogene Struktur von Objekttyp A ... 75

Bild H.1 – Prozessfließschema einer Materialbearbeitungsanlage ... 76

Bild H.2 – Übersichtsschaltplan für einen Teil des Bearbeitungssystems (=V1) und einen Teil des Energieversorgungssystems (=G1) ... 77

Bild H.3 – Strukturbaum für Teile der Materialbearbeitungsanlage ... 78

Bild H.4 – Anordnungszeichnung für die Produkte des Motorenschaltschranks (MCC) =G1=W1 ... 79

Bild H.5 – Anordnungszeichnung der Orte des Motorenschaltschranks (MCC) =G1=W1 ... 79

Bild H.6 – Motoranlasser ... 80

Bild H.7 – Produktbezogener und ortsbezogener Strukturbaum des Motorenschaltschranks ... 80

Tabelle 1 – Identifikation von Typen, Instanzen und Individuen in unterschiedlichen Anwendungsbezügen ... 19

Tabelle C.1 – Mögliche Referenzkennzeichen-Sätze ... 62

Tabelle H.1 – Referenzkennzeichen-Sätze für die Bestandteile der Produkte Motorenschaltschrank (MCC) und Motoranlasser ... 81

Einleitung

0.1 Allgemeines

Die vorliegende Norm ist eine Weiterentwicklung ehemaliger und zurückgezogener Normen (IEC 60113-2, IEC 60750) zur Kennzeichnung von Betriebsmitteln, siehe Anhang A. Sie stellt Grundlagen zur Bildung von Modellen von Anlagen, Maschinen, Gebäuden usw. bereit.

Zwei Dinge werden festgelegt:

- Prinzipien zur Strukturierung von Objekten einschließlich zugehöriger Information;
- Regeln zur Bildung von Referenzkennzeichen auf Grundlage der resultierenden Struktur.

Durch Anwendung der Strukturierungsprinzipien wird eine effiziente Handhabung von umfangreichen Informationssätzen in komplexen Einrichtungen ermöglicht.

Die Strukturierungsprinzipien und die Regeln zur Referenzkennzeichnung sind sowohl auf Objekte mit physikalischem als auch mit nicht-physikalischem Charakter anwendbar.

Die Strukturierungsprinzipien und die Regeln zur Referenzkennzeichnung stellen ein System bereit, in dem die Navigation einfach ist und das einfach zu verwalten ist. Dieses System vermittelt einen ausgezeichneten Überblick über ein technisches System, da die zusammengesetzten Strukturen einfach zu erstellen und zu verstehen sind.

Die Strukturierungsprinzipien und die Regeln zur Referenzkennzeichnung unterstützen Alternativplanungen und Engineeringprozesse im Lebenszyklus eines Objekts, da sie auf den aufeinanderfolgend sich ergebenden Ergebnissen dieses Prozesses beruhen und nicht auf der Art und Weise, wie der Engineeringprozess selbst durchgeführt wurde.

Die Strukturierungsprinzipien und die Regeln zur Referenzkennzeichnung ermöglichen, wenn man mehr als einen Aspekt gelten lässt, dass mehr als ein Prinzip zur Kodierung anwendbar ist. Diese Vorgehensweise ermöglicht auch, dass „alte" Strukturen zusammen mit „neuen" verwendet werden können, indem mehrere unverwechselbare Identifikatoren angewendet werden.

Die Strukturierungsprinzipien und die Regeln zur Referenzkennzeichnung unterstützen eine individuelle Handhabung bei der Einführung von Referenzkennzeichen, und sie ermöglichen die schrittweise Integration von Bausteinen in Baugruppen höherer Ordnung. Sie unterstützen auch die Einführung wieder verwendbarer Bausteine, entweder als funktionale Spezifikationen oder als physikalische Liefereinheiten.

ANMERKUNG   Das Konzept wieder verwendbarer Bausteine umfasst z. B. die Einführung von Modulen, unabhängig von einer vertraglichen Situation, durch Hersteller. Es ermöglicht ebenso den Betreibern komplexer Baueinheiten, ihre Anforderungen in Form lieferantenunabhängiger Bausteine zu beschreiben.

Die Strukturierungsprinzipien und die Regeln zur Referenzkennzeichnung unterstützen paralleles Arbeiten und erlauben den unterschiedlichen Partnern in einem Projekt entsprechend des Projektfortschritts zu den strukturiert vorliegenden Projektergebnissen Daten hinzuzufügen und/oder zu entfernen.

Die Strukturierungsprinzipien und die Regeln zur Referenzkennzeichnung erachten den Faktor Zeit im Lebenszyklus als wichtig für die Anwendung unterschiedlicher Strukturen basierend auf unterschiedlichen Sichten auf das betrachtete technische System.

0.2 Grundsatzanforderungen an diese Norm

Die Grundsatzanforderungen wurden bei der Erarbeitung der IEC 61346-1 Ed. 1 entwickelt und durch Abstimmung von den nationalen Komitees angenommen.

ANMERKUNG   Die Grundsatzanforderungen betreffen die Entwicklung der Strukturierungsprinzipien in der vorliegenden Norm und nicht deren Anwendung. Sie sind daher bezüglich der Anwendung dieser Norm nicht normativ.

- Diese Norm sollte für alle technischen Fachgebiete anwendbar sein und eine gemeinsame Anwendung ermöglichen.
- Diese Norm muss auf alle Arten von Objekten und deren Bestandteile anwendbar sein, z. B. auf Anlagen, Systeme, Baueinheiten, Software Programme, Räumlichkeiten usw.
- Diese Norm sollte konsistent in allen Phasen des Lebenszyklus eines betrachteten Objekts (d. h. Entwurf, Planung, Spezifikation, Auslegung, Engineering, Konstruktion, Errichtung, Inbetriebsetzung, Betrieb, Wartung, Außerbetriebsetzung, Entsorgung usw.), d. h. des zu identifizierenden Objekts, anwendbar sein.
- Diese Norm muss ermöglichen, jedes einzelne Objekt als Bestandteil eines anderen Objekts zu identifizieren.
- Diese Norm muss die Eingliederung von Strukturen für Teilobjekte von mehreren Organisationen in Objekte von anderen Organisationen erlauben, ohne die ursprünglichen Strukturen der Objekte oder Teilobjekte zu verändern und ebenso nicht deren Dokumentation.
- Diese Norm muss die Repräsentation eines Objekts unabhängig von dessen Komplexität unterstützen.
- Diese Norm sollte einfach anzuwenden sein, und der Anwender sollte die Kennzeichen einfach verstehen können.
- Diese Norm sollte die Anwendung von rechnerunterstützten Werkzeugen für Entwurfsentwicklung, Planung, Spezifikation, Auslegung, Engineering, Konstruktion, Errichtung, Inbetriebsetzung, Betrieb, Wartung, Außerbetriebsetzung, Entsorgung usw. sowie deren Implementierung unterstützen.

0.3 Geforderte Eigenschaften dieser Norm

Die geforderten Eigenschaften wurden bei der Erarbeitung der IEC 61346-1 Ed. 1 entwickelt und durch Abstimmung von den nationalen Komitees angenommen.

ANMERKUNG 1 Die geforderten Eigenschaften betreffen die Entwicklung des Klassifizierungssystems mit Kennbuchstaben in der vorliegenden Norm und nicht deren Anwendung. Sie sind daher bezüglich der Anwendung dieser Norm nicht normativ.

- Diese Norm darf kein Regeln und Restriktionen enthalten, welche deren Anwendung für irgendein technisches Gebiet verbietet.
- Diese Norm muss jeden vorsehbaren Anwendungsfall in allen technischen Gebieten abdecken.
- Diese Norm muss die Adressierung von Informationen über Objekte in allen Phasen ihres Lebenszyklus unterstützen.
- Diese Norm muss jederzeit die Konstruktion von Kennzeichen aus der zur Verfügung stehenden Information ermöglichen.
- Diese Norm muss die Identifizierung von Objekten basierend auf Bestandteil-von-Beziehungen unterstützen.
- Diese Norm muss Regeln zur Bildung unverwechselbarer Kennzeichen bereitstellen.
- Diese Norm muss offen sein und die Erweiterung einer Kennzeichnung erlauben.
- Diese Norm muss die Modularität und Wiederverwendbarkeit von Objekten unterstützen.
- Diese Norm muss die Beschreibung unterschiedlicher Anwendersichten auf das Objekt unterstützen.
- Diese Norm muss, falls erforderlich, Regeln zur Interpretation von Kennzeichen bereitstellen.

Bild 1 gibt einen Überblick über internationale Normen, die insgesamt ein konsistentes System zur Kennzeichnung, Dokumentation und Informationsdarstellung bilden.

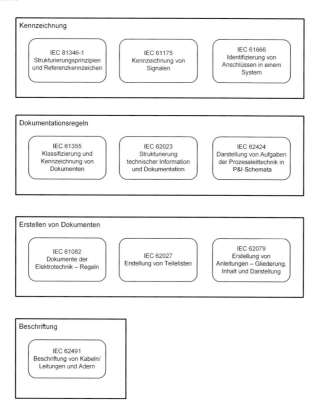

Bild 1 – Internationale Normen bilden ein konsistentes System zur Kennzeichnung, Dokumentation und Informationsdarstellung

ANMERKUNG 2   Die im Bild 1 angegebenen Titel der Publikationen sind nicht vollständig.

DIN EN 81346-1:2010-05
EN 81346-1:2009

1 Anwendungsbereich

Dieser Teil der IEC 81346, der gemeinsam von IEC und ISO veröffentlicht wurde, führt allgemeine Prinzipien zur Strukturierung von Systemen, einschließlich der Strukturierung von Information über Systeme ein.

Aufbauend auf diesen Prinzipien sind Regeln und Anleitungen zur Bildung von eindeutigen Referenzkennzeichen für Objekte in beliebigen Systemen gegeben.

Das Referenzkennzeichen identifiziert Objekte mit dem Zweck, Informationen zu einem Objekt, und wenn dieses realisiert wurde, auch zu der dazugehörenden Komponente, zu erzeugen und wiederzugewinnen.

Ein Referenzkennzeichen, mit dem eine Komponente beschriftet ist, dient als Schlüssel zum Auffinden von Informationen zu diesem Objekt, welche aufgeteilt auf unterschiedliche Dokumentenarten sein kann.

Die dargelegten Prinzipien sind allgemeingültig und in allen technischen Gebieten anwendbar (z. B. im Maschinenbau, in der Elektrotechnik, im Bauwesen und in der Verfahrenstechnik). Sie können für Systeme, die auf unterschiedlichen Technologien basieren, angewendet werden, und auch für Systeme, in denen mehrere Technologien zusammengefasst sind.

2 Normative Verweisungen

Die folgenden zitierten Dokumente sind für die Anwendung dieses Dokuments erforderlich. Bei datierten Verweisungen gilt nur die in Bezug genommene Ausgabe. Bei undatierten Verweisungen gilt die letzte Ausgabe des in Bezug genommenen Dokuments (einschließlich aller Änderungen).

ISO/IEC 646, *Information Technology – ISO 7-bit coded character set for information interchange*

3 Begriffe

Für die Anwendung dieses Dokuments gelten die folgenden Begriffe.

ANMERKUNG   Kursiv geschriebene Begriffe sind an anderer Stelle in diesem Abschnitt definiert.

3.1
Objekt
Betrachtungseinheit, die in einem Prozess der Entwicklung, Realisierung, Betriebs-, und Entsorgung behandelt wird

ANMERKUNG 1   Die Betrachtungseinheit kann sich auf eine physikalische oder eine nicht-physikalische „Sache" beziehen, die existieren könnte, existiert oder früher existierte.

ANMERKUNG 2   Das Objekt hat ihm zugeordnete Informationen.

3.2
System
Gesamtheit miteinander in Verbindung stehender Objekte, die in einem bestimmten Zusammenhang als Ganzes gesehen und als von ihrer Umgebung abgegrenzt betrachtet werden

ANMERKUNG 1   Ein System wird im Allgemeinen hinsichtlich seiner Zielsetzung, z. B. der Ausführung einer bestimmten Funktion, definiert.

ANMERKUNG 2   Objekte eines Systems können natürliche oder künstliche Gegenstände oder auch Denkweisen und deren Ergebnisse (z. B. Organisationsformen, mathematische Verfahren, Programmiersprachen) sein.

ANMERKUNG 3   Das System wird als von der Umgebung und anderen äußeren Systemen durch eine gedachte Hüllfläche abgegrenzt betrachtet, welche die Verbindungen zwischen diesen Systemen und dem betrachteten System durchschneidet.

ANMERKUNG 4   Die Benennung „System" sollte näher erläutert werden, wenn aus dem Zusammenhang nicht klar hervorgeht, worauf sich diese Benennung bezieht. Beispiele sind Leitsystem, farbmetrisches System, Einheitensystem, Übertragungssystem.

ANMERKUNG 5   Ist ein System Bestandteil eines anderen Systems, kann es als Objekt im Sinne dieser Norm betrachtet werden.

[IEV 151-11-27, modifiziert]

3.3
Aspekt
spezifische Betrachtungsweise eines Objekts

3.4
Prozess
Gesamtheit von aufeinander einwirkenden Vorgängen in einem System, durch die Material, Energie oder Information umgeformt, transportiert oder gespeichert wird

ANMERKUNG   Im Zusammenhang mit dieser Norm bezieht sich der Begriff „Prozess" auf den industriellen Prozess (Zusammenbau, Konstruktion, Installation usw.), durch den das Objekt realisiert wird.

[IEV 351-21-43, modifiziert]

3.5
Funktion
geplanter oder vollendeter Zweck oder Aufgabe

3.6
Produkt
geplantes oder fertiges Arbeitsergebnis oder Ergebnis eines natürlichen oder künstlichen Prozesses

3.7
Komponente
Produkt, welches als Bestandteil in einem zusammengesetzten Produkt, System oder in einer Anlage verwendet wird

3.8
Ort
geplanter oder realisierter Raum

3.9
Struktur
Organisation von Beziehungen zwischen Objekten eines Systems, welche „Bestandteil-von-Beziehungen" beschreibt (besteht aus/ist ein Teil von)

3.10
Identifikator
Attribut, das einem Objekt zugeordnet ist, um dieses unverwechselbar von anderen Objekten in einem festgelegten Geltungsbereich zu unterscheiden

3.11
Referenzkennzeichen
Identifikator eines spezifischen Objekts, gebildet in Bezug auf das System, von welchem das Objekt Bestandteil ist, basierend auf einem oder mehreren Aspekten des Systems

3.12
Einzelebenen-Referenzkennzeichen
Referenzkennzeichen, zugeordnet in Bezug auf das Objekt, von welchem das spezifische Objekt direkter Bestandteil in einem Aspekt ist

ANMERKUNG 1   Ein Einzelebenen-Referenzkennzeichen beinhaltet keinerlei Referenzkennzeichen von Objekten in höheren oder tieferen Ebenen.

3.13
Mehrebenen-Referenzkennzeichen
Referenzkennzeichen, bestehend aus verketteten Einzelebenen-Referenzkennzeichen

3.14
Referenzkennzeichen-Satz
Zusammenstellung von zwei oder mehr einem Objekt zugeordneten Referenzkennzeichen, von denen mindestens eines eindeutig dieses Objekt identifiziert

4 Konzepte

4.1 Objekt

Die Definition des Begriffs „Objekt" ist sehr allgemein (siehe 3.1). Sie umfasst alle Betrachtungsgegenstände, die im Zusammenhang mit Tätigkeiten im gesamten Lebenszyklus eines Systems stehen.

Die meisten Objekte haben eine physikalische Existenz, d. h., man kann sie anfassen (z. B. ein Transformator, eine Lampe, ein Ventil, ein Gebäude). Es gibt jedoch Objekte, die keine physikalische Existenz haben, aber zur Erfüllung unterschiedlicher Zwecke existieren, z. B.:

– ein Objekt existiert nur durch das Vorhandensein seiner Bestandteil-Objekte, somit wird das betrachtete Objekt zum Zwecke der Strukturierung definiert (d. h. ein System);
– zur Identifikation eines Satzes von Informationen.

Diese internationale Norm unterscheidet nicht zwischen Objekten mit physikalischer Existenz und solchen ohne. Beide Arten von Objekten können für eine Identifikation und Handhabung im Lebenszyklus eines Systems relevant sein.

Es gibt keine allgemeingültigen Regeln dafür, wie ein Objekt einzuführen ist. Tatsächlich entscheidet der Planende/Ingenieur, ob ein Objekt existiert, und er legt den Bedarf fest, dieses Objekt zu identifizieren.

Wenn ein Objekt eingeführt wurde, dürfen ihm Informationen zugeordnet werden. Diese Information kann sich im Lebenszyklus dieses Objekts ändern.

Bild 2 zeigt ein Objekt, bei dem die Oberfläche einer jeden Seite des Würfels einen anderen Aspekt repräsentiert. Diese Darstellung eines Objekts wird in weiteren Bildern zur Erläuterung der Konzepte verwendet.

Bild 2 – Darstellung eines Objekts

Ein Objekt wird eingeführt, wenn es dafür einen Bedarf gibt.

Ein Objekt wird gelöscht, wenn es nicht länger benötigt wird.

ANMERKUNG 1   Das Objekt kann auch entfernt werden, wenn sich herausstellt, dass seine Eigenschaften durch ein anderes Objekt abgedeckt werden. Dies ist häufig während des Engineeringprozesses der Fall, wenn Objekte anfangs zur Unterscheidung unterteilt wurden, wobei sich später aber herausstellt, dass sie kombiniert oder zusammengefasst werden können.

ANMERKUNG 2   Die Entfernung/Löschung eines physikalischen Objekts ist nicht gleichbedeutend mit der vollständigen Löschung des Objekts, da die zum Objekt gehörige Information gegebenenfalls aufbewahrt werden soll.

4.2 Aspekt

Sollen die inneren Objekte eines Objekts oder die Zusammenwirkung des Objekts mit anderen Objekten näher betrachtet werden, ist es sinnvoll, diese Objekte unter unterschiedlichen Sichten zu betrachten. Im Sinne dieser internationalen Norm sind diese Sichten als „Aspekte" bezeichnet.

Aspekte wirken auf ein Objekt wie Filter, siehe Bild 3, mit dem die relevante Information hervorgehoben wird. Die in dieser internationalen Norm verwendeten Aspekte haben die Schwerpunkte:

- was ein Objekt machen soll oder was es tatsächlich macht – der Funktionsaspekt;
- mit welchen Mitteln ein Objekt macht, was es machen soll – der Produktaspekt;
- geplanter oder tatsächlicher Raum des Objekts – der Ortsaspekt.

Zusätzlich dürfen andere Aspekte angewendet werden, wenn keiner der drei oben genannten anwendbar oder ausreichend ist (siehe 5.6).

Das Aspekt-Konzept wird in dieser internationalen Norm zum Zwecke der Strukturierung angewendet.

Betrachtet man ein Objekt unter einem Aspekt, sind gegebenenfalls Bestandteil-Objekte (d. h. Teilobjekte) zu erkennen, die in diesem Aspekt relevant sind. Es kann andere Teilobjekte geben, die aber im betrachteten Aspekt nicht relevant sind. Andererseits kann es vorkommen, dass dasselbe Teilobjekt unter verschiedenen Aspekten gesehen wird. In diesem Fall ist dieses Teilobjekt in allen diesen Aspekten relevant.

Wird ein Teilobjekt mittels eines Aspekts des Objekts erkannt, hat man auf die gesamten verfügbare Informationen dieses Teilobjekts Zugang, unabhängig vom angewendeten Aspekt.

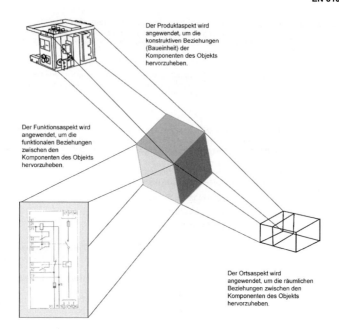

Bild 3 – Aspekte eines Objekts

4.3 Technisches System

Ein technisches System ist eine Gruppe von Komponenten, die zu einem bestimmten Zweck zusammenwirken.

Das technische System ist die „Infrastruktur" für einen Prozess, der aus einer Anzahl von Aktivitäten besteht, wie z. B. Kochen, Trennen, Transportieren, Schweißen und Antreiben, um das beabsichtigte Ergebnis zu erzielen. Die Komponenten des technischen Systems sind die statischen Voraussetzungen für die dynamischen Prozessaktivitäten.

ANMERKUNG   Ein und dieselbe Komponente kann in mehr als einem System ein Teil sein (eine Rolle spielen).

Ein technisches System kann als vollständig zusammengebautes System geliefert werden. Die Komponenten des technischen Systems können jedoch auch einzeln geliefert werden oder in teilweise zusammengebauter Form, möglicherweise als Teile anderer Systeme. Das technische System wird in diesem Fall während der Montage und der Verbindung der Komponenten vervollständigt.

Im Zusammenhang mit der Strukturierung wird das technische System als ein Objekt angesehen und seine Komponenten als physikalische Teilobjekte.

4.4 Strukturierung

Um ein System wirksam zu spezifizieren, zu planen, herzustellen, zu warten oder zu betreiben, ist das System und die Information über das System üblicherweise in Teile untergliedert. Jeder dieser Teile kann weiter untergliedert werden. Diese aufeinanderfolgende Untergliederung in Teile und die Organisation dieser Teile wird „Strukturierung" genannt.

Strukturen werden angewendet zur:

- Organisation der Information über ein System, d. h., wie die Information zwischen verschiedenen Dokumenten und/oder Informationssystemen aufgeteilt ist (siehe IEC 62023);
- Organisation der Inhalte innerhalb eines jeden Dokuments (siehe beispielsweise IEC 61082-1);
- Navigation in der Informationen über ein System;
- Bildung von Referenzkennzeichen (siehe Abschnitt 6).

4.5 Funktion

Der Zweck eines technischen Systems ist, einen technischen Prozess auszuführen, in dem Eingangsgrößen (Energie, Information, Material) unter Berücksichtigung spezifischer Parameter zu Ausgangsgrößen (Energie, Information, Material) verarbeitet oder bearbeitet werden.

In dieser internationalen Norm bezeichnet „Funktion" die Aufgabe eines Objekts, ohne dessen Realisierung zu kennen oder zu berücksichtigen. Ein derartiges Objekt kann Teil eines geplanten technischen Systems sein und in einer späteren Planungsphase mit anderen Strukturen in Verbindung gebracht werden.

Bild 4 zeigt das Beispiel einer Funktion und deren Teilfunktionen.

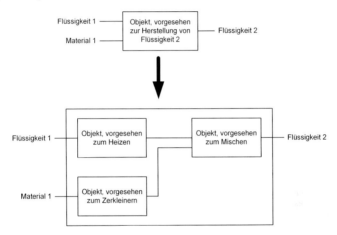

Bild 4 – Darstellung einer Funktion und deren Teilfunktionen

4.6 Produkte und Komponenten

Ein Produkt ist allgemeingültig definiert als das Ergebnis eines Prozesses. Das Ergebnis eines Prozesses ist normalerweise etwas, das:

- verkauft werden soll (beispielsweise ein Standardprodukt);
- geliefert werden soll (wie zwischen Geschäftspartnern vereinbart);
- als Bestandteil in einem anderen Prozess verwendet werden soll, entweder als Eingangsgröße oder als Werkzeug.

Folgerichtig ist jede Liefereinheit ein Produkt, unabhängig davon, was diese Liefereinheit ist. Technische Systeme oder Anlagen können daher als Produkte angesehen werden, da sie das Ergebnis eines Prozesses sind und ebenso geliefert wurden.

ANMERKUNG 1   Ein Produkt hat üblicherweise eine Teilenummer, Bestellnummer, ein Typkennzeichen und/oder eine Benennung. Ein Produkt kann auch durch eine Bestellnummer identifizierbar sein.

Für ein geliefertes Produkt zeigt die bereitgestellte produktbezogene Struktur, wie der Lieferant seine gelieferten Teilobjekte mit Bezug auf das gelierte Produkt organisiert hat, d. h., wie andere Produkte innerhalb des gelieferte Produkts als Komponenten verwendet werden. Eine produktbezogene Struktur zeigt üblicherweise, aber nicht notwendigerweise, die physikalischen Beziehungen zwischen den Komponenten auf, d. h., wie sie physikalisch zusammengefügt oder zusammengebaut sind. Ein derartiges Objekt kann Teil des geplanten technischen Systems sein und im Zuge der späteren Planung mit anderen Strukturen in Bezug gesetzt werden.

Eine produktbezogene Struktur zeigt üblicherweise auf, wie die Liefereinheiten eines technischen Systems angeordnet sind.

ANMERKUNG 2   Üblicherweise wird die produktbezogene Struktur mit der in Objektlisten des technischen Systems verwendeten übereinstimmen. Ein Beispiel hierfür ist die Struktur von Teilelisten nach IEC 62023 und IEC 62027.

Eine Komponente ist ein Produkt, das von einem Lieferanten geliefert oder in einer Fertigungseinrichtung hergestellt wurde und an die tatsächlichen Anforderungen, z. B. durch entsprechende Einstellungen, angepasst wurde, um als Bestandteil im Zusammenhang mit dem geplanten System zu dienen, siehe Bild 5.

ANMERKUNG 3   Komponenten sind üblicherweise Produkte von Prozessen in andern technischen Systemen als dem betrachteten.

ANMERKUNG 4   Ein möglicherweise in dem durch das betrachtete System ausgeführten Prozess hergestelltes Produkt ist nicht als Bestandteil des Systems und seiner Struktur zu betrachten. Es kann sicherlich ebenfalls eine Produktstruktur haben, diese bezieht sich aber auf ein anderes Objekt als das betrachtete.

Um Verwechslungen zu vermeiden, wird daher für Produkte, die als Bestandteile verwendet werden, durchgängig der Begriff „Komponente" angewendet.

4.7   Ort

In dieser internationalen Norm bezeichnet ein Ort die durch ein Objekt dargestellte Räumlichkeit (z. B. einen Raum oder eine Segmentzone in einer Gebäudestruktur, einen Einbauplatz in einem Montagerahmen in der Struktur einer leittechnischen Einrichtung, eine Oberfläche einer Platte in der Struktur einer Maschine). Ein derartiges Objekt kann Teil des geplanten technischen Systems sein und im Zuge der späteren Planung mit anderen Strukturen in Bezug gesetzt werden.

Spricht man vom Ortsaspekt eines Objekts im Hinblick auf Strukturierung, so sind definierte Räumlichkeiten innerhalb des Objekts gemeint, nicht der Raum, den das Objekt selbst ausfüllt. Wendet man den Ortsaspekt auf ein Objekt an, ist das Ergebnis dessen interne ortsbezogene Struktur.

Ein Ort kann eine beliebige Anzahl von Komponenten enthalten.

4.8   Typen, Instanzen und Individuen

Ein Typ ist eine Klasse von Objekten mit demselben Satz an Eigenschaften. Abhängig von der Anzahl gemeinsamer Eigenschaften (und ob diese quantitativ oder qualitativ sind), kann ein Typ sehr allgemeingültig bis sehr spezifisch sein, z. B.:

– Allgemeingültige Objekttypen, wie z. B. in IEC 81346-2 beschrieben, bei denen ein Kennbuchstabe der Identifikator für den Typ ist.

– Viele Produkttypen, z. B. Motoren, Transformatoren, Schütze oder Pneumatikzylinder, sind oft mit einer Spanne von Größen bezeichnet (z. B. Rahmengröße) mit gemeinsamen Eigenschaften. In solchen Fällen könnte der Identifikator für die gesamte Spanne ein Typkennzeichen sein, möglicherweise für jede Größe weitergehend spezifiziert.

– Jede Produktvariante in einer Produktserie mit festgelegten Werten für Spannung, Leistung usw. hat üblicherweise einen Identifikator in Form einer identifizierenden Produktnummer, welche eine Klasse von vermutlich identischen Produkten identifiziert.
– Die vertriebsmäßige Verpackung dieser Produkte kann weitere Typen von Produktpackungen einführen; Packungen die z. B. 1, 5 oder 10 Produkte enthalten, erfordern im Handel eine Unterscheidung durch unterschiedliche „Global Trade Identification Numbers" (GTIN).

Typen sind in Abhängigkeit davon, wie allgemeingültig oder spezifisch sie sind, beispielsweise durch Benennungen, Kennbuchstaben, Typkennzeichen, Produktidentifikatoren, GTINs identifiziert, nicht jedoch durch Referenzkennzeichen.

Ein Individuum ist ein Exemplar eines Typs, unabhängig davon, wo es verwendet wird. Es kann erforderlich sein, jedes der hergestellten Exemplare des oben erwähnten Produkttyps individuell zu identifizieren.

ANMERKUNG 1   Auch wenn zu einem gegebenen Zeitpunkt nur ein Exemplar eines Typs vorhanden ist, ist es üblicherweise vorteilhaft, zwischen der Information über den potentiellen Typ und der Information über das tatsächliche Exemplar zu unterscheiden, um eine spätere Wiederverwendung zu unterstützen.

Individuen sind durch Seriennummern identifiziert, gültig im Kontext der Herstellung des Individuums, oder durch Inventarnummern, gültig im Kontext der Organisation des Anwenders.

ANMERKUNG 2   Jede Anlage oder jedes System, das als Instanz erstellt wurde, hat das Potential, zukünftig auch ein Typ zu werden. Dies ist dann der Fall, wenn sie/es kopiert und als zweite Instanz verwendet wird.

Eine Instanz ist die Verwendung eines Objekttyps für eine bestimmte Funktion, als bestimmte Komponente oder an einem bestimmten Ort in einer Anlage oder in einem System.

Die Beziehungen zwischen den Begriffen sind in Bild 5 weitergehend dargestellt. Der gezeigte Prozess ist rekursiv, d. h., das zusammengebaute Produkt kann als Komponente in der nächsten Zusammenbauebene verwendet werden.

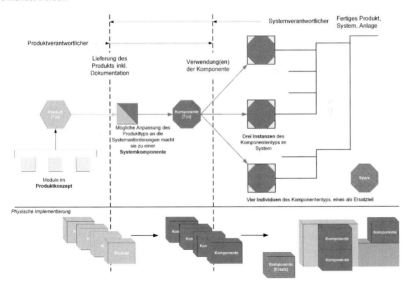

Bild 5 – Darstellung der Konzepte Produkt, Komponente, Typ, Instanz und Individuum

Instanzen werden durch Referenzkennzeichen identifiziert, bezogen auf den Kontext des Systems, in dem sie erscheinen. Die Objekte in einer Struktur sind Instanzen des Objekttyps. Jede Instanz hat einen Bezug zu einem Individuum, welches durch ein anderes Individuum ersetzt werden kann (beispielsweise, wenn es defekt ist), ohne das Kennzeichen für die Instanz zu wechseln. Dies hat daher Konsequenzen für den Ort der Anbringung von Schildern mit dem Kennzeichen für die Instanz, siehe Abschnitt 10.

ANMERKUNG 3   Das Kennzeichen eines Individuums muss immer dem Objekt folgen und daher fest mit dem Objekt verbunden sein.

Tabelle 1 stellt die Unterschiede zwischen den Begriffen in diesem Abschnitt dar.

Tabelle 1 – Identifikation von Typen, Instanzen und Individuen in unterschiedlichen Anwendungsbezügen

Anwendungsbezug	Typen	Instanzen	Individuen
Engineering und Support des Komponentenherstellers	Typkennzeichen des OEM's (Original Equipment Manufacturer), Artikel-(Teile-)Nummer	Referenzkennzeichen	Bestellnummer; Seriennummer des OEM-Herstellers
Vertriebsorganisation des Komponentenherstellers	Internes Typkennzeichen Artikel-(Teile-)Nummer	nicht zutreffend	Interne Seriennummer
Planer des technischen Systems (Rechercheur, Gutachter usw.)	Kennbuchstaben für allgemeingültige Typen	Referenzkennzeichen	nicht zutreffend
	Identifikatoren für Typicals		
Zusammenbau des technischen Systems (Subunternehmer)	Typkennzeichen des Herstellers	Referenzkennzeichen	Auftragsnummer
Anwender des technischen Systems	Typkennzeichen des Herstellers Interne Teilenummer des Anwenders	Referenzkennzeichen	Seriennummer des Herstellers Inventarnummer des Anwenders

ANMERKUNG   Die schattierten Felder zeigen den Zusammenhang mit Referenzkennzeichen und die Klassifikation mit Kennbuchstaben.

5 Strukturierungsprinzipien

5.1 Allgemeines

Funktions-, Produkt- und Ortsaspekt sind in nahezu jedem Abschnitt des Lebenszyklus eines Objekts (Anlage, System, Ausrüstung usw.) erforderlich und anwendbar. Sie sind daher als Hauptaspekte anzusehen und zur Strukturierung vorzugsweise anzuwenden.

Regel 1   Die Strukturierung eines technischen Systems muss auf Grundlage einer Bestandteil-von-Beziehung unter Anwendung des Konzepts der Aspekte von Objekten erfolgen.

ANMERKUNG 1   Es ist bekannt, dass andere Strukturtypen existieren können. Im Rahmen dieser internationalen Norm werden jedoch Strukturen, die auf einer Bestandteil-von-Beziehung und den Hauptaspekten beruhen, als erforderlich und nützlich betrachtet, siehe auch 5.2.

Regel 2   Die Strukturen müssen schrittweise gebildet werden, entweder nach der Methode von oben nach unten (top-down) oder von unten nach oben (bottom-up).

ANMERKUNG 2   Das Prinzip schließt ein, dass sich der Aspekt von Schritt zu Schritt ändern kann.

In einer Methode von oben nach unten ist die übliche Vorgehensweise:

(1) Auswahl eines Objekts;
(2) Wahl eines geeigneten Aspekts;
(3) Ermitteln der Teilobjekte, falls solche vorhanden sind, im gewählten Aspekt.

Die Schritte 1 bis 3 können dann iterativ für die definierten Teilobjekte wiederholt werden, und zwar so oft wie erforderlich.

In einer Methode von unten nach oben ist die übliche Vorgehensweise:

(1) Wahl eines Aspekts, mit dem gearbeitet werden soll;
(2) Auswahl von Objekten, die zusammen zu betrachten sind;
(3) Einführung eines übergeordneten Objekts, für das die ausgewählten Objekte Bestandteile im gewählten Aspekt sind.

Die Schritte 1 bis 3 können dann iterativ für jedes eingeführte übergeordnete Objekt wiederholt werden, und zwar so oft wie erforderlich.

Wird ein Aspekt in der gesamten Struktur beibehalten, siehe Bild 8, ist die Struktur in dieser Internationalen Norm als aspektbezogen bezeichnet, d. h. funktionsbezogen, produktbezogen oder ortsbezogen. Bild 6 zeigt ein Objekt mit zugehörigen Strukturen in unterschiedlichen Aspekten.

ANMERKUNG 3   Ein Ansatz von oben nach unten wird üblicherweise für eine funktionsbezogene Struktur angewendet. Der Ansatz von unten nach oben wird üblicherweise für die produktbezogene Struktur angewendet.

Bild 6 – Darstellung der strukturellen Zerlegung eines Objekts in unterschiedlichen Aspekten

Wurde eine Strukturierung von oben nach unten in einem Aspekt durchgeführt und anschließend eine Strukturierung von unten nach oben in einem anderen Aspekt, werden normalerweise alle Objekte in den unterlagerten Ebenen beide Aspekte haben. Es ist auch natürlich, dass einige der übergeordneten Objekte gleichermaßen in beiden Aspekten erkannt werden, siehe Bild 7.

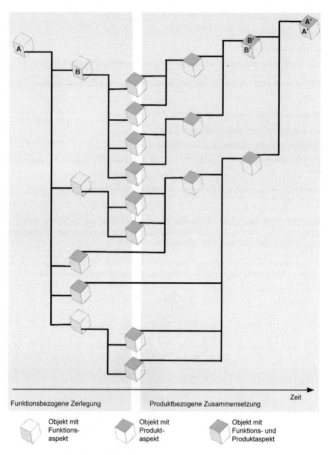

A' zeigt an, dass der Informationsinhalt zu Objekt A verändert wurde, da der Produktaspekt des Objekts erkannt wurde. Dasselbe gilt für B' und B. Siehe auch B.1 in Anhang B und Bild C.10.

Bild 7 – Darstellung einer funktionsbezogenen Zerlegung und einer produktbezogenen Zusammensetzung

5.2 Bildung von Strukturen (d. h. Typen und Instanzen)

Durch Betrachtung eines Objekts in einem Aspekt wird es ermöglicht, Teilobjekte des Objekts in diesem Aspekt zu bestimmen. Jedes Teilobjekt darf gleichermaßen im selben oder in einem anderen Aspekt betrachtet werden, was in Teilobjekten in tiefer liegenden Ebenen resultiert. Das Ergebnis ist eine sukzessive Untergliederung der Objekte, die in den relevanten Aspekten erkannt wurden und als Baum dargestellt werden können, wie in Bild 8 gezeigt.

ANMERKUNG 1   Strukturbäume können unter Verwendung der in IEC 61355 DB aufgeführten Dokumentart „Beschreibung der Anlagenstruktur" (englisch: structure diagram) dargestellt werden.

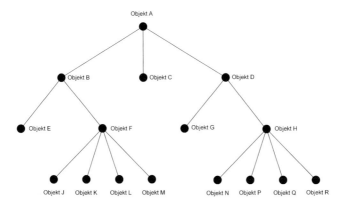

Bild 8 – Strukturbaum für Objekt A (Alternative 1)

Eine andere Form dieses Strukturbaums ist in Bild 9 dargestellt.

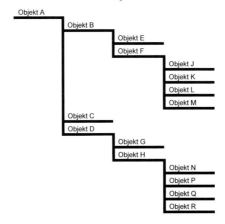

Bild 9 – Strukturbaum für Objekt A (Alternative 2)

Das Vorgehen bei der Erstellung eines wie in Bild 8 gezeigten Strukturbaumes ist in der Regel schrittweise.

ANMERKUNG 2   Da bei der Bildung der Struktur gleichzeitig immer nur eine Ebene behandelt wird, ist es möglich, von Ebene zu Ebene unterschiedliche Aspekte zu wählen. Es wird empfohlen, möglichst denselben Aspekt beizubehalten.

Im Folgenden ist ein Beispiel für das Vorgehen, aus dem ein wie in Bild 8 gezeigter Strukturbaum resultiert, gegeben, wobei angenommen wurde, dass Objekt A eine Instanz des Objekttyps 1 ist.

ANMERKUNG 3   In 3.8 sind die Bedeutungen der Begriffe „Typ" und „Instanz" erläutert.

In Bild 10 ist die Untergliederung von Objekttyp 1 in einem Aspekt gezeigt. In dem betrachteten Aspekt hat Objekttyp 1 drei Bestandteile. Zwei dieser Bestandteile sind identisch und verweisen auf denselben Objekttyp 2.

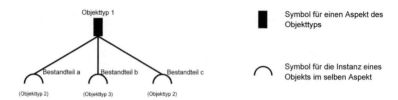

Bild 10 – Bestandteile in einem Aspekt von Objekttyp 1

Bild 11 zeigt die Untergliederung von Objekttyp 2 in einem Aspekt. Objekttyp 2 hat in diesem Aspekt zwei Bestandteile, einen, der auf Objekttyp 4 verweist, und einen, der auf Objekttyp 5 verweist.

Bild 11 – Bestandteile in einem Aspekt von Objekttyp 2

Objekttyp 4 hat keine weiteren Bestandteile, während Objekttyp 5 in einem Aspekt vier Bestandteile hat, wie in Bild 12 gezeigt.

Bild 12 – Bestandteile in einem Aspekt von Objekttyp 5

Keiner der Objekttypen 6, 7, 8 und 9 hat weitere Bestandteile. Der vollständige Strukturbaum von Objekt A, der eine Instanz des Objekttyps 1 ist, kann dann gebildet werden, indem die Strukturbäume für die festgelegten Objekttypen miteinander verkettet werden, wie in Bild 13 und, in verkürzter Form, in Bild 8 dargestellt.

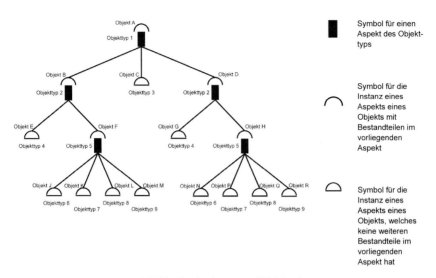

Bild 13 – Strukturbaum von Objekttyp 1

In Bild 13 ist auch der modulare Typ-Instanz-Mechanismus dargestellt. Ein bestimmter Objekttyp kann in jeder anderen Instanz wieder verwendet werden, vorausgesetzt, dies ist technisch möglich. Die Standardangebote (Funktionen, Produkte oder Orte) eines Lieferanten können als unterschiedliche Instanzen bei vielen unterschiedlichen Kunden verwendet beziehungsweise dorthin kopiert werden.

5.3 Funktionsbezogene Struktur

Eine funktionsbezogene Struktur basiert auf dem Zweck eines Systems. Sie zeigt die Untergliederung eines Systems in Bestandteilobjekte im Bezug auf den Funktionsaspekt, ohne dabei mögliche Orts- und/oder Produktaspekte dieser Objekte zu berücksichtigen.

ANMERKUNG   Dokumente, in denen die Information über ein System in Übereinstimmung mit einer funktionsbezogenen Struktur organisiert ist, heben die funktionalen Beziehungen zwischen den Komponenten dieses Systems hervor.

In Bild 14 ist eine funktionsbezogene Struktur veranschaulicht.

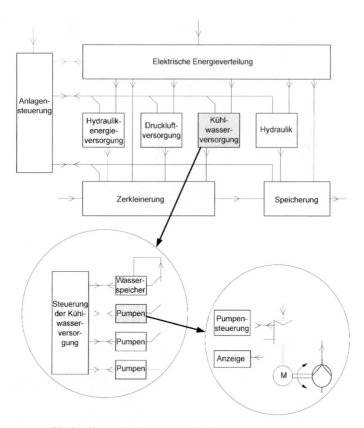

Bild 14 – Veranschaulichung einer funktionsbezogenen Struktur

5.4 Produktbezogene Struktur

Eine produktbezogene Struktur basiert auf der Art und Weise, wie ein System realisiert, aufgebaut oder geliefert wird, wobei Zwischenkomponenten oder endgültige Komponenten verwendet werden. Eine produktbezogene Struktur zeigt die Untergliederung eines Systems in Bestandteilobjekte im Hinblick auf den Produktaspekt, ohne mögliche Funktions- und/oder Ortsaspekte dieser Objekte zu berücksichtigen.

ANMERKUNG   Dokumente, in denen die Information über ein System in Übereinstimmung mit einer produktbezogenen Struktur organisiert ist, heben physikalische Anordnung der Komponenten dieses Systems hervor.

In Bild 15 ist eine produktbezogene Struktur veranschaulicht.

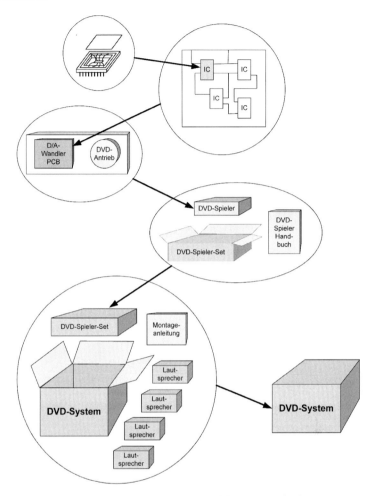

Bild 15 – Veranschaulichung einer produktbezogenen Struktur

5.5 Ortsbezogene Struktur

Eine ortsbezogene Struktur basiert auf den räumlichen Bestandteilen eines Objekts oder, falls ausreichend, auf der topographischen Auslegung eines Objekts.

Eine ortsbezogene Struktur zeigt die Untergliederung eines Systems in Bestandteilobjekte im Hinblick auf den Ortsaspekt, ohne mögliche Produkt- oder Funktionsaspekte dieser Objekte zu berücksichtigen.

ANMERKUNG   Dokumente, in denen die Information über ein System in Übereinstimmung mit einer ortsbezogenen Struktur organisiert ist, heben die topographischen Beziehungen der Komponenten dieses Systems hervor.

In Bild 16 ist eine ortsbezogene Struktur veranschaulicht.

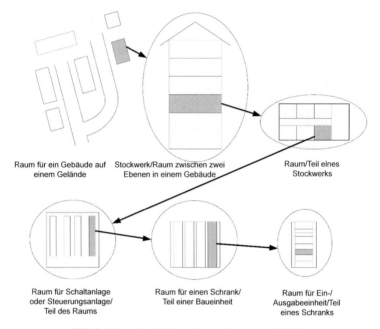

Bild 16 – Veranschaulichung einer ortsbezogenen Struktur

5.6 Strukturen in „anderen Aspekten"

Neben den Hauptaspekten dürfen auch andere Aspekte, die für einige Anwender von Bedeutung sind (z. B. Kostenaspekt), oder Aspekte, die für eine gewisse Phase in einem Projekt (z. B. Logistikaspekt) erforderlich sind, in Betracht gezogen werden.

Regel 3 Die Anwendung von anderen Aspekten als den Hauptaspekten muss in begleitender Dokumentation beschrieben sein.

ANMERKUNG 1 Es wird empfohlen, die Anwendung anderer Aspekte zwischen allen beteiligten Partnern abzustimmen, bevor man mit dem Engineering für eine Anlage oder ein komplexes System beginnt. Auch sollte die Anzahl anderer Aspekte begrenzt bleiben.

Ein „anderer Aspekt" darf angewendet werden, um komplexe industrielle Einrichtungen, bestehend aus in sich abgeschlossenen Einrichtungen und Infrastruktur-Objekten (z. B. verschiedene unabhängige Werke oder Anlagen, Verwaltungseinrichtungen, Versorgungseinrichtungen, Straßennetz), zu strukturieren, siehe Bild 17.

ANMERKUNG 2 Die „gemeinsame Kennzeichnung" („conjoint designation") nach ISO/TS 16952-1 ist eine Möglichkeit der Anwendung eines „anderen Aspekts".

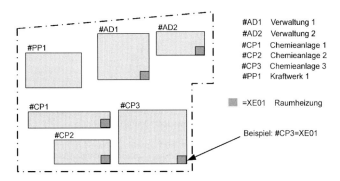

#AD1	Verwaltung 1
#AD2	Verwaltung 2
#CP1	Chemieanlage 1
#CP2	Chemieanlage 2
#CP3	Chemieanlage 3
#PP1	Kraftwerk 1
=XE01	Raumheizung

Beispiel: #CP3=XE01

Entsprechend 6.2.1 ist das Vorzeichen # für Referenzkennzeichen, die auf „anderen Aspekten" basieren, angewendet.

Bild 17 – Beispiel zur Anwendung von „anderer Aspekt"

ANMERKUNG 3   Eine Alternative zur Handhabung von Einrichtungen ist in 9.3 gezeigt.

5.7 Strukturen in mehr als einem Aspekt

Manchmal ist es hilfreich, ein Objekt in dem betrachteten System mittels mehr als einem Aspekt zu identifizieren, siehe Bild 18.

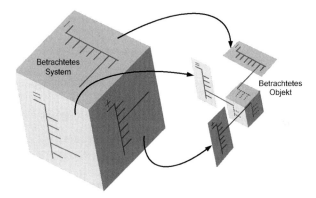

Bild 18 – Darstellung eines Objekts, auf das in mehreren Aspekten zugegriffen werden kann und bei dem diese Aspekte auch für die interne Strukturierung angewendet werden

Folgt man diesem Konzept, darf ein Objekt in jedem Aspekt identifiziert werden. Z. B. muss ein Produkt nicht notwendigerweise in der produktbezogenen Struktur identifiziert werden, sondern dies kann in der funktionsbezogenen oder ortsbezogenen Struktur erfolgen.

Ebenso dürfen unterschiedliche Aspekte für aufeinanderfolgende Objekte angewendet werden, wie in 5.1 und 5.2 aufgezeigt, siehe Bild 19.

Bild 19 – Darstellung eines Objekts, das in einem Aspekt identifiziert ist und dessen Teilobjekte in einem anderen Aspekt identifiziert sind

In Bild 19 ist ein Objekt dargestellt, das in einem seiner Aspekte identifiziert ist und in welchem die Teilobjekte in einem anderen Aspekt identifiziert sind. Im Anhang D sind Beispiele gegeben, wie Referenzkennzeichen, die auf einer Struktur mit mehreren Aspekten basieren, zu lesen und zu interpretieren sind.

Zusätzlich ist zu berücksichtigen, dass ein Objekt in einem Aspekt mehrere voneinander unabhängige Repräsentationen haben kann, d. h. mehrere oberste Knoten, siehe Anhang E.

6 Bildung von Referenzkennzeichen

6.1 Allgemeines

Ein Referenzkennzeichen hat den Zweck, ein gegebenes Objekt in einem betrachteten System unverwechselbar zu identifizieren. Der oberste Knoten in Baumstrukturen, wie beispielsweise in Bild 8 gezeigt, repräsentiert das System, und die darunter liegenden Knoten repräsentieren dessen Teilobjekte.

Regel 4 Jedem Objekt, das ein Bestandteil ist, muss ein Einzelebenen-Referenzkennzeichen zugewiesen werden, welches eindeutig ist im Hinblick auf das Objekt, von dem es Bestandteil ist.

Regel 5 Dem durch den obersten Knoten repräsentierten Objekt darf kein Einzelebenen-Referenzkennzeichen zugewiesen werden.

ANMERKUNG 1   Das Objekt, das durch den obersten Knoten repräsentiert wird, darf Identifikatoren haben wie Teilenummer, Bestellnummer, Typnummer, gemeinsames Kennzeichen („conjoint designation") oder einen Namen.

ANMERKUNG 2   Das Objekt, das durch den obersten Knoten repräsentiert wird, erhält nur dann ein Referenzkennzeichen, wenn das System in ein größeres System integriert wird.

6.2 Format von Referenzkennzeichen

6.2.1 Einzelebenen

Regel 6 Ein einem Objekt zugewiesenes Einzelebenen-Referenzkennzeichen muss aus einem Vorzeichen bestehen, gefolgt entweder von

– Kennbuchstaben oder

– Kennbuchstaben, gefolgt von einer Nummer, oder

– einer Nummer.

Weitere Regeln zu Kennbuchstaben sind in 6.2.3 gegeben.

Regel 7 Die in einem Referenzkennzeichen zur Angabe des Aspekttyps angewendeten Vorzeichen müssen sein:

```
=   im Zusammenhang mit dem Funktionsaspekt des Objekts;
−   im Zusammenhang mit dem Produktaspekt des Objekts;
+   im Zusammenhang mit dem Ortsaspekt des Objekts;
#   im Zusammenhang mit anderen Aspekten des Objekts.
```

Regel 8 Für Computer-Implementierungen müssen die Vorzeichen aus dem G0-Satz von ISO/IEC 646 oder entsprechenden internationalen Normen gewählt werden.

Regel 9 Werden sowohl Kennbuchstaben als auch Nummern angewendet, muss die Nummer den Kennbuchstaben folgen. In diesem Fall muss die Nummer zwischen Objekten unterscheiden, die Bestandteil desselben Objekts sind und dieselben Kennbuchstaben haben.

Regel 10 Nummern selbst oder in Kombination mit Kennbuchstaben sollten keine aussagekräftige Bedeutung haben. Falls Nummern eine aussagekräftige Bedeutung haben, muss dies im Dokument oder in begleitender Dokumentation erläutert sein.

Regel 11 Nummern dürfen führende Nullen haben. Führende Nullen sollten keine aussagekräftige Bedeutung haben. Falls führende Nullen eine aussagekräftige Bedeutung haben, muss dies im Dokument oder in begleitender Dokumentation erläutert sein.

Zum Zwecke besserer Lesbarkeit wird empfohlen, dass Nummern und Kennbuchstaben so kurz wie möglich gehalten werden.

ANMERKUNG Es ist aus Erfahrung bekannt, dass Einzelebenen-Referenzkennzeichen mit bis zu drei Kennbuchstaben und dreistelligen Nummern als ausreichend kurz angesehen werden können.

Auf Grund der besseren Merkbarkeit wird empfohlen, für Einzelebenen-Referenzkennzeichen Kennbuchstaben und Nummer anzuwenden.

In Bild 20 sind Beispiele für Einzelebenen-Referenzkennzeichen aufgeführt.

Funktionsbezogenes Referenzkennzeichen eines Objekts	Produktbezogenes Referenzkennzeichen eines Objekts	Ortsbezogenes Referenzkennzeichen eines Objekts
=B1	−B1	+G1
=EB	−RELAY	+RU
=123	−561	+101
=KK12	−BT12	+UC101

Bild 20 − Beispiele für Einzelebenen-Referenzkennzeichen

6.2.2 Mehrebenen

In Bild 21 ist die Beziehung zwischen Einzelebenen-Referenzkennzeichen und Mehrebenen-Referenzkennzeichen dargestellt.

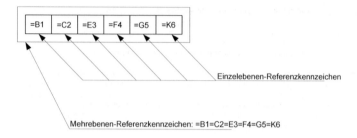

Bild 21 – Beziehung zwischen einem Mehrebenen-Referenzkennzeichen und seinen Einzelebenen-Referenzkennzeichen

Ein Mehrebenen-Referenzkennzeichen ist die kodierte Repräsentation des Pfades von der Spitze des betrachteten Strukturbaums bis hinunter zum bestimmten Objekt. Ein derartiger Pfad kann eine Anzahl von Knoten beinhalten, wobei die Anzahl der Knoten von den jeweiligen Anforderungen und der Komplexität des betrachteten Systems abhängt.

Regel 12 Mehrebenen-Referenzkennzeichen müssen durch Verkettung der Einzelebenen-Referenzkennzeichen der Objekte, die im Pfad vom obersten Knoten bis hinunter zum betrachteten Objekt repräsentiert sind, gebildet werden.

ANMERKUNG 1 Das durch den obersten Knoten repräsentierte Objekt kann Identifikatoren wie Teilenummer, Bestellnummer, Typnummer oder einen Namen, haben. Derartige Identifikatoren werden nicht zu einem Teil eines Mehrebenen-Referenzkennzeichens.

ANMERKUNG 2 Das Objekt, das durch den obersten Knoten repräsentiert wird, erhält nur dann ein Referenzkennzeichen, wenn das System in ein größeres System integriert wird.

6.2.3 Anwendung von Kennbuchstaben

Regel 13 Ein Einzelebenen-Referenzkennzeichen darf aus Kennbuchstaben bestehen, welche:

- die Klasse des Objekts angeben oder
- das Objekt angeben (beispielsweise durch eine Kurzbezeichnung oder eine Kennung, wie die Anwendung des Länderschlüssels zur Kennzeichnung eines Ortes, der ein Land ist).

Regel 14 Als Kennbuchstaben müssen lateinische Großbuchstaben A bis Z (nationale Sonderzeichen sind ausgeschlossen) angewendet werden. Die Buchstaben I und O dürfen nicht angewendet werden, wenn eine Verwechslungsgefahr mit den Ziffern 1 (Eins) und 0 (Null) besteht.

Regel 15 Für Kennbuchstaben, welche die Klasse eines Objekts angeben, gilt das Folgende:

- Kennbuchstaben müssen das Objekt basierend auf einem Klassenschema klassifizieren.
- Kennbuchstaben dürfen aus einer beliebigen Anzahl von Buchstaben bestehen. Bestehen Kennbuchstaben aus mehreren Buchstaben, muss der zweite (dritte usw.) Buchstabe eine Unterklasse derjenigen Klasse angeben, die durch den ersten (zweiten usw.) Buchstaben angegeben ist.

ANMERKUNG Die Folge von klassifizierenden Buchstaben repräsentiert nicht die Struktur eines Systems.

- Kennbuchstaben zur Angabe der Klasse von Objekten sollten aus einem Klassenschema nach IEC 81346-2 gewählt werden.

6.3 Unterschiedliche Strukturen im selben Aspekt

Es kann vorkommen, dass ein Objekt zwar unterschiedlich betrachtet werden soll, dies jedoch im selben Aspekt, der bereits zuvor angewendet wurde. Dies kann durch Anwendung einer zusätzlichen Sicht im selben Aspekttyp erfolgen. Beispiele für derartige Erfordernisse sind im Anhang F gegeben.

Regel 16 Sind auf ein System zusätzliche Sichten in einem Aspekttyp erforderlich, müssen die Kennzeichen der Objekte in diesen Sichten durch Verdopplung (Verdreifachung usw.) des als Vorzeichen verwendeten Schriftzeichens gebildet werden. Die Bedeutung und die Anwendung der zusätzlichen Sichten müssen in begleitender Dokumentation erläutert werden.

In Bild 22 sind einige Beispiele für Mehrebenen-Referenzkennzeichen mit vervielfachten Vorzeichen gegeben.

Referenzkennzeichen	==C==B==W	--C1--B2--3--E	++B1++2++G++M1++P2

Bild 22 – Beispiele für Mehrebenen-Referenzkennzeichen mit vervielfachten Vorzeichen

7 Referenzkennzeichen-Satz

Da ein Objekt in unterschiedlichen Aspekten betrachtet werden kann, kann es mehrere Referenzkennzeichen haben, welche die jeweiligen Positionen des Objekts in den unterschiedlichen Strukturen identifizieren, siehe Bild 18.

Ist einem Objekt mehr als ein Referenzkennzeichen zugeordnet, nennt man dies Referenzkennzeichen-Satz.

Regel 17 Jedes Referenzkennzeichen in einem Referenzkennzeichen-Satz muss eindeutig von den anderen abgetrennt sein.

Regel 18 Mindestens ein Referenzkennzeichen in einem Referenzkennzeichen-Satz muss das Objekt unverwechselbar identifizieren.

Regel 19 Ein Referenzkennzeichen, das ein Objekt identifiziert, von dem das betrachtete Objekt ein Bestandteil ist, darf in einem Referenzkennzeichen-Satz enthalten sein. Ein derartiges Referenzkennzeichen sollte mit einem Auslassungszeichen (…) abgeschlossen werden. Das Auslassungszeichen darf weggelassen werden, wenn keine Verwechslungsgefahr besteht.

ANMERKUNG Das Auslassungszeichen wird entweder durch drei Punkte gebildet oder durch das anerkannte Schriftzeichen HORIZONTALE ELLIPSIS.

In Bild 23 a) ist die Ansicht eines Motorenschaltschrankes (motor control centre – MCC) dargestellt. Bild 23 b) zeigt ein Beispiel für einen Referenzkennzeichen-Satz, in dem beide Referenzkennzeichen dasselbe Teilobjekt vollständig identifizieren, eines entsprechend der produktbezogenen Struktur und ein anderes entsprechend der ortsbezogenen Struktur. In Bild 23 c) und Bild 23 d) identifiziert das erste Referenzkennzeichen das Teilobjekt entsprechend der produktbezogenen Struktur. Das zweite Referenzkennzeichen identifiziert einen Ort, der nicht nur dieses Teilobjekt beinhaltet, sondern auch andere.

Bezüglich weiterer Beispiele zur Anwendung der Referenzkennzeichnung wird auf die Anhänge G und H verwiesen.

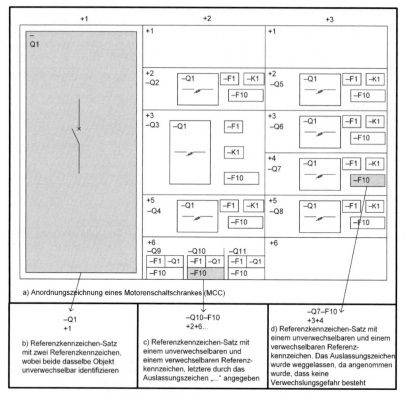

Bild 23 – Beispiele für Referenzkennzeichen-Sätze

8 Kennzeichnung von Orten

8.1 Allgemeines

Zur Kennzeichnung von Orten gelten die folgenden Regeln:

Regel 20 Die Kennzeichnung für Städte, Ortschaften, Gebietsbezeichnungen usw. sollten so kurz wie möglich gemacht werden.

> ANMERKUNG 1 Gegebenenfalls können anerkannte oder vereinbarte Schlüsselsysteme angewendet werden, z. B. ISO 3166 für Länder.

Regel 21 Die Kennzeichnung von Gebäuden, Stockwerken und Räumen in Gebäuden sollte der Normenreihe ISO 4157 entsprechen.

Regel 22 Gegebenenfalls dürfen UTM-Koordinaten oder andere Kartenkoordinaten-Systeme angewendet werden, um geographische Flächen zu kennzeichnen.

Regel 23 Koordinaten (2D oder 3D) dürfen auch als Grundlage zur Kennzeichnung von Orten in einem Gebäude oder in einer Struktur angewendet werden.

Wird eine Koordinate zur Kennzeichnung eines Ortes angewendet, muss diese sich auf den Bezugspunkt des Ortes beziehen. Die Koordinate muss in das Format eines Einzelebenen-Referenzkennzeichens konvertiert werden. Die Anwendung des Koordinatensystems und die Regeln zur Konvertierung müssen in begleitender Dokumentation erläutert sein.

ANMERKUNG 2 Koordinaten in einem Koordinatensystem sind ein Mittel zur exakten Positionierung. Sie sind keine Orte im Anwendungsbereich dieser Internationalen Norm.

ANMERKUNG 3 Die Festlegung von Zonen unter Anwendung von Gebäudelinien (siehe ISO 4157-3), oft als Koordinaten einer Gebäudeebene bezeichnet, ist ein Beispiel für die Anwendung eines 2-dimensionalen Orts. Ein ähnliches Beispiel ist in Bild 25 gezeigt.

Regel 24 Die Kennzeichnung von Orten in/an Ausrüstungen (innerhalb oder außerhalb), Baueinheiten usw. sollte vom Hersteller der jeweiligen Ausrüstung oder Baueinheit festgelegt werden.

8.2 Baueinheiten

Zu (fabrikfertigen) Baueinheiten gehörende Orte (Plätze) erhalten oft Referenzkennzeichen, die auf einem örtlichen Rastersystem basieren, welches für die verfügbaren Montageflächen definiert ist.

Regel 25 Wird für die Kennzeichnung von Orten, die zu einer Baueinheit gehören, ein Rastersystem angewendet, muss das Rastersystem innerhalb der Baueinheit unverwechselbar identifiziert sein.

In Bild 24 ist eine fabrikfertige Baueinheit mit Kennzeichnung der verschiedenen Montageflächen dargestellt. Die Baueinheit hat mehrere Montageflächen, die durch folgende Kennbuchstaben gekennzeichnet sind:

- A   Innen – links
- B   Innen – hinten
- C   Innen – rechts
- D   Tür – außen
- E   Tür – innen

ANMERKUNG Die Kennbuchstaben wurden nur in der oben angegebenen Liste definiert und haben keinen Bezug zu IEC 81346-2.

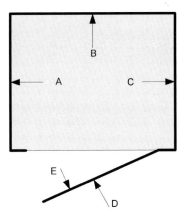

Bild 24 – Beispiele für die Kennzeichnung von Montageflächen in einer fabrikfertigen Baueinheit

In Bild 25 ist dargestellt, wie die Kennzeichen von Orten auf einer Montagefläche gebildet werden könnten. In diesem speziellen Fall wurde als Montagefläche die innere Rückwand (gekennzeichnet mit +B) genommen.

Die linke, obere Ecke jeder Montagefläche (gesehen in Richtung der Pfeile in Bild 24) bestimmt den Startpunkt für die Nummerierung der Plätze.

Die vertikale Position ist durch Nummern von 01 bis n angegeben, welche das Vielfache einer Einheit U repräsentieren. Die Einheit U entspricht einem Abstand von 44,5 mm in Übereinstimmung mit IEC 60297-1.

Die horizontale Position ist durch Nummern von 01 bis m angegeben, welche das Vielfache einer Einheit P repräsentieren. Die Einheit P entspricht einem Abstand von 5,8 mm in Übereinstimmung mit IEC 60297-3-101.

Das Ortskennzeichen wurde gebildet:

+[Montagefläche]+[vertikale Position]+[horizontale Position]

Somit erfolgt die Kennzeichnung der schattierten Flächen in Bild 25 mit +B+11 und +B+22+09.

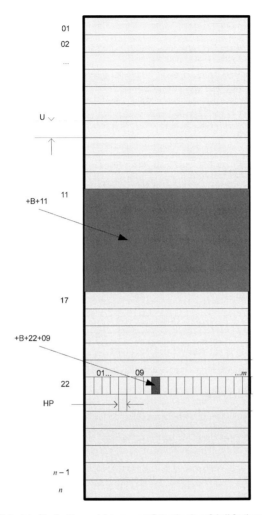

Bild 25 – Beispiele für die Kennzeichnung von Orten in einer fabrikfertigen Baueinheit

9 Darstellung von Referenzkennzeichen

9.1 Referenzkennzeichen

Zur Darstellung von Referenzkennzeichen gelten die folgenden Regeln.

Regel 26 Ein Referenzkennzeichen muss einzeilig dargestellt sein.

Regel 27 Die Darstellung eines Einzelebenen-Referenzkennzeichens darf nicht getrennt sein.

Regel 28 Ist das Vorzeichen eines Einzelebenen-Referenzkennzeichens dasselbe wie dasjenige des vorangehenden Einzelebenen-Referenzkennzeichens, dürfen die folgenden gleichermaßen gültigen Darstellungsmethoden angewendet werden:

- Das Vorzeichen darf durch einen „ . " (Punkt) ersetzt werden, oder
- das Vorzeichen darf weggelassen werden, wenn das vorangehende Einzelebenen-Referenzkennzeichen mit einer Nummer endet und das folgende mit Kennbuchstaben beginnt.

ANMERKUNG 1 Es wird empfohlen, diese Methode nur anzuwenden, wenn die Einzelebenen-Referenzkennzeichen mit einem Kennbuchstaben gefolgt von einer Nummer ausgestattet sind.

Regel 29 In der Darstellung eines Mehrebenen-Referenzkennzeichens darf ein Leerzeichen angewendet werden, um die verschiedenen Einzelebenen-Referenzkennzeichen voneinander zu trennen. Das Leerzeichen darf keinerlei aussagekräftige Bedeutung haben und darf nur aus Gründen der Lesbarkeit angewendet werden.

Regel 30 Ist es im gegebenen Darstellungskontext erforderlich anzugeben, dass das dargestellte Referenzkennzeichen im Bezug auf den obersten Knoten vollständig ist, muss das Schriftzeichen „ > " (größer als) vor dem Referenzkennzeichen angegeben werden.

ANMERKUNG 2 Das Schriftzeichen „ > " (größer als) ist nicht Bestandteil des Referenzkennzeichens.

ANMERKUNG 3 Zu weiteren Regeln bezüglich der Darstellung von Referenzkennzeichen in Dokumenten siehe IEC 61082-1 und ISO 15519-1.

In Bild 26 sind Beispiele für Mehrebenen-Referenzkennzeichen dargestellt und die Art und Weise, wie sie geschrieben werden können.

Referenzkennzeichen	=C1=B2=E3	–B1–1–C–F4	–K1–B2–C–E4	+G1+111+2	+G1+K2+3+S4
Verkürzte Darstellung	=C1B2E3 =C1.B2.E3	–B1.1.C.F4	–K1.B2.C.E4	+G1.111.2	+G1.K2.3.S4

Bild 26 – Beispiele für die Darstellung von Mehrebenen-Referenzkennzeichen

9.2 Referenzkennzeichen-Satz

Zur Darstellung eines Referenzkennzeichen-Satzes gelten die folgenden Regeln (siehe Bild 27):

Regel 31 Der Referenzkennzeichen-Satz darf einzeilig oder in aufeinanderfolgenden Zeilen dargestellt werden.

Regel 32 Sind die Referenzkennzeichen in aufeinanderfolgenden Zeilen dargestellt, muss jedes Referenzkennzeichen in einer getrennten Zeile beginnen.

Regel 33 Sind die Referenzkennzeichen in einer Zeile dargestellt, und wenn eine Verwechslungsmöglichkeit besteht, muss das Schriftzeichen „ / " (Schrägstrich) als Trennzeichen zwischen den verschiedenen Referenzkennzeichen angegeben werden.

Regel 34 Die Reihenfolge der in einem Referenzkennzeichen-Satz dargestellten Referenzkennzeichen darf keine bestimmte Bedeutung haben.

Referenz-kennzeichen	Mögliche Darstellungsformen	
	Alle einzeilig dargestellt	Jedes in einer Zeile dargestellt
=A1 −B2 +C3	=A1/−B2/+C3 Objekt	=A1 −B2 Objekt +C3
=D4−E5+F6	=D4−E5+F6 Objekt	=D4−E5+F6 Objekt
=G7−H8 +J9	=G7−H8/+J9 Objekt	=G7−H8 +J9 Objekt

Bild 27 – Darstellung der Referenzkennzeichen eines Referenzkennzeichen-Satzes

9.3 Darstellung von Identifikatoren für den obersten Knoten

In 6.1 wurde das Konzept des obersten Knotens mit seiner Identifikation eingeführt. Ein derartiger Identifikator ist nicht als Referenzkennzeichen oder als dessen Bestandteil anzusehen. Es kann jedoch manchmal hilfreich oder notwendig sein, einen derartigen Identifikator zusammen mit einem Referenzkennzeichen darzustellen, beispielsweise wenn es erforderlich ist, voneinander unabhängige Systeme in unverwechselbarer Weise zu adressieren.

Regel 35 Ist ein Identifikator eines obersten Knotens zusammen mit einem Referenzkennzeichen darzustellen, muss dieser in „< ... >" (spitze Klammern) gesetzt und den Referenzkennzeichen innerhalb des durch den obersten Knoten repräsentierten Systems vorangestellt werden.

ANMERKUNG 1 Regel 30 ist eine vereinfachte Anwendung dieser Regel, bei der es als nicht erforderlich angesehen wird, den Identifikator des obersten Knotens zu zeigen.

ANMERKUNG 2 Anhang E beinhaltet Regeln für eine besondere Anwendung dieses Konzepts.

ANMERKUNG 3 Oberste Knoten können Identifikatoren wie Teilenummer, Bestellnummer, Typnummer oder Benennung haben.

BEISPIEL 1 <123456-X>=A1B1 identifiziert Objekt =A1B1 des Systems mit dem Identifikator des obersten Knotens 123456-X.

BEISPIEL 2 Industrielle Komplexe bestehen üblicherweise aus einer Anzahl in sich geschlossener Produktionseinheiten und Infrastrukturobjekte. Diese können mit unterschiedlichen Identifikatoren der obersten Knoten gekennzeichnet werden, siehe Bild 28.

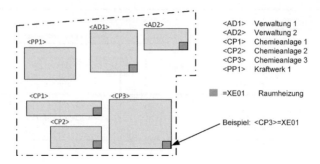

Bild 28 – Unterschiedliche Objekte auf einem Gelände, gekennzeichnet durch Identifikatoren der obersten Knoten

10 Beschriftung

Zum Zweck der Fertigung, Montage und Wartung kann es erforderlich sein, die Komponenten mit ihren zugehörigen Referenzkennzeichen zu beschriften oder mit Schildern zu versehen. Ebenso kann es notwendig sein, Objekte auf Bedienanzeigen mit ihren Referenzkennzeichen zu beschriften/beschildern/identifizieren.

Zur Beschriftung von Kabeln und Leitern siehe IEC 62491.

Regel 36 Schilder, die das Referenzkennzeichen oder Teile davon zeigen, sollten neben der dem Objekt entsprechenden Komponente angebracht sein.

Regel 37 Haben die Referenzkennzeichen der Bestandteile eines Objekts einen gemeinsamen Anfangsteil, siehe Bild 29, darf dieser Anfangsteil auf den Schildern, die den Bestandteilen zugeordnet sind, weggelassen werden und nur auf dem Schild, das dem Objekt zugeordnet ist, dargestellt werden, siehe Bild 30.

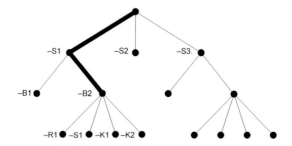

Das vollständige Referenzkennzeichen, z. B. für das Teilobjekt –R1 ist –S1–B2–R1.
Der gemeinsame Anfangsteil der Teilobjekte –B1 und –B2 ist –S1.
Der gemeinsame Anfangsteil der Teilobjekte –R1, –S1, –K1 und –K2 ist –S1–B2.

Bild 29 – Der gemeinsame Anfangsteil von Referenzkennzeichen

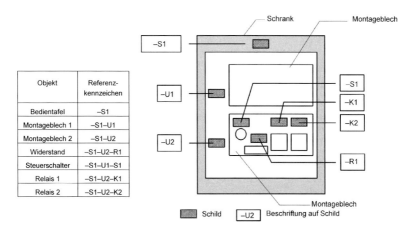

Objekt	Referenz-kennzeichen
Bedientafel	–S1
Montageblech 1	–S1–U1
Montageblech 2	–S1–U2
Widerstand	–S1–U2–R1
Steuerschalter	–S1–U1–S1
Relais 1	–S1–U2–K1
Relais 2	–S1–U2–K2

a) Die Referenzkennzeichen der Objekte   b) Die Beschriftung der Objekte

Bild 30 – Beschriftung mit Referenzkennzeichen

Regel 38 Werden Referenzkennzeichen zur Wahrnehmung durch Bedienpersonal im Zusammenhang mit manuellen Steuerungsaufgaben dargestellt, müssen diese klar erkennbar sein.

Anhang A
(informativ)

Historischer Hintergrund

A.1 Überblick

IEC 81346-1 ist eine Überarbeitung von IEC 61346-1:1996 unter Berücksichtigung der Inhalte von ISO/TS 16952-1. Die Nummer der Publikation wurde geändert um die Erstellung einer gemeinsamen ISO/IEC-Normenreihe zum Thema Referenzkennzeichen zu vereinfachen.

IEC 61346-1 hat zwei Vorläufer: IEC 60750:1983 und davor IEC 60113-2:1971. Die Tabelle 1 mit Kennbuchstaben in IEC 60750:1983 stammt im Wesentlichen aus IEC 60113-2:1971. Der Anwendungsbereich dieser Normen hat sich im Laufe der Zeit erheblich ausgeweitet.

Obwohl man darüber diskutieren kann, wo genau die Grenzen sein sollten, ist es möglich, grob aufzuzeigen, wo Zielrichtung und Anwendungsbereich der Dokumente liegen, siehe Bild A.1.

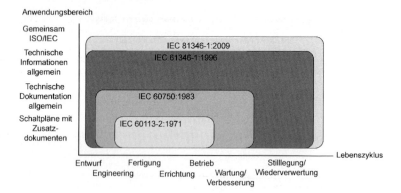

Bild A.1 – Anwendungsbereich der Normen für Referenzkennzeichen

A.2 IEC 60113-2:1971

Betriebsmittelkennzeichen (es handelt sich hier um die entsprechend IEC 60113-2 angewendete Benennung) waren bei ihrem ersten Auftreten lediglich eine Klassifizierung/Kodierung diskreter Teile mit einer angefügten Zählnummer zur Unterscheidung von Teilen innerhalb derselben Klasse. Da in größeren Anwendungen die Durchnummerierung unpraktisch ist, beinhaltete IEC 60113-2 die Möglichkeit, dem Teilecode hierarchische Kennzeichen voranzufügen. Man erhielt auf diese Weise eine einfache Form der Strukturierung.

Information war zu dieser Zeit nur in Dokumenten enthalten. Der Zweck der Betriebsmittelkennzeichnung war, gegenseitige Hinweisbildung innerhalb und zwischen Dokumenten zu ermöglichen, insbesondere vom Stromlaufplan zu Teilelisten und zu Anschlusstabellen/-schaltplänen.

Die Blickrichtung hinsichtlich des Lebenslaufs war beschränkt. Der unmittelbare Zweck war, Dokumente zur Herstellung von Einrichtungen und für deren Inbetriebsetzung zu erstellen.

Die Möglichkeiten der Datenverarbeitung waren zu dieser Zeit begrenzt. Es war notwendig, mit Speicherbedarf hauszuhalten. Die Verarbeitung war, zumindest gedanklich, immer noch an der „Lochkartentechnologie" orientiert, d. h. feste Datenformate und die geschickte Nutzung vorhandener Formate und von Speicherplatz waren sehr wichtig.

A.3 IEC 60750:1983

Mit IEC 60750 wurde berücksichtigt, dass eine hierarchische Strukturierung nicht lediglich als Ergänzung zu den Kennbuchstaben für die Teile anzusehen war, sondern als Basiswerkzeug für die Verwaltung der Dokumentation größerer Einrichtungen. Es ist wohl gerechtfertigt, hier von einer Änderung der Sichtweise zu sprechen, bei der die Strukturierung gegenüber der Kodierung der Teile größeres Gewicht erhielt.

Infolgedessen wurden Betriebsmittelkennzeichnungen weitgehend auch in anderen Dokumenten als im Stromlaufplan mit seinen Zusätzen angewendet. Dokumente wurden jedoch allgemein weiterhin als bedeutendste Träger von Informationen angesehen.

Die Möglichkeit der Datenverarbeitung wurde verbessert, die „Lochkartentechnologie" wurde durch „relational orientierte Technologie" abgelöst.

A.4 IEC 61346-1:1996

Mit der Überarbeitung der IEC 60750 wurde die Anwendung der Betriebsmittel/Referenzkennzeichnung wieter ausgedehnt. Man hat erkannt, dass die Referenzkennzeichnung als mächtiges Werkzeug für das Informationsmanagement angewendet werden kann. Die Informationen sind nunmehr nicht notwendigerweise in fertigen Dokumenten enthalten, sondern können „fragmentiert" und in Datenbanken eingebracht werden, aus denen Dokumente nach Bedarf (einschließlich graphischer Darstellungen) zusammengesetzt werden können. Diese können als „Fenster" in die Datenbank hinein betrachtet werden. Nun ist es notwendig, in einer solchen Umgebung das Referenzkennzeichnungssystem als „Navigationsmittel" anzuwenden.

Es gibt ebenso eine dringende Notwendigkeit, die Anwendung auf andere Einrichtungen als elektrotechnische, auf Prozesseinrichtungen, auf Software usw. auszuweiten.

Die Möglichkeiten der Datenverarbeitung haben sich dramatisch ausgeweitet. Es wurde erkannt, dass die „relational orientierte Technologie" nicht alle Probleme lösen kann und die „objektorientierte Technologie" an Bedeutung gewinnt.

ANMERKUNG Die Anwendung des Begriffs Objekt in „objektorientierter Systementwurf" und „objektorientierte Programmierung" ist mit der Anwendung des Begriffs im vorliegenden Kontext verwandt, aber nicht identisch.

Anstelle von geschickter Einsparung von Rechnerleistung ist es nunmehr von größter Bedeutung, Dinge logisch und geradlinig zu beschreiben, um die Funktionalität, die Austauschbarkeit und die Kommunikation zu verbessern.

Als eine andere sehr bedeutende Anforderung wurde hervorgehoben, dass Referenzkennzeichen im gesamten Lebenszyklus der „Objekte" anwendbar sein müssen.

A.5 IEC 81346-1:2009

In IEC 81346-1 wurden die in IEC 61346-1 festgelegten Regeln beibehalten, es wurde jedoch größere Betonung auf die Beschreibung der Konzepte gelegt, um das Verstehen und die Anwendbarkeit der Norm zu verbessern. Die Regeln und Anforderungen wurden, basierend auf Zuarbeit von ISO TC 10, angepasst, um die Anwendbarkeit der Norm außerhalb des Gebietes der Elektrotechnik zu verbessern.

IEC 81346-1 soll als gemeinsame Basis für Referenzkennzeichnungssysteme in IEC und ISO dienen. Sie sollte daher der erste Teil in einer Reihe von Publikationen mit gemeinsamer Nummer, aber aufgeteilter Verantwortlichkeit sein.

Anhang B
(informativ)

Einführung und Lebenslauf von Objekten

B.1 Einführung und Gültigkeit von Objekten

Ein Objekt wird eingeführt, wenn es dafür einen Bedarf gibt.

Ein Objekt wird gelöscht, wenn es nicht länger benötigt wird. Das Objekt wird ebenso gelöscht, wenn seine Eigenschaften mit einem anderen Objekt verschmolzen werden und das entfernte Objekt damit seine Eigenständigkeit verliert.

ANMERKUNG 1   Eine Verschmelzung von Objekten kann z. B. vorkommen, wenn ein Objekt in einem Aspekt definiert wurde und erkannt wurde, dass es dasselbe wie ein anders Objekt ist, das in einem anderen Aspekt definiert wurde.

ANMERKUNG 2   Die Entfernung/Löschung eines physikalischen Objekts ist nicht gleichbedeutend mit der vollständigen Löschung des Objekts, da die zum Objekt gehörige Information gegebenenfalls zurückbehalten werden soll.

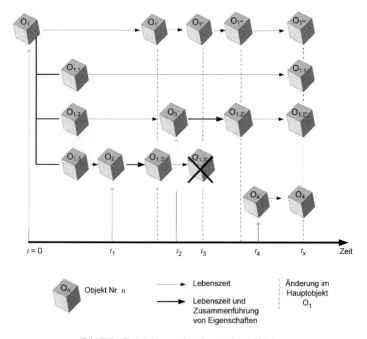

Bild B.1 – Entwicklungssituationen eines Objekts

Bild B.1 stellt die mögliche Entwicklung eines Objekts während einer Zeitspanne t dar. Jede horizontale Linie gibt dasselbe Objekt in verschiedenen Entwicklungssituationen wieder:

- Zum Zeitpunkt $t = 0$ wird ein Objekt O_1 erzeugt. Das Objekt ist komplex und daher wird O_1 unterteilt in $O_{1.1}$, $O_{1.2}$ und $O_{1.3}$.
- Zum Zeitpunkt t_1 wird ein Objekt O_2 eingeführt, mit Eigenschaften, die $O_{1.3}$ zugeordnet sind. Daher ist es möglich, O_2 mit $O_{1.3}$ zusammenzuführen, womit $O_{1.3}$ zu $O_{1.3'}$ wird. Damit ändert sich auch O_1 zu $O_{1'}$.
- Zum Zeitpunkt t_2 wird ein neues Objekt O_3 eingeführt.
- Zum Zeitpunkt t_3 ist das Objekt $O_{1.3'}$ nicht länger von Bedeutung und wird daher gelöscht. Damit ändert sich O_1 zu $O_{1''}$.
- Die zu O_3 zugehörige Information (eingeführt zu Zeitpunkt t_2) hat Bezüge zu $O_{1.2}$ und daher wird die Information (z. B. die Eigenschaften) von $O_{1.2}$ und O_3 zusammengeführt und wird $O_{1.2'}$. Damit ändert sich O_1 zu $O_{1'''}$.
- Zum Zeitpunkt t_4 wird ein neues Objekt O_4 eingeführt.
- Zum Zeitpunkt t_x werden die Teilobjekte $O_{1.1}$, $O_{1.2'}$ und O_4 zu den Bestandteilen, welche das endgültige Resultat O_1 bilden, welches während seiner Lebenszeit vier Mal transformiert wurde und daher als $O_{1''''}$ erkannt wird.

Zu jeder Zeit während seiner Lebenszeit kann das Objekt unter verschiedenen Aspekten betrachtet werden, z. B. im Produktaspekt, im Funktionsaspekt und im Ortsaspekt.

Bild B.1 veranschaulicht die Entwicklung eines Objekts über eine Zeitspanne hinweg (t). Die obige Beschreibung verwendet allgemeingültige Begriffe. Ein ausführlicheres und konkreteres Beispiel, basierend auf derselben Darstellung, ist im Folgenden gegeben:

- Der Eigentümer eines Gebäudes möchte ein neues Parkhaus errichten. Das Parkhaus wird als O_1 identifiziert und ist damit als Objekt eingeführt. Die Errichtung des Parkhauses stellt eine komplexe Aufgabe dar und daher wird das Parkhaus O_1 unterteilt in Gebäudekonstruktion, identifiziert durch $O_{1.1}$, Abwassersystem, identifiziert durch $O_{1.2}$ und automatische Zufahrtsteuerung, identifiziert durch $O_{1.3}$.
- Im Laufe der Zeit stellt ein Vertriebsmann dem Gebäudeeigentümer sein neues Produkt für eine Zufahrtsteuerung, identifiziert durch O_2, vor. Daher wird zum Zeitpunkt t_1 das Objekt O_2 eingeführt. Die neue Generation an Zufahrtsteuerungen hat erweiterte Eigenschaften im Vergleich zum ursprünglichen Konzept in den ersten Planungsphasen. Daher werden die Eigenschaften mit $O_{1.3}$ in Bezug gesetzt, und es ist möglich, O_2 mit $O_{1.3}$ zu verschmelzen, womit $O_{1.3}$ zu $O_{1.3'}$ wird. Damit verändert sich das ursprüngliche Konzept für das Parkhaus O_1 leicht zu $O_{1'}$.
- Zum Zeitpunkt t_2 hat der Gebäudeeigentümer eine neue Anforderung, nämlich eine Waschanlage im Inneren des Parkhauses, wobei damit O_3 eingeführt ist.
- Der Gebäudeeigentümer erhält ein Angebot für eine neue Zufahrtsteuerung und erkennt, dass der Preis nicht seinem Budget entspricht. Er entscheidet, die Kosten zu reduzieren und die automatische Zufahrtsteuerung aus der Planung zu nehmen. Daher ist ab dem Zeitpunkt t_3 das Objekt $O_{1.3'}$ nicht länger relevant und wird daher gelöscht. Somit ändert sich das ursprüngliche Konzept O_1 zu $O_{1''}$.
- Die Anforderung an eine Waschanlage O_3 (eingeführt zum Zeitpunkt t_2) hat einen Bezug zu $O_{1.2}$, und im Zuge des Engineering wird klar, dass die Information (z. B. Eigenschaften) von $O_{1.2}$ und O_3 verschmolzen werden können und zu $O_{1.2'}$ werden. Damit ändert sich das ursprüngliche Konzept O_1 zu $O_{1'''}$.
- Zum Zeitpunkt t_4 erhält der Gebäudeeigentümer eine behördliche Anforderung an die Dachkonstruktion, die er bisher nicht kannte und nicht abgewendet werden kann. Daher wird ein neues Objekt O_4 eingeführt, welches die Anforderung repräsentiert.

– Zum Zeitpunkt t_x sind die Teilobjekte $O_{1.1}$ (ursprüngliche Gebäudekonstruktion), $O_{1.2}$ (Abwassersystem mit Einplanung der Waschanlage) und O_4 (behördliche Anforderung an die Dachkonstruktion) die Teilobjekte, die das endgültige Ergebnis, das Parkhaus O_1, bilden. Dieses wurde somit in seinem Lebenszyklus viermal transformiert und ist daher durch $O_{1''''}$ bezeichnet. Dieses endgültige Objekt repräsentiert nunmehr die endgültige Planung des Parkhauses, und der Gebäudeeigentümer kann die Ausschreibung starten.

– Wenn die Bautätigkeiten beginnen, wird der Lebenszyklus wieder fortgesetzt, aber jetzt mit O_1, welches das zu errichtende Parkhaus repräsentiert.

Bezüglich weiterer Informationen über Objekte wird auf Anhang C verwiesen.

B.2 Lebenslauf-Szenario eines Objekts

B.2.1 Überblick

In Abschnitt B.1 wird die Einführung und Gültigkeit miteinander in Beziehung stehender Objekte beschrieben. Der vorliegende Abschnitt beschreibt die Entwicklung eines einzelnen Objekts in seinem gesamten Lebenszyklus.

Um die Geschichte eines konkreten Lebenszyklus zu schreiben, ist es erforderlich, sich für ein spezifisches Anwendungsgebiet zu entscheiden. Hier wurde das Vorkommen eines Motors in einem industriellen Prozess gewählt.

Dies darf aber keinesfalls so aufgefasst werden, dass die in der Geschichte beschriebenen Sachverhalte nur für diesen Bereich gelten. Es wäre ebenso möglich gewesen, einen Leiterplattenentwurf oder irgendetwas anderes zu wählen. Die Sachverhalte treten in jedem Anwendungsgebiet auf, nur mit unterschiedlicher Betonung. Das heißt, wenn das Folgende nicht „Ihr Gebiet" ist, lesen Sie es bitte mit Kreativität.

Das Szenario bezieht sich auf den Antriebsmotor für eine Wasserpumpe in irgendeinem industriellen Prozess, z. B. Papierfabrik, Wasserwerk oder ähnlichem. Der Einfachheit halber setzten wir voraus, dass diese Anlage von einer einzigen Firma entworfen – der Firma mit der Systemverantwortlichkeit –, geplant und in Betrieb genommen wird, dass aber alle Teile von anderen Firmen bezogen werden – den Firmen mit der jeweiligen Produktverantwortlichkeit. Die Anlage wird direkt zum Endkunden geliefert. Die für die Planung verantwortliche Firma liefert alle Anwenderinformationen als Auszug aus ihrer Datenbank, und der Käufer gibt diese in sein eigenes System ein, um die Anlage warten zu können. Prinzipiell ist dies eine Vereinfachung, damit wir uns nicht zu sehr um verschiedene Dokumentenarten kümmern müssen. Falls erforderlich, kann eine Erörterung dieser Thematik leicht auf das Folgende aufgesetzt werden.

In der folgenden Beschreibung werden mehrere mögliche Situationen behandelt, die während eines Lebenszyklus des Objekts auftreten können. Die Geschichte ist in zwei parallele Teile getrennt, einen Teil in Umgangssprache, während der andere Teil (kursiv gedruckt) diesen aus Sicht der Strukturierung und Referenzkennzeichnung kommentiert. Siehe auch Bild B.2. B.2.2 bis B.2.21 beschreiben die verschiedenen Phasen im Lebenszyklus. In Übereinstimmung mit Bild 2 sind die Phasen mit den Buchstaben A bis X gekennzeichnet.

B.2.2 Funktionsaspekt und auf einer funktionsbezogenen Struktur basierende Funktion (A)

Während der Entwurfsarbeit an einem industriellen Prozess und am Gesamtsystem wird der Bedarf erkannt, einen Fluss zu erzeugen. Dies ist grundsätzlich eine funktionale Anforderung, aber um diese zu realisieren, wird eine Pumpe (ein Objekt, welches die Funktion „erzeugen eines Flusses" ausführt) vorgesehen. Damit erscheint auch die funktionale Notwendigkeit, diese Pumpe anzutreiben, was durch einen Motor realisiert wird (ein Objekt, welches die Funktion „antreiben" ausführt).

An dieser Stelle wird das in der Lebenszyklus-Geschichte zu betrachtende Objekt geschaffen. Es gehört zur Objektklasse „Antrieb". Damit ist noch nicht zwangsläufig etwas darüber ausgesagt, ob es sich um einen Elektromotor, einen Dieselmotor oder einen Motor eines anderen Typs handelt.

Um das Objekt von anderen, ähnlichen Objekten unterscheiden zu können, muss es identifiziert werden. Für diesen Zweck eignet sich ein funktionsbezogenes Referenzkennzeichen, da in diesem Stadium nur der Funktionsaspekt, der das Objekt mit dem relevanten Platz im geplanten industriellen Prozess verbindet, relevant ist.

Der Prozessentwurf ist anfangs höchstwahrscheinlich nicht sehr stabil. Beispielsweise könnte der Fall eintreten, dass sich der Bedarf an einer Pumpe zwischen den verschiedenen Prozessabschnitten verschiebt. Dies könnte dazu führen, dass das funktionsbezogene Referenzkennzeichen geändert werden muss.

DIN EN 81346-1:2010-05
EN 81346-1:2009

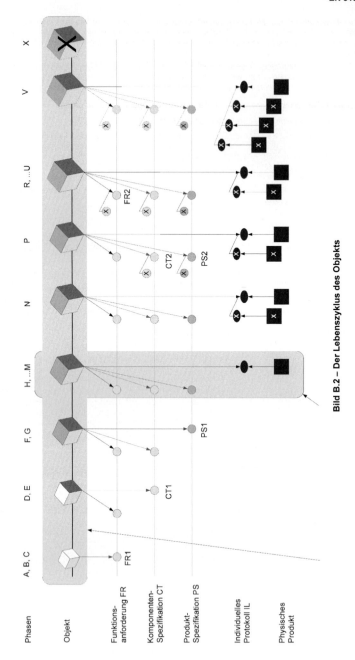

Bild B.2 – Der Lebenszyklus des Objekts

B.2.3 Spezifikation der Funktionsanforderung FR1 (B)

Im Prozessentwurf wird die erforderliche Leistung für die Pumpe und damit die Leistung für den Antrieb aus der Sicht des Prozesses festgelegt. Es wurde auch festgelegt, dass ein Elektromotor angewendet werden soll. Dies führt zu einer Spezifikation der Funktionsanforderung (Functional Requirements) in ihrer ersten Version.

Soweit kann das Objekt im Klartext entsprechend seines Platzes im funktionalen Prozess benannt werden, kodiert mit einem Referenzkennzeichen, das auf der funktionsbezogenen Struktur basiert.

Zur Bezugnahme innerhalb dieses Texts nennen wir diese die Spezifikation FR1.

> ANMERKUNG   Diese und die anderen im Folgenden aufgeführten Spezifikationsarten können aus einem Dokument bestehen, Teil eines Dokuments sein oder mehrere Dokumente umfassen. Alternativ kann die Information auch in einer Datenbank gesammelt sein. Es ist der logische Satz von Informationen, welcher in den folgenden Erläuterungen und Veranschaulichungen von Bedeutung ist, und nicht, wie die Information in verschiedenste Dokumente umgesetzt wurde.

Das Objekt kann zusätzlich zur Textspezifikation auch durch ein oder mehrere graphische Symbole dargestellt sein, z. B. in einem Übersichtsschaltplan, in dem durch das Referenzkennzeichen darauf Bezug genommen wird.

Die zum Motor zugehörige Information hat den Status „wie gefordert".

B.2.4 Ortsaspekt und auf einer ortsbezogenen Struktur basierendes Referenzkennzeichen (C)

Die weitere Entwurfsarbeit am Gesamtsystem legt fest, welche Versorgungsspannungen in der Anlage zur Verfügung stehen werden. Prozess- und Bauplanung legen weitere Anforderungen hinsichtlich Umgebungsbedingungen, Größenbeschränkungen usw. fest. Die Spezifikation der Funktionsanforderungen wird allmählich vollständiger. Wir nehmen an, dass in dieser Phase die endgültige Version erreicht wird. Ebenso sei angenommen, dass eine ortsbezogene Struktur mit zugehörigen Kennzeichen für die Orte festgelegt wurde.

Nun kann das Objekt im Klartext entsprechend seines Platzes im funktionalen Prozess oder mittels seines Ortes oder mit beiden benannt werden.

Da das Kennzeichnungssystem für die Orte nun festgelegt ist, ist es möglich, das Objekt auch hinsichtlich des Ortsaspekts zu adressieren, d. h. den Platz zu adressieren, den der Motor einnehmen wird oder zumindest den Raum oder die Fläche, in dem bzw. auf der er angeordnet wird, und zwar mit einem auf der ortsbezogenen Struktur basierenden Referenzkennzeichen. Dieses Kennzeichen zusammen mit dem vorher definierten Referenzkennzeichen basierend auf der funktionsbezogenen Struktur stellt einen Referenzkennzeichen-Satz dar.

Die Eigenschaften, wie z. B. räumliche Abmessungen und mögliche Umgebungsanforderungen der identifizierten Räumlichkeit, müssen so sein (möglicherweise so gemacht werden), dass sie den funktionalen Anforderungen des Motors genügen.

B.2.5 Komponententyp-Spezifikation CT1 (D)

Da die Anlage sehr viele Motoren enthält, muss die Vielfalt der unterschiedlichen Motoren optimiert werden, um die Zahl der erforderlichen Ersatzteile zu begrenzen. Dies führt dazu, dass der für den Einsatz gewählte Motor nicht mehr der Spezifikation FR1 entspricht, sondern dass ein „größerer" Motor aus einem begrenzten Sortiment von Standardgrößen gewählt werden muss. Dieser Motor wird in einer Komponententyp-Spezifikation (Component Type) festgelegt, die für den Einkauf angewendet wird.

Zur Bezugnahme innerhalb dieses Textes nennen wir diese Spezifikation CT1.

Die Spezifikation CT1 bestimmt einen Motortyp. Sie ist mittels einer Referenz von jedem Vorkommen des Motors in das geplante System eingebunden (oder gegebenenfalls kopiert, siehe auch Anhang C), da sie gleichzeitig für eine große Anzahl von Motoren in der Anlage gültig ist.

Auch wenn keine Notwendigkeit für eine Komponententyp-Spezifikation, die gültig für mehrere Objekte ist, besteht, ist es aber meist erforderlich, die Funktionsanforderungs-Spezifikation an verfügbare Standardgrößen anzupassen, was bedeutet, dass grundsätzlich eine CT1 vorhanden ist, auch wenn es nur ein Objekt von jedem Typ gibt.

Die zum Motor zugehörige Information hat nun den Status „wie spezifiziert".

B.2.6 Funktionslisten zur Anlagenplanung FL1 und Ortslisten zur physischen Auslegung LL1 (E)

Die Detailplanung schreitet voran, und das Vorkommen des Motors erscheint nun auch in den Stromlaufplänen, Objektlisten usw.. Zur Steuerung des Motors wird dieser auch im Prozessrechner berücksichtigt.

Es werden sowohl das funktionsbezogene als auch das ortsbezogene Referenzkennzeichen angewendet. Das ortsbezogene Kennzeichen kann angewendet werden, um das CAD-System bei der Erzeugung von Anschluss- und Kabeltabellen zu steuern.

Zur Bezugnahme innerhalb dieses Textes verweisen wir auf eine Objektliste, in der das funktionsbezogene Referenzkennzeichen für die Auswahl von Objekten und zur Sortierung angewendet wird (und in der das ortsbezogene Referenzkennzeichen als Zusatzinformation dient), als Funktionsliste FL1.

Wir verweisen auf eine Objektliste, in der das ortsbezogene Referenzkennzeichen für die Auswahl von Objekten und zur Sortierung angewendet wird (und in der das funktionsbezogene Referenzkennzeichen als Zusatzinformation dient), als Ortsliste LL2.

ANMERKUNG   Zur Erstellung unterschiedlicher Arten von Objektlisten siehe IEC 62027.

B.2.7 Produktspezifikation PS1 (F)

Ein Motorenhersteller wird ausgewählt. Dies bedeutet häufig, dass die Eigenschaften der tatsächlich vom Hersteller eingekauften Einheit von der spezifizierten leicht abweichen. Wir erhalten somit vom Hersteller eine Produktspezifikation (Product Specification), die für den tatsächlich eingesetzten Motortyp, der als Komponente im Systemkontext Verwendung findet, gültig ist.

Zur Bezugnahme innerhalb dieses Textes nennen wir diese Produktspezifikation PS1.

Grundsätzlich muss hierauf vom Objekt her mit Herstellername und Produktnummer aus dem Herstellerkatalog genommen werden. Gelegentlich (bei Sondermotoren) muss vom Hersteller ein spezifischer Satz von Informationen (Dokument) mitgeliefert werden.

Das Objekt ist nun durch ein Produkt implementiert, und wir haben zum ersten Mal eine Verbindung zu einem realen physischen Objekt. Man beachte jedoch, dass dies im Prinzip nur bedeutet, dass wir eine Referenz eingeführt haben, die aus zwei Daten besteht: Herstellername und Produktnummer.

Die zum Motor zugehörige Information hat nun den Status „wie vertraglich vereinbart" und später „wie geliefert".

B.2.8 Teileliste für Fertigung/Montage PL1 (G)

Pumpe und Motor sollen gemeinsam in einer speziellen mechanischen Baueinheit installiert werden, die auf der Baustelle zusammengebaut wird. Die Engineeringabteilung erstellt daher Informationen für diesen Zusammenbau. Der Motor wird anschließend auf einer Zusammenbauzeichnung bildlich dargestellt und in der Teileliste für die Installation als Bestandteil aufgeführt.

Zur Bezugnahme innerhalb dieses Textes nennen wir diese die Teileliste PL3. Man beachte, dass die Ortsliste LL1 möglicherweise bei ihrer Erstellung als Grundlage dienen kann.

Hier ist das Objekt mit der produktbezogenen Struktur der Baueinheit in Beziehung zu setzen. In der Dokumentation der Baueinheit (ein auf der Baustelle gebildetes Produkt) wird daher in erster Linie mit einem produktbezogenen Referenzkennzeichen darauf Bezug genommen. Die anderen Referenzkennzeichen dürfen als Zusatzinformation hinzugefügt werden, sind aber zum Zweck des Zusammenbaus nicht zwingend erforderlich.

Die zur Baueinheit, **die den Motor beinhaltet**, zugehörige Information hat den Status „wie spezifiziert".

B.2.9 Transportspezifikation (H)

Alle Teile, einschließlich des Motors, werden zur Baustelle transportiert und dort zwischengelagert.

Hierbei sind zahlreiche andere Kennzeichnungen hinsichtlich Versand, Verpackung, Baustellenlogistik usw. erforderlich; dies wird hier aber zur Verkürzung der Schilderung außer Acht gelassen.

B.2.10 Installation (J)

Pumpe und Motor werden auf der Baustelle zusammengebaut, in Übereinstimmung mit hauptsächlich in Phase G erzeugten Informationen. Die Information wird gegebenenfalls aktualisiert.

Ein Referenzkennzeichen für das Objekt wird in der Anlage auf einem Bezeichnungsschild vermerkt. Dieses Bezeichnungsschild sollte in der Nähe, jedoch neben dem physischen Motor angebracht werden. Es stellt eine Art von Vor-Ort-Dokumentation darüber dar, wo ein Motor des angegebenen Typs einzusetzen ist. Dabei spielt es aber im Regelfall keine Rolle, um welches physische Exemplar eines solchen Motortyps es sich handelt.

B.2.11 Inbetriebsetzung (K)

Pumpe und Motor werden in Betrieb genommen, in Übereinstimmung mit hauptsächlich in den Phasen A bis G erzeugten Informationen.

Die endgültige Anwenderdokumentation/-information für die Anlage wird anschließend vom Hersteller an den Käufer übergeben. Das Objekt wird ab jetzt im Wartungsinformationssystem des Käufers verwaltet.

Falls erforderlich wird die Information zur Baueinheit auf den aktuellen Stand gebracht und erreicht den Status „wie gebaut".

B.2.12 Abnahme und individuelles Protokoll Log IL1 (L)

Abnahmetests werden durchgeführt, und der gesamte Prozess wird in den Normalbetrieb genommen.

Sofern dies nicht bereits früher erfolgt ist, muss spätestens jetzt auch dokumentiert werden, welcher konkrete physische Motor angewendet wird, um die Aufgabe des konkreten Objekts zu übernehmen. Dies kann anhand der Seriennummer des Herstellers (sofern vorhanden) oder anhand einer eigenen Inventarnummer des Kunden erfolgen. Diese Nummer muss auf einem am Motor fest angebrachten Typenschild angegeben sein.

Ist es erforderlich, die Verwendung der unterschiedlichen physischen Motoren aufzuzeichnen, muss für jeden individuellen Motor ein Protokoll geführt werden. Zur Bezugnahme innerhalb dieses Textes nennen wir dies das individuelle Protokoll IL1 (Individual Log), das durch die Inventarnummer identifiziert ist. Auf dieses muss vom Objekt her Bezug genommen werden.

B.2.13 Betrieb und Wartung (M)

Erfahrungswerte aus dem Betrieb, z. B. bezüglich Normallast, Höchstlast, Betriebszeit usw. werden in einem Betriebsprotokoll (Operation Log) gesammelt.

Diese Informationen können teilweise auf das Objekt (Vorkommen im System) Bezug nehmen, die meisten Daten müssen jedoch auf das dem physischen Motor zugeordnete individuelle Protokoll Bezug nehmen.

Wartung wird durchgeführt.

Folgende Informationen könnten für eine sachgemäße Wartung benötigt werden:
- *Typen, d. h. Artikelnummern der Komponenten;*
- *Typ-Information, d. h. wie auf die Dokumentation der Produkttypicals zugegriffen werden kann;*
- *produktbezogene Strukturen für Produkte;*
- *Ersatzteilelisten;*
- *Orte aller Individuen eines bestimmten Typs;*

- *tatsächliche Verwendung der Individuen, d. h. in Betrieb, in Reparatur, auf Lager;*
- *Erfordernisse zur Kalibrierung, vorbeugende Instandhaltung usw. der unterschiedlichen Individuen.*

B.2.14 Alternative Motor-Individuen (N)

Gemäß einer bewährten Wartungsstrategie werden die physischen Motoren regelmäßig durch andere Motoren desselben Typs ersetzt, und die gebrauchten Motoren werden entweder gewartet oder verschrottet.

Dies bedeutet, dass bei einem solchen Austausch das Objekt auf eine andere Inventarnummer Bezug nehmen muss, die einen anderen physischen Motor identifiziert.

B.2.15 Alternativer Motortyp und Hersteller CT2, PS2 (P)

Trotz Wartung fällt der tatsächlich angewendete Motor aus. Der Motor des angewendeten Typs ist nicht mehr auf dem Markt. Den Hersteller gibt es auch nicht mehr. Der Anlagenbetreiber hat einige Vorkehrungen für einen solchen Fall getroffen. Die Anforderungen aus den ursprünglichen Spezifikationen FR1 und CT1 sowie die gewonnenen und im Betriebsprotokoll dokumentierten Erfahrungen wurden durchgesehen, und es wurde eine neue Spezifikation erstellt, auf deren Grundlage Motoren von einem neuen Hersteller eingekauft wurden.

Wir nennen die neue Komponententyp-Spezifikation CT2 und die Produktspezifikation für den tatsächlich eingekauften Motortyp PS2.

Infolgedessen muss das Objekt nicht nur auf eine neue Inventarnummer, sondern auch auf einen anderen Herstellernamen und eine andere Produktnummer Bezug nehmen.

B.2.16 Prozessanpassung (R)

Nach einer weiteren Betriebszeit wird eine Entscheidung zur Optimierung des Prozesses getroffen. Dies hat unter anderem zur Folge, dass in dem hier betrachteten Prozessabschnitt eine weitere Pumpe in Strömungsrichtung vor der betrachteten Pumpe eingefügt wird. Infolgedessen ändern sich die Betriebsbedingungen für den Motor.

Die funktionalen Anforderungen können sich ebenfalls ändern, was zu einer veränderten Spezifikation der Funktionsanforderungen FR2 führt.

B.2.17 Örtliche Erweiterungen (S)

Das Gebäude, in dem der Prozess abläuft, wird ebenfalls erweitert, was zu einer örtlichen Verschiebung der Pumpe mit ihrem Motor führt.

Folgerichtig wurde auch das auf der ortsbezogenen Struktur basierende Referenzkennzeichen geändert.

B.2.18 Nachfolgende Phasen (T)

Andere Anpassungen.

B.2.19 Außerbetriebnahme (U)

Nach einigen weiteren Betriebsjahren wird die Anlage schließlich stillgelegt.

Das Betriebsprotokoll wird geschlossen.

B.2.20 Rückbau (V)

Die Prozessanlage wird demontiert. Der Motor wird zur Wiederverwertung der Werkstoffe zerlegt.

Das ist das Ende im Lebenszyklus des zuletzt eingesetzten physischen Motors.

B.2.21 Ende des Lebenszyklus (X)

Die Informationen über die Anlage, welche die Anwendung des betrachteten Motors einschließen, werden für einige weitere Jahre archiviert. Die Informationen werden dann gelöscht (oder als Eingangsinformationen für die Planung einer wirtschaftlicheren Anlage angewendet).

Damit ist der Lebenszyklus des Objekts beendet.

B.3 Betrachtung des Begriffs „Objekt"

B.3.1 Unterschiedliche Bedeutungen von „Motor"

In der oben dargestellten Lebenszyklusgeschichte wurde in der normalen Beschreibung der Begriff Motor angewendet. Im Kommentartext wurden stattdessen die Ausdrücke Objekt, Komponententyp, Produkttyp, physischer Motor angewendet. Dadurch soll betont werden, dass der Begriff „Motor" eigentlich mit folgenden unterschiedlichen Bedeutungen angewendet wird:

a) Motor = *Objekt* mit Spezifikation FR1, FR2 usw.;

b) Motor = *Komponententyp* mit Spezifikation CT1, CT2 usw.;

c) Motor = *Produkttyp* mit Spezifikation PS1, PS2 usw.;

d) Motor = *physischer Motor (Individuum)* mit individuellem Protokoll IL1, IL2 usw.

Das Referenzkennzeichen wird benötigt, um die Verbindung zwischen dem Objekt und dem geplanten System herzustellen. Komponententypen, Produkttypen und Individuen können alle getrennt vom Systemkontext existieren und benötigen daher Identifikatoren im Bezug zu diesen anderen Zusammenhängen.

Abgeleitet aus der obigen Geschichte lässt sich das Objekt kaum als etwas anderes beschreiben als ein Satz von Informationen, der von seiner Erzeugung an wächst bis zum Zeitpunkt seiner Löschung.

Das Objekt „enthält" die gesamte Lebenszyklusgeschichte. Andere Informationssätze, die Informationen über „zeitweilige" Realisierungen enthalten, sind mit ihm, vorzugsweise durch Referenzierung, verbunden, da diese Sätze hin und wieder durch andere ersetzt werden. (Dabei können die alten Sätze als Historie aufgezeichnet werden.)

Das Objekt, mit dem wir uns befassen, existiert nur in der „Modellwelt". (Ein Satz beschreibender Dokumente ist ebenfalls ein „Modell" in diesem allgemeinen Sinne.) Es hat eine Verbindung mit dem „Objekt in der realen Welt", diese Verbindung ist aber nicht fixiert.

Die dem Objekt am nächsten zugeordneten Informationen sind:

– Anforderungsinformationen (mit Bezug auf seinen Zusammenhang mit dem Prozess);

– Bezug auf den gegenwärtig zur Erfüllung dieser Anforderungen angewendeten Komponententyp und das individuelle Produkt (Instanz);

– ein Protokoll der Historie darüber, welche Produkttypen und welche individuellen physischen Produkte früher dafür angewendet wurden, und

– ein Betriebsprotokoll, ebenfalls mit Bezug auf den Prozesszusammenhang.

B.3.2 Definition von „Objekt"

Man könnte gegen die obige Beschreibung argumentieren, sie sei nicht wirklich repräsentativ, da sie sich zu sehr auf diejenigen Situationen konzentriere, in denen Änderungen erfolgen: In der Realität besteht die Lebensdauer zu über 99 % aus beständigen Situationen.

Das ist richtig; jedoch eine der wichtigen Problemstellungen, die bei der Behandlung des Lebenszyklus hervortreten, ist eben die der Änderungen.

Das Referenzkennzeichnungssystem muss so ausgelegt sein, dass es Änderungen handhaben kann.

Man erreicht dies, indem das Referenzkennzeichnungssystem auf Konzepten aufgebaut wird, die sich möglichst eng an der Realität orientieren.

Das Problem besteht jedoch darin, dass unsere Alltagssprache die Realität sehr häufig verschleiert, indem sie Synonyme für gleiche Begriffe und – schlimmer noch – Homonyme für unterschiedliche Begriffe anwendet. Wir müssen einige Zeit suchen, bis wir sie gefunden haben, und können dabei der Sprache nicht völlig vertrauen. In der internationalen Arbeitswelt stellt sich dieses Problem natürlich noch in größerem Maße, da sich die in verschiedenen Sprachen angewendeten Begriffe nicht genau entsprechen. Dies ist einer der Gründe dafür, dass die Modellierung von Information bei der Planung moderner Rechnersysteme so wichtig geworden ist.

Änderungen können dazu genutzt werden, um offen zu legen, wie Dinge tatsächlich voneinander abhängen. Aus der obigen Geschichte des Lebenszyklus lässt sich sehr leicht erkennen, dass das Objekt „Motor", das wir mit einem Referenzkennzeichen identifizieren müssen (siehe waagerechte Abgrenzung), nicht mit dem übereinstimmt, was wir in der Alltagssprache (in einer statischen Situation) „den Motor" nennen würden (siehe senkrechte Abgrenzung).

Eine störende Beobachtung ist, dass es im Lebenszyklus sogar notwendig sein kann, die Referenzkennzeichen für das Objekt zu ändern. (Dies kommt nicht sehr oft vor, aber es kommt vor. Daraus folgt, dass in einem Computersystem die Referenzkennzeichen vorzugsweise nicht als Schlüssel angewendet werden sollten. In einem solchen System ist die Anwendung interner Identifikatoren vorzuziehen, die dem Systembenutzer völlig verborgen sind. Referenzkennzeichen identifizieren nur nach außen hin.)

B.4 Betrachtung unterschiedlicher Lebenszyklen

Der Lebenszyklus des beschriebenen Objekts wurde oben verfolgt. Dabei wurden zwei weitere Lebenszyklen erkannt, die nicht mit demjenigen des Objekts vermischt werden dürfen. In Bezug auf den Motor sind dies:

- Lebenszyklus des Objekts: Er gehört in den Kontext des Systems, in dem der Bedarf an dem Objekt gefunden wurde. Der Lebenszyklus beginnt mit der Idee zu einem Objekt und endet, wenn das Objekt nicht länger von Interesse ist.

- Lebenszyklus des Produkttyps: Er gehört zur Herstellerfirma des Motors. Der Lebenszyklus beginnt, wenn in der Firma erkannt wird, dass die Entwicklung einer neuen Produktgeneration erforderlich ist, und endet, wenn die Herstellung dieser Produktgeneration ausgelaufen ist.

- Lebenszyklus eines individuellen Exemplars des Motortyps: Dieser Lebenszyklus wird zwischen Lieferer und Anwender aufgeteilt. Er beginnt mit der Herstellung und endet mit dem Rückbau und Wiederverwertung.

Daraus folgt, dass wir mit einem Begriff wie „Rückbau" als Phase im Lebenszyklus vorsichtig umgehen müssen, da er nur auf das physische Objekt bezogen werden kann.

Anhang C
(informativ)

Handhabung von Objekten

C.1 Einleitung

Die Strukturierungsprinzipien in IEC 81346 sind so ausgelegt, dass sie keine Vorschriften oder Einschränkungen hinsichtlich der Vorgehensweise im Entwurfs- und Engineeringprozess enthalten.

Die Prinzipien richten sich darauf aus, wie fortlaufend während der Entwicklung im Engineeringprozess erreichte Ergebnisse mittels Objekten gehandhabt und adressiert werden können. Aspekte werden als Mittel angewendet, um die Organisation von Objekten, unabhängig davon, wie sie entstehen oder wieder obsolet werden, zu unterstützen.

In einer Anmerkung zum Begriff „Objekt" ist ausgesagt, dass ein Objekt „ihm zugeordnete Informationen" hat. Dies ist eine bedeutsame Aussage, da sich der gesamte Entwurfs- und Engineeringprozess bis hin zur Realisierung nur mit Information befasst. Es ist wichtig zu erkennen, dass diese „zugeordnete Information" ganz unterschiedlich vom „realen" Objekt, das diese Information repräsentiert, gehandhabt werden kann. Normalerweise gibt diese Information auch dem Objekt seinen Namen. Dies ist im Folgenden weitergehend erläutert, indem dargestellt ist, wie Objekte mit zugehöriger Information in frühen Phasen gehandhabt werden.

Folgerichtig können die Strukturierungsprinzipien zu einem wirkungsvollen Werkzeug im Verlauf eines jeden Entwurfs- und Engineeringprozesses werden und nicht nur ein einfaches Hilfsmittel zur Dokumentation des Endergebnisses (eines Entwurfs- und Engineeringprozesses, der nebenher verläuft) sein, oder noch schlechter, nur als notwendig angesehen werden, um Referenzkennzeichen zum Zweck der Beschriftung zu erhalten.

In Anhang B dieser Norm wurden einige Aussagen zum Lebenszyklus von Objekten gemacht. In diesem Anhang sind weitere Sichten auf das Entstehen und Obsolet-werden von Objekten beschrieben, unabhängig davon, wie der Prozess anderweitig durchgeführt wird, .

C.2 Einführung und Gültigkeit von Objekten

C.2.1 Allgemeines

Ein Objekt wird erzeugt, wenn der Planende einen Bedarf hierfür sieht. Der Bedarf kann aus der Berücksichtigung von bereits während des Prozesses angewendeten Aspekten hervorgehen oder von einem anderen Aspekt, der durch den Bedarf an diesem Objekt entstanden ist. Andere spezifische Regeln zur Erzeugung eines Objekts gibt es nicht.

Dergestalt kann ein Objekt mit sehr wenig Wissen darüber, was aus ihm werden soll, entstehen. Im einfachsten Fall ist es lediglich ein „Platzhalter" für Informationen, dem ein Name gegeben wurde und der möglicherweise durch sein Referenzkennzeichen im Kontext des geplanten Systems identifiziert wird. Dieser „Container" wird verwendet, um während des Entwurfs- und Engineeringprozesses für das System Informationen zu sammeln. In der Tat kann eine vollständige „leere" Struktur auf diese Weise ausgeweitet werden, z. B. zur Verwendung wie eine Formularvorlage.

Daraus folgt, besonders wenn mehrere Planer an der Arbeit beteiligt sind, dass es vorkommen kann, dass die Objekte in einem System, die eng aufeinander bezogen oder sogar „dieselben" sind, in unterschiedlichen Aspekten definiert wurden. Diese enge Beziehung muss erkannt werden, und mögliche Duplikate sind zu entfernen, siehe C.2.3.

Ähnliches tritt z. B. auf, wenn Objekte, die mittels Anforderungen im Funktionsaspekt definiert wurden, durch ein gegebenes Produkt implementiert werden sollen. Der Unterschied zum vorhergehenden Fall ist, dass in diesem Fall ein Objekt im Inneren des betrachteten Systems auf ein Objekt bezogen wird, das sich anfänglich außerhalb des Systems befindet, siehe C.2.2.

Ein Objekt wird gelöscht, wenn der Planende entscheidet, dass es dafür keinen Bedarf mehr gibt. Dies geschieht üblicherweise, wenn zu einem Entwurfsproblem eine andere Lösung gefunden wurde, welche die Entstehung anderer Objekte begründet oder auch nicht. Es gibt dafür keine besonderen Regeln.

C.2.2 Realisierung eines Objekts

Die Realisierung eines Objekts kennzeichnet die Situation, in der die Notwendigkeit einer weiteren Strukturierung endet, d. h., wenn die definierte Instanz eines Objekts in der betrachteten Struktur mit einer bekannten Lösung in Verbindung gebracht werden kann. Ein typisches Beispiel hierfür ist:

- Ein Objekt wurde beispielsweise im Funktionsaspekt definiert. Die zugeordnete Information besteht aus Anforderungen aus Sicht des Systemzusammenhangs.

  ANMERKUNG 1   Es ist natürlich nicht ausgeschlossen, dieses Objekt in mehreren Aspekten zu identifizieren und es mit einem Referenzkennzeichen-Satz zu adressieren. Die Darstellung nur eines davon macht lediglich die Darstellung einfacher.

- Der Planende erkennt, dass diese Anforderungen mit einem auf dem Markt verfügbaren Produkt erfüllt werden können, d. h. mit einem Objekt, das anfänglich außerhalb des betrachteten Systems steht. Die dem Objekt zugehörige Information ist auf eine vom Hersteller bestimmte Weise organisiert.

Dieses Produkt ist nun als Komponente in das betrachtete System zu integrieren. Es gibt zwei Möglichkeiten, dies zu tun:

a) Durch Kopieren: Die dem Produkt zugehörige Information wird kopiert (je nach Bedarf ganz oder teilweise) und der dem im System existierenden Objekt zugehörigen Information hinzugefügt, siehe Bild C.1.

  ANMERKUNG 2   Ein Vorteil dieser Methode ist, dass die Information vollständig unter Kontrolle durch den Systemersteller ist und er daher diese in seinem CAx-System und seiner Dokumentation leicht verfügbar machen kann. Ein Nachteil beim Kopieren ist, dass der Systemplaner die Verantwortung für die Information über ein Objekt übernimmt, für die eigentlich jemand anderes verantwortlich ist. Die Produktinformation des Herstellers könnte sich zwischen Entwurfszeitpunkt und Realisierungszeitpunkt ändern.

  ANMERKUNG 3   Indem man die extern definierten und dokumentierten Produktinformationen in ein internes Repository für Produkttypen kopiert, von dem ausgehend diese in alle Instanzen weiterkopiert werden, können mögliche Änderungen bis zum Zeitpunkt der Realisierung einfacher nachverfolgt und verwaltet werden.

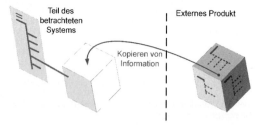

Bild C.1 – Integration externer Information durch Kopieren

b) Durch Referenzierung: Auf die dem Produkt zugehörige Information wird mittels Produktidentifikationsnummer verwiesen, welche wiederum auf die dem Produkt zugehörige Information Bezug nimmt, siehe Bild C.2.

ANMERKUNG 4   Der Vorteil dieser Methode ist, dass der Lieferant der Komponente voll verantwortlich für die Richtigkeit der Produktinformation ist. Ein Nachteil ist, dass, auch wenn die referenzierte Information zum Zeitpunkt des Entwurfs richtig und relevant war, es nicht ganz sicher ist, ob zum Zeitpunkt der Realisierung oder der Reparatur das Produkt selbst noch relevant ist und die Anforderungen als Komponente erfüllt. Das Produkt des Lieferanten kann sich zwischen Entwurfszeitpunkt des Systems und späteren Zeitpunkten ändern. Daher erfordert diese Methode einfachen Zugang zu den Produktinformationen des Lieferanten.

ANMERKUNG 5   Durch Bezugnahme auf intern definierte und dokumentierte Komponententypen ist die Referenz an der Instanz unter Kontrolle des Systemplaners, der z. B. in der Komponentendokumentation auf alternative Hersteller verweisen kann.

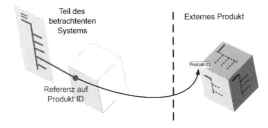

Bild C.2 – Integration eines externen Objekts durch Referenzierung

Das Problem in den zwei Fällen ist, Änderungen im Laufe der Zeit zu verwalten. Beide Methoden haben Vor- und Nachteile und es ist unter den gegebenen Bedingungen über die Anwendung der einen oder anderen zu entscheiden. Die Kopiermethode findet besonders für Anlagen und Installationen häufig Anwendung, während die Methode der Referenzierung in der Fertigungsdokumentation angewendet wird und für eine strukturierte Auslegung erforderlich ist.

C.2.3   Beziehungen zwischen eng aufeinander bezogenen Objekten

„Eng aufeinander bezogene Objekte" können in einer Situation vorkommen, in der mehr als eine voneinander unabhängige Struktur in einem System existiert. Ein typisches Beispiel ist:

- Ein Objekt wurde im Funktionsaspekt definiert. Die zugehörige Information besteht aus Anforderungen, die aus dem Systemkontext hervorgehen.
- Ein Objekt wurde im Produktaspekt definiert. Die zugehörige Information besteht aus realisierungsbezogener Information, die aus dem Kontext der zu erstellenden Baueinheit hervorgeht.
- Ein Objekt wurde im Ortsaspekt definiert. Die zugehörige Information besteht aus Information im Bezug auf den Ortskontext.

Siehe Bild C.3.

Diese drei Objekte sind eng aufeinander bezogen, und zwar in dem Sinne, dass das erste die Anforderungen an das zweite beinhaltet, welches wiederum im dritten zu platzieren ist. Dieser Tatbestand muss festgestellt werden.

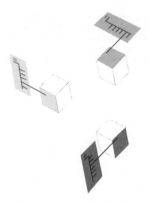

Bild C.3 – Drei unabhängig voneinander definierte Objekte

Es gibt zwei mögliche, prinzipiell unterschiedliche, Wege, dies zu handhaben:

a) Der Planende entscheidet, dass die drei Objekte im Entwurfs- und Engineeringprozess getrennt bleiben. Ihre Beziehungen zueinander sind zu beschreiben und in dem angewendeten CAx-Werkzeug zu verwalten, siehe Bild C.4. Die Objekte werden mittels dreier unterschiedlicher Referenzkennzeichen adressiert, siehe C 2.4.

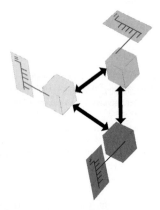

Bild C.4 – Drei unterschiedliche Objekte mit gegenseitigen Beziehungen

ANMERKUNG 1 Es ist in diesem Fall bedeutsam, die jeweilige Information dem richtigen Objekt zuzuordnen. Es besteht die Gefahr der Duplizierung mit unterlagertem Risiko der Inkonsistenz, falls keine geeigneten Aktualisierungs- und Pflegeprozeduren entworfen wurden.

Neben der Anwendung eines Referenzkennzeichen-Satzes enthält diese Norm keinerlei Regeln, wie die Einführung und Verwaltung von Beziehungen durchzuführen ist. Dies wird als Aufgabe einer Anwendung in einem Computersystem betrachtet.

b) Der Planende entscheidet, dass die drei ursprünglichen Objekte so eng aufeinander bezogen sind, dass sie als ein einziges betrachtet werden können. Die Informationen zu den drei Objekten werden dann zusammengeführt und einem Objekt zugeordnet. Die jeweilige Information muss im gemeinsamen Kontext klar identifiziert werden. Das resultierende Objekt wird mittels eines Referenzkennzeichen-Satzes adressiert, der aus den Referenzkennzeichen der ursprünglichen Objekte besteht, siehe Bild C.5.

Es ist zu beachten, dass das zusammengefügte Objekt die Vereinigung der ursprünglichen Objekte repräsentiert. Daher sollte eine vollständige verbale Benennung der Instanz diese in Betracht ziehen. Die vollständige Benennung z. B. für einen „Motor" würde sein „Motor mit einem spezifischen Zweck im System, eingebaut in einer Baueinheit an bestimmter Stelle und platziert an einem bestimmten Ort", obwohl dies in der Umgangssprache üblicherweise einfach zu „Motor" abgekürzt wird.

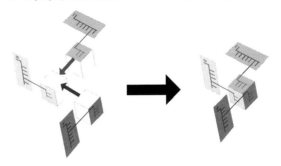

Bild C.5 – Drei Objekte zu einem zusammengeführt

ANMERKUNG 2 Durch das Zusammenführen werden die den ursprünglichen Objekten zugehörigen Informationen durch das Einzelobjekt zugänglich. Die Gefahr einer Duplikation und von Inkonsistenzen ist gering, vorausgesetzt, die Information ist klar identifiziert.

Die Voraussetzung zur Zusammenführung eng aufeinander bezogener Objekte in ein einziges besteht lediglich in der Möglichkeit, es während des gesamten Lebenszyklus mit ausreichender Eigenständigkeit zu handhaben.

C.2.4 Die Rolle des Referenzkennzeichen-Satzes

Die Regeln zur Anwendung eines Referenzkennzeichen-Satzes sind in Abschnitt 7 behandelt.

Es ist offensichtlich, dass ein Referenzkennzeichen auf ein „zusammengeführtes Objekt", wie oben beschrieben und in Bild C.5 dargestellt, angewendet werden kann. In diesem Fall stellt der Referenzkennzeichen-Satz alternative „Adressen" für das betrachtete Objekt bereit, wobei jede gleichermaßen gültig ist.

Ein Referenzkennzeichen-Satz kann prinzipiell nicht in einer Situation mit eng aufeinander bezogenen, aspektbezogenen Objekten, wie in Bild C.4 dargestellt, angewendet werden, es sei denn, der Planende entscheidet, die drei Objekte als eines zu betrachten. In diesem Fall wird der Referenzkennzeichen-Satz zur Beschreibung der Beziehungen zwischen diesen Objekten angewendet.

C.2.5 Beispiel

Das folgende Beispiel veranschaulicht die oben beschriebenen Prinzipien auf konkretere Weise (siehe Bild C.6).

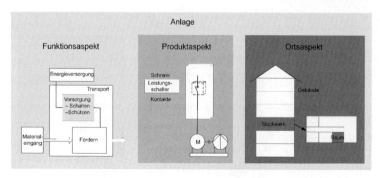

Bild C.6 – Übersicht über das Prozesssystem

Materialien sind in einem Transportprozess durch eine mit einem Elektromotor angetriebenen Pumpe zu fördern. Diese Aufgabe erfordert elektrische Energie, die ein- und ausgeschaltet werden können soll. Die Ausrüstung soll auch gegen die Auswirkungen von Kurzschluss und Überlast geschützt werden.

Zum Schalten der Energie wird ein Leistungsschalter benötigt. Der Leistungsschalter soll auch mit einer Schutzfunktion für die versorgten Einrichtungen ausgestattet sein. Der Leistungsschalter ist von einem Schrank umschlossen.

Der Schrank wird in einem Raum aufgestellt. Der Raum ist einer von einer Anzahl von Räumen in einem Gebäude mit mehreren Stockwerken.

Insgesamt bilden diese Objekte ein technisches System mit der Fähigkeit, den gewünschten Prozess ausführen zu können. Zum Zweck der weiteren Erläuterungen wird dieses System durch einfache Baumstrukturen veranschaulicht, siehe Bild C.7.

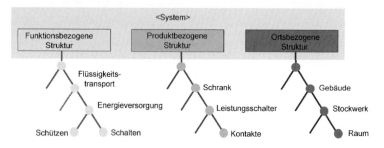

Bild C.7 – Baumstrukturen des technischen Systems

Schalten und schützen

Das Objekt „Energieversorgung" hat zwei Teilobjekte im Funktionsaspekt für Schalten und Schützen. Die zu den Objekten zugeordneten Attribute definieren die geforderte Schaltkapazität und den geforderten Schutz gegen die Auswirkungen von Kurzschluss und Überlast.

Leistungsschalter

Das Objekt „Leistungsschalter" hat das Potenzial, die geforderten Anforderungen zu erfüllen. Es kann in allen drei Hauptaspekten betrachtet werden:

- Betrachtet man das Objekt im Produktaspekt, sieht man dessen Teilobjekte wie Rahmen, Kontakte, Leiter usw.
- Verwendet man den Ortsaspekt, sieht man die Abmessungen des Leistungsschalters, d. h. den benötigten Raum.
- Verwendet man schließlich den Funktionsaspekt, sieht man zwei Teilobjekte, die die Funktionen Schalten und Schützen ausführen. Auch wenn die Teilobjekte hier als funktional unabhängig angesehen werden, wird es nicht notwendigerweise möglich sein, diese in einem realen Produkt physisch voneinander zu trennen (und deswegen können sie im Produktaspekt nicht getrennt gekennzeichnet werden). Damit jedoch ein Vergleich zwischen erforderlichen und bereitgestellten Funktionen möglich wird, müssen besagte Funktionen mindestens als Informationssatz bestehen.

Schrank

Auch das Objekt „Schrank" kann in mehr als einem Hauptaspekt betrachtet werden:
- Betrachtet man das Objekt im Produktaspekt, sieht man die Teilobjekte Rahmen, Leistungsschalter, Klemmen, Sammelschienen usw.
- Verwendet man den Ortsaspekt, sieht man die inneren Abmessungen des Schrankes, d. h. die Teil-Räumlichkeiten des Schrankes.
- Es stellt auch Informationen bezüglich des Raumbedarfs des Schrankes bereit.

Raum

Das Objekt „Raum" ist eine Räumlichkeit mit bestimmten Umgebungseigenschaften, die im Ortsaspekt gesehen werden können. Im Raum gibt es mehrere Teilobjekte (Plätze). Einer von diesen ist für den Schrank ausgelegt.

Bild C.8 veranschaulicht diese vollständigeren Strukturen des Systems.

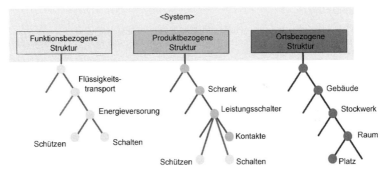

Bild C.8 – Vervollständigte Strukturen des technischen Systems

Bild C.9 veranschaulicht die relevanten Objekte des Systems, ausgestattet mit Einzelebenen-Referenzkennzeichen.

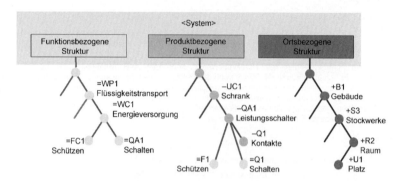

Bild C.9 – Strukturen mit gekennzeichneten Teilobjekten

Bild C.9 veranschaulicht auch den Fall, dass Strukturen unabhängig voneinander definiert wurden, vergleiche mit Bild C.3.

Zur Veranschaulichung des Falles mit zusammengeführten Objekten vergleiche mit Bild C.5. Es ist möglich, anzunehmen, dass:

- die geforderte Schaltfunktion (=QA1) durch die vom Leistungsschalter (–QA1) bereitgestellte Schaltfunktion (=Q1) erfüllt wird;
- die geforderte Schutzfunktion (=FC1) durch die vom Leistungsschalter (–QA1) bereitgestellte Schutzfunktion (=F1) erfüllt wird;
- die für den Schrank (–UC1) erforderliche Räumlichkeit durch den verfügbaren Platz (+U1) im Raum (+R2) gegeben ist.

Jedes Objekt aus diesen Paarungen kann daher in ein einziges zusammengeführt werden, welches Informationen über beide enthält, und zwar geforderte und tatsächliche Daten, und welches aus beiden Strukturen heraus adressiert werden kann, siehe Bild C.10.

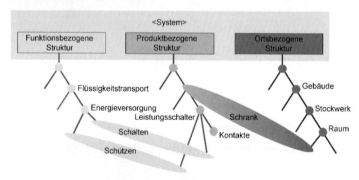

Bild C.10 – Strukturen mit einigen zusammengeführten und gemeinsam genutzten Objekten

Die Referenzkennzeichen für die Objekte Schalten, Schützen und Schrank können wie in Tabelle C.1 gezeigt ausgedrückt werden, wobei Referenzkennzeichen-Sätze angewendet werden.

Tabelle C.1 – Mögliche Referenzkennzeichen-Sätze

Objekt	Beide Referenzkennzeichen sind unverwechselbar, das zusammengeführte Objekt wird von beiden Strukturen her adressiert	Nur ein Referenzkennzeichen ist unverwechselbar, das zweite adressiert ein unterschiedliches Objekt, welches hierarchisch einen Bezug zum ersten Objekt hat
Schalten	=WP1=WC1=QA1 –UC1–QA1=Q1	=WP1=WC1=QA1 –UC1–QA1...
Schützen	=WP1=WC1=FC1 –UC1–QA1=F1	=WP1=WC1=FC1 –UC1–QA1...
Schrank	–UC1 +B1+S3+R2+U1	–UC1 +B1+S3+R2...

Tabelle C.1 zeigt, dass zur Bildung eines Referenzkennzeichen-Satzes, in dem jedes Referenzkennzeichen unverwechselbar ist, vorauszusetzen ist, dass dasselbe Objekt adressiert wird.

Die zweite Spalte in Tabelle C.1 kann wie in Bild C.11 gezeigt veranschaulicht werden.

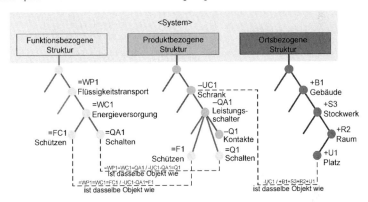

Bild C.11 – Beziehungen, ausgedrückt durch Referenzkennzeichen-Sätze, in denen beide Kennzeichen unverwechselbar sind

Die dritte Spalte in Tabelle C.1 kann wie in Bild C.12 gezeigt veranschaulicht werden, wobei hervorgehoben ist, das in diesem Fall der Referenzkennzeichen-Satz ein zweites Kennzeichen beinhaltet, welches sich auf ein Objekt bezieht, das hierarchisch auf dasjenige Objekt bezogen ist, welches das erste Referenzkennzeichen unverwechselbar kennzeichnet.

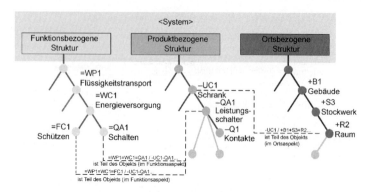

Bild C.12 – Beziehungen, ausgedrückt durch Referenzkennzeichen-Sätze, in denen ein Kennzeichen verwechselbar ist

C.3 Situationen im Lebenszyklus

C.3.1 Ein Objekt für alle Aspekte

In Bild C.13 sind einige Situationen am Anfang des Lebenszyklus eines Objekts dargestellt.

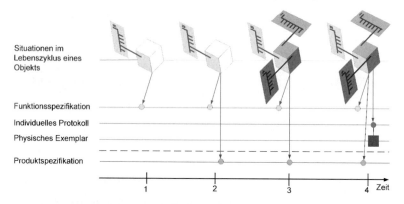

Bild C.13 – Einige Situationen zu Beginn der Entwicklung eine Objekts mit Zugang in drei Aspekten

In der ersten Situation wurde ein Objekt erzeugt und in der funktionsbezogenen Struktur identifiziert. Es wurde eine Funktionsspezifikation, basierend auf den Anforderungen des technologischen Prozesses, erstellt und dem Objekt zugeordnet. Diese ist die Grundlage für die Suche nach im Markt verfügbaren Produkten für die Realisierung.

In der zweiten Situation ist dargestellt, dass ein Produkt, welches die Anforderung als Komponente erfüllt, gefunden wurde. Es wird auf die externe Produktspezifikation Bezug genommen, wie in C.2.2 beschrieben und in Bild C.2 dargestellt.

DIN EN 81346-1:2010-05
EN 81346-1:2009

ANMERKUNG 1   Der Begriff Produktspezifikation bezieht sich hier auf einen Dokumenten-/Informationssatz, welcher das Produkt in allen relevanten Aspekten beschreibt, einschließlich dessen Eigenschaften, zusätzlichen Dokumenten usw., siehe auch IEC 62023.

In der dritten Situation ist dargestellt, dass das Objekt in die produktbezogenen Struktur des Systems eingefügt wurde und gleichermaßen auch in die ortsbezogene Struktur.

In der vierten Situation ist letztendlich dargestellt, dass das Produkt geliefert und als Komponente im System montiert wurde. Ein individuelles Protokoll für das verwendete Exemplar wurde erzeugt und dem Objekt zugeordnet.

ANMERKUNG 2   Die vierte Situation wurde hier angeführt, um zu zeigen, dass zu diesem Zeitpunkt erstmalig das individuelle physische Objekt auftritt. Zum Zweck der Instandhaltung wird ein physisches Objekt oft im Hinblick auf Nutzungsdauer, Reparaturen usw. überwacht und dafür ein individuelles Protokoll angewendet.

Die Lebenszyklus-Geschichte kann fortgesetzt werden, um die Entwicklung bis hin zur Demontage des Systems und der endgültigen Löschung der Information zu beschreiben. Die kennzeichnende Eigenschaft bei diesem Vorgehen ist, dass jegliche im Lebenszyklus entstehende Information nur einem einzigen Objekt zugeordnet ist.

C.3.2 Ein Objekt für jeden Aspekt

In Bild C.14 ist in ähnlicher Weise die Situation dargestellt, wenn die Objekte, die in den unterschiedlichen Strukturen definiert wurden, getrennt gehalten werden, wie in C.2.3 beschrieben und in Bild C.4 dargestellt.

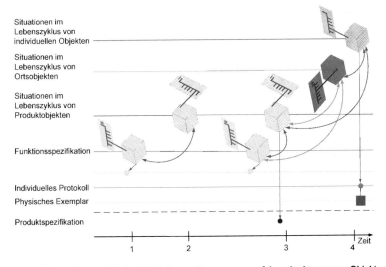

Bild C.14 – Situationen zu Beginn des Lebenszyklus von eng aufeinander bezogenen Objekten, jedes in einem anderen Aspekt zugänglich

In der ersten Situation wurde ein Objekt erzeugt und in der funktionsbezogenen Struktur identifiziert. Es wurde eine Funktionsspezifikation, basierend auf den Anforderungen des technologischen Prozesses, erstellt und dem Objekt zugeordnet. Diese ist die Grundlage für die Suche nach im Markt verfügbaren Produkten für die Realisierung.

In der zweiten Situation ist dargestellt, dass ein Komponenten-Objekt erzeugt und in der produktbezogenen Struktur des betrachteten Systems identifiziert wurde. Dieses Objekt erhält einen Querverweis zum vorherigen Funktionsobjekt.

In der dritten Situation ist dargestellt:

- das Objekt in der funktionsbezogenen Struktur, welches bleibt wie es ist;
- das Objekt in der produktbezogenen Struktur mit einem Verweis auf die externe Produktspezifikation, wie in C.2.2 beschrieben und in Bild C.2 dargestellt.
- Ein Objekt wurde in der ortsbezogenen Struktur erzeugt, welches die Räumlichkeit beinhaltet, in der die Komponente montiert ist.

In der vierten Situation ist dargestellt, dass ein Objekt, welches die individuelle Komponente repräsentiert, erzeugt wird, nachdem das Produkt geliefert und montiert wurde. Diesem wird z. B. das individuelle Protokoll für die Komponente zugeordnet.

Auch diese Lebenszyklus-Geschichte kann fortgesetzt werden, um die Entwicklung bis hin zur Demontage des Systems und der endgültigen Löschung der Information zu beschreiben. Die kennzeichnende Eigenschaft bei diesem Vorgehen ist, dass jegliche im Lebenszyklus entstehende Information zu einem Objekt genau diesem Objekt zugeordnet ist. Die Beziehungen (Querverweise) zwischen den Objekten sind mit externen Mitteln zu verwalten, z. B. in einem CAx-System.

Anhang D
(informativ)

Interpretation von Referenzkennzeichen mit unterschiedlichen Aspekten

Die folgenden Erläuterungen sollen dazu beitragen, Mehrebenen-Referenzkennzeichen, welche unterschiedliche Aspekte beinhalten, besser zu verstehen.

- Ein Wechsel vom Funktionsaspekt zum Produktaspekt im Referenzkennzeichen (=B2–C1 im Bild D.1) bedeutet, dass das Objekt mit dem letzten funktionsbezogenen Referenzkennzeichen (d. h. =B2) durch ein Produkt realisiert ist und dass das Objekt mit dem ersten produktbezogenen Referenzkennzeichen (d. h. –C1) eine Komponente von diesem Produkt ist.

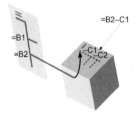

Bild D.1 – Wechsel vom Funktions- zum Produktaspekt

- Ein Wechsel vom Produktaspekt zum Funktionsaspekt im Referenzkennzeichen (–E2=F1 im Bild D.2) bedeutet, dass das Objekt mit dem letzten produktbezogenen Referenzkennzeichen (d. h. –E2) eine Funktion realisiert und dass das Objekt mit dem ersten funktionsbezogenen Referenzkennzeichen (d. h. =F1) eine Teilfunktion von dieser Funktion ist.

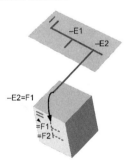

Bild D.2 – Wechsel vom Produkt- zum Funktionsaspekt

- Ein Wechsel vom Produktaspekt zum Ortsaspekt im Referenzkennzeichen (–G2+K1 im Bild D.3) bedeutet, dass das Objekt mit dem letzten produktbezogenen Referenzkennzeichen (d. h. –G2) einen Ort besetzt und dass das Objekt mit dem ersten ortsbezogenen Referenzkennzeichen (d. h. +K1) ein Teilort von diesem Ort ist.

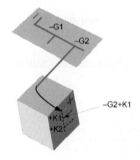

Bild D.3 – Wechsel vom Produkt- zum Ortsaspekt

- Ein Wechsel vom Ortsaspekt zum Produktaspekt im Referenzkennzeichen (+M2–P1 im Bild D.4) bedeutet, dass das Objekt mit dem letzten ortsbezogenen Referenzkennzeichen (d. h. +M2) vollständig durch ein Produkt besetzt ist und dass das Objekt mit dem ersten produktbezogenen Referenzkennzeichen (d. h. –P1) eine Komponente von diesem Produkt ist.

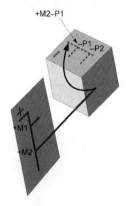

Bild D.4 – Wechsel vom Orts- zum Produktaspekt

BEISPIEL   Der Ortsaspekt wurde angewendet, um den Ort eines Produktes zu identifizieren und damit gleichzeitig das Produkt (z. B. eine Flachbaugruppe, PCBA), und der Produktaspekt wurde angewendet, um die Komponenten (z. B. einen Widerstand) auf der Flachbaugruppe zu identifizieren.

- Ein Wechsel vom Funktionsaspekt zum Ortsaspekt im Referenzkennzeichen (=Q2+R1 im Bild D.5) bedeutet, dass das Objekt mit dem letzten funktionsbezogenen Referenzkennzeichen (d. h. =Q2) einen Ort besetzt und dass das Objekt mit dem ersten ortsbezogenen Referenzkennzeichen (d. h. +R1) ein Teilort von diesem Ort ist.

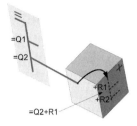

Bild D.5 – Wechsel vom Funktions- zum Ortsaspekt

- Ein Wechsel vom Ortsaspekt zum Funktionsaspekt im Referenzkennzeichen (+S2=T1 im Bild D.6) bedeutet, dass das Objekt mit dem letzten ortsbezogenen Referenzkennzeichen (d. h. +S2) vollständig durch ein Objekt besetzt ist, welches eine bestimmte Funktion ausführt, und dass das Objekt mit dem ersten funktionsbezogenen Referenzkennzeichen (d. h. =T1) eine Teilfunktion von dieser Funktion ist.

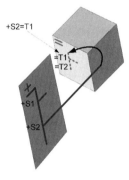

Bild D.6 – Wechsel vom Orts- zum Funktionsaspekt

DIN EN 81346-1:2010-05
EN 81346-1:2009

Anhang E
(normativ)

Objekt mit mehreren obersten Knoten in einem Aspekt

Ein Objekt mit mehr als einem Aspekt kann häufig als ein einziges Objekt in allen diesen Aspekten repräsentiert werden, d. h. es ist in jedem Aspekt über einen obersten Knoten adressierbar. Es kann jedoch vorkommen, dass ein durch einen obersten Knoten in einem Aspekt repräsentiertes Objekt durch mehr als einen unabhängigen obersten Knoten in einem anderen Aspekt repräsentiert werden muss.

Beispiele für diese Situation sind im Folgenden gegeben:

BEISPIEL 1   Ein integrierter Schaltkreis mit vier unabhängigen NAND-Funktionen wird einen obersten Knoten im Produktaspekt haben und vier oberste Knoten im Funktionsaspekt.

BEISPIEL 2   Ein Ventilblock mit drei unabhängigen Ventilen wird einen obersten Knoten im Produktaspekt haben und drei oberste Knoten im Funktionsaspekt.

BEISPIEL 3   Eine Flachbaugruppe mit acht Eingangskanälen zu einem Prozessrechner wird einen obersten Knoten im Produktaspekt haben, acht oberste Knoten für die Kanäle und einen obersten Knoten für die gemeinsamen Stromversorgungskreise.

Bild E.1 veranschaulicht ein Objekt mit mehreren unabhängigen Repräsentationen in einem Aspekt, siehe auch Anhang D.

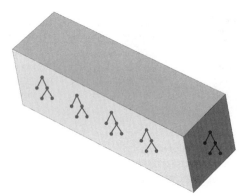

Bild E.1 — Objekt mit mehreren unabhängigen obersten Knoten in einem Aspekt

Regel 39   Hat das Objekt mehr als einen unabhängigen obersten Knoten in einem Aspekt, müssen diese mit Identifikatoren für oberste Knoten identifiziert werden. Diese Identifikatoren müssen in Übereinstimmung mit 9.3 zusammen mit dem Referenzkennzeichen in der entsprechenden Struktur gezeigt werden.

ANMERKUNG 1   Diese Norm schreibt keinerlei Format für Identifikatoren des obersten Knotens vor. Im einfachsten Fall kann dies einfach eine fortlaufende Nummer sein.

ANMERKUNG 2   Der Identifikator eines obersten Knotens fügt der Struktur keine zusätzliche Ebene zu.

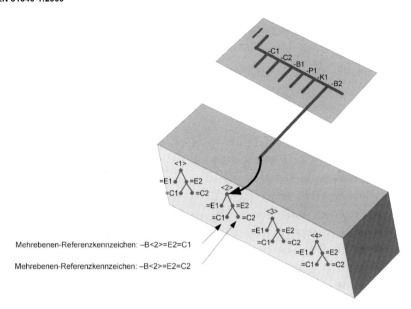

Bild E.2 – Beispiel für Mehrebenen-Referenzkennzeichen mit unterschiedlichen Aspekten für ein Objekt mit mehreren unabhängigen obersten Knoten in einem Aspekt

Anhang F
(informativ)

Beispiele für mehrere Strukturen, die auf demselben Aspekt basieren

F.1 Unterschiedliche funktionsbezogene Strukturen für eine Prozessanlage

In Bild F.1 ist dargestellt, wie eine industrielle Prozessanlage mit zusätzlichen funktionsbezogenen Strukturen beschrieben werden kann. Eine funktionsbezogene Struktur ist nach den Prozessfunktionen organisiert. Eine zweite funktionsbezogene Struktur basiert auf Steuerfunktionen und eine dritte auf dem Energieversorgungssystem. Ein Motor kann, wie im Bild gezeigt, in Entsprechung mit allen drei Strukturen identifiziert werden.

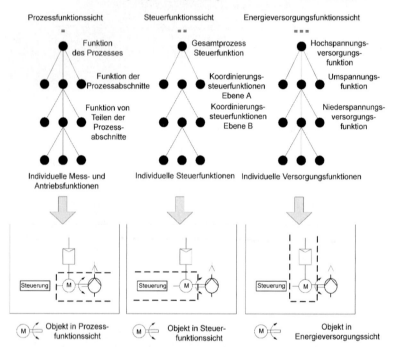

Bild F.1 – Veranschaulichung des Konzepts zusätzlicher Funktionssichten einer industriellen Prozessanlage

F.2 Topographische Orte eines Systems im Vergleich zu Orten in einer Baueinheit

Im Zusammenhang mit der Planung von Baueinheiten kann es vorteilhaft sein, zwei ortsbezogene Strukturen anzuwenden:
- eine, die auf der Topographie der Anlage (des Systems) beruht;
- eine andere, die auf den Orten innerhalb der Baueinheiten beruht.

Für eine bestimmte Anlage sind drei Baueinheiten erforderlich. Jedoch zum Zeitpunkt der Planung ist es weder geeignet noch möglich, die Referenzkennzeichen für den Ortsaspekt der Objekte innerhalb der Baueinheit auf der Anlagentopographie zu begründen, siehe auch Anhang B. Unverwechselbare Referenzkennzeichen wurden daher für die Orte der Baueinheiten in Bezug auf die Anlage als Ganzes definiert, unabhängig von der Anlagentopographie, wie in Bild F.2 gezeigt.

Bild F.2 – Ortsbezogene Struktur einer Anlage

Verwendet man P1, P2 und P3 als Startpunkte, können die ortsbezogenen Strukturen für die jeweiligen Baueinheiten gebildet werden, indem jede Baueinheit in Sektionen, Einbauplätze in einer Sektion usw. unterteilt wird (siehe Bild F.3), welchen wiederum geeignete Referenzkennzeichen zugeordnet werden können.

Bild F.3 – Ortsbezogene Struktur innerhalb einer Baueinheit

Später im Konstruktionsprozess, wenn alle notwendigen Informationen verfügbar sind, können den entsprechenden Baueinheiten Referenzkennzeichen zugewiesen werden, die auf der Anlagentopographie beruhen. Diese letzteren Referenzkennzeichen müssen nicht notwendigerweise für die Baueinheiten unverwechselbar sein, z. B. können die Orte P1 und P2 im selben Raum sein.

In vorliegenden Fall könnte das einfache Plus (+) für Referenzkennzeichen, die auf der ortsbezogenen Struktur der Baueinheiten basieren, angewendet werden, während das doppelte Plus (++) für Referenzkennzeichen, die auf der Anlagentopographie basieren, angewendet werden könnte, siehe Bild F.4.

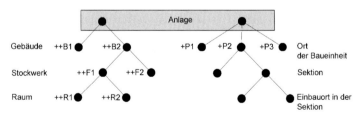

Bild F.4 – Ortsbezogene Strukturen der Anlage

Die Referenzkennzeichen-Sätze für die drei Baueinheiten könnten z. B. sein:

+P1 +P2 +P3
++B2F1R2... ++B2F1R2... ++B1F1R1...

F.3 Unterschiedliche Strukturen für verschiedene Anforderungen

Ein Produkt kann im Hinblick auf unterschiedliche Verwendungen der produktbezogenen Strukturen, d. h. für Konstruktion, Errichtung, Betrieb, Wartung usw., unterschiedlich strukturiert werden. In Bild F.5 ist ein Beispiel für die Anwendung vervielfachter Vorzeichen dargestellt, wobei die Dokumentation für jede Sicht das einfache Vorzeichen anwendet. Damit die verschiedenen Sichten desselben Objekts miteinander in Beziehung gesetzt werden können, werden Mehrfach-Vorzeichen zur Identifizierung der unterschiedlichen Sichten angewendet.

Eine Flachbaugruppe (FBG) besteht aus dem Baugruppenträger (Objekt x) und zwei weiteren Produkten (Objekt y und Objekt z)

a) Anordnungszeichnung der FBG

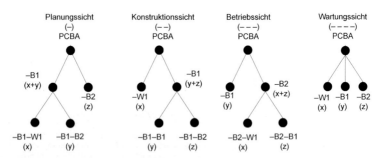

b) Vier mögliche produktbezogene Strukturen

```
–B1–B2
– –B1– –B1
– – –B1
– – – –B1
```

c) Referenzkennzeichen-Satz für ein Objekt, d. h. Objekt y

Bild F.5 – Beispiel für zusätzliche produktbezogene Strukturen

Anhang G
(informativ)

Beispiel für Strukturen und Referenzkennzeichen

In den Bildern G.1, G.2 und G.3 sind dieselben Baumstrukturen wie in Bild 11, Bild 12 und Bild 13 mit eingefügten funktionsbezogenen Einzelebenen-Referenzkennzeichen dargestellt. Bild G.4 zeigt den verketteten Baum wie in Bild 9 mit eingefügten funktionsbezogenen Mehrebenen-Referenzkennzeichen.

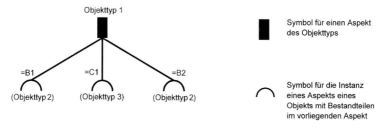

Bild G.1 – Funktionsbezogene Struktur von Objekttyp 1

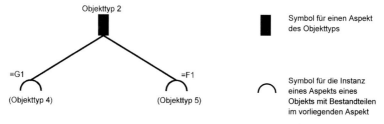

Bild G.2 – Funktionsbezogene Struktur von Objekttyp 2

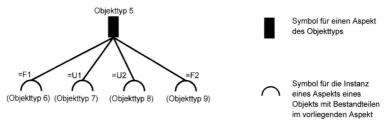

Bild G.3 – Funktionsbezogene Struktur von Objekttyp 5

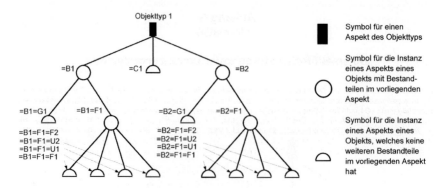

Bild G.4 – Verkettete funktionsbezogene Struktur von Objekttyp A

Anhang H
(informativ)

Beispiel: Referenzkennzeichen in einem System

In Bild H.1 ist ein Prozessfließschema einer Materialbearbeitungsanlage dargestellt. Im Schema sind auch die Teilsysteme der Anlage aufgezeigt. Bild H.2 zeigt den Übersichtsschaltplan für Teile des Bearbeitungssystems (=V1) und für das Energieversorgungssystem (=G1). Der Betrachtungsschwerpunkt liegt auf der Förderbandfunktion (=W2) des Bearbeitungssystems. Die Fördereinrichtung, d. h. das Förderband, als Bestandteil des Materialtransports wird von einem Lieferanten beigestellt, der innerhalb seiner Lieferung den Produktaspekt für die Bildung seiner Referenzkennzeichen anwendet. Das Förderband wird einschließlich Motor geliefert, die Steuereinrichtung wird jedoch durch den Systemplaner berücksichtigt.

ANMERKUNG   Verbindungen und Kabel sind zum Zweck der Vereinfachung nicht gekennzeichnet, und die Bezeichnung der Objekte wurde gekürzt, indem die Begriffe „Objekt für ..." weggelassen wurden. Beispielsweise wurde die Bezeichnung „Objekt für elektrische Energieversorgung" gekürzt zu „ Elektrische Energieversorgung".

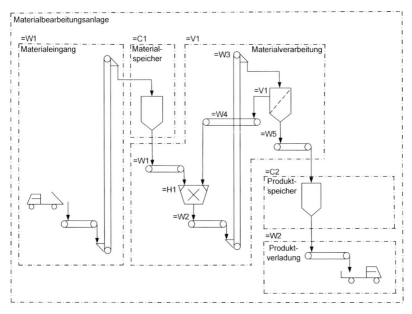

Bild H.1 – Prozessfließschema einer Materialbearbeitungsanlage

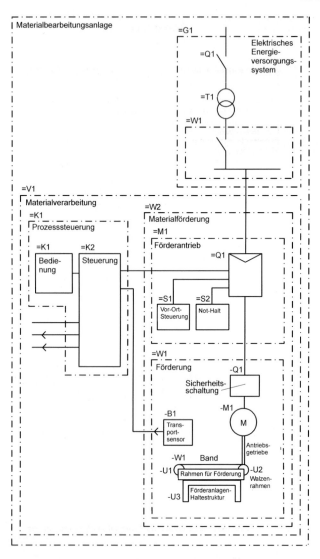

Der Motor und die Sicherheitsschaltung werden in diesem Beispiel als Bestandteile der Förderung z. B. eines Förderbands gesehen

Bild H.2 – Übersichtsschaltplan für einen Teil des Bearbeitungssystems (=V1) und einen Teil des Energieversorgungssystems (=G1)

Bild H.3 zeigt den funktionsbezogenen Strukturbaum von Teilen der Materialbearbeitungsanlage, erweitert um den produktbezogenen Strukturbaum für das Förderband.

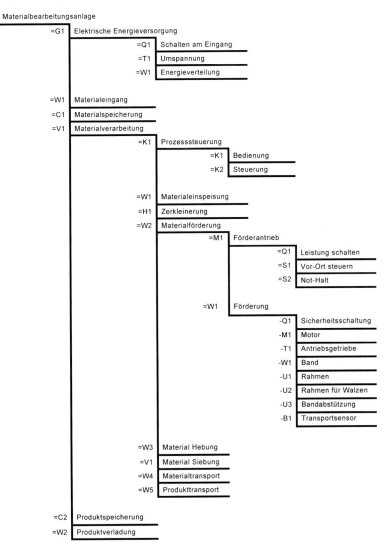

Bild H.3 – Strukturbaum für Teile der Materialbearbeitungsanlage

In Bild H.4 ist die Anordnungszeichnung eines Motorenschaltschranks (motor control centre MCC) =G1=W1 dargestellt. Dieses MCC wird als ein Produkt – bestehend aus Hauptsammenschienen, Einspeiseeinheit mit Leistungsschalter, Stromwandler usw. und Abgangseinheiten (Motoranlasser) mit Hauptschalter, Schütz, Überspannungsschutz usw. – bestellt. In der Zeichnung sind die Referenzkennzeichen der Schränke und der Baueinheiten innerhalb der Schränke angegeben. Bild H.5 zeigt die Plätze, die zur Aufnahme der Baueinheiten in den Schränken vorgesehen sind. In der Zeichnung sind die Referenzkennzeichen der Orte für die Baueinheiten angegeben. Das MCC selbst ist am Ort +X1 in der Anlage aufgestellt.

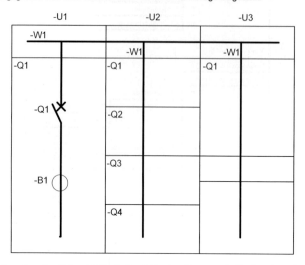

Bild H.4 – Anordnungszeichnung für die Produkte des Motorenschaltschranks (MCC) =G1=W1

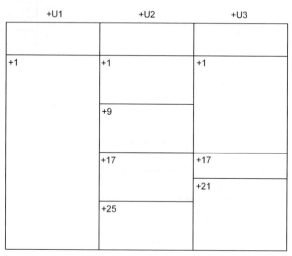

Bild H.5 – Anordnungszeichnung der Orte des Motorenschaltschranks (MCC) =G1=W1

Bild H.6 zeigt den Übersichtsschaltplan eines Anlassers mit Angabe der Referenzkennzeichen für die Bestandteile des Anlassers, basierend auf der produktbezogenen Struktur des Anlassers. Ebenso ist die produktbezogene Struktur des Anlassers dargestellt. Der Anlasser wird bei der Realisierung der Funktion „Transport antreiben" in der Funktion „Material fördern" verwendet, wie in Bild H.2 gezeigt, und ist im Ort Nr. 9 des Schrankes Nr. 2 des MCC (d. h. mit +U2+9 im MCC gekennzeichneter Ort) angeordnet.

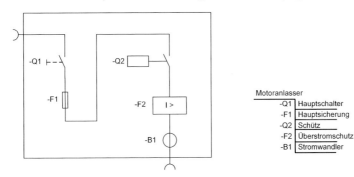

a) Übersichtsschaltplan b) Produktbezogener Strukturbaum

Bild H.6 – Motoranlasser

In Bild H.7 sind der produktbezogene und der ortsbezogene Strukturbaum des MCC, entsprechend den Bildern H.4 und H.5, dargestellt.

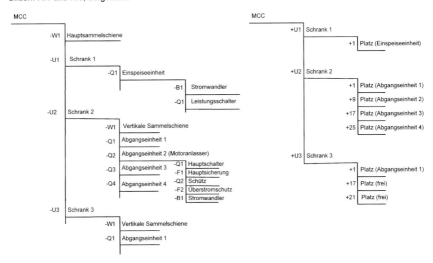

a) Produktbezogener Strukturbaum b) Ortsbezogener Strukturbaum

Bild H.7 – Produktbezogener und ortsbezogener Strukturbaum des Motorenschaltschranks

DIN EN 81346-1:2010-05
EN 81346-1:2009

In Tabelle H.1 sind die Referenzkennzeichen-Sätze für verschiedene Elemente des Motorenschaltschranks (MCC) und des Motoranlassers wiedergegeben. In der Tabelle sind diejenigen Mehrebenen-Referenzkennzeichen, die das betrachtete Objekt nicht unverwechselbar identifizieren, durch die horizontale Ellipse (...) gekennzeichnet.

Tabelle H.1 – Referenzkennzeichen-Sätze für die Bestandteile der Produkte Motorenschaltschrank (MCC) und Motoranlasser

Element	Referenzkennzeichen-Satz		Referenzkennzeichen-Satz in abgekürzter Form nach Regel 28	
Motorenschaltschrank (MCC)	=G1=W1	+X1	=G1W1	+X1
Stromwandler	=G1=W1–U1-Q1-B1	+X1+U1+1...	=G1W1–U1Q1B1	+X1U1+1...
Stromwandler	=G1=W1–U1-Q1	+X1+U1+1...	=G1W1–U1Q1	+X1U1+1...
Leistungsschalter	=G1=W1–W1	+X1...	=G1W1–W1	+X1...
Hauptsammelschiene	=G1=W1–U2-W1	+X1+U2...	=G1W1–U2W1	+X1U2...
Vertikale Sammelschiene	=G1=W1–U3-W1	+X1+U3...	=G1W1–U3W1	+X1U3...
Motoranlasser	=V1=W2=Q1	+X1+U2+9	=V1W2Q1	+X1U2+9
Hauptschalter	=V1=W2=Q1–Q1	+X1+U2+9–Q1	=V1W2Q1–Q1	+X1U2+9–Q1
Hauptsicherung	=V1=W2=Q1–F1	+X1+U2+9–F1	=V1W2Q1–F1	+X1U2+9–F1
Schütz	=V1=W2=Q1–Q2	+X1+U2+9–Q2	=V1W2Q1–Q2	+X1U2+9–Q2
Überstromschutz	=V1=W2=Q1–F2	+X1+U2+9–F2	=V1W2Q1–F2	+X1U2+9–F2
Stromwandler	=V1=W2=Q1–B1	+X1+U2+9–B1	=V1W2Q1–B1	+X1U2+9–B1

Literaturhinweise

IEC 60050-151, *International Electrotechnical Vocabulary – Part 151: Electrical and magnetic devices*

IEC 60050-351, *International Electrotechnical Vocabulary – Part 351: Control technology*

IEC 60113-2:1971, *Diagrams, charts and tables – Part 2: Item designations (withdrawn)*

IEC 60297-1:1986, *Dimensions of mechanical structures of the 482,6 mm (19 in) series – Part 1: Panels and racks (withdrawn)*

IEC 60297-3-101, *Mechanical structures for electronic equipment – Dimensions of mechanical structures of the 482,6 mm (19 in) series – Part 3-101: Subracks and associated plug-in units*
ANMERKUNG   Harmonisiert als EN 60297-3-101:2004 (nicht modifiziert).

IEC 60750:1983, *Item designation in electrotechnology (withdrawn)*

IEC 61082-1, *Preparation of documents used in electrotechnology – Part 1: Rules*
ANMERKUNG   Harmonisiert als EN 61082-1:2006 (nicht modifiziert).

IEC 61355 DB, *Collection of standardized and established document kinds*

IEC 61355-1, *Classification and designation of documents for plants, systems and equipment – Part 1: Rules and classification tables*
ANMERKUNG   Harmonisiert als EN 61335-1:2008 (nicht modifiziert).

IEC 62023:2000, *Structuring of technical information and documentation*
ANMERKUNG   Harmonisiert als EN 62023:2000 (nicht modifiziert).

IEC 62027, *Preparation of parts lists*
ANMERKUNG   Harmonisiert als EN 62027:2000 (nicht modifiziert).

IEC 62491: 2008, *Industrial systems, installations and equipment and industrial products – Labelling of cables and cores*
ANMERKUNG   Harmonisiert als EN 62491:2008 (nicht modifiziert).

IEC 81346-2, *Industrial systems, installations and equipment and industrial products – Structuring principles and reference designations – Part 2: Classification of objects and codes for classes*[1]
ANMERKUNG   Harmonisiert als EN 81346-2:2009 (nicht modifiziert).

ISO 3166-1, *Codes for the representation of names of countries and their subdivisions – Part 1: Country codes*
ANMERKUNG   Harmonisiert als EN ISO 3166-1:2006 (nicht modifiziert).

ISO 4157 (all parts), *Construction drawings – Designation systems*
ANMERKUNG   Harmonisiert in der Reihe EN ISO 4157 (nicht modifiziert).

ISO 4157-3, *Construction drawings – Designation systems – Part 3: Room identifiers*

ISO 15519-1, *Specification for diagrams for process industry – Part 1: General rules*[1]

---

[1] Zurzeit noch nicht veröffentlicht.

ISO/TS 16952-1:2006, *Technical product documentation – Reference designation system – Part 1: General application rules*

ISO/TS 16952-10:2008, *Technical product documentation – Reference designation system – Part 10: Power plants*

Anhang ZA
(normativ)

Normative Verweisungen auf internationale Publikationen mit ihren entsprechenden europäischen Publikationen

Die folgenden zitierten Dokumente sind für die Anwendung dieses Dokuments erforderlich. Bei datierten Verweisungen gilt nur die in Bezug genommene Ausgabe. Bei undatierten Verweisungen gilt die letzte Ausgabe des in Bezug genommenen Dokuments (einschließlich aller Änderungen).

ANMERKUNG Wenn internationale Publikationen durch gemeinsame Abänderungen geändert wurden, durch (mod) angegeben, gelten die entsprechenden EN/HD.

Publikation	Jahr	Titel	EN/HD	Jahr
ISO/IEC 646	–[1]	Information technology – ISO 7-bit coded character set for information interchange	–	–

---

[1] Undatierte Verweisung.

Mai 2010

DIN EN 81346-2

ICS 01.110; 29.020

Ersatz für
DIN EN 61346-2:2000-12
Siehe jedoch Beginn der
Gültigkeit

**Industrielle Systeme, Anlagen und Ausrüstungen und
Industrieprodukte –
Strukturierungsprinzipien und Referenzkennzeichnung –
Teil 2: Klassifizierung von Objekten und Kennbuchstaben von Klassen
(IEC 81346-2:2009);
Deutsche Fassung EN 81346-2:2009**

Industrial systems, installations and equipment and industrial products –
Structuring principles and reference designations –
Part 2: Classification of objects and codes for classes (IEC 81346-2:2009);
German version EN 81346-2:2009

Systèmes industriels, installations et appareils, et produits industriels –
Principes de structuration et désignations de référence –
Partie 2: Classification des objets et codes pour les classes (CEI 81346-2:2009);
Version allemande EN 81346-2:2009

Gesamtumfang 45 Seiten

DKE Deutsche Kommission Elektrotechnik Elektronik Informationstechnik im DIN und VDE
Normenausschuss Chemischer Apparatebau (FNCA) im DIN
Normenausschuss Maschinenbau (NAM) im DIN
Normenausschuss Sachmerkmale (NSM) im DIN
Normenausschuss Technische Grundlagen (NATG) im DIN
Normenstelle Schiffs- und Meerestechnik (NSMT) im DIN

DIN EN 81346-2:2010-05

Beginn der Gültigkeit

Die von CENELEC am 2009-08-01 angenommene EN 81346-2 gilt als DIN-Norm ab 2010-05-01.

Daneben darf DIN EN 61346-2:2000-12 noch bis 2012-08-01 angewendet werden.

Nationales Vorwort

Vorausgegangener Norm-Entwurf: E DIN IEC 81346-2:2008-01.

Für diese Norm ist das nationale Arbeitsgremium K 113 „Produktdatenmodelle, Informationsstrukturen, Dokumentation und graphische Symbole" der DKE Deutsche Kommission Elektrotechnik Elektronik Informationstechnik im DIN und VDE (www.dke.de) zuständig.

Das internationale Dokument wurde von der MT 18 des IEC/TC 3 „Information structures, documentation and graphical symbols" der Internationalen Elektrotechnischen Kommission (IEC) unter Beteiligung des ISO/TC 10 „Technical product documentation" erarbeitet und den nationalen Komitees zur Stellungnahme vorgelegt.

Das IEC-Komitee hat entschieden, dass der Inhalt dieser Publikation bis zu dem Datum (maintenance result date) unverändert bleiben soll, das auf der IEC-Website unter „http://webstore.iec.ch" zu dieser Publikation angegeben ist. Zu diesem Zeitpunkt wird entsprechend der Entscheidung des Komitees die Publikation
- bestätigt,
- zurückgezogen,
- durch eine Folgeausgabe ersetzt oder
- geändert.

Änderungen

Gegenüber DIN EN 61346-2:2000-12 wurden folgende Änderungen vorgenommen:

a) alle Regeln bezüglich der Anwendung von Kennbuchstaben wurden entfernt, da diese zu anderen Publikationen, die sich mit der Anwendung von Kennbuchstaben in Referenzkennzeichen befassen, gehören.

Im Vergleich zu IEC/PAS 62400 Ed. 1 wurden die folgenden technischen Änderungen durchgeführt:

b) die Definitionen der Unterklassen wurden überarbeitet und konsistent gemacht;

c) die Basis für die Bildung der Unterklassen wurde angegeben;

d) in den Klassen B und P wurden einige neue Unterklassen hinzugefügt;

e) die Tabelle mit Begriffen, sortiert nach dem Zwei-Buchstaben-Schlüssel, wurde entfernt.

Frühere Ausgaben

DIN 40719 Beiblatt 1: 1957-09
DIN 40719 Beiblatt 2: 1959-10
DIN 40719-2: 1974-01, 1978-06
DIN 40719-2 Beiblatt 1: 1978-06
DIN V 6779-1: 1992-09
DIN 6779-1: 995-07
DIN 6779-2: 995-07, 2004-07
DIN EN 61346-2: 2000-12

Nationaler Anhang NA
(informativ)

Zusammenhang mit Europäischen und Internationalen Normen

Für den Fall einer undatierten Verweisung im normativen Text (Verweisung auf eine Norm ohne Angabe des Ausgabedatums und ohne Hinweis auf eine Abschnittsnummer, eine Tabelle, ein Bild usw.) bezieht sich die Verweisung auf die jeweils neueste gültige Ausgabe der in Bezug genommenen Norm.

Für den Fall einer datierten Verweisung im normativen Text bezieht sich die Verweisung immer auf die in Bezug genommene Ausgabe der Norm.

Eine Information über den Zusammenhang der zitierten Normen mit den entsprechenden Deutschen Normen ist in Tabelle NA.1 wiedergegeben.

Tabelle NA.1

Europäische Norm	Internationale Norm	Deutsche Norm	Klassifikation im VDE-Vorschriftenwerk
–	Vorgänger: IEC 81346-1	–	–
–	Nachfolger: IEC 3/842/CD	E DIN IEC 81346-1	–
–	ISO 14617-6:2002	–	–

Nationaler Anhang NB
(informativ)

Literaturhinweise

E DIN IEC 81346-1, *Industrielle Systeme, Anlagen und Ausrüstungen und Industrieprodukte – Strukturierungsprinzipien und Referenzkennzeichnung – Teil 1: Allgemeine Regeln*

EUROPÄISCHE NORM
EUROPEAN STANDARD
NORME EUROPÉENNE

EN 81346-2

Oktober 2009

ICS 01.110; 29.020 Ersatz für EN 61346-2:2000

Deutsche Fassung

Industrielle Systeme, Anlagen und Ausrüstungen und Industrieprodukte – Strukturierungsprinzipien und Referenzkennzeichnung – Teil 2: Klassifizierung von Objekten und Kennbuchstaben von Klassen
(IEC 81346-2:2009)

Industrial systems, installations and equipment and industrial products – Structuring principles and reference designations – Part 2: Classification of objects and codes for classes (IEC 81346-2:2009)

Systèmes industriels, installations et appareils, et produits industriels – Principes de structuration et désignations de référence – Partie 2: Classification des objets et codes pour les classes (CEI 81346-2:2009)

Diese Europäische Norm wurde von CENELEC am 2009-08-01 angenommen. Die CENELEC-Mitglieder sind gehalten, die CEN/CENELEC-Geschäftsordnung zu erfüllen, in der die Bedingungen festgelegt sind, unter denen dieser Europäischen Norm ohne jede Änderung der Status einer nationalen Norm zu geben ist.

Auf dem letzten Stand befindliche Listen dieser nationalen Normen mit ihren bibliographischen Angaben sind beim Zentralsekretariat oder bei jedem CENELEC-Mitglied auf Anfrage erhältlich.

Diese Europäische Norm besteht in drei offiziellen Fassungen (Deutsch, Englisch, Französisch). Eine Fassung in einer anderen Sprache, die von einem CENELEC-Mitglied in eigener Verantwortung durch Übersetzung in seine Landessprache gemacht und dem Zentralsekretariat mitgeteilt worden ist, hat den gleichen Status wie die offiziellen Fassungen.

CENELEC-Mitglieder sind die nationalen elektrotechnischen Komitees von Belgien, Bulgarien, Dänemark, Deutschland, Estland, Finnland, Frankreich, Griechenland, Irland, Island, Italien, Lettland, Litauen, Luxemburg, Malta, den Niederlanden, Norwegen, Österreich, Polen, Portugal, Rumänien, Schweden, der Schweiz, der Slowakei, Slowenien, Spanien, der Tschechischen Republik, Ungarn, dem Vereinigten Königreich und Zypern.

CENELEC

Europäisches Komitee für Elektrotechnische Normung
European Committee for Electrotechnical Standardization
Comité Européen de Normalisation Electrotechnique

Zentralsekretariat: Avenue Marnix 17, B-1000 Brüssel

© 2009 CENELEC – Alle Rechte der Verwertung, gleich in welcher Form und in welchem Verfahren, sind weltweit den Mitgliedern von CENELEC vorbehalten.

Ref. Nr. EN 81346-2:2009 D

Vorwort

Der Text des Schriftstücks 3/945/FDIS, zukünftige 1. Ausgabe von IEC 81346-2, ausgearbeitet von dem IEC TC 3 „Information structures, documentation and graphical symbols" und dem ISO TC 10, „Technical product documentation", wurde der IEC-CENELEC Parallelen Abstimmung unterworfen und von CENELEC am 2009-08-01 als EN 81346-2 angenommen.

Diese Europäische Norm ersetzt EN 61346-2:2000.

Bezüglich EN 61346-1:2000 enthält EN 81346-2:2009 folgende wesentliche Änderungen:

- Es wurden alle Regeln, die die Anwendung der Kennbuchstaben betreffen entfernt. Diese sollten in den Publikationen über die Anwendung von Kennbuchstaben aufgenommen werden.

Nachstehende Daten wurden festgelegt:

- spätestes Datum, zu dem die EN auf nationaler Ebene durch Veröffentlichung einer identischen nationalen Norm oder durch Anerkennung übernommen werden muss (dop): 2010-05-01

- spätestes Datum, zu dem nationale Normen, die der EN entgegenstehen, zurückgezogen werden müssen (dow): 2012-08-01

Der Anhang ZA wurde von CENELEC hinzugefügt.

Anerkennungsnotiz

Der Text der Internationalen Norm IEC 81346-2:2009 wurde von CENELEC ohne irgendeine Abänderung als Europäische Norm angenommen.

Inhalt

Seite

Vorwort ... 2
0 Einleitung ... 5
0.1 Allgemeines ... 5
0.2 Grundsatzanforderungen an diese Norm ... 5
1 Anwendungsbereich ... 7
2 Normative Verweisungen ... 7
3 Begriffe ... 7
4 Grundsätze der Klassifizierung ... 7
4.1 Allgemeines ... 7
4.2 Zuordnung von Objekten zu Klassen ... 8
5 Klassen von Objekten ... 10
5.1 Klassen von Objekten nach vorgesehenem Zweck oder vorgesehener Aufgabe ... 10
5.2 Unterklassen von Objekten nach vorgesehenem Zweck oder vorgesehener Aufgabe ... 15
5.3 Klassen von Objekten nach der Infrastruktur ... 34
Anhang A (informativ) Objektklassen, die einem allgemeingültigen Prozess zugeordnet sind ... 37
Anhang B (informativ) Objektklassen, die Objekten in einer allgemeingültigen Infrastruktur zugeordnet sind ... 39
Anhang ZA (normativ) Normative Verweisungen auf internationale Publikationen mit ihren entsprechenden europäischen Publikationen ... 41

Bild 1 – Bestandteil-Objekte ... 6
Bild 2 – Das grundlegende Konzept ... 7
Bild 3 – Klassifizierung von Objekten in einem Messkreis ... 9
Bild A.1 – Objektklassen, die einem Prozess zugeordnet sind ... 37
Bild B.1 – Objektklassen, die Objekten in einer allgemeingültigen Infrastruktur zugeordnet sind ... 40

Tabelle 1 – Klassen von Objekten nach deren vorgesehenem Zweck oder vorgesehener Aufgabe ... 10
Tabelle 1 (*fortgesetzt, Kennbuchstaben D bis J*) ... 11
Tabelle 1 (*fortgesetzt, Kennbuchstaben K bis P*) ... 12
Tabelle 1 (*fortgesetzt, Kennbuchstaben Q bis T*) ... 13
Tabelle 1 (*fortgesetzt, Kennbuchstaben U bis Z*) ... 14
Tabelle 2 – Definitionen von und Kennbuchstaben für Unterklassen bezogen auf Hauptklassen (*Klasse A*) ... 16
Tabelle 2 (*fortgesetzt, Klasse B*) ... 17
Tabelle 2 (*fortgesetzt, Klasse C*) ... 18
Tabelle 2 (*fortgesetzt, Klasse E*) ... 19

	Seite
Tabelle 2 (*fortgesetzt, Klasse F*)	20
Tabelle 2 (*fortgesetzt, Klasse G*)	21
Tabelle 2 (*fortgesetzt, Klasse H*)	22
Tabelle 2 (*fortgesetzt, Klasse K*)	23
Tabelle 2 (*fortgesetzt, Klasse M*)	24
Tabelle 2 (*fortgesetzt, Klasse P*)	25
Tabelle 2 (*fortgesetzt, Klasse Q*)	26
Tabelle 2 (*fortgesetzt, Klasse R*)	27
Tabelle 2 (*fortgesetzt, Klasse S*)	28
Tabelle 2 (*fortgesetzt, Klasse T*)	29
Tabelle 2 (*fortgesetzt, Klasse U*)	30
Tabelle 2 (*fortgesetzt, Klasse V*)	31
Tabelle 2 (*fortgesetzt, Klasse W*)	32
Tabelle 2 (*fortgesetzt, Klasse X*)	33
Tabelle 3 – Klassen von Infrastrukturobjekten	35
Tabelle 4 – Beispiele für fachgebietsbezogene Anwendungen der Klassen B bis U in Tabelle 3	36

0 Einleitung

0.1 Allgemeines

Ziel dieser Norm ist, Klassifizierungsschemata für Objekte mit zugehörigen Kennbuchstaben festzulegen, die in allen technischen Fachgebieten angewendet werden können, wie z. B. Elektrotechnik, Maschinenbau und Bauwesen, und auch in allen industriellen Branchen wie Energiewirtschaft, Chemieindustrie, Gebäudetechnologie, Schiffbau und Meerestechnik. Die Kennbuchstaben sind dafür vorgesehen, zusammen mit den Regeln für die Bildung von Referenzkennzeichen in Übereinstimmung mit IEC 81346-1 angewendet zu werden.

Im Anhang A ist dargestellt, wie Objekte entsprechend ihres vorgesehenen Zwecks oder ihrer Aufgabe, bezogen auf einen allgemeingültigen Prozess, klassifiziert werden können.

Im Anhang B ist illustriert, wie Objekte entsprechend ihrer Position in einer Infrastruktur klassifiziert werden können.

0.2 Grundsatzanforderungen an diese Norm

Die Grundsatzanforderungen wurden bei der Erarbeitung der IEC 61346-2 Ed. 1 entwickelt und durch Abstimmung von den nationalen Komitees angenommen.

ANMERKUNG   Die Grundsatzanforderungen betreffen die Entwicklung des Klassifizierungssystems mit Kennbuchstaben in der vorliegenden Norm und nicht deren Anwendung. Sie sind daher bezüglich der Anwendung dieser Norm nicht normativ.

1) Kennbuchstaben müssen auf einem Klassifizierungsschema basieren.
2) Ein Klassifizierungsschema ist der Satz von Definitionen für die Objekttypen (z. B. ein Klassifizierungsschema für Funktionstypen, welches die verschiedenen Funktionstypen von Objekten beinhaltet.
3) Ein Klassifizierungsschema muss eine hierarchische Klassifizierung von Objekttypen ermöglichen, d. h. Subklassen und Superklassen.
4) Ein Kennbuchstabe für einen Objekttyp muss von der tatsächlichen Position der Instanz dieses Objekttyps in einem System unabhängig sein.
5) In jeder Ebene des Klassifizierungsschemas müssen ausgeprägte Klassen definiert werden.
6) Die Definition der Klassen in einer bestimmten Ebene eines Klassifizierungsschemas müssen eine gemeinsame Basis haben (z. B. darf ein Klassifizierungsschema, dass in einer Ebene Objekte nach deren Farbe klassifiziert, keine Klassen enthalten, die Objekte nach deren Form klassifizieren). Jedoch darf die Basis von einer Ebene zur anderen unterschiedlich sein.
7) Ein Kennbuchstabe sollte den Objekttyp aufzeigen und nicht einen Aspekt des Objekts.
8) Ein Klassifizierungsschema muss für zukünftige Entwicklungen und Anforderungen erweiterbar sein.
9) Ein Klassifizierungsschema muss für alle technischen Fachbereiche anwendbar sein, ohne einen bestimmten Bereich zu bevorzugen.
10) Es muss möglich sein, die Kennbuchstaben verträglich über alle technischen Fachbereiche hinweg anzuwenden. Derselbe Objekttyp sollte vorzugsweise nur einen Kennbuchstaben haben, unabhängig vom technischen Fachbereich, in dem er angewendet ist.
11) Es sollte möglich sein, mit einem Kennbuchstaben aufzuzeigen, aus welchem technischen Fachbereich das Objekt stammt, falls dies erwünscht ist.
12) Ein Klassifizierungsschema sollte die praktische Anwendung von Kennbuchstaben widerspiegeln.
13) Kennbuchstaben sollten nicht mnemotechnisch sein, da dies nicht konsistent über ein Klassifzierungsschema und für unterschiedliche Sprachen durchgehalten werden kann.
14) Für Kennbuchstaben müssen Großbuchstaben aus dem lateinischen Alphabet angewendet werden, wobei I und O wegen möglicher Verwechslung mit den Ziffern 1 (Eins) und 0 (Null) ausgeschlossen sind.
15) Für denselben Objekttyp müssen unterschiedliche Klassifizierungsschemata erlaubt und anwendbar sein.

DIN EN 81346-2:2010-05
EN 81346-2:2009

16) Objekte dürfen z. B. nach Funktionstypen, Formen, Farben oder Materialien klassifiziert werden. Das bedeutet, dass demselben Objekttyp unterschiedliche Kennbuchstaben nach unterschiedlichen Klassifizierungsschemata zugeordnet sein dürfen.

17) Objekten, die direkte Bestandteile eines anderen Objekts sind und denselben Aspekt anwenden, müssen Kennbuchstaben nach demselben Klassifizierungsschema zugeordnet sein. Siehe Bild 1.

18) Sind Produkte unterschiedlicher Hersteller zu einem neuen Produkt zusammengefasst, dürfen den Bestandteilen dieses Produkts Kennzeichen nach unterschiedlichen Klassifizierungsschemata zugeordnet sein.

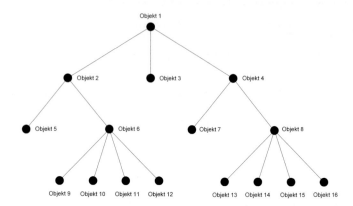

Den Objekten 2, 3 und 4, die direkte Bestandteile von Objekt 1 sind, müssen Kennbuchstaben aus demselben Klassifizierungsschema zugeordnet werden.

Den Objekten 5 und 6, die direkte Bestandteile von Objekt 2 sind, müssen Kennbuchstaben aus demselben Klassifizierungsschema zugeordnet werden.

Den Objekten 7 und 8, die direkte Bestandteile von Objekt 4 sind, müssen Kennbuchstaben aus demselben Klassifizierungsschema zugeordnet werden.

Den Objekten 9, 10, 11 und 12, die direkte Bestandteile von Objekt 6 sind, müssen Kennbuchstaben aus demselben Klassifizierungsschema zugeordnet werden.

Den Objekten 13, 14, 15 und 16, die direkte Bestandteile von Objekt 8 sind, müssen Kennbuchstaben aus demselben Klassifizierungsschema zugeordnet werden.

Bild 1 – Bestandteil-Objekte

1 Anwendungsbereich

In diesem Teil der Internationalen Norm IEC 81346, der gemeinsam von IEC und ISO veröffentlicht wurde, sind Klassen und Unterklassen für Objekte (basierend auf einer auf deren Zweck oder Aufgabe bezogenen Sicht), zusammen mit zugehörigen und in Referenzkennzeichen anzuwendenden Kennbuchstaben festgelegt

Die Klassifizierung ist für Objekte in allen technischen Fachgebieten, wie Energieerzeugung, Energieverteilung, Einrichtungen der Verfahrenstechnik, Schiffsbau und Meerestechnik, anwendbar. Sie kann durchgängig von allen technischen Disziplinen in jedem Planungsprozess angewendet werden.

2 Normative Verweisungen

Die folgenden zitierten Dokumente sind für die Anwendung dieses Dokuments erforderlich. Bei datierten Verweisungen gilt nur die in Bezug genommene Ausgabe. Bei undatierten Verweisungen gilt die letzte Ausgabe des in Bezug genommenen Dokuments (einschließlich aller Änderungen).

IEC 81346-1, *Industrial systems, installations and equipment and industrial products — Structuring principles and reference designations – Part 1: Basic rules (under revision, Ed. 2 is referenced)*

ISO 14617-6:2002, *Graphical symbols for diagrams – Part 6: Measurement and control functions*

3 Begriffe

Für die Anwendung dieses Dokuments gelten die Begriffe nach DIN IEC 81346-1.

4 Grundsätze der Klassifizierung

4.1 Allgemeines

Das Prinzip der Klassifizierung von Objekten basiert auf der Betrachtung eines Objekts, oft mit einem Eingang und einem Ausgang versehen (siehe Bild 2), als Mittel zur Ausführung einer Tätigkeit. In dieser Hinsicht ist die interne Struktur eines Objekts nicht von Bedeutung.

Bild 2 – Das grundlegende Konzept

In Anhang A ist ein allgemeingültiges Prozessmodell dargestellt, das zur Festlegung des in Tabelle 1 dargestellten Klassifizierungsschemas, basierend auf dem vorgesehenen Zweck oder der vorgesehenen Aufgabe, angewendet wird.

Eine alternative Klassifikation nach Zweck oder Aufgabe für den besonderen Fall, dass ein Objekt als Teil einer Infrastruktur gesehen wird, ist in Tabelle 3 dargestellt.

Jede in Tabelle 1 definierte Klasse ist in dieser Norm mit einem Satz vordefinierter Unterklassen versehen, der es ermöglicht, ein Objekt detaillierter zu charakterisieren, falls dies erforderlich ist. Die Definitionen der Unterklassen von Objekten sind in Tabelle 2 zusammen mit ihren zugehörigen Kennbuchstaben für die jeweilige Klasse und Unterklasse angegeben.

ANMERKUNG 1   Unterklassen legen keine neue Ebene in einer Struktur fest, d. h., sie beschreiben keine Untergliederung des Objekts. Klasse und Unterklasse beziehen sich auf dasselbe Objekt.

ANMERKUNG 2   Die Anwendung von Unterklassen zur Kodierung von technischen Attributen sollte vermieden werden, da diese Informationen üblicherweise in der Dokumentation dargestellt werden, z. B. in einer technischen Spezifikation oder in einer Teileliste.

4.2 Zuordnung von Objekten zu Klassen

Für die Zuordnung von Objekten (d. h. von Komponenten, die zu dem betrachteten System gehören) zu Klassen gelten die folgenden Regeln:

Regel 1   Zur Klassifizierung von Objekten nach deren vorgesehenen Zwecken oder Aufgaben müssen Klassen und Kennbuchstaben in Übereinstimmung mit Tabelle 1 oder Tabelle 3 angewendet werden.

Regel 2   Bei der Zuordnung eines Objekts zu einer Klasse nach Tabelle 1 oder Tabelle 3 muss das Objekt im Hinblick auf dessen vorgesehenen Zweck oder vorgesehene Aufgabe als Komponente im vorliegenden System betrachtet werden, ohne die Mittel für dessen Realisierung (z. B. die Art des Produkts) zu berücksichtigen.

> BEISPIEL   Der gewünschte Zweck eines Objekts ist „heizen". Eine mögliche Komponente, erforderlich um dies zu erfüllen, ist ein „Heizgerät". Nach Tabelle 1 ist dieses Objekt klar der Klasse E zugeordnet. Es ist ohne Bedeutung oder einfach in einer frühen Planungsphase unbekannt, wie der geforderte Zweck realisiert wird. Dies könnte durch Verwendung eines Gas- oder Ölbrenners oder mit einem elektrischen Heizgerät erfolgen (Produkte, die jeweils von anderen Lieferanten kommen). Im Falle der Elektroheizung könnte die Hitze durch einen elektrischen Widerstand erzeugt werden. Dieses Produkt kann, in anderen Fällen, durch seinen Zweck „begrenzen eines Flusses" nach Klasse R klassifiziert sein, falls dies seine Verwendung als Komponente im anderen Zusammenhang beschreibt.

Es ist die Komponente, die klassifiziert wird – nicht das zur Realisierung verwendete Produkt!

Regel 3   Objekte mit mehr als einem vorgesehenen Zweck oder vorgesehenen Aufgabe müssen nach demjenigen vorgesehenen Zweck oder derjenigen vorgesehenen Aufgabe klassifiziert werden, der/die als hauptsächlich angesehen wird.

Regel 4   Die Klasse mit dem Kennbuchstaben A darf nur für Objekte ohne explizitem Hauptzweck oder explizite Hauptaufgabe angewendet werden.

> BEISPIEL   Ein Volumenstromschreiber speichert gemessene Werte zur späteren Anwendung, liefert jedoch zugleich eine Ausgangsgröße in Form einer sichtbaren Anzeige. Wird die Speicherfunktion als Hauptzweck angesehen, dann gehört das Objekt zu Klasse C der Tabelle 1. Wird die Anzeige von Messwerten als Hauptzweck angesehen, dann gehört das Objekt zu Klasse P. Werden die beiden Zwecke als gleichrangig angesehen, sollte das Objekt der Klasse A zugeordnet werden.

In Bild 3 ist das Prinzip der Zuordnung von Klassen zu Objekten für den Fall eines Messkreises veranschaulicht. Auf der linken Seite ist gezeigt, wie die Anforderungen in Objekte mit Ein- und Ausgang umgesetzt wurden. Auf der rechten Seite sind die verwendeten Komponenten dargestellt.

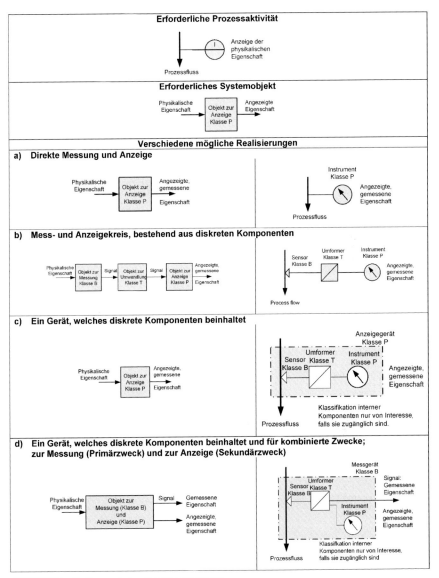

ANMERKUNG   Die Klassen sind aus Tabelle 1 entnommen.

Bild 3 – Klassifizierung von Objekten in einem Messkreis

DIN EN 81346-2:2010-05
EN 81346-2:2009

5 Klassen von Objekten

5.1 Klassen von Objekten nach vorgesehenem Zweck oder vorgesehener Aufgabe

In Tabelle 1 ist die hauptsächliche Klassifizierungsmethode festgelegt, die für jedes Objekt aus jedem Technologiebereich anwendbar ist.

Das wichtigste Element in der Tabelle ist die Beschreibung des vorgesehenen Zweckes oder der vorgesehenen Aufgabe eines Objekts. Auf diese Beschreibung ist Bezug zu nehmen, wenn nach einer geeigneten Klasse für ein Objekt gesucht wird.

Tabelle 1 – Klassen von Objekten nach deren vorgesehenem Zweck oder vorgesehener Aufgabe

Kennbuchstabe	Vorgesehene(r) Zweck/Aufgabe des Objekts	Beispiele für Begriffe, die den/die vorgesehene(n) Zweck/Aufgabe von Objekten beschreiben	Beispiele für typische Mechanik-/ Fluidkomponenten	Beispiele für typische elektrische Komponenten
A	Zwei oder mehr Zwecke oder Aufgaben ANMERKUNG Diese Klasse besteht nur für Objekte, für die kein vorgesehener Hauptzweck identifiziert werden kann.			
B	Umwandeln einer Eingangsvariablen (physikalische Eigenschaft, Zustand oder Ereignis) in ein zur Weiterverarbeitung bestimmtes Signal	Feststellen Messen (Erfassen von Werten) Überwachen Fühlen Wiegen (Erfassen von Werten)	Messblende Sensor	Buchholz-Relais Stromwandler Brandwächter Gasdetektor Messrelais Messwiderstand Mikrophon Bewegungswächter Überlastrelais Fotozelle Positionsschalter Näherungsschalter Näherungssensor Rauchwächter Tachogenerator Temperatursensor Videokamera Schutzrelais Spannungswandler
C	Speichern von Energie, Information oder Material	Aufzeichnen Speichern	Fass Puffer Zisterne Behälter Heißwasserspeicher Papierrollenständer Tank	Pufferbatterie Kondensator Ereignisschreiber (speichern als Hauptzweck) Festplatte Magnetbandgerät (speichern als Hauptzweck) Speicher Arbeitsspeicher (RAM) Speicherbatterie Videorecorder (speichern als Hauptzweck) Spannungsschreiber (speichern als Hauptzweck)

Tabelle 1 (fortgesetzt, Kennbuchstaben D bis J)

Kennbuchstabe	Vorgesehene(r) Zweck/Aufgabe des Objekts	Beispiele für Begriffe, die den/die vorgesehene(n) Zweck/Aufgabe von Objekten beschreiben	Beispiele für typische Mechanik-/ Fluidkomponenten	Beispiele für typische elektrische Komponenten
D	Für spätere Normung reserviert			
E	Liefern von Strahlungs- oder Wärmeenergie	Kühlen Heizen Beleuchten Strahlen	Boiler Gefrierschrank Hochofen Gaslampe Heizung Wärmeaustauscher Nuklearreaktor Paraffinlampe Radiator Kühlschrank	Boiler Elektroheizung Elektrischer Radiator Leuchtstofflampe Lampe Glühlampe Laser Leuchte Maser
F	Direkter (selbsttätiger) Schutz eines Energie- oder Signalflusses, von Personal oder Einrichtungen vor gefährlichen oder unerwünschten Zuständen einschließlich Systeme und Ausrüstung für Schutzzwecke	Absorbieren Bewachen Verhindern Schützen Sichern Bewehren	Airbag Schutzvorrichtung Berstplatte Sicherheitsgurt Sicherheitsventil	Kathodische Schutzanode Faradayscher Käfig Sicherung Leitungsschutzschalter Überspannungsableiter Thermischer Überlastauslöser
G	Initiieren eines Energie- oder Materialflusses, Erzeugen von Signalen, die als Informationsträger oder Referenzquelle verwendet werden	Erzeugen	Gebläse Förderer (angetrieben) Lüfter Pumpe Vakuumpumpe Ventilator	Trockenzellen-Batterie Dynamo Brennstoffzelle Generator Umlaufender Generator Signalgenerator Solarzelle Wellengenerator
H	Produzieren einer neuen Art von Material oder eines Produktes	Montieren Brechen Demontieren Zerkleinern Material abtragen Mahlen Mischen Herstellen Pulverisieren	Bestückungsmaschine Brechwerk Mischer	Absorptionswäscher Zentrifuge Brechwerk Destilliersäule Emulgator Fermentierer Magnetabscheider Mühle Pelletierer Rechen Reaktor Abscheider Sintereinrichtung
I	Nicht anwendbar	–	–	–
J	Für spätere Normung reserviert			

Tabelle 1 (fortgesetzt, Kennbuchstaben K bis P)

Kenn-buch-stabe	Vorgesehene(r) Zweck/Aufgabe des Objekts	Beispiele für Begriffe, die den/die vorgesehene(n) Zweck/Aufgabe von Objekten beschreiben	Beispiele für typische Mechanik-/ Fluidkomponenten	Beispiele für typische elektrische Komponenten
K	Verarbeitung (Empfang, Verarbeitung und Bereitstellung) von Signalen oder Informationen (mit Ausnahme von Objekten für Schutzzwecke, siehe Kennbuchstabe F)	Schließen (von Steuer-/Regelkreisen) Regeln Verzögern Öffnen (von Steuer-/Regelkreisen) Aufschieben Schalten (von Steuer-/Regelkreisen) Synchronisieren	Fluidregler Steuerventil	Schaltrelais Analogbaustein Binärbaustein Hilfsschütz Prozessor (CPU) Verzögerungslinie Elektronisches Ventil Elektronenröhre Regler Filter, AC oder DC Induktionsrührer Mikroprozessor Automatisierungsgerät Synchronisiergerät Zeitrelais Transistor
L	Für spätere Normung reserviert			
M	Bereitstellung von mechanischer Energie (mechanische Dreh- oder Linearbewegung) zu Antriebszwecken	Betätigen Antreiben	Verbrennungsmotor Fluidzylinder Wärmemaschine Wasserturbine Mechanischer Stellantrieb Federspeicherantrieb Dampfturbine Windturbine	Betätigungsspule Stellantrieb Elektromotor Linearmotor
N	Für spätere Normung reserviert			
O	Nicht anwendbar	–	–	–
P	Darstellung von Informationen	Alarmieren Kommunizieren Anzeigen Melden Informieren Messen (Darstellung von Größen) Darstellen Drucken Warnen	Waage Klingel Uhr Durchflussmesser Manometer Drucker Textdisplay Thermometer	Strommessinstrument Klingel Uhr Linienschreiber Ereigniszähler Geigerzähler LED Lautsprecher Drucker Spannungsschreiber Signallampe Vibrations-Signalgerät Synchronoskop Textdisplay Spannungsmessinstrument Leistungsmessinstrument

Tabelle 1 (fortgesetzt, Kennbuchstaben Q bis T)

Kennbuchstabe	Vorgesehene(r) Zweck/Aufgabe des Objekts	Beispiele für Begriffe, die den/die vorgesehene(n) Zweck/Aufgabe von Objekten beschreiben	Beispiele für typische Mechanik-/ Fluidkomponenten	Beispiele für typische elektrische Komponenten
Q	Kontrolliertes Schalten oder Variieren eines Energie-, Signal- oder Materialflusses (für Signale in Regel-/Steuerkreisen siehe Klassen K und S)	Öffnen (Energie-, Signal- und Materialfluss) Schließen (Energie-, Signal- und Materialfluss) Schalten (Energie-, Signal- und Materialfluss) Kuppeln	Bremse Stellventil Tür Tor Absperrventil Schloss	Leistungsschalter Schütz (für Last) Trennschalter Sicherungsschalter (Hauptzweck ist selbsttätiges Schützen, siehe Klasse F) Sicherungstrennschalter (Hauptzweck ist selbsttätiges Schützen, siehe Klasse F) Motoranlasser Leistungstransistor Thyristor
R	Begrenzung oder Stabilisierung von Bewegung oder eines Flusses von Energie, Information oder Material	Blockieren Dämpfen Beschränken Begrenzen Stabilisieren	Blockiergerät Rückschlagventil Zaun Verriegelungsgerät Verklinkungseinrichtung Messblende Stoßdämpfer Klappe	Diode Drosselspule Begrenzer Widerstand
S	Umwandeln einer manuellen Betätigung in ein zur Weiterverarbeitung bestimmtes Signal	Beeinflussen Manuelles Steuern Wählen	Druckknopfventil Wahlschalter	Steuerschalter Funkmaus Quittierschalter Tastatur Lichtgriffel Tastschalter Wahlschalter Sollwerteinsteller
T	Umwandlung von Energie unter Beibehaltung der Energieart, Umwandlung eines bestehenden Signals unter Beibehaltung des Informationsgehalts, Verändern der Form oder Gestalt eines Materials	Verstärken Modulieren Transformieren Gießen Verdichten Umformen Schneiden Materialverformung Dehnen Schmieden Schleifen Walzen Vergrößern Verkleinern Drehen (Bearbeitung)	Fluidverstärker Getriebe Druckverstärker Drehmomentwandler Gießmaschine Strangpresse Säge	AC/DC-Umformer Antenne Verstärker Messübertrager Frequenzwandler Leistungstransformator Gleichrichter Signalumformer Demodulator Messumformer

Tabelle 1 (*fortgesetzt, Kennbuchstaben U bis Z*)

Kennbuchstabe	Vorgesehene(r) Zweck/Aufgabe des Objekts	Beispiele für Begriffe, die den/die vorgesehene(n) Zweck/Aufgabe von Objekten beschreiben	Beispiele für typische Mechanik-/ Fluidkomponenten	Beispiele für typische elektrische Komponenten
U	Halten von Objekten in einer definierten Lage	Lagern Tragen Halten Stützen	Träger Gehäuse Kabelkanal Kabelgerüst Spannvorrichtung Korridor Kanal Lager Aufhänger Fundament Isolator Rohrleitungsbrücke Rollenlager Raum	Isolator
V	Verarbeitung (Behandlung) von Materialien oder Produkten (einschließlich Vor- und Nachbehandlung)	Beschichten Reinigen Entfeuchten Entrosten Trocknen Filtern Wärmebehandlung Verpacken Vorbehandlung Rückgewinnung Nachbearbeiten Abdichten Trennen Sortieren Rühren Oberflächenbehandlung Umhüllen	Auswuchtmaschine Trommel Schleifmaschine (Oberflächenbearbeitung) Verpackungsmaschine Palletierer Staubsauger Waschmaschine Wickelmaschine Befeuchtungsgerät	
W	Leiten oder Führen von Energie, Signalen, Materialien oder Produkten von einem Ort zu einem anderen	Leiten Verteilen Führen Positionieren Transportieren	Kanal Schacht Schlauch Verbindung (mechanisch) Spiegel Rollentisch Rohr Welle Drehscheibe	Sammelschiene Durchführung Kabel Leiter Datenbus Lichtwellenleiter
X	Verbinden von Objekten	Verbinden Koppeln Fügen	Flansch Haken Schlauchverbinder Rohrleitungskupplung Flansch Starre Kupplung	Verbinder (elektrisch) Anschlussverteiler Stecker Klemme Klemmenblock Klemmenleiste
Y	*Für spätere Normung reserviert*			
Z	*Für spätere Normung reserviert*			

5.2 Unterklassen von Objekten nach vorgesehenem Zweck oder vorgesehener Aufgabe

In manchen Fällen ist es erforderlich oder hilfreich, eine detailliertere Klassifikation eines Objekts vorzusehen, als dies die Klassen nach Tabelle 1 bereitstellen.

Regel 5 Objekte, die nach Tabelle 1 klassifiziert sind und für die eine Unterklassifizierung erforderlich ist, müssen nach Tabelle 2 unterklassifiziert werden.

Regel 6 Zusätzliche Unterklassen zu den in Tabelle 2 definierten, dürfen angewendet werden, falls:

- keine der in Tabelle 2 vorgegebenen Unterklassen anwendbar ist;
- die Unterklassen in Übereinstimmung mit der grundsätzlichen Gruppierung von Unterklassen in Tabelle 2 definiert werden;
- die Anwendung der Unterklassen im Dokument, in dem sie angewendet werden, oder in begleitender Dokumentation erläutert werden.

Jede Unterklasse in Tabelle 2 charakterisiert das Objekt, wobei die unterschiedlichen Unterklassen nach ihrer Zugehörigkeit zu einem technischen Gebiet angeordnet sind. Die Gruppierung ist wie folgt:

- Unterklassen A – E für Objekte in Bezug auf elektrische Energie;
- Unterklassen F – K, ohne I, für Objekte in Bezug auf Information und Signale;
- Unterklassen L – Y, ohne O, für Objekte in Bezug auf Verfahrenstechnik, Maschinenbau und Bauwesen;
- Unterklasse Z für Objekte mit kombinierten Aufgaben.

Diese grundsätzliche Gruppierung ist für alle Klassen aus Tabelle 1 festgelegt, mit Ausnahme der Klasse B, bei der die für die Unterklassen festgelegten Kennbuchstaben auf den Festlegungen von ISO 14617-6 basieren.

ANMERKUNG 1   Es sollte bedacht werden, dass die Kennbuchstaben in ISO 14617-6 als qualifizierende Symbole im Zusammenhang mit graphischen Symbolen für Mess- und Steuerungsfunktionen vorgesehen sind. Auch wenn sie genau genommen kein Klassifizierungsschema darstellen, kann ihre Anwendung in den meisten Fällen zu Einzelebenen-Referenzkennzeichen mit ausreichender Differenzierung führen. Z. B. kann ein Temperatursensor der Klasse BT zugeordnet werden, wenn die Kennzeichnung nur nach Klasse B nicht ausreichend für einen vorgesehenen Zweck ist.

ANMERKUNG 2   Tabelle 2 definiert die Unterklassen und stellt eine nicht vollständige Liste von Komponenten bereit, die als zugehörig zur gegebenen Unterklasse angesehen werden. Es liegt nicht im Anwendungsbereich dieser Norm, alle einer bestimmten Unterklasse zugehörigen Komponenten aufzulisten.

ANMERKUNG 3   In Tabelle 2 besagt der Ausdruck „Nicht angewendet", dass der entsprechende Kennbuchstabe im vorliegenden Klassifizierungsschema nicht definiert wurde. Es ist nicht untersagt, solche Kennbuchstaben für bisher nicht definierte Klassen anzuwenden. Es besteht jedoch ein Risiko, dass in einer späteren Ausgabe dieser Norm diese Kennbuchstaben durch zusätzliche genormte Klassen belegt werden und das diese unterschiedlich zu den frei gewählten sind.

Tabelle 2 — Definitionen von und Kennbuchstaben für Unterklassen bezogen auf Hauptklassen
(Klasse A)

Kennbuchstaben	Hauptklasse A Zwei oder mehr Zwecke oder Aufgaben	
	Definition der Unterklasse	Beispiele für Komponenten
AA		
AB	Objekte deren Aufgabe auf elektrische Energie bezogen ist.	
AC		
AD	(frei zur Festlegung durch den Anwender)	
AE		
AF		
AG	Objekte deren Aufgabe auf Informationen oder Signale bezogen ist.	
AH		
AJ	(frei zur Festlegung durch den Anwender)	
AK		
AL		
AM		
AN		
AP		
AQ		
AR	Objekte deren Aufgabe auf Prozesstechnik, Maschinenbau oder Bautechnik bezogen ist.	
AS		
AT	(frei zur Festlegung durch den Anwender)	
AU		
AV		
AW		
AX		
AY		
AZ	Kombinierte Aufgaben	

ANMERKUNG   Hauptklasse A ist ausschließlich für solche Objekte vorgesehen, für die kein vorgesehener Hauptzweck identifiziert werden kann.

Tabelle 2 (*fortgesetzt, Klasse B*)

Kennbuchstaben	Hauptklasse B Umwandeln einer Eingangsvariablen (physikalische Eigenschaft, Zustand oder Ereignis) in ein zur Weiterverarbeitung bestimmtes Signal	
	Definition der Unterklasse basierend auf der gemessenen Eingangsgröße	Beispiele für Komponenten
BA	Elektrisches Potenzial	Messrelais (Spannung), Messwiderstand (Shunt), Messwandler (Spannung), Spannungswandler
BB	Nicht angewendet	
BC	Elektrischer Strom	Stromwandler, Messrelais (Strom), Messwandler (Strom), Überlastrelais (Strom) (Shunt)
BD	Dichte	
BE	Andere elektrische und elektromagnetische Größen	Messrelais, Shunt (Widerstand), Messwandler
BF	Fluss	Durchflussmesser, Gaszähler, Wasserzähler
BG	Abstand, Stellung, Länge (einschließlich Entfernung, Ausdehnung, Amplitude)	Bewegungsmelder, Positionsschalter, Näherungsschalter, Näherungssensor
BH	Nicht angewendet	
BJ	Leistung	
BK	Zeit	Uhr, Zeitmesser
BL	Höhenangabe, Stand	Echolot (Sonar)
BM	Wassergehalt, Feuchte	Feuchtigkeitsmesser
BN	Nicht angewendet	
BP	Druck, Vakuum	Druckfühler, Drucksensor
BQ	Qualität (Zusammensetzung, Konzentration, Reinheit, Stoffeigenschaft)	Gasanalysegerät, Prüfgerät (zerstörungsfrei)
BR	Strahlung	Brandwächter, Fotozelle, Rauchwächter
BS	Geschwindigkeit, Frequenz (einschließlich Beschleunigung)	Beschleunigungsmesser, Geschwindigkeitsmesser, Drehzahlmesser, Tachometer, Schwingungsaufnehmer
BT	Temperatur	Temperatursensor
BU	Mehrfachvariable	Buchholz Relais
BV	Nicht angewendet	
BW	Gewichtskraft, Masse	Kraftaufnehmer
BX	Sonstige Größen	Mikrofon, Videokamera
BY	Nicht angewendet	
BZ	Anzahl von Ereignissen, Zählungen, kombinierte Aufgaben	Schaltspieldetektor

ANMERKUNG Für die Unterklassen wurden die Kennbuchstaben nach ISO 14617-6:2002, 7.3.1, zusammen mit einigen Ergänzungen zum Zwecke dieser Norm, angewendet. Hinzugefügt wurden Beschreibungen der Kennbuchstaben BA, BC, BV und BX. Der Kode BZ wurde zusätzlich für „kombinierte Aufgaben" verfügbar gemacht, um eine Anwendung in Entsprechung mit den anderen Hauptklassen zu ermöglichen.

Tabelle 2 (fortgesetzt, Klasse C)

Kennbuchstaben	Hauptklasse C – Speichern von Material, Energie oder Information	
	Definition der Unterklasse basierend auf der Art der Speicherung	Beispiele für Komponenten
CA	Kapazitive Speicherung elektrischer Energie	Kondensator
CB	Induktive Speicherung elektrischer Energie	Supraleiter, Spule
CC	Chemische Speicherung elektrischer Energie	Speicherbatterie ANMERKUNG Als Quelle zur Energieversorgung angesehene Batterien sind der Hauptklasse G zugeordnet).
CD	Nicht angewendet	
CE	Nicht angewendet	
CF	Speichern von Informationen	CD-ROM, EPROM, Ereignisschreiber, Festplatte, Magnetbandgerät, RAM, Videorekorder, Spannungsschreiber
CG	Nicht angewendet	
CH	Nicht angewendet	
CJ	Nicht angewendet	
CK	Nicht angewendet	
CL	Offenes Speichern von Stoffen an festem Ort (Sammlung, Lagerung)	Bunker, Zisterne, Grube, Becken
CM	Geschlossenes Speichern von Stoffen an festem Ort (Sammlung, Lagerung)	Akkumulator, Fass, Kessel, Druckpuffer, Behälter, Depot, Druckspeicher, Gasometer, Safe, Silo, Tank
CN	Mobiles Speichern von Stoffen (Sammlung, Lagerung)	Container, Transportbehälter, Gaszylinder, Versandcontainer
CP	Speichern von thermischer Energie	Heißwasserspeicher, Hybridwärmespeicher, Eistank, Dampfspeicher, Wärmeenergiespeicher, Erdspeicher
CQ	Speichern von mechanischer Energie	Schwungrad, Gummiband
CR	Nicht angewendet	
CS	Nicht angewendet	
CT	Nicht angewendet	
CU	Nicht angewendet	
CV	Nicht angewendet	
CW	Nicht angewendet	
CX	Nicht angewendet	
CY	Nicht angewendet	
CZ	Kombinierte Aufgaben	

Tabelle 2 (*fortgesetzt, Klasse E*)

Kennbuchstaben	Hauptklasse E – Liefern von Strahlungs- oder Wärmeenergie	
	Definition der Unterklasse basierend auf der erzeugten Ausgangsgröße und der Erzeugungsmethode	Beispiele für Komponenten
EA	Erzeugung von elektromagnetischer Strahlung für Beleuchtungszwecke mittels elektrischer Energie	Leuchtstofflampe, Leuchtstoffröhre, Glühlampe, Lampe, Laser, LED-Lampe, Maser, UV-Strahler
EB	Erzeugung von Wärmeenergie mittels Umwandlung von elektrischer Energie	elektrischer Boiler, Elektroofen, elektrische Heizung, elektrischer Radiator Elektrokessel, Heizstab, Heizdraht, Infrarotstrahler
EC	Erzeugung von Kälteenergie mittels Umwandlung von elektrischer Energie	Kompressionskältemaschine, Kühlaggregat, Gefrierschrank, Peltier-Element, Kühlschrank, Turbokältemaschine
ED	Nicht angewendet	
EE	Erzeugung von anderer elektromagnetischer Strahlung mittels elektrischer Energie	
EF	Erzeugung von anderer elektromagnetischer Strahlung zum Zweck der Signalisierung	
EG	Nicht angewendet	
EH	Nicht angewendet	
EJ	Nicht angewendet	
EK	Nicht angewendet	
EL	Erzeugung von elektromagnetischer Strahlung für Beleuchtungszwecke durch Verbrennung fossiler Brennstoffe	Gaslicht, Gaslampe, Paraffinlampe
EM	Erzeugung von thermischer Energie mittels Umwandlung chemischer Energie	Heizkessel, Brenner, Ofen, Hochofen
EN	Erzeugung von Kälteenergie mittels Umwandlung chemischer Energie	Kältepumpe, Kühlschrank
EP	Erzeugung von Wärmeenergie durch Energieaustausch	Boiler, Kondensator, Verdampfer, Speisewasservorwärmer, Speisewasserwärmer, Wärmeaustauscher, Dampferzeuger, Radiator
EQ	Erzeugung von Kälteenergie durch Energieaustausch	Kältepumpe, Gefrierschrank, Kühlschrank
ER	Erzeugung von Wärme durch Umwandlung mechanischer Energie	
ES	Erzeugung von Kälte durch Umwandlung mechanischer Energie	mechanischer Kühlschrank
ET	Erzeugung von thermischer Energie mittels Kernspaltung	Kernreaktor
EU	Erzeugung von Teilchenstrahlung	Magnetron-Zerstäuber, Neutronengenerator
EV	Nicht angewendet	
EW	Nicht angewendet	
EX	Nicht angewendet	
EY	Nicht angewendet	
EZ	Kombinierte Aufgaben	

Tabelle 2 (*fortgesetzt, Klasse F*)

Kennbuchstaben	Hauptklasse F Direkter (selbsttätiger) Schutz eines Energie- oder Signalflusses, von Personal oder Einrichtungen vor gefährlichen oder unerwünschten Zuständen, einschließlich Systeme und Ausrüstung für Schutzzwecke	
	Definition der Unterklasse basierend auf der Art des Phänomens, gegen das zu schützen ist	Beispiele für Komponenten
FA	Schutz gegen Überspannungen	Überspannungsableiter
FB	Schutz gegen Fehlerströme	Fehlerstrom-Schutzschalter
FC	Schutz gegen Überströme	Sicherung, Sicherungseinheit, Leitungsschutzschalter, thermischer Überlastauslöser
FD	*Nicht angewendet*	
FE	Schutz gegen andere elektrische Gefährdungen	Umschließung zur elektromagnetischen Abschirmung, Faradayscher Käfig
FF	*Nicht angewendet*	
FG		
FH		
FJ		
FK		
FL	Schützen gegen gefährliche Druckzustände	automatischer Wasserverschluss, Berstscheibe, Sicherheitsarmatur, Vakuumschalter
FM	Schützen gegen Brandeinwirkungen	Brandschutzklappe, Brandschutztür, Brandschutzeinrichtung, Schleuse
FN	Schützen vor gefährlichen Betriebszuständen oder Beschädigung	Eindringschutz, Schutzvorrichtung, Schutzschild, Schutzhülse für Thermoelement, Sicherheitskupplung
FP	Schützen gegen gefährliche Emissionen (z. B. Strahlung, chemische Emissionen, Lärm)	Reaktorschutzeinrichtung
FQ	Schützen gegen Gefährdungen oder unerwünschten Situationen von Personen oder Tieren (z. B. Schutzvorrichtungen)	Airbag, Geländer, Absperrung, Berührungsschutz, Fluchttür, Fluchtfenster, Zaun, Schranke, Blendschutz, Sichtschutz, Sicherheitsgurt
FR	Schützen gegen Verschleiß (z. B. Korrosion)	Schutzanode (kathodisch)
FS	Schützen vor Umwelteinflüssen (z. B. Witterung, geophysikalische Auswirkungen)	Lawinenschutz, geophysikalischer Schutz, Witterungsschutz
FT	*Nicht angewendet*	
FU	*Nicht angewendet*	
FV	*Nicht angewendet*	
FW	*Nicht angewendet*	
FX	*Nicht angewendet*	
FY	*Nicht angewendet*	
FZ	Kombinierte Aufgaben	

Tabelle 2 (*fortgesetzt, Klasse G*)

Kennbuchstaben	Hauptklasse G Initiieren eines Energie- oder Materialflusses, erzeugen von Signalen, die als Informationsträger oder Referenzquelle verwendet werden	
	Definition der Unterklasse basierend auf Art der Initiierung und Art des Flusses	Beispiele für Komponenten
GA	Initiieren eines elektrischen Energieflusses durch Einsatz mechanischer Energie	Dynamo, Generator, Motor-Generator-Satz, Stromerzeuger, umlaufender Generator
GB	Initiieren eines elektrischen Energieflusses durch chemische Umwandlung	Batterie, Trockenzellen-Batterie, Brennstoffzelle
GC	Initiieren eines elektrischen Energieflusses mittels Licht	Solarzelle
GD	*Nicht angewendet*	
GE	*Nicht angewendet*	
GF	Erzeugen von Signalen als Informationsträger	Signalgenerator, Signalgeber, Wellengenerator
GG	*Nicht angewendet*	
GH	*Nicht angewendet*	
GJ	*Nicht angewendet*	
GK	*Nicht angewendet*	
GL	Initiieren eines stetigen Flusses von festen Stoffen	Bandförderer, Kettenförderer, Zuteiler
GM	Initiieren eines unstetigen Flusses von festen Stoffen	Kran, Aufzug, Gabelstapler, Hebezeug, Manipulator, Hubeinrichtung
GN	*Nicht angewendet*	
GP	Initiieren eines Flusses von flüssigen und fließfähigen Stoffen, angetrieben mittels Energieversorgung	Pumpe, Schneckenförderer
GQ	Initiieren eines Flusses von gasförmigen Stoffen durch mechanischen Antrieb	Sauglüfter, Ventilator, Verdichter, Lüfter, Vakuumpumpe
GR	*Nicht angewendet*	
GS	Initiieren eines Flusses von flüssigen oder gasförmigen Stoffen durch ein Treibmedium	Ejektor, Injektor, Strahler
GT	Initiieren eines Flusses von flüssigen oder gasförmigen Stoffen durch Schwerkraft	Schmiervorrichtung, Öler
GU	*Nicht angewendet*	
GV	*Nicht angewendet*	
GW	*Nicht angewendet*	
GX	*Nicht angewendet*	
GY	*Nicht angewendet*	
GZ	Kombinierte Aufgaben	

Tabelle 2 (fortgesetzt, Klasse H)

Kennbuchstaben	Hauptklasse H	
	Produzieren einer neuen Art von Material oder einer neuen Art eines Produkts	
	Definition der Unterklasse basierend auf der zur Herstellung von Material oder Produkt angewendeten Methode	Beispiele für Komponenten
HA	Nicht angewendet	
HB	Nicht angewendet	
HC	Nicht angewendet	
HD	Nicht angewendet	
HE	Nicht angewendet	
HF	Nicht angewendet	
HG	Nicht angewendet	
HH	Nicht angewendet	
HJ	Nicht angewendet	
HK	Nicht angewendet	
HL	Erzeugen eines neuen Produkts durch Zusammenbau	Montageroboter, Bestückungsautomat, Kantensaummaschine
HM	Trennen von Stoffgemischen durch Fliehkraft	Zentrifuge, Zykloneinrichtung
HN	Trennen von Stoffgemischen durch Schwerkraft	Abscheider, Absetzbehälter, Rüttler
HP	Trennen von Stoffgemischen durch thermische Verfahren	Destillationskolonne, Trockner (Munter-Trockner), Extraktionseinrichtung
HQ	Trennen von Stoffgemischen durch Filtern	Flüssigkeitsfilter, Gasfilter, Sieb, Rechen, Rost
HR	Trennen von Stoffgemischen durch elektrostatische oder magnetische Kräfte	Elektrofilter, Magnetabscheider
HS	Trennen von Stoffgemischen durch physikalische Verfahren	Absorptionswäscher, Aktivkohleabsorbierer, Ionentauscher, Nassentstauber
HT	Erzeugen neuer gasförmiger Stoffe	Vergaser
HU	Zerkleinern zum Erzeugen einer neuen Form fester Stoffe	Mühle, Brecher
HV	Vergrößern zum Erzeugen einer neuen Form fester Stoffe	Brikettierer, Pelletierer, Sintereinrichtung, Tablettierer
HW	Mischen zum Erzeugen neuer fester, flüssiger, fließfähiger und gasförmiger Stoffe	Emulgierer, (Dampf-)Befeuchter, Kneter, Mischer, Rührkessel, Statikmixer, Rührwerk
HX	Erzeugen neuer Stoffe durch chemische Reaktion	Reaktionsofen, Reaktor
HY	Erzeugen neuer Stoffe durch biologische Reaktion	Kompostierer, Fermentierer
HZ	Kombinierte Aufgaben	

Tabelle 2 (*fortgesetzt, Klasse K*)

Kennbuchstaben	Hauptklasse K Verarbeitung (Empfang, Verarbeitung und Bereitstellung) von Signalen oder Informationen (mit Ausnahme von Objekten für Schutzzwecke, siehe Kennbuchstabe F)	
	Definition der Unterklasse basierend auf der Art des zu verarbeitenden Signals	Beispiele für Komponenten
KA	Nicht angewendet	
KB	Nicht angewendet	
KC	Nicht angewendet	
KD	Nicht angewendet	
KE	Nicht angewendet	
KF	Verarbeitung von elektrischen und elektronischen Signalen	Hilfsrelais, integrierter Analogschaltkreis, Automatik-Parallelschaltgerät, Binärelement, integrierter Binärschaltkreis, Hilfsschütz, CPU, Verzögerungselement, Verzögerungslinie, Elektronenröhre, Regler, Filter (AC oder DC), Induktionsrührer, Ein-/Ausgangsbaugruppe, Mikroprozessor, Optokoppler, Prozessrechner, Automatisierungsgerät, Synchronisiergerät, Zeitrelais, Transistor, Sender
KG	Verarbeitung von optischen und akustischen Signalen	Spiegel, Regler, Prüfgerät
KH	Verarbeitung von fluidtechnischen und pneumatischen Signalen	Regler (Ventilstellungsregler), Fluidregler, Vorsteuerventil, Ventilblock
KJ	Verarbeitung von mechanischen Signalen	Regler, Gestänge
KK	Verarbeitung unterschiedlicher Informationsträger an Ein- und Ausgang (z. B. elektrisch – pneumatisch)	Regler, Elektrohydraulischer Umformer, elektrisches Vorsteuerventil
KL	Nicht angewendet	
KM	Nicht angewendet	
KN	Nicht angewendet	
KP	Nicht angewendet	
KQ	Nicht angewendet	
KR	Nicht angewendet	
KS	Nicht angewendet	
KT	Nicht angewendet	
KU	Nicht angewendet	
KV	Nicht angewendet	
W	Nicht angewendet	
KX	Nicht angewendet	
KY	Nicht angewendet	
KZ	Kombinierte Aufgaben	

Tabelle 2 (fortgesetzt, Klasse M)

Hauptklasse M		
Bereitstellung von mechanischer Energie (mechanische Dreh- oder Linearbewegung) zu Antriebszwecken		
Kennbuchstaben	Definition der Unterklasse basierend auf der Art des Antriebskraft	Beispiele für Komponenten
MA	Antreiben durch elektromagnetische Wirkung	Elektromotor, Linearmotor
MB	Antreiben durch magnetische Wirkung	Betätigungsspule, Aktuator, Elektromagnet
MC	Nicht angewendet	
MD	Nicht angewendet	
ME	Nicht angewendet	
MF	Nicht angewendet	
MG	Nicht angewendet	
MH	Nicht angewendet	
MJ	Nicht angewendet	
MK	Nicht angewendet	
ML	Antreiben durch mechanische Kraft	Reibradantrieb, Stellantrieb (mechanisch), Federkraft, Federspeicherantrieb, Gewicht
MM	Antreiben durch fluidtechnische oder pneumatische Kraft	Fluidantrieb, Fluidzylinder, Fluidmotor, Hydraulikzylinder, Servomotor
MN	Antreiben durch Kraft von Dampfstrom	Dampfturbine
MP	Antreiben durch Kraft von Gasstrom	Gasturbine
MQ	Antreiben durch Windkraft	Windturbine
MR	Antreiben durch Kraft von Flüssigkeitsstrom	Wasserturbine
MS	Antreiben durch Kraft einer chemischen Umwandlung	Verbrennungsmotor
MT	Nicht angewendet	
MU	Nicht angewendet	
MV	Nicht angewendet	
MW	Nicht angewendet	
MX	Nicht angewendet	
MY	Nicht angewendet	
MZ	Kombinierte Aufgaben	

Tabelle 2 *(fortgesetzt, Klasse P)*

Kennbuchstaben	Hauptklasse P – Darstellung von Informationen	
	Definition der Unterklasse basierend auf der Art der dargestellten Information und der Darstellungsform	Beispiele für Komponenten
PA	Nicht angewendet	
PB	*Nicht angewendet*	
PC	*Nicht angewendet*	
PD	*Nicht angewendet*	
PE	*Nicht angewendet*	
PF	Visuelle Anzeige von Einzelzuständen	Türschlossanzeige, LED, Fallklappenanzeiger, Meldelampe
PG	Visuelle Anzeige von Einzelvariablen	Strommessinstrument, Barometer, Uhr, Zählwerk, Ereigniszähler, Durchflussanzeiger, Frequenzanzeiger, Geigerzähler, Manometer, Schauglas, Synchronoskop, Thermometer, Spannungsmessinstrument, Leistungsmessinstrument, Gewichtsanzeige
PH	Visuelle Anzeige von Information in Zeichnungsform, Bildform und/oder Textform	Analogrekorder, Strichkodedrucker, Ereignisrekorder (Hauptsächlich zur Informationsdarstellung), Drucker, Spannungsschreiber, Textdisplay, Bildschirm
PJ	Akustische Informationsdarstellung	Glocke, Hupe, Lautsprecher, Pfeife
PK	Fühlbare Informationsdarstellung	Vibrator
PL	*Nicht angewendet*	
PM	*Nicht angewendet*	
PN	*Nicht angewendet*	
PP	*Nicht angewendet*	
PQ	*Nicht angewendet*	
PR	*Nicht angewendet*	
PS	*Nicht angewendet*	
PT	*Nicht angewendet*	
PU	*Nicht angewendet*	
PV	*Nicht angewendet*	
PW	*Nicht angewendet*	
PX	*Nicht angewendet*	
PY	*Nicht angewendet*	
PZ	Kombinierte Aufgaben	

Tabelle 2 (*fortgesetzt, Klasse Q*)

Hauptklasse Q Kontrolliertes Schalten oder Variieren eines Energie-, Signal- oder Materialflusses (bei Signalen in Regel-/Steuerkreisen siehe Klassen K und S)		
Kennbuchstaben	Definition der Unterklasse basierend auf dem Zweck des Schaltens oder Variierens	Beispiele für Komponenten
QA	Schalten und Variieren von elektrischen Energiekreisen	Leistungsschalter, Schütz, Motoranlasser, Leistungstransistor, Thyristor,
QB	Trennen von elektrischen Energiekreisen	Trennschalter, Sicherungsschalter, Sicherungstrennschalter, Trennschutzschalter, Lasttrennschalter
QC	Erden von elektrischen Energiekreisen	Erdungsschalter
QD	Nicht angewendet	
QE	Nicht angewendet	
QF	Nicht angewendet	
QG	Nicht angewendet	
QH	Nicht angewendet	
QJ	Nicht angewendet	
QK	Nicht angewendet	
QL	Bremsen	Bremse
QM	Schalten eines Flusses fließfähiger Stoffe in geschlossenen Umschließungen	Steckscheibe, Verschlussplatte, Klappe, Absperrarmatur (auch Entleerungsarmatur), Solenoidventil
QN	Verändern eines Flusses fließfähiger Stoffe in geschlossenen Umschließungen	Regelklappe, Regelarmatur, Gasregelstrecke
QP	Schalten oder Verändern eines Flusses fließfähiger Stoffe in offenen Umschließungen	Dammplatte, Schleusentor
QQ	Ermöglichen von Zugang zu einem Raum oder einer Fläche	Schranke, Abdeckung, Tür, Tor, Schloss, Drehkreuz, Fenster
QR	Absperren eines Flusses fließfähiger Stoffe (keine Armaturen)	Absperreinrichtung, Zellradschleuse (für auf/zu)
QS	Nicht angewendet	
QT	Nicht angewendet	
QU	Nicht angewendet	
QV	Nicht angewendet	
QW	Nicht angewendet	
QX	Nicht angewendet	
QY	Nicht angewendet	
QZ	Kombinierte Aufgaben	

Tabelle 2 (*fortgesetzt, Klasse R*)

Kennbuchstaben	Hauptklasse R – Begrenzung oder Stabilisierung von Bewegung oder Fluss von Energie, Information oder Material	
	Definition der Unterklasse basierend auf dem Zweck der Begrenzung	Beispiele für Komponenten
RA	Begrenzen des Flusses von elektrischer Energie	Löschspule, Diode, Drossel, Begrenzer, Widerstand
RB	Stabilisierung eines Flusses von elektrischer Energie	Glättungskondensator
RC	Nicht angewendet	
RD	Nicht angewendet	
RE	Nicht angewendet	
RF	Stabilisieren von Signalen	Entzerrer, Filter
RG	Nicht angewendet	
RH	Nicht angewendet	
RJ	Nicht angewendet	
RK	Nicht angewendet	
RL	Verhindern von unerlaubtem Bedienen und/oder Bewegungen (mechanisch)	Blockiergerät, Arretierung, Schloss, Verklinkung
RM	Verhindern des Rückflusses von gasförmigen, flüssigen und fließfähigen Stoffen	Rückschlagarmaturen
RN	Begrenzen des Durchflusses von flüssigen und gasförmigen Stoffen	Flussbegrenzer, Drosselscheibe, Venturidüse, wasserdichte Dichtung
RP	Abschirmen und Dämmen von Lärm	Schallschutz, Schalldämpfer
RQ	Abschirmen und Dämmen von Wärme oder Kälte	Isolierung, Ummantelung, Verkleidung, Auskleidung, Wärmedämmungs-Jalousie
RR	Abschirmen und Dämmen von mechanischen Einwirkungen	Auskleidung, Kompensator, Schwingungsdämpfung, Vibrationsdämpfung
RS	Abschirmen und Dämmen von chemischen Einwirkungen	Auskleidung, Explosionsschutz, Feuerlöscher, Gasdurchdringungsschutz, Spritzschutz
RT	Abschirmen und Dämmen von Licht	Lichtblende, Blende, Verschluss
RU	Abschirmen und Stabilisieren von Bewegung in Orten/im Gelände	Zaun
RV	Nicht angewendet	
RW	Nicht angewendet	
RX	Nicht angewendet	
RY	Nicht angewendet	
RZ	Kombinierte Aufgaben	

Tabelle 2 (fortgesetzt, Klasse S)

Kennbuchstaben	Hauptklasse S	
	Umwandeln einer manuellen Betätigung in ein zur Weiterverarbeitung bestimmtes Signal	
	Definition der Unterklasse basierend auf der Art des Trägers des Ausgangssignals	Beispiele für Komponenten
SA	*Nicht angewendet*	
SB	*Nicht angewendet*	
SC	*Nicht angewendet*	
SD	*Nicht angewendet*	
SE	*Nicht angewendet*	
SF	Bereitstellen eines elektrischen Signals	Steuerschalter, Quittierschalter, Tastatur, Lichtgriffel, Tastschalter, Wahlschalter, Sollwerteinsteller, Schalter
SG	Bereitstellen eines elektromagnetischen, optischen oder akustischen Signals	Funkmaus
SH	Bereitstellen eines mechanischen Signals	Handrad, Wahlschalter
SJ	Bereitstellung eines fluidtechnischen oder pneumatischen Signals	Druckknopfventil
SK	*Nicht angewendet*	
SL	*Nicht angewendet*	
SM	*Nicht angewendet*	
SN	*Nicht angewendet*	
SP	*Nicht angewendet*	
SQ	*Nicht angewendet*	
SR	*Nicht angewendet*	
SS	*Nicht angewendet*	
ST	*Nicht angewendet*	
SU	*Nicht angewendet*	
SV	*Nicht angewendet*	
SW	*Nicht angewendet*	
SX	*Nicht angewendet*	
SY	*Nicht angewendet*	
SZ	Kombinierte Aufgaben	

Tabelle 2 (*fortgesetzt, Klasse T*)

Kennbuchstaben	Hauptklasse T — Umwandlung von Energie unter Beibehaltung der Energieart, Umwandlung eines bestehenden Signals unter Beibehaltung des Informationsgehalts, verändern der Form oder Gestalt eines Materials	
	Definition der Unterklasse basierend auf der Art der Umwandlung	Beispiele für Komponenten
TA	Umwandeln elektrischer Energie unter Beibehaltung der Energieart und Energieform	DC/DC-Wandler, Frequenzwandler, Leistungstransformator, Transformator
TB	Umwandeln elektrischer Energie unter Beibehaltung der Energieart, aber Veränderung der Energieform	Wechselrichter, Gleichrichter
TC	*Nicht angewendet*	
TD	*Nicht angewendet*	
TE	*Nicht angewendet*	
TF	Umwandeln von Signalen (Beibehaltung des Informationsinhaltes)	Antenne, Verstärker, elektrischer Messumformer, Impulsverstärker, Trennwandler, Signalwandler
TG	*Nicht angewendet*	
TH	*Nicht angewendet*	
TJ	*Nicht angewendet*	
TK	*Nicht angewendet*	
TL	Umwandeln von Drehzahl, Drehmoment, Kraft in dieselbe Art	Automatikgetriebe, Regelkupplung, Fluidverstärker, Schaltgetriebe, Druckkraftverstärker, Drehzahlwandler, Drehmomentwandler
TM	Umwandeln einer mechanischen Form durch spanabhebende Bearbeitung	Werkzeugmaschine, Säge, Schere
TN	*Nicht angewendet*	
TP	Umwandeln einer mechanischen Form durch Kaltformung (spanlos)	Tiefzieheinrichtung, Kaltwalzeinrichtung, Kaltzugeinrichtung
TQ	Umwandeln einer mechanischen Form durch Warmformung (spanlos)	Gießeinrichtung, Strangpresse, Schmiedeeinrichtung, Warmzugeinrichtung, Warmwalzeinrichtung
TR	Umwandeln von Strahlungsenergie unter Beibehaltung der Energieform	Brennglas, Parabolspiegel
TS	*Nicht angewendet*	
TT	*Nicht angewendet*	
TU	*Nicht angewendet*	
TV	*Nicht angewendet*	
TW	*Nicht angewendet*	
TX	*Nicht angewendet*	
TY	*Nicht angewendet*	
TZ	Kombinierte Aufgaben	

Tabelle 2 (fortgesetzt, Klasse U)

Kennbuchstaben	Hauptklasse U Halten von Objekten in einer definierten Lage	
	Definition der Unterklasse basierend auf der Art des Objekts, das in einer Lage gehalten wird	Beispiele für Komponenten
UA	Halten und Tragen von Einrichtungen elektrischer Energie	Stützer, Gerüst, Isolator
UB	Halten und Tragen von elektrischen Energiekabeln und -leitungen	Kabelkanal, Kabelleiter, Kabelpritsche, Kabelwanne, Isolator, Mast, Portal, Stützer
UC	Umschließen und Tragen von Einrichtungen elektrischer Energie	Schrank, Kapselung, Gehäuse
UD	Nicht angewendet	
UE	Nicht angewendet	
UF	Halten, Tragen, Umschließen von leittechnischen und kommunikationstechnischen Einrichtungen	Leiterplatte, Baugruppenträger, Messumformergestell
UG	Halten und Tragen von leittechnischen und kommunikationstechnischen Kabeln und Leitungen	Kabelpritsche, Kabelkanal, Kabelschacht
UH	Umschließen und Tragen von leittechnischen Einrichtungen	Schrank
UJ	Nicht angewendet	
UK	Nicht angewendet	
UL	Halten und Tragen von maschinentechnischen Einrichtungen	Maschinenfundament
UM	Halten und Tragen von gebäudetechnischen Objekten	Gebäudefundament, Kanal (nicht Kabelkanal, siehe UG), Schacht, bauliche Statikelemente (z. B. Sturz, Unterzug, Oberzug, Stütze)
UN	Halten und Tragen von rohrleitungstechnischen Objekten	Halterung für Rohrleitungen, Rohrbrücke, Rohraufhängung
UP	Halten und Führen von Wellen und Läufer	Kugellager, Rollenlager, Gleitlager
UQ	Halten und Führen von Objekten für Fertigung und Montage	Zentriervorrichtung, Spannvorrichtung, Aufnahmevorrichtung
UR	Befestigen und Verankern von maschinentechnischen Einrichtungen	Ankerplatte, Halterung, Träger, Montagegestell, Montageplatte
US	Räumliche Objekte zur Unterbringung und zum Tragen anderer Objekte	Korridor, Kanal, Halle, Passage, Raum, Schacht, Treppenschacht
UT	Nicht angewendet	
UU	Nicht angewendet	
UV	Nicht angewendet	
UW	Nicht angewendet	
UX	Nicht angewendet	
UY	Nicht angewendet	
UZ	Kombinierte Aufgaben	

Tabelle 2 (*fortgesetzt, Klasse V*)

Kennbuchstaben	Hauptklasse V Verarbeitung (Behandlung) von Materialien oder Produkten (einschließlich Vor- und Nachbehandlung)	
	Definition der Unterklasse basierend auf der Art der Bearbeitung	Beispiele für Komponenten
VA	*Nicht angewendet*	
VB	*Nicht angewendet*	
VC	*Nicht angewendet*	
VD	*Nicht angewendet*	
VE	*Nicht angewendet*	
VF	*Nicht angewendet*	
VG	*Nicht angewendet*	
VH	*Nicht angewendet*	
VJ	*Nicht angewendet*	
VK	*Nicht angewendet*	
VL	Abfüllen von Stoffen	Fassfülleinrichtung, Sackfülleinrichtung, Tankwagenfülleinrichtung
VM	Verpacken von Produkten	Verpackungsmaschine, Palletierer, Einwickelmaschine
VN	Behandeln von Oberflächen	Polierer, Schleifmaschine, Lackierautomat, Poliermaschine
VP	Behandeln von Stoffen oder Produkten	Glühofen, Auswuchtmaschine, Hochofen, Schmelzofen
VQ	Reinigen von Stoffen, Produkten oder Einrichtungen	Gebäudereinigungseinrichtung, Staubsauger, Waschmaschine
VR	*Nicht angewendet*	
VS	*Nicht angewendet*	
VT	*Nicht angewendet*	
VU	*Nicht angewendet*	
VV	*Nicht angewendet*	
VW	*Nicht angewendet*	
VX	*Nicht angewendet*	
VY	*Nicht angewendet*	
VZ	Kombinierte Aufgaben	

Tabelle 2 (fortgesetzt, Klasse W)

Kennbuchstaben	Definition der Unterklasse basierend auf Charakteristika von Energie, Signal, Material oder Produkt, die zu leiten oder zu führen sind	Beispiele für Komponenten
	**Hauptklasse W** Leiten oder Führen von Energie, Signalen, Materialien oder Produkten von einem Ort zu einem anderen	
WA	Verteilen von elektrischer Energie (> 1 kV AC oder > 1 500 V DC)	Sammelschiene, Schaltgeräte-Baueinheit
WB	Transportieren von elektrischer Energie (> 1 kV AC oder > 1 500 V DC)	Durchführung, Kabel, Leiter
WC	Verteilen von elektrischer Energie ≤ 1 kV AC oder ≤ 1 500 V DC)	Sammelschiene, Motorsteuerschrank (MCC), Schaltgeräte-Baueinheit
WD	Transportieren von elektrischer Energie (≤ AC 1 kV oder ≤ DC 1 500 V)	Durchführung, Kabel, Leiter
WE	Leiten von Erdpotential oder Bezugspotential	Potentialausgleichsleiter, Erdungsschiene, Erdungsleiter, Erdungsstange
WF	Verteilen von elektrischen oder elektronischen Signalen	Datenbus, Feldbus
WG	Transportieren von elektrischen oder elektronischen Signalen	Steuerkabel, Datenleitung, Messkabel
WH	Transportieren und Führen von optischen Signalen	Lichtwellenleiter, Glasfaserkabel, optischer Wellenleiter
WJ	Nicht angewendet	
WK	Nicht angewendet	
WL	Transportieren von Stoffen und Produkten (nicht angetrieben)	Förderer, schiefe Ebene, Rollentisch
WM	Leiten und Führen von Strömen flüssiger und fließfähiger Stoffe (offene Umschließungen)	Kanal, Rinne
WN	Leiten und Führen von Strömen flüssiger, fließfähiger und gasförmiger Stoffe (geschlossene, flexible Umschließungen)	Schlauch
WP	Leiten und Führen von Strömen flüssiger, fließfähiger und gasförmiger Stoffe (geschlossene, starre Umschließungen)	Rohrleitung, Luftkanal, Kamin
WQ	Übertragen von mechanischer Energie	Kette, Übertragungsgestänge, Läufer, Welle, Keilriemen
WR	Leiten und Führen für spurgebundene Transportmittel	Weiche, Schiene, Schienenweg, Drehscheibe
WS	Leiten und Führen von Personen (Begeheinrichtungen)	Laufsteg, Bühne, Treppe
WT	Leiten und Führen von mobilen Transportmitteln (Transportwege)	Weg, Straße, Schifffahrtsstraße
WU	Nicht angewendet	
WV	Nicht angewendet	
WW	Nicht angewendet	
WX	Nicht angewendet	
WY	Nicht angewendet	
WZ	Kombinierte Aufgaben	

Tabelle 2 (*fortgesetzt, Klasse X*)

Kennbuchstaben	Hauptklasse X Verbinden von Objekten	
	Definition der Unterklasse basierend auf Charakteristika von Energie, Signal, Material oder Komponente, die anzuschließen oder zu verbinden sind	Beispiele für Komponenten
XA	*Nicht angewendet*	
XB	Verbinden (> 1 000 V AC oder > 1 500 V DC)	Klemme, Anschlussverteiler, Steckdose
XC	*Nicht angewendet*	
XD	Verbinden (≤ 1 000 V AC oder ≤ 1 500 V DC)	Verbinder, Anschlussverteiler, Steckverbinder, Steckdose, Klemme, Klemmenblock, Klemmenleiste
XE	Anschließen an Erdpotential oder Bezugspotential	Potentialausgleichsanschluss, Erdungsklemme, Schirmanschlussklemme
XF	Verbinden in Datenübertragungsnetzen	Anschlussverteiler, Hub
XG	Verbinden von elektrischen Signalträgern	Anschlusselement, Steckverbinder, Signalverteiler,
XH	Verbinden (optisch) von Signalen	Optischer Anschluss
XJ	*Nicht angewendet*	
XK	*Nicht angewendet*	
XL	Verbinden starrer Umschließungen für Stoffströme	Anschlussstutzen, Flansch, Rohrleitungskupplung
XM	Verbinden flexibler Umschließungen für Stoffströme	Schlauchverbinder, Schlauchkupplung
XN	Verbinden von Objekten zur Übertragung von mechanischer Energie, nicht trennbar	Kupplung (starr)
XP	Verbinden von Objekten zur Übertragung von mechanischer Energie (schaltbar/variabel)	Schaltkupplung, Trennkupplung
XQ	Verbinden von Objekten, unlösbar	Klebverbindung, Lötverbindung, Schweißverbindung
XR	Verbinden von Objekten, lösbar	Haken, Öse
XS	*Nicht angewendet*	
XT	*Nicht angewendet*	
XU	*Nicht angewendet*	
XV	*Nicht angewendet*	
XW	*Nicht angewendet*	
XX	*Nicht angewendet*	
XY	*Nicht angewendet*	
XZ	Kombinierte Aufgaben	

5.3 Klassen von Objekten nach der Infrastruktur

Grundsätzlich kann jedes Objekt nach Tabelle 1 und Tabelle 2 klassifiziert und mit Hilfe der zugeordneten Kennbuchstaben kodiert werden. Objekte wie Industriekomplexe, die aus unterschiedlichen Produktionseinrichtungen bestehen, oder Werke, die aus unterschiedlichen Produktionsstraßen und den dazugehörenden Hilfseinrichtungen bestehen, haben allerdings oft den gleichen vorgesehenen Zweck oder die gleiche Aufgabe und gehören deshalb zu einer eingeschränkten Anzahl von Klassen. Im Zusammenhang mit dieser Norm werden diese Objekttypen Infrastrukturobjekte genannt.

ANMERKUNG 1   Infrastruktur ist als die Grundstruktur einer Industrieanlage zu verstehen.

In vielen Fällen empfiehlt es sich, für die Differenzierung der Bestandteilobjekte in einer bestimmten Strukturebene ein alternatives Klassifizierungsschema mit zugehörigen Kennbuchstaben anzuwenden.

Tabelle 3 stellt einen Rahmen für den Aufbau eines Klassifizierungsschemas mit zugeordneten Kennbuchstaben für Infrastrukturobjekte zur Verfügung (siehe auch Anhang B). Einige Einrichtungen wurden als allgemeingültig für die meisten Anwendungen erkannt. Diesen sollten Kennbuchstaben nach den Klassen A und V bis Z der Tabelle 3 zugeordnet werden.

ANMERKUNG 2   Objekte, die in der Tabelle als „nicht dem Hauptprozess zugeordnet" bezeichnet sind, können in anderen Fällen als Hauptprozess-Einrichtungen angesehen werden. Es ist dann möglich, diese Objekte in den besser geeigneten Abschnitt der Tabelle 3 zu verschieben.

Die Klassifizierung der Haupteinrichtungen des beschriebenen Prozesses ist in hohem Maße fachgebietsbezogen. Die Klassen B bis T der Tabelle 3 sind für diesen Zweck reserviert.

Regel 7   Die Anwendung eines Klassifizierungsschemas nach der Infrastruktur und seine Beziehung zu Objekten, die in einer Baumstruktur repräsentiert sind, muss im Dokument, in dem es angewendet wird, oder in begleitender Dokumentation erläutert werden.

ANMERKUNG 3   Die Anwendung unterschiedlicher Klassifizierungsschemata in einem Referenzkennzeichen macht dessen Interpretation schwieriger oder, ohne weitere Erläuterung, sogar unmöglich.

Beispiele für einige mögliche fachgebietsspezifische Anwendungen der Klassen B bis U sind in Tabelle 4 gezeigt.

ANMERKUNG 4   Die Kennbuchstaben in Tabelle 4 sollen keinerlei Vorschrift für eine zukünftige fachgebietsbezogene Normung sein. Sie zeigen lediglich das Prinzip auf.

ANMERKUNG 5   In Tabelle 4 besagt der Ausdruck „Nicht angewendet", dass der entsprechende Kennbuchstabe im vorliegenden Klassifizierungsschema nicht definiert wurde. Es ist nicht untersagt, solche Kennbuchstaben für bisher nicht definierte Klassen anzuwenden. Es besteht jedoch ein Risiko, dass in einer späteren Ausgabe dieser Norm diese Kennbuchstaben durch zusätzliche genormte Klassen belegt werden und das diese unterschiedlich zu den frei gewählten sind.

Tabelle 3 – Klassen von Infrastrukturobjekten

	Kennbuchstabe	Definition der Objektklasse	Beispiele
Objekte für gemeinsame Aufgaben	A	Objekte zum übergeordneten Management anderer Infrastrukturobjekte	Übergeordnetes Leitsystem
Objekte für Hauptprozesseinrichtungen	B ... U	Reserviert für fachgebietsbezogene Klassendefinitionen ANMERKUNG Buchstaben I und O dürfen nicht angewendet werden.	Siehe Beispiele in Tabelle 4.
Objekte, die nicht dem Hauptprozess zugeordnet sind	V	Objekte zur Speicherung von Material oder Gütern	Fertigwarenlager Frischwasserbehälteranlage Müll-Lager Ölbehälteranlage Rohmateriallager
	W	Objekte für administrative oder soziale Zwecke oder Aufgaben	Kantine Ausstellungshalle Garage Büro Erholungsbereich
	X	Objekte für Hilfszwecke oder -aufgaben neben dem Hauptprozess (z. B. auf einer Baustelle, in einer Anlage oder einem Gebäude)	Klimaanlage Alarmanlage Zeiterfassungssystem Krananlage Elektroenergieverteilung Brandschutzanlage Gasversorgung Beleuchtungseinrichtung Sicherheitssystem Abwasserbeseitigungsanlage Wasserversorgung
	Y	Objekte für Kommunikations- und Informationsaufgaben	Antennenanlage Computernetzwerk Lautsprecheranlage Funkrufempfängeranlage Personensuchanlage Eisenbahnsignalanlage Telefonanlage Fernsehanlage Ampelanlage Videoüberwachungsanlage
	Z	Objekte für die Unterbringung oder Einfassung von technischen Anlagen oder Einrichtungen, wie z. B. Flächen und Gebäude	Gebäude konstruktive Einrichtung Fabrikgelände Zaun Gleisanlage Straße Mauer

Tabelle 4 – Beispiele für fachgebietsbezogene Anwendungen der Klassen B bis U in Tabelle 3

	Ölraffinerie		Elektrische Energie-verteilungsstation		Kantine
A	Wie in Tabelle 3 festgelegt	A	Wie in Tabelle 3 festgelegt	A	Wie in Tabelle 3 festgelegt
B	Katalytische Cracking-Anlage	B	Einrichtungen für Un > 420 kV	B	Nicht angewendet
C	Katalytische Reformieranlage	C	Einrichtungen für 380 kV ≤ Un ≤ 420 kV	C	Küche
D	Nicht angewendet	D	Einrichtungen für 220 kV ≤ Un < 380 kV	D	Nicht angewendet
E	Entschwefelungsanlage	E	Einrichtungen für 110 kV ≤ Un < 220 kV	E	Tresen
F	Destillieranlage	F	Einrichtungen für 60 kV ≤ Un < 110 kV	F	Nicht angewendet
G	Nicht angewendet	G	Einrichtungen für 45 kV ≤ Un < 60 kV	G	Kassenschalter
H	Gasabscheider	H	Einrichtungen für 30 kV ≤ Un < 45 kV	H	Nicht angewendet
J	Schmierölraffinerie	J	Einrichtungen für 20 kV ≤ Un < 30 kV	J	Geschirrspüleinrichtung
K	Nicht angewendet	K	Einrichtungen für 10 kV ≤ Un < 20 kV	K	Nicht angewendet
L	Nicht angewendet	L	Einrichtungen für 6 kV ≤ Un < 10 kV	L	Nicht angewendet
M	Nicht angewendet	M	Einrichtungen für 1 kV ≤ Un < 6 kV	M	Nicht angewendet
N	Nicht angewendet	N	Einrichtungen für Un < 1 kV	N	Nicht angewendet
P	Nicht angewendet	P	Nicht angewendet	P	Nicht angewendet
Q	Nicht angewendet	Q	Nicht angewendet	Q	Nicht angewendet
R	Elektroenergie- und Dampferzeugerstation	R	Nicht angewendet	R	Nicht angewendet
S	Elektroenergieverteilerstation	S	Nicht angewendet	S	Nicht angewendet
T	Nicht angewendet	T	Umspannanlagen	T	Nicht angewendet
U	Nicht angewendet	U	Nicht angewendet	U	Nicht angewendet
V	Wie in Tabelle 3 festgelegt	V	Wie in Tabelle 3 festgelegt	V	Wie in Tabelle 3 festgelegt
...		...		...	
Z		Z		Z	

Die Klassifizierungsschemata von unterschiedliche Fachgebieten dürfen in aufeinanderfolgenden Ebenen einer Struktur angewendet werden.

BEISPIELE Kombinationsmöglichkeiten der o. g. Beispiele:

- Für eine Elektroenergieverteileranlage: Das Kennzeichen =S1E1 oder #S1E1 könnte die erste 110-kV-Anlage in der ersten Elektroenergie-Verteilungsanlage einer Ölraffinerie kennzeichnen.
- Für eine Kantine: Das Kennzeichen –W1E1 oder +W1E1 könnte den Tresen mit entsprechenden Einrichtungen in der Kantine derselben Ölraffinerie kennzeichnen.

Anhang A
(informativ)

Objektklassen, die einem allgemeingültigen Prozess zugeordnet sind

Bild B.1 zeigt Objektklassen nach Tabelle 1, zugeordnet zu einem allgemeingültigen Prozess. Die Objekte führen Aktivitäten aus, die direkt den Fluss initiieren oder beeinflussen, und Aktivitäten, die den Fluss indirekt beeinflussen oder seinen Zustand überwachen. Beide werden durch Aktivitäten oder Aufgaben unterstützt, die nicht auf den Fluss einwirken, sondern notwendige Ressourcen darstellen, die oftmals statisch wirken. Einige der letzteren gelten auch für Objekte, die keinerlei Fluss zuzuordnen sind, wie z. B. Stützen in einem Gebäude.

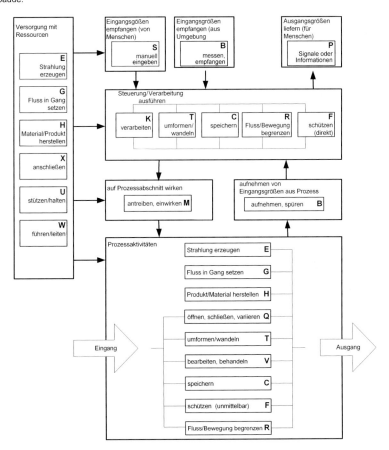

Bild A.1– Objektklassen, die einem Prozess zugeordnet sind

Dieselbe Objektklasse erscheint in diesem Modell an verschiedenen Stellen. Dies ist so zu verstehen, dass „realen" Objekten Klassen und Kennbuchstaben zugeordnet werden dürfen, ohne den Platz des Objekts im Prozess zu berücksichtigen.

Das Modell ist unabhängig von einer Technologie. Daher kann es in jedem technischen Fachbereich angewendet werden. Es ist auch unabhängig von der Größe oder Bedeutung des zu betrachtenden Objekts und darf als Mittel zur Klassifizierung sowohl kleiner Objekte als auch für große Objekte angewendet werden. Es darf wiederholt in allen Ebenen eines Strukturbaumes angewendet werden.

Es sollte jedoch bedacht werden, dass dieses Modell nur als Basis zur Klassifizierung von Objekten benutzt wird. Es ist nicht beabsichtigt, ein Modell für einen realen Prozess und eine reale Prozessumgebung einzuführen.

Anhang B
(informativ)

Objektklassen, die Objekten in einer allgemeingültigen Infrastruktur zugeordnet sind

Bild B.1 zeigt Objektklassen nach Tabelle 3, die einer Umgebung in einem technischen System zugeordnet sind. Es enthält Objekte, die die Einrichtungen des Hauptprozesses (Klassen B bis U) darstellen, sowie Objekte für Sekundäraufgaben neben dem Hauptprozess (Klassen V bis Z). Die Einrichtungen des Hauptprozesses werden üblicherweise vom Eigentümer der Gesamtanlage festgelegt oder sie sind durch fachgebietsbezogene Normen vorgegeben. So können z. B. unterschiedliche Produktionsanlagen in einem Industriekomplex als Einrichtungen des Hauptprozesses betrachtet werden. Ein Kraftwerk innerhalb desselben Komplexes könnte, je nach Sichtweise, sowohl als Hauptprozesseinrichtung als auch als Hilfseinrichtung klassifiziert werden.

Während sich die Definition der Klassen für die Hauptprozesseinrichtungen von Fall zu Fall ändern kann, bleibt die Definition der Klassen für Hilfseinrichtungen für die meisten Anwendungen unverändert. Einrichtungen, wie z. B. Klimaanlage, Beleuchtungsanlage, Wasserversorgung, Büros, Telefonanlage, Gebäude oder Straßen, erscheinen in den unterschiedlichsten Anlagen. Sie haben zwar keinen direkten Einfluss auf den Hauptprozess, sind jedoch trotzdem wichtige Bestandteile der Infrastruktur.

Klasse A ist für Objekte reserviert, die auf mehr als ein den Klassen B bis Z zugeordnetes Objekt einwirken. Ein Beispiel hierfür ist ein zentraler Leitstand, der mehrere Produktionsanlagen sowie die Klimaanlage und andere Einrichtungen steuert.

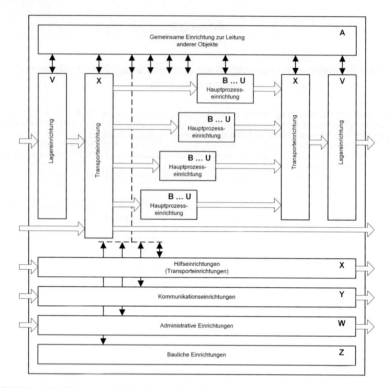

Bild B.1 – Objektklassen, die Objekten in einer allgemeingültigen Infrastruktur zugeordnet sind

Anhang ZA
(normativ)

Normative Verweisungen auf internationale Publikationen mit ihren entsprechenden europäischen Publikationen

Die folgenden zitierten Dokumente sind für die Anwendung dieses Dokuments erforderlich. Bei datierten Verweisungen gilt nur die in Bezug genommene Ausgabe. Bei undatierten Verweisungen gilt die letzte Ausgabe des in Bezug genommenen Dokuments (einschließlich aller Änderungen).

ANMERKUNG   Wenn internationale Publikationen durch gemeinsame Abänderungen geändert wurden, durch (mod) angegeben, gelten die entsprechenden EN/HD.

Publikation	Jahr	Titel	EN/HD	Jahr
IEC 81346-1	–[1]	Industrial systems, installations and equipment and industrial products – Structuring principles and reference designations – Part 1: Basic rules	EN 81346-1	2009[2]
ISO 14617-6	2002	Graphical symbols for diagrams – Part 6: Measurement and control functions	–	–

---

[1] Undatierte Verweisung.

[2] Zum Zeitpunkt der Veröffentlichung dieser Norm gültige Ausgabe.

September 2013

DIN ISO/TS 81346-3
DIN SPEC 1330

ICS 01.110

Ersatz für
DIN ISO/TS 16952-1:2007-03

Industrielle Systeme, Anlagen und Ausrüstungen und
Industrieprodukte –
Strukturierungsprinzipien und Referenzkennzeichnung –
Teil 3: Anwendungsregeln für ein Referenzkennzeichensystem
(ISO/TS 81346-3:2012)

Industrial systems, installations and equipment and industrial products –
Structuring principles and reference designations –
Part 3: Application rules for a reference designation system (ISO/TS 81346-3:2012)

Systèmes industriels, installations et appareils, et produits industriels –
Principes de structuration et désignations de référence –
Partie 3: Règles d'application pour un système de désignation de référence
(ISO/TS 81346-3:2012)

Zur Erstellung einer DIN SPEC können verschiedene Verfahrensweisen herangezogen werden:
Das vorliegende Dokument wurde nach den Verfahrensregeln einer Vornorm erstellt.

Gesamtumfang 56 Seiten

Normenausschuss Technische Grundlagen (NATG) im DIN
Normenausschuss Chemischer Apparatebau (FNCA) im DIN
Normenausschuss Rohrleitungen und Dampfkesselanlagen (NARD) im DIN
Normenstelle Schiffs- und Meerestechnik (NSMT) im DIN

Inhalt

Seite

Nationales Vorwort ... 3
Nationaler Anhang NA (informativ) Literaturhinweise ... 4
Einleitung ... 5
1 Anwendungsbereich ... 6
2 Normative Verweisungen ... 6
3 Begriffe ... 6
4 Kennzeichnungssystematik ... 9
4.1 Allgemeines ... 9
4.2 Kennzeichnungsprozess ... 11
5 Kennzeichnungsaufgaben ... 12
5.1 Allgemeines ... 12
5.2 Gemeinsame Zuordnung ... 12
5.3 Kennzeichnung technischer Objekte ... 13
5.4 Kennzeichnung anderer Objekte ... 17
6 Aufbau des Kennzeichens ... 18
6.1 Syntax Übersicht ... 18
6.2 Gemeinsame Zuordnung ... 19
6.3 Referenzkennzeichen ... 19
6.4 Spezifische Kennzeichen ... 21
Anhang A (informativ) Kennzeichnungsprozess in einem Projekt ... 23
Anhang B (informativ) Anwendungsbeispiele ... 36
Anhang C (informativ) Weitere hilfreiche Begriffe für „Kennzeichnungssystematik" ... 40
Literaturhinweise ... 55

Nationales Vorwort

Eine DIN SPEC nach dem Vornorm-Verfahren ist das Ergebnis einer Normungsarbeit, das wegen bestimmter Vorbehalte zum Inhalt oder wegen des gegenüber einer Norm abweichenden Aufstellungsverfahrens vom DIN noch nicht als Norm herausgegeben wird.

Zur vorliegenden DIN SPEC wurde kein Entwurf veröffentlicht.

Erfahrungen mit dieser DIN SPEC sind erbeten

— vorzugsweise als Datei per E-Mail an natg@din.de in Form einer Tabelle. Die Vorlage dieser Tabelle kann im Internet unter **http://www.din.de/stellungnahme** abgerufen werden;

— oder in Papierform an den Normenausschuss Technische Grundlagen (NATG) im DIN Deutsches Institut für Normung e. V., 10772 Berlin (Hausanschrift: Am DIN-Platz, Burggrafenstraße 6, 10787 Berlin).

Diese DIN SPEC enthält die deutsche Übersetzung der internationalen Technischen Spezifikation (ISO/TS) ISO/TS 81346-3, die in der ISO/TC 10/SC 10/WG 10 „Referenzkennzeichnungssystem" erarbeitet wurde. Auf nationaler Ebene ist der Gemeinschaftsausschuss NA 152-06-09 GA „Kennzeichnungssysteme (GA KS)" das zuständige Gremium.

Es wird auf die Möglichkeit hingewiesen, dass einige Elemente dieses Dokuments Patentrechte berühren können. Das DIN [und/oder die DKE] sind nicht dafür verantwortlich, einige oder alle diesbezüglichen Patentrechte zu identifizieren.

Die Reihe ISO/IEC 81346 besteht unter dem Haupttitel *„Industrielle Systeme, Anlagen und Ausrüstungen und Industrieprodukte — Strukturierungsprinzipien und Referenzkennzeichnung"* aus den folgenden Teilen:

— *Teil 1 (IEC): Allgemeine Regeln*

— *Teil 2 (IEC): Klassifizierung von Objekten und Kennbuchstaben von Klassen*

— *Teil 3 (ISO/TS): Anwendungsregeln für ein Referenzkennzeichensystem.*

Weitere Teile mit branchenspezifischen Festlegungen sind in Planung.

Für die in diesem Dokument zitierten internationalen Dokumente wird im Folgenden auf die entsprechenden deutschen Dokumente hingewiesen:

ISO 9355-1	siehe	DIN EN 894-1
ISO 9355-2	siehe	DIN EN 894-2
ISO 12100	siehe	DIN EN ISO 12100
IEC 61175	siehe	DIN EN 61175
IEC 61355-1	siehe	DIN EN 61355-1
IEC 61666	siehe	DIN EN 61666
IEC 81346-1	siehe	DIN EN 81346-1
IEC 81346-2	siehe	DIN EN 81346-2

Änderungen

Gegenüber DIN ISO/TS 16952-1:2007-03 wurden folgende Änderungen vorgenommen:

a) redaktionelle Anpassungen aufgrund der Überführung in die gemeinsame ISO/IEC-Normenreihe 81346.

Frühere Ausgaben

DIN V 6779-1: 1992-09
DIN 6779-1: 1995-07
DIN ISO/TS 16952-1: 2007-03

Nationaler Anhang NA
(informativ)

Literaturhinweise

DIN EN 894-1, *Sicherheit von Maschinen — Ergonomische Anforderungen an die Gestaltung von Anzeigen und Stellteilen — Teil 1: Allgemeine Leitsätze für Benutzer-Interaktion mit Anzeigen und Stellteilen*

DIN EN 894-2, *Sicherheit von Maschinen — Ergonomische Anforderungen an die Gestaltung von Anzeigen und Stellteilen — Teil 2: Anzeigen*

DIN EN ISO 12100, *Sicherheit von Maschinen — Allgemeine Gestaltungsleitsätze — Risikobeurteilung und Risikominderung*

DIN EN 61175, *Industrielle Systeme, Anlagen und Ausrüstungen und Industrieprodukte — Kennzeichnung von Signalen*

DIN EN 61355-1, *Klassifizierung und Kennzeichnung von Dokumenten für Anlagen, Systeme und Ausrüstungen*

DIN EN 61666, *Industrielle Systeme, Anlagen und Ausrüstungen und Industrieprodukte — Identifikation von Anschlüssen in Systemen*

DIN EN 81346-1, *Industrielle Systeme, Anlagen und Ausrüstungen und Industrieprodukte — Strukturierungsprinzipien und Referenzkennzeichnung — Teil 1: Allgemeine Regeln*

DIN EN 81346-2, *Industrielle Systeme, Anlagen und Ausrüstungen und Industrieprodukte — Strukturierungsprinzipien und Referenzkennzeichnung — Teil 2: Klassifizierung von Objekten und Kennbuchstaben von Klassen*

Industrielle Systeme, Anlagen und Ausrüstungen und Industrieprodukte — Strukturierungsprinzipien und Referenzkennzeichnung — Teil 3: Anwendungsregeln für ein Referenzkennzeichensystem

Einleitung

Diese Internationale Norm ist die Grundnorm für Strukturierungsprinzipien und Referenzkennzeichnung. IEC 81346-1 bietet eine Reihe von Möglichkeiten für die Bildung von Referenzkennzeichen. Für die meisten Anwendungen ist jedoch eine Teilmenge der gegebenen Möglichkeiten ausreichend. IEC 81346-1 begrenzt die Anwendung der Referenzkennzeichnung nicht auf bestimmte Bereiche. Für den Fall, dass weitere grundsätzliche Festlegungen nötig sind, wird empfohlen, diese aufzunehmen und in unterstützenden Dokumenten zu spezifizieren und zu erläutern.

Zur effizienten, praktischen Anwendung dieser Grundregeln und Gewährleistung einer einheitlichen Interpretation ist ein einfach verständliches System unabdingbar.

Diese Technische Spezifikation

— bietet breite, allgemeine Lösungen mit Regeln für praxisbezogene und einheitliche Anwendung,

— erfüllt die Anforderungen der Ergonomie und der Arbeitssicherheit,

— berücksichtigt Einprägsamkeit, Beschriftung und Informationsverarbeitung in allgemeinen Office- und CAx-Werkzeugen,

— fasst alle technischen Kennzeichnungsaufgaben (Referenzkennzeichnung nach Funktions-, Produkt- und Ortsaspekt sowie die Kennzeichnung von Anschlüssen, Signalen und Dokumenten) in einem Dokument zusammen,

— empfiehlt die Entkopplung der Kennzeichnungsaktivitäten von Anlagenplanern und Geräteherstellern durch den Gebrauch und Zuordnung verschiedener Aspekte,

— führt die „Gemeinsame Zuordnung" als obere Ebene ohne speziellen Aspekt ein,

— unterstützt die Handhabung von Rechnerprogrammen und Teilen dieser Programme als technisches Produkt,

— bildet die Grundlage für branchenspezifische Lösungen und Festlegungen in späteren Teilen mit dem Ziel, eine einheitliche Kennzeichnung über verschiedene Technikfelder zu erreichen.

1 Anwendungsbereich

In diesem Teil der ISO 81346 werden in Übereinstimmung mit den entsprechenden Grundnormen in umfassender Weise und praxisnah Anwendungsgrundlagen und Regeln zur Kennzeichnung von technischen Objekten, Anschlüssen, Signalen und deren Dokumente festgelegt.

Die Prinzipien dieses Teils der ISO 81346 gelten übergreifend für alle Branchen und können in allen Phasen des Lebenslaufes eines technischen Objektes angewendet werden.

Die Kennzeichnung von Typen, Individuen, Kostenstellen, Projekte usw. ist nicht Bestandteil dieses Teils der ISO 81346.

2 Normative Verweisungen

Die folgenden zitierten Dokumente sind für die Anwendung dieses Dokuments erforderlich. Bei datierten Verweisungen gilt nur die in Bezug genommene Ausgabe. Bei undatierten Verweisungen gilt die letzte Ausgabe des in Bezug genommenen Dokuments (einschließlich aller Änderungen).

ISO 9355-1, *Ergonomic requirements for the design of displays and control actuators — Part 1: Human interactions with displays and control actuators*

ISO 9355-2, *Ergonomic requirements for the design of displays and control actuators — Part 2: Displays*

ISO 12100, *Safety of machinery — General principles for design — Risk assessment and risk reduction*

IEC 61175, *Industrial systems, installations and equipment and industrial products — Designation of signals*

IEC 61355-1, *Classification and designation of documents for plants, systems and equipment — Rules and classification tables*

IEC 61666, *Industrial systems, installations and equipment and industrial products — Identification of terminals within a system*

IEC 81346-1:2009, *Industrial systems, installations and equipment and industrial products — Structuring principles and reference designations — Part 1: Basic rules*

IEC 81346-2:2009, *Industrial systems, installations and equipment and industrial products — Structuring principles and reference designations — Part 2: Classification of objects and codes for classes*

3 Begriffe

Für die Anwendung dieses Dokuments gelten die folgenden Begriffe.

3.1
Aspekt
spezifische Betrachtungsweise eines Objekts

[IEC 81346-1:2009]

3.2
Gebäude
Bauwerk hauptsächlich zum Zweck des Schutzes für seine Bewohner und die darin aufbewahrten Gegenstände; im Allgemeinen teilweise oder ganz geschlossen und ortsfest

[ISO 6707-1:2004]

3.3
Kennzeichnung
Bilden von aufgabenspezifischen Referenzkennzeichen für technische Objekte in Übereinstimmung mit festen Regeln

3.4
Dokument
Information auf einem Datenträger

ANMERKUNG 1 Üblicherweise ist ein Dokument nach der Art der Information und der Darstellungsform bezeichnet, beispielsweise Übersichtsschaltplan, Verdrahtungstabelle, Funktionsdiagramm

ANMERKUNG 2 Informationen dürfen statisch auf Papier und Mikroform oder dynamisch auf Sichtgeräten (Bildschirmgeräten) ausgegeben werden

[IEC 61082-1:2006]

3.5
Dokumentenart
Typ eines Dokuments, definiert in Hinblick auf seinen festgelegten Informationsinhalt und die Darstellungsform

ANMERKUNG   Manchmal wird der Begriff „Dokumententyp" für denselben Sachverhalt verwendet.

[IEC 61355-1:2008]

3.6
Dokumentenartklasse
Gruppe von Dokumentenarten mit ähnlichen Eigenschaften hinsichtlich Informationsinhalt, unabhängig von der Darstellungsart

[IEC 61355-1:2008]

3.7
Dokumentation
Sammlung von Dokumenten, die einem bestimmten Gegenstand zugeordnet sind

ANMERKUNG   Dies darf technische, kaufmännische und/oder andere Dokumente einschließen.

[IEC 61082-1:2006]

3.8
Funktion
geplanter oder vollendeter Zweck oder Aufgabe

[IEC 81346-1:2009]

3.9
Infrastruktur
System von Einrichtungen, Ausrüstungen und Dienstleistungen, das für den Betrieb einer Organisation erforderlich ist

[ISO 9000:2005]

3.10
Mehrebenen-Referenzkennzeichen
Referenzkennzeichen, bestehend aus verketteten Einzelebenen-Referenzkennzeichen

[IEC 81346-1:2009]

3.11
Objekt
Betrachtungseinheit, die in einem Prozess der Entwicklung, der Realisierung, des Betriebs und der Entsorgung behandelt wird.

ANMERKUNG 1 Die Betrachtungseinheit kann sich auf eine physikalische oder eine nicht-physikalische „Sache" beziehen, die existieren könnte, existiert oder früher existierte.

ANMERKUNG 2 Das Objekt hat ihm zugeordnete Informationen.

[IEC 81346-1:2009]

3.12
technische Anlage
Gesamtheit der technischen Ausrüstungen und Einrichtungen zur Bewältigung einer bestimmten technischen Aufgabenstellung

ANMERKUNG Zu einer technischen Anlage gehören Apparate, Maschinen, Geräte, Transporteinrichtungen, Leiteinrichtungen und andere Betriebsmittel.

[IEC 60050-351:2006]

3.13
Verfahren
Ablauf von chemischen, physikalischen oder biologischen Vorgängen zur Gewinnung, Transport oder Lagerung von Stoffen oder Energie

[ISO 10628:1997]

ANMERKUNG 1 Verschiedene Verfahren oder Verfahrensabschnitte können zu verschiedenen Zeiten in der selben Verfahrenstechnischen Anlage oder Teilanlage durchgeführt werden.

ANMERKUNG 2 Ein Verfahren darf auch betrachtet werden als Gesamtheit von zusammenwirkenden Ereignissen in einem System, in dem Stoffe, Energie oder Information umgewandelt, transportiert oder gespeichert wird.

3.14
Produkt
geplantes oder fertiges Arbeitsergebnis oder Ergebnis eines natürlichen oder künstlichen Prozesses

[IEC 81346-1:2009]

3.15
Referenzkennzeichen
Indikator eines spezifischen Objekts, gebildet in Bezug auf das System, von welchem das Objekt Bestandteil ist, basierend auf einem oder mehreren Aspekten des Systems

[IEC 81346-1:2009]

3.16
Signal
Informationseinheit, die von einem Objekt zu einem anderen übertragen wird

ANMERKUNG Nachrichten (Signaleinheiten) können in einem Kommunikationsnetzwerk in Form von Telegrammen gesandt werden. Solche Nachrichten können ein oder mehrere Signale repräsentieren.

[IEC 61175:2005]

3.17
Einzelebenen-Referenzkennzeichen
Referenzkennzeichen, zugeordnet in Bezug auf das Objekt, von welchem das spezifische Objekt direkter Bestandteil in einem Aspekt ist

ANMERKUNG Ein Einzelebenen-Referenzkennzeichen beinhaltet keinerlei Referenzkennzeichen von Objekten in höheren oder tieferen Ebenen.

[IEC 81346-1:2009]

3.18
Struktur
Gesamtheit der Beziehungen zwischen Elementen eines Systems

[IEC 60050-351:2006]

3.19
System
Gesamtheit miteinander in Verbindung stehender Objekte, die in einem bestimmten Zusammenhang als Ganzes gesehen und als von ihrer Umgebung abgegrenzt betrachtet werden

ANMERKUNG 1 Ein System wird im Allgemeinen hinsichtlich seiner Zielsetzung, z. B. der Ausführung einer bestimmten Funktion, definiert.

ANMERKUNG 2 Objekte eines Systems können natürliche oder künstliche Gegenstände oder auch Denkweisen und deren Ergebnisse (z. B. Organisationsformen, mathematische Verfahren, Programmiersprachen) sein.

ANMERKUNG 3 Das System wird als von der Umgebung und anderen äußeren Systemen durch eine gedachte Hüllfläche abgegrenzt betrachtet, welche die Verbindungen zwischen diesen Systemen und dem betrachteten System durchschneidet.

ANMERKUNG 4 Die Benennung „System" sollte näher erläutert werden, wenn aus dem Zusammenhang nicht klar hervorgeht, worauf sich diese Benennung bezieht. Beispiele sind Leitsystem, farbmetrisches System, Einheitensystem, Übertragungssystem.

ANMERKUNG 5 Ist ein System Bestandteil eines anderen Systems, kann es als Objekt im Sinne dieser Norm betrachtet werden.

[IEC 81346-1:2009]

3.20
Anschluss
Zugangspunkt zu einem Objekt, das zur Verbindung mit einem externen Netzwerk vorgesehen ist

ANMERKUNG 1 Der Anschluss kann sich beziehen auf a) eine physikalische Schnittstelle zwischen elektrischen Leitern und/oder Kontakten oder Rohrleitungs- und/oder Kanalsystemen zum Bereitstellen von Signal-, Energie- oder Materialflusswegen, b) eine Verbind funktionaler Art zwischen Logikelementen, Programmmodulen usw. zur Übermittlung von Information.

ANMERKUNG 2 Die externen Netzwerke können von unterschiedlicher Art und dementsprechend klassifiziert sein. In IEC 81714-3 sind derartige Klassifikationen bereitgestellt.

[IEC 61666:2010]

4 Kennzeichnungssystematik

4.1 Allgemeines

4.1.1 Kennzeichnungssystematik ist der wohlgeordnete und methodische Prozess zur Bildung von Kennzeichen auf der Grundlage einfacher Regeln unter Beachtung folgender Forderungen:

a) Durchgängigkeit über alle Phasen (z. B. Planung, Betrieb, Rückbau) und technischen Disziplinen (z. B. Verfahrens-, Bau-, Maschinen- und Elektrotechnik) eines Projektes;

b) Erfüllung ergonomischer Grundsätze nach ISO 12100, ISO 9355-1 und ISO 9355-2 unter Beachtung der Anforderungen von Arbeitsschutz und Sicherheit (Gefährdungsanalyse, Fehlersuche, Arbeitsaufträge, Versionspflege usw.) usw.;

— einfacher Kennzeichenaufbau,

— leicht merkbare Darstellung,

— klare Lesbarkeit und Einprägsamkeit,

— fehlerfreie Interpretation.

c) Verbesserung des Informationsmanagements und der Qualitätssicherung der Information z. B. durch Anwendung des Kennzeichens als:

— Identifikator für Daten- und Dokumentenmanagementsysteme,

— Identifikator für Konfigurations- und Qualitätsmanagementsysteme,

— Querverweis zwischen physikalischer Wirklichkeit und Dokumentation.

Die Kennzeichnung muss alle Objekte und zugeordnete Information klar und eindeutig identifizieren in Bezug auf ihre Aufgabe, Realisierung und Örtlichkeit.

Die Kennzeichnung muss die reale Struktur eines Objektes und die Beziehungen zu anderen Objekten beschreiben.

Die Kennzeichnung der Teile von Systemen muss so erweiterbar sein, dass das System in irgend ein anderes System eingefügt werden kann, ohne dass eine Änderung der Referenzkennzeichen der betroffenen Systeme notwendig wird.

4.1.2 IEC 81346-1 bietet eine Reihe von Möglichkeiten zur Bildung von Referenzkennzeichen. In vielen Fällen ist jedoch die Anwendung einer Teilmenge der angebotenen Möglichkeiten aus IEC 81346-1 ausreichend. Zur einheitlichen Anwendung in der Praxis stellt dieser Teil der ISO 81346 klare und leicht verständliche Regeln und Leitlinien bereit und definiert Festlegungen:

— zu Kennzeichnungsaufgaben (siehe Abschnitt 5);

— zum allgemeinen und branchenneutralen Aufbau der Kennzeichen (siehe Abschnitt 6).

4.1.3 Dieser Teil der ISO 81346 legt nur die Grundregeln fest. Detaillierte und spezifische Anforderungen befinden sich in den branchenspezifischen Teilen, um die spezifischen Bedürfnisse der verschiedenen Anwendungsbereiche abzudecken. Diese spezifischen Anforderungen enthalten:

— verwendete Teilmenge der Kennzeichnungsmöglichkeiten;

— Kennbuchstaben für die Infrastrukturobjekte;

— Referenzkennzeichen zur eindeutigen Identifizierung des technischen Objektes (Hauptaspekt);

— Übergänge zwischen verschiedenen Aspekten;

— branchenspezifischer Kennzeichenaufbau;

— Zuordnung der Strukturebenen zu den jeweiligen Tabellen der Kennbuchstaben;

— zusätzliche Aspekte.

4.1.4 Darüber hinaus sind projektspezifisch folgende Festlegungen zu treffen und zu dokumentieren:

— Gemeinsame Zuordnung;

— Schreibweise, z. B. in Dokumenten, auf Schildern, auf Bildschirmen.

4.1.5 Die gewählte Struktur mit den korrespondierenden Referenzkennzeichen muss dokumentiert werden, nicht nur in den jeweiligen Objekt beschreibenden Dokumenten, sondern auch in einer getrennten, Struktur beschreibenden, Dokumentation.

Für ein bestimmtes Projekt müssen zu Beginn des Kennzeichnungsprozesses die allgemeinen Regeln aufgelistet und die spezifischen Festlegungen in Form von Projektanweisungen dokumentiert werden.

4.1.6 Ein Beispiel für einen Kennzeichnungsprozess in einem Projekt findet sich in Anhang A. Anhang B gibt Anwendungsbeispiele. Weitere Begriffe, die im Zusammenhang mit „Kennzeichnungssystematik" verwendet werden und hilfreich für die Erarbeitung der branchenspezifischen Teile dieser Internationalen Norm sind, finden sich in Anhang C.

4.2 Kennzeichnungsprozess

Der Kennzeichnungsprozess besteht aus folgenden Teilprozessen:

Ausgehend von Prozessfließschemata, Übersichtsschemata, Lageplänen usw., die dazu dienen, die Struktur des Gesamtprojektes nach IEC 81346-1 zu beschreiben, muss das Gesamtobjekt nach verschiedenen Gesichtspunkten strukturiert werden. So kann beispielsweise ein Standort mit verschiedenen technischen Einrichtungen in spezifische Bereiche aufgeteilt werden (z. B. Fabrik, Kraftwerk). Diese Objekte müssen als oberster Knoten der Struktur definiert werden und dienen als Startpunkt für Untergliederungen in unterlagerten aspektorientierten Strukturen (siehe 5.3.1).

In einem frühen Planungsstadium muss die aufgabenbezogene Darstellung der Objekte in eine hierarchische funktionsbezogene Baumstruktur übertragen werden. In weiteren Phasen müssen die Produkte, die diese in der Funktionsstruktur beschriebenen Aufgaben erfüllen, definiert und strukturiert werden. Um die Örtlichkeit der Produkte zu kennzeichnen, muss das Gesamtobjekt nach dem Ortsaspekt strukturiert werden. Die Strukturierung muss nach den Regeln der Bestandsbeziehung erfolgen, d. h. ein Objekt ist Bestandteil von nur einem einzelnen höheren Objekt, kann selbst mehrere Bestandteile enthalten. Der Vorgang der Unterteilung ist beendet, wenn das für einen festgelegten Zweck kleinste Teil erreicht wurde.

Teilobjekte müssen während des Kennzeichnungsprozesses definiert und klassifiziert werden. Zur Klassifizierung von Teilobjekten kann IEC 81346-2:2009, Tabelle 1 verwendet werden; für nicht-aspekt-spezifische Zwecke und/oder branchen- oder projektspezifische Zwecke stehen Tabellen mit Kennbuchstaben bereit, die mit IEC 81346-2:2009, Tabelle 2 übereinstimmen. Werden beide Methoden innerhalb eines Projektes angewandt, muss die Zuordnung von Strukturebene zur jeweiligen Kennbuchstabentabelle definiert sein. Die Bestandteile eines Objektes werden gemäß ihrer Position in der Struktur (Strukturebene) nach den Vorgaben der vereinbarten Tabellen klassifiziert.

Das Vorzeichen für den Aspekt, der Kennbuchstabe für die Objektklasse und eine zusätzliche Nummer bilden das Einzelebenen-Referenzkennzeichen. Die Nummer wird zur Unterscheidung von Objekten verwendet, die zur selben Klasse und zum selben übergeordneten Objekt gehören. Durch Aneinanderkettung von Einzelebenen-Referenzkennzeichen für jedes Objekt, das in dem Pfad dargestellt wird, beginnend mit dem obersten Einzelebenen-Referenzkennzeichen, entsteht das Mehrebenen-Referenzkennzeichen.

Um eine eindeutige Kennzeichnung zu erreichen, ist es notwendig, aufgabenspezifisch für technische Objekte, Signale, Anschlüsse, Dokumente Kennzeichenkombinationen zu schaffen wie in Abschnitt 6 beschrieben.

Die Kennzeichnung muss angewendet werden für die Beschilderung technischer Objekte in der Anlage, für die Kennzeichnung von Dokumenten und zur Identifizierung der dargestellten Objekte in Dokumenten.

Referenzkennzeichen mit unterschiedlichen Aspekten können in Datenbanken zur Vernetzung von Informationen in verschiedenen Datensätzen verwendet werden. Dies führt zu einer Reihe von aufgabenbezogenen Möglichkeiten der Auswertung, z. B. Information über die Örtlichkeit von Produkten, die eine Funktion realisieren, die als gestört signalisiert wird.

Bild 1 zeigt die schematische Darstellung des Kennzeichnungsprozesses.

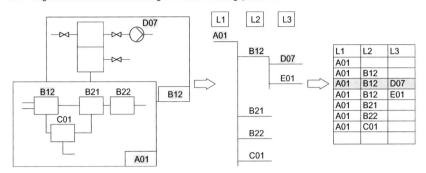

Bild 1 — Schematische Darstellung des Kennzeichnungsprozesses

5 Kennzeichnungsaufgaben

5.1 Allgemeines

Ein Referenzkennzeichen muss

— ein Objekt identifizieren,

— Information bereitstellen, zu welcher Klasse das Objekt gehört,

— Information bereitstellen, an welcher Position der Struktur sich das Objekt befindet.

5.2 Gemeinsame Zuordnung

An einem Standort können verschiedene Anlagen vorkommen. Um diese Anlagen zu adressieren, kann es erforderlich sein, die „Gemeinsame Zuordnung" anzuwenden. Die „Gemeinsame Zuordnung" ist ein Referenzkennzeichen für Anlagen/Systeme in Hinblick auf Standort, nicht auf einen der definierten Aspekte.

ANMERKUNG   In IEC 81346-1 wird der Aspekt-Typ „anderer Aspekt" (für Aspekte siehe 5.3.1.1) zusammen mit dem Vorzeichen „#" eingeführt. Die „Gemeinsame Zuordnung" wird als einer dieser „anderen Aspekte" betrachtet.

Der Gebrauch der „Gemeinsamen Zuordnung" ist optional. Anwendung, Struktur und Anzahl der Datenstellen müssen projektspezifisch definiert werden.

Wird dieses Kennzeichen als Teil des Identifikators genutzt (siehe 6.1), können Systeme, Objekte und Produkte, welche die gleiche Aufgabe in verschiedenen Anlagen erfüllen, das gleiche Referenzkennzeichen haben. Die Eindeutigkeit des Kennzeichens ist durch die unterschiedliche „Gemeinsame Zuordnung" gewährleistet. Die Anwendung der „Gemeinsamen Zuordnung" bietet erhebliche ergonomische Vorteile. Auch wenn Ausrüstungsteile von Anlage zu Anlage verschoben werden, sind die notwendigen Änderungen des Kennzeichens gering. Dies gilt analog für die Ortskennzeichen.

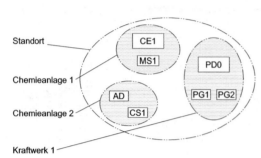

Kennzeichen	Bezeichnung
#CP1	Chemieanlage 1
#CP1CE1	CP1, Elektrolyse 1
#CP1MS1	CP1, Materiallager 1
#CP2	Chemieanlage 2
#CP2AD1	CP2, Verwaltung
#CP2CS1	CP2, Zentrallager 1
#PP1	Kraftwerk 1
#PP1PD0	PP1, Verteilung
#PP1PG1	PP1, Erzeugung 1
#PP1PG2	PP1, Erzeugung 2

Bild 2 — Gemeinsame Zuordnung, Kennzeichnungsprinzip

5.3 Kennzeichnung technischer Objekte

5.3.1 Referenzkennzeichen

5.3.1.1 Aspekte

Das Referenzkennzeichen identifiziert Objekte mit dem Zweck, Informationen über ein Objekt in unterschiedlichen Dokumentenarten und den Produkten, mit dem das System realisiert ist, in Beziehung zu setzen.

Ein System wie auch jedes dazugehörige Objekt kann auf verschiedene Weise – genannt Aspekte – betrachtet werden (siehe Bild 3):

Fragen:

— Was tut das System oder Objekt? (Funktionsaspekt);

— Wie ist das System oder Objekt zusammengesetzt? (Produktaspekt);

— Wo befindet sich das System oder Objekt? (Ortsaspekt).

ANMERKUNG   In IEC 81346-1 wird der Aspekt-Typ „anderer Aspekt" zusammen mit dem Vorzeichen „#" eingeführt. Dieser Aspekt-Typ wird in diesem Teil der ISO 81346 als „Gemeinsame Zuordnung" angewendet, siehe 5.2.

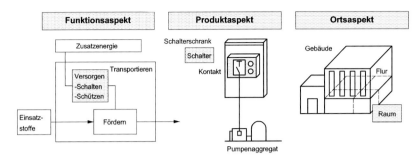

Bild 3 — Aspekte

Erläuterungen:

— Es sind Stoffe innerhalb eines Transportprozesses zu fördern. Diese Aufgabe erfordert u. a. elektrische Energie, die geschaltet wird durch eine Steuerung. Die Ausrüstung muss geschützt werden vor den Folgen von Kurzschluss und Überlast (Funktionsaspekt).

— Ein Schalter mit Kontakten ist Teil eines Schaltschrankes (Produktaspekt).

— Ein Gebäude mit Fluren enthält eine Anzahl von Räumen (Ortsaspekt).

5.3.1.2 Strukturen

In Hinblick auf die drei Aspekttypen in 5.3.1.1 und unter Beachtung der Regeln der Bestandsbeziehung können drei voneinander unabhängige Strukturen erzeugt werden (siehe Bild 4).

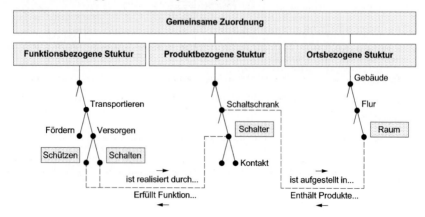

Erläuterungen:

Die Beziehungen zwischen den Objekten (dargestellt durch Knoten) innerhalb eines Strukturbaumes sind hierarchische Bestandsbeziehungen z. B:

— Der Schaltschrank besteht aus Schaltern usw., der Schalter besteht aus Kontakten usw.

— Der Kontakt ist Bestandteil des Schalters, der Schalter ist Bestandteil des Schaltschrankes.

Die Beziehungen zwischen den Objekten (dargestellt durch Knoten) in verschiedenen Strukturbäumen sind nichthierarchische pragmatische Beziehungen oder Rollenrelationen (dargestellt durch gestrichelte Linien). Sie eröffnen eine Menge von Möglichkeiten, umfassende Information über die Anlage zu gewinnen, z. B.:

— Die beiden Grundaufgaben des Schaltens und Schützens sind realisiert mit einem Schalter. Dieses Gerät ist Bestandteil eines Schaltschrankes der in einem bestimmten Raum eines Flures innerhalb eines Gebäudes aufgestellt ist.

— Ein Raum enthält Schaltschränke mit Schaltern, einer davon erfüllt die Funktionen Schalten und Schützen innerhalb des Transportprozesses.

Bild 4 — Strukturen und Relationen

5.3.2 Kennzeichnung der funktionsbezogenen Struktur

Der funktionsbezogene Aspekt basiert auf dem Zweck des Systems, ohne notwendigerweise den Ort und/oder die Produkte, die die Funktionen realisieren, zu beachten.

Eine Erweiterung des Funktionsaspektes ermöglicht z. B. folgende Unterteilungen:

— Funktionseinheiten mit dynamischen Wirkungen,

— Leitfunktionen,

— Energieversorgungsfunktion.

Eine genaue Definition muss in den branchenspezifischen Teilen dieser Internationalen Norm erfolgen.

Die Kennzeichnung nach dem Funktionsaspekt wird bevorzugt verwendet in frühen Planungsphasen eines Projektes ohne die Realisierung zu berücksichtigen. Normalerweise wird dieser Typ der Kennzeichnung zunächst vom Planer des Gesamtprozesses verwendet (top-down-Methode).

5.3.3 Kennzeichnung der produktbezogenen Struktur

Der produktbezogene Aspekt basiert auf der Art und Weise, in der ein System realisiert, zusammengesetzt oder geliefert wird, ohne notwendigerweise deren Funktionen und/oder Orte in Betracht zu ziehen.

Eine Erweiterung des Produktaspektes erfordert eine genaue Definition in erläuternder Dokumentation.

Die Kennzeichnung nach dem Produktaspekt wird vorzugsweise angewandt für Baueinheiten, wie sie aus ihren Teilen zusammengesetzt sind, ohne notwendigerweise deren Funktionen und/oder Orte in Betracht zu ziehen.

5.3.4 Kennzeichnung der ortsbezogenen Struktur

Der ortsbezogene Aspekt basiert auf der topologischen Anordnung eines Systems und/oder auf der Umgebung, in der sich das System befindet ohne notwendigerweise Produkte und/oder Funktionen in Betracht zu ziehen.

Eine Erweiterung des Ortsaspektes ermöglicht die Unterscheidung nach:

— Kennzeichnung von Orten innerhalb einer Einbaueinheit (Einbauaspekt) sowie die Kennzeichnung von Orten an maschinentechnischen Komponenten (Anbauaspekt),
— Kennzeichnung der Orte innerhalb der Anlage (Aufstellungsaspekt).

Die Kennzeichnung nach dem Ortsaspekt wird bevorzugt angewandt zur Kennzeichnung von Objekten, die vorwiegend die Aufgabe erfüllen, Orte für andere Objekte zur Verfügung zu stellen. Der Anlagenplaner nutzt diesen Kennzeichnungstyp, um Ausrüstungsteile ihren Orten zuzuweisen (d. h. Aufstellung, Montage, Inbetriebnahme).

5.3.5 Kennzeichnung von Objekten unter Verwendung unterschiedlicher Aspekte

Es ist oft angebracht, für ein Objekt unterschiedliche Aspekte anzuwenden. Unterschiedliche Aspekte für aufeinander folgende Objekte dürfen angewendet werden, indem ein Übergang von einem Aspekt zu einem anderen gemacht wird.

Die häufigste Anwendung dieser Methode ist der Übergang vom Funktions- zum Produktaspekt, wenn eine Funktion vollständig durch ein Produkt realisiert wird und es kein Teilprodukt gibt, welches selbst diese Funktion vollständig erfüllt.

Bild 5 zeigt den Übergang vom Funktionsaspekt zum Produktaspekt und stellt den Unterschied zwischen Übergang und Zuordnung dar.

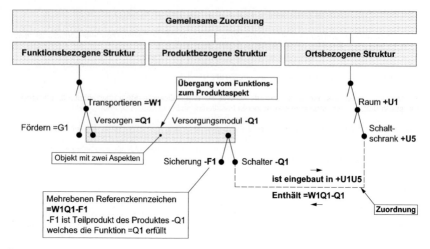

Erläuterung:

Das produktorientierte Kennzeichen –F1 für das Teilprodukt „Sicherung" ist dem funktionsorientierten Kennzeichen =Q1 der Funktion „Versorgung" angefügt (im Sinne von „ist Bestandteil von **Produkt –Q1**") und bildet in dieser Kombination ein klares und eindeutiges Kennzeichen.

Bild 5 — Übergang vom Funktionsaspekt zum Produktaspekt

Die Anwendung dieser Methode ermöglicht die produktspezifische Vergabe von Kennzeichen für eigenständige Produkte durch den Hersteller, die dann leicht an bestehende funktionsbezogene Strukturen und Kennzeichen angefügt werden können.

Weitere Leitlinien zur Anwendung von Übergängen finden sich in den branchenspezifischen Teilen dieser Internationalen Norm.

5.4 Kennzeichnung anderer Objekte

5.4.1 Kennzeichnung von Signalen

Falls eine Kennzeichnung gefordert ist, müssen Signale eindeutig gekennzeichnet werden (siehe 6.4.3).

Ein Signal repräsentiert eine Information, die von einem Objekt zu einem anderen übertragen wird, unabhängig vom Medium, das für die Übertragung verwendet wird.

Das Signalkennzeichen ist ein wichtiges Mittel zur Koordinierung des Datenflusses und dient als Wegweiser zur Signalverfolgung in der technischen Dokumentation.

5.4.2 Kennzeichnung von Anschlüssen

Falls eine Kennzeichnung gefordert ist, müssen Anschlüsse eindeutig gekennzeichnet werden (siehe 6.4.4).

Anschlüsse sind Zugangspunkte zu einem Objekt, das zur Verbindung mit einem externen Netzwerk vorgesehen ist. Zusätzlich zu elektrischen Netze zählen hierzu Rohrleitungssysteme und Datennetze zur Bereitstellung von Material-, Energie- und Informationsflusswegen.

Elektrische, mechanische und funktionale Anschlüsse müssen deutlich gekennzeichnet sein.

5.4.3 Kennzeichnung von Dokumenten

Falls eine Kennzeichnung gefordert ist, müssen Dokumente eindeutig gekennzeichnet werden (z. B. mit einer Zeichnungsnummer).

Dokumente stellen Information bereit, die für die verschiedensten Aktivitäten und Zwecke während des gesamten Lebenslaufs einer Anlage, eines Systems oder Betriebsmittel benötigt werden.

Das Dokumentenkennzeichen dient dabei als Adresse auf und in Dokumenten und ist ebenso eine eindeutige Adresse in Dokumentenmanagementsystemen.

Wird zusätzlich zu diesem eindeutigen Dokumentenkennzeichen eine Kennzeichnung in Bezug auf das dargestellte Objekt gefordert, so müssen die Regeln nach 6.4.5 eingehalten werden.

6 Aufbau des Kennzeichens

6.1 Syntax Übersicht

Die Vielfalt industrieller Systeme, Anlagen und Betriebsmittel und von industriellen Produkten sowie die unterschiedlichen Betrachtungsweisen erfordern verschiedene Kennzeichen, die dies entsprechend abdecken. Die Lösung ist ein Identifikator, der aus drei Hauptteilen besteht (siehe Bild 6), die entsprechend ihren Zwecken und Aufgaben unterschiedlich aufgebaut sind.

Die drei Teile des Identifikators sind:

— Gemeinsame Zuordnung (siehe 6.2);

— Referenzkennzeichen (siehe 6.3);

— Spezifisches Kennzeichen (siehe 6.4).

Bild 6 — Teile des Identifikators

ANMERKUNG   Für Dokumente wird „Referenzkennzeichen" „Objektkennzeichen" genannt (siehe 6.4.5).

Die unterschiedlichen Kennzeichnungsanforderungen der verschiedenen technischen Bereiche haben eine große Anzahl Kombinationen der Identifikator-Teile zu Folge. Tabelle 1 zeigt einige der am häufigsten vorkommenden Kombinationen. In den meisten Fällen ist das Referenzkennzeichen wesentlicher Teil des Identifikators während die „Gemeinsame Zuordnung" ein optionales Element ist und das „Spezifische Kennzeichen" nur angewendet werden muss, wenn dies erforderlich ist.

Tabelle 1 — Beispiele für Kombinationen von Teilen des Identifikators

Gemeinsame Zuordnung		
Gemeinsame Zuordnung	Referenzkennzeichen	
Gemeinsame Zuordnung	Referenzkennzeichen	Spezifisches Kennzeichen
Gemeinsame Zuordnung		Spezifisches Kennzeichen
	Referenzkennzeichen	
	Referenzkennzeichen	Spezifisches Kennzeichen

6.2 Gemeinsame Zuordnung

Die „Gemeinsame Zuordnung" besteht aus dem Vorzeichen „#" gefolgt von einer Reihe von Zeichen (Buchstaben und/oder Ziffern). Die Gesamtzahl sollte 12 nicht überschreiten. Werden Buchstaben verwendet, so müssen lateinische Grossbuchstaben verwendet werden. Die Buchstaben „I" und „O" sollten nicht verwendet werden, wenn die Gefahr der Verwechslung mit den Ziffern „1" und „0" (Null) besteht. Werden Ziffern verwendet, so müssen die arabischen Ziffern „1" bis „9" und „0" verwendet werden.

Wird die „Gemeinsame Zuordnung" verwendet, muss sie den ersten Teil des Identifikators bilden.

Der Kennzeichenaufbau für die „Gemeinsame Zuordnung" ist im Bild 7 dargestellt.

Abschnitt	0	1
Datentyp	#	A...N

Vorzeichen ⎯⎯
Kennzeichnung von Standort, Werk, Anlagenkomplex, ⎯⎯⎯⎯⎯⎯⎯⎯⎯⎯⎯⎯⎯⎯⎯⎯⎯⎯⎯⎯
Kraftwerksblock, Ausbaustufe usw.

Bild 7 — Aufbau der „Gemeinsamen Zuordnung"

6.3 Referenzkennzeichen

6.3.1 Einzelebenen Referenzkennzeichen

IEC 81346-1 erlaubt drei Varianten zum Aufbau des Einzelebenen-Referenzkennzeichens. Ein Einzelebenen-Referenzkennzeichen, welches einem Objekt zugeordnet ist, muss aus einem Vorzeichen bestehen, gefolgt von wahlweise:

— einem Buchstabencode;

— einem Buchstabencode, gefolgt von einer Zahl;

— einer Zahl.

Sind Anforderungen an Ergonomie und Arbeitssicherheit (z. B. Lesbarkeit, Einprägsamkeit, fehlerfreie Interpretation) zu erfüllen, muss das Einzelebenen-Referenzkennzeichen nach Bild 8 aufgebaut sein.

Abschnitt	0	1	2
Datentyp	= - +	A	N

Vorzeichen (siehe 6.3.3) ⎯⎯⎯⎯⎯⎯⎯⎯⎯⎯⎯⎯⎯⎯⎯⎯⎯⎯⎯⎯⎯⎯⎯⎯⎯⎯
Kennbuchstaben (siehe 6.3.4) ⎯⎯⎯⎯⎯⎯⎯⎯⎯⎯⎯⎯⎯⎯⎯⎯⎯⎯⎯⎯⎯⎯⎯
Zahlen (siehe 6.3.5) ⎯⎯⎯⎯⎯⎯⎯⎯⎯⎯⎯⎯⎯⎯⎯⎯⎯⎯⎯⎯⎯⎯⎯⎯⎯⎯⎯⎯⎯⎯

Bild 8 — Aufbau des Einzelebenen-Referenzkennzeichens

Zur Unterstützung von Lesbarkeit und Einprägsamkeit sollten nicht mehr als 3 Buchstaben oder Ziffern verwendet werden.

6.3.2 Mehrebenen-Referenzkennzeichen

Ein Mehrebenen-Referenzkennzeichen ist die kodierte Darstellung des Pfades vom obersten Ende eines Strukturbaumes bis hinunter zum betrachteten Objekt. Es muss durch Aneinanderkettung der Einzelebenen-Referenzkennzeichen für jedes Objekt gebildet werden, das in dem Pfad dargestellt wird, wobei bei dem obersten Knoten angefangen werden muss.

Ist das Vorzeichen für ein Einzelebenen-Referenzkennzeichen dasselbe wie dasjenige für das davor stehende Einzelebenen-Referenzkennzeichen, darf das Vorzeichen für die Darstellung im Mehrebenen-Referenzkennzeichen weggelassen werden, vorausgesetzt, dass das davor stehende Kennzeichen mit einer Zahl endet und das folgende mit einem Buchstaben beginnt.

6.3.3 Vorzeichen

Wegen seiner Aufgabe, den Aspekt anzuzeigen, ist das Vorzeichen ein unverzichtbarer Bestandteil des Referenzkennzeichens und ist immer anzugeben. Wenn weitere Sichten auf einen Aspekt notwendig sind, muss das Kennzeichen in Übereinstimmung mit IEC 81346-1 durch Verdoppelung (Verdreifachung usw.) des Vorzeichens gebildet werden (siehe Tabelle 2).

Tabelle 2 — Vorzeichen für Referenzkennzeichen

Vorzeichen	Aspekt
=	Funktion
==	Funktion (weiterer Aspekt)
-	Produkt
- -	Produkt (weiterer Aspekt)
+	Ort
++	Ort (weiterer Aspekt)

6.3.4 Kennbuchstaben

Die Buchstaben des Referenzkennzeichens klassifizieren das Objekt oder die Objektklasse in Bezug auf Zweck oder Aufgabe.

IEC 81346-2:2009 bietet drei Tabellen mit Kennbuchstaben und Regeln für Unterklassen zur gleichrangigen Anwendung:

— Tabellen 1 und 2 definieren Objektklassen und zugehörige Kennbuchstaben für alle Anwendungen.

— Tabelle 3 stellt einen Rahmen für den Aufbau eines Klassifizierungsschemas zur Verfügung und gibt Beispiele für Kennbuchstaben für Infrastrukturobjekte.

Die Anwendung von Tabelle 1 aus IEC 81346-2:2009 ist zwingend vorgeschrieben. Falls zusätzliche Unterklassen benötigt werden, müssen sie Tabelle 2 aus IEC 81346-2:2009 entsprechen.

Werden Tabellen 1 und 2 zusammen mit Tabelle 3 angewendet, muss die Tabelle angezeigt werden, von der eine bestimmte Kennzeichenebene verwirklicht ist.

Für Kennbuchstaben dürfen nur große lateinische Buchstaben außer „I" und „O" verwendet werden, um mögliche Verwechslungen mit den Ziffern „1" und „0" zu vermeiden. Mnemotechnische und regionale Zeichen müssen vermieden werden, um die internationale Anwendbarkeit zu unterstützen.

6.3.5 Zahlen

Zahlen dienen der Unterscheidung zwischen Objekten mit gleichen vorausgehenden Kennzeichenelementen. Es müssen die arabischen Ziffern „1" bis „9" und „0" verwendet werden.

6.4 Spezifische Kennzeichen

6.4.1 Allgemein

Das spezifische Kennzeichen identifiziert:

— Signalnamen nach IEC 61175;

— elektrische, mechanische und funktionale Anschlüsse nach IEC 61666;

— Dokumentenarten nach IEC 61355-1.

Das spezifische Kennzeichen kann bestehen aus:

— Vorzeichen (siehe 6.4.2 und Tabelle 2),

— Kennbuchstaben,

— Zahlen

und muss entsprechend Bild 9 aufgebaut sein.

Abschnitt	0	1
Datentyp	; : &	A...N

Vorzeichen (siehe 6.4.2)
Kennbuchstaben und/oder Zahlen
- Signale (siehe 6.4.3)
- Anschlüsse (siehe 6.4.4)
- Dokumente (siehe 6.4.5)

Bild 9 — Aufbau des spezifischen Kennzeichens

Innerhalb eines Systems oder einer Anlage ist dieser Teil des Identifikators nur eindeutig in Zusammenhang mit dem Referenz- oder Objektkennzeichen oder/und der „Gemeinsamen Zuordnung".

6.4.2 Vorzeichen

Vorzeichen für spezifische Kennzeichen siehe Tabelle 3.

Tabelle 3 — Vorzeichen für spezifische Kennzeichen

Vorzeichen	Aufgabe
;	Signalkennzeichnung
:[a]	Anschlusskennzeichnung
&	Dokumentenkennzeichnung
[a] In IEC 61666 genutzt als Trennzeichen zwischen Referenzkennzeichen und Anschlusskennzeichen und nicht als Teil des Anschlusskennzeichens.	

6.4.3 Signalkennzeichen

Signale müssen in Bezug auf das Objekt durch einen eindeutigen und gültigen Signalnamen und mit dem Signalkennzeichen nach IEC 61175 gekennzeichnet werden (siehe Bild 10).

Bild 10 — Signalkennzeichen

6.4.4 Anschlusskennzeichen

Anschlüsse müssen in Bezug auf das Objekt, zu dem sie gehören und nach IEC 61666 gekennzeichnet werden (siehe Bild 11).

Bild 11 — Anschlusskennzeichen

6.4.5 Dokumentenkennzeichen

Dokumente können in Bezug auf das Objekt, zu dem sie gehören, und mit einem von Lieferanten unabhängigen Kennzeichensystem nach IEC 61355-1 gekennzeichnet werden (siehe Bild 12).

Bild 12 — Dokumentenkennzeichen

Das Referenzkennzeichen wird im Allgemeinen als Objektkennzeichen verwendet.

Anhang A
(informativ)

Kennzeichnungsprozess in einem Projekt

A.1 Allgemeines

Dieser Anhang zeigt den Kennzeichnungsprozess eines Musterprojektes anhand von:

— projektspezifischen Festlegungen (siehe A.2);
— Anwendungsbeispielen für die unterschiedlichen Fachgebiete innerhalb des Projektes wie Bau-, Verfahrens-, Elektro- und Leittechnik (siehe A.3);
— einem Beispiel einer Datenbankauswertung und der Datendarstellung (siehe A.3.6).

A.2 Projektspezifische Festlegungen

Zu Beginn eines Projektes sind die kennzeichnungsrelevanten Festlegungen nach Tabelle A.1 zu treffen:

Tabelle A.1 — Allgemeine Festlegungen

Thema	Festlegungen (Beispiele)
Kennzeichnungsumfang	Gemeinsame Zuordnung (#), Funktion (=), Produkt (–), Einbauort (+), Dokument (&)
Hauptaspekt	Funktion (=)
Zulässige Übergänge (Transitionen)	Vom Funktions- zum Produktaspekt
Zusätzliche Aspekte	Aufstellungsort (++)
Zählrichtung	Von Süd nach Nord, von West nach Ost

Wenn die Gemeinsame Zuordnung im Projekt genutzt werden soll, ist die Gesamtanlage zu betrachten und der Aufbau der Gemeinsamen Zuordnung ist in Übereinstimmung mit der Gesamtanlage festzulegen. Der Aufbau der Gemeinsamen Zuordnung (Beispiele siehe Tabelle A.2) und die projektspezifischen Anwendungsregeln sind zu Beginn eines Projektes in einer spezifischen Kennzeichnungsanweisung niederzuschreiben.

Tabelle A.2 — Beispiele für die Gemeinsame Zuordnung

Gemeinsame Zuordnung	Beschreibung
#WERK1 AD1	Verwaltung 1
#WERK1 AD1	Chemieanlage 1
#WERK1 CP2	Chemieanlage 2
#WERK1 CP3	Chemieanlage 3
#WERK1 PP1	Kraftwerk 1

Die Inhalte der Strukturebenen des Referenzkennzeichens sind entsprechend festzulegen. Für jede Ebene ist die Zuordnung des Klassifikationssystems nach IEC 81346-2:2009, Tabellen 1 bis 3 oder branchenspezifischen Klassentabellen herzustellen. Tabelle A.3 gibt ein Beispiel für eine Zuordnung von Strukturebenen zu Klassifikationssystemen.

Tabelle A.3 — Strukturebenen, Zuordnung zur Klassifikation und alphanumerischer Aufbau

Strukturebene	L1	L2	L3	L4
Datentyp	AN	AANN	AANN	AANN
Korrespondierende Tabelle	Tabelle A.4	Tabelle A.5	Tabelle A.5	Tabelle A.5

Die Klassen der Infrastrukturobjekte (Strukturebene L1 in Tabelle A.3) basieren auf den Regeln nach IEC 81346-2:2009, 5.3 und Tabelle 3.

Tabelle A.4 enthält Beispiele für Infrastrukturobjekte für eine Chemieanlage nach IEC 81346-2:2009, Tabelle 4.

Tabelle A.4 — Infrastrukturobjekte

Kennzeichen	Beschreibung
D1	Zerkleinerungsanlage
E1	Trennungsanlage
E2	Reaktionsanlage
E3	Eindampfungsanlage
G1	Rückgewinnungsanlage
F1	Destillieranlage
H1	Abgaswäsche
S1	Elektrisches Energiesystem

Für die Strukturebenen L2, L3 und L5 in Tabelle A.3 sollten die Objektklassen nach IEC 81346-2:2009, Tabelle 2 angewendet werden. Tabelle A.5 gibt Beispiele für Kennbuchstaben zur Klassifizierung von aspektbezogenen Strukturen.

Tabelle A.5 — Klassen von aspektbezogenen Strukturen

Kenn-buchstabe	Funktionsaspekt (Funktionseinheit)	Produktaspekt (Baueinheit)
BT	Temperatur	Temperatursensor
CM	Geschlossenes Speichern von Stoffen an festem Ort (Sammlung, Lagerung)	Tank, Silo
EP	Erzeugung von Wärmeenergie durch Energieaustausch	Kondensator, Wärmeaustauscher
FL	Schützen gegen gefährliche Druckzustände	Sicherheitsarmatur
GP	Initiieren eines Flusses von flüssigen und fließfähigen Stoffen, angetrieben mittels Energieversorgung	Pumpe
HP	Trennen von Stoffgemischen durch thermische Verfahren	Destillationskolonne
HQ	Trennen von Stoffgemischen durch Filtern	Flüssigkeitsfilter
KF	Verarbeitung von elektrischen und elektronischen Signalen	Regler
MA	Antreiben durch elektromagnetische Wirkung	Elektromotor
PG	Visuelle Anzeige von Einzelvariablen	Durchflussanzeiger, Thermometer
QA	Schalten und Variieren von elektrischen Energiekreisen	Leistungsschalter
QC	Erden von elektrischen Energiekreisen	Erdungsschalter
QM	Schalten eines Flusses fließfähiger Stoffe in geschlossenen Umschließungen	Absperrarmatur
QN	Verändern eines Flusses fließfähiger Stoffe in geschlossenen Umschließungen	Regelarmatur
SF	Bereitstellen eines elektrischen Signals	Schalter, Sollwerteinsteller
TA	Umwandeln elektrischer Energie unter Beibehaltung der Energieart und Energieform	Transformator
TF	Umwandeln von Signalen (Beibehaltung des Informationsinhaltes)	Verstärker
UC	Umschließen und Tragen von Einrichtungen elektrischer Energie	Schalttafel, Schrank

Die im Anwendungsbeispiel Abschnitt A.3 verwendeten ortsaspektbezogenen Infrastrukturobjektklassen (++, siehe Tabelle A.1) sind in Tabelle A.6 aufgeführt.

Tabelle A.6 — Ortsaspektbezogene Infrastrukturobjekte

Ortsaspektbezogene Kennzeichnung	Beschreibung
++E1	Gebäude für Reaktions- und Eindampfungsanlage
++F1	Destillationsgebäude
++S1	Schaltanlagengebäude

A.3 Anwendungsbeispiele

A.3.1 Gemeinsame Zuordnung

In dieser obersten Kennzeichnungsebene sind die Komplexe der Gesamtanlage identifiziert. Bild A.1 zeigt die Gesamtansicht der Anlage WERK1. Die Kennzeichen sind in Übereinstimmung mit Tabelle A.2.

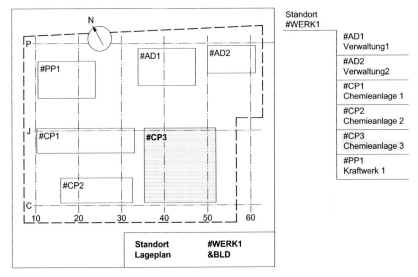

Bild A.1 — Lageplan des Standortes WERK1

A.3.2 Bautechnik

In der Strukturebene L1 (siehe Tabelle A.3) des Referenzkennzeichens sind alle Gebäude nach ihrem Ortsaspekt gekennzeichnet. Die Kennzeichen sind in Übereinstimmung mit Tabelle A.6. Bild A.2 zeigt den Lageplan der Chemieanlage 3.

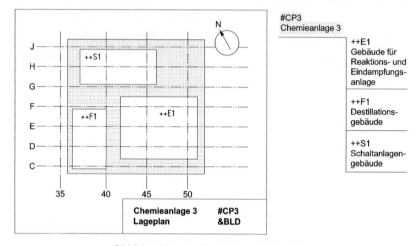

Bild A.2 — Lageplan der Chemieanlage 3 (#CP3)

A.3.3 Verfahrenstechnik

Der Funktionsaspekt ist der dominante Aspekt bei der verfahrenstechnischen Strukturierung. Die Regeln der ISO 10628 unterstützen den Strukturierungs- und Kennzeichnungsprozess. Bild A.3 zeigt den gesamten Produktionsprozess der Chemieanlage 3.

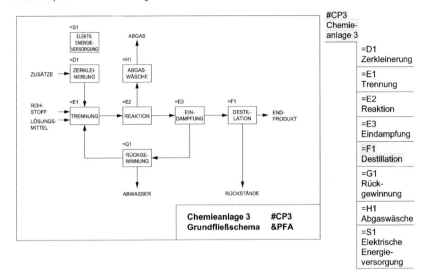

Bild A.3 — Grundfließschema der Chemieanlage 3 (#CP3)

Bild A.4 zeigt den Teilprozess der Destillation (=F1 in Bild A.3) in einem Verfahrensfließschema und die Strukturebenen L1 und L2 nach Tabelle A.3.

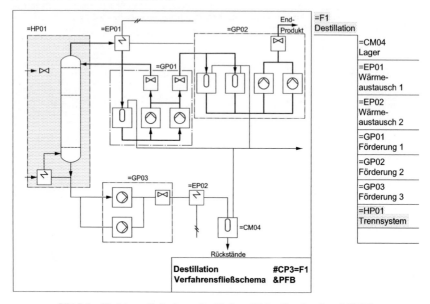

Bild A.4 — Verfahrensfließschema Destillation =F1 der Chemieanlage 3 (#CP3)

Bild A.5 zeigt das „Trennsystem" auf der Strukturebene L3 als Bestandteil des Teilprozesses Destillation =F1 der Chemieanlage 3 (#CP3) in einem Rohrleitungs- und Instrumentenfließschema (R&I-Fließschema).

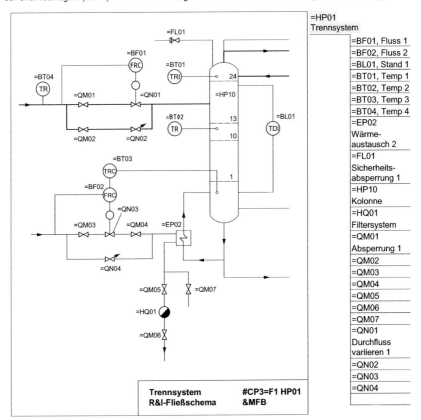

Bild A.5 — R&I-Fließschema des Trennsystems =HP01

A.3.4 Elektrotechnik

Bild A.6 zeigt einen Teil des elektrischen Energieversorgungssystems (Verteilung, Umformung). Die Strukturebenen L1 und L2 einschließlich der Gemeinsamen Zuordnung (#CP3) und die Verbindung zum Teilprozess Destillation (=F1) sind ebenfalls dargestellt.

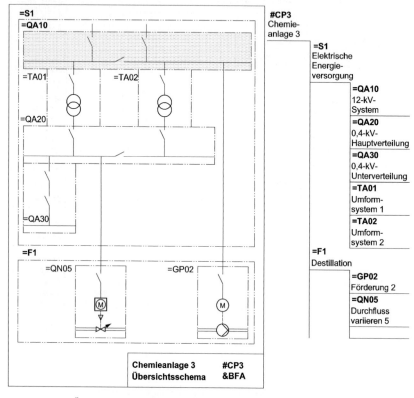

Bild A.6 — Übersichtsschema Elektrische Energieversorgung der Chemieanlage 3 (#CP3)

Bild A.7 zeigt das Übersichtsschema des „12-kV-Systems" als funktionsbezogenes System. Dargestellt sind die Strukturebenen L2 und L3.

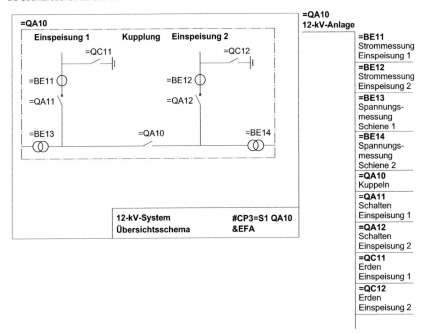

Bild A.7 — Übersichtsschema 12-kV-System, =QA10

Bild A.8 zeigt das Energieversorgungssystem unter dem Aspekt des „Einbauortes" (+).

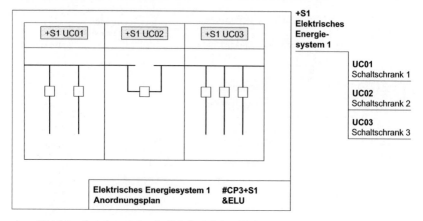

Bild A.8 — Anordnungsplan der Schaltschränke +S1 des Energieversorgungssystems

A.3.5 Leittechnik

Bild A.9 zeigt die Messwerterfassung im Prozess, die Signalverarbeitung und Prozesssteuerung in einem Funktionsschema. Dargestellt sind die Strukturebenen L3 und L4 und der Übergang vom Funktions- zum Produktaspekt.

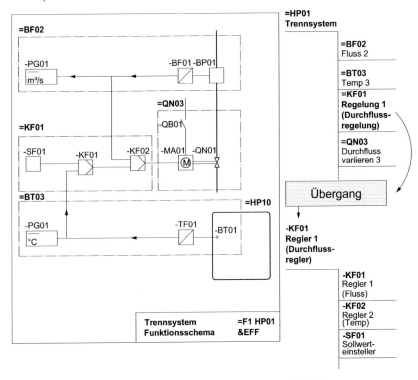

Bild A.9 — Funktionsschema des Trennsystems =F1 HP01

DIN ISO/TS 81346-3 (DIN SPEC 1330):2013-09

A.3.6 Datenbankauswertung

Bild A.10 stellt die Objekt zugeordneten Daten für den Teilprozess Destillation (=F1) und für dessen elektrische Energieversorgung (=S1) beispielhaft in Tabellenform dar. Nicht nur Attribute, sondern auch Zuordnungen und Relationen können den Objektkennzeichen angefügt werden. Unter Ausnutzung des Referenzkennzeichens als Navigationswerkzeug ist eine große Zahl von Auswertungen möglich.

Kennzeichen	Attribute			Zuordnungen/Relationen		
	Bezeichnung	Wert	Typ	Ort 1 (+)	Ort 2 (++)	Bezug
=F1	Distillation					
=F1 GP02	Fördern 2					
=F1 GP02GP01	Pumpsystem					
=F1 GP02GP01-QA01	Leistungsschalter	36 A		+S1 UC03	++S1 UZ08	=S1 QA10QA12
=F1 HP01	Trennsystem					
=F1 HP01BF02	Fluss	0...5 m³/s				
=F1 HP01BT03	Temp	0...120 °C				
=F1 HP01BT03-BT01	Temperaturfühler	0...600 °C	PT100		++F1 UZ01	=F1 HP01HP10
=F1 HP01BT03-TF01	Verstärker	4...20 mA	7ABC12		++F1 UZ02	
=F1 HP01HP10	Kolonne				++F1 UZ01	
=F1 HP01KF01	Regelung					
=F1 HP01KF01-KF01	Regler					=F1 HP01BT03
=F1 HP01KF01-KF02	Regler					=F1 HP01BF02
=F1 HP01KF01-SF01	Sollwerteinsteller	0...10 %				
=F1 HP01QN03	Durchfluss variieren					=F1 HP01KF01
=F1 HP01QN03-MA01	Stellantrieb	40 W	RA4712			
=F1 HP01QN03-QB01	Lastschalter	25 A				=S1 QA21
=S1	Elektrisches Energiesystem					
=S1 QA10	12-kV-System					
=S1 QA10QA11	Einspeisung 1	540 A				
=S1 QA10QA11-QA01	Leistungsschalter	630 A		+S1 UC01	++S1 UZ08	
=S1 QA10QC11-QC01	Erdungsschalter					

Bild A.10 — Datenbankauswertung in Tabellenform

Anhang B
(informativ)

Anwendungsbeispiele

B.1 Gemeinsame Zuordnung

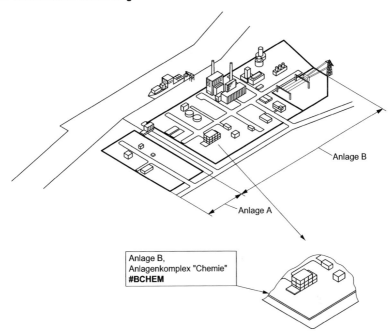

Bild B.1 — Industriestandort; Anlage B, Anlagenkomplex „Chemie"

DIN ISO/TS 81346-3 (DIN SPEC 1330):2013-09

B.2 Funktionsbezogenes Referenzkennzeichen mit Übergang zum Produktaspekt

Allgemein	System	Aufgabe	Teil
Spezifisch	Sprühluftsystem	Druckmessung	Druckmesser
Kennzeichen	=F10	=BP011	-P1

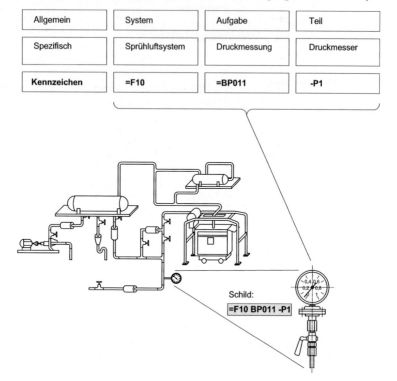

Bild B.2 — Sprühflutsystem mit Druckmessung als Teilaufgabe

B.3 Funktionale Zuordnung

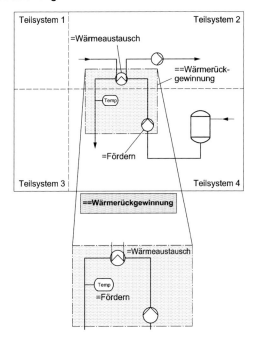

Bild B.3 — Funktionseinheit „Wärmerückgewinnung" bestehend aus den Teilaufgaben „Wärmeaustausch" und „Fördern" (Objekte von Teilsystem 2 und Teilsystem 4)

B.4 Anschlusskennzeichen

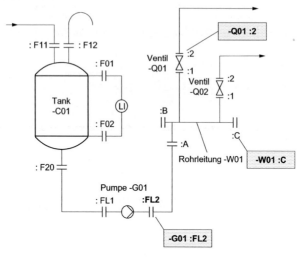

Bild B.4 — Teilsystem mit Anschlüssen an Tank, Pumpe, Ventilen und Rohrleitung

Anhang C
(informativ)

Weitere hilfreiche Begriffe für „Kennzeichnungssystematik"

Die folgenden Begriffe werden im Zusammenhang mit „Kennzeichnungssystematik" verwendet und sind hilfreich für die Erarbeitung der branchenspezifischen Teile dieser Internationalen Norm.[N1)]

C.49
Anlage
<bautechnisch> Gruppe von Baustoffen und Bauteilen, die so positioniert sind, dass sie einen Dienst bereitstellen

[ISO 6707-1:2004]

C.48
Anlage
<elektrotechnisch> ein Apparat oder eine Gruppe von Geräten und/oder Apparaten, die sich zusammen an einer bestimmten Stelle befinden, um bestimmte Zwecke zu erfüllen, einschließlich aller Mittel für ihren ordnungsgemäßen Betrieb

[IEC 60050-151:2001]

C.47
Anlagenkomplex
Anzahl einzelner oder miteinander verbundener verfahrenstechnischer Anlagen mit den dazugehörigen Gebäuden

[ISO 10628:1997]

C.92
Anschluss
<elektrisch> leitender Teil eines Gerätes, einer elektrischer Schaltung oder eines elektrischen Netzes, vorgesehen zum Anschließen dieses Gerätes, der elektrischen Schaltung oder des elektrischen Netzes an einen oder mehrere externe Leiter

ANMERKUNG   Der Begriff „Anschluss" wird ebenfalls genutzt für einen Verbindungspunkt in der Netzwerktheorie (siehe IEC 60050-131).

[IEC 60050-151:2001]

C.93
Anschlusskennzeichen
Identifikator eines Anschlusses in Bezug auf das Objekt, zu dem der Anschluss gehört, und einen Aspekt des Objekts betreffend

[IEC 61666:2010]

[N1)]   Nationale Fußnote: Die Begriffe sind hier alphabetisch geordnet, die Nummern sind nach der englischen Fassung nummeriert.

C.5
assoziative Beziehung
pragmatische Beziehung
Beziehung zwischen zwei Begriffen, die auf nicht-hierarchische Weise aufgrund der Erfahrung thematisch miteinander verbunden sind

ANMERKUNG   Eine assoziative Beziehung besteht zwischen den Begriffen „Erziehung" und „Unterrichten", „Backen" und „Backofen".

[ISO 1087-1:2000]

C.6
Attribut
eine der Eigenschaften einer Entität, möglicherweise unter Einbeziehung einer oder weiterer Entitäten

[IEC 61360-1:2009]

C.38
Ausrüstung, Betriebsmittel
einzelner Apparat oder Gruppe von Geräten oder Apparaten oder die Gesamtheit der Haupt-Geräte einer Anlage, oder alle Geräte, die erforderlich sind, um eine bestimmte Aufgabe zu erfüllen

ANMERKUNG   Beispiele für Ausrüstung, Betriebsmittel sind ein Leistungstransformator, die Ausrüstung einer Unterstation, Messmittel

[IEC 60050-151:2001]

C.7
Automatisierung
Automation
Umstellung von Prozessen oder Einrichtungen auf automatische Arbeitsweise oder das Ergebnis der Umstellung

[ISO/IEC 2382-1:1993]

C.66
Baueinheit
Betrachtungseinheit, deren Abgrenzung nach Aufbau oder Zusammensetzung erfolgt

ANMERKUNG 1   Eine Baueinheit kann eine oder mehrere Funktionseinheiten verwirklichen. Die zugehörige Funktionseinheit wird in einigen Fällen nicht gesondert benannt.

ANMERKUNG 2   Die einzelnen Teile einer Baueinheit müssen nicht funktionell zusammenhängen, zum Beispiel integrierter Schaltkreis mit vier unabhängigen UND-Baugruppen.

ANMERKUNG 3   Für Baueinheiten sollten bei Wortzusammensetzungen in aufsteigender Rangfolge folgende Nachworte verwendet werden:

— …bauelement; (…bauteil);

— …baugruppe;

— …gerät;

— …anlage.

Hierbei gilt die Festlegung, dass das „…bauelement" die im betrachteten Zusammenhang kleinste angesprochene Baueinheit ist.

ANMERKUNG 4   Im Folgenden werden die Benennungen für begrifflich korrespondierende Funktionseinheiten und Baueinheiten nebeneinander aufgeführt, wenn beide gebräuchlich, jedoch verschieden sind.

[IEC 60050-351:2006]

C.4
Baugruppe
Produkt, das aus der Sichtweise einer bestimmten Anwendung in mehrere Bauteile oder andere Baugruppen zerlegt werden kann

[ISO 10303-1:1994]

C.84
Baustelle
Land- oder Wasserfläche, auf der Bau- oder andere Erschließungsarbeiten stattfinden

[ISO 6707-1:2004]

C.16
Bauteil
Bauelement
industrielles Produkt mit bestimmter Funktion oder bestimmten Funktionen, das nicht weiter unterteilt oder zerlegt werden kann und dafür vorgesehen ist, in einem zusammengesetzten Produkt höherer Ordnung verwendet zu werden

[IEC 61360-1:2009]

C.21
Bauwerk
Konstruktion
alles, was gebaut wird oder durch Bauarbeiten entsteht

[ISO 6707-1:2004]

C.17
Betriebsmittel
jeder Teil eines Rechnersystems, der zur Durchführung der gewünschten Operationen erforderlich ist

BEISPIELE   Speicher, Eingabe-/Ausgabe-Einheiten, eine oder mehrere Verarbeitungseinheiten, Daten, Dateien und Programme.

[ISO/IEC 2382-1:1993]

C.63
Betriebsstoff
zur Fabrikation eines Gegenstandes benötigte Stoffe, die nicht in diesem enthalten sind

BEISPIELE   Schmieröl, Putzlappen, Lötpaste.

C.79
Beziehung
gedachte Verbindung zwischen zwei oder mehreren Elementen

[ISO 5127:2001]

C.15
Code
Codierungsschema
eine Sammlung von Regeln, die die Elemente einer ersten Gruppe den Elementen einer zweiten Gruppe zuordnet

ANMERKUNG 1 Bei den Elementen beider Gruppen kann es sich um Zeichen oder Zeichenfolgen handeln.

ANMERKUNG 2 Die erste Gruppe wird als codierte Gruppe (coded set) bezeichnet, die zweite als Codierungsgruppe (code set).

ANMERKUNG 3 Jedes Element der Codierungsgruppe kann mehreren Elementen der codierten Gruppe zugeordnet werden, aber umgekehrt ist dies nicht möglich.

[ISO/IEC 2382-4:1999]

C.32
Dokumentenkennzeichen
Identifikator für ein bestimmtes Dokument in Beziehung zu einem Objekt, dem das Dokument zugeordnet ist

[IEC 61355-1:2008]

C.64
Einbaueinheit
Baueinheit zur Aufnahme von technischen Einrichtungen und Betriebsmitteln

C.31
Einrichtung
Gerät
Bauelement oder Anordnung solcher Bauelemente, das oder die zur Erfüllung der geforderten Funktion vorgesehen sind

ANMERKUNG   Ein Gerät kann Teil eines größeren Gerätes sein.

[IEC 60050-151:2001]

C.35
elektrische Anlage
Gesamtheit der zugeordneten elektrischen Betriebsmittel mit abgestimmten Kenngrößen zur Erfüllung bestimmter Zwecke

[IEC 60050-826:2004]

C.33
elektrisches Betriebsmittel
Produkt, das zum Zweck der Erzeugung, Umwandlung, Übertragung, Verteilung oder Anwendung von elektrischer Energie benutzt wird, z. B. Maschinen, Transformatoren, Schaltgeräte und Steuergeräte, Messgeräte, Schutzeinrichtungen, Kabel und Leitungen, elektrische Verbrauchsmittel

[IEC 60050-826:2004]

C.34
elektrisches Netz
Stromkreis oder Gruppe von Stromkreisen, die miteinander verbunden sind oder zwischen denen eine absichtliche kapazitive oder induktive Kopplung besteht

ANMERKUNG 1 Ein elektrisches Netz kann auch Teil eines größeren elektrischen Netzes sein.

ANMERKUNG 2 In IEC 60050-131 hat der Begriff „electric network" im Zusammenhang mit der Netzwerktheorie eine andere Bedeutung.

[IEC 60050-151:2001]

C.36
elektronisches Betriebsmittel EB
Betriebsmittel, deren Haupteigenschaften sich aus Bauelementen ergeben, die die Elektronen- oder Ionenleitung in Halbleitern, im Vakuum oder in Gasen ausnutzen

ANMERKUNG 1 Elektronische Betriebsmittel enthalten gemäß ihrer Hauptfunktion Bauteile der Datenverarbeitung und/oder der Leistungselektronik. Sie können auch nichtelektronische Bauelemente oder Bauteile enthalten.

ANMERKUNG 2 Dazu gehören Baugruppen und Einrichtungen, wie z. B. bestückte Leiterplatten, Einschübe und Schränke.

[EN 50178:1997]

C.37
Element
Teil eines Bauteils

BEISPIEL   Ein Filtereinsatz in einem Filtergerät, ein Kontakt in einem elektromechanischem Relais.

[ISO 14617-1:2005]

C.87
Etage
Raum zwischen zwei aufeinander folgenden Geschossen oder zwischen einem Fußboden und einem Dach

ANMERKUNG   In den USA ist dieser Begriff nicht zu verwenden für Dachböden und Räume, die sich teilweise oder vollständig unter der Erde befinden.

[ISO 6707-1:2004].

C.41
funktionale Zuordnung
Zusammenstellung von verschiedenen aufeinander einwirkenden Objekten, Systemen oder Teilsystemen um eine zusätzliche Aufgabe zu verrichten, eine ergänzende Funktion zu erfüllen oder einen zusammenhängenden Prozess zu bilden

C.42
Funktionseinheit
Betrachtungseinheit, deren Abgrenzung nach Funktion oder Wirkungsergebnis erfolgt

ANMERKUNG 1 Eine Funktionseinheit stellt den Wirkungszusammenhang zwischen Eingangs- und Ausgangsgrößen her.

ANMERKUNG 2 Eine Funktionseinheit kann durch eine oder mehrere Baueinheiten oder Programmbausteine verwirklicht werden.

ANMERKUNG 3 Für Funktionseinheiten sollten für Wortzusammensetzungen in aufsteigender Rangfolge folgende Nachworte verwendet werden:

— ...glied
— ...einrichtung
— ...system

Hierbei gilt die Festlegung, dass das ...glied im betrachteten Zusammenhang die kleinste angesprochene Funktionseinheit ist.

[IEC 60050-351:2006]

C.40
Fußboden
Konstruktion in der horizontalen Ebene, die in jedem Raum in einem Gebäude die unterste Fläche bildet

[ISO 6707-1:2004]

C.43
generische Beziehung
Gattung-Art-Beziehung
Beziehung zwischen zwei Begriffen, wobei die Bedeutung des einen Begriffs die des anderen Begriffs sowie wenigstens ein weiteres abgrenzendes Merkmal enthält

ANMERKUNG   Eine generische Relation besteht zwischen den Begriffen „Wort" und „Pronomen", „Fahrzeug" und „Personenwagen", „Mensch" und „Kind".

[ISO 1087-1:2000]

C.3
Gerät
Endprodukt mit einer ihm eigenen Funktion, das für den Endbenutzer bestimmt ist und als eine einzelne Handelsware in Verkehr gebracht werden soll

[EN 50178:1997]

C.94
Grundoperation
nach der Lehre der Verfahrenstechnik der einfachste Vorgang bei der Durchführung eines Verfahrens

[ISO 10628:1997]

C.44
Hardware
Gesamtheit oder Teil der apparativen Komponenten eines Informationsverarbeitungssystems

BEISPIEL   Rechner, periphere Geräte.

[ISO/IEC 2382-1:1993]

C.46
Identifikator
ein oder mehrere Zeichen zur Erkennung eines Namens oder einer Datenkategorie

ANMERKUNG   Ein Identifikator darf auch auf bestimmte Eigenschaften dieser Datenkategorie hinweisen.

[ISO 1087-2:2000]

C.45
Identifizierung
klare und eindeutige Erkennung eines Objektes anhand von Identifikationsmerkmalen mit der für den jeweiligen Zweck festgelegten Genauigkeit

C.29
Kennzeichen
Kennzeichner
Darstellung eines Begriffes durch ein Zeichen, das diesen kennzeichnet

ANMERKUNG   In der Terminologiearbeit unterscheidet man drei Arten von Kennzeichen: Symbole, Namen und Benennungen.

[ISO 1087-1:2000]

C.30
Kennzeichensystem
Gesamtheit der für einen abgegrenzten Bereich festgelegten Regeln für das Bilden von Kennzeichen

C.11
Klasse
Menge von Elementen, die mindestens ein Merkmal gemeinsam haben

[ISO 5127:2001]

C.12
Klassifizierung
Anordnung von Symbolen, die Begriffe in bestimmte Gruppen und Untergruppen einteilen, um generische Beziehungen oder andere Arten von Beziehungen zwischen ihnen auszudrücken

[ISO 5127:2001]

C.13
Klassifizierungssystem
Katalogisierungssprache mit zugeordneten Bedeutungen

[ISO 5127:2001]

C.18
Konfiguration
miteinander verbundene funktionelle und physische Merkmale eines Produkts, wie sie in den Produktkonfigurationsangaben beschrieben sind

[ISO 10007:2003]

C.88
Konstruktionselement
Teil einer Konstruktion, die bestimmten Kräften widerstehen soll

[ISO 6707-1:2004]

C.25
Leitebene
Gesamtheit aller Leiteinrichtungen gleichen Rangs in einer Leithierarchie

[IEC 60050-351:2006]

**C.24
Leiteinrichtung**
Gesamtheit aller für die Aufgabe des Leitens verwendeten Geräte und Programme, sowie im weiteren Sinne auch aller Anweisungen und Programme

ANMERKUNG 1   Zu den Leiteinrichtungen gehört auch die Prozessleitwarte, und zu den Anweisungen gehören auch die Betriebshandbücher.

ANMERKUNG 2   Das Ausrüsten eines Prozesses mit einer Leiteinrichtung wird als Prozessautomatisierung bezeichnet.

[IEC 60050-351:2006]

**C.22
Leiten**
zweckmäßige Maßnahmen an oder in einem Prozess, um vorgegebene Ziele zu erreichen

[IEC 60050-351:2006]

**C.74
Leitfunktion**
Verarbeitungsfunktion für Prozessgrößen, die aus leittechnischen Grundfunktionen zusammengesetzt und spezifisch auf bestimmte Funktionseinheiten der Anlage zugeschnitten ist[N2]

ANMERKUNG   Neben den auf die Leitebenen bezogenen Leitfunktionen kann es auch Leitfunktionen geben, die Ein- und Ausgangsgrößen über mehrere Leitebenen hinweg verbinden. Beispielsweise beschreibt eine Leitfunktion im Rückführzweig mit der Regelgröße als Eingangsgröße und der Stellgröße als Ausgangsgröße den zusammenhängenden Wirkungsweg vom Messgrößenaufnehmer über den Regler bis zur Beeinflussung des Prozesses über das Stellglied. Eine weitere Leitfunktion verbindet den Bediener mit den Anzeigegeräten für Prozessgrößen. Die derzeitige Vielfalt der Begriffsbestimmungen von Leitfunktionen lässt deren Normung zurzeit nicht möglich erscheinen.

[IEC 60050-351:2006]

**C.9
Merkmal**
Abstraktion einer Eigenschaft eines Objektes oder einer Menge von Objekten

ANMERKUNG   Merkmale werden zur Begriffsbeschreibung genutzt.

[ISO 1087-1:2000]

**C.57
Messeinrichtung
Messmittel**
Anordnung von Messgeräten, die für bestimmte Messzwecke vorgesehen sind

[IEC 60050-300:2001]

**C.54
messen,** Verb
Tätigkeiten zum quantitativen Vergleich der Messgröße mit einer Einheit ausführen

[IEC 60050-351:2006]

[N2] Nationale Fußnote: „units of the plant" wurde hier präzisierend mit „bestimmte Funktionseinheiten der Anlage" übersetzt.

C.58
Messgerät
Gerät, das allein oder in Verbindung mit anderen Einrichtungen für die Messung einer Messgröße vorgesehen ist

[IEC 60050-300:2001]

C.81
Messgrößen-Aufnehmer
Aufnehmer
Funktionseinheit, die an ihrem Eingang die Messgröße erfasst und an ihrem Ausgang ein entsprechendes Messsignal abgibt

ANMERKUNG 1 Die zugehörige Baueinheit hat dieselbe Benennung.

ANMERKUNG 2 Beispiele für Aufnehmer sind:

d) Thermoelement;

e) Dehnungsmessstreifen;

f) ph-Elektrode.

[IEC 60050-351:2006]

C.56
Messkette
Folge von Elementen eines Messgeräts oder eines Messsystems, die den Weg des Messsignals vom Eingang bis zum Ausgang bildet

BEISPIELE   Gruppe von Messumformern und Übertragungselementen zwischen einem oder mehreren Messgeräten, angeordnet zwischen Messwertaufnehmer als erstes Element der Kette und dem letzten Element der Kette, beispielsweise das anzeigende, aufzeichnende oder speichernde Gerät.

[IEC 60050-300:2001]

C.59
Messsystem
Gesamtheit aller Messgeräte und zusätzlicher Einrichtungen zur Durchführung bestimmter Messungen

[IEC 60050-300:2001]

C.55
Messung
Prozess, bei dem einer oder mehrere Größenwerte, die vernünftigerweise einer Große zugewiesen werden können, experimentell ermittelt werden.

ANMERKUNG 1 Der Begriff „Messung" ist nicht auf Nominalmerkmale anwendbar.

ANMERKUNG 2 Messung bedeutet Vergleich von Größen oder Zählen von Objekten.

[ISO/IEC Guide 99:2007]

C.60
Netzwerk
<Netzwerk-Topologie> Gesamtheit der Schaltkreiselemente und ihrer Verbindungen

[IEC 60050-131:2002]

C.61
Notation
Notations-System
System von Ordnungssymbolen, das dazu dient, die Beziehungen zwischen den Klassen auszudrücken und die vorher festgelegte Ordnung eines Klassifizierungssystems einzuhalten

[ISO 5127:2001]

C.53
Ort
Platz (z. B. ein Gebäude, Stockwerk, Raum oder Freigelände), wo Baueinheiten, technische Einrichtungen und Betriebsmittel installiert oder aufgestellt sind

ANMERKUNG   Dies umfasst den Platz für ein Betriebsmittel innerhalb einer Einbaueinheit oder in einer technischen Einrichtung.

C.65
partitive Beziehung
Ganzes-Teil-Beziehung
Beziehung zwischen zwei Begriffen, wobei der eine Begriff das Ganze bezeichnet und der andere einen Teil dieses Ganzen

ANMERKUNG   Eine partitive Beziehung besteht zwischen den Begriffen „Woche" und „Tag", und zwischen „Molekül" und „Atom".

[ISO 1087-1:2000]

C.77
Programm
Computerprogramm
syntaktische Einheit, die den Regeln einer bestimmten Programmiersprache folgt und aus Vereinbarungen und Anweisungen oder Befehlen besteht, die benötigt werden, um eine spezielle Funktion zu erfüllen oder um eine spezielle Aufgabe oder ein spezielles Problem zu lösen

[ISO/IEC 2382-1:1993]

C.78
Projekt
einmaliger Prozess, der aus einem Satz von abgestimmten und gelenkten Vorgängen mit Anfangs- und Endterminen besteht und durchgeführt wird, um ein Ziel zu erreichen, das spezifische Anforderungen erfüllt, wobei Beschränkungen in Bezug auf Zeit-, Kosten- und Ressourcen berücksichtigt werden

ANMERKUNG 1   Ein Einzelprojekt kann Teil einer größeren Projektstruktur sein.

ANMERKUNG 2   Bei einigen Projekten werden während des Projektverlaufs die Ziele verfeinert und die Produktmerkmale fortschreitend definiert.

ANMERKUNG 3   Das Projektprodukt (siehe ISO 9000:2000, 3.42) wird durch den Projektumfang allgemein definiert. Es kann aus einer oder mehreren Produkteinheit(en) bestehen und konkret oder abstrakt sein.

ANMERKUNG 4   Die Projektorganisation ist normalerweise zeitlich begrenzt und für die Laufzeit des Projekts eingerichtet.

ANMERKUNG 5   Die Komplexität von Interaktionen zwischen Projektvorgängen ist nicht notwendigerweise mit der Projektgröße verknüpft.

[ISO 10006:2003]

C.73
Prozess
<Datenverarbeitung> vorbestimmter Ablauf von Ereignissen, die während der Ausführung eines Programms oder Programmteils eintreten

[ISO/IEC 2382-1:1993]

C.72
Prozess
<Leittechnik> Gesamtheit von aufeinander einwirkenden Vorgängen in einem System, durch die Materie, Energie oder Information umgeformt, transportiert oder gespeichert wird

ANMERKUNG Durch geeignete Abgrenzungen können Teilprozesse oder umfassende Prozesse festgelegt werden. Prozessgrößen können deterministisch oder stochastisch sein.

BEISPIELE Für Prozesse: Die Erzeugung elektrischer Energie in einem Kraftwerk, die Verteilung von Energie, die Raffinierung verschiedener Kohlenwasserstoffe aus Erdöl, die Erzeugung von Roheisen in einem Hochofen, die Fertigung eines Getriebes, der Transport von Stückgütern in einem Container-Frachtsystem, die Durchführung eines Flugs, die Verarbeitung von Daten in einer Rechenanlage, die Durchführung von Verwaltungsakten in einer Behörde.

[IEC 60050-351:2006]

C.86
Raum
Fläche oder Volumen mit tatsächlicher oder theoretischer Begrenzung

[ISO 6707-1:2004]

C.28
Regeleinrichtung
Gesamtheit der Funktionseinheiten, die dazu bestimmt sind, die Regelstrecke in Übereinstimmung mit der Regelungsaufgabe zu beeinflussen

[IEC 60050-351:2006]

C.14
Regeln
Regelung
Vorgang, bei dem fortlaufend eine Größe, die Regelgröße, erfasst, mit einer anderen Größe, der Führungsgröße, verglichen und im Sinne einer Angleichung an die Führungsgröße beeinflusst wird

ANMERKUNG Kennzeichen für das Regeln ist der geschlossene Wirkungsablauf, bei dem die Regelgröße im Wirkungsweg des Regelkreises fortlaufend sich selbst beeinflusst.

[IEC 60050-351:2006]

C.27
Regelstrecke
Funktionseinheit, die in Übereinstimmung mit der Regelungsaufgabe zu beeinflussen ist

[IEC 60050-351:2006]

C.26
Regelungssystem
System, das aus einer Regelstrecke, ihrer Regeleinrichtung, den Messgliedern und den zugehörigen Umformern besteht

[IEC 60050-351:2006]

C.82
Satz
Gesamtheit von Objekten oder Begriffen

[ISO 5127:2001]

C.52
Schlüssel
<Datenorganisation> Identifikator, der Teil eines Satzes von Datenelementen ist

[ISO/IEC 2382-4:1999]

C.83
Signalkennzeichen
eindeutiger Identifikator eines Signals innerhalb eines Systems

[IEC 61175:2005]

C.85
Software
Gesamtheit oder Teil der Programme, Prozeduren, Regeln und zugehörigen Dokumentation eines Informationsverarbeitungssystems

ANMERKUNG   Software ist ein geistig-schöpferisches Werk, das unabhängig vom Aufzeichnungsmedium ist.

[ISO/IEC 2382-1:1993]

C.1
Stellantrieb
Baueinheit zum Antrieb mechanisch betätigter Stellglieder

ANMERKUNG 1   Beispiele für Stellantriebe sind elektrische, hydraulische oder pneumatische Stellantriebe, Membransysteme, Stellkolben.

ANMERKUNG 2   Für ein Stellglied, bei dem die Stellgröße am Ausgang des Reglers geeignet ist, ohne mechanische Zwischengrößen den Massenstrom oder Energiefluss direkt zu beeinflussen, wird kein Stellantrieb benötigt.

[IEC 60050-351:2006]

C.39
Stelleinrichtung
aus Steller und Stellglied bestehende Funktionseinheit

[IEC 60050-351:2006]

C.2
Steller
Funktionseinheit, die aus der Reglerausgangsgröße die zur Aussteuerung des Stellglieds erforderliche Stellgröße bildet

ANMERKUNG   Wird das Stellglied mechanisch betätigt, erfolgt seine Verstellung durch einen Stellantrieb. Der Steller steuert in diesem Fall den Stellantrieb.

BEISPIEL   Ein praktisches Beispiel für die direkte Einwirkung des Stellers auf das Stellglied ist ein Gleichstromantrieb. Hier übernimmt der Steuersatz die Funktion des Stellers. Stellglied ist der Thyristorsatz, der als Ausgangsgröße eine variable Gleichspannung liefert. Steuersatz und Thyristorsatz bilden zusammen die Stelleinrichtung.

[IEC 60050-351:2006]

C.68
Stellgerät
Baueinheit, die einen Stellantrieb und das von ihm mechanisch betätigte Stellglied konstruktiv vereinigt

ANMERKUNG   Stellgeräte sind nur im Zusammenhang mit mechanisch betätigten Stellgliedern genutzt.

[IEC 60050-351:2006]

C.23
Steuerkette
Anordnung miteinander in Beziehung stehender Übertragungsglieder oder Systeme, die in Reihenstruktur aufeinander einwirken

[IEC 60050-351:2006]

C.62
Steuern
Steuerung
Vorgang in einem System, bei dem eine oder mehrere variable Größen als Eingangsgrößen andere variable Größen als Ausgangsgrößen auf Grund der dem System eigenen Gesetzmäßigkeiten beeinflussen

ANMERKUNG   Kennzeichen für das Steuern ist der offene Wirkungsweg oder ein geschlossener Wirkungsweg, bei dem die durch die Eingangsgrößen beeinflussten Ausgangsgrößen nicht fortlaufend und nicht wieder über dieselben Eingangsgrößen auf sich selbst wirken.

[IEC 60050-351:2006]

C.89
Systematik
einheitliche, geordnete und geplante Darstellung und Planung

C.91
technische Einrichtung
konstruktive und/oder funktionale Zusammenfassung von Betriebsmitteln zur Erfüllung einer technischen Aufgabe

C.90
technisches Dokument
Dokument in der für technische Zwecke erforderlichen Art und Vollständigkeit

C.67
Teilanlage
Teil einer verfahrenstechnischen Anlage, der zumindest zeitweise selbständig betrieben werden kann

[ISO 10628:1997]

C.10
Tiefbauprojekt
Bauwerk im Sinne einer Konstruktion wie eines Damms, einer Brücke, Straße, Bahntrasse, Piste, einer Versorgungsanlage, Pipeline oder eines Abwassersystems, oder aber als Ergebnis von Arbeiten wie Baggerarbeiten, Erdbewegungen oder geotechnischen Verfahren, jedoch nicht im Sinne eines Gebäudes und der zugehörigen Baustelleneinrichtungen

ANMERKUNG   Zugehörige Baustelleneinrichtungen sind bei US-Tiefbauprojekten mit eingeschlossen.

[ISO 6707-1:2004]

C.50
Verbindung
Konstruktion, gebildet durch die aneinandergrenzenden Teile von zwei oder mehr Produkten, Bauteilen oder Komponenten, wenn diese zusammengesetzt, aneinander befestigt oder vereint werden

[ISO 6707-1:2004]

C.19
Verbindung, elektrisch
physikalische Schnittstelle zwischen Leitern und/oder Kontakten, um eine elektrische Strombahn zu bilden

[IEC 60050-581:2008]

C.20
Verbindungen, mechanisch
Gewindeanschlüsse, Flansche oder ähnliche Mittel zum Anschließen an Rohrleitungen

[ISO 5598:2008]

C.51
Verbindungselement
Produkt zum Zwecke des Verbindens, das als separate Einheit ausgebildet ist und in drei Dimensionen durch bestimmte Abmessungen charakterisiert ist

[ISO 6707-1:2004]

C.71
Verfahren
Prozedur
festgelegte Art und Weise, eine Tätigkeit oder einen Prozess auszuführen

ANMERKUNG 1   Verfahren können dokumentiert sein oder nicht.

ANMERKUNG 2   Wenn ein Verfahren dokumentiert ist, werden häufig Benennungen wie „schriftlich niedergelegtes Verfahren" oder „dokumentiertes Verfahren" verwendet. Das ein Verfahren beinhaltende Dokument kann als „Verfahrensdokument" bezeichnet werden.

[ISO 9000:2005]

C.76
Verfahrensabschnitt
Teil eines Verfahrens, der in sich überwiegend geschlossen ist. Er umfasst eine oder mehrere Grundoperationen

[ISO 10628:1997]

C.75
verfahrenstechnische Anlage
für die Durchführung eines Verfahrens notwendigen Einrichtungen und Bauten

ANMERKUNG   In derselben verfahrenstechnischen Anlage oder Teilanlage können zu verschiedenen Zeiten verschiedene Verfahren und Verfahrensabschnitte durchgeführt werden.

[ISO 10628:1997]

C.69
vorgefertigtes Einzelteil
Teil, das für einen bestimmten Zweck in vorgefertigter Form der Baustelle angeliefert wird

[ISO 4172:1991]

C.70
vorgefertigtes Teil
Teil, das aus vorgefertigten Einzelteilen zusammengebaut wird

[ISO 4172:1991]

C.8
Zeichen
Element aus einer Menge von Elementen, das zur Darstellung, Organisation oder Steuerung von Daten dient

[ISO/IEC 2382-4:1999]

C.80
Zimmer
geschlossener Raum innerhalb einer Etage, im Gegensatz zu einer Verkehrsfläche

[ISO 6707-1:2004]

Literaturhinweise

[1] ISO 1087-1:2000, *Terminology work — Vocabulary — Part 1: Theory and application*

[2] ISO 1087-2:2000, *Terminology work — Vocabulary — Part 2: Computer applications*

[3] ISO/IEC 2382-1:1993, *Information technology — Vocabulary — Part 1: Fundamental terms*

[4] ISO/IEC 2382-4:1999, *Information technology — Vocabulary — Part 4: Organization of data*

[5] ISO 3511-1, *Process measurement control functions and instrumentation — Symbolic representation — Part 1: Basic requirements*

[6] ISO 4172:1991, *Technical drawings — Construction drawings — Drawings for the assembly of prefabricated structures*

[7] ISO 5127:2001, *Information and documentation — Vocabulary*

[8] ISO 5598:2008, *Fluid power systems and components — Vocabulary*

[9] ISO 6707-1:2004, *Building and civil engineering — Vocabulary — Part 1: General terms*

[10] ISO 9000:2005, *Quality management systems — Fundamentals and vocabulary*

[11] ISO 10006:2003, *Quality management systems — Guidelines for quality management in projects*

[12] ISO 10007:2003, *Quality management systems — Guidelines for configuration management*

[13] ISO 10303-1:1994, *Industrial automation systems and integration — Product data representation and exchange – Part 1: Overview and fundamental principles*

[14] ISO 10628:1997, *Flow diagrams for process plants — General rules*

[15] ISO 12006-2, *Building construction — Organization of information about construction works — Part 2: Framework for classification of information*

[16] ISO 14617-1:2005, *Graphical symbols for diagrams — Part 1: General information and indexes*

[17] IEC 60050-131:2002, *International Electrotechnical Vocabulary — Part 131: Circuit theory*

[18] IEC 60050-151:2001, *International Electrotechnical Vocabulary — Part 151: Electrical and magnetic devices*

[19] IEC 60050-300:2001, *International Electrotechnical Vocabulary — Electrical and electronic measurements and measuring instruments — Part 311: General terms relating to measurements — Part 312: General terms relating to electrical measurements — Part 313: Types of electrical measuring instruments; Part 314: Specific terms according to the type of instrument*

[20] IEC 60050-351:2006, *International Electrotechnical Vocabulary — Part 351: Control technology*

[21] IEC 60050-441, *International Electrotechnical Vocabulary — Switchgear, controlgear and fuses*

[22] IEC 60050-581:2008, *International Electrotechnical Vocabulary — Electromechanical components for electronic equipment*

[23] IEC 60050-826:2004, *International Electrotechnical Vocabulary — Part 826: Electrical installations*

[24] IEC 61082-1:2006, *Preparation of documents used in electrotechnology — Part 1: Rules*

[25] IEC 61310-1, *Safety of machinery — Indication, marking and actuation — Part 1: Requirements for visual, acoustic and tactile signals*

[26] IEC 61310-2, *Safety of machinery — Indication, marking and actuation — Part 2: Requirements for marking*

[27] IEC 61360-1:2009, *Standard data element types with associated classification scheme for electric items — Part 1: Definitions — Principles and methods*

[28] IEC 61506, *Industrial-process measurement and control — Documentation of application software*

[29] IEC 62337, *Commissioning of electrical instrumentation and control systems in the process industry — Specific phases and milestones*

[30] IEC 81714-3, *Design of graphical symbols for use in the technical documentation of products — Part 3: Classification of connect nodes, networks and their encoding*

[31] EN 50178:1997, *Electronic equipment for use in power installations*

[32] ISO/IEC Guide 99:2007, *International vocabulary of metrology — Basic and general concepts and associated terms (VIM)*

Service-Angebote des Beuth Verlags

DIN und Beuth Verlag

Der Beuth Verlag ist eine Tochtergesellschaft von DIN Deutsches Institut für Normung e. V. – gegründet im April 1924 in Berlin.

Neben den Gründungsgesellschaftern DIN und VDI (Verein Deutscher Ingenieure) haben im Laufe der Jahre zahlreiche Institutionen aus Wirtschaft, Wissenschaft und Technik ihre verlegerische Arbeit dem Beuth Verlag übertragen. Seit 1993 sind auch das Österreichische Normungsinstitut (ON) und die Schweizerische Normen-Vereinigung (SNV) Teilhaber der Beuth Verlag GmbH.

Nicht nur im deutschsprachigen Raum nimmt der Beuth Verlag damit als Fachverlag eine führende Rolle ein: Er ist einer der größten Technikverlage Europas. Von den Synergien zwischen DIN und Beuth Verlag profitieren heute 150 000 Kunden weltweit.

Normen und mehr

Die Kernkompetenz des Beuth Verlags liegt in seinem Angebot an Fachinformationen rund um das Thema Normung. In diesem Bereich hat sich in den letzten Jahren ein rasanter Medienwechsel vollzogen – über die Hälfte aller DIN-Normen werden mittlerweile als PDF-Datei genutzt. Auch neu erscheinende DIN-Taschenbücher sind als E-Books beziehbar.

Als moderner Anbieter technischer Fachinformationen stellt der Beuth Verlag seine Produkte nach Möglichkeit medienübergreifend zur Verfügung. Besondere Aufmerksamkeit gilt dabei den Online-Entwicklungen. Im Webshop unter www.beuth.de sind bereits heute mehr als 250 000 Dokumente recherchierbar. Die Hälfte davon ist auch im Download erhältlich und kann vom Anwender innerhalb weniger Minuten am PC eingesehen und eingesetzt werden.

Von der Pflege individuell zusammengestellter Normensammlungen für Unternehmen bis hin zu maßgeschneiderten Recherchedaten bietet der Beuth Verlag ein breites Spektrum an Dienstleistungen an.

So erreichen Sie uns

Beuth Verlag GmbH
Am DIN-Platz
Burggrafenstraße 6
10787 Berlin
Telefon 030 2601-0
Telefax 030 2601-1260
kundenservice@beuth.de
www.beuth.de

Ihre Ansprechpartner in den verschiedenen Bereichen des Beuth Verlags finden Sie auf der Seite „Kontakt" unter www.beuth.de.

Kontaktadressen des VDE VERLAGs

Hausanschrift
VDE VERLAG GMBH
Bismarckstr. 33
10625 Berlin
Telefon 030 34 80 01-0 (Zentrale)
Telefax 030 34 80 01-9088
E-Mail kundenservice@vde-verlag.de

Postanschrift
VDE VERLAG GMBH
Postfach 12 01 43
10591 Berlin

VDE VERLAG Online
www.vde-verlag.de

Bestellung/Anfragen zum Normen-Abonnement
Telefon 030 34 80 01-222
E-Mail normenverlag@vde-verlag.de

Bestellung/Anfragen zu Einzelnormen
Telefon 030 34 80 01-220
E-Mail kundenservice@vde-verlag.de

Bestellung/Anfragen zu Zeitschriften
Telefon 030 34 80 01-1380
E-Mail zeitschriftenabonnements@vde-verlag.de

Buchhandlungen, Bücher im Abonnement
Telefon 030 34 80 01-224
E-Mail buchverlag@vde-verlag.de

Technische Anfragen zu DVD/CD-ROM-Produkten
Telefon 030 34 80 01-1220 oder 1222
E-Mail behrens@vde-verlag.de oder goos@vde-verlag.de

Technische Anfragen zum Internet
Telefon 030 34 80 01-1144
E-Mail voss@vde-verlag.de

Inhaltliche Auskünfte zu VDE-Normen
Informationen zu VDE-Bestimmungen und anderen Veröffentlichungen des VDE,
zu IEC-Publikationen und anderen:
DKE Deutsche Kommission Elektrotechnik Elektronik Informationstechnik in DIN und VDE
Stresemannallee 15 (VDE-Haus)
60596 Frankfurt am Main
Telefon 069 6308-0
Telefax 069 6312925
E-Mail dke@vde.com
Web www.dke.de

Stichwortverzeichnis

Die hinter den Stichwörtern stehenden Nummern sind DIN-Nummern der abgedruckten Normen und VDE-Bestimmungen.

Abkürzungen in der Prozessleittechnik DIN EN 62424 (VDE 0810-24) Tabelle 1

Ader, Kabel und Leitungen, Identifikationsbeschriftung DIN EN 62491 (VDE 0040-4) Abschn. 5

Alarm- und Ereignissignale DIN EN 61175 Abschn. 5.3.2

Alarmierung, Schaltung und Anzeige im R&I-Fließbild DIN EN 62424 (VDE 0810-24) Abschn. 6.3.8

allgemeine CAEX-Konzepte DIN EN 62424 (VDE 0810-24) Anhang A.2

alphanumerische Zeichen, Farben und graphische Symbole zur Kennzeichnung von Leitern/Anschlüssen DIN EN 60445 (VDE 0197) Tabelle A.1

alphanumerische Zeichen, Kennzeichnung von Anschlüssen und Leitern DIN EN 60445 (VDE 0197) Abschn. 7

Anforderungen an die Kennzeichnung und Darstellung von PCE-Aufgaben DIN EN 62424 (VDE 0810-24) Abschn. 6.3

Anschluss am Gegenende, Beschriftung DIN EN 62491 (VDE 0040-4) Abschn. 6.3

Anschlussbeschriftung DIN EN 62491 (VDE 0040-4) Abschn. 6

Anschlüsse beider Enden, Beschriftung DIN EN 62491 (VDE 0040-4) Abschn. 6.4

Anschlüsse und Leiter, Kennzeichnung durch alphanumerische Zeichen DIN EN 60445 (VDE 0197) Abschn. 7

Anschlüsse und Leiter, Kennzeichnungsverfahren DIN EN 60445 (VDE 0197) Abschn. 4

Anschlüsse von Betriebsmitteln, Kennzeichnung DIN EN 60445 (VDE 0197) Abschn. 7.2

Anschlusskennzeichen DIN EN 61666 (VDE 0040-5) Abschn. 4

Anschlusskennzeichen-Satz DIN EN 61666 (VDE 0040-5) Abschn. 4.5

Anschlussklassifikation DIN EN 61666 (VDE 0040-5) Abschn. 5

Anwendung der Kennzeichnungsverfahren für Anschlüsse und Leiter DIN EN 60445 (VDE 0197) Abschn. 5

Anwendung gekennzeichneter Adern in Kabeln DIN EN 62491 (VDE 0040-4) Abschn. 4.2

Anwendung von Kennbuchstaben DIN EN 81346-1 Abschn. 6.2.3

Anzeige, Alarmierung und Schaltung im R&I-Fließbild DIN EN 62424 (VDE 0810-24) Abschn. 6.3.8

Art des Meldesignals DIN EN 61175 Abschn. 5.3

Art des Steuersignals DIN EN 61175 Abschn. 5.4

Arten von Linien im R&I-Fließbild DIN EN 62424 (VDE 0810-24) Abschn. 6.3.2

Aspekt, Referenzkennzeichnung DIN EN 81346-1 Abschn. 4.2

Aufbau des Dokumentenart-Klassenschlüssels (DCC) DIN EN 61355-1 (VDE 0040-3) Abschn. 5.4

Aufbau des Referenzkennzeichens DIN ISO/TS 81346-1 DIN SPEC 1330 Abschn. 6

Außenleiter in Wechselstromnetzen, Farbkennzeichnung DIN EN 60445 (VDE 0197) Abschn. 6.2.3

Außenleiter, Kennzeichnung durch alphanumerische Zeichen DIN EN 60445 (VDE 0197) Abschn. 7.3.13

Baueinheiten, Referenzkennzeichen DIN EN 81346-1 Abschn. 8.2

Bedeutung der R&I-Elemente DIN EN 62424 (VDE 0810-24) Abschn. 7.2

Befehlssignal DIN EN 61175 Abschn. 5.4.1

Begriff
- Ader   DIN EN 62491 (VDE 0040-4) Abschn. 3.3
- Aktor   DIN EN 62424 (VDE 0810-24) Abschn. 3.1
- angepasste nominale Rohrgröße DIN EN 62424 (VDE 0810-24) Abschn. 3.2
- Anlage   DIN EN 61355-1 (VDE 0040-3) Abschn. 3.10
- Anlagenbetriebsmittelkennzeichen DIN EN 62424 (VDE 0810-24) Abschn. 3.7
- Anlagenkennzeichen/Rohrkennzeichen DIN EN 62424 (VDE 0810-24) Abschn. 3.8
- Anschluss   DIN EN 61666 (VDE 0040-5) Abschn. 3.9, DIN EN 62491 (VDE 0040-4) Abschn. 3.4, DIN ISO/TS 81346-1, DIN SPEC 1330 Abschn. 3.20
- Anschlusskennzeichen   DIN EN 61666 (VDE 0040-5) Abschn. 3.10, DIN EN 62491 (VDE 0040-4) Abschn. 3.6
- Anschlusskennzeichen-Satz DIN EN 61666 (VDE 0040-5) Abschn. 3.11
- Aspekt   DIN EN 61666 (VDE 0040-5) Abschn. 3.3, DIN EN 81346-1 Abschn. 3.3, DIN ISO/TS 81346-1, DIN SPEC 1330 Abschn. 3.1
- Auslegungsdruck   DIN EN 62424 (VDE 0810-24) Abschn. 3.5
- Auslegungstemperatur   DIN EN 62424 (VDE 0810-24) Abschn. 3.6
- Außenleiter   DIN EN 60445 (VDE 0197) Abschn. 3.6
- Begleitheizung   DIN EN 62424 (VDE 0810-24) Abschn. 3.10
- Begleitheizungstyp   DIN EN 62424 (VDE 0810-24) Abschn. 3.11
- Beschriftung   DIN EN 62491 (VDE 0040-4) Abschn. 3.9
- Beschriftung mit dem Anschluss am Gegenende   DIN EN 62491 (VDE 0040-4) Abschn. 3.13
- Beschriftung mit dem Anschluss DIN EN 62491 (VDE 0040-4) Abschn. 3.11

Begriff
- Beschriftung mit dem örtlichen Anschluss   DIN EN 62491 (VDE 0040-4) Abschn. 3.12
- Beschriftung mit den Anschlüssen beider Enden   DIN EN 62491 (VDE 0040-4) Abschn. 3.14
- Beschriftung mit Signal   DIN EN 62491 (VDE 0040-4) Abschn. 3.15
- Chargennummer   DIN EN 62507-1 (VDE 0040-2-1) Abschn. 3.1
- Datenobjekt   DIN EN 61175 Abschn. 3.15
- Datenpunkt   DIN EN 61175 Abschn. 3.14
- Datenträger   DIN EN 61355-1 (VDE 0040-3) Abschn. 3.1
- Dokument   DIN EN 61355-1 (VDE 0040-3) Abschn. 3.2, DIN ISO/TS 81346-1, DIN SPEC 1330 Abschn. 3.4
- Dokumentation   DIN EN 61355-1 (VDE 0040-3) Abschn. 3.5, DIN ISO/TS 81346-1, DIN SPEC 1330 Abschn. 3.7
- Dokumentenart   DIN EN 61355-1 (VDE 0040-3) Abschn. 3.6, DIN ISO/TS 81346-1, DIN SPEC 1330 Abschn. 3.5
- Dokumentenartklasse   DIN EN 61355-1 (VDE 0040-3) Abschn. 3.7, DIN ISO/TS 81346-1, DIN SPEC 1330 Abschn. 3.6
- Dokumentenkennzeichen DIN EN 61355-1 (VDE 0040-3) Abschn. 3.14
- Dokumentensatz   DIN EN 61355-1 (VDE 0040-3) Abschn. 3.4
- Dokumentenseite-Kennzeichen DIN EN 61355-1 (VDE 0040-3) Abschn. 3.16
- Domäne   DIN EN 62507-1 (VDE 0040-2-1) Abschn. 3.2
- Domäne ID   DIN EN 62507-1 (VDE 0040-2-1) Abschn. 3.3
- Domänennummer   DIN EN 62507-1 (VDE 0040-2-1) Abschn. 3.3
- Einrichtung   DIN EN 61355-1 (VDE 0040-3) Abschn. 3.11
- Einzelebenen-Referenzkennzeichen DIN EN 81346-1 Abschn. 3.12, DIN ISO/TS 81346-1, DIN SPEC 1330 Abschn. 3.17

Begriff
- elektrisches Betriebsmittel
  DIN EN 60445 (VDE 0197) Abschn. 3.1
- Funktion DIN EN 61666 (VDE 0040-5)
  Abschn. 3.4, DIN EN 81346-1
  Abschn. 3.5
- Funktion DIN ISO/TS 81346-1,
  DIN SPEC 1330 Abschn. 3.8
- Funktionsbeschreibung DIN EN 62424
  (VDE 0810-24) Abschn. 3.4
- Funktionserdung DIN EN 60445
  (VDE 0197) Abschn. 3.3
- Funktionserdungsleiter DIN EN 60445
  (VDE 0197) Abschn. 3.4
- Funktionsplan für Ablaufsteuerungen
  DIN EN 62424 (VDE 0810-24)
  Abschn. 3.9
- Funktionspotentialausgleich
  DIN EN 60445 (VDE 0197) Abschn. 3.5
- Funktionspotentialausgleichsleiter
  DIN EN 60445 (VDE 0197) Abschn. 3.2
- Gebäude DIN ISO/TS 81346-1,
  DIN SPEC 1330 Abschn. 3.2
- gemischte Beschriftung DIN EN 62491
  (VDE 0040-4) Abschn. 3.16
- Herausgeber DIN EN 62507-1
  (VDE 0040-2-1) Abschn. 3.10
- ID DIN EN 62507-1 (VDE 0040-2-1)
  Abschn. 3.5
- Identität DIN EN 62507-1
  (VDE 0040-2-1) Abschn. 3.9
- Identifikation DIN EN 62507-1
  (VDE 0040-2-1) Abschn. 3.4
- Identifikationsbeschriftung
  DIN EN 62491 (VDE 0040-4)
  Abschn. 3.10
- Identifikationsnummer DIN EN 62507-1
  (VDE 0040-2-1) Abschn. 3.5
- Identifikationsschema DIN EN 62507-1
  (VDE 0040-2-1) Abschn. 3.6
- Identifikator DIN EN 61666
  (VDE 0040-5) Abschn. 3.7,
  DIN EN 62507-1 (VDE 0040-2-1)
  Abschn. 3.8, DIN EN 81346-1
  Abschn. 3.10
- individuelles Objekt DIN EN 62507-1
  (VDE 0040-2-1) Abschn. 3.14

Begriff
- Infrastruktur DIN ISO/TS 81346-1,
  DIN SPEC 1330 Abschn. 3.9
- Instanz eines Objekts DIN EN 62507-1
  (VDE 0040-2-1) Abschn. 3.15
- Isolierdicke DIN EN 62424
  (VDE 0810-24) Abschn. 3.14
- Isoliertyp DIN EN 62424 (VDE 0810-24)
  Abschn. 3.13
- Kabel DIN EN 62491 (VDE 0040-4)
  Abschn. 3.2
- Kennzeichnung DIN ISO/TS 81346-1,
  DIN SPEC 1330 Abschn. 3.3
- Kennzeichnungssystem
  DIN EN 62507-1 (VDE 0040-2-1)
  Abschn. 3.7
- Komponente DIN EN 61666
  (VDE 0040-5) Abschn. 3.6
- Komponente DIN EN 81346-1
  Abschn. 3.7
- Leiteinrichtung, Einrichtungen der
  Prozessleittechnik DIN EN 62424
  (VDE 0810-24) Abschn. 3.27
- Leiter DIN EN 62491 (VDE 0040-4)
  Abschn. 3.1
- Leitfunktion DIN EN 62424
  (VDE 0810-24) Abschn. 3.28
- Losnummer DIN EN 62507-1
  (VDE 0040-2-1) Abschn. 3.1
- Medienbeschreibung DIN EN 62424
  (VDE 0810-24) Abschn. 3.18
- Medienkennzeichen DIN EN 62424
  (VDE 0810-24) Abschn. 3.17
- Mehrebenen-Referenzkennzeichen
  DIN EN 81346-1 Abschn. 3.13,
  DIN ISO/TS 81346-1, DIN SPEC 1330
  Abschn. 3.10
- Messgrößenaufnehmer, Aufnehmer,
  Sensor DIN EN 62424 (VDE 0810-24)
  Abschn. 3.34
- Metadaten DIN EN 62507-1
  (VDE 0040-2-1) Abschn. 3.11
- Metainformation DIN EN 62507-1
  (VDE 0040-2-1) Abschn. 3.11
- Mischdokument DIN EN 61355-1
  (VDE 0040-3) Abschn. 3.3
- Mittelleiter DIN EN 60445 (VDE 0197)
  Abschn. 3.7

Begriff
- neutrale Datenbank   DIN EN 62424 (VDE 0810-24) Abschn. 3.19
- Neutralleiter   DIN EN 60445 (VDE 0197) Abschn. 3.8
- Objekt   DIN EN 61355-1 (VDE 0040-3) Abschn. 3.8, DIN EN 61175 Abschn. 3.11, DIN EN 61666 (VDE 0040-5) Abschn. 3.1, DIN EN 62507-1 (VDE 0040-2-1) Abschn. 3.12, DIN EN 81346-1 Abschn. 3.1, DIN ISO/TS 81346-1, DIN SPEC 1330 Abschn. 3.11
- Objekt ID   DIN EN 62507-1 (VDE 0040-2-1) Abschn. 3.13
- Objektkennzeichen   DIN EN 61355-1 (VDE 0040-3) Abschn. 3.13, DIN EN 61175 Abschn. 3.12, DIN EN 61666 (VDE 0040-5) Abschn. 3.12
- Objektnummer   DIN EN 62507-1 (VDE 0040-2-1) Abschn. 3.13
- Objekttyp   DIN EN 62507-1 (VDE 0040-2-1) Abschn. 3.16
- Organisation   DIN EN 62507-1 (VDE 0040-2-1) Abschn. 3.17
- Organisation ID   DIN EN 62507-1 (VDE 0040-2-1) Abschn. 3.18
- Organisationsnummer   DIN EN 62507-1 (VDE 0040-2-1) Abschn. 3.18
- Ort   DIN EN 81346-1 Abschn. 3.8
- Oval   DIN EN 62424 (VDE 0810-24) Abschn. 3.3
- PCE-Aufgabe   DIN EN 62424 (VDE 0810-24) Abschn. 3.23
- PCE-Kategorie   DIN EN 62424 (VDE 0810-24) Abschn. 3.20
- PCE-Kreis   DIN EN 62424 (VDE 0810-24) Abschn. 3.22
- PCE-Leitfunktion   DIN EN 62424 (VDE 0810-24) Abschn. 3.21
- PEL–Leiter   DIN EN 60445 (VDE 0197) Abschn. 3.9
- PEM–Leiter   DIN EN 60445 (VDE 0197) Abschn. 3.10
- PEN–Leiter   DIN EN 60445 (VDE 0197) Abschn. 3.11

Begriff
- Produkt   DIN EN 61666 (VDE 0040-5) Abschn. 3.5, DIN EN 81346-1 Abschn. 3.6, DIN ISO/TS 81346-1, DIN SPEC 1330 Abschn. 3.14
- Projekt   DIN EN 61355-1 (VDE 0040-3) Abschn. 3.12
- proprietäre Datenbanken   DIN EN 62424 (VDE 0810-24) Abschn. 3.30
- Prozess   DIN EN 81346-1 Abschn. 3.4
- Quelldatenbank   DIN EN 62424 (VDE 0810-24) Abschn. 3.35
- Referenzkennzeichen   DIN EN 61175 Abschn. 3.13, DIN EN 61666 (VDE 0040-5) Abschn. 3.8, DIN EN 62424 (VDE 0810-24) Abschn. 3.32, DIN EN 62491 (VDE 0040-4) Abschn. 3.8, DIN EN 81346-1 Abschn. 3.11, DIN ISO/TS 81346-1, DIN SPEC 1330 Abschn. 3.15
- Referenzkennzeichen-Satz   DIN EN 81346-1 Abschn. 3.14
- Registrierungsstelle   DIN EN 62507-1 (VDE 0040-2-1) Abschn. 3.19
- Rohrklasse   DIN EN 62424 (VDE 0810-24) Abschn. 3.26
- Rohrleitungsdurchmessers   DIN EN 62424 (VDE 0810-24) Abschn. 3.24
- Rohrleitungskennzeichen   DIN EN 62424 (VDE 0810-24) Abschn. 3.25
- Rückverfolgbarkeit   DIN EN 62507-1 (VDE 0040-2-1) Abschn. 3.21
- Schema   DIN EN 62424 (VDE 0810-24) Abschn. 3.33
- Schutzerdung   DIN EN 60445 (VDE 0197) Abschn. 3.16
- Schutzerdungsleiter   DIN EN 60445 (VDE 0197) Abschn. 3.17
- Schutzleiter   DIN EN 60445 (VDE 0197) Abschn. 3.15
- Schutzpotentialausgleich   DIN EN 60445 (VDE 0197) Abschn. 3.18
- Schutzpotentialausgleichsleiter   DIN EN 60445 (VDE 0197) Abschn. 3.12
- Schutzpotentialausgleichsleiter, geerdet   DIN EN 60445 (VDE 0197) Abschn. 3.13

Begriff
- Schutzpotentialausgleichsleiter, ungeerdet DIN EN 60445 (VDE 0197) Abschn. 3.14
- Seitenzählnummer DIN EN 61355-1 (VDE 0040-3) Abschn. 3.15
- Seriennummer DIN EN 62507-1 (VDE 0040-2-1) Abschn. 3.20
- Signal DIN EN 61175 Abschn. 3.1, DIN ISO/TS 81346-1, DIN SPEC 1330 Abschn. 3.16
- Signalart DIN EN 61175 Abschn. 3.8
- Signaldarstellung DIN EN 61175 Abschn. 3.7
- Signalkennzeichen DIN EN 61175 Abschn. 3.2, DIN EN 62491 (VDE 0040-4) Abschn. 3.7
- Signalklasse DIN EN 61175 Abschn. 3.9
- Signalnamendomäne DIN EN 61175 Abschn. 3.6
- Signalvariante DIN EN 61175 Abschn. 3.10
- Signalverbindung DIN EN 61175 Abschn. 3.3
- Signalverbindungskette DIN EN 61175 Abschn. 3.4
- Signalverbindungsmedium DIN EN 61175 Abschn. 3.5
- Steller DIN EN 62424 (VDE 0810-24) Abschn. 3.1
- Strompunkt DIN EN 62424 (VDE 0810-24) Abschn. 3.16
- Struktur DIN EN 81346-1 Abschn. 3.9, DIN ISO/TS 81346-1, DIN SPEC 1330 Abschn. 3.18
- System DIN EN 61355-1 (VDE 0040-3) Abschn. 3.9, DIN EN 61666 (VDE 0040-5) Abschn. 3.2, DIN EN 81346-1 Abschn. 3.2, DIN ISO/TS 81346-1, DIN SPEC 1330 Abschn. 3.19
- technische Anlage DIN ISO/TS 81346-1, DIN SPEC 1330 Abschn. 3.12
- Temperatursollwert der Begleitheizung DIN EN 62424 (VDE 0810-24) Abschn. 3.12
- Typical DIN EN 62424 (VDE 0810-24) Abschn. 3.37

Begriff
- Unterlieferant DIN EN 62424 (VDE 0810-24) Abschn. 3.31
- Variante DIN EN 62507-1 (VDE 0040-2-1) Abschn. 3.22
- Verarbeitungsfunktion DIN EN 62424 (VDE 0810-24) Abschn. 3.29
- Verfahren DIN ISO/TS 81346-1, DIN SPEC 1330 Abschn. 3.13
- Version DIN EN 61175 Abschn. 3.16, DIN EN 62507-1 (VDE 0040-2-1) Abschn. 3.23
- Version ID DIN EN 62507-1 (VDE 0040-2-1) Abschn. 3.24
- Versionsnummer DIN EN 62507-1 (VDE 0040-2-1) Abschn. 3.24
- Verteiler DIN EN 62491 (VDE 0040-4) Abschn. 3.5
- Zieldatenbank DIN EN 62424 (VDE 0810-24) Abschn. 3.36
- Zwischendatenbank DIN EN 62424 (VDE 0810-24) Abschn. 3.15

Beispiele für PCE-Aufgaben DIN EN 62424 (VDE 0810-24) Anhang B

Beschriftung
- der Kabel für bestimmte gekennzeichnete Leiter DIN EN 62491 (VDE 0040-4) Abschn. 7.3
- mit dem Anschluss am Gegenende DIN EN 62491 (VDE 0040-4) Abschn. 6.3
- mit dem örtlichen Anschluss DIN EN 62491 (VDE 0040-4) Abschn. 6.2
- mit den Anschlüssen beider Enden DIN EN 62491 (VDE 0040-4) Abschn. 6.4
- mit Signal DIN EN 62491 (VDE 0040-4) Abschn. 7
- mit Signalkennzeichen DIN EN 62491 (VDE 0040-4) Abschn. 7.2
- Referenzkennzeichen DIN EN 81346-1 Abschn. 10
- relative Anordnung DIN EN 62491 (VDE 0040-4) Abschn. 9.2
- und Dokumentation DIN EN 62491 (VDE 0040-4) Abschn. 10
- von Kabeln/Leitungen und Adern DIN EN 62491 (VDE 0040-4) Abschn. 4

bestimmte gekennzeichnete Leiter in Kabeln, Beschriftung DIN EN 62491 (VDE 0040-4) Abschn. 7.3

Betriebsmittelanschlüsse, Kennzeichnung DIN EN 60445 (VDE 0197) Abschn. 7.2

Bezeichnung von Dokumenten DIN EN 61355-1 (VDE 0040-3) Abschn. 8.1

Bezeichnung von Dokumentenarten DIN EN 61355-1 (VDE 0040-3) Abschn. 8

Bildung Typen und Instanzen, Referenzkennzeichnung DIN EN 81346-1 Abschn. 5.2

Bildung von Referenzkennzeichen DIN EN 81346-1 Abschn. 6

Bildung von Strukturen, Referenzkennzeichnung DIN EN 81346-1 Abschn. 5.2

Buchstabencodes
- für elektrische Messgrößen DIN EN 61175 Tabelle A.2
- für Messgrößen DIN EN 61175 Tabelle A.1
- für Signalklassen DIN EN 61175 Abschn. Tabelle 1
- und mnemotechnische Bezeichnungen in Signalnamen DIN EN 61175 Anhang A
- die als Modifikator angewendet werden DIN EN 61175 Tabelle A.3

CAEX – Datenmodell zum Austausch von maschinell erstellten Informationen DIN EN 62424 (VDE 0810-24) Anhang A

CAEX-Abbildungen DIN EN 62424 (VDE 0810-24) Abschn. 7.4.3

CAEX-Schemadefinition DIN EN 62424 (VDE 0810-24) Anhang A.3

Darstellung des Ortes der Bedienoberfläche im R&I-Fließbild DIN EN 62424 (VDE 0810-24) Abschn. 6.3.3

Darstellung
- Referenzkennzeichen-Satz DIN EN 81346-1 Abschn. 9.2
- und Kennzeichnung von PCE-Aufgaben, Anforderungen DIN EN 62424 (VDE 0810-24) Abschn. 6.3

Darstellung
- von Identifikatoren für den obersten Knoten DIN EN 81346-1 Abschn. 9.3
- von PCE-Aufgaben in einem R&I-Fließbild DIN EN 62424 (VDE 0810-24) Abschn. 6
- von Referenzkennzeichen DIN EN 81346-1 Abschn. 9

DCC und Beschreibung der Dokumentenartklassen DIN EN 61355-1 (VDE 0040-3) Tabelle A.2

Definitionen von und Kennbuchstaben für Unterklassen bezogen auf Hauptklassen DIN EN 81346-2 Abschn. Tabelle 2

Dokumentation DIN EN 61355-1 (VDE 0040-3) Abschn. 7

Dokumentation und Beschriftung DIN EN 62491 (VDE 0040-4) Abschn. 10

Dokumenten und Dokumentenseiten, Kennzeichnung DIN EN 61355-1 (VDE 0040-3) Abschn. 6.1

Dokumentenkennzeichen DIN EN 61355-1 (VDE 0040-3) Abschn. 6

Dokumentenkennzeichen für Identifikationszwecke DIN EN 61355-1 (VDE 0040-3) Abschn. 6.2

Dokumentenklassen, Zuordnung DIN EN 61355-1 (VDE 0040-3) Abschn. 5.2

Dokumentensätze DIN EN 61355-1 (VDE 0040-3) Abschn. 4.5

Dokumentenseiten von Dokumenten, Kennzeichnung DIN EN 61355-1 (VDE 0040-3) Abschn. 6.1

Dokumentenstatus DIN EN 61355-1 (VDE 0040-3) Anhang B.2

Einzelebenen Referenzkennzeichen DIN EN 81346-1 Abschn. 6.2.1, DIN ISO/TS 81346-1, DIN SPEC 1330 Abschn. 6.3.1

Einzelfarben elektrischer Leiter DIN EN 60445 (VDE 0197) Abschn. 6.2

elektrischer Leiter Farbkennzeichnung DIN EN 60445 (VDE 0197) Abschn. 6

empfohlene Zeichen, Signalkennzeichen DIN EN 61175 Abschn. 4.2

erlaubte Farben, Zwei-Farben-Kombinationen   DIN EN 60445 (VDE 0197) Abschn. 6.3.1

Farben, alphanumerische Zeichen und graphische Symbole zur Kennzeichnung von Leitern/Anschlüssen   DIN EN 60445 (VDE 0197) Tabelle A.1

Farbkennzeichnung elektrischer Leiter   DIN EN 60445 (VDE 0197) Abschn. 6

Farbkennzeichnung
- Außenleiter in Wechselstromnetzen   DIN EN 60445 (VDE 0197) Abschn. 6.2.3
- Neutral- oder Mittelleiter   DIN EN 60445 (VDE 0197) Abschn. 6.2.2
- PEL-Leiter   DIN EN 60445 (VDE 0197) Abschn. 6.3.4
- PEM-Leiter   DIN EN 60445 (VDE 0197) Abschn. 6.3.5
- PEN-Leiter   DIN EN 60445 (VDE 0197) Abschn. 6.3.3
- Schutzleiter   DIN EN 60445 (VDE 0197) Abschn. 6.3.2
- Schutzpotentialausgleichsleiter   DIN EN 60445 (VDE 0197) Abschn. 6.3.6
- Zwei-Farben-Kombinationen   DIN EN 60445 (VDE 0197) Abschn. 6.3

Format von Referenzkennzeichen   DIN EN 81346-1 Abschn. 6.2

Funktion, Referenzkennzeichnung   DIN EN 81346-1 Abschn. 4.5

Funktionsaspekt, Kennzeichnung von Anschlüssen   DIN EN 61666 (VDE 0040-5) Abschn. 4.3

funktionsbezogene Struktur, Kennzeichnungsaufgabe   DIN ISO/TS 81346-1, DIN SPEC 1330 Abschn. 5.3.2

funktionsbezogene Struktur, Referenzkennzeichnung   DIN EN 81346-1 Abschn. 5.3

Funktionserdungsleiter, Kennzeichnung durch alphanumerische Zeichen   DIN EN 60445 (VDE 0197) Abschn. 7.3.10

Funktionspotentialausgleichsleiter, Kennzeichnung durch alphanumerische Zeichen   DIN EN 60445 (VDE 0197) Abschn. 7.3.11

gemeinsame Zuordnung, Aufbau des Referenzkennzeichens   DIN ISO/TS 81346-1, DIN SPEC 1330 Abschn. 6.2

gemeinsame Zuordnung, Kennzeichnungsaufgabe   DIN ISO/TS 81346-1, DIN SPEC 1330 Abschn. 5.2

Gemischte Beschriftung   DIN EN 62491 (VDE 0040-4) Abschn. 8

Geräteinformationen im R&I-Fließbild   DIN EN 62424 (VDE 0810-24) Abschn. 6.3.7

graphische Symbole, Farben und alphanumerische Zeichen zur Kennzeichnung von Leitern/Anschlüssen   DIN EN 60445 (VDE 0197) Tabelle A.1

Grundsätze und Ziele der Funktionalität im R&I-Fließbild   DIN EN 62424 (VDE 0810-24) Abschn. 6.2

Identifikationsbeschriftung von Kabeln/Leitungen und Adern   DIN EN 62491 (VDE 0040-4) Abschn. 5

Identifikationszwecke, Dokumentenkennzeichen   DIN EN 61355-1 (VDE 0040-3) Abschn. 6.2

Identifizierung der Signalübertragung   DIN EN 61175 Abschn. 6

Individuen, Instanzen und Typen Referenzkennzeichnung   DIN EN 81346-1 Abschn. 4.8

Instanzen, Typen und Individuen, Referenzkennzeichnung   DIN EN 81346-1 Abschn. 4.8

Interpretation von Referenzkennzeichen mit unterschiedlichen Aspekten   DIN EN 81346-1 Abschn. Anhang D

Kabel, Leitungen und Adern, Identifikationsbeschriftung   DIN EN 62491 (VDE 0040-4) Abschn. 5

Kennbuchstaben für grundlegende Dokumentenarten und Darstellungsformen   DIN EN 61355-1 (VDE 0040-3) Tabelle B.1

Kennbuchstaben zur Dokumentenklassifikation   DIN EN 61355-1 (VDE 0040-3) Anhang A

Kennzeichnung
- Anschlüsse von Betriebsmitteln
  DIN EN 60445 (VDE 0197) Abschn. 7.2
- durch alphanumerische Zeichen,
  Außenleiter DIN EN 60445 (VDE 0197)
  Abschn. 7.3.13
- durch alphanumerische Zeichen,
  Funktionserdungsleiter DIN EN 60445
  (VDE 0197) Abschn. 7.3.10
- durch alphanumerische Zeichen,
  Funktionspotentialausgleichsleiter
  DIN EN 60445 (VDE 0197) Abschn. 7.3.11
- durch alphanumerische Zeichen,
  Mittelleiter DIN EN 60445 (VDE 0197)
  Abschn. 7.3.12
- durch alphanumerische Zeichen,
  Neutralleiter DIN EN 60445 (VDE 0197)
  Abschn. 7.3.2
- durch alphanumerische Zeichen,
  PEL-Leiter DIN EN 60445 (VDE 0197)
  Abschn. 7.3.5
- durch alphanumerische Zeichen,
  PEM-Leiter DIN EN 60445 (VDE 0197)
  Abschn. 7.3.6
- durch alphanumerische Zeichen,
  PEN-Leiter DIN EN 60445 (VDE 0197)
  Abschn. 7.3.4
- durch alphanumerische Zeichen,
  Schutzleiter DIN EN 60445 (VDE 0197)
  Abschn. 7.3.3
- durch alphanumerische Zeichen, Schutzpotentialausgleichsleiter DIN EN 60445
  (VDE 0197) Abschn. 7.3.7
- durch alphanumerische Zeichen, Schutzpotentialausgleichsleiter geerdet
  DIN EN 60445 (VDE 0197) Abschn. 7.3.8
- durch alphanumerische Zeichen, Schutzpotentialausgleichsleiter ungeerdet
  DIN EN 60445 (VDE 0197) Abschn. 7.3.9
- elektrischer Leiter durch Farben
  DIN EN 60445 (VDE 0197) Abschn. 6
- technischer Objekte, Referenzkennzeichen DIN ISO/TS 81346-1,
  DIN SPEC 1330 Abschn. 5.3.1
- und Darstellung von PCE-Aufgaben,
  Anforderungen DIN EN 62424
  (VDE 0810-24) Abschn. 6.3

Kennzeichnung
- von Anschlüssen und Leitern durch
  alphanumerische Zeichen
  DIN EN 60445 (VDE 0197) Abschn. 7
- von Anschlüssen DIN ISO/TS 81346-1,
  DIN SPEC 1330 Abschn. 5.4.2
- von Anschlüssen, Funktionsaspekt
  DIN EN 61666 (VDE 0040-5) Abschn. 4.3
- von Anschlüssen, Ortsaspekt
  DIN EN 61666 (VDE 0040-5) Abschn. 4.4
- von Anschlüssen, Produktaspekt
  DIN EN 61666 (VDE 0040-5) Abschn. 4.2
- von Dokumenten und Dokumentenseiten DIN EN 61355-1 (VDE 0040-3)
  Abschn. 6.1
- von Dokumenten DIN ISO/TS 81346-1,
  DIN SPEC 1330 Abschn. 5.4.3
- von Leitern/Anschlüssen, Farben, alphanumerische Zeichen und graphische
  Symbole DIN EN 60445 (VDE 0197)
  Tabelle A.1
- von Orten DIN EN 81346-1 Abschn. 8
- von Signalen DIN ISO/TS 81346-1,
  DIN SPEC 1330 Abschn. 5.4.1

Kennzeichnungsaufgabe
- funktionsbezogene Struktur
  DIN ISO/TS 81346-1, DIN SPEC 1330
  Abschn. 5.3.2
- gemeinsame Zuordnung
  DIN ISO/TS 81346-1, DIN SPEC 1330
  Abschn. 5.2
- Objekte unter Verwendung unterschiedlicher Aspekte DIN ISO/TS 81346-1,
  DIN SPEC 1330 Abschn. 5.3.5
- ortsbezogenen Struktur
  DIN ISO/TS 81346-1, DIN SPEC 1330
  Abschn. 5.3.4
- produktbezogenen Struktur
  DIN ISO/TS 81346-1, DIN SPEC 1330
  Abschn. 5.3.3

Kennzeichnungsprozess
  DIN ISO/TS 81346-1, DIN SPEC 1330
  Abschn. 4.2

Kennzeichnungssystematik
  DIN ISO/TS 81346-1, DIN SPEC 1330
  Abschn. 4

Kennzeichnungsverfahren für Anschlüsse und Leiter   DIN EN 60445 (VDE 0197) Abschn. 4

Klassen von Dokumenten, Zuordnung DIN EN 61355-1 (VDE 0040-3) Abschn. 5.2

Klassen von Infrastrukturobjekten DIN EN 81346-2 Abschn. Tabelle 3

Klassen von Mischdokumenten, Zuordnung DIN EN 61355-1 (VDE 0040-3) Abschn. 5.3

Klassen von Objekten   DIN EN 81346-2 Abschn. 5

Klassen von Objekten nach deren vorgesehenem Zweck oder vorgesehener Aufgabe   DIN EN 81346-2 Abschn. Tabelle 1

Klassifikation von Anschlüssen DIN EN 61666 (VDE 0040-5) Abschn. 5

Klassifizierung von Dokumenten DIN EN 61355-1 (VDE 0040-3) Abschn. 5

Klassifizierung von Objekten DIN EN 81346-2 Abschn. 4

Klassifizierungsgrundsätze von Dokumenten   DIN EN 61355-1 (VDE 0040-3) Abschn. 5.1

Kommunikation zum Dokumentenaustausch   DIN EN 61355-1 (VDE 0040-3) Abschn. 8.2

Komponenten und Produkte, Referenzkennzeichnung   DIN EN 81346-1 Abschn. 4.6

Konzepte der Referenzkennzeichnung DIN EN 81346-1 Abschn. 4

Leiter und Anschlüsse, Kennzeichnung durch alphanumerische Zeichen DIN EN 60445 (VDE 0197) Abschn. 7

Leiter und Anschlüsse, Kennzeichnungsverfahren   DIN EN 60445 (VDE 0197) Abschn. 4

Leitungen, Kabel und Adern, Identifikationsbeschriftung   DIN EN 62491 (VDE 0040-4) Abschn. 5

Markierung bestimmter gekennzeichneter Leiter   DIN EN 62491 (VDE 0040-4) Tabelle 4

Mehrebenen Referenzkennzeichen DIN EN 81346-1 Abschn. 6.2.2, DIN ISO/TS 81346-1, DIN SPEC 1330 Abschn. 6.3.2

Messsignal   DIN EN 61175 Abschn. 5.3.3

Mischdokumente   DIN EN 61355-1 (VDE 0040-3) Abschn. 4.4

Mischdokumentenklassen, Zuordnung DIN EN 61355-1 (VDE 0040-3) Abschn. 5.3

Mittel- oder Neutralleiter, Farbkennzeichnung   DIN EN 60445 (VDE 0197) Abschn. 6.2.2

Mittelleiter, Kennzeichnung durch alphanumerische Zeichen   DIN EN 60445 (VDE 0197) Abschn. 7.3.12

mnemotechnische Bezeichnungen und Buchstabencodes in Signalnamen DIN EN 61175 Anhang A

Mnemotechnische Bezeichnungen zur Anwendung in beschreibenden Signalnamen   DIN EN 61175 Tabelle A.5

Modellbildungen mit CAEX, Beispiele DIN EN 62424 (VDE 0810-24) Anhang D

Modellieren PCE-relevanter Informationen mit der Systembeschreibungssprache CAEX   DIN EN 62424 (VDE 0810-24) Abschn. 7.4.2

Neutral- oder Mittelleiter, Farbkennzeichnung   DIN EN 60445 (VDE 0197) Abschn. 6.2.2

neutraler Datenaustausch der PCE-relevanten R&I-Informationen   DIN EN 62424 (VDE 0810-24) Abschn. 7

Neutralleiter, Kennzeichnung durch alphanumerische Zeichen   DIN EN 60445 (VDE 0197) Abschn. 7.3.2

Numerische Datenkommunikation und Softwareprogrammierung DIN EN 61175 Abschn. 6.4

Objekt, Referenzkennzeichnung
DIN EN 81346-1 Abschn. 4.1

Objekte unter Verwendung unterschiedlicher Aspekte, Kennzeichnungsaufgabe
DIN ISO/TS 81346-1,
DIN SPEC 1330 Abschn. 5.3.5

Objektklassen, die einem allgemeingültigen Prozess zugeordnet sind
DIN EN 81346-2 Abschn. Anhang A

Objektklassen, die Objekten in einer allgemeingültigen Infrastruktur zugeordnet sind   DIN EN 81346-2 Abschn. Anhang B

Ort, Referenzkennzeichnung
DIN EN 81346-1 Abschn. 4.7

örtlicher Anschluss, Beschriftung
DIN EN 62491 (VDE 0040-4) Abschn. 6.2

Ortsaspekt, Kennzeichnung von Anschlüssen   DIN EN 61666 (VDE 0040-5) Abschn. 4.4

Ortsbezogene Struktur, Referenzkennzeichnung   DIN EN 81346-1 Abschn. 5.5

ortsbezogene Struktur, Kennzeichnungsaufgabe   DIN ISO/TS 81346-1,
DIN SPEC 1330 Abschn. 5.3.4

PCE-Attribute   DIN EN 62424 (VDE 0810-24) Abschn. 8

PCE-Aufgaben
– in einem R&I-Fließbild, Darstellung
  DIN EN 62424 (VDE 0810-24) Abschn. 6
– Referenzkennzeichnung   DIN EN 62424 (VDE 0810-24) Abschn. 6.3.5
– und PCE-Kreis   DIN EN 62424 (VDE 0810-24) Abschn. 6.1

PCE-Kategorien
– DIN EN 62424 (VDE 0810-24) Tabelle 2
– in verschiedenen Normen, Vergleich von Kennbuchstaben   DIN EN 62424 (VDE 0810-24) Anhang NC
– und -Verarbeitungsfunktionen
  DIN EN 62424 (VDE 0810-24) Abschn. 6.3.4

PCE-Kreis und PCE-Aufgaben
DIN EN 62424 (VDE 0810-24) Abschn. 6.1

PCE-Leitfunktionen   DIN EN 62424 (VDE 0810-24) Abschn. 6.3.10

PCE-relevante Informationen der R&I-Werkzeuge   DIN EN 62424 (VDE 0810-24) Abschn. 7.3

PCE-relevante Informationen in der formalen Darstellung der R&I-Werkzeuge
DIN EN 62424 (VDE 0810-24) Abschn. 7.4

PCE-relevante R&I-Informationen, neutraler Datenaustausch der   DIN EN 62424 (VDE 0810-24) Abschn. 7

PCE-Umgebung relevante R&I-Attribute
DIN EN 62424 (VDE 0810-24) Tabelle 6

PCE-Verarbeitungsfunktion   DIN EN 62424 (VDE 0810-24) Tabelle 3

PCE-Verarbeitungsfunktionen für Aktoren
DIN EN 62424 (VDE 0810-24) Tabelle 5

PEL-Leiter, Farbkennzeichnung
DIN EN 60445 (VDE 0197) Abschn. 6.3.4

PEL-Leiter, Kennzeichnung durch alphanumerische Zeichen   DIN EN 60445 (VDE 0197) Abschn. 7.3.5

PEM-Leiter, Farbkennzeichnung
DIN EN 60445 (VDE 0197) Abschn. 6.3.5

PEM-Leiter, Kennzeichnung durch alphanumerische Zeichen   DIN EN 60445 (VDE 0197) Abschn. 7.3.6

PEN-Leiter, Farbkennzeichnung
DIN EN 60445 (VDE 0197) Abschn. 6.3.3

PEN-Leiter, Kennzeichnung durch alphanumerische Zeichen   DIN EN 60445 (VDE 0197) Abschn. 7.3.4

PLT-Aufgaben in verschiedenen Normen, Vergleich   DIN EN 62424 (VDE 0810-24) Anhang NC

Produktaspekt, Kennzeichnung von Anschlüssen   DIN EN 61666 (VDE 0040-5) Abschn. 4.2

produktbezogene Struktur, Referenzkennzeichnung   DIN EN 81346-1 Abschn. 5.4

produktbezogene Struktur, Kennzeichnungsaufgabe   DIN ISO/TS 81346-1,
DIN SPEC 1330 Abschn. 5.3.3

Produkte und Komponenten, Referenzkennzeichnung   DIN EN 81346-1 Abschn. 4.6

R&I-Fließbild, Darstellung von PCE-Aufgaben   DIN EN 62424 (VDE 0810-24) Abschn. 6

Referenzkennzeichen
- Aufbau   DIN ISO/TS 81346-1, DIN SPEC 1330 Abschn. 6
- Baueinheiten   DIN EN 81346-1 Abschn. 8.2
- Darstellung   DIN EN 81346-1 Abschn. 9
- gemeinsame Zuordnung DIN ISO/TS 81346-1, DIN SPEC 1330 Abschn. 6.2
- Kennzeichnung technischer Objekte DIN ISO/TS 81346-1, DIN SPEC 1330 Abschn. 5.3.1
- Syntax   DIN ISO/TS 81346-1, DIN SPEC 1330 Abschn. 6.1
- und Signalkennzeichen   DIN EN 61175 Abschn. 4.1.1
- unterschiedliche Strukturen im selben Aspekt   DIN EN 81346-1 Abschn. 6.3
- Vorzeichen   DIN ISO/TS 81346-1, DIN SPEC 1330 Abschn. 6.3.3

Referenzkennzeichen-Satz DIN EN 81346-1 Abschn. 7

Referenzkennzeichen-Satz, Darstellung DIN EN 81346-1 Abschn. 9.2

Referenzkennzeichnung
- Aspekt   DIN EN 81346-1 Abschn. 4.2
- Bildung Typen und Instanzen DIN EN 81346-1 Abschn. 5.2
- Bildung von Strukturen   DIN EN 81346-1 Abschn. 5.2
- für PCE-Aufgaben   DIN EN 62424 (VDE 0810-24) Abschn. 6.3.5
- Funktion   DIN EN 81346-1 Abschn. 4.5
- funktionsbezogene Struktur DIN EN 81346-1 Abschn. 5.3
- Konzepte   DIN EN 81346-1 Abschn. 4
- Objekt   DIN EN 81346-1 Abschn. 4.1
- Ort   DIN EN 81346-1 Abschn. 4.7
- ortsbezogene Struktur   DIN EN 81346-1 Abschn. 5.5
- produktbezogene Struktur DIN EN 81346-1 Abschn. 5.4
- Produkte und Komponenten DIN EN 81346-1 Abschn. 4.6

Referenzkennzeichnung
- Strukturen in mehr als einem Aspekt DIN EN 81346-1 Abschn. 5.7
- Strukturierung   DIN EN 81346-1 Abschn. 4.4
- Strukturierungsprinzipien DIN EN 81346-1 Abschn. 5
- technisches System   DIN EN 81346-1 Abschn. 4.3
- Typen, Instanzen und Individuen DIN EN 81346-1 Abschn. 4.8

Regeln für die Beschriftung von Kabeln/Leitungen und Adern   DIN EN 62491 (VDE 0040-4) Abschn. 4

relative Anordnung der Beschriftung DIN EN 62491 (VDE 0040-4) Abschn. 9.2

Rückmeldesignal   DIN EN 61175 Abschn. 5.3.1

Schaltung, Anzeige und Alarmierung im R&I-Fließbild   DIN EN 62424 (VDE 0810-24) Abschn. 6.3.8

Schutzleiter, Farbkennzeichnung DIN EN 60445 (VDE 0197) Abschn. 6.3.2

Schutzleiter, Kennzeichnung durch alphanumerische Zeichen   DIN EN 60445 (VDE 0197) Abschn. 7.3.3

Schutzpotentialausgleichsleiter geerdet, Kennzeichnung durch alphanumerische Zeichen   DIN EN 60445 (VDE 0197) Abschn. 7.3.8

Schutzpotentialausgleichsleiter ungeerdet, Kennzeichnung durch alphanumerische Zeichen   DIN EN 60445 (VDE 0197) Abschn. 7.3.9

Schutzpotentialausgleichsleiter, Farbkennzeichnung   DIN EN 60445 (VDE 0197) Abschn. 6.3.6

Schutzpotentialausgleichsleiter, Kennzeichnung durch alphanumerische Zeichen   DIN EN 60445 (VDE 0197) Abschn. 7.3.7

Sicherheits-, GMP- und qualitätsrelevante PCE-Aufgaben   DIN EN 62424 (VDE 0810-24) Abschn. 6.3.9

Signal
- Beschriftung   DIN EN 62491 (VDE 0040-4) Abschn. 7

Signal
- mit konstantem Pegel   DIN EN 61175 Abschn. 5.3.4
- zum Setzen eines Werts   DIN EN 61175 Abschn. 5.4.2

Signaldarstellung   DIN EN 61175 Abschn. 7

Signaleigenschaftslisten   DIN EN 61175 Abschn. 8.1

Signalkennzeichen
- Beschriftung   DIN EN 62491 (VDE 0040-4) Abschn. 7.2
- empfohlene Zeichen   DIN EN 61175 Abschn. 4.2
- Struktur   DIN EN 61175 Abschn. 4.1
- Variantenteil   DIN EN 61175 Abschn. 4.1.3

Signalklassen   DIN EN 61175 Abschn. 5.2

Signalklassifikation   DIN EN 61175 Abschn. 5

Signalname   DIN EN 61175 Abschn. 4.1.2

Signalnamen, Buchstabencodes und mnemotechnische Bezeichnungen   DIN EN 61175 Anhang A

Signalübertragung
- Identifizierung   DIN EN 61175 Abschn. 6
- Negiertes Signal   DIN EN 61175 Abschn. 6.3.2
- Darstellung in binärer Logik   DIN EN 61175 Abschn. 6.3

Struktur des Signalkennzeichens   DIN EN 61175 Abschn. 4.1

Strukturen in mehr als einem Aspekt, Referenzkennzeichnung   DIN EN 81346-1 Abschn. 5.7

Strukturierung, Referenzkennzeichnung   DIN EN 81346-1 Abschn. 4.4

Strukturierungsprinzipien Referenzkennzeichnung   DIN EN 81346-1 Abschn. 5

Syntax des Referenzkennzeichens   DIN ISO/TS 81346-1, DIN SPEC 1330 Abschn. 6.1

technisches System, Referenzkennzeichnung   DIN EN 81346-1 Abschn. 4.3

Typen, Instanzen und Individuen, Referenzkennzeichnung   DIN EN 81346-1 Abschn. 4.8

Typicalkennzeichnung und Unterlieferant   DIN EN 62424 (VDE 0810-24) Abschn. 6.3.6

Unterlieferant und Typicalkennzeichnung   DIN EN 62424 (VDE 0810-24) Abschn. 6.3.6

Unterschiedliche Strukturen im selben Aspekt, Referenzkennzeichen   DIN EN 81346-1 Abschn. 6.3

Variantenteil des Signalkennzeichens   DIN EN 61175 Abschn. 4.1.3

Vergleich von Kennbuchstaben von PCE-Kategorien in verschiedenen Normen   DIN EN 62424 (VDE 0810-24) Anhang NC

Vergleich von Kennbuchstaben von PLT-Aufgaben in verschiedenen Normen   DIN EN 62424 (VDE 0810-24) Anhang NC

vollständiges XML-Schema des CAEX-Models   DIN EN 62424 (VDE 0810-24) Anhang C

Vorgaben für die XML-Darstellung   DIN EN 62424 (VDE 0810-24) Tabelle A.1

Vorzeichen für Referenzkennzeichen   DIN ISO/TS 81346-1, DIN SPEC 1330 Abschn. 6.3.3

Wechselstromnetze, Farbkennzeichnung   DIN EN 60445 (VDE 0197) Abschn. 6.2.3

Ziele und Grundsätze der Funktionalität im R&I-Fließbild   DIN EN 62424 (VDE 0810-24) Abschn. 6.2

Zuordnung von Dokumenten zu Klassen   DIN EN 61355-1 (VDE 0040-3) Abschn. 5.2

Zuordnung von Mischdokumenten zu Klassen   DIN EN 61355-1 (VDE 0040-3) Abschn. 5.3

Zuordnung von Objekten zu Klassen   DIN EN 81346-2 Abschn. 4.2
zusätzlicher Beschriftung von Kabeln/Leitungen und Adern   DIN EN 62491 (VDE 0040-4) Abschn. 4.3

Zwei-Farben-Kombinationen, erlaubte Farben   DIN EN 60445 (VDE 0197) Abschn. 6.3.1
Zwei-Farben-Kombinationen, Farbkennzeichnung   DIN EN 60445 (VDE 0197) Abschn. 6.3